KB151651

Volume 1

미용성형외과학

| 보완판 |

AESTHETIC PLASTIC SURGERY

대한미용성형외과학회

Nose | Facial Bone Surgery
Botulinum toxin | Fillers

군자출판사

미용성형외과학 1 권 (보완판)

첫째판 1 쇄 발행 | 2014 년 4 월 30 일
첫째(보완)판 1 쇄 인쇄 | 2019 년 3 월 22 일
첫째(보완)판 1 쇄 발행 | 2019 년 4 월 5 일

지 은 이 대한미용성형외과학회
발 행 인 장주연
출 판 기 획 이성재
책 임 편 집 박미애
편집디자인 서영국
표지디자인 김재욱
일 러 스 트 이호현
발 행 처 군자출판사
등록 제 4-139 호 (1991. 6. 24)
본사 (10881) **파주출판단지** 경기도 파주시 회동길 338(서패동 474-1)
전화 (031) 943-1888 팩스 (031) 955-9545
홈페이지 | www.koonja.co.kr

ISBN 979-11-5955-430-8

정가 250,000 원

머리말

PREFACE

'미용성형외과학' 교과서는 2015년 대한미용성형외과학회 창립 30주년 기념사업으로 완성된 작품이며 대한민국 최초의 국문 미용성형외과학 교과서입니다. 전 세계적으로 최고 수준으로 알려진 대한민국 성형외과의 엄선된 집필진들의 노력을 통해 2014년 4월 제1권을 시작으로 2018년 1월까지 총 3권의 교과서가 출간되었습니다. '미용성형외과학' 1판 교과서의 구상, 집필, 편집 과정에 참여해 주신 회원님들과 이 교과서에 대해 큰 관심과, 협조, 성원을 보내주셨던 대한미용성형외과학회 회원님들께 다시 한 번 감사의 말씀을 올립니다.

'미용성형외과학' 교과서 제3권이 2018년에 마지막으로 발간되어 교과서 발간 사업이 마무리 되었으나, 빠른 학문적 발전 속도와 변화되는 시대의 조류 속에 발간된 지 5년이 지난 제1권의 개정작업 요청의 목소리가 많았던 것이 사실입니다. 이에 대한미용성형외과학회에서는 빠르게 개정판 작업을 위한 위원회를 구성하였고, 각 챕터별 수정 보안과 최신 지견을 담아 제1권 개정판을 발간하게 되었습니다. 이번 개정판에서는 성형수술의 정신의학적 측면 내용이 추가되었고 코성형수술 시 사용되는 다양한 재료들을 포함한 최신 수술 기법 등을 추가하였으며, 최근 수요가 급증하고 있는 보튤리눔 톡신과 필러에 대해 챕터 수와 내용을 크게 보강하였습니다.

이번 제1권 개정판 발간을 필두로 하여 향후 제2권, 제3권의 개정 작업도 순차적으로 진행해 나아갈 예정입니다. 그리하여 '미용성형외과학' 교과서가 항상 업데이트된 최신의 학문적 내용을 담고 있도록 노력할 것입니다. 부디 본 개정판 교과서가 미용성형을 전공하는 모든 성형외과 전문의 및 전공의 선생님들에게 지침서가 되어 우리나라 미용 성형의 위상을 더욱 높이는 데 일조하게 되기를 기원합니다.

그동안 '미용성형외과학' 개정판 발간을 위해 큰 노력을 해주신 나영천 편찬관리 위원장을 비롯한 편찬위원들 및 개정작업을 위해 최선을 다해주신 모든 집필진들께 학회를 대표하여 감사의 말씀을 드립니다.

대한미용성형외과학회
이사장 노 태 석

집필진

강문석 가로수 성형외과
김순흘 건국대학교 의과대학
김영진 가톨릭대학교 의과대학
김재훈 4월31일 성형외과
김종서 김종서 성형외과
김지남 건국대학교 의과대학
김현수 그리다 성형외과
김효헌 오블리제 성형외과
동은상 고려대학교 의과대학
박미영 영남대학교 의과대학 신경과
박성근 요셉 성형외과
박성완 4월31일 성형외과
박은수 순천향대학교 의과대학
서만군 JW 정원 성형외과
석 윤 플라덴 성형외과
신수혜 고려대학교 의과대학
신예식 나비 성형외과
안기영 안기영 성형외과
안승현 디에이 성형외과
양순재 대한미용성형외과학회 원로회원
엄기일 한림대학교 의과대학
오화영 제이준 성형외과
유희진 고려대학교 의과대학
이상우 디에이 성형외과
이원재 연세대학교 의과대학
이장현 한양대학교 의과대학
이종훈 을지대학교 의과대학
이지나 이지나 치과의원
정우식 울산대학교 의과대학
정원균 차이정 성형외과
정재영 라비앙 성형외과
정재용 더플러스 성형외과
정재호 오블리제 성형외과
정현욱 리엔장 성형외과
조수영 조수영 성형외과
조태영 메디필 성형외과
최강영 경북대학교 의과대학
최문섭 그레이스 성형외과
최원석 브이 성형외과
최윤석 JP 성형외과
최종우 울산대학교 의과대학
한기환 계명대학교 의과대학
한소은 인제대학교 의과대학
한승규 고려대학교 의과대학
홍성범 서울리거병원
황규석 옴므앤팜므 성형외과

CONTRIBUTORS & REVIEWERS

편찬위원장

나영천 원광대학교 의과대학

편찬위원회

김광석 전남대학교 의과대학
노태석 연세대학교 의과대학
모재성 모재성 성형외과
박재현 다나 성형외과
양호직 을지대학교 의과대학
이정재 이정재 성형외과
동은상 고려대학교 의과대학
최강영 경북대학교 의과대학
박은수 순천향대학교 의과대학

간사

손경민 조선대학교 의과대학

목 차

PART_1 코 Nose

…

CONTENS

PART_2 안면윤곽 Facial Bone Surgery

PART_3 보툴리눔 톡신 Botulinum toxin

PART_4 필러 Filler

PART 1

코

Nose

Part Editor 동은상

CHAPTER 1

코의 해부학 | Anatomy

Chapter Author | 유희진, 한승규

1. Skin and subcutaneous tissue

우리나라 사람들을 비롯한 아시아인의 코는 다른 인종들에 비해서 피부와 피하조직이 좀 더 두껍고, 피지선이 발달되어 있다고 알려져 왔으나 그렇지 않은 경우도 많다. 실제로 아시아인의 상당수가 백인과 비슷하게 피지선이 거의 없는 피부를 가지고 있다. 그러므로 아시아인 코의 피부와 피하층은 두께와 피지선의 발달 정도가 다양하다고 할 수 있다. 코 피부의 위쪽 2/3 부분은 아래쪽 1/3 부분보다 얇고, 피지선이 적으며, 피하조직이 잘 구분되지만 alar lobule, nasal tip을 포함하는 아래쪽 1/3의 피부는 그렇지 않다.

백인처럼 아시아인의 피하층은 superficial fat layer, superficial muscular aponeurotic system (SMAS), deep fat layer 등 세 개의 층으로 구성되어 있다(**그림 1-1**). 코의 위쪽은 SMAS가 잘 구별되며 분리되는 반면, 아래쪽의 피하층은 피부와 단단히 고정되어 있고 잘 구별되지 않는다(**그림 1-2**). 주요 신경 및 혈관들은 deep fat layer 내로 주행한다.

코의 아래쪽 1/3의 피부와 피하조직의 특성은 nasal tip plasty의 술 후 결과를 결정하는 데 있어 중요하기 때문에 이 부위의 해부학적 구조에 관한 충분한 지식을 갖추는 것이 아시아인을 수술하는 데 있어 중요하다. 코 아래쪽 1/3의 두껍고 기름진 피부는 alar lobule의 연골 작업 후에 nasal tip이 잘 드러나는 것을 방해한다. 그러므로 환자의 피부와 피하조직의 특성을 수술 전에 평가

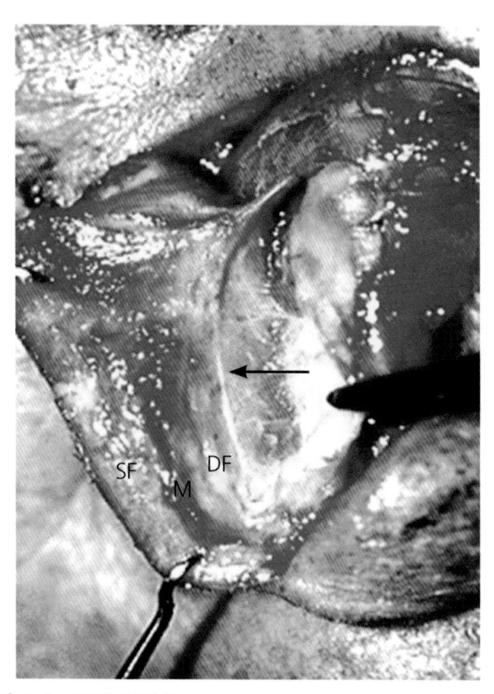

그림 1-1. 코의 피하층

SF: superficial fat layer, M : SMAS layer, DF: Deep fat layer, 화살표: Deep fat layer 내를 주행하는 external sensory nerve

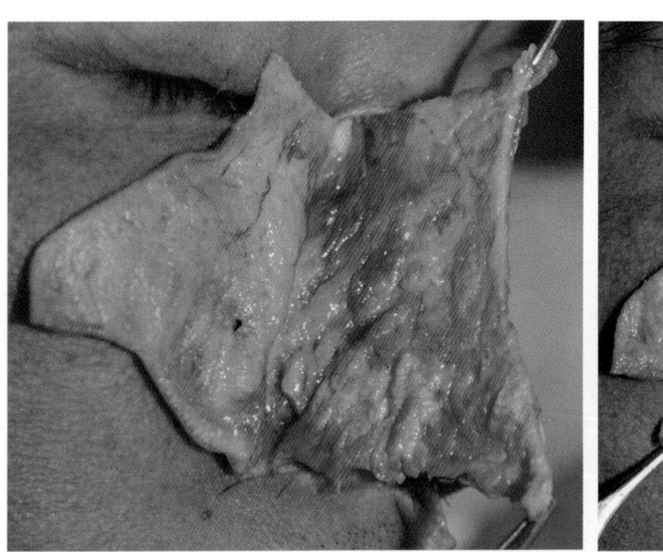
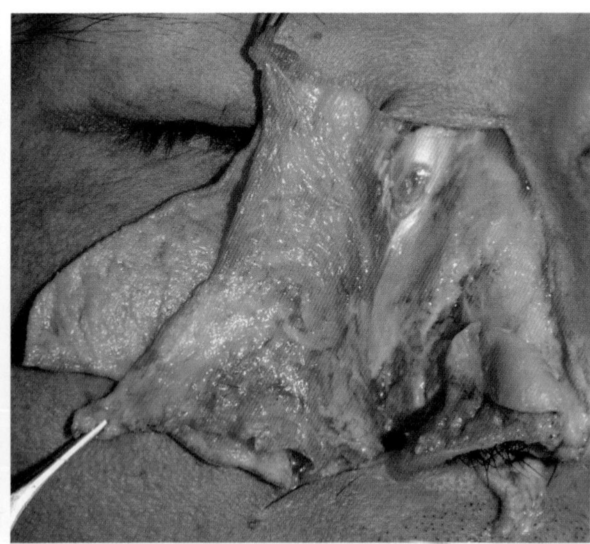

그림 1-2. 코의 SMAS층
코의 위쪽은 SMAS가 잘 구별되며 분리되는 반면, 아래쪽은 피부와 단단히 고정되어 있고 잘 구별되지 않는다.

하고, 그들의 특성에 맞추어 코성형술을 계획하는 것이 중요하다.

Alar lobule 부위 피부의 두께는 1 mm에서 2.75 mm이며 아시아인의 코의 피지선의 발달 정도는 다양하다(**그림 1-3**). Nasal tip에서 vestibular skin과 external skin 사이에 근육층은 거의 없다. Alar lobule의 중앙과 바깥쪽 끝에서는 muscle fiber가 external skin과 vestibular skin의 collagen fiber와 elastic fiber 사이에 끼어 있고, 피하지방층이 거의 없다. 조직학적 표본에서 collagen과 elastic fiber는 방향성이 없이 임의로 배열되어 있다.

2. Muscles of the external nose

아시아인 코의 독특한 모양은 코를 둘러싸고 있는 다양한 근육들의 영향을 받기 때문에 그와 연관된 해부학적 지식을 이해하는 것이 중요하다. Dilator naris anterior m., dilator naris posterior m., transverse nasalis m., levator labii superioris alaeque nasi m., depressor septinasi m. 등 코의 근육들은 피하층의 세심한 박리를 통해 확인해 볼 수 있다(**그림 1-4**). Compressor narium minor m.은 육안으로 확인하기 어려운 경우가 많다.

코 근육의 특징에 따라 콧구멍 모양은 달라질 수 있다. 일반적으로 alar lobule의 근육이 발달되어 있으면 콧구멍의 두 장축이 둔한 각도를 형성하는 flaring(수평 모양) 형태의 콧구멍을 형성한다.

백인의 경우 alar lobule에서 external dermis와 vestibular dermis 사이에 muscle fiber가 존재하지 않는다고 알려져 있으나, 많은 아시아인의 코에서는 alar lobule뿐 아니라 alar facial junction에도 dilator naris posterior muscle fiber가 존재한다. 백인에서 transverse nasalis m.과 levator labii superioris alaeque nasi m. 사이에 존재한다고 알려진 anomalous nasi m.은 아시아인의 코에서는 거의 발견되지 않는다(**그림 1-5**).

1) Dilator naris anterior m.

Dilator naris anterior m.은 코의 primary dilator로서 이 근육이 수축함에 따라 ala가 넓어진다. 이 근육은 콧구멍 모양에 따라 그 특성이 다르다. 즉, 수평모양의 콧구멍에서는 잘 발달한 반면, 수직모양의 콧구멍에서는

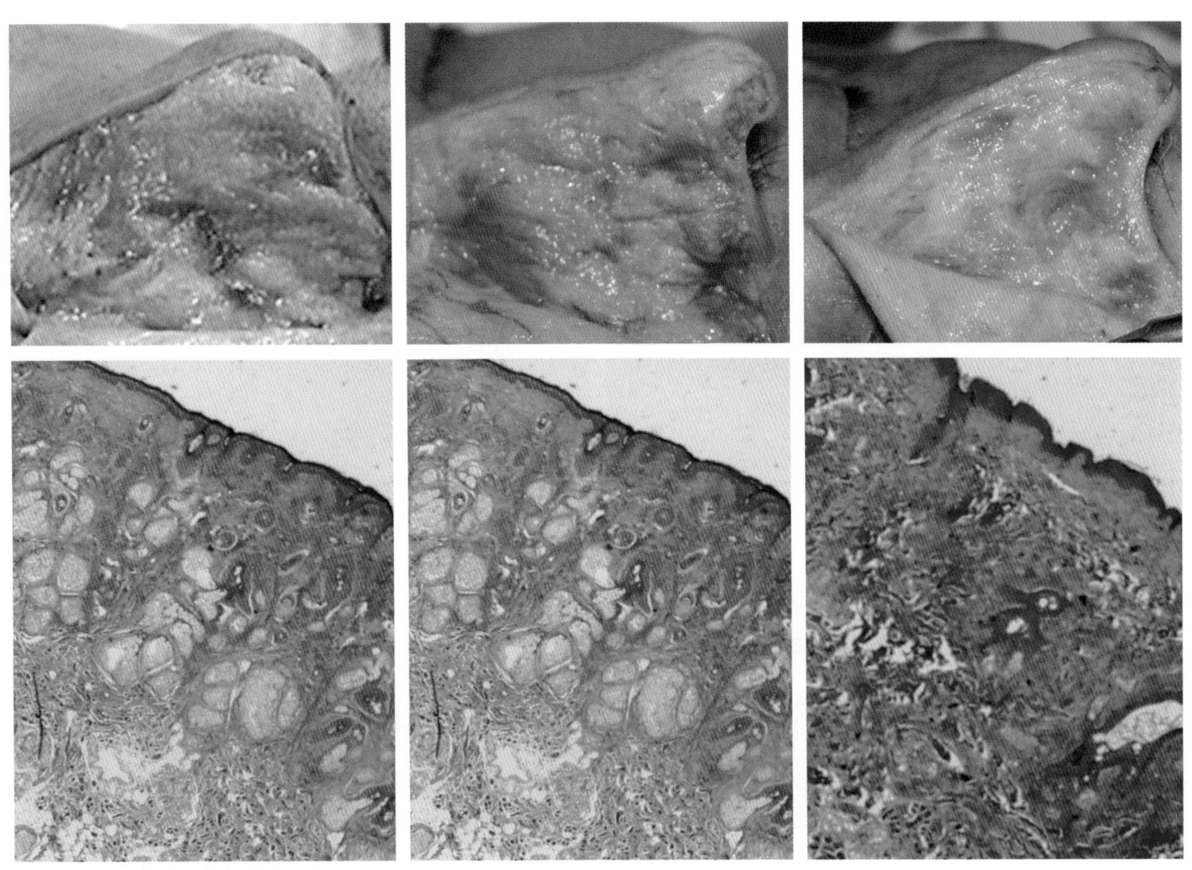

그림 1-3. **코의 피지선의 발달 정도는 개인에 따라 차이가 심하다.**

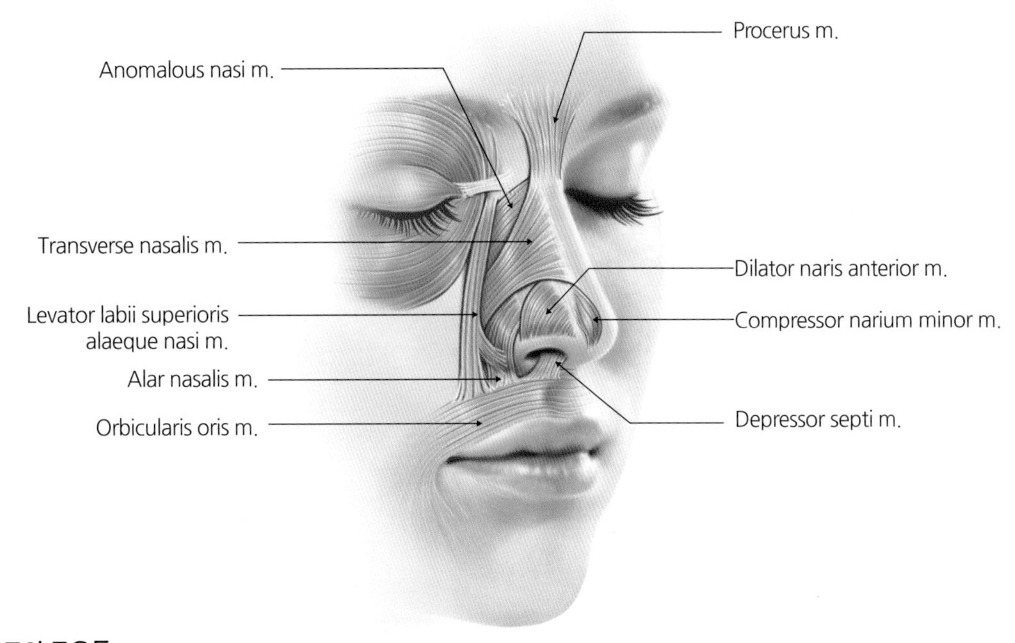

그림 1-4. **바깥코의 근육들**

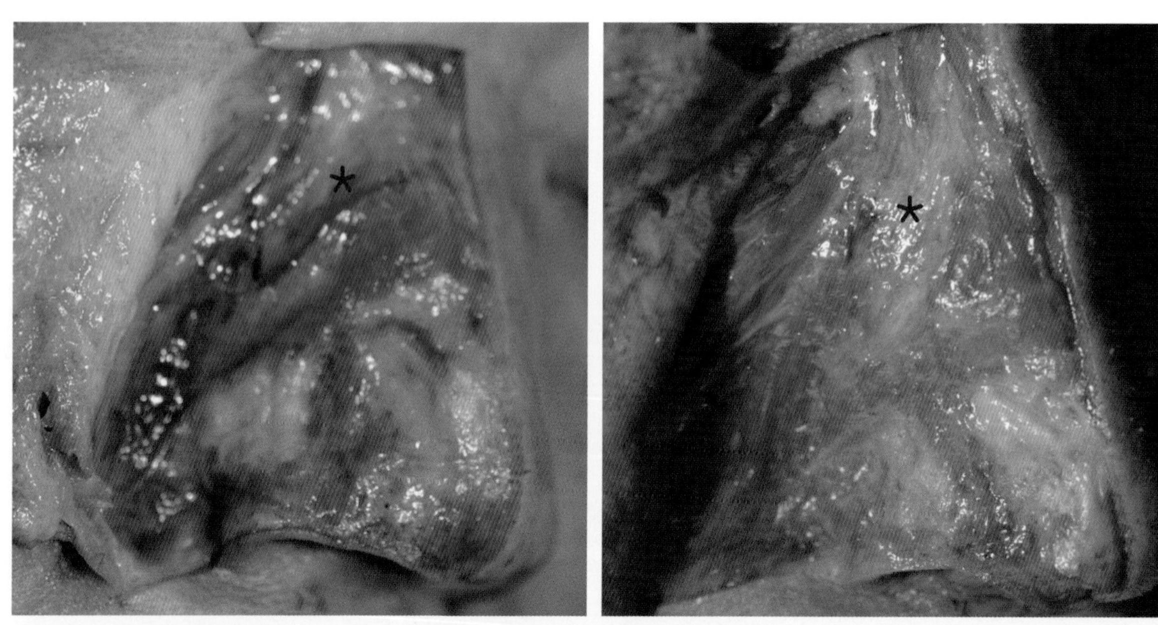

그림 1-5. 아시아인의 코에서 anomalous nasi m.은 확인되지 않는다.
* : 근육이 있어야 할 위치

잘 발달되어 있지 않다. Upper lateral cartilage에서 기시하여 lateral crus의 caudal margin과 alar lobule의 피부에 부착된다(**그림 1-6~8**).

2) Dilator naris posterior m.(alar nasalis m.)

Dilator naris posterior m.은 columella의 뒷부분과 ala를 아래바깥방향으로 잡아당겨 nasal aperture(콧구멍)를 넓게 하고, 코를 길게 한다. 또한, 이 근육은 콧구멍을 확장하고 ala을 옆으로 확장한 채로 유지하는 데에도 관여한다(**그림 1-9**).

수직모양 콧구멍에서는 alar base에만 부착하는 반면에 수평모양 콧구멍에서는 alar lobule에까지 뻗어서 부착된다(**그림 1-10**).

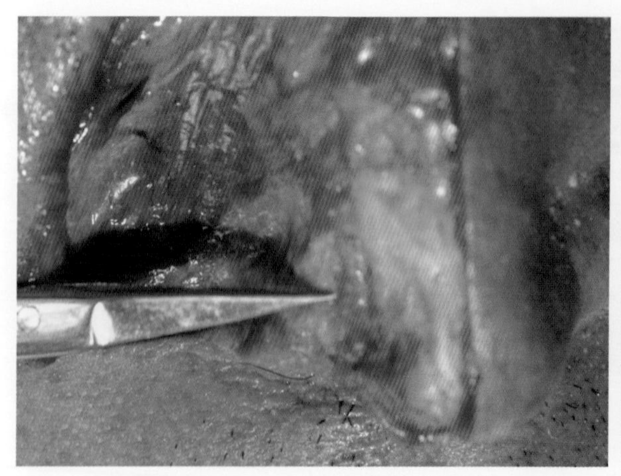

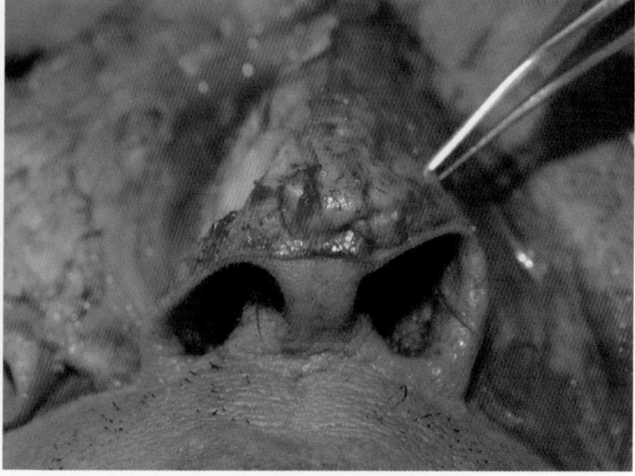

그림 1-6. Dilator naris anterior m.(가위의 끝)은 수축하면서(forceps가 잡아당긴 부위) ala를 넓히는 역할을 한다.

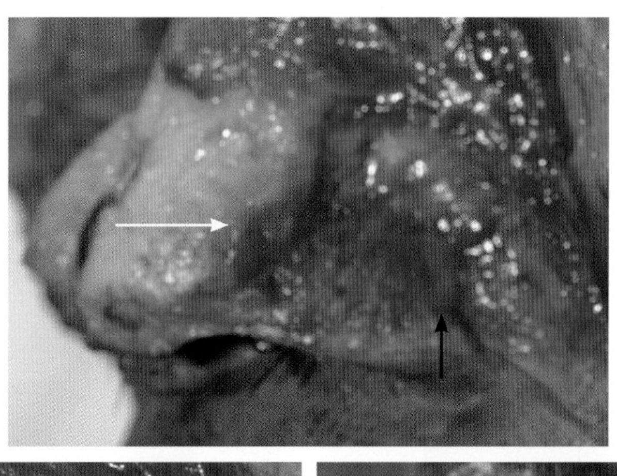

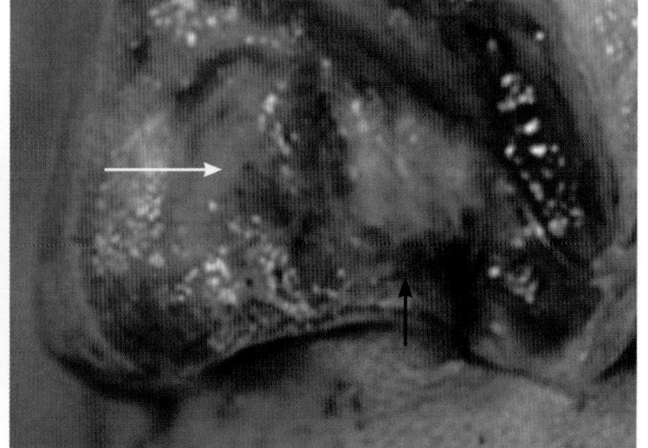

그림 1-6. 수직(위), 수평(아래) 타입 콧구멍의 dilator naris anterior m.(흰색 화살표), posterior m.(검은색 화살표)

3) Depressor septi nasi m.

Depressor septi nasi m.은 columella, membranous septum, lower lateral cartilage의 medial crura의 base에 부착한다. 이 근육은 columella, nasal tip, 콧구멍의 dorsal border를 아래로 잡아당긴다(**그림 1-11**).

4) Transverse nasalis m.

Transverse nasalis m.은 코를 길게 하고 vestibule을 압박하여 pinched(좁고 뾰족한) 또는 flattened(편평한) 모양의 코를 만든다. 이 근육은 alar lobule까지 뻗어 있지는 않다(**그림 1-12**).

5) Levator labii superioris alaque nasi m.

Levator labii superioris alaque nasi m.은 nasolabial fold, 윗입술의 근육에 부착하며 alar lobule에 붙지는 않는다(**그림 1-13**).

6) Compressor narium minor m.

Compressor narium minor m.은 콧구멍의 apex에 위치하는 굉장히 작은 근육이다. 대부분 아시아인에서는 육안으로 관찰하기 힘들며 현미경으로 볼 때 약 10% 정도에서 확인된다. 이 근육은 코 모양에 큰 영향을 주지는 않는 것으로 보인다.

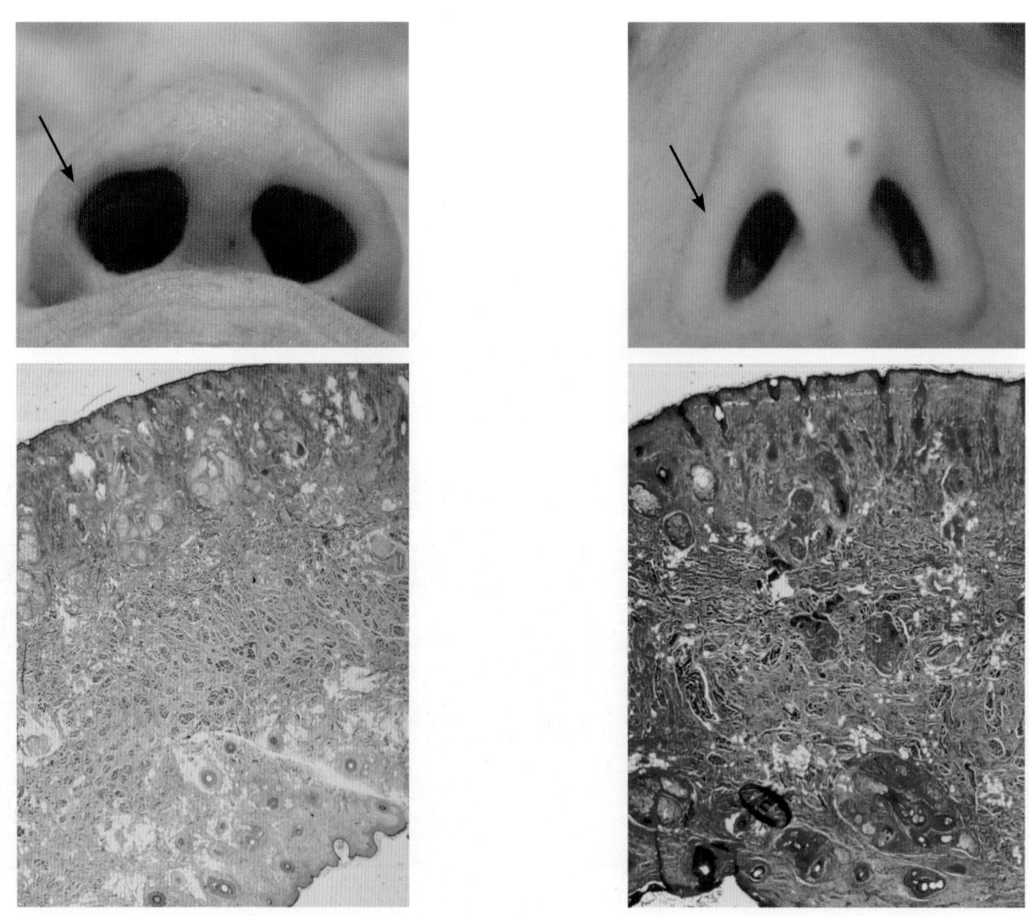

그림 1-8. Dilator naris anterior m.을 보여주는 alar lobule 중간부분의 조직사진

수평 타입의 콧구멍(왼쪽)은 수직 타입의 콧구멍(오른쪽) 보다 더 많은 근육량을 갖고 있다.

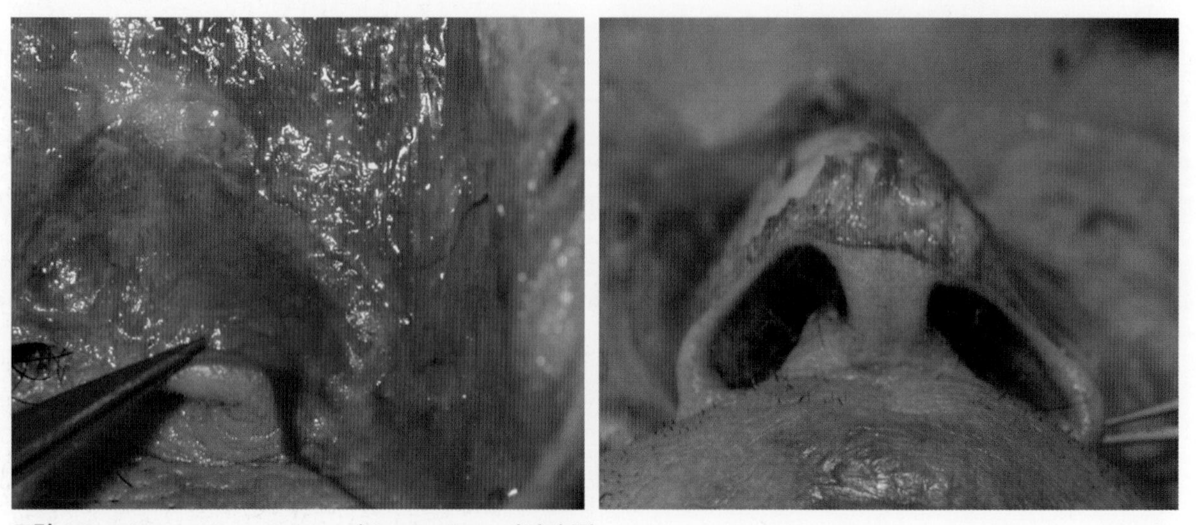

그림 1-9. Dilator naris posterior m. (alar nasalis m. 가위의 끝)

ala와 columella의 posterior part를 아래바깥방향으로 잡아당김으로써 (forceps가 잡아당긴 부위) 콧구멍을 넓히는 역할을 한다.

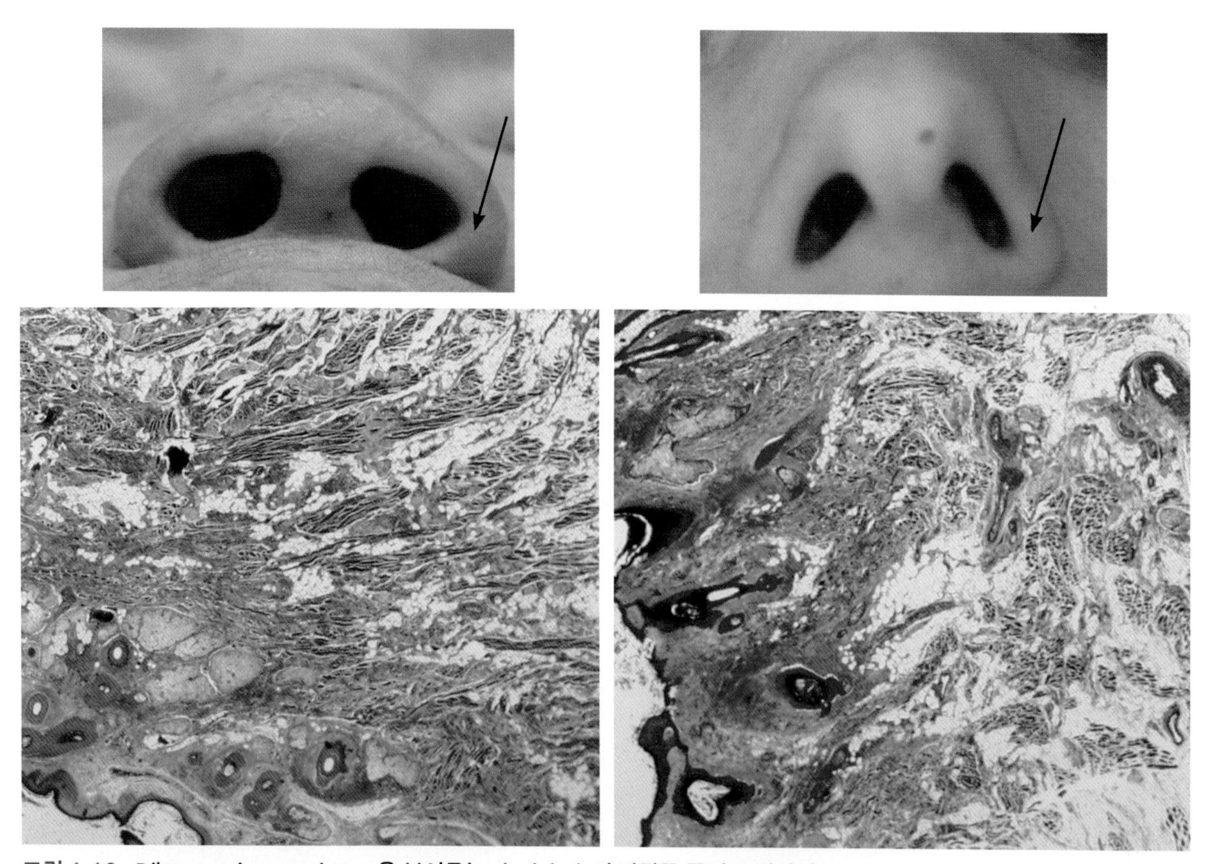

그림 1-10. Dilator naris posterior m.을 보여주는 alar lobule의 바깥쪽 끝의 조직사진

수평타입의 콧구멍(왼쪽)은 longitudinal muscle fiber를 보여주며 이는 dilator naris posterior m.에 해당한다. 반면 수직타입은 cross-sectional muscle fiber가 많다.

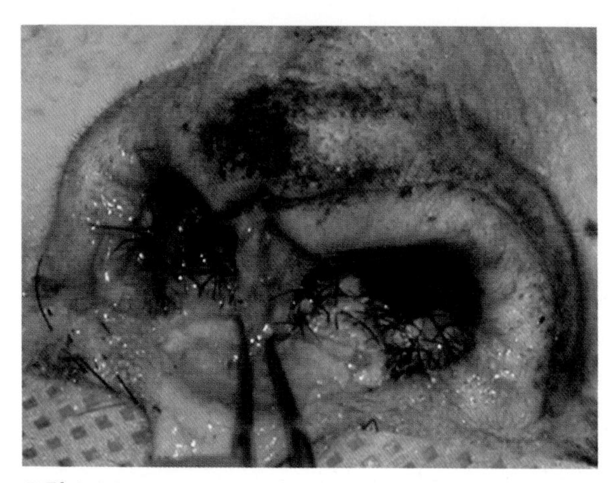

그림 1-11. Depressor septi nasi m.

Columella와 nasal tip을 잡아당기는 역할을 한다.

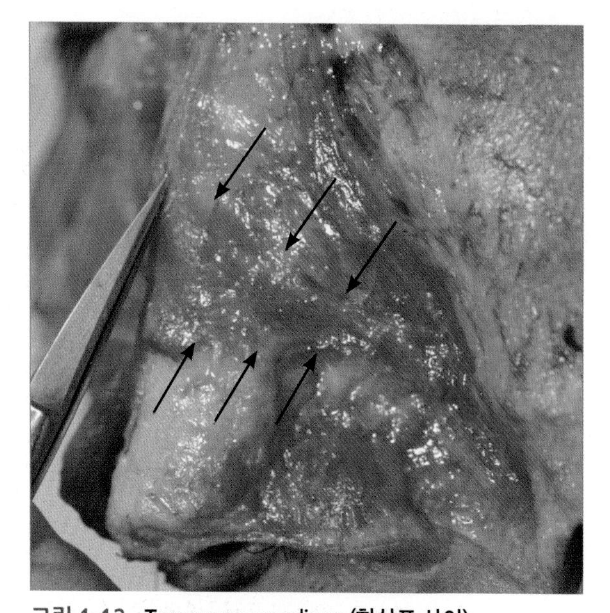

그림 1-12. Transverse nasalis m.(화살표 사이)

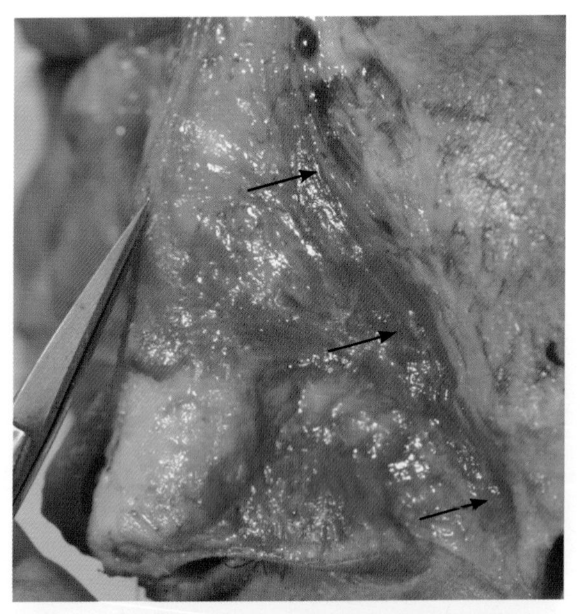

그림 1-13. Levator labii superioris alaque nasi m.(화살표)

3. Nasal tip supporting structures

Blunt nasal tip을 가진 아시아인에서 성공적인 코 성형술은 nasal tip을 보강하여 어느 정도 돋보이게 하는지가 매우 중요하다. 비록 현재까지 어떤 구조물이 nasal tip 보강에 핵심적인 역할을 하는지 명확히 모르지만 일반적으로 알려진 바로는 upper lateral cartilage와 lower lateral cartilage 사이의 부착부위, lower lateral cartilage의 lateral crus와 pyriform aperture 사이의 부착 부위, lower lateral cartilage의 paired dome 사이의 부착 부위, caudal septum과 lower lateral cartilage의 medial crus 사이의 부착 부위, Pitanguy's dermocartilagenous ligament가 중요하다(**그림 1-14**).

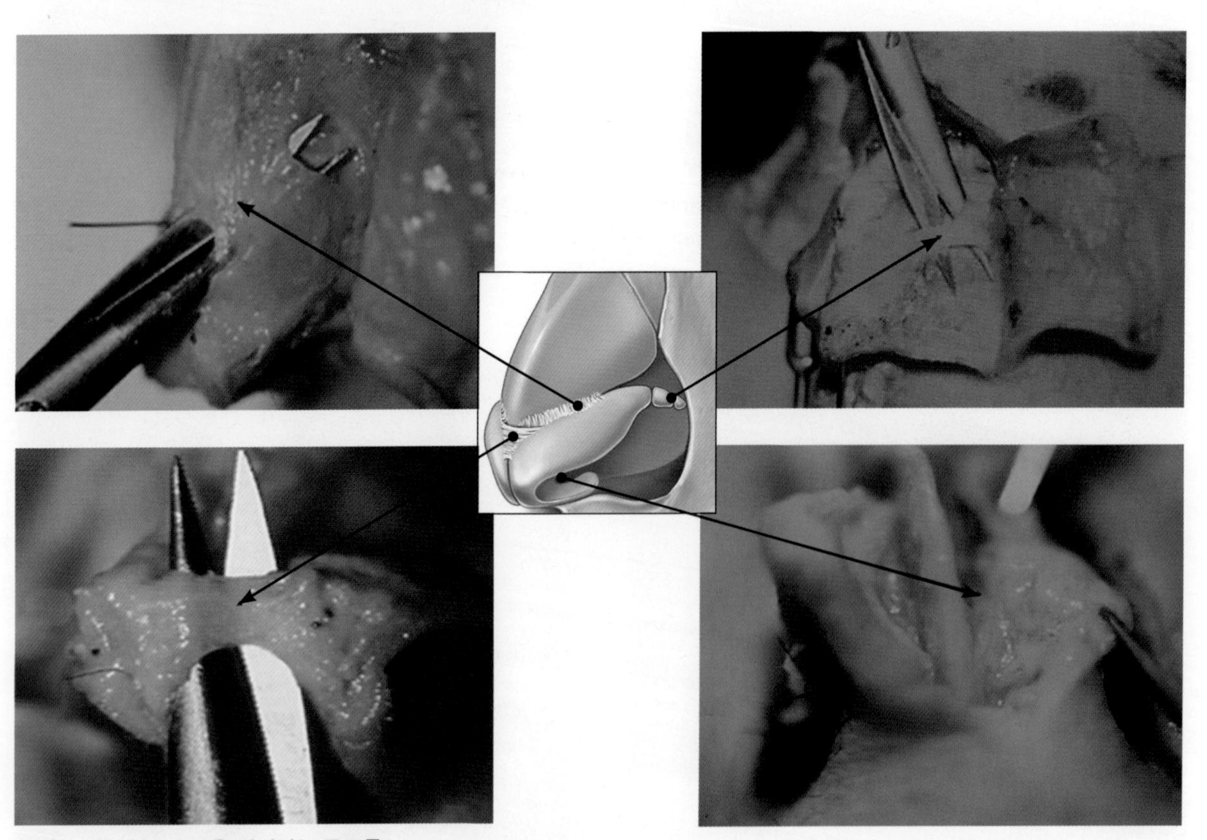

그림 1-14. Nasal tip을 지지하는 구조물

Upper lateral cartilage 와 lower lateral cartilage 사이의 부착 부위(위 좌측), lateral crus 와 pyriform aperture 사이의 부착 부위(위 우측), lower lateral cartilage의 paired dome 사이의 부착 부위(아래 좌측), caudal septum과 lower lateral cartilage의medial crura 사이의부착부위(아래 우측)

* Pitanguy's" dermocartilaginous ligament"는표기되지않음.

1) Upper lateral cartilage 와 lower lateral cartilage 사이의 부착 부위

아시아인의 코에서는 두 개의 연골을 연결하는 밀집한 섬유조직이 육안으로도 잘 확인된다. 이 부위의 조직을 현미경으로 관찰하면 두 연골을 연결하는 평행으로 일정하게 배열된 collagen fiber로 가득 차 있으며 소량의 세포들과 무정형의 기질도 발견된다. Van Gieson elastin 염색을 하면 elastic fiber가 collagen fiber의 안과 바깥 표면에 분포되어 있음을 알 수 있다(**그림 1-15**). 이러한 조직학적 소견은 인대의 정의와 일치한다.

2) Lateral crus 와 pyriform aperture 사이의 부착 부위

Lateral crus와 pyriform aperture 사이에서 sesamoid cartilage와 밀집된 섬유 조직이 육안으로 관찰된다. 이를 현미경으로 관찰하면 collagen fiber와 muscle fiber가 많이 관찰되며, 이 collagen fiber들은 불규칙적으로 배열되어 있어 일관성을 보이지는 않는다. 또한 적은 양의 elastic fiber, cells, ground substance 등으로 구성되어 있는 것을 관찰할 수 있다(**그림 1-16**). 조직학적인 관점에서 보았을 때 이 구조물은 fibromuscular tissue이다.

3) Lower lateral cartilage의 paired dome 사이의 부착 부위

Lower lateral cartilage의 paired dome 사이를 육안으로 보았을 때 loose tissue들이 관찰된다. 이 loose tissue를 현미경으로 관찰하면 다량의 ground substance로 이루어져 있으며 미량의 collagen fiber와 elastic fiber가 전반적

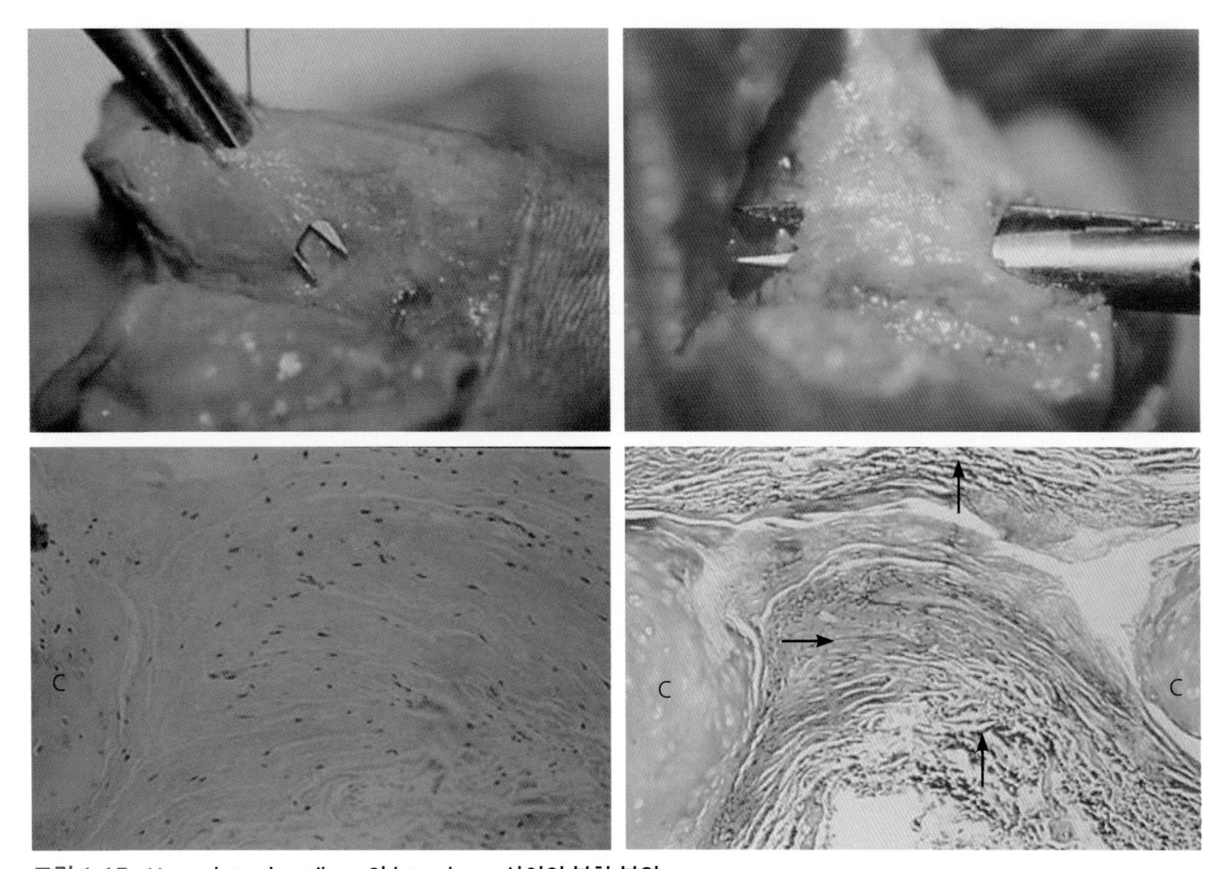

그림 1-15. Upper lateral cartilage 와 lateral crus 사이의 부착 부위

육안적 사진(위). 조직 사진(아래). H & E 염색(x100, 아래 좌측). Van Gieson elastin 염색(x100, 아래 우측). C : cartilage, 가는 화살표 : collagen fibers, 두꺼운 화살표 : elastic fibers

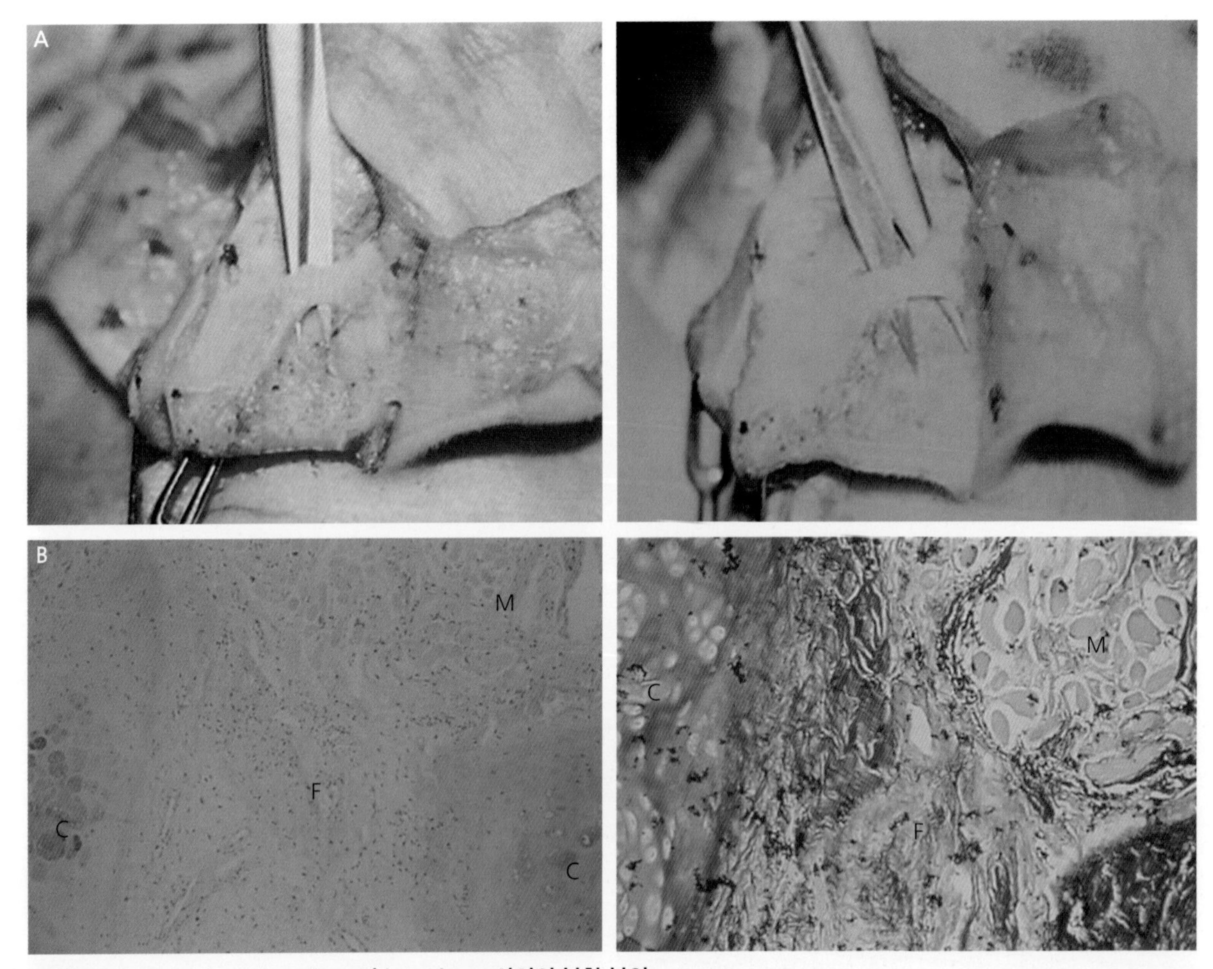

그림 1-16. Upper lateral cartilage와 lateral crus 사이의 부착 부위
육안적 사진(A). 조직 사진(B). H & E 염색(x100, 아래 좌측). Van Gieson elastin 염색(x100, 아래 우측). C : cartilage, 가는 화살표 : collagen fibers, 두꺼운 화살표 : elastic fibers

으로 흩어져있다(**그림 1-17**). 조직학적인 관점에서 보았을 때 이 구조물은 loose connective tissue이다.

4) Medial crus와 caudal septum 사이의 부착 부위

대부분의 아시아인의 코에서는 medial crus와 caudal septum 사이에 nasal tip을 지지할만한 특별한 구조물은 관찰되지 않는다(**그림 1-18**).

5) Dermocartilaginous ligament

Dermocartilaginous ligament는 콧등 가운데의 좁은 구역 내에 있는 흰색의 섬유성 조직으로 Pitanguy에 의해 처음 기술되었다. 이 구조물은 코의 위쪽 1/3에 해당하는 피부의 진피에서 시작하며 medial crura를 지나 아래로는 subseptum까지 이어져 있다. 따라서 dermocartilaginous ligament는 콧대와 nasal tip 사이의 균형을 이루는 데 있어서 중요한 역할을 하고 있다.

특히 bulbous nose 혹은 Negroid nose를 갖고 있는 환자들에서 이러한 dermocartilaginous ligament를 쉽게 볼 수 있다. 또한 이 인대를 분리하면 nasal tip을 약간 cephalic position으로 이동시킬 수 있어 drooping nose의 교정이 가능해 진다.

조직학적으로는 흰색의 밀집된 섬유성 띠가 trans-

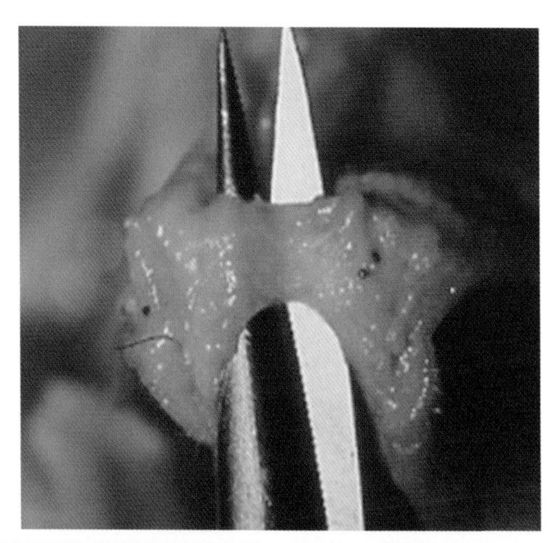

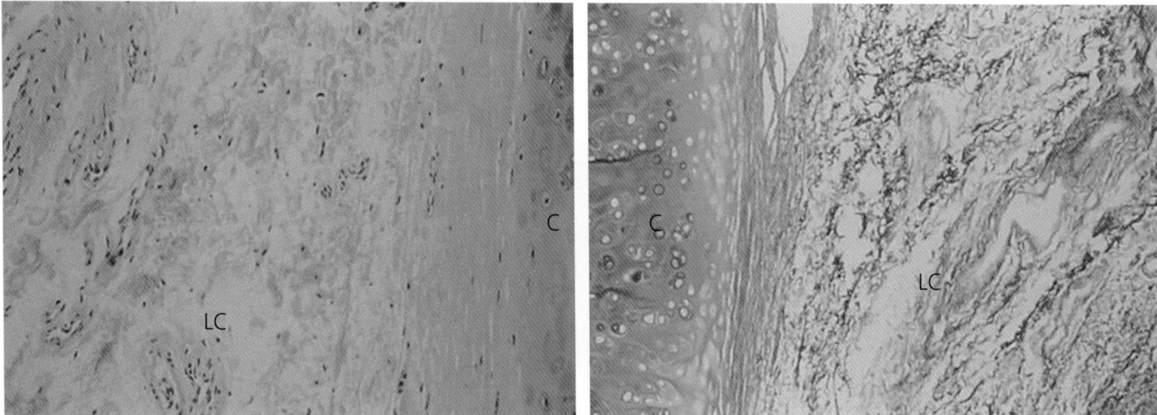

그림 1-17. Lower lateral cartilage의 paired domes 사이

육안적 사진(위). 조직 사진(아래). H & E 염색(x100, 아래 좌측). Van Gieson elastin 염색(x100, 아래 우측). C : cartilage, LC : loose connective tissue

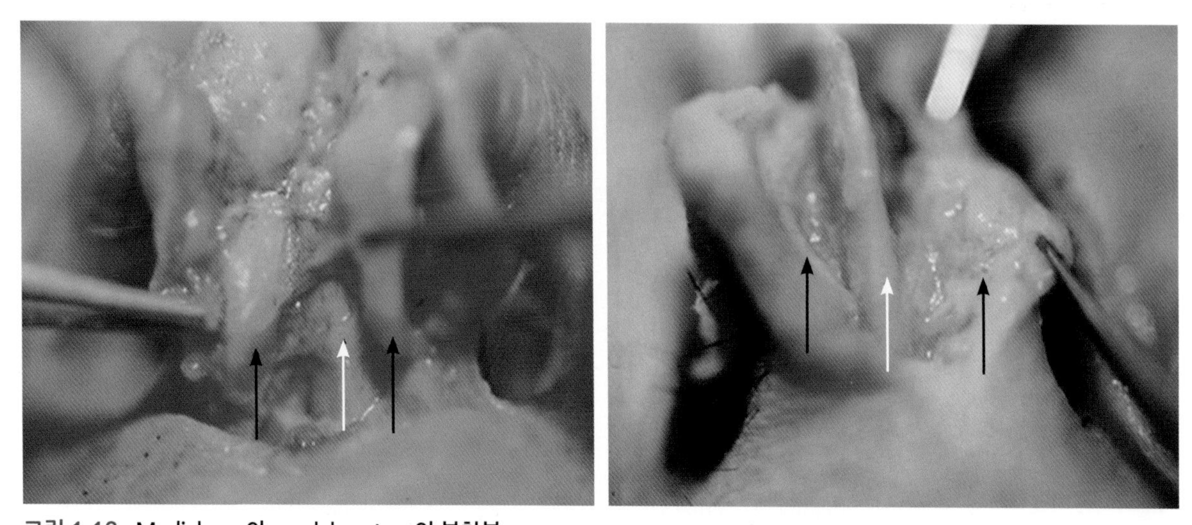

그림 1-18. Medial crus와 caudal septum의 부착부.

흰색 화살표 : septal cartilage의 caudal border, 검은색 화살표 : lower lateral cartilage의 medial crura verse nasalis m.에서 columellar base사이로 주행한다. 이 구조물은 주변의 피하조직과는 구별되고 최종 부착부까지 하나로 연결되어 나타난다. Transverse nasalis m.의 깊은 층에서 기시하여 septal cartilage의 caudal edge에서 종결되고, 일부(19%) 환자에서는 orbicularis oris m.까지 부착부가 뻗어 있다(**그림 1-19, 20**).

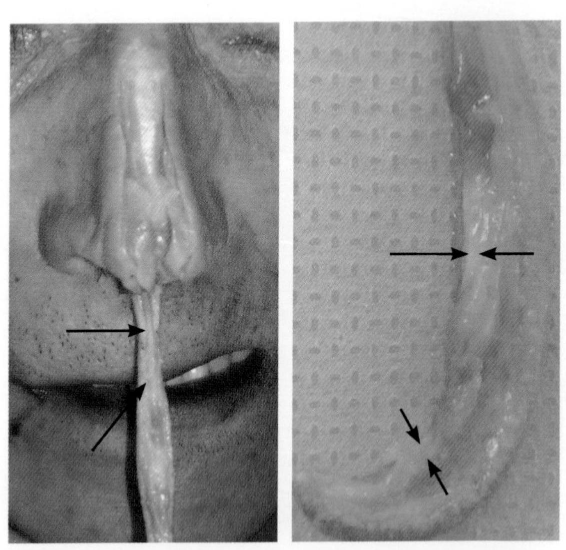

그림 1-19. **Nasal dorsum의 midline에 존재하는 dermocartilaginous ligament(화살표)**

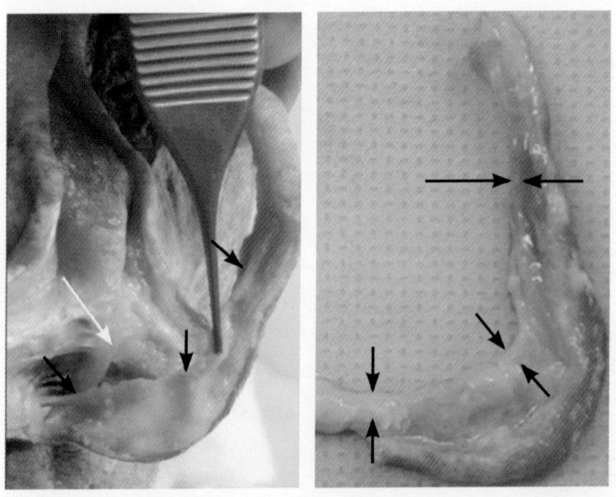

그림 1-20. **Dermocartilaginous ligament가 septal cartilage뿐 아니라 orbicularis oris 근육까지 부착되는 경우도 있다. ASA : anterior septal angle(흰색 화살표)**

6) 아시아인에서의 nasal tip supporting structures

앞서 설명한 해부학적 특징을 고려하면 upper lateral cartilage와 lateral crus사이의 지지구조는 intercartilaginous ligament, lower lateral cartilage의 lateral crus와 pyriform aperture 사이의 구조물은 sesamoid fibromuscular tissue, lower lateral cartilage의 paired dome 사이의 구조물은 interdomal loose connective tissue로 정의하는 것이 합당하다고 판단된다(**그림 1-21**).

아시아인의 nasal tip supporting structures은 두 가지 큰 특징이 있다. 첫째, lower lateral cartilage의 paired dome 사이에는 loose connective tissue만이 존재하며, 이는 alar dome 사이의 거리를 멀게 하고, nasal tip의 모양을 둥글고 뭉툭하게 만든다. 둘째, lower lateral cartilage의 medial crus와 caudal septum 사이의 부착 지점에 중요한 지지구조물이 없다는 점이다. 이로 인해 medial crus의 footplate segment가 columellar segment보다 상대적으로 길어지고, columella base가 넓어지고 nasal tip의 돌출이 덜하게 된다(**그림 1-22**).

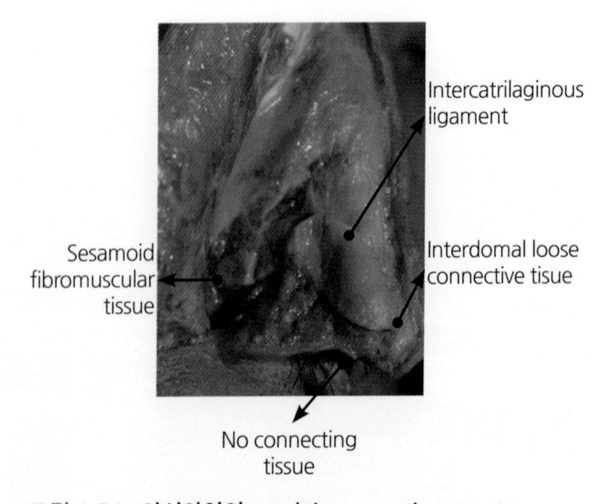

그림 1-21. **아시아인의 nasal tip supporting structures**

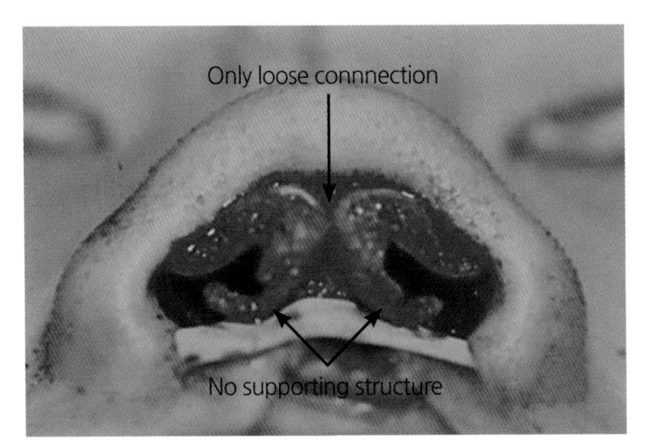

그림 1-22. **아시아인 코의 특성**

4. Lower lateral cartilage

Lower lateral cartilage는 lateral, middle, 그리고 medial crura로 구성되어 있으며, lower lateral cartilage의 크기와 내구력은 nasal tip의 모양을 결정하는 데 주된 인자로 작용한다.

아시아인은 대체적으로 두꺼운 피부, 두꺼운 섬유지방조직, 넓은 alar base, 낮은 pyriform fossa 등을 가지고 있어 코 성형술 시에 어려움이 많으며, 이들을 적절히 조작할 때 미용적으로 만족스러운 nasal tip 모양을 얻을 수 있다. 하지만 가장 중요한 것은 두 개의 lateral crura와 medial crura로 이루어지는 tripod를 적절히 조작하는 것이고, 이것이 우선시되어야 한다.

1) Lateral crura

아시아인에서 lateral crus의 평균 길이, 넓이, 두께는 각각 17.9 mm, 10.0 mm, 0.54 mm이다. 또한 nostril rim으로부터 lateral crus까지의 거리는 medial, middle, lateral 각각 5.8 mm, 6.9 mm, 11.8 mm이다.

Lateral crura의 형태는 concave, convex, concaveconvex, convex-concave, flat으로 분류될 수 있다. 아시아인의 lateral crura의 모양은 서양인의 것과 매우 다른데, 약 1/2의 환자에 있어 concave 형태를 보인다(**그림1-23**). 또한 약 7%에서 비대칭적인 lateral crura의 모양을 가지고 있다.

2) Middle crura

Middle crura의 개념은 1987년 Sheen에 의해 처음 소개되었다. 서양인의 코에서 middle crura는 lobular segment와 domal segment로 구성되어 있으나, 아시아인에서는 middle crura의 형태가 일반적으로 보통 flat하기 때문에 lobular segment와 domal segment로 나누는 것이 불가능한 경우가 많다.

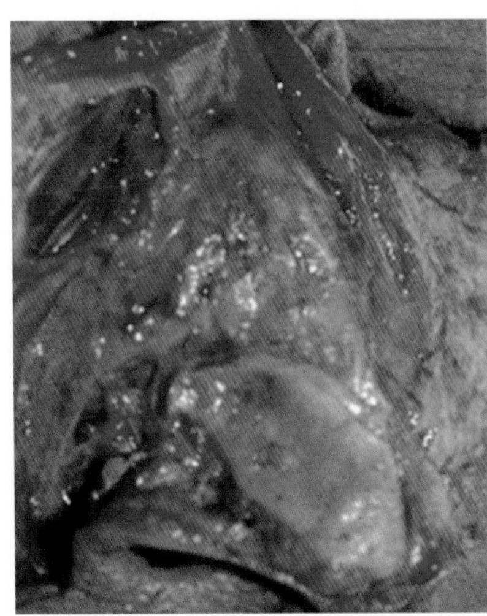

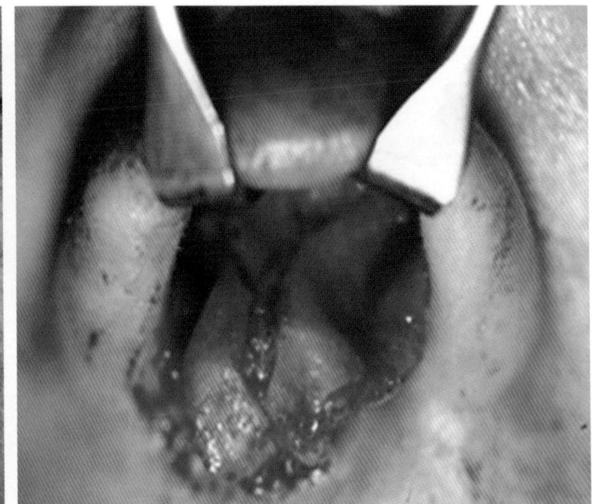

그림 1-23. **아시아인에서 가장 흔한 concave형의 lateral crura**

따라서 동양인 코에서 middle crura를 정의하기 위해서는 보다 명확하고 간단한 Tebbetts의 서술을 따르는 것이 용이하다. 이는 medial crus의 divergence 지점부터 dome까지를 middle crus의 길이로 정의되며 이를 측정하면 평균 4.9 mm이다(**그림 1-24**).

3) Medial crura

Medial crura의 길이는 columellar segment와 footplate segment를 각각 따로 측정할 수 있는데, 아시아인 코에서 columellar segment의 평균 길이는 8.7 mm, footplate segment의 평균 길이는 6.9 mm이다. 또한 평균 넓이와 두께는 각각 4.3 mm, 0.57 mm이다.

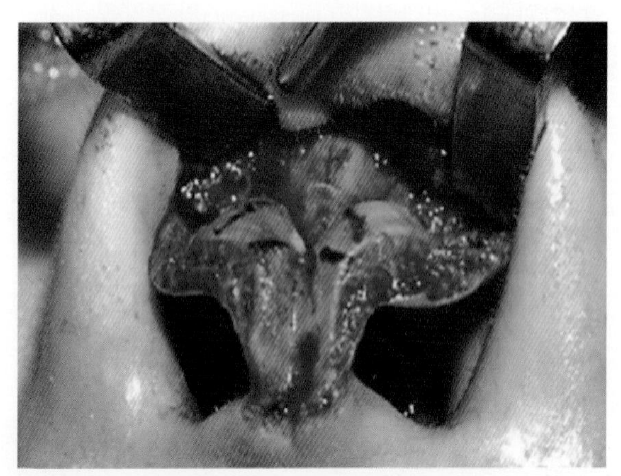

그림 1-24. Middle crura의 모양

아시아인의 footplate segment의 길이는 서양인의 것보다 더 길고, posteriorly angulated(뒤쪽으로 각을 이룸)된 양상을 띠고 있는데 이것은 아시아인과 서양인의 중요한 차이로서, footplate segment를 이용하면 아시아인 코의 lower vault를 보다 효과적으로 재형성을 할 수 있음을 시사한다(**그림 1-25**).

5. Blood supply

1) External blood supply

코의 피부쪽 조직들은 external carotid artery와 internal carotid artery로부터 혈액을 공급받는다. External carotid artery에서는 facial artery와 internal maxillary artery가 분지되고, internal carotid artery에서는 ophthalmic artery가 분지된다(**그림 1-26**).

Facial artery가 위쪽으로 주행하면서 코아래쪽에서 분지된 superior labial artery의 columellar branch가 nostril sill과 columellar base, nasal septum의 caudal portion에 혈액을 공급한다. Facial artery는 angular artery로 연결되고 lateral nasal branch를 내어 caudal nose의 바깥쪽에 혈

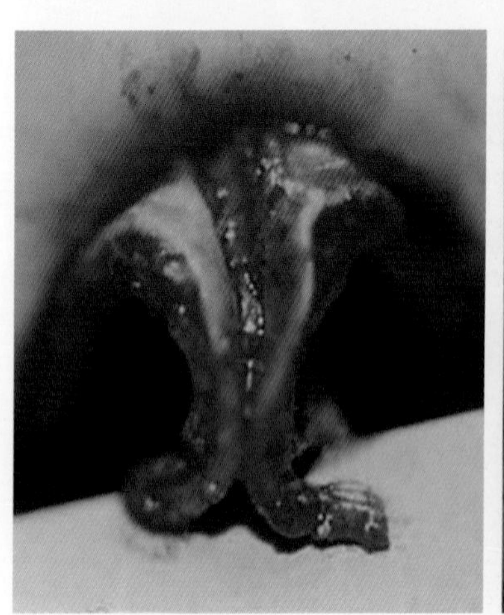
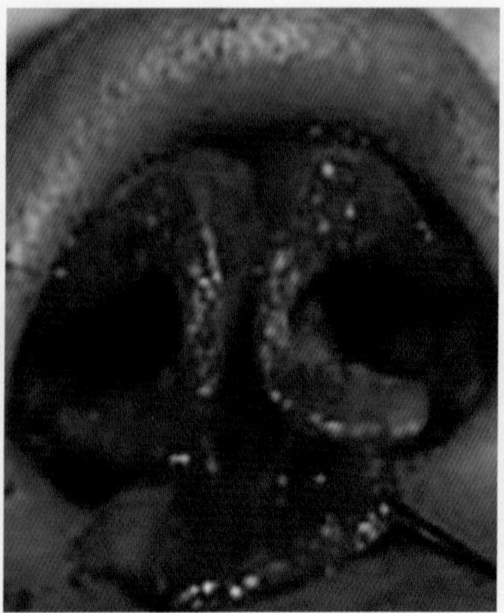
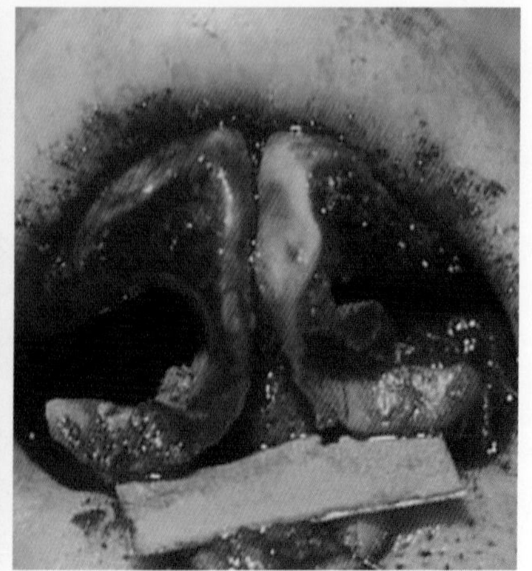

그림 1-25. Footplate segment의 다양한 발달 정도

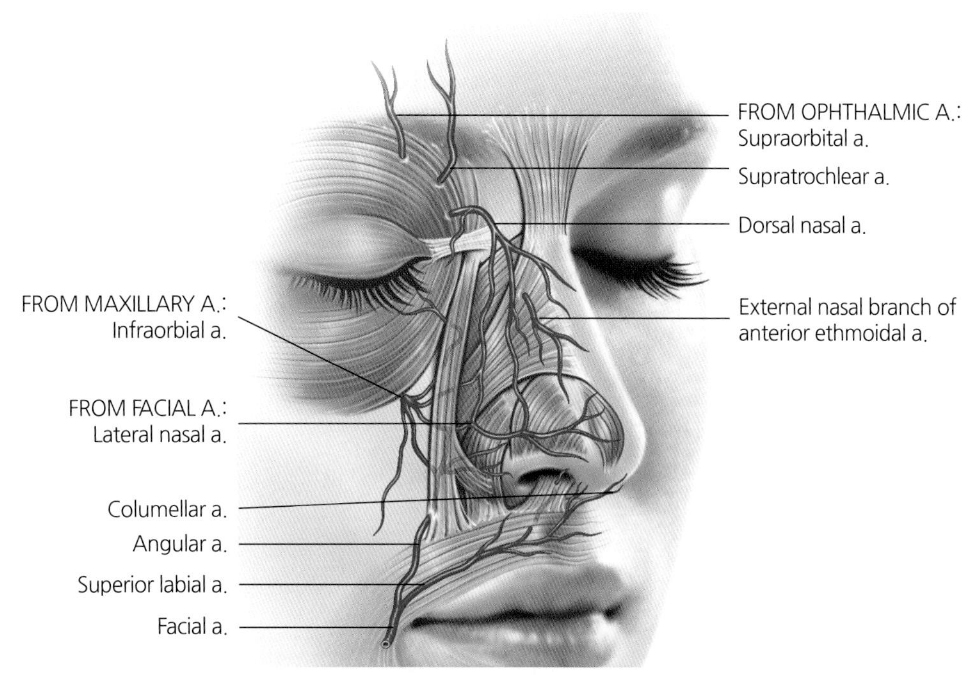

그림 1-26. External nasal blood supply

액을 공급한다. 이 lateral nasal branch는 콧등을 넘어 반대쪽의 branch와 anastomosis한다.

Ophthalmic artery의 external branch인 dorsal nasal branch는 medial palpebral ligament 상방에서 orbital septum을 뚫고 나와 바깥코의 옆벽을 타고 하행하며 angular artery의 lateral nasal branch와 anastomosis한다. 또한 이 dorsal nasal branch는 외측에서 오는 infraorbital artery의 가지들로부터 혈액을 공급 받고, supratrochlear artery와 infraorbital artery와 anastomosis하면서 콧등피부에 arterial network을 형성한다. Anterior ethmoidal artery의 external nasal branch는 angular artery의 lateral nasal branch와 더불어 nasal tip에 동맥혈을 공급한다.

2) Internal blood supply

코 안은 descending palatine artery와 sphenopalatine artery로부터 대부분의 혈액을 공급받는다.

코 안 외벽은 sphenopalatine artery의 posterior lateral nasal branch를 통해 혈액을 공급받고, anterior ethmoidal artery와 posterior ethmoidal artery의 lateral nasal branch에서도 일부 공급받는다(**그림 1-27**).

Nasal septum 전방부에는 anterior ethmoidal artery, sphenopalatine artery 및 superior labial artery의 superficial terminal branch들이 밀집해 있는 Kiesselbach's plexus가 있다. Nasal septum의 후방부는 sphenopalatine artery의 posterior septal branch로부터 혈액을 공급받는데, 이것은 descending palatine artery에서 유래되어 nasopalatine branch를 내는 greater palatine artery와 anastomosis한다. Posterior ethmoidal artery의 septal branch에 의해서도 공급받는다(**그림 1-28**).

6. Nerve supply

1) External sensory nerve supply

바깥코의 감각은 trigeminal nerve (CN V, 삼차신경)의 ophthalmic division (CN V1, 눈신경분지)과 maxil-

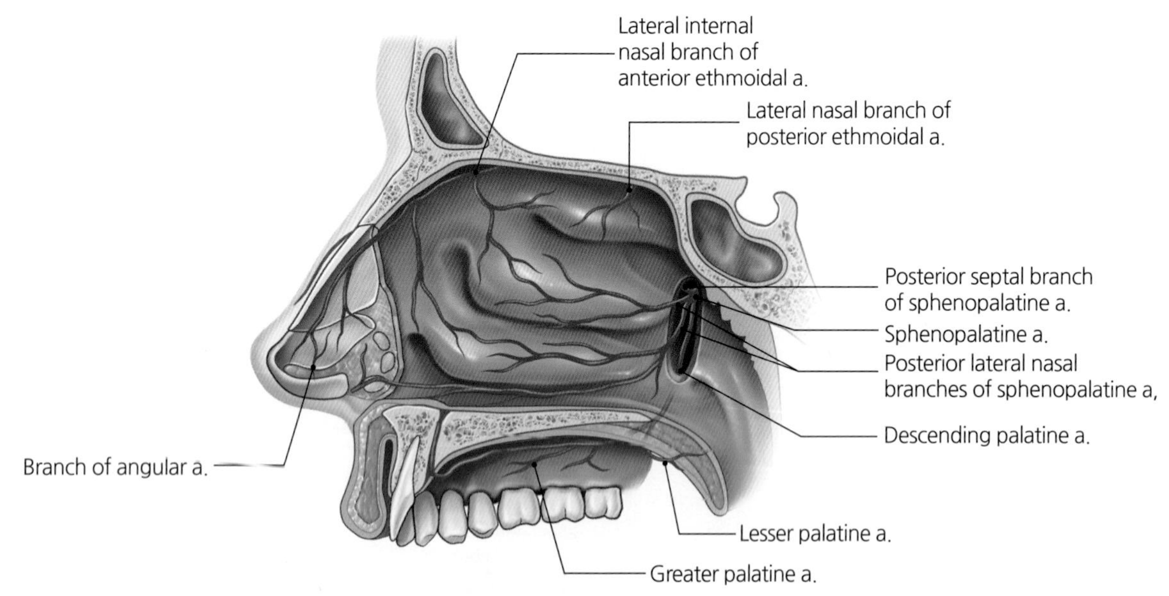

그림 1-27. **Internal nasal blood supply**

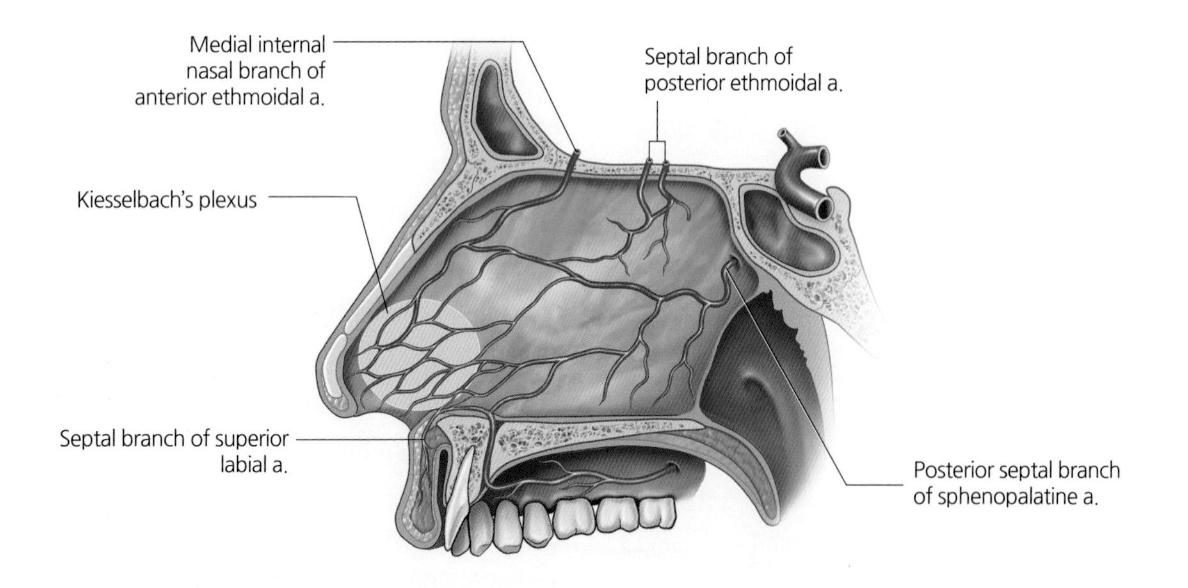

그림 1-28. **Septal blood supply**

lary division(CN V2, 상악신경분지)의 지배를 받는다.

Ophthalmic division에서 기원하는 supratrochlear nerve와 infratrochlear nerve는 radix, rhinion, nasal side wall의 cephalic portion 피부의 감각을 지배한다. Anterior ethmoidal nerve의 external nasal branch는 코뼈와 upper lateral cartilage 사이로 뚫고 나와 nasal tip의 감각을 담당한다.

Maxillary division의 infraorbital nerve는 코의 아래쪽 절반의 옆면의 연부조직, alar base, columella 및 lateral vestibule의 감각을 지배한다(**그림 1-29**).

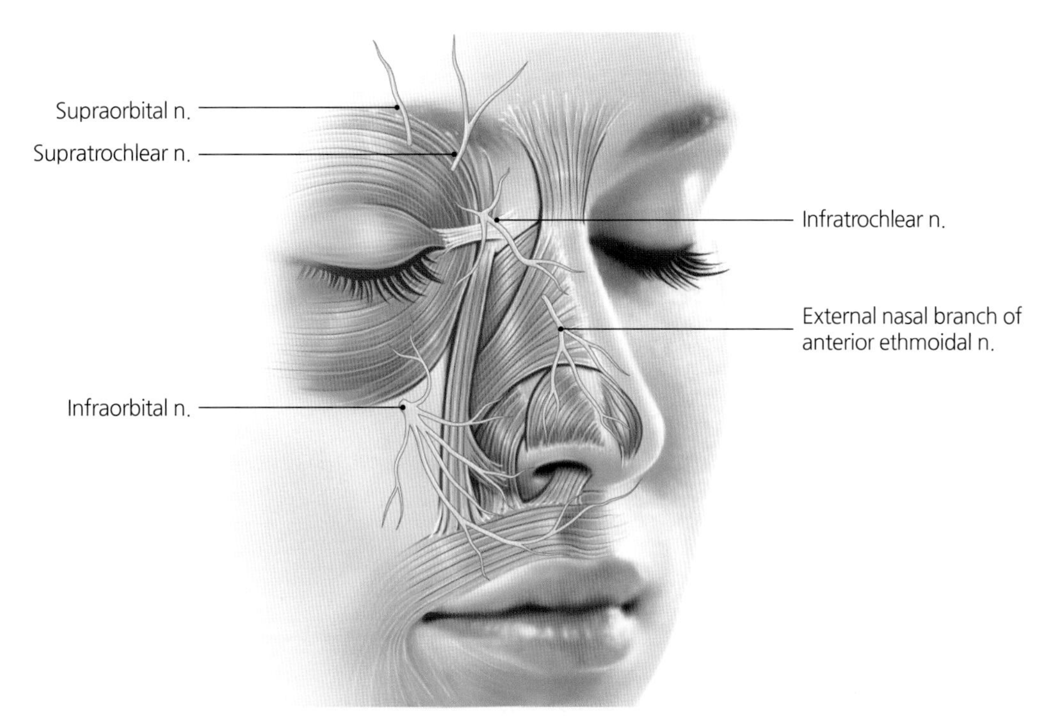

그림 1-29. **External nasal sensory nerve supply**

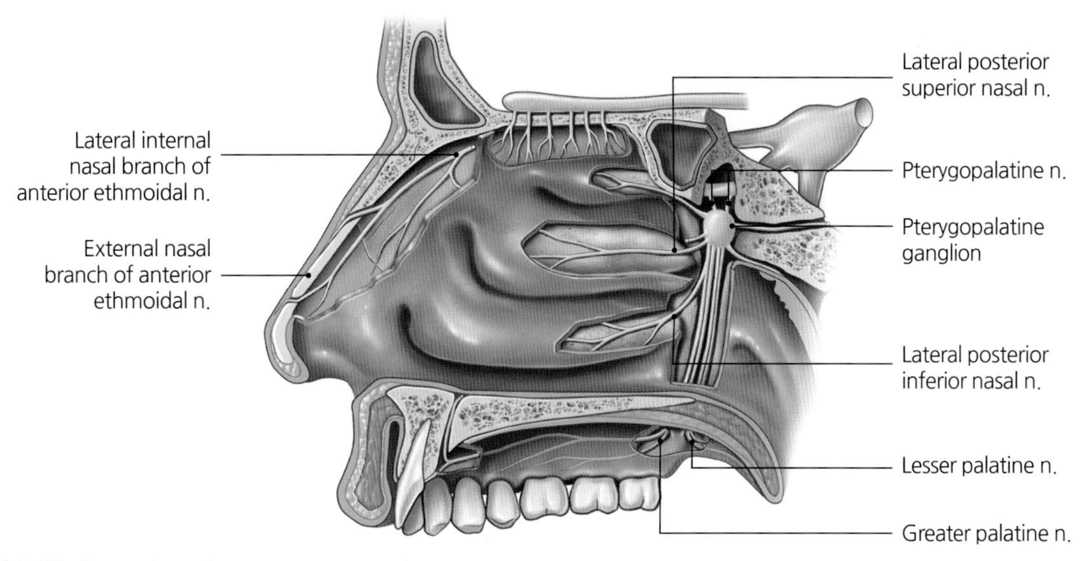

그림 1-30. **Internal nasal sensory nerve supply**

2) Internal sensory nerve supply

Middle turbinate의 뒤끝에 위치한 pterygopalatine ganglion에서 분지된 신경이 코 안 대부분의 감각을 담당한다. 코안 외벽 전방부와 anterior nasal septum은 anterior ethmoidal nerve의 internal nasal branch의 지배를 받는다. Pterygopalatine ganglion에서 lateral posterior superior nasal branch와 lateral posterior inferior nasal branch가 코안 외벽으로 분지된다(**그림 1-30**). Nasal septum은 pterygopalatine ganglion의 nasopalatine branch의 지배를 받는다(**그림 1-31**).

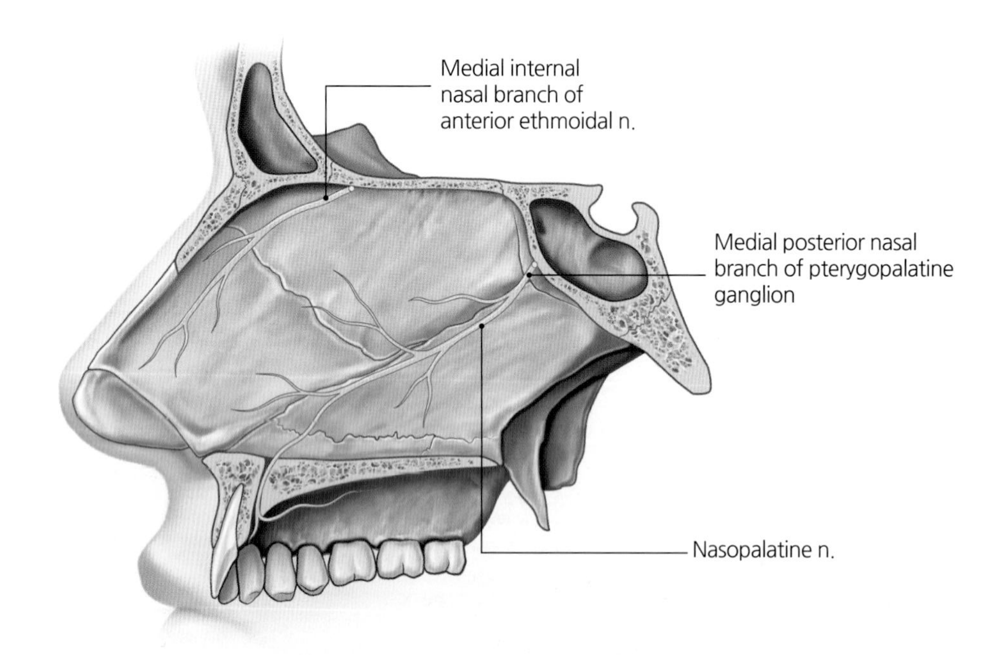

그림 1-31. Septal innervation

참고문헌

1. Adams, W. P., Rohrich, R. J., Hollier, L. H., Minoli, J., Thornton, L. K., Gyimesi, I. Anatomic basis and clinical implications for nasal tip support in open versus closed rhinoplasty. Plast. Reconstr. Surg. 103: 255, 1999.
2. Adamson, P. A., Morrow, T. A. The nasal hinge. Otolaryngol. Head Neck Surg. 111: 219, 1994.
3. Ali-Salaam, A., Kashgarian, M., Davila, J, et al. Anatomy of the Caucasian alar groove. Plast. Reconstr. Surg. 110:261, 2002.
4. Anderson, J. R. A reasoned approach to nasal base surgery. Arch. Otolaryngol. 110: 349, 1984.
5. Becker, D.G., Weinberger, M.S., Tardy, M.E. Clinical study of alar anatomy and surgery of the alar base. Arch. Otolaryngol. Head Neck Surg. 123: 789, 1997.
6. Beekhuis, G. J., Colton, J. J. Nasal tip support. Arch. Otolaryngol. Head Neck Surg. 112: 726, 1986.
7. Bernstein, L. Applied anatomy in corrective rhinoplasty. Arch. Otolaryngol. 99: 67, 1974.
8. Boo-Chai, K. The management of ala ptosis in Oriental rhinoplasty. Aesth. Plast. Surg. 10: 17, 1986.
9. Clark, M.P.A., Greenfield, B., Hunt, N., et al. Function of the nasal muscles in normal subjects assessed by dynamic MRI and EMG: its relevance to rhinoplastic surgery. Plast. Reconstr. Surg. 101: 1945, 1998.
10. Daniel, R. K. Rhinoplasty: Creating an aesthetic tip. A preliminary Report. Plast. Reconstr. Surg. 80: 775, 1987.
11. Daniel, R. K., Lessard, M.L. Rhinoplasty: A Graded aesthetic-anatomical approach. Ann. Plast. Surg. 13: 436, 1984.
12. Daniel, R. K., Letourneau, A. Rhinoplasty: Nasal anatomy. Ann. Plast. Surg. 20: 5, 1988.
13. Dhong, E. S., Han, S. K., Lee, C. H., Yoon, E. S., Kim, W. K. Anthropometric study of alar cartilage in Asians. Ann. Plast. Surg. 48: 386, 2002.
14. Dion, M. C., Jafek, B. W., Tobin, C. E. The anatomy of the nose. Arch. Otolaryngol. 104: 145, 1978.
15. Falces, E., Wesser, D., Gorney, M. Cosmetic surgery of the non-Caucasian nose. Plast. Reconstr. Surg. 45: 317, 1970.
16. Gunter, J. P. Tip rhinoplasty: A personal approach. Facial Plast. Surg. 4: 263, 1987.
17. Gunter, J.P., Rohrich, R.J. Correction of the pinched nasal tip with alar spreader graft. Plast. Reconstr. Surg. 90: 821, 1992.

18. Guyuron, B. Footplates of the mesial crura. Plast. Reconstr. Surg. 101: 1359, 1998.
19. Guyuron, B., Behmand, R.A. Nasal tip sutures part II: the interplays. Plast. Reconstr. Surg. 112:1131, 2003.
20. Han, S. K. Asian rhinoplasty. Koonza Publisjing Inc. 2006.
21. Han, S. K. Surgical anatomy of Korean nose. J. Kor. Soc. Aesth. Plast. Surg. 11-1: 1, 2005.
22. Han, S. K., Ko, H. W., Kim, W. K. Advantages of Adding a Footplate Incision in Asian Rhinoplasty. Ann. Plast. Surg. 53-1: 65, 2004.
23. Han, S. K., Ko, H. W., Lee, D. Y., Kim, W.K. The effect of releasing tip-supporting structures in shortnose correction. Ann. Plast.. Surg. 54-4 : 375, 2005.
24. Han, S. K., Lee, D. G., Kim, J. B., Kim, W. K. An anatomic study of nasal tip supporting structures. Ann. Plast.. Surg. 52-2: 134, 2004.
25. Han, S. K., Woo, H. S., Kim, W. K. Extended incision in open-approach rhinoplasty for Asians. Plast. Reconstr. Surg. 109: 2087, 2002.
26. Hwang, T.S., Kang, H.S. Morphometry of nasal bases and nostrils in Koreans. Ann. Anat. 185: 189, 2003.
27. Janeke, J. B., Wright, W.K. Studies on the support of the nasal tip. Arch. Otolaryngol. 93: 458, 1971.
28. Kamer, F. M. Surgery of the nasal tip. Facial Plast. Surg. 4: 249, 1987.
29. Kridel, R. W. H., Konior, R. J., Shumrick, K. A., Wright, W. K. Advances in nasal tip surgery. Arch. Otolaryngol. Head Neck Surg. 115: 1206, 1989.
30. Leeson, T. S., Leeson, C. R., Paparo, A. A. Text/atlas of histology. Pholadelphia: Saunders, 1988. P.P. 126.
31. Letourneau, A., and Daniel, R.K. The superficial musculoaponeurotic system of the nose. Plast. Reconstr. Surg. 82: 48, 1988.
32. Matory, W.E., Falces, E. Non-Caucasian rhinoplasty: a 16-year experience. Plast. Reconstr. Surg. 77: 239, 1986.
33. McCollough, E. G. Surgery of the nasal tip: Prudent selection of alternatives. In: R. K. Daniel, Aesth. Plast. Surg. : Rhinoplasty. Boston: Little, Brown, Pp. 415, 1993.
34. Natvig, P., Sether, L.A., Dingman, R.O. Skin abuts skin at the alar margins of the nose. Ann. Plast. Surg. 2: 428, 1979.
35. Ofodile, F. A., James, E. A. Anatomy of alar cartilages in Blacks. Plast. Reconstr. Surg. 100: 699, 1997.
36. Ohki, M., Naito, K., Cole, P. Dimensions and resistances of the human nose: racial differences. Laryngoscope. 101: 276, 1991
37. Oneal, R. M., Izenberg, P. H., Schlesinger, J. Surgical anatomy of the nose. In R. K. Daniel. Aesth. Plast. Surg.: Rhinoplasty. Boston: Little, Brown, P. 16, 1993.
38. Oritiz Monasterio, F., Olmedo, A. Rhinoplasty on the mestizo nose. Clin. Plast. Surg. 4: 89, 1977.
39. Oritiz Monasterio, F., Orsini, R. Surgery of the nonindo-europian face. Clin. Plast. Surg. 23: 341, 1996.
40. Park, B.Y., Lew, D.H., Lee, Y.H. A comparative study of the lateral crus of alar cartilages in unilateral cleft lip nasal deformity. Plast. Reconstr. Surg. 101: 915, 1998.
41. Patel, J.C., Fletcher, J.W., Singer, D., et al. An anatomic and histologic analysis of the alar-facial crease and the lateral crus. Ann. Plast. Surg. 52: 371, 2004.
42. Petroff, M. A., McCollough, E. G., Hom, D., Anderson, J. R. Nasal tip projection. Arch. Otolaryngol. Head Neck Surg. 117: 783, 1991.
43. Pinto, E. B. , Rocha, R.P. , Filho, W. Q., et al. Anatomy of the median part of the septum depressor muscle in aesthetic surgery. Aesth. Plast. Surg. 22: 111, 1998.
44. Pitanguy, I. Revisiting the dermocartilaginous ligament. Plast. Reconstr. Surg. 107: 264, 2001.
45. Pitanguy, I. Surgical importance of a dermocartilaginous ligament in bulbous noses. Plast. Reconstr. Surg. 36: 247, 1965.
46. Pitanguy, I., Salgado, F., Radwanski, H. N., Bushkin, S. C. The surgical importance of the dermocartilaginous ligament of the nose. Plast. Reconstr. Surg. 95: 790, 1995.
47. Quatela, V. C., Slupchynskyj, O. S. Surgery of the nasal tip. Facial Plast. Surg. 13: 253, 1997.
48. Ries, W. R., Rathfoot, C. J. The aging nose in rhinoplasty for facial rejuvenation. Facial Plast. Surg. 12: 197, 1996.
49. Rohrich, R.J., Muzaffar, A.R. Rhinoplasty in the African-American patient. Plast. Reconstr. Surg. 111: 1322, 2003.
50. Rohrich, R. J., Raniere, J., Ha, R. Y. The alar contour graft: Correction and prevention of alar rim deformities in rhinoplasty. Plast. Reconstr. Surg. 109: 2495, 2002.

51. Shirakabe, Y., Suzuki, Y., Lam, S.M. A systematic approach to rhinoplasty of the Japanese nose: a thirty-year experience. Aesth. Plast. Surg. 27: 221, 2003.
52. Sim, R.S., Smith, J.D. and Chan, A.S. Comparison of the aesthetic facial proportions of southern Chinese and white women. Arch. Facial Plast. Surg. 2: 113, 2000.
53. Song, R., Ma, H., Pan, F. The " levator septi nasi muscle " and its clinical significance. Plast. Reconstr. Surg. 109: 1707, 2002.
54. Tebbetts, J.B. Primary Rhinoplasty : A New Approach to the Logic and the Techniques, 1st Ed. St. Louis: Mosby, Inc. 1998. Pp 108
55. Watanabe, K. New ideas to improve the shape of the ala of the oriental nose. Aesthetic Plast. Surg. 18: 337, 1994.
56. Wu, W.T. The Oriental Nose: An anatomical basis for surgery. Ann. Acad. Med. Singapore. 21: 176, 1992.
57. Yotsunagi, T., Yamashita, K., Urishidate, S., et al. Nasal reconstruction based on aesthetic subunits in Orientals. Plast. Reconstr. Surg. 106: 36, 2000.
58. Zelnik, J., Gingrass, R. P. Anatomy of the alar cartilage. Plast. Reconstr. Surg. 64: 650, 1979.
59. Zhai, L. J., Bruintjes, T. D., Boschma, T., Huizing, E. H. The interdomal ligament does not exist. Rhinol. 33: 135, 1995.
60. Zheng, L., Han, Z., Lu, S. and Shuyuan, L. Morphological traits in peoples of Mongolian nationality of the Hulunbuir League, Inner Mongolia, China. Antropol. Anz. 60: 175, 2002.
61. Zingaro, E.A., Falces, E. Aesthetic anatomy of the non-Caucasian nose. Facial. Aesthetic Surg. 14: 749, 1987.

CHAPTER

2 임상 사진술

Principles of Digital Photography

Chapter Author | 이장현

1. 역사

1839년에 Daguerre 사진술(daguerreotype)이 처음 소개된 것과 더불어 임상사진술(clinical photography)의 역사도 같이 시작되었다. Daguerre 사진술은 요오드와 은을 도장한 구리판과의 가열 반응에서 발생하는 silver iodide라는 빛에 민감한 물질을 이용한 것으로 이로 인해 사진이라는 새로운 예술 분야가 탄생되었다. 임상사진술은 1800년 중반에 뉴욕에서 활동한 'Buck's fascia, Buck traction'으로 널리 알려진 외과의사 Gurdon Buck이 정형외과와 성형외과 분야에 특별한 관심을 가지고 1845년 정형외과 수술 환자의 술 전 사진을 Daguerre 사진술을 이용하여 삽화로 실은 논문을 발표함으로써 시작되었다. 그 후에 습판술(wet-plate technique)이 소개되어 인화가 가능해 짐에 따라 많은 환자들의 사진, 특히 남북전쟁으로 부상당한 병사와 구순열 환자의 술 전, 술 후 사진을 남겼다. 이 후 사진의 대중화에 큰 업적을 남긴 George Eastman이 1879년에 건판술(dry-plaste technique)을 개발하였으며, 1885년에는 최초의 negative paper인'Eastman's American stripping film'을 발명하였고, 1888년에는 상자형 롤 필름카메라를 선보였다. 그 뒤 1892년, 지금의 Eastman Kodak 회사를 설립하여 오늘에 이르고 있다. 롤필름은 2.75 인치(약 70 mm) 폭의 필름을 반으로 나누어 영사용 롤필름으로 제작한 것에서 시작되는데 1914년에 Ernst Leitz 회사는 이러한 35 mm 영화 필름의 절반을 사용하는 소형 카메라를 제작하였고 그 후 개량이 되면서 1925년에 'Leitz camera'의 앞 글자를 따서'라이카(Leica) A'를 생산, 판매하였다(**그림 2-1**). 이 '라이카 A'는 상당한 인기를 얻으면서 판매가 되었는데 현재 주류를 이루는 디지털 카메라가 나오기 전까지 소형 카메라의 기준이 되는 35 mm 필름카메라의 모체가 되었다고 할 수 있다. 최초의 상업용 투명 필

그림 2-1. 35 mm 카메라의 표준이 된 라이카 A

름은 1935년에 출시되었다. 140여년 역사의 필름카메라는 필름을 사용하지 않고 렌즈를 통해 얻은 영상을 디지털 이미지로 기록하는 디지털카메라가 나오면서 그 자리를 대신하게 되었는데 이러한 디지털카메라도 35 mm 필름카메라의 규격에 기초를 두고 만들어졌다.

현재 대부분의 병원에서는 이러한 디지털카메라를 이용해 촬영, 저장, 보관하고 있다. 디지털카메라는 필름카메라와 그 기본 작동원리는 거의 같지만 디지털 기록매체(digital image sensor)로 촬영물을 기록하고 메모리 카드에 이미지가 저장되는데 이렇게 저장된 이미지는 컴퓨터를 통해서 혹은 바로 프린터로 출력할 수 있다. 또한 사진을 찍으면서 바로 확인이 가능하여 잘못 찍힌 사진들은 지울 수가 있다. 이렇듯 사용의 편리성과 경제성 등으로 남녀노소 누구나 사용하고 있을 만큼 대중화되어 있지만 각종 논문들에 실리는 임상사진들은 아직도 부족한 점들이 많이 발견되고 있다. Parker 등의 발표에 의하면 성형외과 분야의 4개의 유명한 학회지에 실린 술 전, 술 후 사진들에 대해 14개의 세부 기준을 만들어 이것들을 점수화하여 평가하였는데 적지 않은 부족한 점들이 발견되어 임상사진의 표준화의 필요성을 강조하였다. 따라서 표준화된 임상사진을 촬영하기 위한 디지털카메라의 이해와 기본적인 원리에 대해 기술하고자 한다.

2. DSLR (Digital single lens reflex) 카메라

SLR (single lens reflex) 카메라는 하나의 렌즈(single lens)를 카메라에 연결하여 이 렌즈를 통해 맺히는 상을 카메라 안에 있는 거울의 반사(reflex)에 의해 촬영자가 직접 볼 수 있도록 설계되어 있는 것으로 렌즈를 통해 보여지는 그대로의 장면을 직접적으로 보면서 촬영이 가능하도록 설계된 카메라이다. 이런 SLR 카메라의 원리를 그대로 이용하여 필름이 아닌 디지털 기록 매체를 이용하여 촬영, 저장하도록 만들어진 것이 DSLR 카메라이며 일반적인 디지털 컴팩트 카메라와는 달리 용도에 맞게 렌즈를 바꿔 연결할 수 있고 또한 각각의 렌즈가 만들어내는 다양한 장면을 그대로 보면서 촬영이 가능하다는 큰 장점을 가지고 있다(**그림 2-2**). 따라서 임상사진 촬영 시에도 이러한 DSLR 카메라가 가장 많이 사용된다.

1) 조리개(Aperture, diaphragm)

조리개는 빛이 렌즈를 통과하여 카메라 내로 들어오는 광량을 조절하는 장치로 렌즈 내부에서 단세적으로 작게 혹은 크게 할 수 있는 구멍의 크기로 조절한다. 조리개는 F와 함께 숫자로 표기하는데 F값이 작아지면 조리개가 열려 렌즈를 통과하는 빛의 양이 많아지고 F값이 커지면 반대로 조리개가 조여져서 빛의 양이 적어진다(**그림 2-3**). 조리개의 단계마다 구경의 넓이는 2배 혹은 절반으로 변하고 따라서 렌즈를 통과하는 빛의 양도 같은 비율로 변한다. 예를 들어 조리개 수치 F2.8에서 1초 동안 받아들인 빛의 양을 400이라고 가정하면 F4에서는 같은 조건으로 200이 되고 F2에서는 800이 된다.

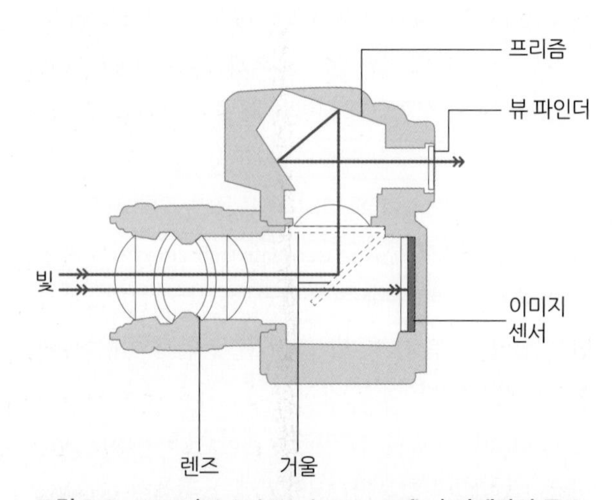

그림 2-2. DSLR (Digital Single Lens Reflex) 카메라의 구조
평상 시에는 렌즈를 통해 들어오는 피사체의 상이 카메라 내에 45도 각도로 설치된 거울에 반사되어 뷰 파인더를 통해 촬영자에 눈에 들어오며 셔터버튼을 누르면 거울이 올라가서 렌즈를 통과한 화상이 이미지센서에 맺히게 된다.

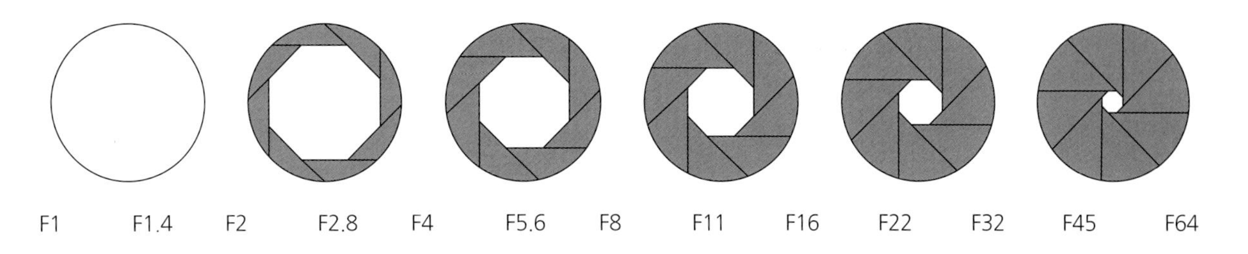

← 조리개 열림 조리개를 조임 →

그림 2-3. 조리개값과 구경넓이의 변화

조리개의 숫자가 작아지면 조리개가 열려 렌즈를 통과하는 빛의 양이 많아지고 숫자가 커지면 조리개가 조여져 렌즈를 통과하는 빛의 양이 적어진다.

이와 같은 F값은 '렌즈의 밝기'라고도 하는데 이는 조리개를 모두 열었을 때의 밝기를 말하며 다음과 같은 식으로 계산한다.

렌즈의 밝기 = 초점거리 / 렌즈의 유효구경

여기서 유효구경이란 렌즈를 경통에 고정시키기 위한 테두리를 제외하고 실제 빛이 통과하는 렌즈의 지름만을 의미하며 50 mm 표준렌즈의 경우 직경 50 mm 렌즈에서 유효구경은 35.7 mm이고 초점거리가 50 mm가 된다. 따라서 유효구경 대 초점거리는 1:1.4가 되며 이 수를 이 표준렌즈의 밝기라고 한다. 이렇게 얻어진 값에 'F'를 붙여서 조리개값을 나타내며 F1.4로 표시한다.

(1) 심도(Depth of field)

촬영 대상에 초점을 맞추면 그 초점을 맞춘 곳에서 앞뒤로 일정한 거리가 선명하게 찍히는데 심도란 초점이 맞은 초점면의 앞뒤 선명도를 뜻한다. 따라서 선명하게 찍히는 범위를 말하며 초점면의 앞뒤 선명 범위가 긴 것을 심도가 깊다고 하고 선명 범위가 좁은 것을 심도가 얕다고 한다. 일반적으로는 '배경 흐림 기법' 혹은 'out focus'라고 해서 의도적으로 심도를 얕게 하여 배경을 흐리게 하고 주제만 강조하기도 한다. 하지만 임상사진술에서는 심도를 최대로 깊게 해야 사진의 세부 묘사를 향상시킬 수 있다. 이러한 심도는 조리개 수치, 촬영거리, 렌즈의 초점거리, 이미지센서 크기에 따라 변화될 수 있다.

(2) 심도의 조절

① 조리개를 조이면 즉 F값이 커지면 심도가 깊어지므로 촬영 대상 내에 가장 가까운 곳으로부터 가장 먼 곳까지를 선명하게 표현할 수 있는 범위가 늘어나는데 이 범위는 초점으로부터 앞뒤 길이가 약 1:2의 비율로 늘어나면서 선명하게 찍힌다(**그림 2-4**). 따라서 조리개의 수치를 조절하여 심도를 조절해 초점을 맞출 필요가 있다.

② 촬영거리를 가까이 할수록 심도도 얕아지는데 50 mm 렌즈로 F5.6으로 촬영할 경우 촬영거리 1 m에서 심도는 12 cm이고 0.5 m에서는 2 cm로 얕아진다. 따라서 수술실과 같은 한정된 장소에서 근거리 촬영을 많이 하는 임상사진의 촬영의 경우 유의해야 한다.

③ 초점거리가 짧은 렌즈를 사용할 때 심도가 깊어지는데 이 또한 50 mm 혹은 100 mm 렌즈를 주로 사용하는 임상사진의 촬영에서는 렌즈의 조절에 한계가 있다.

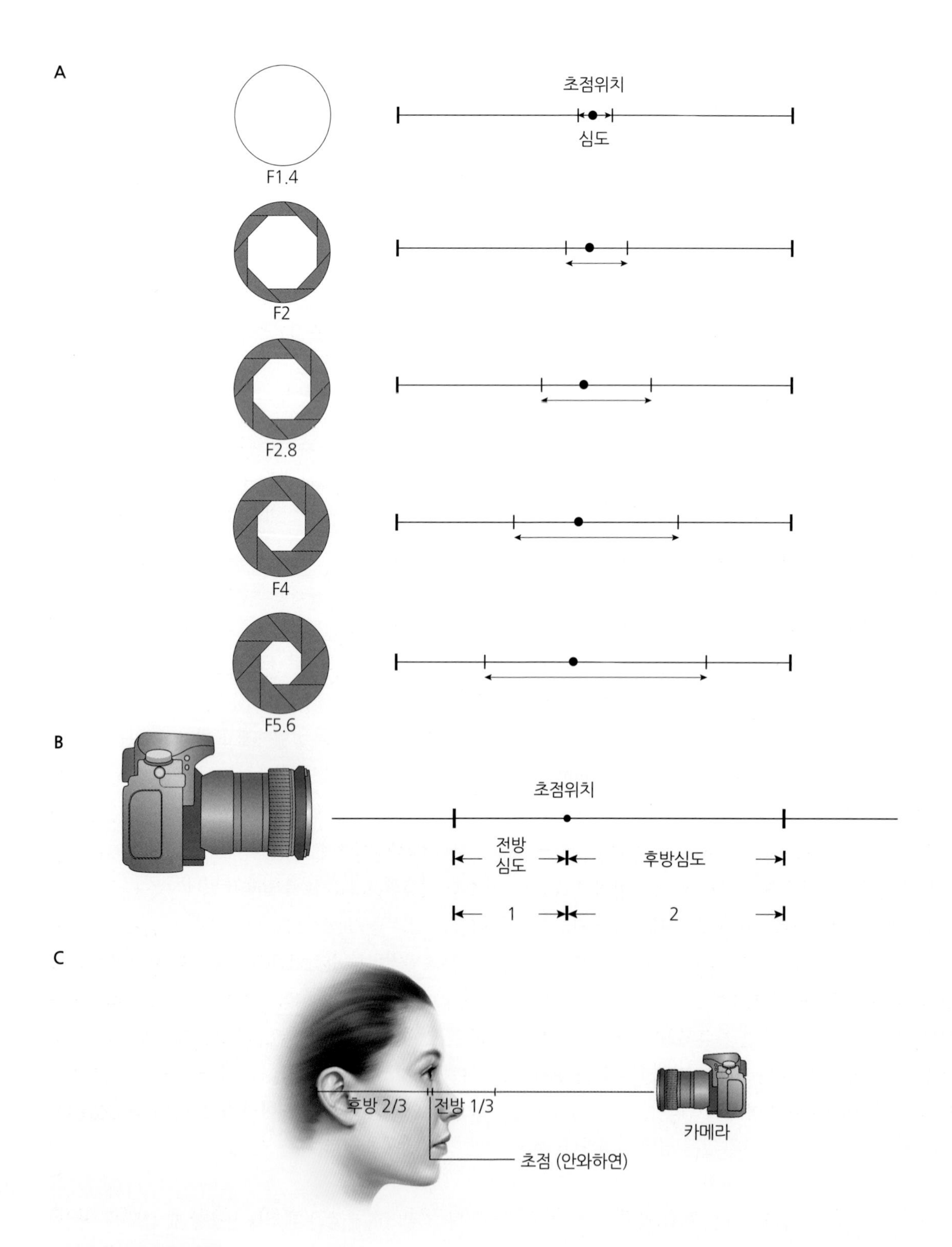

그림 2-4. 조리개와 심도

A, 조리개 구경과 심도의 변화 B, 전방 심도 대 후방 심도의 비율. 조리개를 조일수록 전방 심도와 후방 심도의 길이는 약 1:2의 비율로 선명하게 찍히는 범위가 늘어난다 C, 안면부의 정면 촬영 시 F8 혹은 F11에서 초점을 안와하연에 맞추고 촬영을 하면 nasal tip에서부터 귓바퀴까지 선명하게 찍힌다

④ DSLR 카메라처럼 이미지센서 크기가 크면 심도를 얕게 표현하는 데 유리하고 디지털 콤팩트 카메라처럼 이미지센서가 작으면 심도를 깊게 표현하는 데 유리하다. 따라서 DSLR 카메라를 주로 사용하는 임상사진 촬영에서는 이에 대한 주의가 필요하다.

2) 셔터(Shutter)

셔터는 촬영 순간 열렸다가 렌즈를 통과한 빛이 적당하게 카메라 속으로 들어왔을 때 닫히는 장치이며 셔터속도는 이러한 셔터막이 열렸다 닫히는 시간으로 초 단위로 세분화되어 세계적으로 통일된 숫자를 사용하고 있는데 대개 분모만을 표시하여 250이면 1/250초를 나타내며 따라서 숫자가 커지면 속도가 빠른 것을 의미한다(**그림 2-5**).

조리개의 경우처럼 속도는 각 단계마다 배씩 늘거나 반으로 줄어드는데 계산이 쉽도록 8 다음 단계는 15, 60 다음에는 125로 설계되었다. 셔터속도가 느리면 손 떨림에 의한 초점 흐림 현상이 나타나므로 카메라를 손에 들고 찍을 수 있는 한계 속도보다 빠른 셔터속도로 촬영하여야 한다. 이러한 한계 속도는 렌즈에 따라 차이가 있는데 일반적으로 최소한 렌즈의 초점거리 숫자의 역보다 빨라야 한다. 예를 들어 100 mm 렌즈의 경우 1/100초보다 빨라야 하고 200 mm의 경우 1/200초보다 빨라야 한다. 따라서 임상사진 촬영 시 주로 사용하는 50 mm 렌즈는 1/60초 이상, 100 mm 렌즈는 1/125초 이상이여야 하는데 이러한 손떨림의 이유가 아니더라도 임상사진 촬영 시에는 일정한 사진을 얻기 위해서 반드시 삼각대를 이용하여 촬영하여야 한다.

3) 감도

감도는 이미지 센서가 빛을 감지할 수 있는 정도를 의미하는데 디지털카메라도 필름과 마찬가지로 국제 표준 규격(ISO, International Standardization Organization, ASA, American Standards Association)으로 표기한다. ISO 숫자의 크기에 따라 빛을 받아들일 수 있는 양이 차이가 나는데 숫자가 작아지면 빛을 감지하는 능력이 낮고 숫자가 커지면 빛을 감지하는 능력이 높아진다. 따라서 밝은 환경에서는 숫자가 작은 저감도에 맞추고 어두운 환경에서는 숫자가 큰 고감도에 맞추어 촬영한다. 이러한 감도는 해상력에도 영향을 미치는데 저감도에서는 입자가 가늘고 구운 미립자로 화상을 형성하는 데 반해 고감도에서는 이미지 센서가 빛을 받아들이는 능력을 높이는 만큼 noise가 많아지고 입상성(graininess)이 나타나서 화질을 떨어뜨린다(**그림 2-6**). 따라서 임상사진 촬영 시에 적절한 해상도를 유지하기 위해서는 ISO를 100~200으로 촬영하는 것이 바람직하다.

4) 조리개와 셔터속도, 감도

조리개 구경이 크면 들어오는 빛의 양이 많아지고 구경이 작으면 빛이 적게 들어온다. 또한 셔터를 오랫동안 열어두면 빛의 양을 많이 확보할 수 있고 셔터속도를 늘리면 들어오는 빛의 양이 적어진다. 여기에다 감도를 조절하면 적은 양의 빛으로도 밝은 사진을 얻을 수 있다. 이러한 조리개 수치와 셔터속도, 감도는 각각의 단계를 조절하면서 일정한 노출을 유도할 수 있는데 각각에서의 한 단계 조정이 서로 똑같은 양으로 적용이 되어 조리개에서 한 단계를 열고 셔터속도를 한 단계 빠르게 하면 같은 양의 빛을 얻는 것이다(**표 2-1**). 따라서 심도 조

1 2 4 8 15 30 60 125 250 500 1000 2000 4000 8000

← 셔터속도 느림 셔터속도 빠름 →

그림 2-5. 셔터속도

카메라는 셔터 속도의 몇 분의 일초라는 분수 표기에서 분모숫자(예: 1/1,000초 → 1,000)만을 표기한다.

100	200	400	800	1600
← 저감도 ← 빛이 많이 필요 ← 고 해상력				고감도 → 빛이 적게 필요 → 저 해상력 →

그림 2-6. 감도

절을 위해 조리개를 작게 해야 할 경우 셔터속도를 조절하여 일정한 노출을 유도할 수 있고 혹은 손떨림 효과 때문에 셔터를 빠르게 해야 할 때 조리개를 조절하여 같은 노출을 유지할 수 있다.

5) 렌즈의 초점거리(Focal length of lens)

렌즈의 초점거리는 사물에 대한 초점을 무한대(∞)에 맞춘 상태에서 렌즈의 후면과 이미지센서(혹은 필름)면까지의 직선거리를 말한다. 이런 초점거리가 사용하는 카메라의 이미지센서(혹은 필름)의 대각선 길이와 같으면 표준렌즈(standard lens)라고 한다. 하지만 디지털 카메라의 기준이 되는 35 mm 필름카메라의 경우 필름의 대각선 길이가 43 mm인데 렌즈 제조사의 생산 편의 등으로 초점거리 50 mm가 표준렌즈로 사용되고 있다. 또 다른 기준으로 사람의 시야각과 비슷한 화각을 가진 렌즈를 말하기도 하는데 사람의 양측 눈이 겹치는 시야가 46°이고 50 mm 렌즈의 화각이 이와 같아서 이런 기준으로 50 mm 렌즈가 표준렌즈가 된다고도 한다(**그림 2-7**). 이는 다시 말해서 우리가 눈으로 보는 자연스러운 시야와 시야와 50 mm 렌즈를 통해 만들어지는 이미지가 비슷하기 때문에 모든 렌즈의 표준이 되는 것이다.

표준렌즈보다 초점거리기 짧은 렌즈를 광각렌즈(wide angle lens) 또는 단초점 렌즈라고 한다. 이 렌즈는 표준렌즈보다 화각이 넓어 사람의 눈으로 보는 것보다 넓은 느낌으로 촬영이 가능하며 심도가 깊어져 근경에서 원경까지 사물 전체가 선명하게 묘사되는 효과를 얻을 수 있다. 반대로 표준렌즈보다 초점거리가 긴 렌즈를 망원렌즈(telephoto lens) 또는 장초점 렌즈, 협각렌즈라고 한다. 좁은 화각을 만들기 때문에 망원경처럼 멀리 있는 대상을 가까이 당겨 크게 보이도록 촬영이 되어 거리감의 압축, 심도가 얕은 특징을 가지고 있다(**그림2-8**).

6) 렌즈의 확대율, 재현율(Reproduction ratio)

임상사진 촬영 시에 환자의 촬영 부위에 따라서 확대율을 미리 설정해 놓으면 항상 일정한 거리에서 촬영할 수 있어 재현율이 높아지므로 표준화된 사진촬영이 가

표 2-1. 노출을 결정하는 3요소

A.

조리개수치(F)	2	2.8	4	5.6	8
셔터속도(초)	1/250	1/125	1/60	1/30	1/15

(같은 노출 상태)

B.

감도(ISO)	100	200	400	800	1600
셔터속도(초)	1/15	1/30	1/60	1/125	1/250

(같은 노출 환경)

A, 조리개와 셔터속도와의 관계. B, 감도와 셔터속도

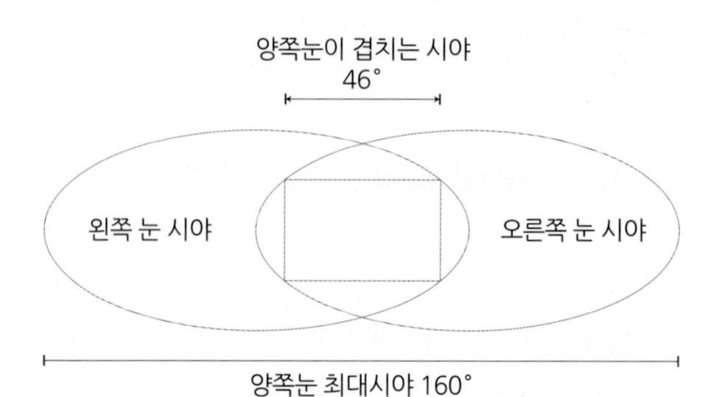

그림 2-7. 표준렌즈의 화각

양쪽 눈이 겹치는 교집합부분의 사각을 따낸 것이 표준렌즈의 화각이다.

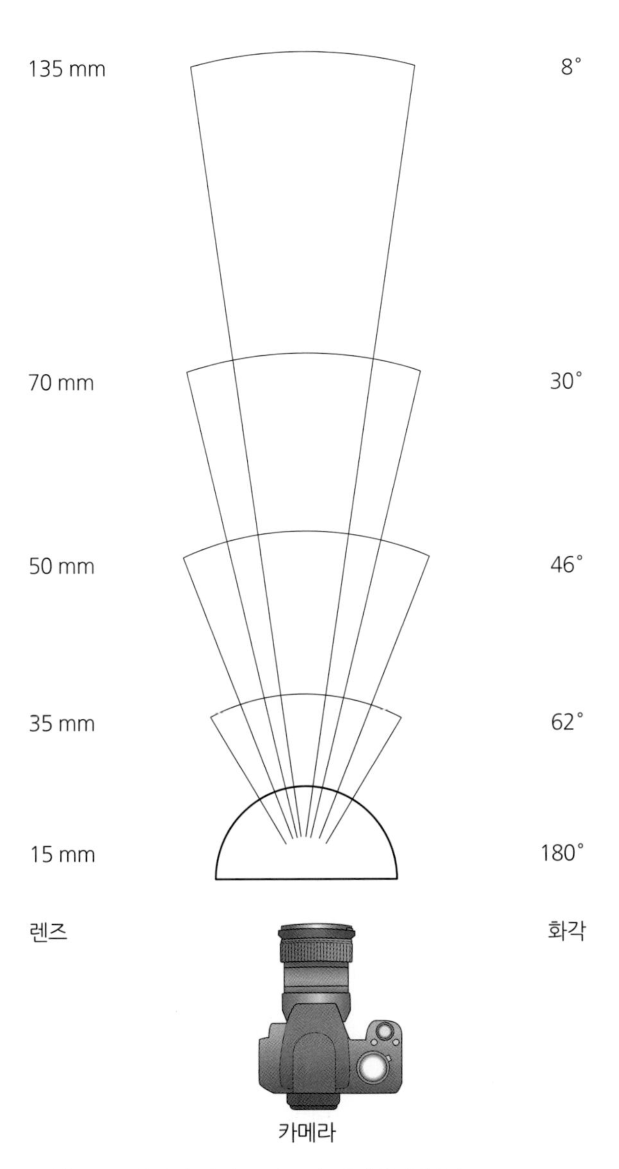

그림 2-8. 사진이 찍히는 각도와 피사체의 범위
35mm 필름 카메라를 기준으로 계산된 수치이며 초점거리가 짧을수록 화각이 크고 초점거리가 길수록 화각이 작다.

능하다. 확대율이란 필름에 맺히는 영상의 크기와 실제 사물크기의 비율을 나타내는데 이 확대율은 35 mm 필름에 기초한 것이다. 하지만 대부분 DSLR 카메라의 이미지센서는 35 mm 필름보다 작으므로 확대율이 더 커질 수 있다. 일반적으로 귀와 목 부위를 포함한 안면부 사진은 확대율이 1:9 혹은 1:10이 이상적이다.

7) 이미지센서

이미지센서는 디지털카메라에서 필름역할을 하는 것으로 렌즈를 통해 들어온 빛 에너지를 디지털신호로 바꾸어 저장장치에 전송하는 역할을 한다. 종류로는 CCD (charged couple device)와 CMOS (complementary metal oxide semiconductor)가 있다.

(1) CMOS

전력 소모가 낮고 제조단가가 저렴하고 이미지센서를 크게 만들기에 유리하여 Canon사 카메라를 포함하여 대부분 DSLR 카메라에서 사용되고 있다.

(2) CCD

CMOS에 비해 노이즈 발생이 적고 이미지 전송 속도가 빠르고 화질이 선명하다는 장점이 있지만 소비전력이 높아 베터리 소모가 많고 제조 단가가 높은 단점이 있다.

(3) 이미지센서의 크기

이미지센서의 크기가 36×24 mm로 35 mm 필름과 동일한 화각(1:1)을 가지고 있는 카메라는 Canon사의 EOS 6D, EOS 5D Mark II & III, EOS-1D X, EOS-1Ds Mark III와 Sony 카메라 A7 시리즈, Nikon사의 Fx 시리즈 등이 있고 1:1.3 비율의 센서를 가지고 있는 것은 EOS-1D Mark IV이다. APS-C (advanced photo system-type C) 규격으로 24×16mm 크기의 1:1.5 비율을 가진 것은 Nikon사의 Dx 시리즈이고 1:1.6 비율을 가진 것은 EOS 60D, EOS 70D, EOS 100D, EOS 600D, EOS 650D, EOS 700D, EOS 1100D 등이 있다. 디지털카메라는 35mm 필름보다 더 작은 이미지센서를 가지고 있으면 화각이 작아지므로 렌즈의 선택 시 이를 참고하여야 한다. 동일한 렌즈를 사용할 때 1:1.3~1.6 이미지센서는 1:1 이미지센서보다 작은 면적만을 기록하여 주변부가 잘려진 중앙의 이미지만을 기록한다(**그림 2-9**). 망원경의 효과처럼 중심부만 크게 확대된 것처럼 기록되므

그림 2-9. 이미지센서의 크기에 따른 촬영범위

이미지센서의 크기에 따라 주변 화상이 잘려져 렌즈의 중심부만 기록되어 마치 망원렌즈를 이용해 중심부만 확대되어 촬영된 것처럼 보인다.

로 망원렌즈 효과를 낸다. 따라서 50 mm 렌즈는 1:1.3에서는 65 mm (50×1.3), 1:1.5에서는 75 mm (50×1.5), 1:1.6 (50×1.6)에서는 80 mm로 촬영한 것 같은 효과가 나타난다. 구체적인 예로 35 mm 필름카메라에 90 mm 렌즈를 사용하여 촬영한 것이 1:1.5 비율의 디지털 카메라에 60 mm 렌즈를 사용한 것과 동일한 화상의 사진이 된다.

8) 화소(Pixel)

화소란 화면을 이루는 아주 작은 셀 수 있는 단위로 최적의 화질로서 최대로 출력할 수 있는 크기를 의미하는 해상도의 개념이다. 600만 화소는 대략 3,000×2,000 pixel이며 600만 개의 점으로 이루어진 사진을 만들어낸다. 즉 화소수가 많을수록 크게 확대해도 정밀한 사진이 된다. 다시 말해 크게 출력을 할 수 있다는 것이다. 해상도와는 달리 화질을 결정짓는 데 직접적으로 영향을 미치는 것은 화소보다 이미지센서의 크기이다. 왜냐하면 이미지를 기록하는 센서의 면적이 넓을수록 더 좋은 색상과 선명도를 더 많이 담아내어 표현할 수 있어 우수한 화질을 만들 수 있기 때문이다. 일반적으로 성형외과 분야에서 환자의 기록 관리, 학회 발표, 논문 제출 등을 목적으로 사진을 촬영할 때 300만 화소이면 사용하기에 충분하다.

3. 임상사진 촬영실

일반적인 인물사진에서 제일 중요한 점은 가장 유리한 방법과 조건으로 촬영을 하는 것이지만 임상사진에서는 가장 정확한 방법과 일정한 조건으로 촬영을 하는 것이 중요하다. 카메라, 조명 등을 동일한 조건으로 촬영하여 일관성을 유지하는 것이 임상사진의 핵심요소이다. 특히 수술 전후 혹은 비교 대상들에 대해 같은 방법과 같은 조건으로 사진을 찍어야 하는데 이런 이유로 진료실에서 촬영을 하는 것보다는 사진 전용촬영실을 갖추는 것이 필요하다. 그러나 같은 시간대에 여러 곳에서 진료가 이루어지는 병원에서는 촬영이 필요한 환자가 갑자기 여러 명이 생길 경우 전용촬영실에서 촬영을 위해 기다려야 하는 불편함이 있다. 또한 진료가 끝난 후 환자가 사진 촬영을 위해 전용촬영실로 이동해야 하고 더불어 이동을 위해 착의 및 탈의를 반복하는 불편을 추가적으로 겪을 수도 있다. 그렇다 하더라도 진료실마다 촬영을 할 수 있는 여건을 만들기란 공간, 시절 등의 제한점이 있어 현실적으로 불가능하다. 따라서 이러한 경제적인 면을 고려할 때 전용촬영실을 갖추어 촬영하는 것이 가장 효과적이라고 할 수 있다.

1) 배경

배경은 눈에 띄거나 화려하지 않아야 하며 환자가 배경 앞에 섰을 때 촬영자가 배경보다는 촬영 대상에게 눈이 가도록 유도가 되어야 한다. 이것이 화려한 배경을 갖춘 일반적인 인물사진 촬영과의 차이점이다. 다양한 색이 배경으로 사용될 수 있지만 푸른색 혹은 회색 계통이 주로 사용된다. 특히 하늘색(중간 진하기)이 피부 색조와의 좋은 색 대조를 이루기 때문에 좋은 배경이 될 수 있다. 배경에 생기는 그림자 효과가 적어 회색(중간 진하기 이상)도 좋은데 피부 색조가 검은 사람은 충분한 색 대조를 제공하지 못할 수 있다. 이보다 더 진한 검은색은 배경에 그림자가 생기지는 않지만 대조가 너무 강하여 거친 사진이 될 수 있다. 여하튼 수술 전후 혹은 추적 기간 동안 일정한 배경색을 사용하는 것이 중요하다.

가장 간단한 방법은 벽에 색칠을 하는 것이다. 이때 주의할 점은 광택이나 윤기가 없는 페인트를 사용해야 플래시의 반사에 의한 부작용을 막을 수 있다는 것이다. 페인트는 잘 알려진 회사 것을 선택하고 색의 종류 또는 혼합색일 경우 섞은 비율을 잘 적어두어야 나중에 다시 칠해야 할 경우 똑같이 재현할 수 있다. 페인트는 벽뿐 아니라 바닥까지 칠하는 것이 좋으며 거친 벽보다는 부드러운 벽이 좋다.

두 번째 방법은 평행 바에 감겨진 롤 스크린 형식의 배경을 이용하는 것이다. 이것은 다양한 크기와 색깔을 선택할 수 있고 다리 혹은 발 부위의 촬영 시 바닥까지 내려 깔 수 있는 장점이 있다.

세 번째는 위의 방법과 비슷하지만 좀 더 고급스러운 형식의 블라인드 혹은 차양 방식의 배경이다. 이것도 바닥까지 깔 수 있는 장점이 있으며 수동으로 내리고 올릴 수도 있고 벽의 스위치를 이용하여 자동으로 설치할 수도 있다. 이와 같은 스크린이나 블라인드는 적어도 폭이 120 cm 이상이어야 하고, 공간이 허락하여 180 cm 정도면 전신 촬영을 위한 충분한 크기라 할 수 있다.

2) 촬영 공간

주된 촬영 부위에 따라 필요한 공간이 차이가 있다. 일반적으로 안면부 촬영 시 환자와 사진기와의 거리는 1 m 정도이고 전신 촬영을 위해서는 2~3 m 정도의 거리가 필요하다. 또한 배경에 생기는 그림자를 최소화하기 위해 환자는 배경 1 m 앞에 위치하여야 한다. 폭 길이의 경우 팔 성형술 시에는 양팔을 펴고 촬영해야 하기 때문에 2 m가 필요하다. 따라서 촬영실의 크기는 길이 5 m, 폭 3 m면 충분한 공간이 될 수 있다(**그림 2-10**). 천장은 높아야 하며 색깔은 플래시 빛이 천장에서 피사체로 반사되는 데 도움이 되는 흰색이 좋다.

환자는 배경 앞에 일정하게 위치할 수 있도록 환자 위치를 바닥에 표시를 하는 것이 좋다. 80~90 cm 정도가 이상적인데 촬영 공간이 협소하다면 50 cm도 무관하다. 얼굴 촬영의 경우에는 의자에 앉아서 촬영하는 것이 좋은데 정면, 45°, 측면을 촬영해야하기 때문에 회전의자를 사용하는 것이 편리하다. 또한 45°, 측면으로 환자가 방향을 쉽게 잡을 수 있도록 바닥에 화살표를 표시해 두면 도움이 되며 공간이 허락된다면 45°, 90°되는 지점의 벽에 거울을 붙여 환자가 그 거울을 정면으로 볼 때 자동적으로 방향이 잡히도록 하면 더욱 편리하다(**그림 2-11**). 카메라의 위치도 얼굴, 상체, 전신 등 찍는 부위에 따라서 같은 거리에서 촬영이 되도록 표시해 두는 것이 좋다.

3) 조명

전용촬영실의 가장 큰 장점 중의 하나는 일정한 조명을 설치해 둘 수 있다는 것이다. 일반적인 인물촬영에서

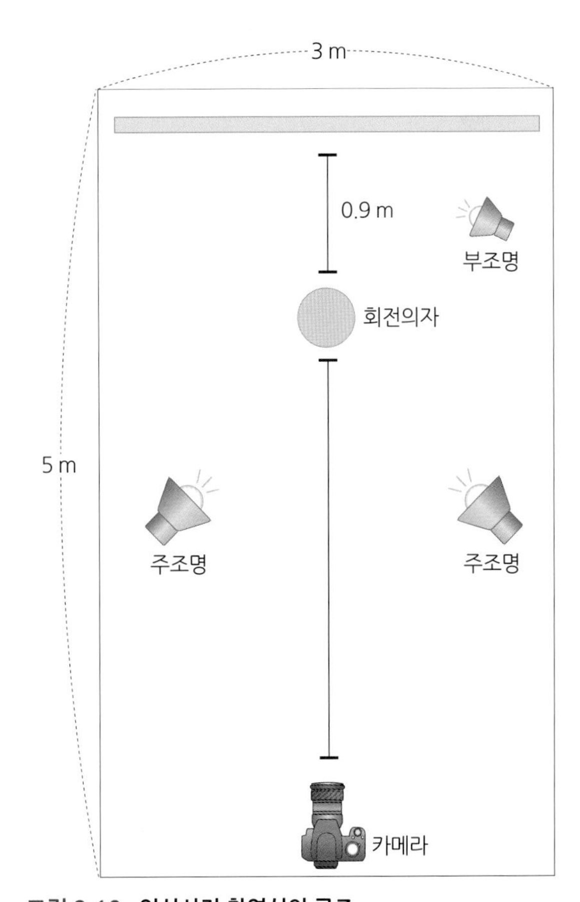

그림 2-10. 임상사진 촬영실의 구조

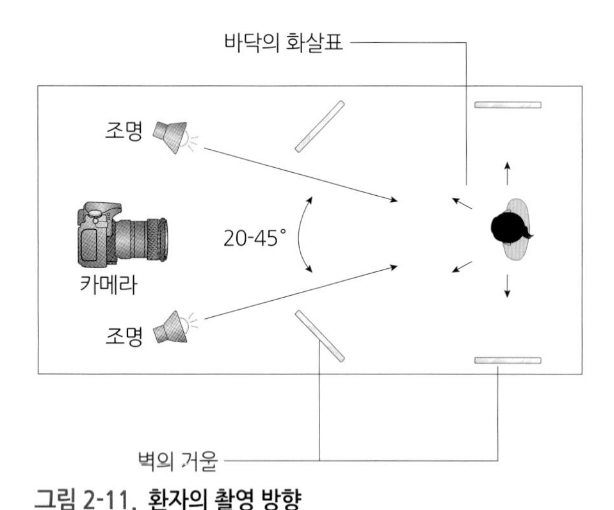

그림 2-11. 환자의 촬영 방향

바닥에 화살표로 방향을 표시하거나 벽면에 거울을 붙여 방향을 잡도록 한다.

는 다양한 연출을 위해 조명의 위치를 변경하거나 비대칭하게 조명을 사용하지만 임상사진 촬영에서는 일정한 사진을 얻기 위해서 가급적 조명을 천장이나 벽에 고정적으로 설치하는 것이 좋으며 양쪽에서 대칭적으로 비추는 것이 좋다. 따라서 적어도 2개의 주조명이 필요하며 배경에 그림자가 생기는 것을 방지하기 위한 배경조명이 추가적으로 필요하다. 주 조명은 250와트가 적절하며 배경조명은 그보다 약한 것을 사용한다. 인공조명의 효과를 높이기 위하여 반사판(reflector)이나 확산판(diffuser) 등을 함께 사용하면 조명의 빛을 좀 더 부드럽게 할 수 있다(**그림 2-12**). 대표적으로 조명우산(umbrella)과 소프트 박스(soft box)가 있는데 이를 사용하면 얼굴의 미세한 부분이 표현이 되지 않는 단점이 생길 수 있지만 가슴이나 전신사진 촬영의 경우에는 입체감이 효과적으로 표현되는 장점이 있다. 따라서 이러한 반사판이나 확산판은 반드시 갖추어야 할 장비는 아니지만 사용을 한다면 크기를 작은 것으로 사용하기를 권장한다. 2개의 주 조명은 피사체를 기준으로 각도를 좁히는 것이 좋은데 그 이유는 두 조명의 각도가 넓어 90° 이상이 되면 얼굴에 부자연스러운 그림자가 생겨 코, 입술 주름이 강조되어 보일 수 있기 때문이다. 따라서 두 조명의 각도가 20~45°가 되는 것이 적절하다(**그림 2-11**).

A

B

그림 2-12. 사판과 확산판

A, 조명우산. B, 소프트박스.

4. 표준 촬영(Standardization of photographs)

디지털카메라의 뷰 파인더(view finder) 내에 격자선(grid line)이 있다면 이것을 참고로 촬영하는 것이 좋다. 격자선은 일정한 간격의 가로, 세로선으로 되어 있는데 환자의 자세를 잡을 때 이 선을 참고하여 촬영하면 정확한 자세로 사진을 찍는 데 많은 도움이 된다. 이런 격자선이 없다면 뷰 파인더에 격자 스크린(grid screen)을 장착하여 사용하면 된다.

표준화된 임상사진을 촬영하기 위해서는 카메라, 렌즈, 카메라 위치, 배경, 조명, 노출 등의 표준화가 필요하다. 기존에 임상사진 촬영을 위한 표준화 지침은 35 mm 필름카메라를 기준으로 마련되었는데 이것을 디지털카메라에 적용해도 큰 무리는 없다.

50 mm 렌즈는 가슴, 몸통, 하체 촬영에 90~105 mm 렌즈는 안면부, 수부, 근접촬영에 추천되며 줌렌즈 보다는 고정초점렌즈가 좋다. 왜냐하면 고정초점렌즈를 사용하면 촬영거리, 확대율을 일정하게 설정할 수 있어 재현율이 높아지기 때문이다. 전체 안면부 촬영은 확대율이 1:9 또는 1:10 이고 정면, 비스듬한 면(oblique), 측면사진과 worm's eye view를 촬영하는 것이 일반적이다(**그림 2-13**). 안면의 부분적 촬영은 확대율이 1:4 정도이다. 또한 카메라와 환자의 각도가 중요한데 여기에서의 작은 각도의 변화가 촬영된 모습에 큰 변화를 줄 수 있다. Frankfort 수평면인 안와하연(inferior orbital rim)과 귀의 이주 윗부분(upper tragus)을 연결한 선을 카메라 화면바닥과 평행하게 한 상태에서 카메라 렌즈를 맞추어 촬영

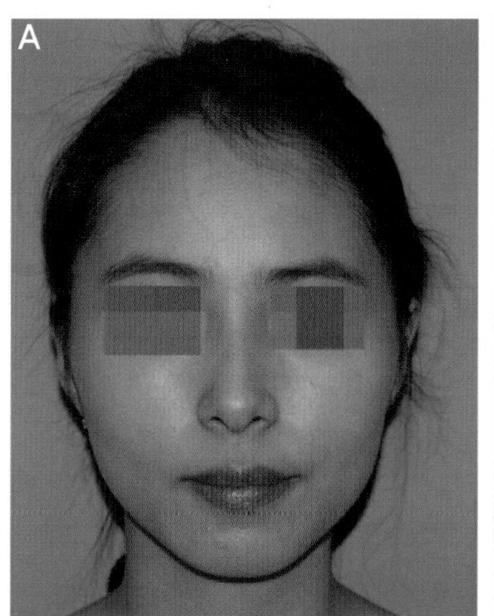
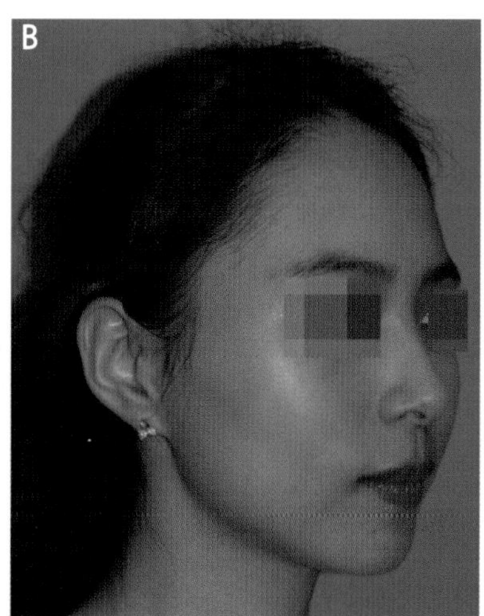
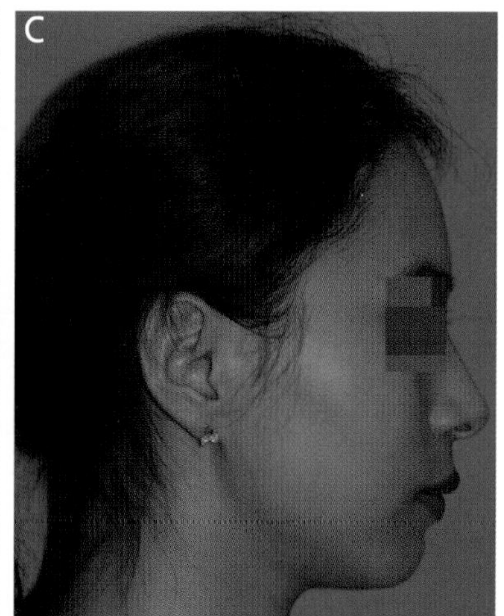
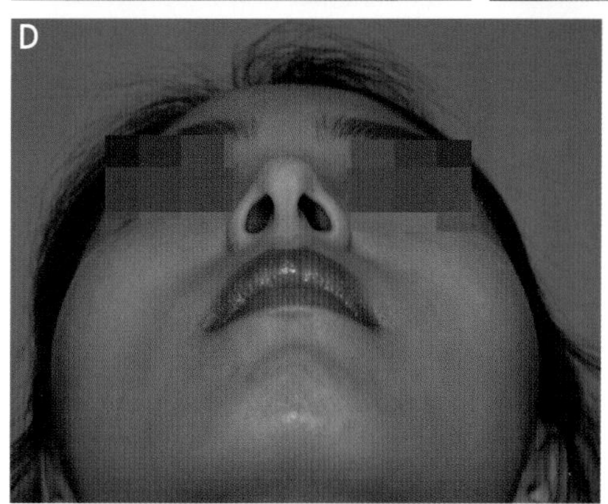

그림 2-13. 안면부 표준 촬영
A, 정면사진 B, 비스듬한 면(oblique) 사진 C, 측면 사진 D, worm's eye view

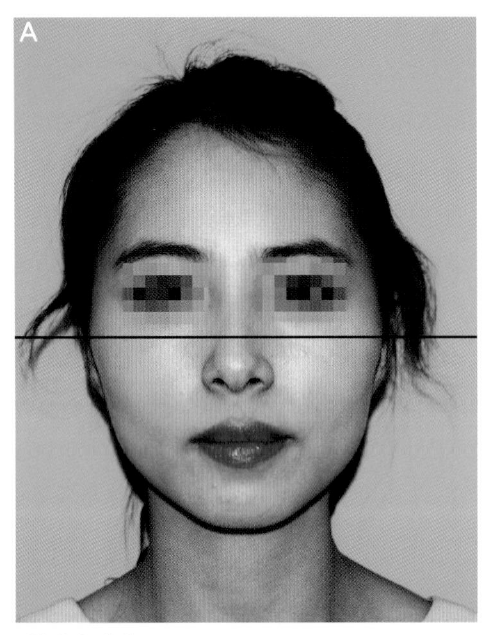

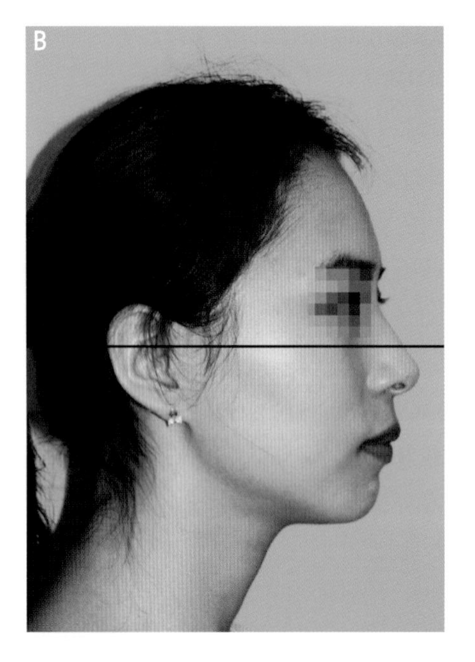

그림 2-14. 환자의 위치
A, 정면 사진에서 Frankfort 수평면인 안와하연(inferior orbital rim)과 귀의 이주 윗부분(upper tragus)을 연결한 선을 맞춘 상태 B, 같은 방법의 측면 사진

하여야 하는데 뷰 파인더의 격자선을 이러한 Frankfort 수평면에 맞추어 촬영하면 카메라의 평면을 맞추는 데 효과적이다(**그림 2-14**). 이렇게 정면과 측면사진을 촬영하여 어느 한쪽으로 기울어지지 않도록 하고 측면촬영 시에는 귓바퀴를 포함하고 nasal tip 앞에 여백이 포함되도록 촬영한다. 비스듬한 면 사진은 nasal tip이 반대측 뺨의 윤곽선에 일치하도록 하고 worm's eye view는 턱을 들어 nasal tip이 양측 상안검 주름 사이에 있도록 구도를 맞추어 찍는다.

참고문헌

2-1

1. 이증재. DSLR 시작하기. 서울: 일송미디어, 2009.
2. 한기환, 박찬흠. 임상사진술의 모든 것. 서울: 군자출판사, 2008; 2-39.
3. Hoffman WY: Photography in plastic surgery. In: Mathes SJ, editor, Plastic surgery volume I 2nd ed, philadelphia : Saunders, 2006; 151-165.
4. Parker WL, Czerwinski M, Sinno H, Loizides P, Lee C. Objective interpretation of surgical outcomes: Is there a need for standardizing digital images in the plastic surgery literature Plast Reconstr Surg 2007; 120: 1419-23.

2-2

1. 강진성. 임상사진술. 미용성형외과학. 서울: 군자출판사, 1998; 1-30.
2. 이증재. DSLR 시작하기. 서울: 일송미디어, 2009.
3. 최재웅. 디지털사진의 기본. 서울: 유니버설 참 미디어, 2012.
4. Ashique KT, Kaliyadan F. Clinical photography for trichology practice: tips and tricks. Int J Trichology 2011; 3: 7-13.
5. Hagan KF. Clinical photography for the plastic surgery practice-the basics. Plast Surg Nurs 2008; 28: 188-92.
6. Hoffman WY: Photography in plastic surgery. In: Mathes SJ, editor, Plastic surgery volume I 2nd ed,

philadelphia : Saunders, 2006; 151-165.

7. Kinney BM: Photography in plastic surgery. In: Neligan PC, Gurtner GC, editors, Plastic surgery volume one 3rd ed, Philadelphia : Elsevier, 2013; 104-23.
8. Mutalik S. Digital clinical photography: practical tips. J Cutan Aesthet Surg 2010; 3: 48-51.
9. heridan P. Practical aspects of clinical photography: part 1 8211; principles, equipment and technique. ANZ J Surg 2013; 83: 188-91.

2-3

1. 한기환, 박찬흠. 임상사진술의 모든 것. 서울: 군자출판사, 2008.
2. Hagan K, Spear M. Setting up your office for clinical photography. Plast Surg Nurs 2009; 29: 203-9.

2-4

1. DiBernardo BE, Adams RL, Krause J, Fiorillo MA, Gheradini G. Photographic standards in plastic surgery. Plastic Reconstr Surg 1998; 102: 559-68.
2. Galdino GM, Vogel JE, Vander Kolk CA. Standardizing digital photography: It's not all in the eye of the beholder. Plast Reconstr Surg 2001; 108: 1334-44.
3. Hoffman WY: Photography in plastic surgery. In: Mathes SJ, editor, Plastic surgery volume I 2nd ed, philadelphia : Saunders, 2006; 151-165.

CHAPTER 3

성형수술의 정신의학적 측면 | Psychological Aspect of Patient

Chapter Author | 김현수

1. 서론

요즘 코성형에 대한 문헌들을 검색해 보면, 대부분 수술 과정의 기술적인 측면 또는 사용되어 지는 기구들에 관한 내용이며, 코성형을 받는 환자의 정신적인 측면을 다루는 문헌들은 많지 않다.

예전에는 얼굴과 코에 관한 미용수술에 대한 접근에 있어서 정신적인 문제를 고려해야 한다고 생각하였으며, 수술 자체가 환자의 정신적인 면과 사회적인 면에 대하여 도움을 주는 부분이 있기에, 코성형과 같은 미용성형은 때로는 psychological intervention과 유사하게 인식되어져 왔다. 문헌들마다 조금씩 다르게 보고하고 있지만, 많은 문헌들에서 코성형을 포함한 안면부 미용성형을 받는 환자군의 경우, 정신과적 질환의 유병율이 평균보다 높게 나타난다고 발표하고 있다. 한 연구 결과에 따르면, 미용적 목적의 코성형을 받는 환자의 34%에서 somatization disorders(신체화장애), social phobia(사회공포), personality disorder(인격장애)나 body dysmorphic disorder(신체추형장애) 등을 포함하는 경도에서 중등도의 정신질환 증상을 보였다고 한다.

좋은 정신건강을 갖고 있는 환자들의 경우, 성공적인 코성형을 통해서 건강과 관련된 삶의 질, 자존감, 불안증상 등이 일반적으로 개선된다. 그러나 기저의 정신적인 질환을 가지고 있는 경우, 특히 심한 우울증, 심한 인격 장애가 있는 환자의 경우에는 객관적으로 수술 자체의 결과가 괜찮더라도 환자가 느끼는 심리, 정신적인 결과가 만족스럽지 않을 수 있으며 이러한 불만 사항들은 보통 개선되지 않고 때로는 더 심해진다. 따라서 수술 전에 환자의 정신 상태를 파악해서 심각한 정신적인 질환이 있는 환자의 경우에는, 수술을 피하는 것이 수술 후 발생 가능한 환자의 불만족을 없애고 정신적인 측면을 포함한 수술의 성공적인 결과를 얻을 수 있을 것이다.

미용성형수술의 결과에 대한 궁극적인 평가는 수술의 기술적인 면도 물론 중요하지만, 수술 후 환자 본인을 만족시키는 것에 의해 결정된다고 생각한다. 덜 숙련된 의사들은 수술의 기술적인 측면에만 집중하는 반면, 숙련되고 노련한 의사들은 환자가 원하는 것을 만족시키는데 신경을 쓴다. 모든 술자는 환자 선택에 있어 모두 각자 자신만의 스타일이나 접근 방법이 있으나 이를 구체적으로 설명하기는 쉽지 않다. 경험이 많은 술자들을 살펴보면, 수술의 성공적인 결과의 확률을 최대화하기 위해, 수술 전 면담과 진찰을 통해 환자의 심리 상태를 파악하고 수술에 적합한 환자를 고르는 경향이 있다. 수술 후 객관적으로 만족스러운 결과를 얻었음에도 불구하고, 곤란한 문제에 봉착하지 않기 위해서는 수술 전, 환자의 심리적 측면을 잘 파악하는 것이 코성형을 하는 의사에 있어서 필수적이라 생각되어진다.

이 장에서는 코성형을 받는 환자들의 정신심리학적 상태에 대한 설명과 함께 수술 후 의사 및 환자 모두가 만족할 만한 결과를 얻기 위해 정신과적 측면에서 본 코성형 수술의 금기와 주의사항에 대해 서술하겠다.

2. 코성형 수술 환자의 정신심리학적 상태

우리가 흔히 만나게 되는 코성형 수술 환자의 경우 실제로 존재하는 신체적 결함을 동반하는 재건 수술의 경우도 있지만, 대부분은 자신 본인의 심리적 불만족 혹은 사회문화적 요인에 따른 외형에 대한 불만족, 주변 가족 및 지인들의 외모에 대한 지적 등으로 인한 미용수술이다. 여러 가지 이유로 찾아온 환자들에게 비교적 만족할 만한 결과를 얻기 위해서는 환자의 심리상태, 사회문화적 배경 등을 고려하여 수술 후 환자가 만족할 가능성을 미리 예측해보고 수술을 통해 환자가 지닌 정신심리적 문제를 최대한 해결하고자 하는 의사의 노력이 필요하다. 그러기 위해서는 정신과적 측면에서 코성형수술을 시행하기 적합한 환자군과 피해야할 고위험군 혹은 금기군을 미리 알고 환자를 선택하고 적절하게 대처하는 유연성을 지녀야 할 것이다.

1) 정신과적 측면에서 살펴본 수술을 시행하기 적합한 환자군

① 환자 본인이 느끼는 문제점을 정확히 알고 원하는 바를 구체적으로 표현할 수 있는 자, ② 수술 결과에 대해 지나친 기대감을 갖지 않고 현실과 이상을 구분할 수 있는 자, ③ 수술을 받으려는 목적이 명확하게 있는 자

2) 정신과적 측면에서 살펴본 수술을 피해야할 고위험군

수술에 대한 비현실적인 기대감을 가진 자, 이전 미용 수술에 대한 불만이 가득한 자, 공격적인 태도를 지닌 자, 수술의 목적이 불분명한 자, 여러 문화가 섞인 환자, 편집증성 사고의 징후를 보이는 자, minimal disfigurement(매우 작은 결함)에 집착을 하는 자, delusional distortion of body image(신체상에 대한 망상 왜곡)을 지닌 자, identity problem (주체성 문제)가 있는 자, sexual ambivalence(양성감)을 가진 자, 남성에서 SIMON(Single 독신, Immature male 미성숙한 남성, Over-expectant or Obsessive 지나친 기대를 하는 자, Narcissistic 자기애) 환자를 처음 만나 문진하면서 정신심리학적 문제점을 제대로 파악하는 것은 어려운 일이다. 때로는 직감도 매우 중요하다. 상담 시 첫 1-2분 내에 하는 무의식적인 판단도 중요할 수 있다. 한 정신과 의사는 이에 대해 이렇게 표현하였다. "환자로부터 미소를 이끌어 낼 수 없다면 수술을 하지 마라." 수술을 하지 않기로 결정했다면 성형수술을 단념케 하기 위하여 추가 상담 혹은 덜 침습적이거나 회복기간이 짧은 시술을 권하는 것이 좋다. 또한 다른 경험이 풍부한 의사의 의견을 들어보도록 설명해야 한다.

3. Mood Disorders(기분장애)

우울증이나 불안장애와 같은 기분장애 환자가 반드시 코성형술의 금기증은 아니다. 다만 수술 전에 환자가 치료중이어야 하고, 수술 전 후로 대처능력이 떨어지거나, 불만족이 생길 수 있다고 알려주는 것이 중요하다. 더불어, 환자와 의사 모두 미용성형들과 같은 스트레스 상황으로 생길 수 있는 증상의 악화 현상에 대해 인지하고 있어야 한다. 반면, 재수술 등에 있어 얼굴의 결함은 우울증을 동반하고, 성공적인 코재수술은 이러한 우울증의 증상을 완화시키기도 한다.

4. Personality Disorders(인격장애)

인격장애는 미용성형을 고려하는 사람들에게서 가장 흔히 보게 되는 정신과적 문제이다. 주로 마주치게 되는 환자는 borderline personality disorder(경계성 인격장애), narcissistic personality disorder(자기애성 인격장애), obsessive-compulsive personality disorder(강박성 인격장애), histrionic personality disorder(히스테리 인격장애), passive-aggressive personality disorder(수동 공격성 인격장애)이며, 정확한 진단을 위해서 각각의 진단기준이 존재하지만 술자는 각 인격장애의 특징을 인지할 수 있고, 행동장애의 경중을 판단할 수 있어야 한다. 어떤 경우에는 수술 전 정신과적 상담을 필요로 하기도 한다.

1) Borderline personality disorder (경계성 인격장애)

Borderline personality disorder는 정서적인 면에서 불안정하고, 매우 충동적인 양상을 지닌다는 특징을 지닌다. 일률적인 양상 없이 예측 불가능한 기분 변화를 보이며, 만성적인 공허감,우울, 분노 등을 자주 반복하는 것으로 알려져 있다. Borderline personality disorder를 지닌 자를 수술하는 경우 수술 후 우울증, 자아상에 대한 왜곡, 부적절한 극도의 불안정성을 나타낼 수 있으므로, 수술 전 정확한 진단을 통해 심한 경우, 수술을 시행하지 않는 것이 바람직하다.

2) Narcissistic personality disorder (자기애성 인격장애)

Narcissistic personality disorder는 자신이 모든 일의 중심이 되기 원하는 인정을 받고자 하는 욕구와 과장성, 오만하고 건방진 행동이나 태도를 취하는 특징을 지닌다. 다른 인격장애들에 비해 환자 상담 시 진단이 용이하다. 자주 말을 끊고, 경청을 잘 하지 못하며, 본인에게 맞는 수술에 대해 선입견이 있다. 상담 시 동행인이 있거나, 문서화된 자료를 제공하고, 제안한 수술에 대해 합리적인 이해를 시키는 등의 신경을 쓸 수 있다면, 일부의 사람들은 수술의 적응증이 된다. 그러나, 대부분의 경우, 환자가 요구하는 아주 높은 기대를 충족시키지 못하는 데서 적대감이나 분노를 야기하게 되어 수술에 있어서 좋은 적응증이 되지는 않는다.

3) Obsessive-compulsive personality disorder (강박성 인격장애)

Obsessive-compulsive personality disorder는 고집이 세고, 완벽함, 질서 정연함, 융통성 없이 세밀함에만 집착하는 특징을 지닌다. 수술에 대한 설명을 듣고 최선의 결과를 위해 수술의 목표를 수정하는 일반적인 환자들과 달리, 이들은 처음 정한 목표를 바꾸려하지 않는다. 또한 수술 후 전체적인 개선점은 인정하지 않고 발생하는 작은 흉터나 비대칭 등에 집착한다. 수술의 절대적 금기증은 아니지만 만족스러운 수술을 하기는 매우 어렵다.

4) Histrionic personality disorder (히스테리 인격장애)

Histrionic personality disorder는 대인관계가 피상적이고, 지나치게 자신을 멋있게 보이려고 노력한다. 지나치게 과시적, 연극적인 감정의 표현을 하며, 작은 자극에서 쉽게 과장된 반응을 보인다. 환자가 병원에 내원시에는 항상 다른 직원과 함께 진료를 해야 하며, 수술의 절대적인 금기증은 아니다.

5) Passive-aggressive personality disorder (수동 공격성 인격장애)

Passive-aggressive personality disorder의 임상적 특징은 자주 적대감이나 공격심을 느끼면서도 이러한 감정을 직접적으로 표현하지 못하고 수동적 소극적인 저항을 한다는 것이다. 이들은 화가 나거나 불만족스러운 결과가 나타났을 때 수동적인 저항 뿐만 아니라 불평, 비난, 분개 등의 성향을 나타낸다. 환자는 억울하고 피해를 당한 감정을 갖기 쉬우므로, 수술 전 충분한 상담을 거친 후에 수술은 주의 깊게 할 수 있다.

5. Body Dysmorphic Disorder (신체이형장애)

Body dysmorphic disorder는 정상적인 외형을 가진 사람이 자신의 외모가 달라졌거나 추한 모습으로 변했다고 믿는 경우로, 극미한 신체적 결함이나 상상속의 외모 결함에 대한 과도한 집착으로 인해 그것이 일상 생활에 지장을 초래하는 경우로 정의된다. 일반인에 있어서 Body dysmorphic disorder의 유병률은 1~2 % 정도이나, 미용성형을 하는 환자에서는 6~16배나 더 높게 나타난다는 보고가 있다. Body dysmorphic disorder가 있는 경우 하루에 평균 3~8시간을 외모에 대한 집착과 강박에 신경쓰나, 보통 하루 1시간 이상 신경을 쓰면 이가 의심된다고 할 수 있다.

사춘기에 발현하기 때문에 어린 환자가 미용성형을 위해 내원 시 특히 주의해서 살펴보아야 한다. Body dysmorphic disorder는 만성질환으로 주로 청소년기 후반에 발병하며, 코, 피부, 모발이 흔한 집착대상이다. 비록 body dysmorphic disorder 환자가 미용 시술 후에 일부분 만족할 수는 있으나, 항상 존재하는 그들의 신체상에 대한 불만족을 치료하기 위한 시도를 하는 수술 중독의 양상을 종종 띤다. 역설적으로, 보통 그들의 코의 해부학적 특징은 정상범주 내에 있고, 뚜렷한 미용적인 이상은 없다.

대체로, body dysmorphic disorder 환자에게 미용성형은 금기인데 이유는 다음과 같다. 비정신과적인 치료는 외모에 대한 불만족을 제거하지 못하는 경우가 대부분이다. 조사된 결과에 의하면 성형외과의사에서 84%가 수술 전 신체이형장애를 확인하지 못한 경험이 있다고 한다. 신체이형장애가 경한 환자의 경우, 수술을 해도 되는지의 여부에 대해서는 아직 논쟁이 있지만, 10%만 수술 후 만족하고 90%는 body dysmorphic disorder가 지속된다는 보고가 있다. 또한 수술 후 결과에 따라 우울증이나, 자살 혹은 폭력적인 행동을 더욱 유발할 수 있다고 한다. 실제 body dysmorphic disorder 환자의 경우 수술 후 28%에서 폭력적 행동을 보이고, 의사가 위협을 받는 경우가 40%가 된다는 보고가 있다. 만약에 Body dysmorphic disorder를 진단받은 환자가 여러 번의 재수술을 위해 내원한다면, 약물치료로 어떤 경우에는 효과적이기에 정신과로 의뢰하는 것이 최선이다. 이러한 한자들은 수술로 인해 자주 만족할 수 있는, 교정 가능한 작은 문제가 있는 환자들과 구별되어야 하다.

6. Revision Rhinoplasty(코재수술) 환자에 대한 접근

코재수술을 원하는 환자는 크게 세 군으로 나눌 수 있다. 첫 번째로, 기술적인 수술 결과 자체가 안 좋은 경우, 두 번째로, 수술 결과는 괜찮지만 완벽하지 않은 부분에 대한 불만족이 있는 경우, 마지막 세 번째로 기술적으로 매우 좋은 결과에도 불구하고 불만족스러운 경우가 있다. 첫 번째 군의 경우 결과가 좋지 않은 것을 재수술을 통해 개선하는 방향으로 접근을 하고, 세 번째 군의 경우 이전 수술의 결과가 좋기 때문에 재수술을 하지 않는 방향으로 접근하면 수술에 대한 결정이 비교적 용이하다. 하지만, 두 번째 군의 경우, 이전 수술의 적절한 수술 결과에도 불구하고 불만족스러움을 표하며 그 이상의 결과를 요구하는 환자들의 경우에서 술자는 환자의 선택과, 환자의 정신적인 동기의 요소에 대해 훨씬 더 조심스럽게 접근을 해야 한다. 술자의 생각에 추가 수술로 개선의 여지가 없다면, 환자의 정신병의 유무에 관계없이 수술을 하지 않는 것이 최선이다. 추가 수술로 개선이 예상되는 정도에 대한 판단이 애매하거나, 수술을 고려하는 경우에 문제가 있을 수 있는(어떠한 결과에도 만족하지 못할 것 같은) 환자인지 확인을 해볼 필요가 있다.

또한, 코재수술의 경우, 첫 수술을 시행한 의사를 폄하하는 태도는 좋지 않다. 대신에 환자로 하여금 과거에서 현재로 관점을 옮기도록 도와야 한다. 게다가 젊고 경험이 부족한 의사의 경우, 다른 의사가 실패한 수술을 본인이 성공할 수 있다고 추정하는 실수를 범해서는 안된다. 복잡한 재수술은 쉽지 않기에 주의 깊고 최선을 다해서 접근해야 한다.

본인의 환자에서 코재수술을 해야 할 경우, 적어도 다음 3가지 사항을 생각해야 한다.

절대로 단순히 현재의 불편하고 곤란한 상황을 개선하기 위한 한 가지 목적으로 인해 반사적으로 재수술에 동의하지는 말아야 한다. 미미하게 수술의 적응증이 된다고 하더라도, 경솔한 판단으로 수술을 결정하게 되면 일반적으로 추가적인 불만족을 야기하게 된다. 두 번째는 환자의 불만족, 불행에 대해 방어적으로 반응하는 것을 방지하는 것에 유념해야 한다. 환자의 걱정이 근거 없다고 설득하는 것은 반감을 가지게 하여 상황을 더욱 악화시킬 뿐이다. 마지막으로, 술자는 결과에 불만족한 환자와의 접촉을 최소화하려는 본능적인 경향에 대해서 극복해야 한다. 자주 의료과실에 관한 소송의 원인이 되는 무관심과 관리소홀을 피하기 위해, 쉽지 않더라도 이러한 환자들에게 더욱 주의와 관심을 기울이는 것이 중요하다. 본인이 한 수술에 대해서 재수술을 고려하고 있는 의사라면 본인의 결점 및 결함을 인정하는 것의 어려움에도 불구하고, 본인에게 솔직해야 한다.

다음과 같은 질문을 하여 이 둘 중 하나라도 "아니다"라는 대답이 나오면 환자를 다른 동료의사에게 의뢰하여 의견을 들어보는 것을 권유한다. "나는 첫 수술에서 무엇이 잘못되었는지를 이해하고 있는가? 그렇다면 현재의 결과를 고치거나 개선시킬 능력과 기술이 나에게 있는가?"

현명한 술자는 재수술환자를 수술할 때 신중을 기한다. 환자의 기저에 존재하는 정신과적 고려 사항뿐만 아니라 더불어 재수술을 원하는 환자의 코의 복잡한 해부학적 상태에 대한 철저한 이해를 통해 환자와 술자의 만족을 동시에 최대화할 수 있다.

7. 결론 및 요약

코의 미용성형수술에 대한 수술 후 객관적으로 만족스러운 결과를 얻었음에도 불구하고 발생하는 환자의 불만족과 적대감을 피하기 위해 코성형을 받기 원하는 환자의 정신적인 질병을 조기에 인식하는 것이 중요하다. 코성형수술을 하는 의사는 술 전 상담 시에 위험요소들을 인지하는 것에 대한 중요성을 항상 염두에 두어 정신과적 측면에서 코성형수술을 시행하기 적합한 환자군과 피해야할 고위험군 혹은 금기군을 미리 알고 환자를 선택하고 적절하게 대처하는 유연성을 지녀야 할 것이다.

참고문헌

1. Haraldsson P. Psychosocial impact of cosmetic rhinoplasty. Aesthetic Plast Surg. 1999 May-Jun;23(3):170-4.
2. Babuccu O, Latifoğlu O, Atabay K, Oral N, Coşan B. Sociological aspects of rhinoplasty. Aesthetic Plast Surg. 2003 Jan-Feb;27(1):44-9.
3. Sarwer DB1, Gibbons LM, Magee L, Baker JL, Casas LA, Glat PM, Gold AH, Jewell ML et al. A prospective, multi-site investigation of patient satisfaction and psychosocial status following cosmetic surgery. Aesthet Surg J. 2005 May-Jun;25(3):263-9.
4. Ambro BT, Wright RJ. Psychological considerations in revision rhinoplasty. Facial Plast Surg. 2008 Aug;24(3):288-92.
5. Tasman AJ. The psychological aspects of rhinoplasty. Curr Opin Otolaryngol Head Neck Surg. 2010 Aug;18(4):290-4.
6. Picavet VA, Prokopakis EP, Gabriëls L, Jorissen M, Hellings PW. High prevalence of body dysmorphic

disorder symptoms in patients seeking rhinoplasty. Plast Reconstr Surg. 2011 Aug;128(2):509-17.

7. Davis RE, Bublik M. Psychological considerations in the revision rhinoplasty patient. Facial Plast Surg. 2012 Aug;28(4):374-9.
8. Picavet VA, Gabriëls L, Grietens J, Jorissen M, Prokopakis EP, Hellings PW. Preoperative symptoms of body dysmorphic disorder determine postoperative satisfaction and quality of life in aesthetic rhinoplasty. Plast Reconstr Surg. 2013 Apr;131(4):861-8.
9. Golshani S, Mani A, Toubaei S, Farnia V, Sepehry AA, Alikhani M. Personality and Psychological Aspects of Cosmetic Surgery. Aesthetic Plast Surg. 2016 Feb;40(1):38-47.

CHAPTER 4

코의 분석과 계측 | Nasal Analysis and Planning

Chapter Author | 김순흠

1. 머리말

국어사전에서 '코'를 찾아보면 '얼굴의 중앙 부분에 튀어나온 부분으로 호흡을 하고 냄새를 맡는 기능을 하며 발성을 돕는다'라고 정의하고 있다. 그러나 성형외과 의사에게 코는 정의에 입각한 위치나 기능적인 측면 이외에 좀 더 도전적인 삼차원 구조물로서의 가치로 다가온다. 코는 기본적으로 중요한 생리학적 기능을 담당하며 그 기능의 중요성과 함께 얼굴구조의 중요한 부분이며 예로부터 사람들의 생활에 관련된 특별한 의미를 담고 있는 다양하고 재미있는 이야기가 전해지고 있다. 예를 들면 클레오파트라의 코, 유태인의 매부리코, 피노키오의 코처럼 코와 관련된 이야기들이 많이 있다. 이처럼 코는 나름대로 상당한 상징성이 부여되는 얼굴의 한 부분으로 부각되어 왔다. 우리나라 고전인 심청전에는 뺑덕어멈의 행실을 노래한 대목에서 남성의 성적인 심볼을 상징하기도 했다. 이렇게 인간사에서 코는 인간의 내면 또는 외면을 드러내거나 심성을 간접적으로 표현하는 부위로 많이 거론되었다.

근세에 이르러 동서양을 막론하고 치료목적뿐만이 아니라 외모를 개선하는 목적으로도 코에 대한 성형수술은 많이 시행되어 왔다. 기술적인 발달뿐만 아니라 재료공학의 발달로 수술의 내용은 현재 눈부신 발전을 거듭하고 있다. 아울러 코수술의 완성도에 대한 수준도 환자나 시술자 모두에게서 상당히 높은 수준에 이르렀다. 이러한 시대적 변화와 환자의 차원 높은 요구는 시술자의 끊임없는 노력과 자기계발의 바탕이 되고 있다. 사람들은 이제 소위 말하는 예쁘고 반듯한 코를 갖는 단순하고 일방적인 목적을 넘어서 외적으로나 내적으로도 조화롭고 만족스러우며 편안하고 안정적인 코의 완성된 미학을 성취하고자 하며 그러한 욕망이 현대인의 또 다른 본성일 것이다.

2. 코의 의미

어떠한 수술이든지 인체에 대한 해부학적 기초 내용은 외과의사의 기본적인 상식이다. 아울러 수술의 여러 가지 현실적인 한계를 인식하는 것은 이상과 실제의 판단 기준에 있어 매우 중요하다. 그럼에도 불구하고 인간의 욕망이나 의사의 의협심은 의술의 한계를 넘어 외과의사를 시험에 들게 하는 강력한 마력을 갖고 있다. 그 중에서도 얼굴에 대한 미용적인 개선수술은 사람들이 가장 민감해 하며 관심이 집중되는 처치 중의 하나이다.

얼굴 모양은 사람을 볼 때 가장 먼저 보이게 되는 부위로 상대방의 이미지를 결정하는 데에 있어 결정적인 역할을 하게 된다. 그러므로 수술의 결과에 대하여 민감할 수밖에 없으며 기대수준도 높다. 그러한 얼굴의 수술에 있어 간단한 상상이나 외과의사의 느낌과 식상한 감각만을 믿는 태도는 결코 좋은 수술결과를 가져 올 수 없다. 또한 수술이나 시술이 시행 그 자체에만 의미를 두는 것이라면 그 외과의사는 세상을 상대로 상당한 모험을 하는 것이 된다.

코는 얼굴의 다른 기관에 비해 움직임이 아주 적은 구조물이다. 콧구멍의 이완, 수축 정도 이외에 별다른 자의적인 움직임을 만들어내지 못한다. 그에 비해 움직임이 활발한 눈, 입, 볼, 이마 등은 갖가지 모양을 지어낼 수 있어서 호감을 갖는 얼굴형으로 혹은 개성이 넘치는 모양으로 얼굴을 변화시킬 수 있다. 다양한 근육 운동의 조화에 의한 움직임과 연부조직의 보완은 적절한 얼굴형으로의 변화를 유도하며 희로애락을 표현하고 있다. 그러나 코는 얼굴의 중심에 위치하고 있으며 언제나의 그 모습으로도 변화하는 얼굴 모양에 대하여 어색하지 않다. 그렇게 복잡하고 다양한 변화에도 단지 가볍게 그 모양을 조화시키며 얼굴의 하모니를 이룰 뿐이다. 그러므로 코는 정적인 그 모습 자체로 아름다워야 하며 얼굴의 다른 부위와 적절한 조화가 이루어져야 한다. 이러한 관점에서 코에 대한 형태학적인 분석은 매우 중요한 의미를 갖는다. 아울러 주변 얼굴 구조물과의 비례나 서로 간의 상관관계를 파악하는 것은 코 수술을 계획하는 단계에서는 필수불가결한 요소가 아닐 수 없다.

3. 코의 분류

코는 이등변삼각형 모양의 단순한 구조이지만 코의 모양이나 부위에 따라 다양한 해부학적 특징과 특성이 있다. 인종적인 차이를 뚜렷이 보인다는 사실도 또한 코 수술을 하는 성형외과 의사는 항상 인지해야 할 사항이다. 훌륭한 수술을 위해서는 환자에 대한 진찰, 수술 계획, 기구 및 장비, 수술적 기술 등이 모두 중요하지만, 무엇보다 중요한 것은 정확한 분석을 토대로 한 적절한 수술 계획이다. 코에 대한 분류는 기준을 어디에 두는가에 따라 다양한 분류가 기능하다. 그러므로 코의 다양한 부위에 대한 이해와 기준이 필요하며 겉모양에 따른 분류도 어느 정도의 일반적인 형태적 분류체계가 있다는 것을 알고 있어야 한다.

1) 코의 aesthetic unit 및 부위별 명칭(그림 4-1, 2)

코의 aesthetic unit는 nasal dorsum, lateral wall, nasal alar, nasal tip, columella, soft triangle (facet) 등으로 나뉜다. 각각의 부위는 피부의 두께나 성질 등의 해부조직학적 특성이 유사하다. 각 부위에 대한 재건 수술을 할 경우 병변에 국한하는 것이 아니라 aesthetic unit 하나를 전체적으로 재건하는 것이 수술 후 미용적인 면에서 유리하다. 코에는 많은 계측점들이 있는데 그 중에서 nasion이나 rhinion 등은 뼈와 관련된 계측점이다. Nasion의 위치는 코뼈와 이마뼈의 봉합선상에서 정중앙점이

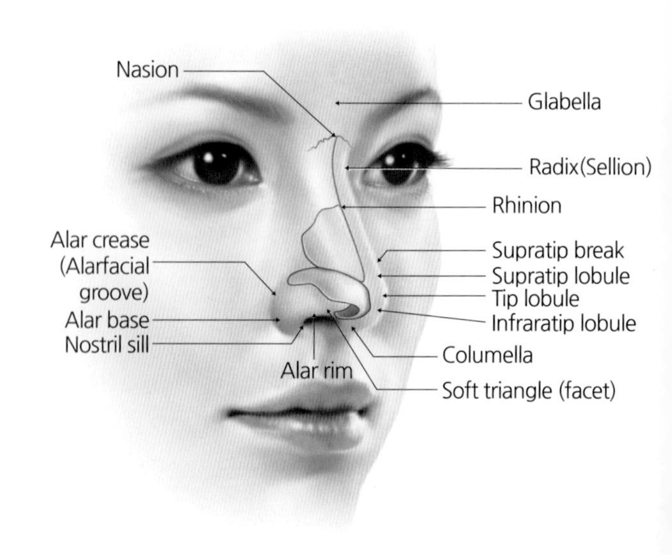

그림 4-1. 코의 부위별 명칭

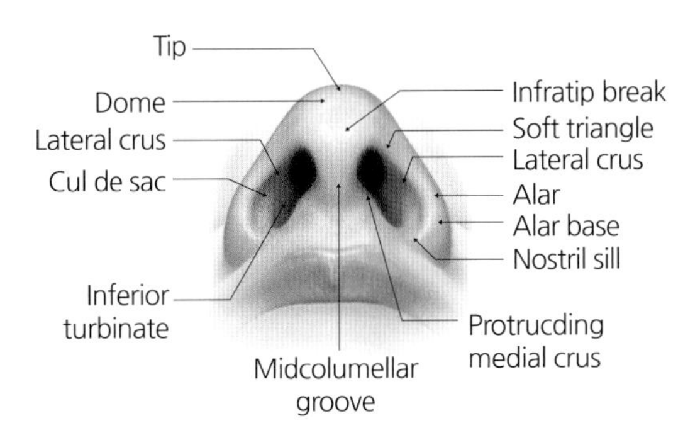

그림 4-2. 코바닥(Nasal base)의구조와명칭

며 rhinion은 정면에서 보았을 때 코뼈와 upper lateral cartilage가 만나는 선의 정중앙점으로 정의하고 있다. 즉, nasion과 rhinion은 피부가 덮여 있는 상태에서 표면 계측으로 정확한 위치를 파악할 수 없다. 반면 sellion은 연부조직(피부표면)에 대한 계측점으로 옆에서 보았을 때 콧등이 미간으로 이행되는 부위의 가장 깊은 후방점이다. Sellion은 nasion보다는 아래쪽에 있으며 nasion과 혼돈해서는 안 된다. 코에 대한 방향을 이야기할 때에는 코의 수직축을 중심으로 하여 얼굴의 이마쪽 방향을 의미할 때는 cephalic이라 하며 얼굴아래 턱끝쪽 방향을 의미할 때는 caudal이라 표현한다. 코의 앞뒷쪽에 대한 표현에서는 정면을 기준할 때 nasal tip쪽 방향을 anterior, columella의 기저부쪽 방향을 posterior 이라고 표현한다. Frontal view나 lateral view로 코의 기본적인 구조에 대한 파악과 계측이 가능하며 턱을 들어 시야가 하늘을 보며 찍는 사진을 basal view 또는 worm's eye view라고 하는데 이 사진으로는 nasal tip의 모양이나 돌출 정도, 코 너비, 콧구멍의 모양, 크기 및 대칭성, columella와 alar의 두께, 비중격이나 columella의 휘어짐 유무를 확인할 수 있다. 아울러 oblique 또는 three quarter view로는 코의 외벽 및 중간아래쪽 부위에 대한 좀 더 자세한 분석이 가능하다.

2) 콧구멍 형태에 대한 인종적 분류(그림 4-3)

인종적 특징에 따라 nasal index를 이용하여 분류하는 방법이다. Nasal index는 nasal width에 100을 곱한 값을 nasal length로 나눈 값으로 정의한다.

$$Nasal\ Index = \frac{(Nasal\ width \times 100)}{Nasal\ length}$$

그 값이 55 미만이면 hyperleptorrhine (very narrow nose), 55에서 70 미만이면 leptorrhine (narrow nose), 70에서 85 미만이면 mesorrhine (medium nose), 85에서 100 미만이면 platyrrhine 또는 chamaerrhine (broad nose)이라 하고 100 이상은 hyperplatyrrhine(very broad nose)로 분류한다.

Leptorrhine은 주로 caucasian이나 인도-유럽계 인종에서, mesorrhine은 아시아인이나 라틴계 인종에서, platyrrhine은 아프리카나 오스트레일리아 원주민 계통의 인종에서 특징적이다. 같은 종족에서는 여자가 남자보다 코가 좀 더 낮고 넓은 것이 특징이고 나이에 따른 변화를 보면 어릴 때는 plastyrrhine의 경향을 보이지만 나이가 들면서 덜해지거나 leptorrhine으로 변하게 된다.

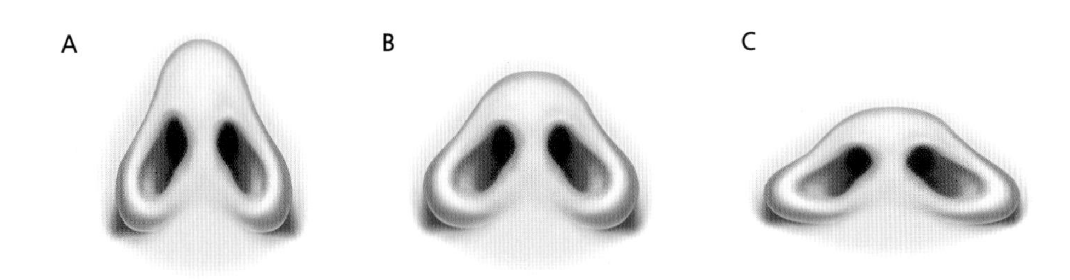

그림 4-3. 인종에 따른 콧구멍 모양
A. Leptorrhine B. Messorrhine C. Platyrrhine

3) 기저부 모양에 따른 분류(그림 4-4)

코의 basal view에 근거한 분류로서 nasal tip, nasal base, alar, nostril, columella의 형태와 크기에 따라서 분류한 것이다. 주로 크기, 모양 또는 대칭성에 근거하여 비교적 간단한 분류를 하고 있다. 보통 정면에서 잘 보이지 않을 수 있기 때문에 간과하거나 세밀하게 관찰하지 않고 넘어가기 쉽다. 그러나 기저부를 꼼꼼히 평가하면 환자의 코에 대한 정보를 좀 더 완벽하게 얻을 수 있다. 간혹 코 안의 문제나 기능적인 문제가 될 수 있는 시술 전 코의 상태를 파악하게 되고 그것을 환자에게 인식시킬 수 있어 시술 후에 올 수 있는 갑작스런 환자의 불평을 사전에 예견하거나 경고할 수 있다. 중안면에서 코는 사람은 인상에 대한 이미지 메이킹에 있어 가장 큰 영향력을 갖는 부위이다. 그 중에서도 코의 기저부의 모양과 특징은 외벽이나 비배부에 비해 훨씬 다양한 형태적 특성을 갖고 있다. 그러므로 각각의 부위에 대한 체계적인 분석을 하는 습관을 들이는 것이 수술 전 평가에 있어서 매우 중요하다.

4) Nasal tip 모양에 따른 분류

Nasal tip의 모양에 따른 분류에 있어서 객관적인 지침과 규정은 없다. 보통은 nasal tip의 생긴 모양에 따라 적절한 형태의 단어를 선택하여 사용하고 있는데 쉽고 단순한 형태적 표현이므로 모양을 연상하면 순간적인 이해는 쉬울 수 있다. 하지만 여러 가지 단어가 혼용되어 사용되고 있기 때문에 혼란을 일으킬 수 있는 소지가 많다. 많이 사용되는 예로는 매부리코(갈고리코. aquiline, hooked, 또는 pollybeak nose), 화살코(처진 코.

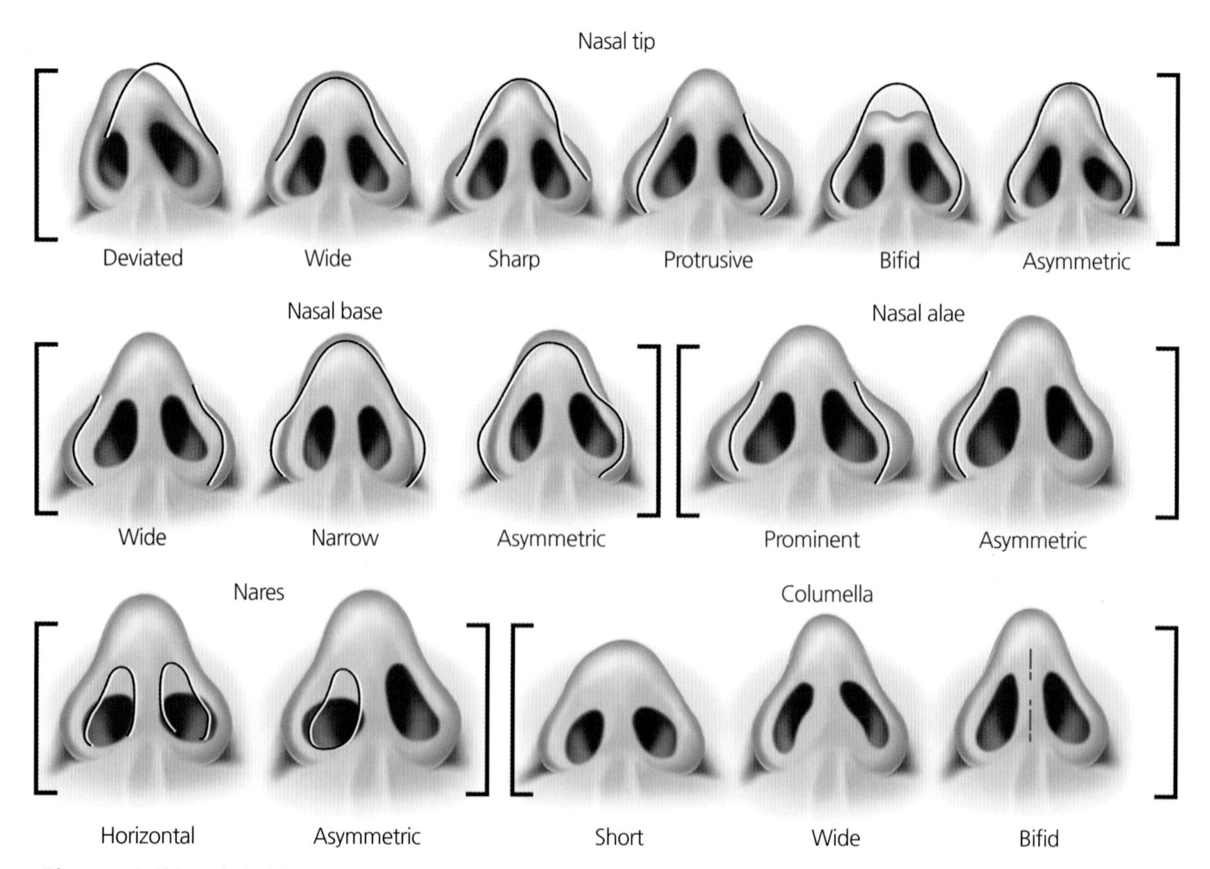

그림 4-4. 기저부 모양에 따른 분류

긴 코·arrowed, ptotic 또는 long nose), 들창코(upturned nose·short nose), 주먹코(bulbous, roasea 또는 amorphous nose), 사각코(각진 코·boxy nose) 등이 있다. 그 외에도 직선코(straight nose), 평면코(낮은 코·flat nose), 작은 코(small nose·short nose), 큰 코(big nose·large nose), 물결코(wavy nose), 갈라진 코(갈래코·bifid nose), 뾰족코(pinched nose), 성형코(parenthetic·rhetoric nose) 등이 있다. 코 성형과 관련된 서적이나 연구자들 마다 매우 다양한 표현을 쓰고 있으며 서로 다르게 표현하고 있거나 같은 분류라도 혼용되어 사용되고 있는 실정이다. 이렇듯 nasal tip의 모양에 대한 분류 및 명칭에 대해서는 아직 정해진 규정이 명확하지 않기 때문에 정확한 소통에 문제가 되고 있기도 하다. 이렇게 분류를 한다면 훨씬 더 많은 코의 종류를 만들어 낼 수도 있는데 실제로 관상가들은 좀 더 다양하고 많은 종류의 코에 대한 분류를 사용하기도 한다. 분류가 세분화된다는 것은 그만큼 코에 대한 분석이 세밀하고 정확해 진다고 할 수도 있다. 하지만 아직 동양이나 서양이나 위에 기술된 분류에 대해서도 통일된 이름을 규정하고 객관적인 정의를 내리고 있지는 못하고 있다. 국제적인 소통과 올바른 이해를 위해 어느 정도의 용어정리가 요구된다고 하겠다.

5) Columella와 alar margin의 위치에 따른 분류 (그림 4-5)

Columella와 alar caudal end의 자연스러운 위치의 조화는 아름다운 코의 기준에 있어 중요한 관점 중의 하나이다. 정상적인 코의 옆모습에서 columella의 caudal end는 alar rim의 아래쪽 가장자리보다 약간 더 아래로 돌출되어 있는 것이 보통이다. 그러나 columella가 정상 범위 이상으로 과도하게 아래쪽으로 돌출되는 경우를 hanging columella로 정의하는데 측면에서보아 alar 가장자리보다 3~5 mm (1/6 inch) 이상 돌출되는 경우를 말한다. 반대로 alar rim이 오히려 columella보다 더 아래로 위치하는 경우가 있는데 이를 hanging alar라고 한다. 간혹 columella의 이차적인 위축변형으로 그렇게 보일 수도 있지만 columella가 정상이라면 alar가 두껍고 연골

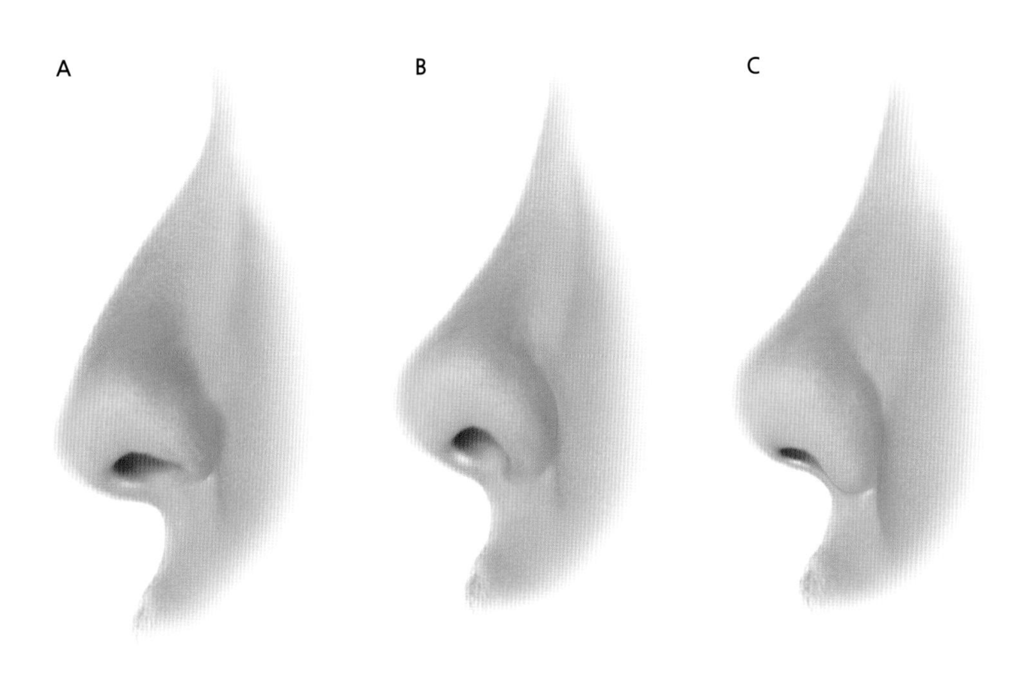

그림 4-5. Columella와 ala위치에 따른 분류
A. hanging columella B. alar retraction C. hanging alar

이 발달된 경우로 주로 동남아시아 인종에서 많이 발견된다. 때로는 alar rim의 위축으로 인해 columella가 과도하게 보이는 경우가 있는데 이것은 alar rim의 아래쪽 돌출이 미흡한 경우로 이러한 alar retraction은 hanging columella와 보는 관점에 따라 혼동될 수 있다. 그러나 alar retraction은 일반적으로 후천적인 경우가 대부분이고 원인은 lower lateral cartilage의 결손이나 alar base의 지지구조 불안정에 있다. 그러므로 외상이나 코 수술의 과거력이 동반되는 경우가 많다.

4. 코의 분석

코는 많은 움직임이 없는 단순한 구조이며 개인차도 그리 심하지 않기 때문에 어느 정도의 술기만 익히면 쉽게 접근할 수 있는 수술 부위로 생각하기 쉽다. 그러나 단순한 만큼 완벽한 결과를 내야 하며 수술 결과의 평가가 비교적 빨리 이루어지므로 의사의 실수나 주저함에 여유가 있을 수 없다. 아울러 수술기법의 발달과 수술 재료의 개발과 발명으로 인해 다양한 시술들이 소개되고 있으며 과거의 미흡했던 술기들이 개선되고 있기 때문에 단지 지나간 원칙과 방법에만 얽매인다면 아무리 경험이 많은 성형외과의사라고 해도 그 독보적 자리를 지키기가 어려워졌다.

현재 코에 대한 성형수술은 최대한의 다양한 수술기법이 필요한 복잡하고 세밀한 수술이다. 그러므로 어떤 코 성형술도 완벽할 수는 없다. 아울러 재수술은 훨씬 더 결과에 대한 예측이 불가능하며 예기치 않은 많은 위험 요소를 안고 있다. 일반적으로 성공적인 코 수술을 위해 필요한 중요한 두 가지 요소가 있다. 그것은 첫째, 시술자의 탁월한 수술 능력과 많은 경험이다. 시술자의 수술적인 능력이 좋을수록 다양한 시술이나 수술법을 통해 좀 더 목표에 접근할 수 있을 것이다. 둘째로 중요한 것은 시술자의 미적 감각이다. 대중적으로 아름다운 코의 모양을 구현하는 것이 환자의 요구이고 성형외과 의사의 목표이겠지만 수술 후 어떠한 모양의 코가 환자의 얼굴에 가장 어울리고 또한 조화로운 비례를 만들어 낼 수 있는가를 평가할 수 있는 능력은 수술에 대한 기술력과 함께 시술자에게 요구되는 또 다른 중요한 사항이 아닐 수 없다.

의사의 다양한 수술기법 습득에 대한 성실성과 의무, 그와 더불어 높아지는 환자의 기대치는 시술자의 부담을 더욱 가중시키고 있다. 이러한 난관을 극복하고 성공적인 시술을 하기 위해서는 환자나 시술부위에 대한 꼼꼼한 파악과 세심한 수술 계획이 필요하다. 성공적인 결과를 기대하면서 복잡하고 다양한 시술을 함에 있어 사전에 파악한 정보는 체계적으로 정리되지 않으면 혼란을 가중시킬 뿐이다. 그러므로 각각의 정보에 구분을 두는 단계적 파악이 필요하다. 이렇게 얻어진 정보를 기준으로 계획을 하면 좀 더 효율적인 시술 준비가 가능하고, 성공적인 수술을 기대할 수 있다.

1단계에서는 환자의 바람이나 요구 등, 그 목표가 무엇인지 정확히 알아낸다.

2단계에서는 이를 근거로 미적, 해부학적 관점에 맞춘 예비수술계획을 세운다.

3단계에서는 진찰결과 및 사진분석을 통해 정확한 수술범위 및 다양한 수술방법을 고려한다.

4단계에서는 상기 정보를 통합하여 최종계획을 세운다.

많은 경험이 있는 의사들은 코의 미용 수술에 있어 위와 같은 4단계 접근법을 이용하고 있으며 초심자들에게도 추천하고 있다. 아울러 각각의 단계별로 자기만의 Check list를 갖춘다면 훨씬 더 완벽한 수술이 될 것이고 술 후 유발될 수 있는 환자와의 문제를 줄일 수 있을 것이다.

1) 환자의 요구와 바람

환자가 원하는 교정의 방향이 무엇인지 충분히 파악

해야 한다. 그리고 환자의 요구가 해결을 할 수 있는 문제인지 아닌지를 이해시키는 것이 중요하다. 보통 간혹 곤란한 상황을 맞이하게 되는 이유는 환자와 충분한 대화가 되지 않고 수술이 진행되기 때문인 경우가 많다. 특히 수술 방향에 대한 정확한 교감이 없이 주관적인 대화만 오갈 경우에는 감당할 수 없는 재앙의 시작이 될 수 있다. 예를 들면 "자연스럽게 해 주세요", "선생님께 다 맡길게요", "티가 많이 나지 않게 해주세요"와 같은 주관적인 말들은 환자의 요구사항이라기보다는 단순한 호의적인 대화 이외의 가치는 전혀 없다는 것이다.

성형수술의 결과에 대한 만족도는 환자가 자기의 용모에 대한 불만스러운 내용을 얼마나 시술자와 잘 대화하고 공유하였는가와 시술자가 어떠한 시술이나 수술이 그 문제를 해결해 줄 수 있는지를 환자와 충분히 소통하였는가에 달려 있다. 아울러 상처치유와 관련된 인자들은 의사나 환자가 조절할 수는 없지만 결과와 밀접한 인자이다. 그러므로 수술의 결과를 보장하거나 장담할 수는 없다. 그 외에도 피부상태, 기형의 유무, 안면이나 코뼈의 구조학적 이상, 유전적인 경향 등 고려해야 할 사항을 환자나 시술자가 수술 전에 충분히 이해하고 있어야 한다.

Tebbetts는 환자의 수술 동의서나 안내지에 다음과 같은 내용을 추가하여 환자에게 주지시킨다고 한다. "나는 의사로서 어떤 처치가 당신이 가지고 있는 문제를 가장 확실하게 해결해 줄 수 있는가에 대한 내 소견을 명확하게 당신에게 전달하기 위해 모든 노력을 할 것이다. 그리고 미용 수술의 결과에 대한 만족노는 주관적이므로 어느 정도의 융통성이 있어야 하며 서로가 근접하는 합의점이 있어야 한다. 나는 당신을 위하여 그 부분을 명확히 할 것이고 당신은 의문점이 있으면 나에게 물어보라. 그리고 수술의 여부는 당신에게 달려 있다. 그러므로 당신은 그 결정에 있어 조심스럽고 신중하길 바란다"

2) 코의 분석 방법 및 계측치

기준이 없는 막연한 모양에 대한 정의는 의미가 없다. 용모의 개선을 위한 수술 계획은 정확한 분석기준이 있어야 한다. 이것은 일반적으로 동의되거나 합일치하는 얼굴의 비율에 대한 이상적인 기준이다. 시술자는 코의 각각의 부위에 대한 생체계측학적 점들을 이해해야 하고 길이, 높이, 너비, 각도 등을 분석하여 시술 전과 시술 후의 차이와 목표를 정하고 최대한 계측치들을 객관화하여 정상과 비교하여야 한다. 그리고 그것이 미적기준에 부합하는지를 분석할 수 있어야 한다. 정확한 계측과 좋은 수술을 위해 사진이나 디지털 이미지는 꼭 필요하다. 좋은 사진이 있으면 한 번에 여러 방향을 정확하게 비교할 수 있고 빛이나 반사에 의해 눈으로 잘 파악되지 않는 사항에 대하여 객관화할 수 있기 때문에 눈으로 진찰할 때보다 더 훌륭하게 많은 문제들을 파악해 낼 수 있다.

생체계측(somatometry, anthropometry)은 통일된 계측기준점과 계측기술이 필요하며 계측된 수치는 객관적이어야 한다. 일반적으로 계측기준점은 주로 마틴식(Martin Method, Point of Martin) 계측법에 따르며 필요에 따라 계측점을 추가하여 사용하고 있다. 얼굴에 있는 계측점도 매우 많은데 코와 관련이 있으므로 알아두는 것은 얼굴을 분석하는 데 매우 유용하다. 사용되는 계측점은 다음과 같은 것들이 있다. 정면에서 보이는 계측점은 trichion(이마 머리카락 선의 가운뎃점, tr), ophryon(눈썹의 최상접선과 정중선이 만나는 점, on), glabella(측면에서 볼 때 양측 눈썹사이에서 가장 앞으로 튀어나온 점, g), nasion(코이마뼈 봉합선의 가운뎃점, n), entocanthion & ectocanthion(내측, 외측 눈꼬리점, en, ex) orbitale(안와하연의 가장 아랫점. or), zygion(광대뼈활의 가장 외측부위, zy), alare(비익의 가장 바깥점, al), labiale superius & inferius(붉은 입술의 위, 아래 경계의 중간점, ls. li), cheilion(입꼬리점, ch), gnathion(아래턱 중앙하연의 가장 아랫점, gn)이 있고 측면에서 보이는 계측점에는 pupulare(각막중심의 가장앞쪽 점, pu), sellion(콧등이 미간으로 이행하는 선의 가장 뒷쪽점, se), pronasale(nasal tip의 가장 앞쪽 점, prn), subnasale (columella가 윗입술로 이행하는 점, sn), stomion(입을 닫은 상태에서 위아래 입술이 닿은 면의 가장 앞쪽 점, sto), pogonion(턱 끝의 앞쪽 돌출점, pg) 등이 있다(**그림 4-6**).

이러한 계측점을 바탕으로 nasal length는 sellion에서 pronasale, nasal height는 sellion에서 subnasale까지의 직선거리, nasal depth는 pronasale에서 subnasale, nasal width는 양측 alare 사이, eyeball depth는 sellion에서 pupulare 사이로 정의한다. 생체계측학에서 코 길이를 정의하는 것은 원칙적으로는 nasion으로부터 재는 것이 원칙이지만 그 부위를 정확히 구분하기 어려운 점이 있고 실제 임상에서 적용하는 데 문제가 있어 sellion에서 재는 것이 코 길이로 혼용되고 있고 실제 임상에서는 이것이 많이 통용되고 있다. Nasal height도 원칙은 nasion에서 시작하는 것이 맞는 것이며 아울러 코의 기저부에서의 계측점도 alare나 alarfacial groove가 아니고 subnasale이다(본문에서는 nasal length와 width의 기준점은 sellion에 두고 기술한다). Nasal depth에는 두 가지의 개념이 있는데 일반적인 것이 위에 기술한 것이고 다른 하나는 worm's eye view에서 코의 끝에서 정중선으로 내리그은 선과 양측 alar의 alarfacial junction을 이은 선과 만나는 점 사이의 거리이다. 코와 관련된 각도로서 일반적으로 가장 많이 참고하는 세 가지는 nasofrontal angle, nasolabial angle, nasal tip angle이다. 그 외에 콧구멍의 크기나 모양, columella의 길이와 너비 등의 상태에 대한 자료들도 코의 형태적 특성을 나타내는 항목 중의 하나로서 코의 객관적인 평가에 이용되고 있다(**그림 4-7**).

5. 코의 전반적 평가(평가표의 기본사항)

수술 전에 코에 대한 전반적인 객관적 평가를 할 때에는 우선 환자에 대한 전체적인 병력 상태부터 파악을 하여야 한다. 숨쉬기의 불편함, 과거 코 수술 경험, 만성 질환이나 알레르기의 유무, 고혈압 또는 혈관이나 혈액 질환의 유무, 흡입성 약제나 상시 복용 약제의 유무를 점검해 두는 것이 좋다. 그 내용은 수술의 결과에 많은 영

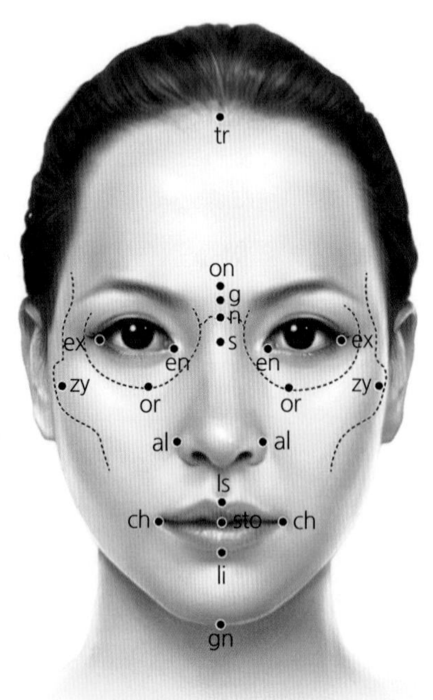

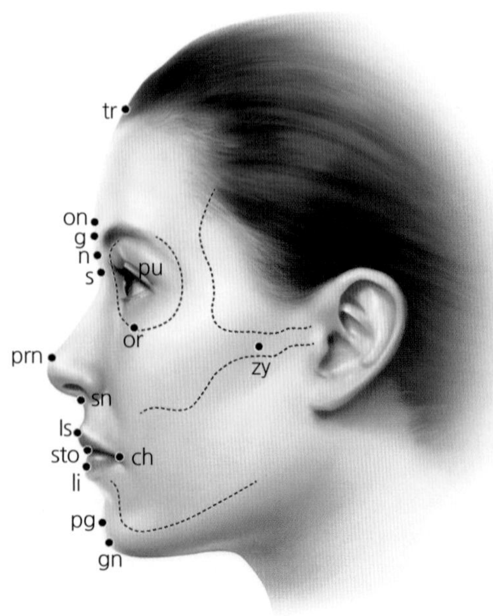

그림 4-6. 생체계측점

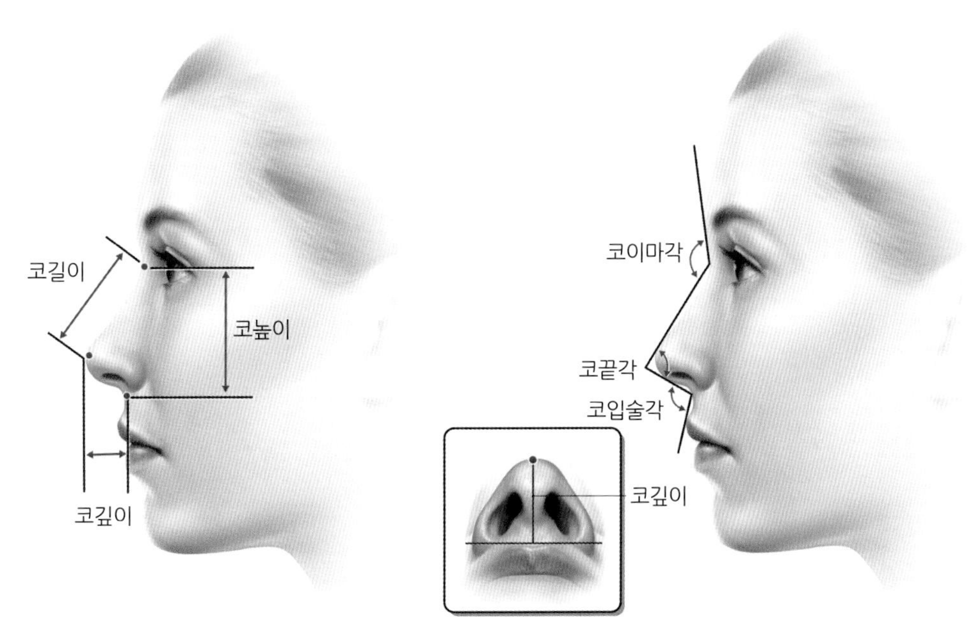

그림 4-7. 거리계측 및 각도계측의 범위

향을 미칠 수 있으며 정확한 코의 분석에도 불구하고 수술 중에 문제를 일으키거나 수술 후에 좋지 않은 결과를 초래할 수 있기 때문이다. 상기 내용을 참고로 하여 아래와 같은 객관적 계측 및 평가 내용을 토대로 수술 계획을 세워야 한다. 각각의 부위별 계측치 항목 및 내용은 해부학적 구조와 연계하여 본인만의 유용한 check list를 만들어 두고 계측내용을 적어가며 환자를 면담하는 것이 좋다.

1) 일반적인 코의 크기

코 안에서 각각의 부위별 계측치나 각도 등도 코의 미용적인 개선을 위해 중요한 요소들 이지만 코가 얼굴에서 차지하는 전반적인 크기나 비율, 위치 등을 파악하는 것 또한 정상적이고 조화로운 기본적인 얼굴형을 계획하는 데 있어 매우 중요하다. 보통 nasal width는 facial width의 1/5 정도가 되고 nasal length는 facial length의 1/3 정도 되는 것이 이상적이라고 한다(**그림 4-8**). 그러나 한국의 미인형 얼굴에서 nasal width는 facial width의 1/4 정도이고 nasal length는 facial length의 1/4 정도 된다고 다르게 보고하고 있다. Tip projection은 nasal length의 0.67배 정도이며 입술 수직선을 기준으로 했을 때 tip projection은 코가 얼굴에 붙는 alar facial junction으로부터 nasal tip까지 측정한 길이의 반을 넘어 50~60% 정도 되는 것을 이상적인 코의 모양으로 평가하고 있다(**그림 4-9**).

2) 중요 계측 항목

Nasal length, nasal height, nasal width, nasal depth, 각도 관련 계측치(nasofrontal angle, nasolabial angle, nasal tip angle)

(1) Nasal length (sellion-pronasale)

한국인의 평균은 4 cm 정도 되며 남자가 여자보다 약 8% 정도 크다. Facial width는 nasal length의 3.5배 정도 된다. Nasal width보다는 약 10% 정도 더 크며 intercanthal distance보다는 약 15% 정도 더 크다. 중년이 되면 젊었을 때보다 약간 줄었다가 노년기에 다시 길어지는 특징을 보여주는데 전체적으로 약 5% 정도는 줄어든다.

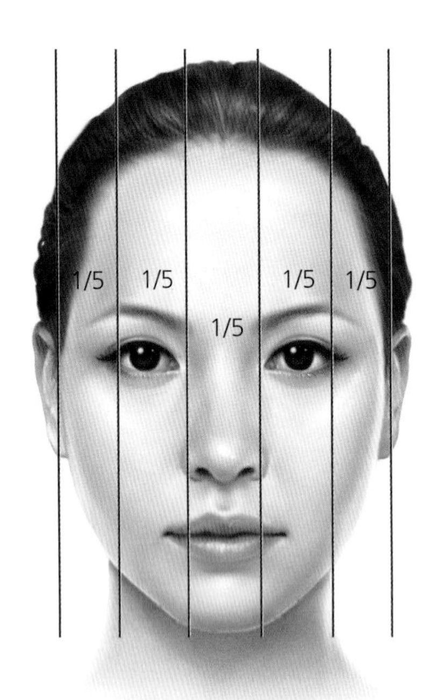

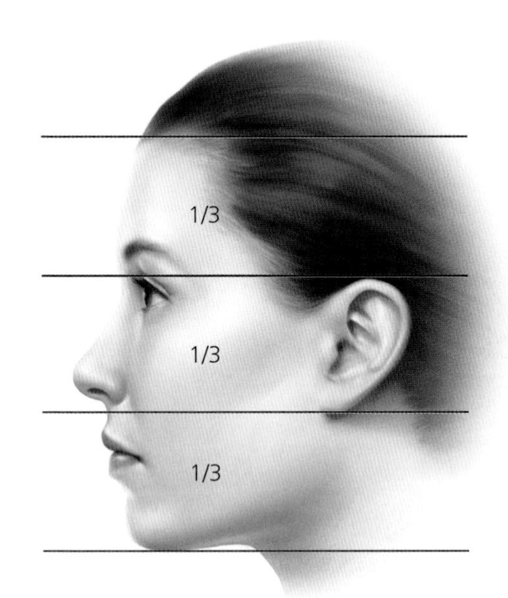

그림 4-8. 얼굴에 대한 코의 비율

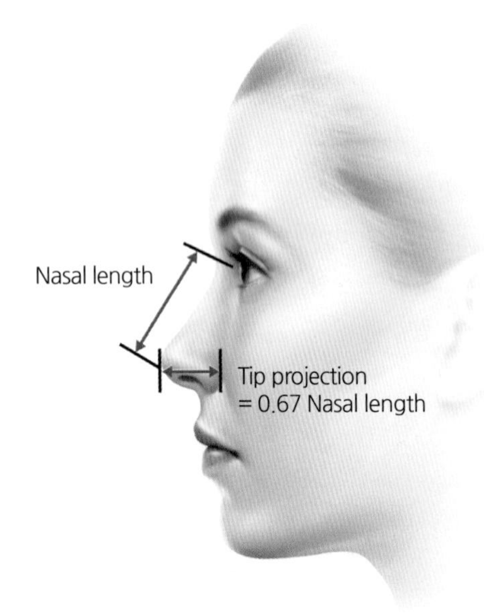

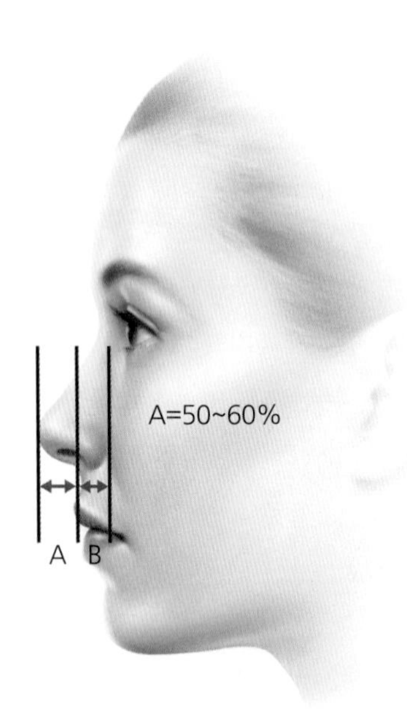

그림 4-9. Nasal length 및tip projection의 비율

(2) Nasal height (sellion-subnasale)

한국인의 평균은 약 4.5 cm 정도 되며 nasal length 보다 약 5 mm 길다. Nasal length처럼 남자가 여자보다 약 8% 정도 크며 나이에 따른 변화도 유사하다. 한국형 미인의 평균치는 약 4.6 cm 정도로 평가하고 있다. 서양인의 nasal length와 height는 아시아인보다 5 mm 정도 길게 보고되고 있다. 그래서 nasal index ({nasal width × 100}/nasal length) 또한 60~70 정도로 nasal tip의 projection이 잘 발달되어 있다.

(3) Nasal width (alare-alare)

한국인의 nasal width는 nasal length와 비슷한데 4 cm 보다 약간 작아서 nasal length의 약 90~95%이다. 아울러 한국의 미인형 얼굴에서는 평균 3.5 cm보다 약간 작다고 보고하고 있다(3.4 cm). 얼굴은 nasal width보다 4배 정도 더 크며 intercanthal distance는 nasal width보다는 약 10% 작다.

한국인의 평균에서는 nasal length와 nasal width가 큰 차이가 나지 않는 전형적인 특징을 보여주는 코 형태가 많다. 미국 유럽 등 서양 사람들의 코는 우리나라 사람에 비해 nasal length나 nasal height가 약 5 mm 이상 길고 nasal width는 3~3.5 cm이므로 코는 길며 좁고 돌출이 뚜렷한 경향을 보여준다. 서남아시아나 호주 지역 사람들의 nasal length나 nasal height는 특징적으로 큰데 우리나라 사람보다 약 1 cm 정도 길게 보고되었다.

(4) Nasal depth (pronasale-subnasale)

약 2 cm보다 약간 작으며 남자가 약 5% 정도 크며 나이가 들면 늘어나는 경향이 있다. 전체 길이에서 콧구멍 쪽 부분이 2/3 정도이며 nasal tip 부분이 1/3을 차지하고 있다. 참고로 얼굴에서 나이가 들면서 가장 변화가 크게 나타나는 것은 eyeball depth이다. 젊었을 때는 평균 5.5 mm 이었으나 중년기나 노년에서는 7~8 mm로 보고되어 60% 이상 증가하는 것으로 보고되었다.

(5) 각도관련 계측치

한국인에서 청장년기의 평균값은 nasofrontal angle이 138~142°, nasolabial angle은 91~93°, nasal tip angle은 105~107°로 보고하고 있다. 각도는 여자가 남자보다 크게(3%) 계측이 되는데 이는 여자의 코가 남자보다 projection이 덜하다는 반증이기도 하다. 아울러 나이가 들면 이 세 가지의 각도가 모두 2~3% 증가하는 것으로 계측되는데 이는 역시 나이가 들면서 코의 돌출이 감소하여 나타나는 현상으로 추정된다. 미인형 얼굴로 평가되는 한국인의 경우에 nasofrontal angle은 137°, asolabial angle과 nasal tip angle은 약 90°로 보고하고 있다.

서양 사람들의 경우에 nasofrontal angle의 정상범위는 115~135°, nasolabial angle은 95~100°, nasal tip ngle은 93~95°로 되는 것으로 보고하였다. 이로써 아시아인의 코는 서양인에 비해 projection 도가 덜하다는 것을 알 수 있고 상악의 돌출 경향이 뚜렷하여 nasolabial angle 또한 작게 계측됨을 알 수 있다.

3) 진찰을 통한 부위별 평가

(1) 콧등

콧등 시작점, hump 유무, 길이·너비·높이, 휨(deviation), 만곡(curvature) 및 함몰(depression) 유무. 코뼈의 길이 및 너비, nasion과 sellion의 위치, hump의 구조·원인·위치·크기, nasofrontal angle, lower lateral cartilage complex 분석, nasal tip의 상방경계, 피부의 두께와 강도, facial length와 width의 비례, 전체 얼굴·입술·턱·intercanthal distance와의 비례.

(2) 코끝

Alar의 너비와 콧구멍 이완정도, 형태(bulbous, boxy, arrow head, beak, ...), projection 정도, nasal tip angle, 비대칭, nasal tip의 회전방향(cephalic, caudal), nasal tip의 위·아래 경계, columella의 길이 및 대칭성, columella의 위치 및 만곡, columella의 projection 정도, lower lateral cartilage complex 분석, 피부의 두께와 질, soft triangle의 모양 및 크기, 호흡에 따른 alar의 함몰 유무.

(3) 입술이행부

Nasolabial angle, columella의 너비 및 모양, 인중 너비 및 길이, 입술의 높이 및 너비, alarfacial groove의 깊이 및 상태, 위턱뼈의 돌출 정도.

(4) 콧속(비강)

기도폐쇄 유무, 비중격 만곡정도, 비중격 위치, 막성 비중격의 위치 및 크기. 비갑개 상태, internal nasal valve의 위치 및 크기.

4) 환자사진을 통한 평가

(1) 정면(anterior full face view)

코의 크기(길이·너비), 전체 얼굴·입술·턱·눈 사이와의 비례, 콧등의 상태(너비·대칭성), 콧등의 휨·만곡, 코의 비대칭 정도, 코뼈의 길이 및 너비, hump의 구조·원인·위치·크기, nasal tip의 형태·크기·비대칭, alar의 높이, lower lateral cartilage complex의 이형성(dismorphism), 콧구멍의 노출 정도. alar rim의 retraction 유무, 입술의 위치와 길이, 앞니 노출 정도, 턱끝의 모양.

(2) 측면(lateral view)

코의 길이·높이·깊이, 전체 얼굴·입술·턱과의 비례, 콧등 높이, 코뼈의 위치 및 길이, hump의 구조·원인·위치·높이, sellion의 깊이, eyeball depth, nasofrontal·nasolabial·nasal tip angle, lower lateral cartilage complex 분석, alar rim의 retraction 정도, nasal tip projection 정도, nasal tip의 회전방향, columella의 돌출(columella hanging) 정도, alarfacial groove의 길이 및 형태, 비중격의 돌출 정도, 위·아래 입술의 두께, 입술·턱의 돌출 정도.

(3) 기저부(basilar full face view)

형태(삼각, 사각, 비대칭 등), nasal tip projection 정도, lower lateral cartilage complex 분석, 코너비, 콧구멍의 모양·크기·대칭성, columella의 모양 및 휨. columella와 alar의 두께 및 너비, columella와 nasal tip의 갈림(bifidity) 유무, soft triangle 부위의 크기 및 모양, 비중격 휨·만곡 유무. columella와 nostril이 이루는 각도.

(4) 반측면(oblique view)

코뼈의 길이 및 넓이, nasion과 sellion의 위치, hump의 구조·원인·위치·크기, upper lateral cartilage 분석, nasal tip projection 정도 및 비대칭, nasal tip의 회전 방향, alar rim의 retraction 유무, alar groove의 길이 및 형태, soft triangle 부위의 크기 및 모양, columella의 돌출 정도, 비중격의 돌출 정도, lower lateral cartilage complex의 lower lateral cartilage의 형태 및 크기.

위에 열거한 내용은 파악이 필요하다고 생각되는 코에 대한 전반적인 분석내용을 부위별과 시야별로 나누어 기술한 것이다. 많은 내용에 대한 장황한 나열보다는 자기만의 체계적인 정리가 필요하며 대부분의 코 성형 전문가들은 나름대로의 check list를 고안하여 사용하고 있다. check list는 쉽고 빠르게 파악이 될 수 있어야 하므로 부위별로 그룹화하는 것이 좋다. 또한 계측치의 기록이나 형태파악에 대한 정보나 결과를 표시함에 있어서도 빠르고 간결한 정리를 위해 시술자 본인이 쉽게 훑어볼 수 있도록 대표성을 갖는 범위에 대한 각각의 기준점수를 만들어 상태별로 그룹화하는 것이 현명하다.

수술에 대한 구체적 방법과 술기를 계획함에 있어서도 check list와 유사하게 부위별로 간결화한 그림이 있다면 매우 편리하고 수술의 정확도를 높일 수 있다. 그림에 정확한 시술부위를 표시하고 필요한 내용을 간단히 기록하여 사용하면 필요한 사항에 대한 누락을 방지할 수 있고 인접조직과의 관계나 영향력을 쉽게 파악하여 수술결과를 좋게 하고 합병증도 줄일 수 있다. 아울러 check list를 통해 환자를 보여주며 설명한다면 신뢰도를 쌓을 수 있어 환자와의 rapport형성에도 도움이 된다.

5) Ideal dorsal aesthetic line of nose

코를 포함한 중안면을 정면이나 반측면에서 볼 경우 가장 먼저 눈에 들어오는 것은 눈썹으로부터 콧등으로 이행되는 부위의 가상의 선과 아래쪽으로 nasal tip의 모양이다. 이 선을 ideal dorsal aesthetic line of Sheen이라 한다. 이 선은 눈썹의 내측 끝에서 시작하여 radix를 지나 양측의 콧등으로 연장되어 콧등의 가상의 폭을 형성한다. 위쪽에서는 넓었다가 아래쪽으로 완만하게 좁아지며 septal angle을 지나면서 다시 약간 넓어지며 nasal tip 연골복합체의 dome 부분으로 이어진다(**그림 4-10**). 이 가상의 선으로 만들어지는 콧등의 너비와 비골의 아래쪽 끝의 너비, pyriform aperture의 너비, alar의 너비를 비교하여 자연스러운 코의 모양을 가늠하고 예상할 줄 알아야 한다. 아시아인에서 주로 행하는 코를 높이는 수술은 콧등의 높이를 올리는 것뿐만이 아니라 sellion 부위에서 aesthetic line을 살려 코의 길이와 콧등의 폭을 조절하게 된다. 그러므로 환자의 얼굴너비, alar 사이의 너비, 상악치조골의 돌출 정도를 파악하고 비교하여 자연스러운 비례와 구배가 나올 수 있도록 수술을 계획하여야 한다.

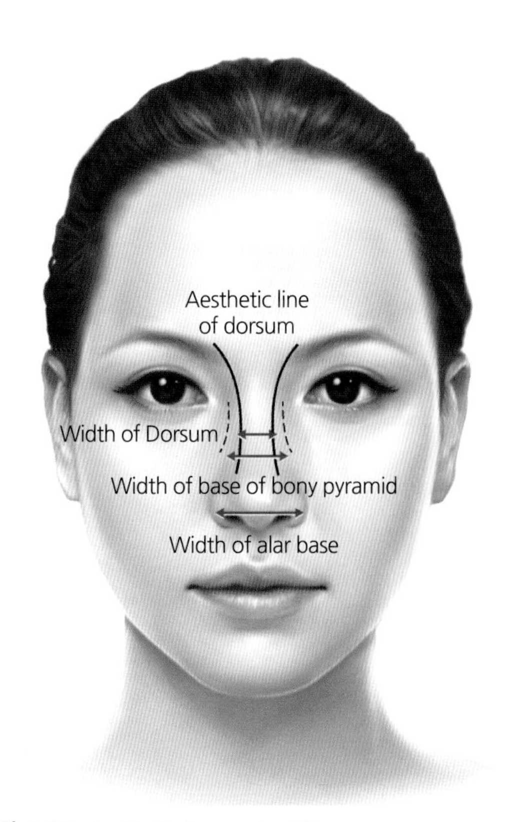

그림 4-10. Aesthetic line and width

6. 코의 수술 계획

환자에 대한 진찰 소견, 환자의 사진, 환자의 전반적인 병적 상태를 바탕으로 하여 수술계획을 세운다. 수술의 계획은 다음의 순서를 따르는 것이 부작용을 최소화하고 성공률을 높일 수 있을 것이다.

1) 환자에 대한 일차 접견을 통하여

① 환자의 요구사항과 불편해 하는 부분에 대하여 자세히 문진하고 기록을 한다.

② 문진한 내용 중에서 수술이나 시술로 개선이 가능한 부분을 파악한다.

2) 상기 정보를 토대로

① 사진이나 디지털 이미지를 통하여 파악된 문제를 명확하게 확인하고 교정 또는 개선의 정도를 가늠한다.

② Check list에 개선할 부위와 정도를 기록한다.

③ 특수 재료, 장비나 기구 상황을 점검하고 환자의 요구 정도를 따를 수 있는 수술 방법을 선택한다.

3) 환자에 대한 이차 접견을 통하여

① 환자를 다시 면접하여 수술 내용과 수술방법, 주의사항 등을 인지시킨다.

※ 꼭 포함되어야 할 내용

a. 만족할 만한 정도의 결과에 대한 타협

b. 결과에 대한 최종 추적 관찰 기간

c. 수술 후 결과가 안정되기까지의 변화 및 양상

d. 발생할 수 있는 부작용에 대한 교정 방법

e. 환자의 주의사항

4) 수술 1~2시간 전에 시행할 모든 술기에 대한 머릿속 가상수술

상기와 같은 전반적인 진행과정을 항상 숙지하고 수술에 임해야 하며 무엇보다 중요한 것은 자신만의 완벽한 check list를 갖추고 빈틈없는 계획을 세우는 것이다 이는 환자와 시술자에게 만족스럽고 정확한 수술의 결과를 내는 데 도움을 줄 수 있다. 아울러 수술 장비에 대한 점검도 수술 직전에 한 번 더 확인을 해두는 것도 좋다. 훌륭한 장비가 훌륭한 외과 의사를 만들어 주지는 못하겠지만 저급하거나 미흡한 장비는 훌륭한 외과의사의 능력과 결과를 방해할 수 있기 때문이다.

참고문헌

1. Pressa JE, Rohrich RJ. Nasal analysis and anatomy. In: Neligan Vol. 3. PC. Warren RJ, editors. Plastic Surgery 3rd ed. New York: Elsevier Sounders, 2013; 373-86.
2. Tebbetts JB. Primary rhinoplasty. Missouri: Mosby, 1998; 1-55.
3. Daniel RK. Rhinoplasty. Boston: Little brown and company, 1993: 79-108
4. 강진성. 강진성성형외과학 3권. 서울: 군자출판사, 2004: 1125-86.
5. Huizing EH, Grout JM. Functional reconstructive nasal surgery. New York: Thieme, 2003: 1-56.
6. Gruber NP, Stepnick D. Rhinoplasty current concepts. Philadelphia: Sounders, 2010: 182-9
7. 일 본 인 류 학 강 좌 편 집 위 원 회 . 인 류 학 강 좌 (Anthropology) 별권 1. 동경: 아세아인쇄주식회사, 1991; 7-66.
8. Sharma RN, Sharma RK. Anthropology. New Delhi: Atlantic Publishers & Dist., 1997; 84-5.
9. Aiach G. Atlas of rhinoplasty. Missouri: Quality medical publishing Inc., 1996; 1-39.
10. Peck JC. Technique in aesthetic rhinoplasty. Philadelphia: J.B. Lippincott Company. 1990: 18-28.
11. Guyron B. Clinics in plastic surgery; Rhinoplasty current concepts. Philadelphia: W.B. Sounders Company. 1996: 263-70.
12. Kim SH, Whang E, Choi HG, Shin DH, Uhm KI, Jung H. et al. Analysis of the midface, focusing on the nose: An anthropometric study in young Koreans. J Craniofac Surg 2010; 21(6): 1941-4.
13. 김순흠, 조동인, 김철근, 최현곤, 신동혁, 엄기일 등. 중안면에 대한 생체계측학적 연구; 노화에 따른 코의 변화. 내한미용성형외과학회지 2012; 18(2): 81-8.
14. 위성신, 함기선, 이재웅, 조용진. 한국미인의 생체계측학적 연구. 대한성형외과학회지 1981; 8(2): 283-9
15. 조준현, 한기환, 강진성. 한국인 두 개안면부 계측치: 119개 항목의 성별 및 연령별 정상치 및 표준편차와 표준화 평판. 대한성형외과학회지 1993; 20(5): 995-1005
16. Anderson KJ, Henneberg M, Norris RM. Anatomy of the nasal profile. J Anat 2008; 213(2): 210;6.
17. Sforza C, Grandi G, Menezes M, Tartaglia GM, Ferrario VF. Age and sex related changes in the normal human external nose. Forensic Sci Int 2010; 205: e1-9
18. Farkas LG, Hreczko TA, Deutsch CK. Objective assessment of standard nostril types--a morphometric study. Ann Plast Surg 1983; 11(5): 381-9.
19. Riveiro PF, Chamosa ES, Quintanilla DS, Cunqueiro MS. Angular photogrammetric analysis of the soft tissue facial profile. Eur J Orthod 2003; 25: 393-9.
20. Doddi NM, Eccles R. The role of anthropometric measurements in nasal surgery and research: A systemic review. Clin Otolaryngol 2010; 35: 277-83.
21. Yas NK. Anthropometric study on the nasofrontal angle in human skull. J Fac Med Baghdad 2012; 54(1): 106-9.
22. Linares AI, Vico RMY, Mnateca BM, Fernandez AMM, Mendoza AM, Reina ES. Common standards in facial esthetics: Craniofacial analysis of the attractive black subjects according to people magazine during previous 10 years. Oral Maxillofac Surg 2011; 69: e216-24.

CHAPTER

5 코성형 기구 | Instruments for Rhinoplasty

Chapter Author | 신수혜

코성형술은 성형외과 전문의에게 필수적인 분야이며, 미용목적뿐 아니라 재건 목적을 위해서도 가장 널리 시행되고 있는 성형수술 술기 중의 하나이다. 코성형술을 시행할 때에는 심미적인 목적뿐 아니라 코의 본래 해부학적 구조 및 생리학적 기능을 잘 보존해야 하며, 이에 적재적소에 적절한 수술 기구를 사용하여 조직의 손상을 최소화하는 것이 중요하다. 코는 피부, 연부조직, 근육, 연골, 골의 복합체로 이루어진 입체적인 구조를 가지고 있기 때문에 이러한 3차원적인 구조를 효과적으로 다루기 위한 다양한 기구들이 있다.

본문에서는 기구를 겸자, 견인기 등과 같이 종류별로 분류한 뒤, 각각의 기구에 대한 명칭, 사진, 쓰임새를 서술하였다.

1. Forceps

1) Bayonet forceps

Forceps의 blade가 손잡이의 중심선에서 벗어나 있는 모양의 forceps로 주로 코나 귀 등의 좁은 부위에서 충전물을 채우거나 제거할 때 사용한다(**그림 5-1**).

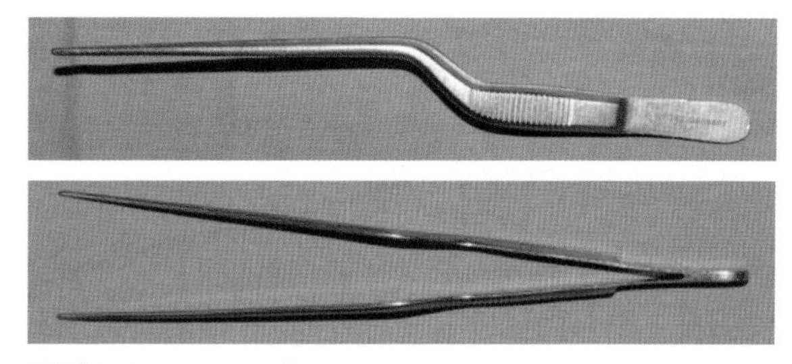

그림 5-1. Bayonet forceps

2) Aiach forceps

Multilayered cartilage transplants(여러 겹의 연골 조직 이식편)를 잡고 날 사이의 공간을 통하여 안정적으로 원하는 봉합을 시행할 수 있도록 도와주는 기구이다(**그림 5-2**).

3) Nasal dressing forceps

비강의 anterior part에 접근할 때 주로 사용한다. anterior part의 gauze packing 시 혹은 골조각의 제거 시에도 사용 가능하다(**그림 5-3**).

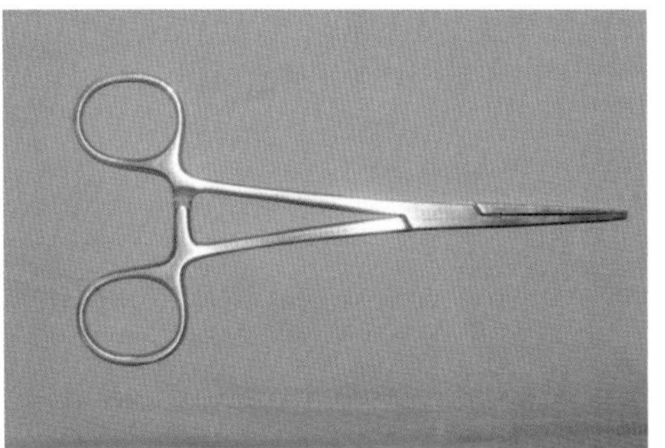
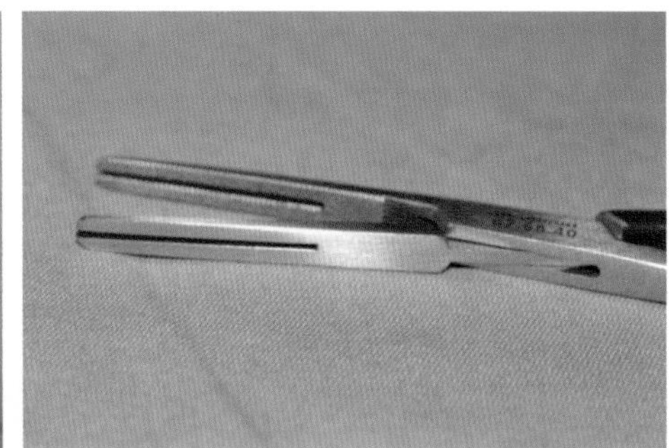

그림 5-2. Aiach forceps

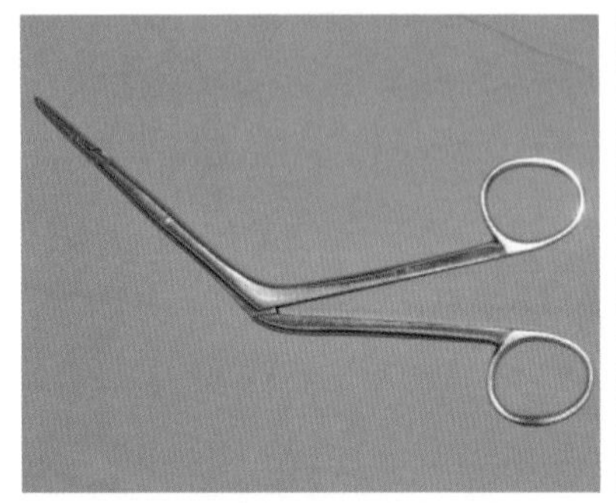
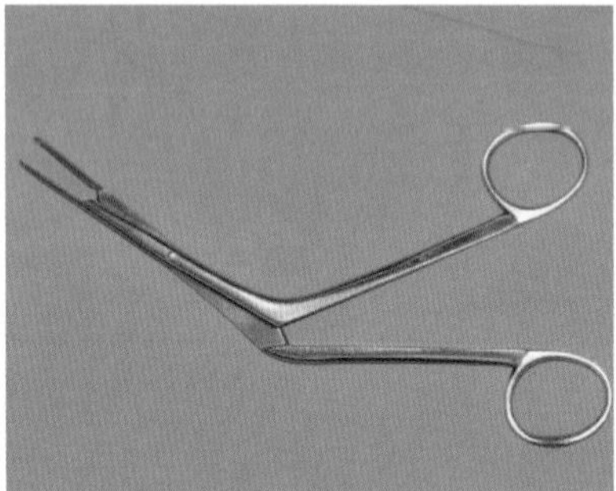
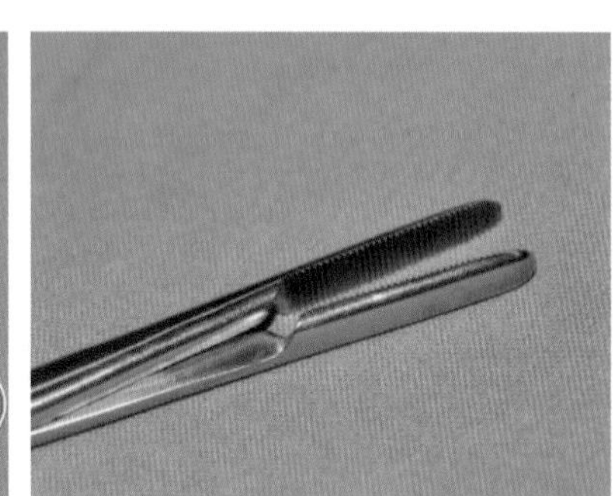

그림 5-3. Nasal dressing forceps

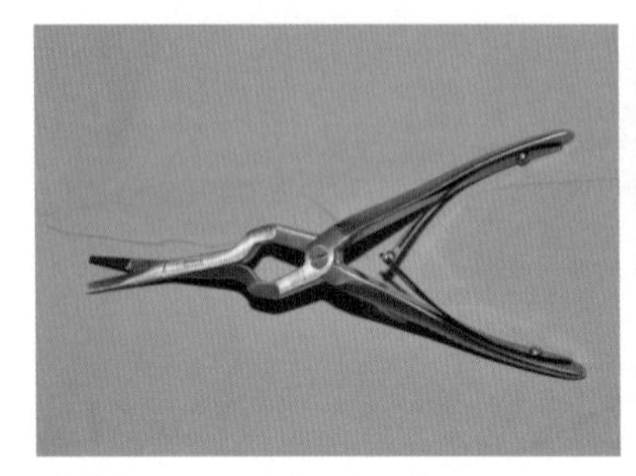
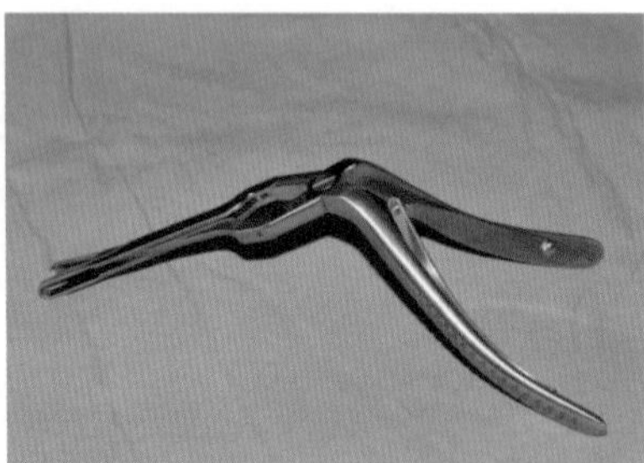

그림 5-4. Nasal dressing forceps

4) Jansen middleton forceps

Inferior turbinate 혹은 nasal polyp 등 조직을 절제, 제거할 때 사용한다. 자루가 굽어 있어 시야 확보가 잘 된다(**그림 5-4**).

5) Asch Forceps

Nasal septum을 잡을 수 있으며, 주로 septum straightening(비중격 교정) 시에 사용된다(**그림 5-5**).

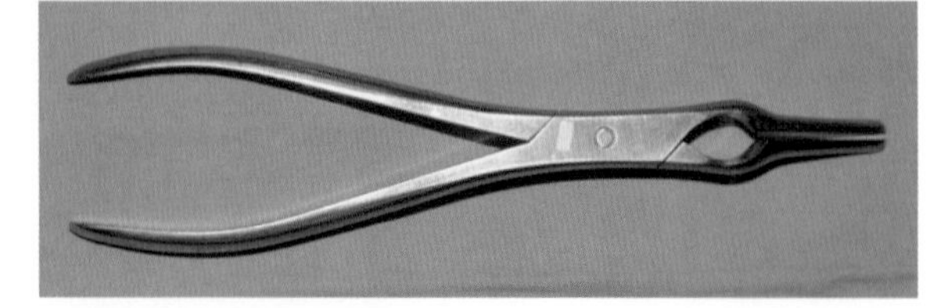

그림 5-5. Asch Forceps

6) Walsham Forceps

Asch forceps와 쓰임새가 비슷하다(**그림 5-6**).

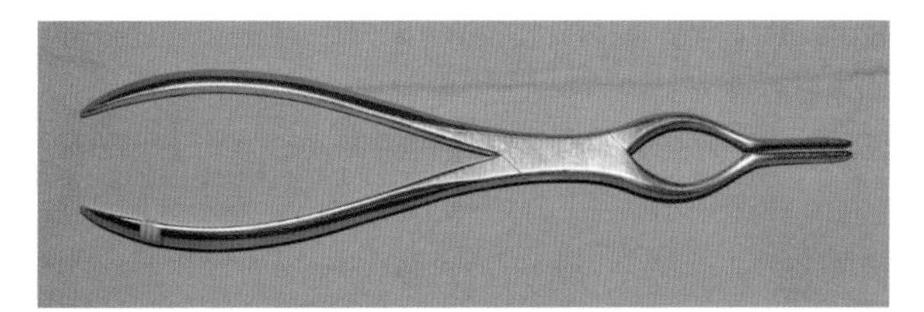

그림 5-6. Walsham Forceps

2. Retractors

1) Goldman knife guide and retractor

둥근 끝을 가진 견인기로 왼쪽, 오른쪽의 nostril을 위한 한 쌍이 있으며 반대쪽 끝에는 knife guide가 함께 붙어 있다(**그림 5-7**).

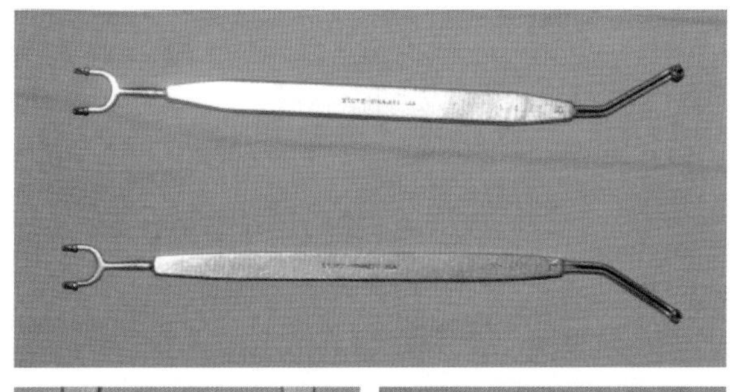

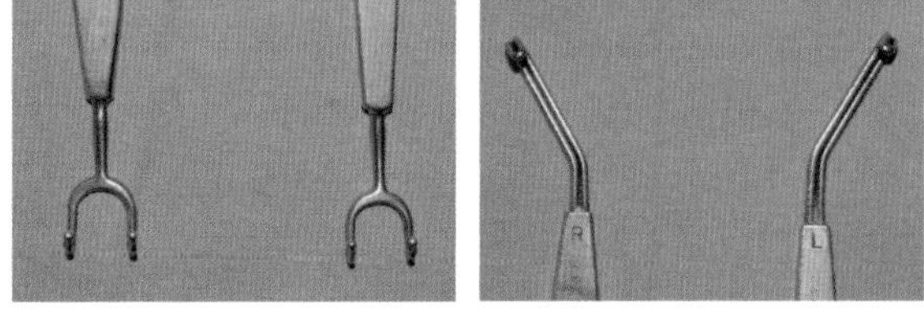

그림 5-7. Goldman knife guide and retractor

2) Fomon retractor/double hook

둥근 끝을 가진 double hook retractor로 조직을 당겨 시야 및 공간을 확보할 때 사용한다. 손잡이에 홈이 파인 것은 고무줄을 끼워서 self retractor(자가 견인기)로 사용할 수 있다(**그림 5-8**).

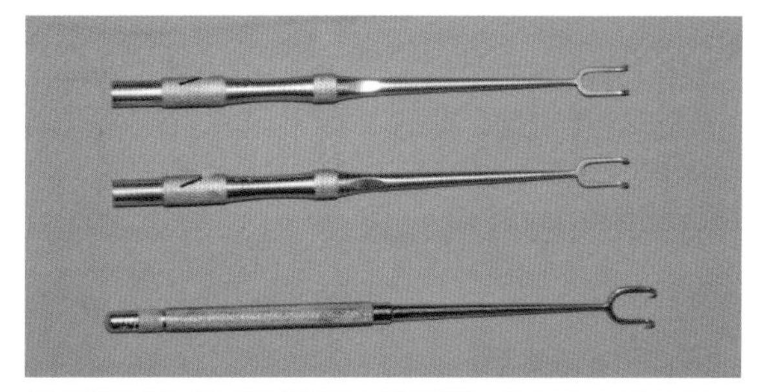

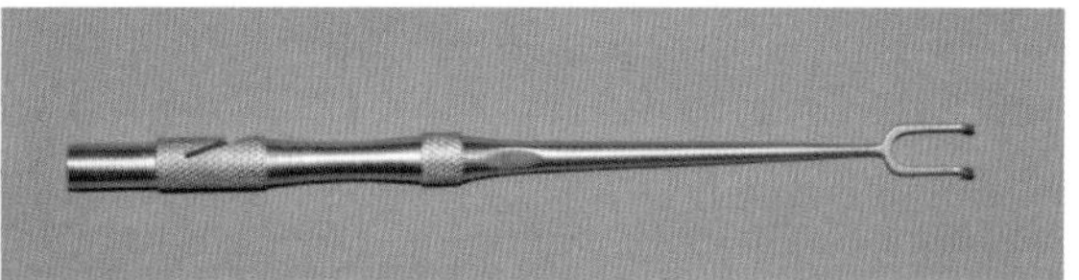

그림 5-8. Fomon retractor/double hook

3) Converse alar retractor

날카롭지 않은 double hook retractor로 lower lateral cartilage retraction 시 사용한다. 손잡이에 구멍이 있어 잡을 때 안정감이 있다(**그림 5-9**).

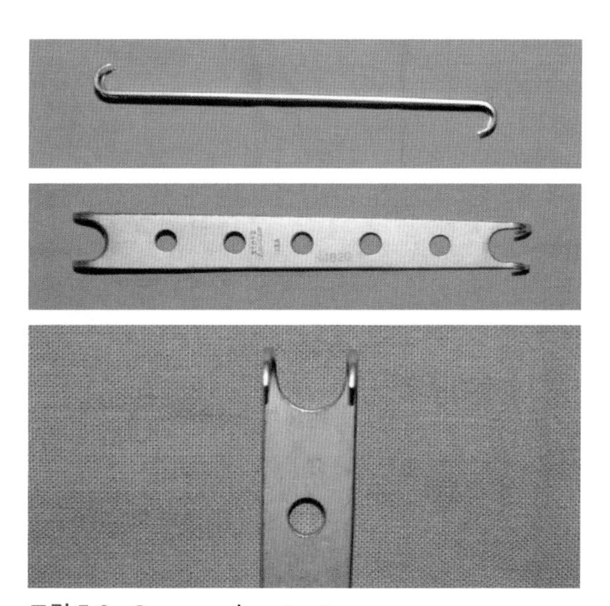

그림 5-9. Converse alar retractor

4) Aufricht nasal retractor

nasal bone의 subperiosteal dissection 시행 후 실리콘 보형물 등을 삽입 시 시야 확보를 위한 retractor로 오목한 날을 가지고 있다(**그림 5-10, 11**).

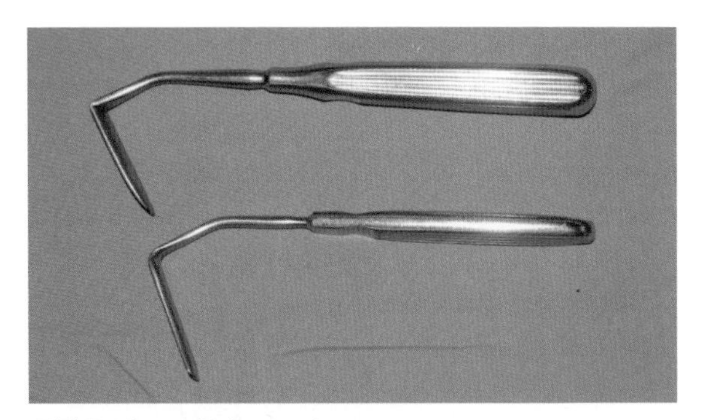

그림 5-10. Aufricht nasal retractor

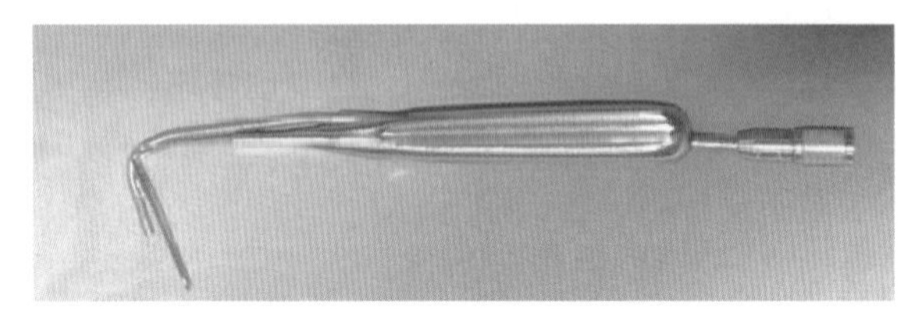

그림 5-11. 광원이 부착된 Aufricht retractor

5) S retractor

납작한 면을 가진 S자 모양의 retractor로 연부조직을 retraction하여 하여 수술 시 시야 및 공간 확보 시에 사용한다(**그림 5-12**).

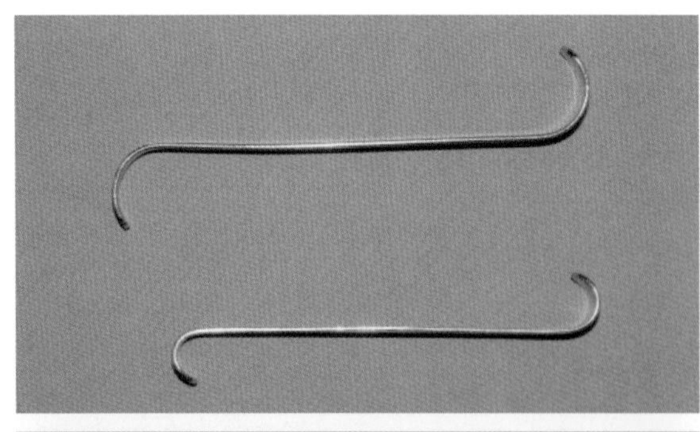

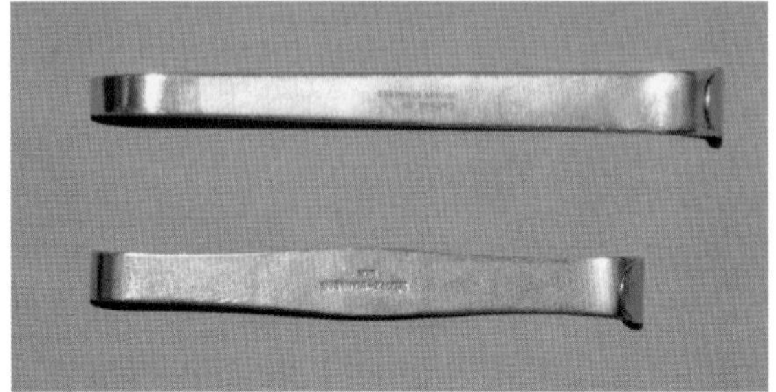

그림 5-12. S retractor

3. Scissors

1) Tebbetts scissors

날카롭고 굴곡된 날을 가진 외과용 가위로서 external incision에서 코의 천정부(dome) 접근 시 혹은 비연골 조직과 피부 피판을 박리할 때 사용한다. 끝이 구부러져 있으므로 입체적인 부분의 dissection을 시행하는 데에 유용하다(**그림 5-13**).

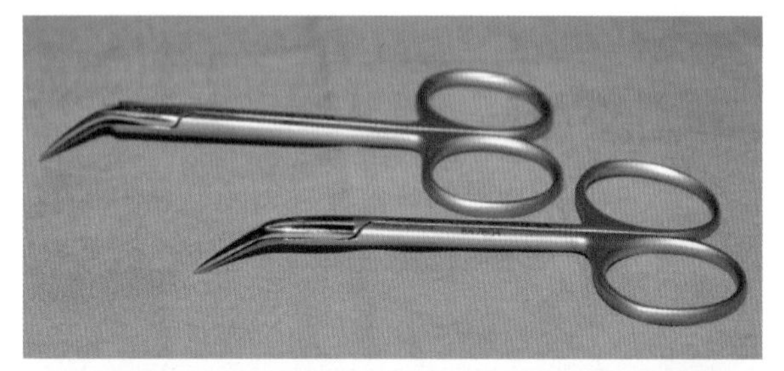

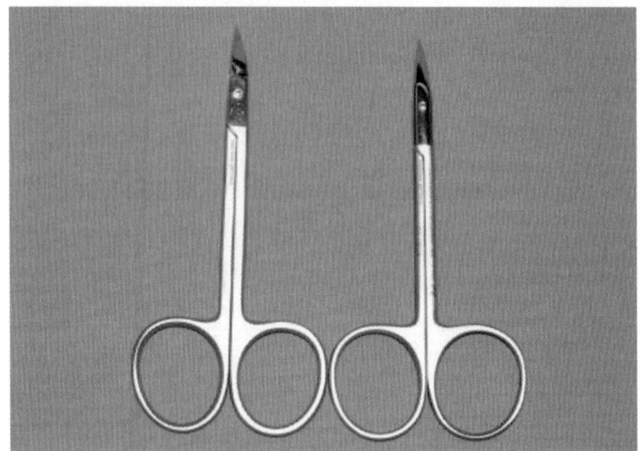

그림 5-13. Tebbetts scissors

2) Cinelli lower lateral scissors

Lower lateral cartilage를 dissection하거나 다듬을 때 적합하도록 날에 굴곡이 많이 들어가 있는 외과용 가위들이다(**그림 5-14**).

3) Fomon lower lateral scissors

Cinelli lower lateral scissors와 쓰임새가 비슷하다(**그림 5-15**).

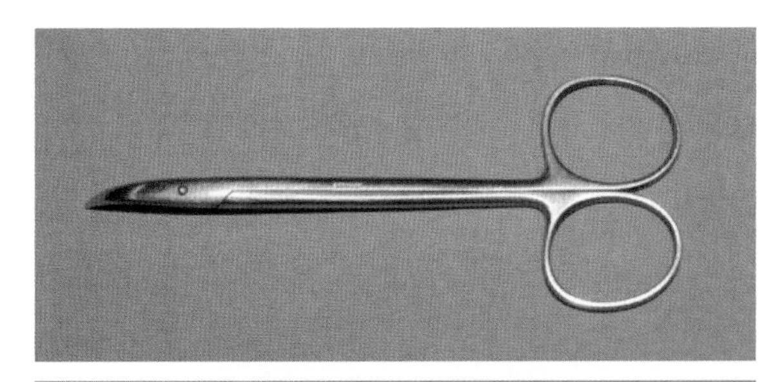

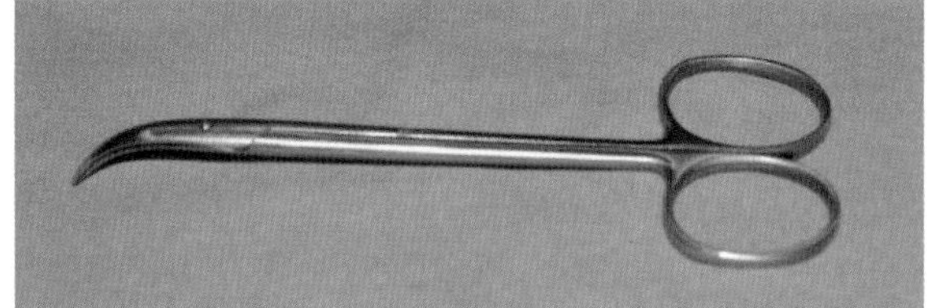

그림 5-14. Cinelli lower lateral scissors

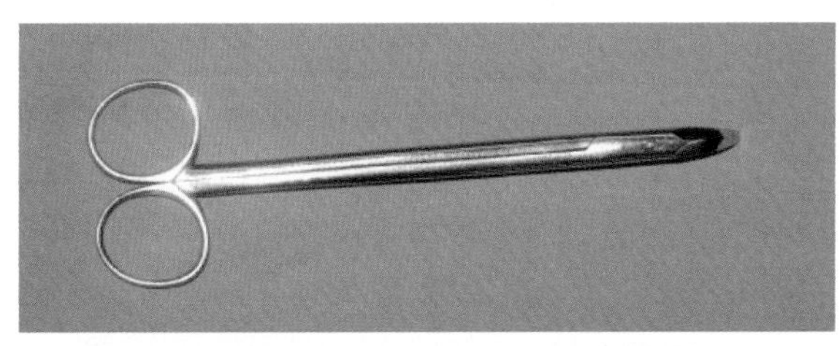

그림 5-15. Fomon lower lateral scissors

4) Iris scissors

조직의 깨끗하고 정밀한 절제를 위하여 일반적으로 널리 사용하는 끝이 가는 외과용 가위이다(**그림 5-16**).

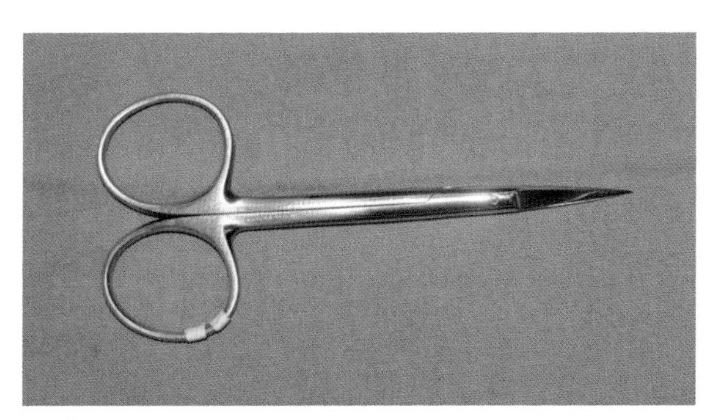

그림 5-16. Iris scissors

5) Cartilage scissors

Nasal dorsum dissection 시 혹은 upper lateral cartilage의 위치를 낮출 때 사용하는 박리용 가위이다(**그림 5-17**).

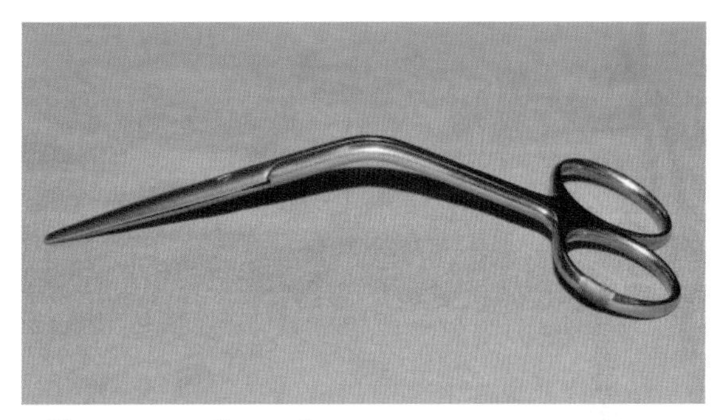

그림 5-17. Cartilage scissors

6) Nasal scissors

무른 골조직이나 단단한 조직, 연골 등을 자를 때 사용하는 외과용 가위로 날카로운 날을 가지고 있어 다른 주변 조직의 손상 없이 원하는 골조직을 자르거나 다듬을 때 사용한다(**그림 5-18**).

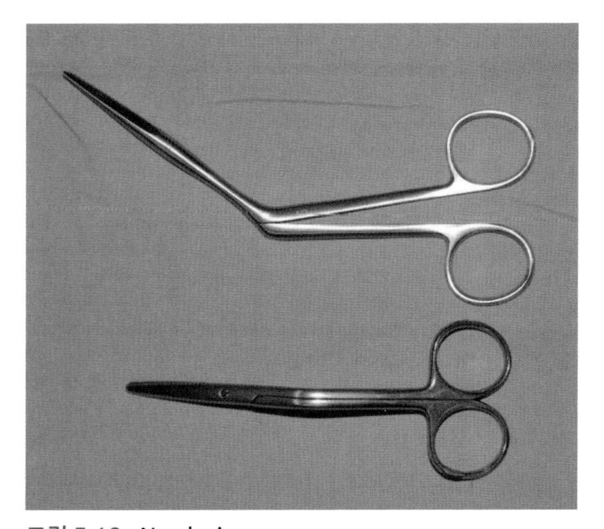

그림 5-18. Nasal scissors

4. Elevator

1) Joseph elevator

약간 둥그스름하게 처리된 날의 바깥 가장자리(semi-sharp outer edge)를 갖고 있어 섬세한 구조물의 박리를 시행할 때 사용한다. 주로 nasal bone에서 periosteum을 완전히 박리하기 위하여 사용하는 기구이다(**그림 5-19**).

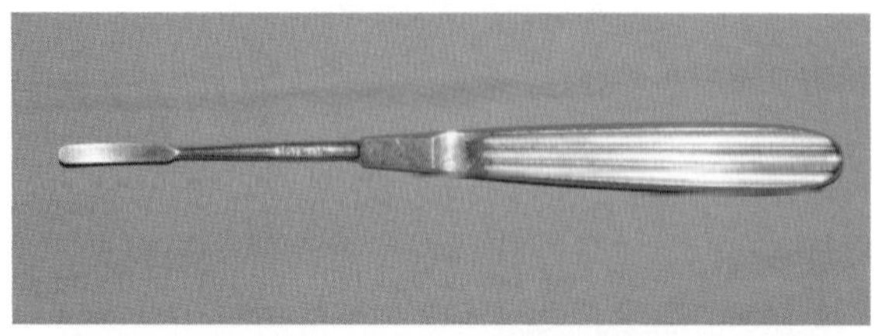

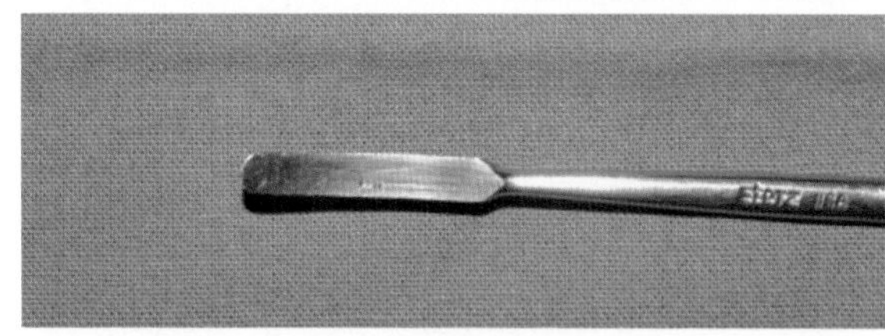

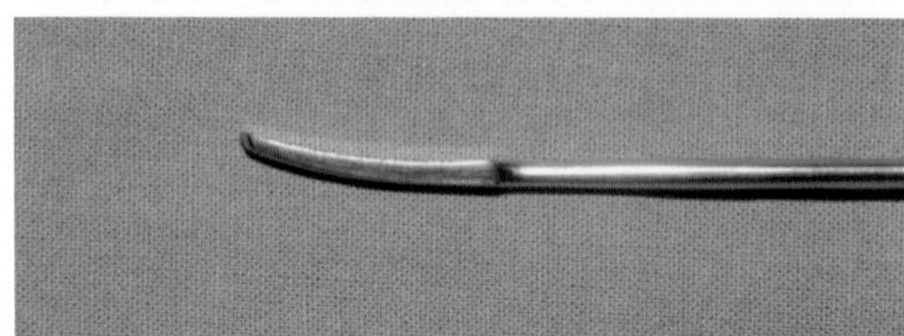

그림 5-19. Joseph elevator

2) Cottle septum elevator

양 끝에 하나씩 총 2개의 dissecting faces(박리면)를 가지고 있는 박리기로 한쪽은 끝이 날카로운 삽모양(sharpened spade), 다른 한쪽은 납작하고 뭉툭한 모양이다. nasal septal cartilage 에서 mucosal envelope을 elevation할 때 사용한다.

처음 날카로운 삽모양을 가진 쪽으로 submucoperichondrial plane dissection을 시작하고, 이후에 박리가 진행되면 납작하고 뭉툭한 모양을 가진 끝을 사용하여 피판을 일으키면 외상을 최소화하면서 mucosal envelope을 elevation할 수 있다(**그림 5-20**).

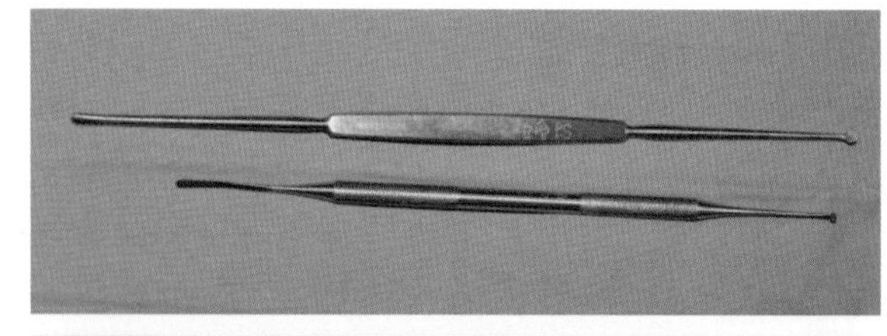

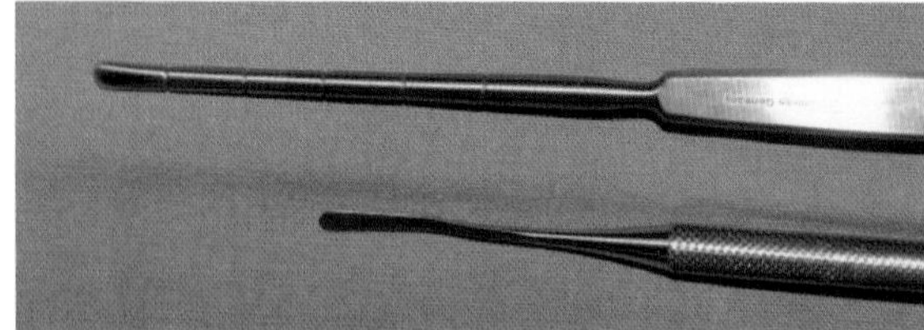

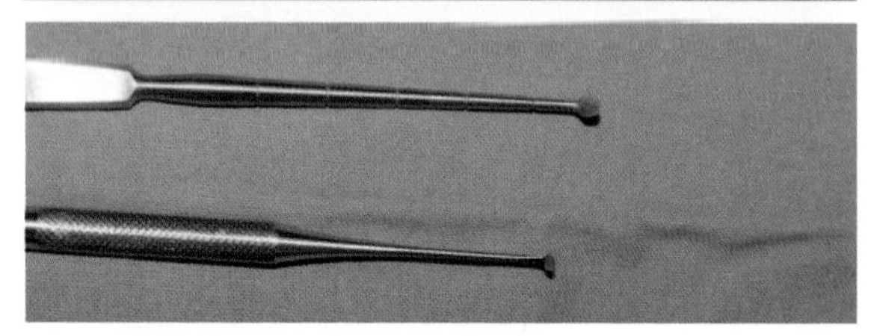

그림 5-20. Cottle septum elevator

5. Knife

1) Joseph double-edged knife

Nasal dorsum에서 골막 및 피부 피판을 분리할 때 사용한다(**그림 5-21**).

2) Freer septum knife (“D” knife)

둥근 부분에 날카로운 날이 있어 septal cartilage에 평행한 절개를 만들어 septum을 채취할 때 사용한다. D knife로도 알려져 있다(**그림 5-22**).

3) Bellenger swivel knife

Septoplasty를 하거나 septal cartilage를 연골 이식의 공여부로 사용할 때 비중격 연골을 간편하게 절단, 채취하기 위하여 쓰는 기구로 다음 그림과 같이 사용한다(**그림 5-23, 24**).

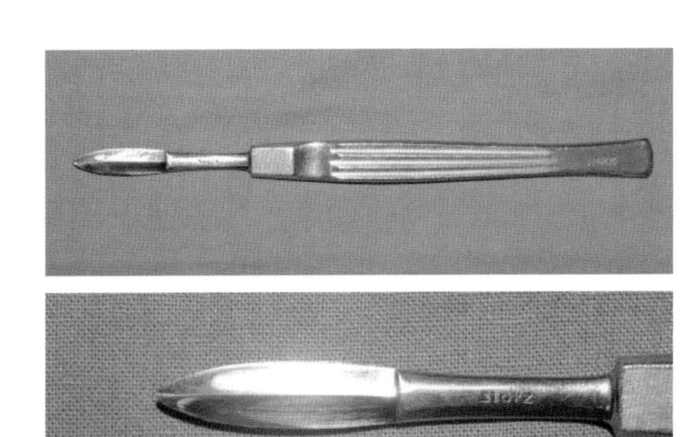
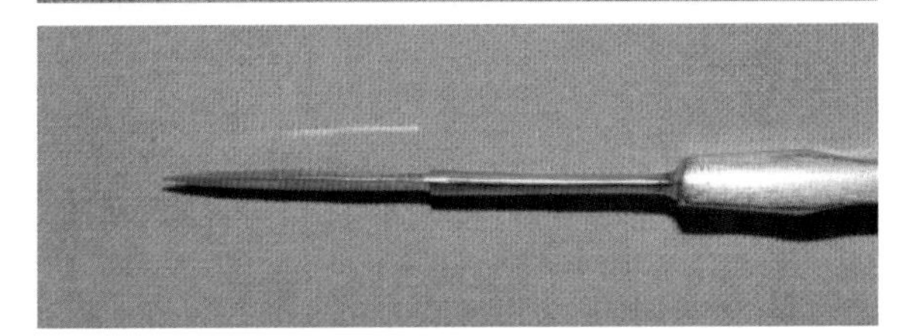

그림 5-21. Joseph double-edged knife

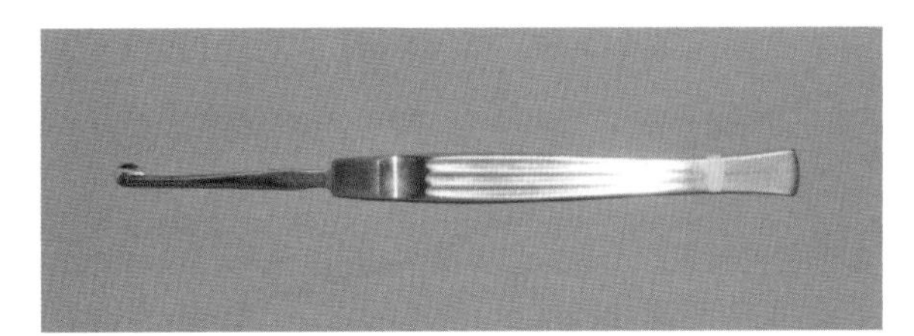

그림 5-22. Freer septum knife ("D"knife)

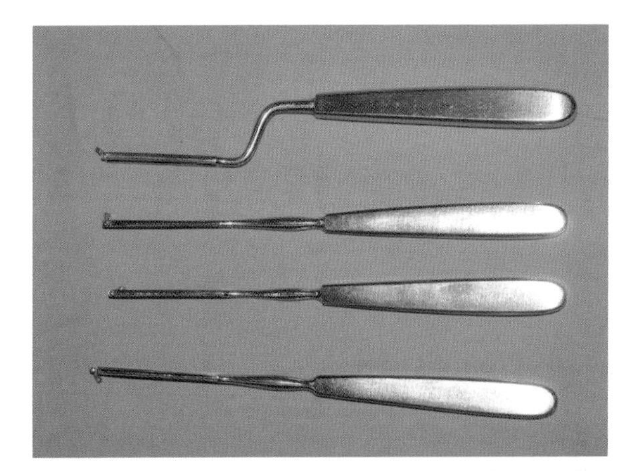
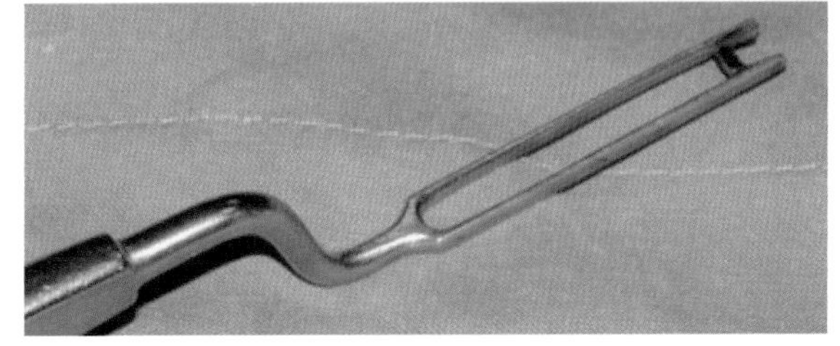

그림 5-23. Bellenger swivel knife

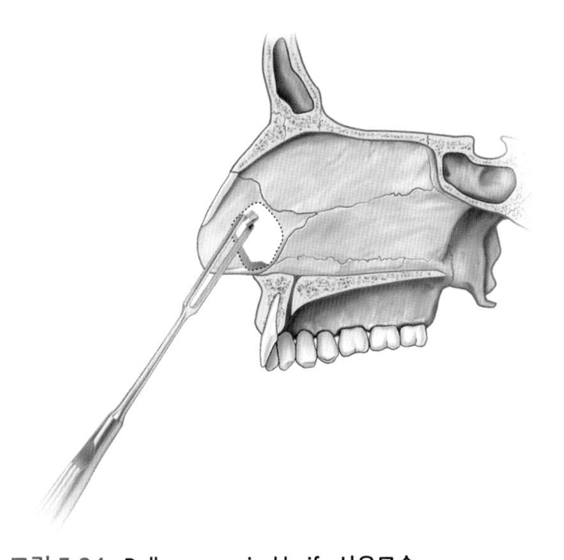

그림 5-24. Bellenger swivel knife 사용모습

4) Joseph button end knife

Nasal septum cartilage에 절개선을 넣을 때 사용한다. 굴곡된 것은 cartilaginous dorsum을 다듬을 때도 사용이 가능하다(**그림 5-25**).

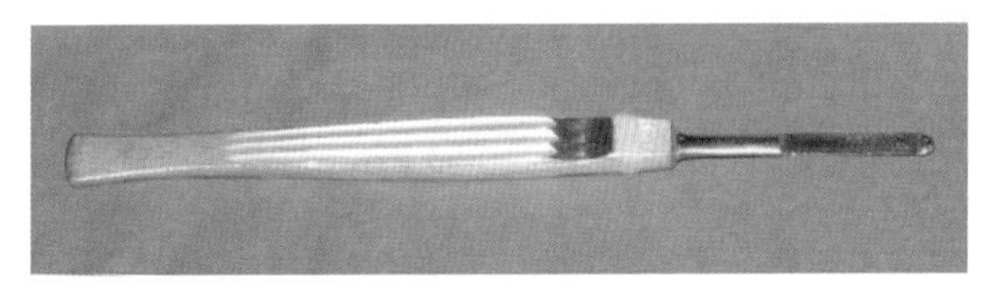

그림 5-25. Joseph button end knife

6. Rasp and Osteotome

1) Rasp

거친 면을 사용하여 hump가 있는 부분의 골조직을 갈아내어 표면을 부드럽고 편평하게 만드는 데 사용한다. 표면 요철의 정도에 따라 가늘거나(fine), 중간(medium), 굵은(coarse) 요철 등으로 분류 가능하며 요철의 종류도 채널 타입(channel), 가로 방향 타입(transverse), 다이아몬드 연마용 요철 타입(diamond dust shape) 등 다양하므로 필요에 따라 사용한다(**그림 5-26**).

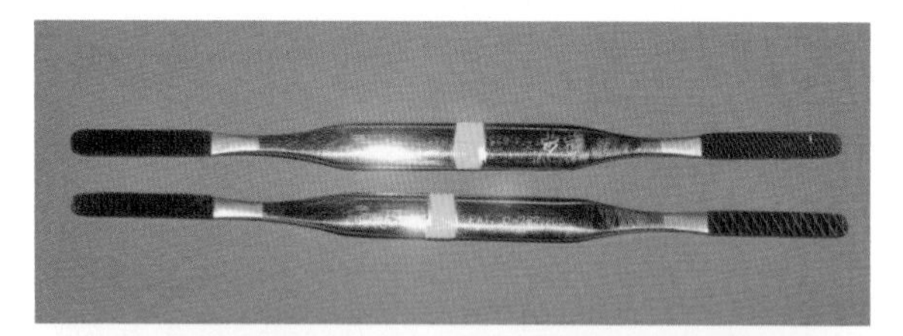

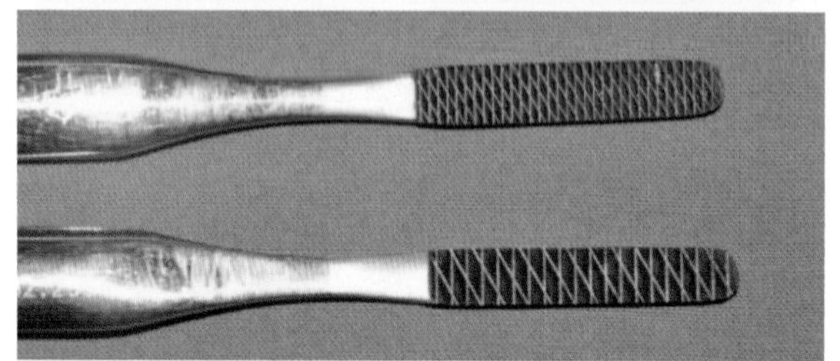

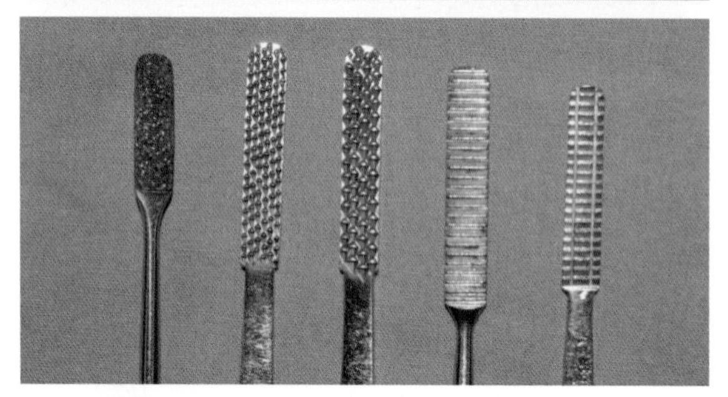

그림 5-26. Rasp

2) Osteotome

Lateral osteotomy(측면 절골술) 등을 시행할 때 많이 사용되는 osteotome들로 curved osteotome과 straight osteotome이 있으며 가드가 있어 수술 중의 연부 조직손상을 최소화할 수 있다(**그림 5-27**).

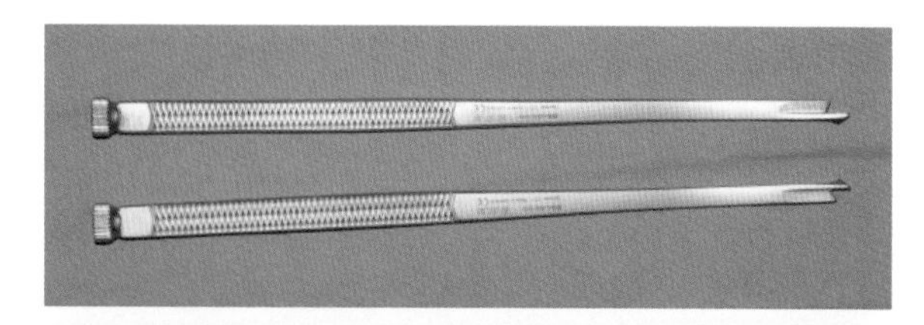

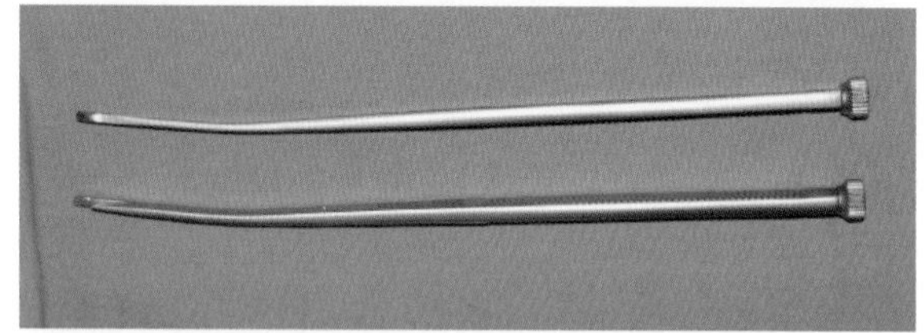

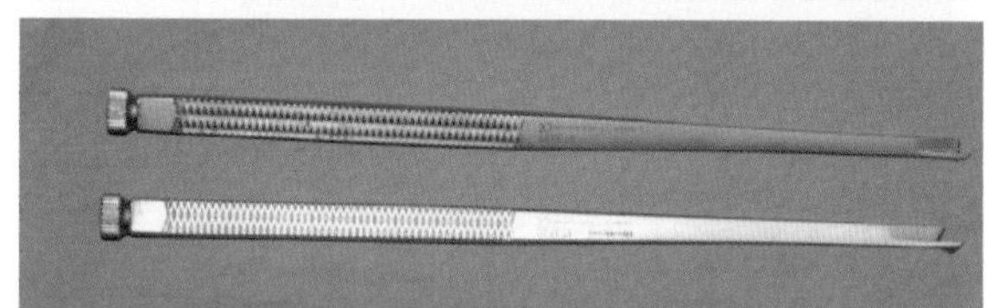

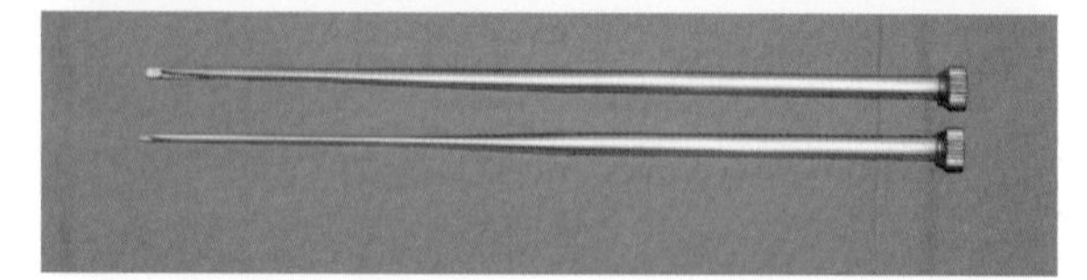

그림 5-27. Osteotome

3) Julian osteotome

안정감 있는 큰 손잡이와 얇은 끝부분을 사용하여 골조직을 쪼개거나 혹은 원하는 곳의 osteotomy을 시행할 때 사용한다(**그림 5-28**).

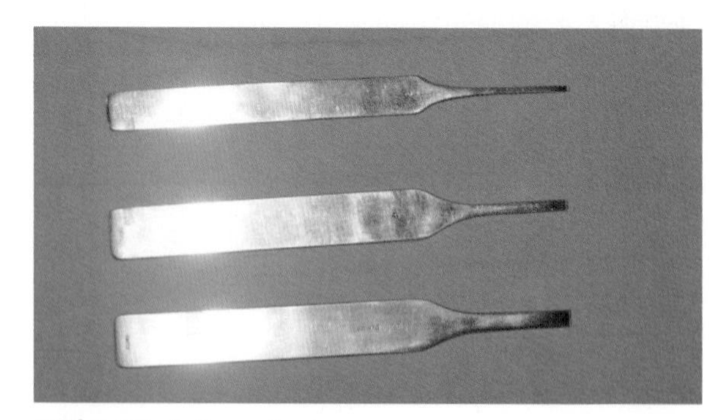

그림 5-28. Julian osteotome

4) Hump Gouge, Double Guarded

Nasal hump의 제거를 위하여 주로 사용되는 기구로, 양쪽의 가이드가 연부조직의 손상을 방지한다(**그림 5-29**).

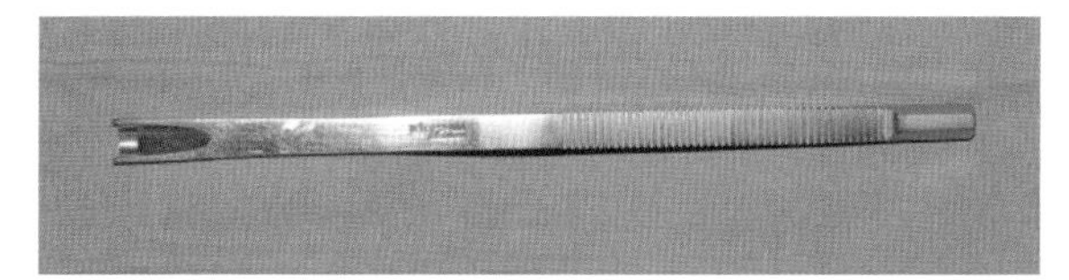
그림 5-29. Hump Gouge, Double Guarded

7. 기타 분류

1) Metal ruler

일반적인 수술 및 코성형술에 사용되는 금속 자(**그림 5-30**)

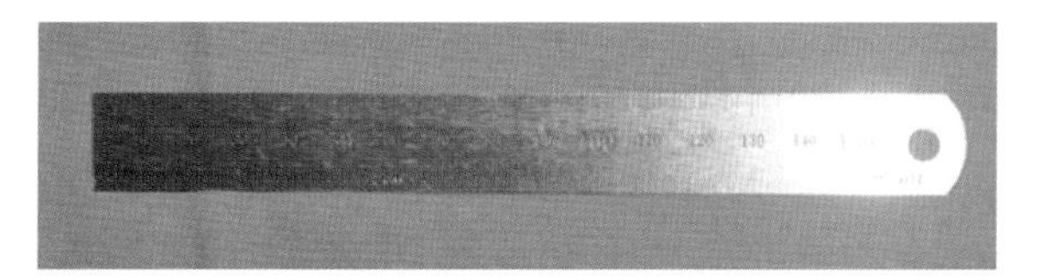
그림 5-30. Metal ruler

2) Castroviejo surgical caliper

조직이나 이식편의 길이 및 너비의 세밀한 측정을 위하여 사용한다(**그림 5-31**).

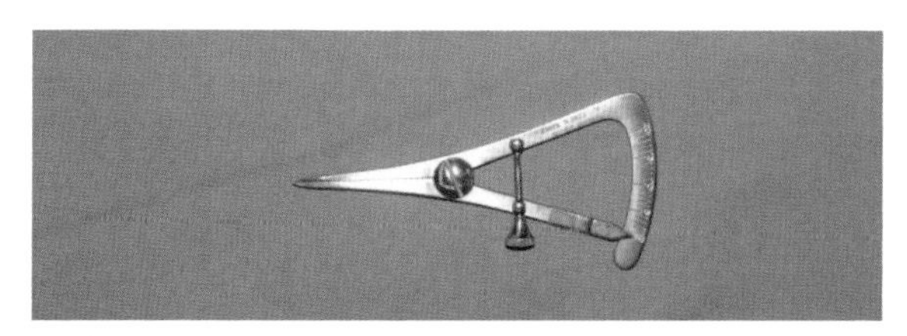
그림 5-31. Castroviejo surgical caliper

3) Nasal speculum

두 개의 비교적 편평한 날(blade)과 손잡이로 구성되어 있고, 가운데는 경첩이 달려 있어 날을 비강 안에 삽입한 뒤 손잡이를 잡으면 날 사이 공간이 확보되면서 열린다. 비강 안을 관찰하거나 nasal septal cartilage 채취 시 시야 확보를 위하여 사용한다(**그림 5-32**).

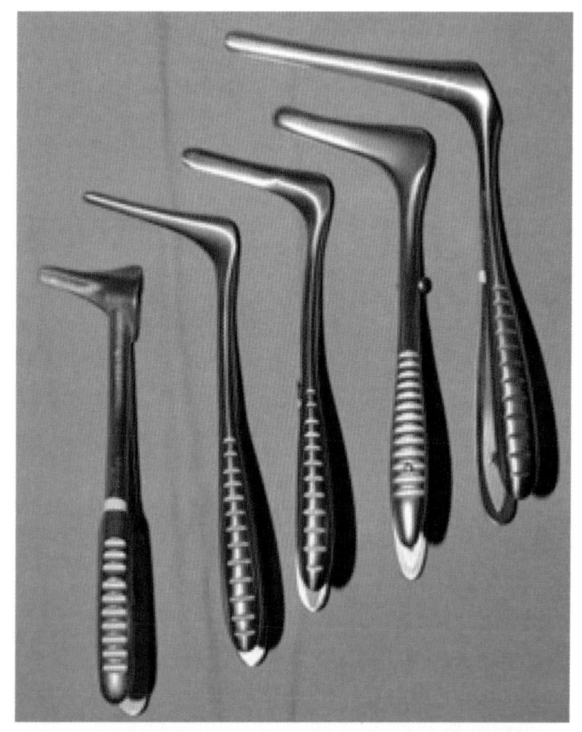
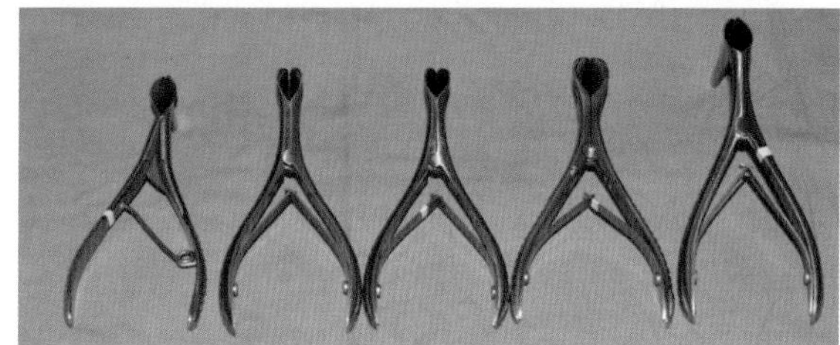
그림 5-32. Nasal speculum

4) Cartilage Grid(연골용 격자판)

눈금이 있어 이식할 연골 등의 크기를 측정할 수 있는 격자판(**그림 5-33**)

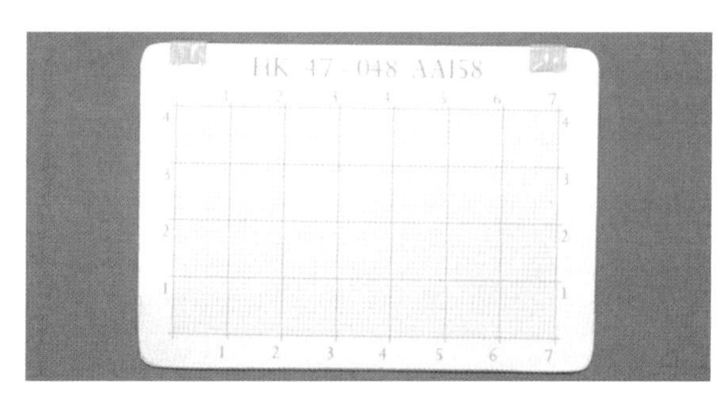
그림 5-33. Cartilage Grid

5) Cottle cartilage crusher & Leadfilled mallet

뚜껑을 열고 분쇄기의 요철이 있는 부분에 연골을 놓고 뚜껑을 닫은 후 금속 망치로 쳐서 원하는 정도로 으스러뜨려 사용한다(**그림 5-34**).

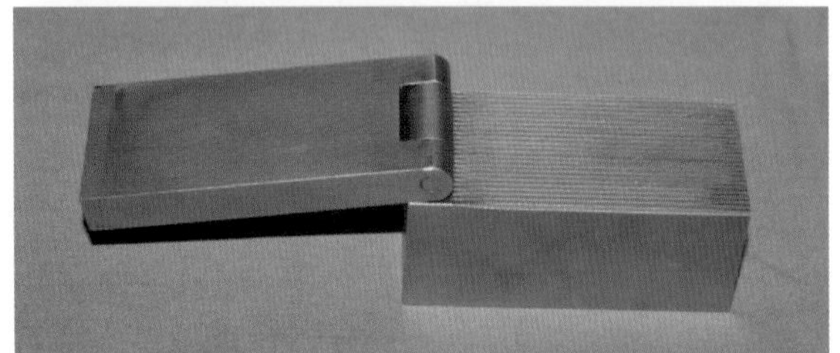

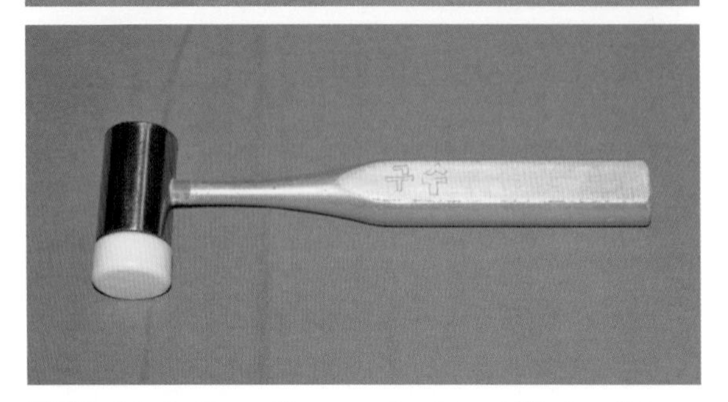

그림 5-34. Cottle cartilage crusher&Lead-filled mallet

6) Gorney morselizer

연골을 따로 떼어내지 않은 채로 잘게 부술(morselizing) 때 사용한다. Cartilage crushing이나 folding을 위하여 평행한 절개선을 만들 때도 사용 할 수 있다(**그림 5-35**).

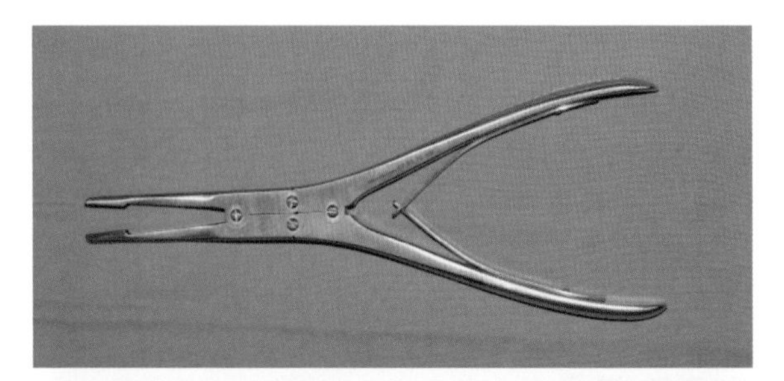

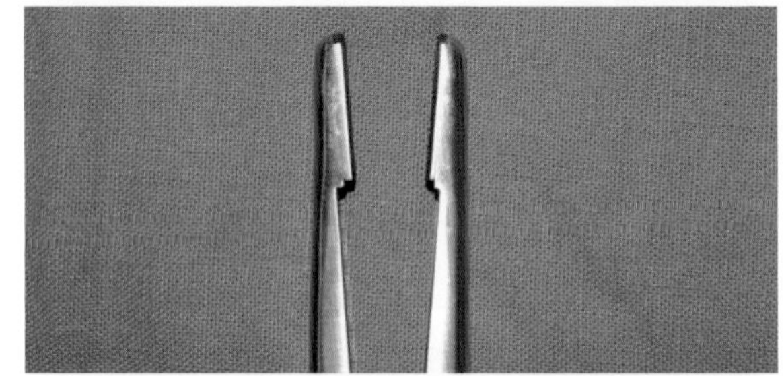

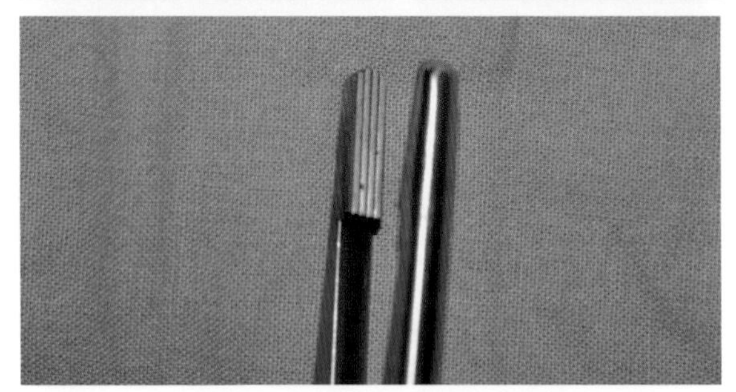

그림 5-35. Cottle cartilage crusher&Lead-filled mallet

7) Tebbetts nasal rongeur

작은 턱(small jaws)을 가지고 있는 론저로 깊은 공동에서 골조직을 제거할 때 사용하며, 턱이 꺾여 있어 비강 내로의 접근성이 좋다(**그림 5-36**).

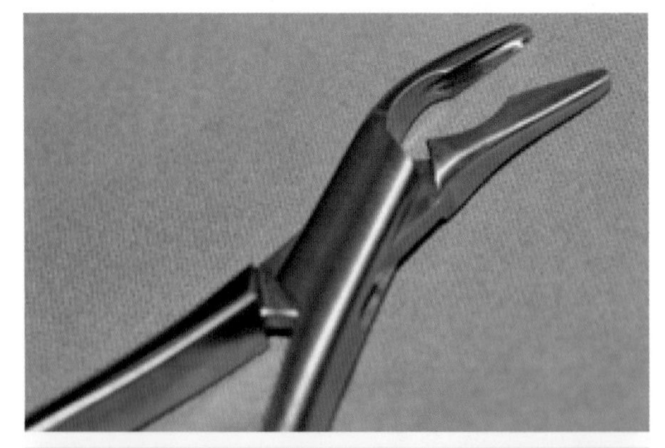

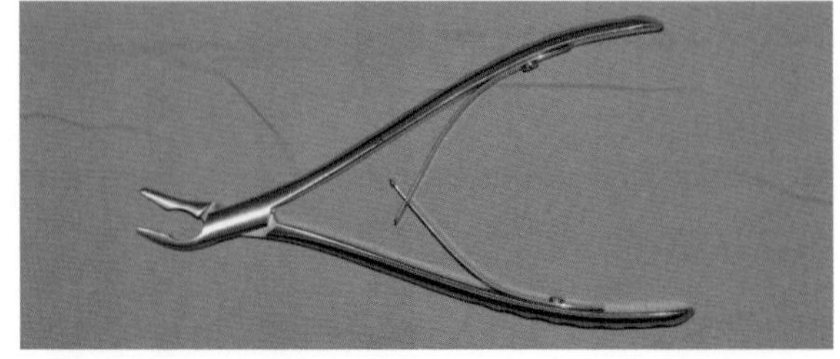

그림 5-36. Tebbetts nasal rongeur

CHAPTER 6

임플란트의 선택 | Choice of Implant

Chapter Author | 박성완

동양인의 코 특성과 보형물과의 밀접한 관계

대부분의 동양인의 코는 서양인의 코와는 달리 콧등의 높이가 낮고 넓으며 짧은 코뼈를 가지고 있고, 두꺼운 피부 및 연부조직을 가진 낮고 뭉툭한 코끝을 특징으로 한다. 따라서 코를 높이기를 원하는 대부분의 동양인을 상대로 하는 성형외과 의사는 코성형에 있어서 보형물을 이용한 augmentation rhinoplasty를 가장 많은 빈도로 시행하고 있다. 그렇기 때문에 동양인의 코성형과 보형물은 아주 밀접한 관계를 가지고 있으며, 이에 사용되는 다양한 재료의 보형물에 대한 깊은 지식과 풍부한 경험이 매우 중요하다.

최근 동양인의 코성형의 경향은 코끝을 높이는 데에 주로 자가 연골 조직을 이용하고 콧등을 높이는 데에는 주로 alloplastic material을 이용하고 있기 때문에 이 장에서는 콧대를 높일 수 있는 각각의 alloplastic material의 특성과 보형물을 선택할 때 어떤 점을 고려해야 하는지에 대해 알아보고자 한다.

1. Implant의 필요성

대부분 서양인의 코는 전체적으로 얇은 피부로 덮여 있으며, 콧등의 높이가 높고, 큰 날개연골로 이루어진 높은 코끝을 가지고 있기 때문에 대부분 오히려 높이를 낮추어야 하는 reduction rhinoplasty가 가장 흔히 시행되는 코성형술이다. 간혹 콧등을 높여야 할 필요성이 있다고 하더라도 높이에 필요한 dorsum의 volume이 동양인들에 비해 매우 적기 때문에 보형물의 필요성이 현저하게 적고, 자가조직만 이용하더라도 충분히 높일 수 있는 정도인 경우가 많다. 게다가 보형물이 자가조직에 비해 infection rate가 높다는 점과 얇은 피부에 의한 보형물이 비쳐 보이는 등의 다양한 합병증이 발생할 가능성을 우려하여, 자가조직을 이용하여 콧등을 높이는 술식을 선호하는 경향이 많으며, 일부 서양인을 다루는 성형외과 의사는 자가조직만을 사용하는 코성형술에 대한 우수성을 내세우면서 보형물을 사용하는 수술을 malpractice 라고 여겨 금기시 하는 경우도 있다. 하지만, 서양에서 보고되는 보형물의 높은 합병증 발생률은 상대적으로 적은 표본 수에 따른 통계의 오류 또는 착시현상이며, 그에 비해 많은 보형물이 사용되는 동양인의 코수술에서 보이는 합병증 발생률은 상당히 낮다는 견해도 있다.

최근 수십여 년 동안 우리 대한민국의 성형외과 의사들은 성형외과 술기의 비약적인 발전을 이루어왔다. 코성형술 분야에서도 과거와는 달리 코끝 성형은 보형물에 의존하지 않고 자가 조직을 이용한 방법들이 많이 소개되었고 코끝 피부와 연골에 닿아 있는 L자형 보형물로 인한 합병증을 현저하게 감소시킴으로써 실제 임상에서도 좋은 결과를 보여주며 동양인의 코성형 분야를 선도하고 있다. 그러한 연장선상에서 그 동안 동양인의 dorsal augmentation에도 다양한 자가조직을 사용하려는 노력도 많이 이루어져왔다. 주로 사용되는 자가조직은 rib cartilage, dermofat, fascia, 여러 자가 연골 및 이를 이용한 diced cartilage 등이며, 낮은 infection rate 등 자가조직의 장점인 안전성과 생체 적합성면에서는 가장 우수한 재임에 틀림이 없기 때문에 동양인에게도 실제적으로 필요한 높이가 많지 않은 경우엔 만족할 만한 재료로서 우수한 결과를 얻을 수 있다.

하지만, 높여야 할 양이 많은 동양인의 낮은 콧대를 자가조직만으로 높이기엔 한계가 분명이 존재한다. 먼저, 재수술 수준 이상의 재건 정도 수준의 코성형술이 아닌 경우, 특히 단순히 예뻐지기를 원하는 젊은 여성의 primary case에서 많은 양의 자가 조직을 채취하기 위해 수술부위가 아닌 공여부위에 또 다른 흉터를 내어야 한다고 권유하거나 설득하기는 매우 부담스러운 측면이 있다. 혹여 자가조직을 선택해서 dorsal augmentation을 했더라도 cartilage graft 및 다양한 soft tissue graft들의 생체 내 흡수로 인해 목표했던 높이에 대한 예측성이 떨어지고, rib cartilage를 사용하는 경우에는 이식된 rib cartilage 주변의 연부조직의 흡수가 광범위하게 이루어져 오히려 더 비쳐 보이거나 굴곡 및 warping현상 등이 발생하여, 보형물을 이용한 수술보다 시간과 노력을 더 들였지만 결과가 만족스럽지 않고 기대에 못 미쳐 재수술을 하게 되는 경우를 겪게 될 수도 있다(**그림 6-1**).

따라서 보형물은 자가조직과 비교하였을 때, 따로 채취해야 하는 시간과 수고를 덜 수 있고, 이미 만들어진 보형물을 이용하기 때문에 술기 자체가 간단하면서도, 수술 후의 모양과 높이를 예측하기 용이하고, 콧등의 선과 모양이 날렵하면서 뚜렷한 미용적으로 우수한 콧등 라인을 만들 수 있으므로, 단점보다는 장점이 많아 특별한 경우를 제외하고는 동양인의 낮은 콧대에 매우 유용하게 사용될 수 있으며, 더 좋은 결과를 나타내는 경우가 많아 동양인의 코성형술에 있어서 매우 중요하고 핵심적인 부분을 차지하고 있는 것이 사실이다.

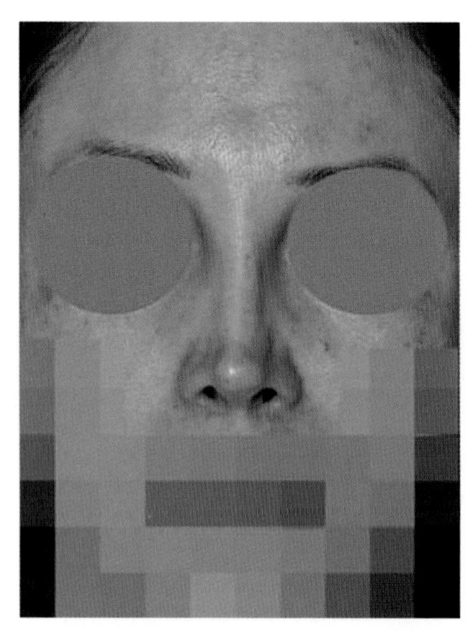

그림 6-1. 늑연골을 썼을 때 발생하기 쉬운 합병증
콧대를 늑연골로 높였을 경우, 주변조직의 흡수나 유착이 잘 일어나고, 늑연골 자체의 휨(warping) 현상이나, 부분적인 흡수로 인한 굴곡등이 드러나 좋은 결과를 얻지 못하는 경우가 간혹 발생한다.

종합해 보면, 서양인과 달리 두꺼운 피부를 가지고 있는 동양인의 기질적인 특성과 높이기를 원하는 미용적인 욕구의 특성을 고려한다면, 동양인을 다루는 성형외과 의사는 보형물이 가지고 있는 장단점과 그 특성에 대한 깊은 이해를 바탕으로 한 세심하고 능숙한 조작이 필수적이다. 물론 보형물을 사용함에 따라 발생하는 문제점도 많다는 점은 항상 염두에 두어야 할 것이다. 보형물로 인한 문제는 때에 따라서는 매우 심각하여 해결하기가 어려운 경우가 많이 있고, 제대로 대처하지 않으면 심각한 합병증과 부작용을 야기할 수 있으며, 재수술을 해야 할 경우 고난이도의 수술 술기가 필요한 경우도 있다. 또한 단순히 코를 높이는 것을 넘어서는 복합적이며 다양한 미적 욕구의 증가와 함께 각 수술 의사들의 술기들도 매우 복잡하고 다양해져서, 재수술 과정 중의 환경은 수술 전에 예측이 불가능한 경우도 많으며, 까다롭고 어려운 문제에 직면하는 경우도 종종 있다.

이런 심각한 합병증이나 부작용을 줄이기 위해서는 코끝을 형성하는 구조물을 구현하는 코끝성형에는 자신의 날개연골이나 자가 이식 연골 이외에 일부 검증된 homologous material만을 사용해야 하고, alloplastic material은 절대 사용하지 않는 것이 매우 중요하다고 저자는 생각한다. 과거 수십 년간의 코성형 술기들을 돌아보면 코끝을 형성하는 구조를 만들거나 코끝 defining point를 만드는 데에 L-형 보형물, I-형 보형물, Medpor와 같은 다양한 alloplastic material들이 코끝 구조의 일부가 되도록 수술했기 때문에 infection이나, capsular contracture현상, 여러 material들의 변위, 긴장 등에 의한 코끝 연골 및 피부의 변형과 함께 심각한 합병증과 부작용을 일으키는 일이 매우 많았다. 하지만 다양한 코끝 성형술의 발전으로 인해 코끝 성형 시에 alloplastic material의 도움을 받지 않아도 충분한 결과를 얻을 수 있기 때문에 이제는 코끝 성형과 콧등의 보형물은 별개의 것으로 생각하여 수술하여야 한다는 것이 보편적인 술기로 받아들여졌다고 생각한다.

보형물에 관한 문제를 미연에 예방하고 술 후에 대처하기 위해서는 보형물의 특성뿐만 아니라 코성형수술 후 생체 내에서 보형물이 일으키는 상처 치유과정 및 생체와 유합 되는 과정, 보형물 주변조직의 변화 등과 같은 모든 과정을 면밀히 연구하고 이를 잘 활용하는 것이 성형외과 의사에게는 필수적이라고 하겠다. 그래야만 수술 후에 발생할 수 있는 보형물에 의한 합병증의 예방은 물론 적극적이고 적절한 대처를 통하여 해결하고 치료할 수 있는 능력을 키울 수 있을 것이다.

2. Implant의 종류와 특성

Dorsal augmenation에 사용되는 재료는 크게 autogenous material, alloplastic material로 나눌 수 있으며, 사용빈도가 많지는 않지만 homologous material, xenograft material도 일부 사용되고 있다. 그중에서도 우리가 보형물 즉, implant라고 부르는 것은 주로 콧등의 높이와 volume을 높이는 데에 이용되는 material을 일컫는데, 주로 alloplastic material이 이용된다.

보형물은 일반적으로 인체에 해로운 영향을 끼치지 않도록 생체 적합성(biocompatibility)를 가져야 하는데, 다음과 같다.

첫 째, 소독을 하거나 모양을 다듬는 과정뿐만 아니라 인체 내에서 장기적으로 물리적인 변화가 없어야 한다.
둘 째, 독성이 없으면서 염증성 반응을 일으키지 않아야 한다.
셋 째, 면역학적으로 어떠한 거부반응도 일으키지 않아야 한다.
넷 째, 인체 내에서 화학적인 변화를 발생시키지 않아야 한다.
다섯째, 암을 유발하지 않아야 한다.

위와 같은 조건을 충족하여 많이 사용되고 있는 alloplastic material은 silicone, Gore-Tex 등이 있다. 아직까지는 이 두 가지 alloplastic material보다 더 이상적인 보형물은 없는 것으로 여겨지며 수술자의 선호도에 따라 자신이 주로 사용하는 보형물의 우수성을 내세우고는 있지만 사용 빈도는 silicone이 가장 많이 사용되고 있으며 최근에 Gore-tex의 사용빈도는 감소하고 있는 추세이다.

1) 실리콘(silicone)

실리콘 보형물은 인체에 사용되는 고체형 삽입물로, 1940년대에 만들어져 가장 오랫동안 사용되었으며, 현재도 가장 보편적인 alloplastic material이다. 코성형과 가슴성형뿐만 아니라 성형외과 영역에서 광범위한 분야에 보형물로 사용되고 있기 때문에, 보형물과 생체와의 유합 과정 및 예측 가능한 주변조직의 반응과 같은 풍부한 임상적인 데이터 축적이 이루어져 있어 합병증이나 부작용 발생을 줄이는 데 활용이 가능하다. 실제로도 부작용과 합병증이 많이 줄어들었으며, 문제점을 해결할 수 있는 다양한 술기와 방법들이 많이 발전하였다.

(1) 실리콘 보형물의 제조와 제품 특성

실리콘은 규소(Si)와 첨가물로 이루어진 폴리머 혼합체(polydimethylsiloxane)이며, 코성형 보형물의 형태로 만들기 위해 블록형태의 실리콘을 직접 깎아서 제작하는 방식과 주물에 액상 실리콘을 부어서 제작하는 방식이 있다. 최근에는 수술자가 선호하는 형태의 보형물을 대량으로 제작하기 용이한 주물형 제조방식의 보형물을 사용하는 빈도가 증가하고 있다. 실리콘 기성품이 다양한 높이와 모양을 가지고는 있지만 환자 개개인의 코에 맞추어 술 전이나 술 중에 의사가 직접 깎아서 사용할 수 있다.

실리콘은 중합, 교차의 정도, 첨가제의 혼합 정도에 따라 다양한 경도가 결정되는데, soft, medium, hard type 등으로 구분되며, 경도가 높을수록 조각이 어렵다. 과거에는 L-형 보형물, I-형 보형물과 같은 형태가 있었지만, 최근에는 코끝에 미치는 보형물의 영향을 최대한 줄이기 위해서 L-형 보형물은 잘 사용되지 않으며, I-형 보형물도 코끝 구조 부분에는 보형물의 영향이 전혀 없도록 콧대를 높이는 용도로만 사용하고 있다. 또한 보형물의 distal part만 즉 코끝과 경계하고 있는 부위에만 경도가 매우 낮고 부드러운 soft type의 silicone으로 이루어진 보형물을 사용하는 경우도 많으며, 코 바닥의 형태에 맞추어 사용할 수 있는 다양한 형태의 제품이 공급되고 있다(**그림 6-2,3**).

(2) 실리콘의 장점과 단점

실리콘 보형물의 장점은 인체 내에서 어느 정도 안정성이 확보되어 형태나 높이의 변화가 없어 예측 가능성이 매우 높다는 점이다. 또한 비교적 단단하여 blade 등을 이용한 섬세한 조작 및 조각이 용이하고 다양한 종류의 보형물이 개발되어 있어서 피부가 두꺼운 동양인에게 원하는 코 모양을 만들기가 편리하며, 주변으로 capsule을 형성하기 때문에 제거와 교정이 수월하다는 장점도 가지고 있다.

실리콘의 장점을 잘 나타내는 가장 큰 특성은 capsule의 형성이다. 실리콘이 체내에 이식되면 이물질로 인식이 되어, macrophage가 관여하는 foreign body에 대한 정상적인 면역 조직 반응의 결과로 섬유조직이 증식하게

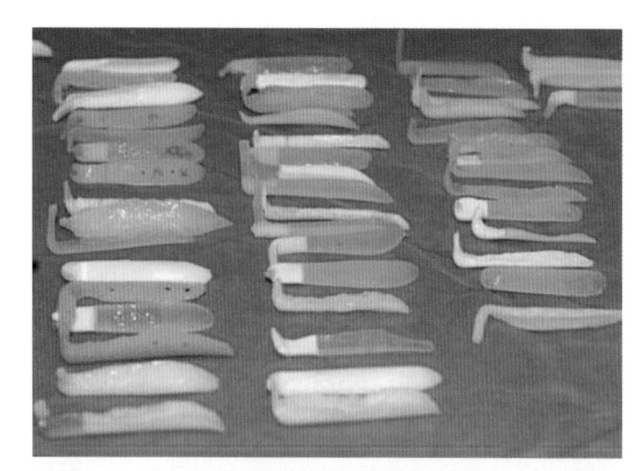

그림 6-2. 재수술 시 제거한 다양한 형태의 silicone implant

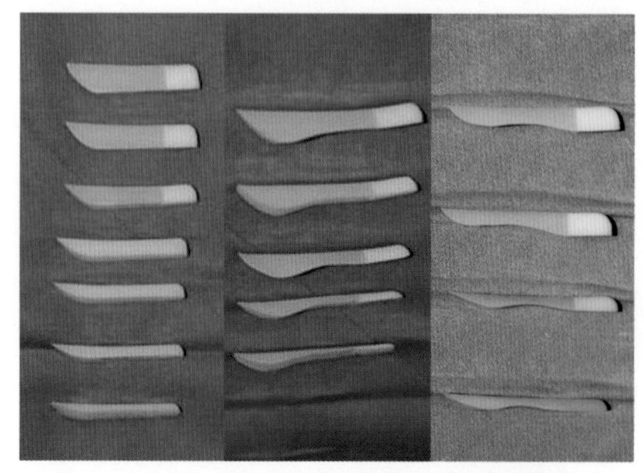

그림 6-3. 현재 사용되는 다양한 형태의 실리콘 보형물

되지만, 실리콘은 고어텍스와는 달리 안쪽으로 pore가 전혀 없기 때문에, 보형물의 내부로 증식하지 못하고 주변으로만 증식된 섬유조직이 형성하는 피막(capsule)으로 둘러싸이게 된다. 이 capsule은 보형물과 외부의 주변 조직 사이에서 유착을 방지하는 barrier의 역할을 하므로, 보형물 제거가 매우 수월하고, 특별한 염증 소견이 없다면 capsule을 그대로 둔 채로 안쪽의 보형물을 쉽게 교체하거나 교정할 수 있다. 또한 capsule이 연부조직과 같은 역할을 하여 얇은 피부를 통해 보형물의 윤곽이 비쳐 보이지 않게 하는 순기능도 가진다(**그림 6-4**).

하지만 이 capsule의 형성이 단점으로 작용하여 원치 않는 방향의 역기능을 가지게 되기도 하는데, 흔하지는 않지만 capsular contracture가 간혹 발생하기도 한다. 오염, 감염, 염증, 혈종 등과 같은 다양한 원인으로 인해 capsule을 형성하는 immune reaction이 장기간 지속됨으로써 capsule이 두꺼워지고 contracture가 발생하게 되는데, 이로 인해 contracture force가 코끝에 영향을 미치게 되어 들창코 변형이나, 보형물 주변으로 티가 나는 현상이 나타나기도 하며, 염증을 수반하는 심각한 변형을 초래할 수 있다. 뿐만 아니라 이 과정에서 보형물이 contracture의 힘에 의해 변위되거나, 피부 아래에서 장기간 피부를 긴장시킨 상태로 존재하여 피부를 얇게 만들다가 결국 피부를 관통하여 노출되기도 하는 해결하기 까다로운 문제가 발생하기도 한다. 이러한 문제들은 수술 후 세심한 경과 관찰을 통해 직절한 시기에 인지하고 대처할 수 있다면 대부분 예방할 수 있는 것들이다. 염증이 인지되면, 원인이 되는 이물질인 보형물을 빨리 제거해야만 해결이 가능하며, 부적절한 치료 또는 장기간 방치함으로써 돌이킬 수 없는 심각한 변형이 발생되지 않도록 주의를 기울여야 할 것이다(**그림 6-5,6**).

또한 드물게 일어나기는 하지만, 실리콘 보형물이 장기간 신체에 삽입되어 있으면, 실리콘 표면에 칼슘이나 지질이 침착하여 석회화가 발생하는 경우가 있다. 고분자 의료용 삽입물에서 나타나는 석회화는 이영양성 석회화(dystrophic calcification)에 의한 것으로 명백한 원인은 밝혀지지 않았다. 주로 실리콘의 표면에 존재하지만 같이 접해있는 capsule쪽 면에 부착되기도 한다. 외관상으로 만져지는 경우가 종종 있으며, X-ray나 CT scan

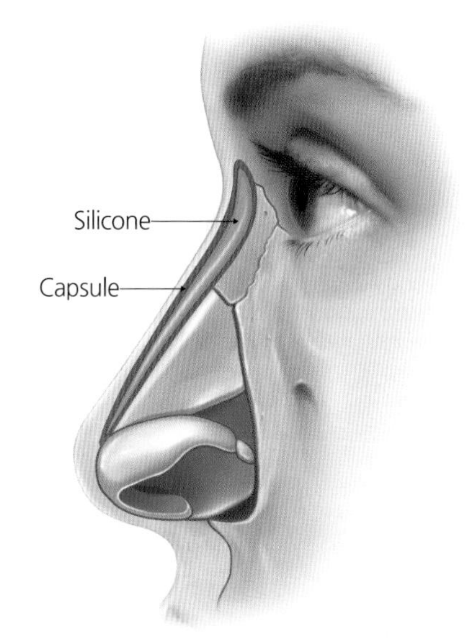

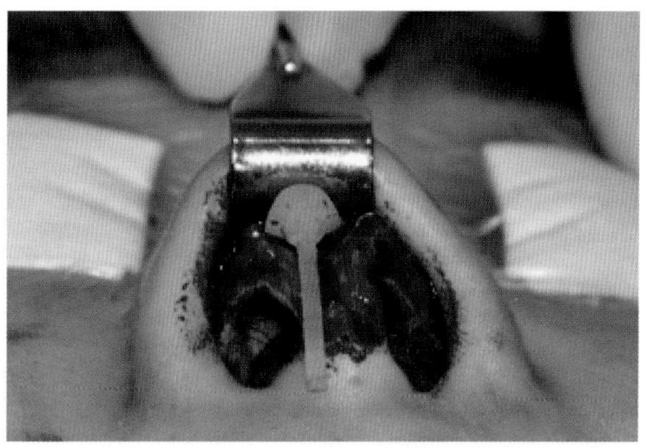

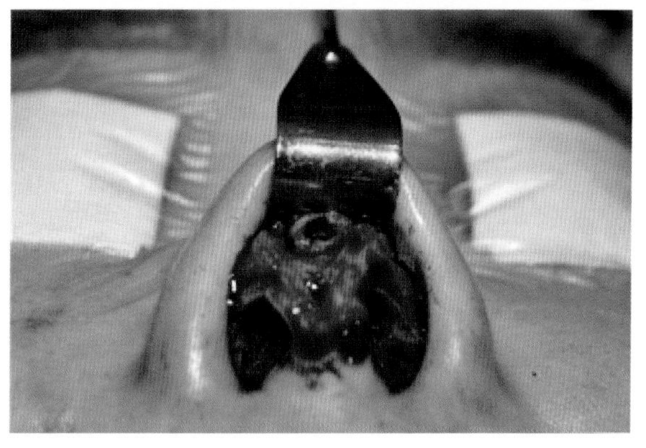

그림 6-4. 실리콘 보형물의 capsule

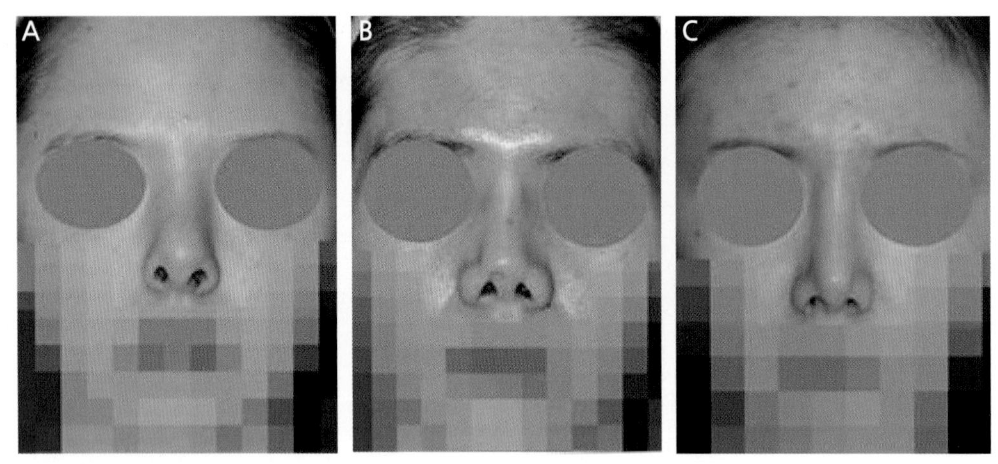

그림 6-5. Capsular contracture에 의한 다양한 변형

A. capsular contracture에 의한 들창코 변형. capsular hypertrohpy현상도 같이 보인다. B capsular contracure에 의한 들창코 변형으로 인해 보형물이 뚫고 나오기 직전인 상태이다. C. 들창코 변형과 함께 capsular contracture와 capsular hypertrophy가 같이 보이며, 코끝의 pinched 변형이 심하다.

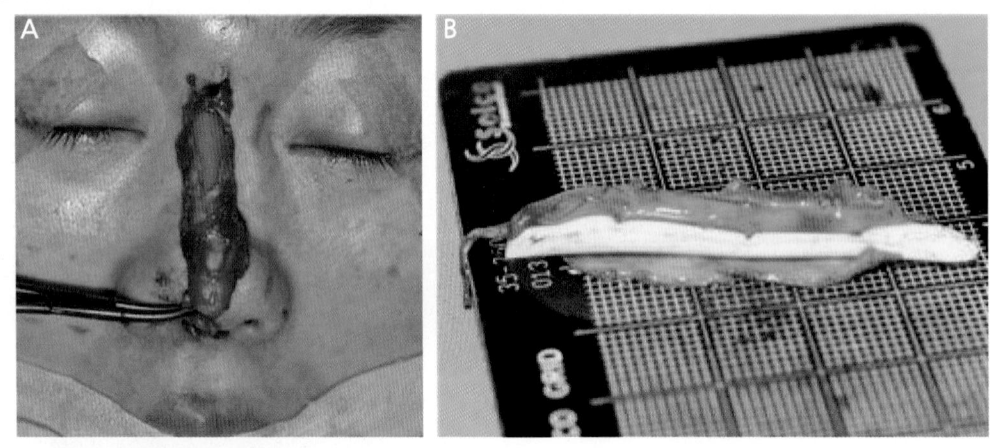

그림 6-6. 제거한 보형물과 capsule

B. capsule 내부에 dirty granulation tissue가 보인다.

을 통해 보형물 주변으로 보이기 때문에 존재 유무를 알 수 있다(**그림 6-7**).

2) 고어텍스 (expanded polytetrafluoroethylene, e-PTFE)

고어텍스(Gore-tex)는 원래 고어사(社)의 상품명이었으나 expanded polytetrafluoroethylene (e-PTFE)을 대신하여 널리 사용되고 있는 명칭이며, 실리콘 다음으로 많이 사용되고 있는 alloplastic implant이다. 1969년에 Gore가 합성수지인 PTFE (Teflon)를 열기계적으로 늘려 기공성 물질인 e-PTFE를 처음 발견한 이후, 1972년 Soyer 등에 의해 혈관대체물질로 이용되기 시작했으며, 1983년 Neel 등이 안면부 연부조직 재건에 사용하였다. 1989년 Rosthein과 Jacobs에 의해 코성형술에 사용되기 시작하였으며, 1993년 미국 FDA에서 dorsal augmentation을 포함한 미용성형 수술에 사용을 인정받은 물질로 현재 임상적으로 매우 다양한 의료 분야에서 널리 사용되고 있다.

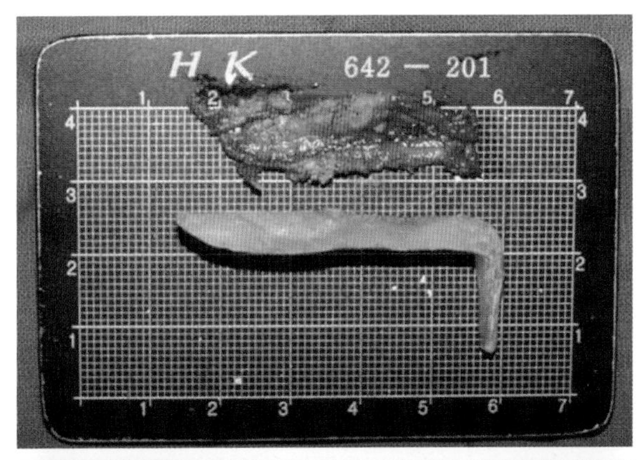

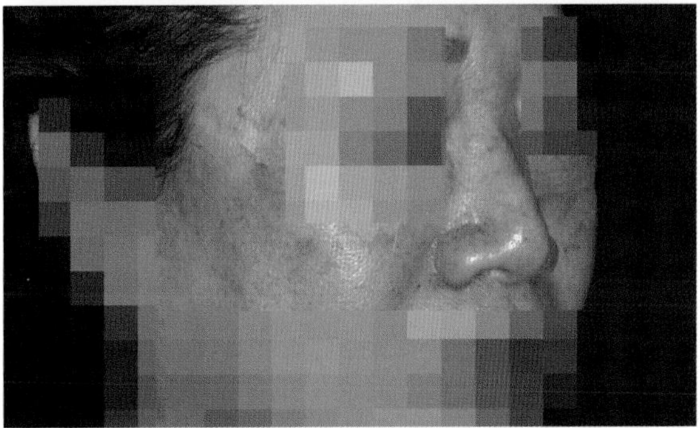

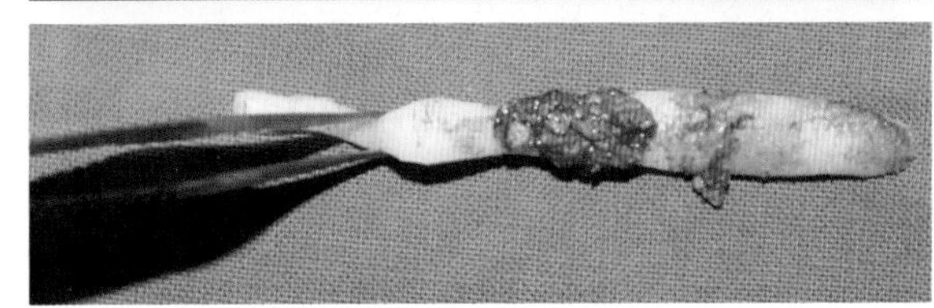

그림 6-7. 실리콘보형물의 석회화
실리콘과 capsule 표면의 석회화로 인한 보형물의 변형과 그로 인해 발생한 콧등의 굴곡을 볼 수 있다.

(1)고어텍스 보형물의 제조와 제품 특성

고어텍스는 탄소와 불소원자가 결합된 중합체로 무수히 많은 미세기공(micropore)을 가지고 있는 강력한 다공성(porous) 보형물이다. 제품은 제조과정에 따라 시트형(sheet type)과 블록형(block type)이 있으며, 코성형술의 보형물로 사용하는 경우 과거에는 시트형을 여러 겹으로 겹쳐서 사용하거나, 블록형 제품을 조각하여 사용하기도 하였으나 최근에는 실리콘 보형물처럼 다양한 모양과 높이로 조각된 기성품의 형태로 공급되기도 한다(**그림 6-8~10**).

고어텍스는 micropore의 크기와 밀도, 제조 당시 expansion의 방향, PTFE nodule의 방향 등 여러 요인에 따라 경도가 결정되는데, soft, medium, hard로 나뉜다. micropore의 크기가 작고 치밀할수록 경도가 높고, 양쪽 방향으로 expansion한 sheet형의 제품이 블록형보다 pore의 크기는 약간 더 작으나 감촉이 다소 soft한 편이며, 고어텍스 제품이 전반적으로 실리콘보다는 조각이 다소 까다로운 편이며, 실리콘에 비해 비싸다.

(2) 고어텍스의 장점과 단점

고어텍스의 장점은 실리콘과 달리 capsule formation이 거의 없이 주변조직과의 유착이 잘 이루어져서 인체 내에서 변위와 돌출 없이 고정성과 안정성이 높다는 점이다. 또한 기공을 통한 혈관 분포의 증가로 인해 장기간 생체에 있더라도 염증성 반응과 조직반응이 적고 capsule형성에 의한 주변 조직의 변형이 적다는 장점도 가지고 있다.

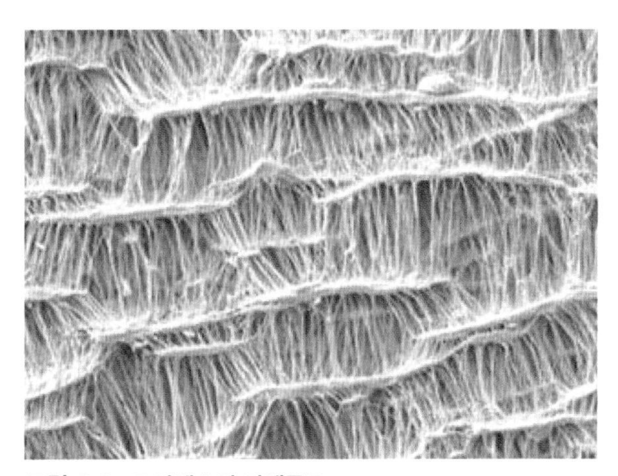

그림 6-8. 고어텍스의 미세구조
결절과 fibril

그림 6-9. 고어텍스 제품
A. sheet type, B. block type

그림 6-10. 조각되어 공급되는 고어텍스 제품

고어텍스의 장점을 잘 나타내는 가장 큰 특성은 micropore를 통한 유착의 형성이다. expansion된 PTFE 결절(nodule)들이 연결된 미세섬유(fibril)들 사이로 0.5~30μm의 micropore가 존재하며, 이 미세기공 micropore을 통해 fibroblast, 모세혈관, collagen fiber들이 보형물 내부로 자라 들어가(tissue ingrowth) fibrosis를 형성함으로써, 주변 조직과 유착이 잘 이루어지게 되어 보형물의 움직임이 매우 적다. 생체 내 조직학적으로 관찰한 결과, 대개 이식 후 7일부터 tissue ingrowth가 시작되며, 시간이 경과하면서 점점 더 증가하여 오랜 기간 경과한 경우에는 신생혈관도 관찰된다(**그림 6-11**).

하지만 고어텍스의 단점 역시 이러한 micropore의 존재 때문에 나타난다. 기공성 보형물로서 매우 부드러운 구조이므로 잘 찌그러지거나 눌리는 모습을 볼 수 있다. 장기간에 걸쳐 압력을 받게 되면 기공의 붕괴 및 축소로 인해 높이가 감소하거나, 삽입 직후에는 콧대의 굴곡을 커버하여 반듯한 것처럼 보이지만, 오랫동안 굴곡진 콧대 위에서 계속 눌리다 보면 보형물 바닥 쪽의 원래 코에 있던 매부리나 굴곡이 다시 그대로 드러나기도 하여 형태나 모양에 대한 예측성이 떨어진다. 장기적으로 20~40% 정도의 두께 감소가 보고되고 있고, 대개 술 후 약 9개월 정도 이후에는 두께 감소가 이루어지지 않는다고 한다. 최근에는 높이 감소량을 줄이기 위해 surgiform과 같은 hard type을 사용하는 경우도 있으나, 높이 감소는 적은 대신 tissue ingrowth도 적게 발생하게 된다는 점을 감안해야 한다.

일반적으로 주변조직과의 유착 때문에 실리콘보다 제거가 어렵다는 점이 대표적인 단점으로 알려져 있다.

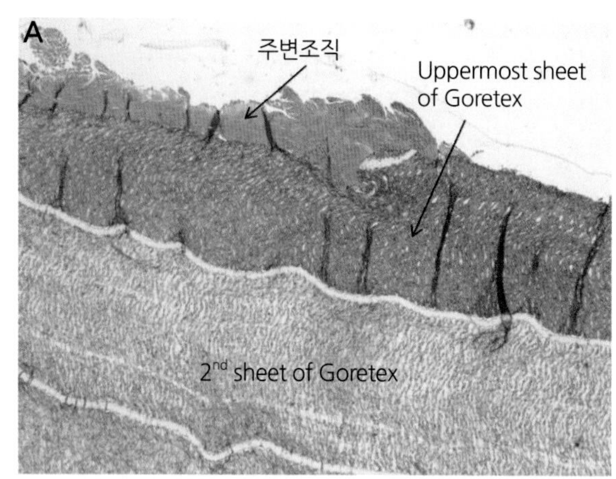

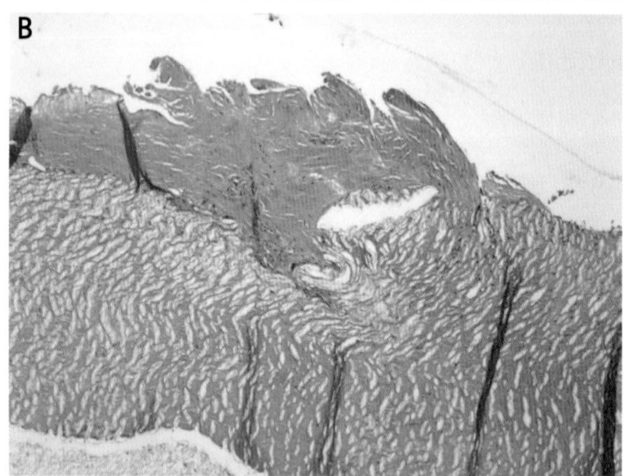

그림 6-11. 비배부에서 제거한 고어텍스의 현미경 사진

변조직이 고어텍스 내부로 ingrowth되어 있으나, 여러 겹의 고어텍스 sheet 중에서 가장 윗층의 sheet 깊이 정도만 ingrowth되며, 중심부에 미치지는 못한다. A. ×20 B. ×40

실제로는 micropore의 크기가 매우 작아 tissue ingrowth는 보형물의 표면 쪽에 제한적으로만 일어나기 때문에 실리콘보다는 다소 까다롭기는 해도, 제거가 용이한 편이다. 하지만 제거할 경우에 몇 가지 주의를 요하는데, 연골막이 남아 있는 연골부위보다 골막을 제거한 비골 표면에 단단히 유착되어 있기 때문에 보형물 하부 박리 시 비골의 distal part의 key stone area에서 자칫 비골의 하부로 박리되거나, 비골의 얇은 조각 일부가 고어텍스 보형물에 달라붙어 떨어져 나오지 않도록 조심해야 하고, 단단히 밀착되어 있어 자칫 불완전한 제거로 인해 보형물의 일부 조각이 남지 않도록 철저하게 제거해야 한다. 그렇지 않으면 지속적인 염증을 유발할 수 있다

(**그림 6-12**).

이견이 있기는 하지만, 염증 발생률이 높다는 점 또한 단점으로 알려져 있다. 고어텍스의 micropore의 크기는 평균 10~30μm인데, 크기가 0.5~1.5μm인 세균의 침투가 가능한 반면, 크기가 40~50μm 이상인 혈액 내 대식세포(macrophage)는 micropore 안으로 들어가기 어렵기 때문에 세균의 기공 내에 들어갔을 경우 immune system의 감시에서 벗어나 적절한 방어가 불가능해진다. 또한 capsule이 없기 때문에, 고어텍스 보형물의 염증은 실리콘 보형물의 염증보다 주변조직으로 광범위하게 파급되는 효과가 크고 염증 조절이 잘 되지 않으며, 장기간 subclinical inflammation이 있어도 실리콘 보형물처럼 capsular contracture를 동반하지 않기 때문에, delayed inflammation처럼 초기에 인지하지 못하고, 뒤늦게 발견하게 되어 상당히 심각한 염증과 연골 및 연부조직의 변형을 보이기도 한다. 따라서 실리콘과 마찬가지로 염증이 인지되면 빠른 시기에 제거해야 한다(**그림 6-13**).

또한 tissue ingrowth에 의한 주변조직과의 유착으로 인해 얇은 피부를 가지고 있는 경우 바로 피부 아래에서 보형물의 형태나 색깔이 그대로 두드러져 드러나게 되어 티가 나게 하는 원인이 되기도 한다.

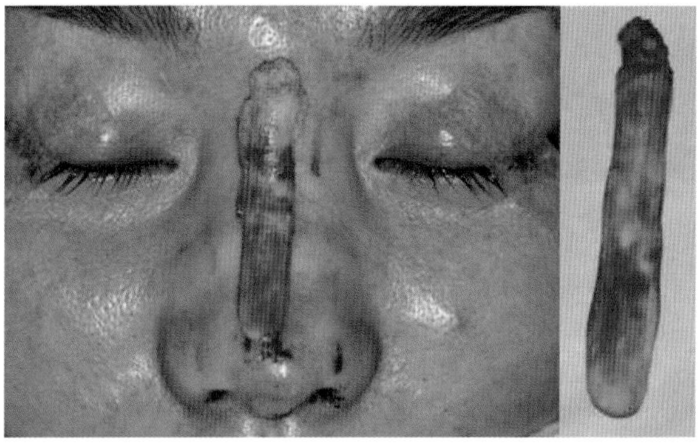

그림 6-12. 제거한 고어텍스 보형물들 사진
변형과 굴곡이 일부 보인다.

3. 보형물의 선택

대표적인 보형물인 실리콘과 고어텍스 중에 무엇을 선택할 것인가에 대한 문제에 대해서는 오랜 기간 동안 많은 성형외과 의사들이 토론해 왔다. 대부분은 자기 자신이 가장 잘 알고, 자신이 가장 손쉽게 다룰 수 있으며, 가장 많이 사용하여 경험이 풍부한 보형물을 선택하여 사용할 것이다. 그 선택에 영향을 미치는 기준은 각 개인마다 차이가 있을 수 있지만 대부분 감염률과 자연스러움을 들 수 있다.

1) 감염률(infection rate)

실리콘과 고어텍스 중에 어느 것이 더 염증 발생률이 높은지에 대해서는 다양한 견해가 존재하며, 명확하게 밝혀진 부분이 그리 많지 않다. 과거 L자형 실리콘 보형물의 사용으로 인한 수많은 염증 사례들을 겪어 왔으며, 그에 비해 상대적으로 고어텍스 보형물이 염증을 덜 일으키기 때문에 고어텍스로 교체하여야 한다는 견해가 많던 시기도 있었으며, 오히려 최근에는 코끝까지 보형물을 사용하지 않고 콧등에만 보형물을 사용하는 경우

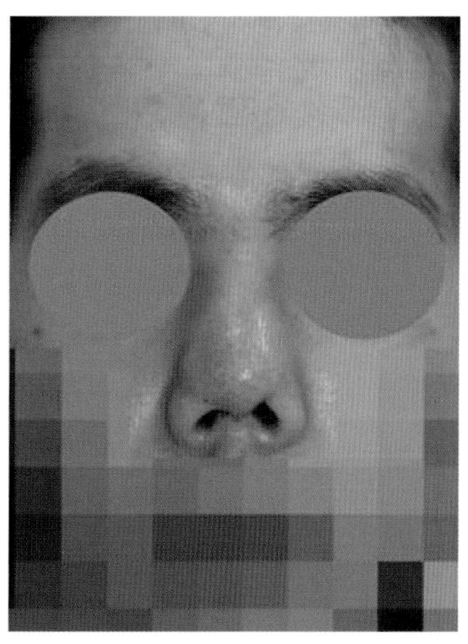

그림 6-13. 장기간 지속되었던 고어텍스 보형물에 의한 염증
주변 조직으로의 광범위한 염증 파급효과를 보인다.

에는 실리콘 보형물의 감염률이 현저하게 감소하기 때문에 고어텍스의 subclinical infection은 porous implant의 단점으로 여겨져 고어텍스의 사용을 꺼리기도 한다.

보형물 감염에 관련된 다양한 실험과 임상보고에 따르면, Brewer 등은 in vitro study에서 세균의 접착이 실리콘에 비해 고어텍스가 적게 부착되었다고 보고하였고, Kieschel 등은 in vivo study를 통해 porous 보형물과 non porous 보형물의 감염 위험도 차이가 없다고 보고하였으며, Silestreli 등은 섬유성 조직과의 충분한 접촉과 고정은 보형물의 감염과 거부반응에 대한 저항력을 향상시킨다고 보고하였다.

일단 fibrovascular tissue가 고어텍스의 pore내로 자라 들어가고, pore가 소실된 후에는 표면적의 차이가 사라지므로, 실리콘에 비해 감염의 위험이 더 큰 것은 아니며, 주변 조직과의 밀착과 tissue ingrowth가 감염에 대한 억제력을 증가시켜주기 때문에, 감염률이 감소한다는 견해도 있다. 즉, 인체 내 삽입 후 초기에는 고어텍스의 감염율이 다소 더 높을 가능성이 있으나 시간이 경과하면서 감염률은 오히려 더 낮아지고, 결국 전체적인 감염의 빈도는 고어텍스와 실리콘 간에 별 차이가 없다고 보았으며, 서만군 등은 10여 년간 dorsal augmentation에 사용했던 1,000여 case의 고어텍스에서 감염률은 0.5% 정도로 실리콘 보다 낮았다고 보고하였다.

하지만, 일반적으로 보형물의 표면적과 감염율은 비례한다는 이론에 따라 pore를 가진 고어텍스 보형물이 실리콘에 비해 감염율이 높다는 사실을 알려진 바이고, 앞에서도 언급했듯이 micropore에 세균이 들어갈 수는 있으나 macrophage가 들어갈 수가 없기 때문에 immune system의 감시를 무력화시키는 subclinical infection이 발생하고 지속될 가능성이 실리콘보다는 매우 크다는 점을 항상 염두에 두고 장기간 관찰을 통해 감염의 증상이 발생하는지를 눈여겨 보아야 할 것이다.

이렇듯 어떤 보형물이 감염률이 낮은지에 대해 오랜 기간 논란을 겪어 왔지만 실제로 실리콘과 고어텍스의 감염률 숫자의 차이는 그리 크지 않아 보인다. 가장 중요한 것은 수술 환경으로, 여러 가지 요인이 변수로 작용을 한다. 보형물의 감염률의 차이는 어떤 보형물을 사용했는가 보다는 예방적 항생제의 사용 유무나 보형물의 술 전 소독과 무균 처치, 그리고 수술장 내에서의 보형물에 대한 오염 방지와 철저한 무균 조작(aseptic manipulation)과 같은 화학적, 물리적 의료 행위 등에 의해 중요한 영향을 받는다고 할 수 있다. 특히나 pore를 가지고 있는 고어텍스 보형물을 다룰 때에는 철저한 무균 원칙을 지켜야 하며, 그렇지 않으면 감염이 자주 발생할 위험성이 있음에 유의해야 한다.

2) 자연스러운 모양(natural look)

실리콘과 고어텍스 중에서 어느 보형물이 수술한 티가 덜 나며, 더 자연스러운지에 대한 논란 또한 지속되어 왔다. 일반적으로 고어텍스가 실리콘에 비해 부드러워 수술한 티가 나지 않고 자연스럽다고 알려져 있으나 많은 재수술 케이스들을 접하다 보면, 이러한 생각과 배치되는 사례들을 많이 겪게 된다. 과거 capsular contracture가 발생하지 않기 때문에 고어텍스가 실리콘에 비해 자연스럽다는 것이 상업적으로 이용되어 현재까지도 잘못된 상식으로 일반인들에게 알려진 결과라고 여겨진다.

보형물 때문에 자연스럽지 못한 경우는 공통적으로 대부분 보형물의 높이가 과도하게 높거나, 보형물의 폭이 너무 넓거나 좁아 보이는 것과 같이 facial aesthetics와 관련된 문제 이외에, 실리콘의 경우엔 보형물 주변의 capsule이 두꺼워져서 경계가 보이거나 혹은 지속적인 피부 긴장을 통해 피부 얇아짐 및 피부 변색(skin redness) 때문에 티가 나며, 고어텍스의 경우엔 capsule이 없는 보형물과 얇아진 피부(thinned skin)가 유착되면서 보형물의 경계가 보이고, 비쳐 보일 정도로 티가 나는 현상 등인데, 실제 임상에서는 그 정도가 매우 다양하며, 많이 발생하게 되는 보형물의 합병증이다(**그림 6-14**).

결국 어떠한 보형물이든지 수술한 티가 나는 합병증이 발생할 수 있으며, 자연스러우면서도 수술한 티가 나지 않는 콧대를 만들기 위해서는 물질의 특성이나 재질 즉, 어떤 보형물을 사용했는가 보다는 우선 subclinical infection으로 인한 지속적인 염증반응 및 보형물이 피부에 영향을 미치는 요인인 보형물의 높이, 피부의 두께, 보형물이 피부에 작용하는 장력(skin tension), capsular contracture의 정도, 주변 조직과 유착의 정도 등이 매우 밀접한 관계를 가진다고 할 수 있다.

최대한 자연스러운 높이의 보형물을 사용하여 이마와 콧대 간의 자연스러운 라인을 유지함과 동시에 피부에 미치는 장력의 작용을 최소화할 수 있는 형태로 보형물을 디자인하거나 조각(carving)하는 것이 매우 중요하다. 또한, 얇아진 피부를 보강할 수 있는 술식들도 도움이 될 수 있으며, 실리콘의 경우, capsule hypertrophy가 일어나지 않도록 철저한 술 중, 술 후 관리도 해야 할 것이다. 재수술의 경우에는, 합병증이 발생한 원인이 보형물의 종류 때문만이라고 생각하고 해결하려다 보면 문제 해결이 어려워지고 더 심각한 문제를 야기할 수도 있기 때문에 보형물 교체만이 능사는 아니며, 보형물이 피부나 주변조직에 미치는 영향과 관계를 잘 파악하는 것이 중요하다.

4. 그 외의 보형물

1) 실리텍스(Silitex)

실리텍스 보형물은 실리콘 보형물의 dorsal 표면을 얇은 고어텍스 시트로 덮은 복합체로 두 가지 alloplastic material의 장점을 최대화하여 만든 보형물이다. 전체적으로는 실리콘으로 대부분 이루어져 있기 때문에 높이 변화가 없는 장점을 취하면서 바닥면을 조각하기 쉽도록 하였고, 콧등의 피부쪽에 고어텍스가 위치하여 capsule의 형성을 막고 피부와의 유착되는 장점을 취하도록 한 제품이다.

하지만 dorsal side 표면만 제외하고는 실리콘으로 이루어져 있으므로 capsule이 안 생기는 것은 아니고, 또 콧등 피부가 얇아지면서 얇은 고어텍스와 유착되어 보형물이 비쳐보이는 현상도 발생하기 때문에, 오히려 각 보형물의 단점들만 부각되는 경우가 많은 게 사실이다. 그리고 두 보형물을 접착제 등으로 접합시켜 놓은 것이라 제거 시 피부조직과 유착된 얇은 고어텍스가 실리콘 보형물에서 분리되어 버리면 제거가 까다롭고, 얇은 고어텍스 조각이 피부쪽으로 남지 않도록 주의를 기울여야 하는 상황이 발생하기 쉽다. 과거에 많이 사용되었으나 최근에는 거의 사용하지 않는 추세이다(**그림 6-15**).

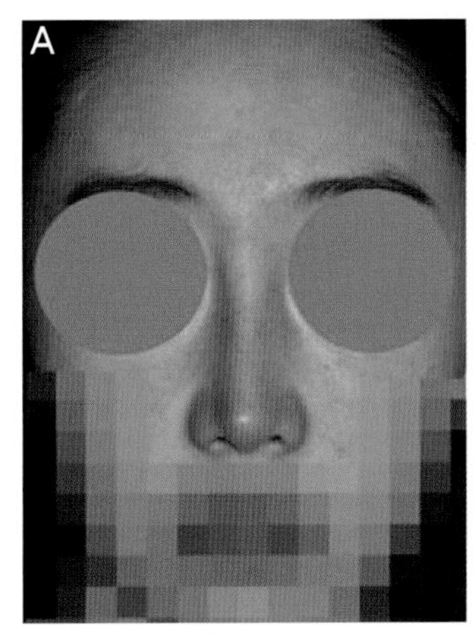

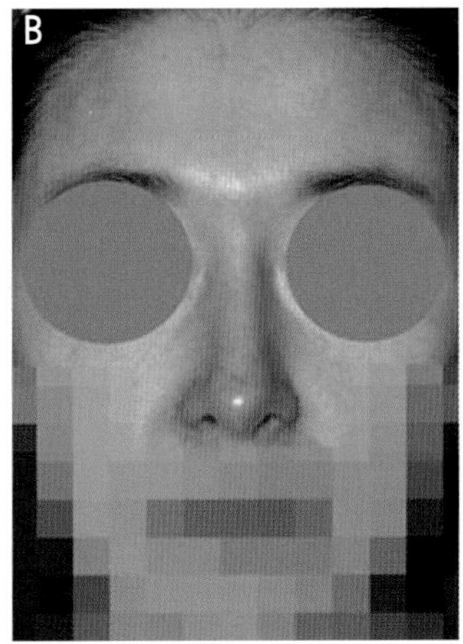

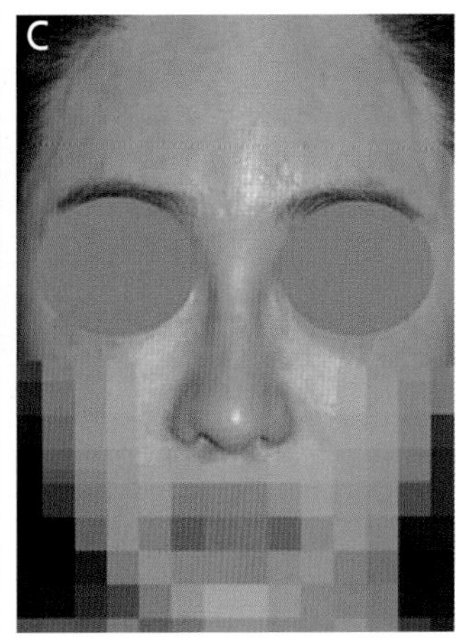

그림 6-14. 자연스럽지 않고 수술한 티가 나는 case들
A. silicone B. Gore-tex c. silitex

2) Acellular dermal matrix

Homologous material중에 대표적인 ADM (Acellular dermal matrix)는 기증된 신선 cadaver 피부에서 진피만을 선별 채취하여 특수면역처리를 통해 면역반응을 일으키는 요소를 제거한 후 동결건조 등의 과정을 거쳐 만들어진 무세포 진피조직이다. Alloderm이라는 상품명으로 널리 불려지고 있다.

3차원 진피구조를 그대로 유지하고 있어, 기저막 (basement membrane), elastin, laminin, 혈관생성 channel등이 이식 후 빠른 revascularization과 remodeling을 일으켜 신경과 혈관의 재생에 필요한 framework으로 작용한다. 이식 후 어느 정도는 흡수가 일어나지만, 이식 부위의 조직으로 대체되어 생착 되며, alloplastic material에 비해 합병증 발생이 매우 적어 좋은 생체 적합성을 가지는 장점이 있다. 다양한 재건성형 및 미용 성형 분야에서 조직의 보강 및 대체재로 사용되고 있다.

코성형에서 ADM은 콧등 및 코끝의 volume을 보완하는 이식재료로 많이 사용되고 있다. 다양한 크기와 두께의 제품이 sheet 형태로 공급되므로, 특히 radix graft나 콧등 굴곡의 보완, 콧등의 보형물을 덮거나 코끝 주변부의 연골 이식이 비쳐보이는 얇은 피부의 보강 등에 널리 유용하게 사용하고 있다. 흡수율은 대개 30~50% 정도로 알려져 있으며, 부위 별로 흡수율이 달라 불규칙한 흡수가 일어나는 경우도 있다는 단점을 가진다.

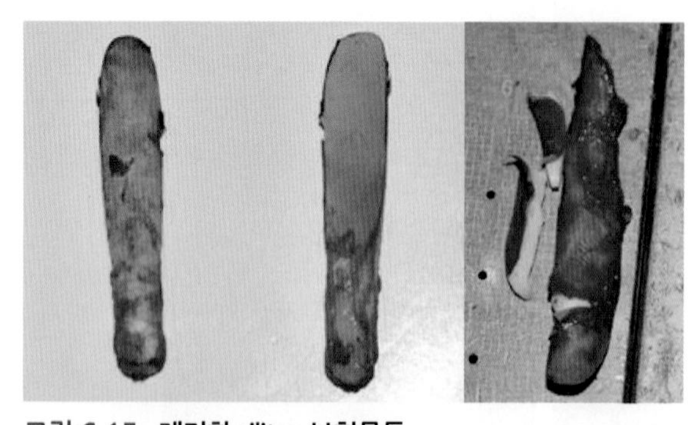

그림 6-15. 제거한 silitex 보형물들
대부분은 잘 제거되지만, 일부 고어텍스 조각이 떨어져서 남아 있지 않도록 주의해서 제거해야 한다.

ADM은 콧대를 전체적으로 높이는 주재료로 사용되는 경우가 많지 않았고, 부위별 보완재로 많이 사용되어 왔으나 최근에는 cross-link를 시켜 흡수율을 줄이고, 콧대 전체를 높이기 위해 블록형뿐만 아니라 보형물의 형태를 갖춘 다양한 기성품도 공급되어 점차 그 사용이 늘어나는 추세이며, 동결 건조된 상태에서 조각이 가능한 장점도 가지고 있다(**그림 6-16**).

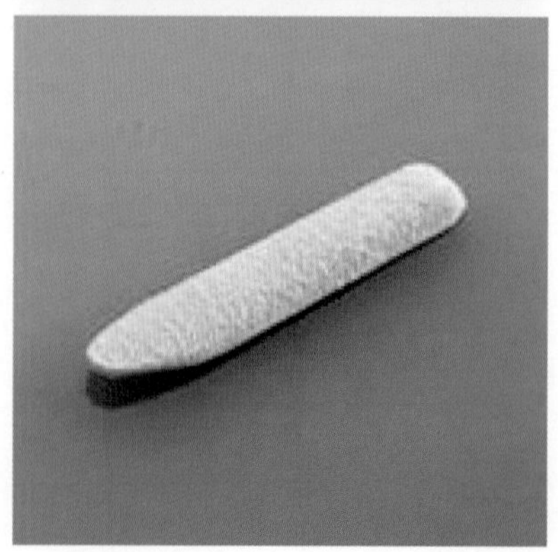

그림 6-16. Acelluar dermal matrix의 다양한 제품과 기성품의 형태를 갖춘 제품

참고문헌

1. 박찬흠 외 : 고어텍스 이식물의 수술 전 처치방법과 이에 대한 유용성 연구. Korean J Otorhinolaryngol Head Neck Surg, 2009 : 52 : 145-8
2. 양순재 외 : 성공적인 융비술을 위한 지침. 대한성형외과학회지. 11(1) : 34-39, 2005
3. 양순재 외 : 융비술에 사용된 Expanded Plytetrafluoroethylene(Gore-Tex)의 문제점. 대한성형외과학회지. 31(1) : 28-33, 2004
4. 진현석 외 : 실리콘고무 비삽입물의 석회화 : 부위별 빈도. 대한성형외과학회지. 31(3) : 315-323, 2004
5. Armour AD, Fish JS, Woodhouse KA et al: A comparison of human and porcine acelluarized dermis : Interaction with human fibroblasts in vitro. PRS 117: 845, 2006
6. Berman M, etc. The use of Gore-Tex E-PTEE bonded silicone rubber as alloplastic implant material, Laryngoscope. 96: 480-483, 1986
7. Brewer AR, Stromber BV. In vitro adherence of bacteria to prosthetic grafting materials. Ann Plasti Surg. Feb:24(2):134-138, 1990
8. CH Park, Histological study of expanded polyterafluoroethylene(Gore-Tex) implanted in the human nose, Rhinology. 2008 46 :317-23
9. Colin Tham, Yan-Lung, Chau-Jin Weng, Yu-ray Chen, Silicone augmentation rhinoplasty in an oriental population, Ann Plast Surg. 2005;54(1) : 1-5
10. Conrad, K., and Gillman, G.A 6-year experience with the use of expanded polytetrafluorethylene in rhinoplasty. Plast. Reconstr. Surg. 101:1675, 1998.
11. Conrad K, Torgerson CS, Gillman GS : Application of Gore-Tex implants in rhinoplasty reexamined after 17 years, Arch Facial Plast Surg. 10(4) : 224-31, 2008
12. Deva AK, Merten S, Chang L. Silicone in nasal augmentation rhinoplasty : a decade clinical experience. Plast Reconstr Surg 1998;102(4) : 1230-7
13. DH Jung, Rhinoplasty. Greenbook Co. 2002
14. Godin MS, Walderman SR, Johnson CM. Nasal augmentation using Gore-Tex : a 10-year experience. Arch Facial Plast Surg 1999;1 : 118-21
15. Gryskiewicz, J. M. Waste not, want not: The use of alloDerm in secondary rhinoplasty. Plast. Reconstr. Surg. 116:1999,2005
16. Gryskiewicz, J. M. Rohrich, R. J., and Reagan, B.J. The use of alloderm for correction of nasal contour deformities. Plast. Reconstr. Surg. 107:561, 2001.
17. Ham, J., and Miller, P. J. Expanded polytetrafluoroethylene implants in rhinoplasty: Literature review, operative tech-niques, and outcome. Facial Plast. Surg. 19:331, 2003.
18. Jackson, I. T., and Yavuser, R. AlloDerm for dorsal nasal irregulaties. Plast. Reconstr. Surg. 107:553,2001.
19. Jang, et al. Histologic study of Gore-tex removed after rhinoplasty. The Laryngoscope 2009; 119 :620-627
20. Jang YJ. Rhinoplasty 1st edition, Seoul, Koonja, 2013
21. Jeong JY. Rhinoplasty : Rebuilding Nose 1st edition, Seoul, Medicmedicine, 2016
22. Korea Society for Aesthetic Plastic Surgery. Aesthetic Plastic Surgery. 1st edition, Seoul, Koonja, 2014
23. Korean Academic Association of Rhinoplasty Surgeons. Current Trends in Asian Rhinoplasty: Operation Guide. 1st edition, Seoul, Koonja, 2011
24. Lam, S. M., and Kim, Y. K. Augmentation rhinoplasty of the Asian nose with the "bird" silicone implant. Ann. Plast. Surg. 51:249,2003
25. Lohuis, P. J., Watts, S. J., and Vuyk, H. D. Augmentation of the nasal dorsum using Gore-Tex Intermediate results of a retrospective analysis of experience in 66 patients. Clin. Oto-larygol. Allied Sci. 26:214,2001.
26. Malaisrie SC, Malekzadeh S, Biedlingmaier JF : In vivo analysis of bacterial biofilm formation on facial plastic bioimplant. Laryngoscope. 1998 Nov : 108(11Pt1) : 1733-8
27. McCurdy, J. A., Jr. The Asian nose: Augmentation rhinoplasty with L-shaped silicone implants. Facial Plast. Surg. 18:245,2002.
28. Mendelsohn, M., and Dunlop, G. Gore-tex augmentation grafting in rhinoplasty - Is it safe? J. Otolaryngol. 27:337, 1998.
29. Owsley,T.G., and Taylor, C.O. The use of Gore-Tex for nasal augmentation: A retrospective analysis of 106 patients. Plast. Reconstr. Surg. 94 :241, 1994.
30. Sclafani, A. P., Thomas, J. R., Cox, A.J., and Cooper, M. H. Clinical and histologic response of subcutaneous expanded polytetrafluoroethylene[Gore-tex] and porous high-density polyethylene[Medpor] implants to acute and early infection. Arch. Otolaryngol. Head Neck Surg. 123:328,1997.
31. Suh MK. Asian Rhinoplasty. 1st, Seoul, KAPS, 2012
32. Tham C, Lai YL, Weng CJ, Chen YR : Silicone augmentation rhinoplasty in an oriental population.

Ann Plast Surg 54 : 1,2005

33. Yang CH, Kim SJ, Kim JH, Lee JH, Roh TS, Lee WJ Usefulness of cross-linked human acellular dermal matrix as an implant for dorsal augmentation in rhinoplasty. Aesthetic Plast Surg 42 : 288, 2018
34. Yong Gi Jung, etc : Ultrasonographic monitoring of implant thickness after augmentation rhinoplasty with expanded polytetrafluoroethylene. Am J Rhinol Allerygy 2009;23:105-110
35. Zeng Y, Wu W, Yu H, Yang J, Chen G : Silicone implants in augmentation rhinoplasty. Aesthetic Plast Surg 26 : 85, 2002

CHAPTER

7 다양한 재료들-근막, 진피지방, 무세포 진피, 늑연골기질 | Various material- Fascia, Dermofat, ADM & Rib Cartilage

Chapter Author | 이원재

아시아인의 nasal dorsum은 높이가 낮고, 코뼈의 길이가 짧으며 다소 넓은 편이어서 비성형술이 융비술에 비중을 두는 경우가 많다. 또한 아시아인의 피부는 진피와 피하조직이 두텁고 더 fibrotic하여 융비술에 사용되는 재료에 대한 선호도가 서양인의 비성형에서와 차이를 보인다.

융비술에 이용하는 재료는 크게 보형물과 자가조직이 있다. 성형외과 영역에서 자가조직의 안정성이나 유용성에 관해서는 논란의 여지가 없으나, 아시아인의 융비술에서 자가조직만이 최선이냐 하는 것에 대해서는 여전히 많은 이견들이 존재하는 것이 사실이다. 자가조직의 경우 안전성에 비해, 모양면에서 보형물의 오똑함이나 날렵함에 미치지 못한다던지, 공여부의 흉터, 이식조직의 흡수, 그리고 수술이 좀 더 커지는 등의 문제가 있기 때문이다.

보형물에 비해서 자가조직을 이용한 비배부 융비술은 보형물과 관련된 부작용이 없기 때문에, 여전히 성형외과 의사들의 궁극적인 지향점이기도 하지만, 아시아인들은 높여야 할 비배부의 양이 서양인보다 훨씬 많기 때문에 자가조직을 이용한 비배부 융비술의 불만족스러운 결과가 좌절을 주는 것도 사실이다. 그럼에도 불구하고, 자가조직을 이용한 dorsal augmentation은 nasal dorsum 피부가 매우 얇은 사람의 augmentation이나 보형물 부작용의 해결을 위해 반드시 습득하여야 할 수술법이다. 아시아인의 비배부 융비술에는 주로 temporal fascia, dermo-fat, rib cartilage, acellular dermal matrix, ma-stoid fascia, diced cartilage 등이 사용되고 있다(**그림 10-45 참조**).

1. Dorsal augmentation with temporal fascia

1) 채취

근막은 temporal crest와 귀 사이에서 채취한다(**그림 10-47 참조**).

2) 적응증

주로 radix 부위만 높이거나, dorsum과 tip의 부분적인 굴곡이나 함몰을 교정하는 데 이용된다(**그림 10-49, 10-50 참조**). 또는 combined로 잘게 자른 연골을 감싸거나 연골을 덮어서 irregularity를 교정하고 자연스러운 dorsal aesthetic line을 완성할 수 있다.

3) 방법

Superior root of ear helix 전방 1 cm 상방 3 cm 위치에 3~4 cm 길이의 절개를 가하고 아래로 박리해나간다. 이때 모근의 손상을 피하기 위해서는, 넓은 면을 가진 retractor보다는 hook retractor를 사용하여 절개부위를 retraction하되, 무리한 힘을 가하지 않도록 주의하며, 지혈할 때는 모근에 열이 가해지지 않도록 주의하여야 한다. 그렇지 않으면 수술 후 절개창 주변에 alopecia가 발생할 수 있다(**그림 10-48 참조**). superficial temporal vessel이 다치지 않도록 주의하되 필요시 지혈하도록 한다. Superficial temporal fascia를 젖히고 나면 반짝반짝 광택이 나는 deep temporal fascia를 볼 수 있다. 이를 적당한 크기로 절개하여 temporal muscle과 잘 분리하여 떼어낸다. 가능하면, temporal muscle이 근막에 붙지 않도록 하는 것이 균일한 근막을 얻는 방법이다. Temporal fascia의 채취 후에는 출혈로 인한 혈종 발생 가능성이 있으므로 잘 지혈하고 압박 드레싱을 시행하도록 한다.

temporal fascia를 적당한 넓이가 되도록 겹치거나 말아서 원하는 볼륨으로 한 후에 원하는 부위에 넣어서 높이도록 하되 흡수율을 고려한 과교정이 필요하다.

4) 장단점

측두근막(temporal fascia)은 채취가 매우 용이하며, 공여부에 흔적이 남지 않는 장점이 있다. temporal fascia는 양이 많지 않고, 일정 비율의 흡수율로 인해서, dorsum 전체를 이 재료로 높이기에는 한계가 있다

2. Dorsal augmentation with mastoid fascia

1) 적응증

유양돌기 근막(mastoid fascia)은 비배부 또는 비첨부를 augmentation 할 때 사용할 수 있다. Augmentation 되는 정도를 많이 원하는 경우, cartilage graft와 같이 단단한 이식편을 유양돌기 근막으로 감싸 함께 사용하는 것이 안전하다. 또한 일차 수술의 문제점을 보완하기 위한 이차 수술에서도 유용한데, 비배부가 고르지 못한 경우(dorsal irregularity) 유양돌기 근막을 thin strip으로 사용하여 이를 커버하면 효과적이다. 얇은 피부 아래에 삽입하면 적당한 두께를 제공하므로 피부 위축(skin atrophy)을 가릴 목적으로 사용하여 자연스러운 결과를 만들어 낼 수도 있다.

2) 채취

Postauricular crease를 따라 약 3~4 cm 길이의 후이개 절개선을 세로로 기한다. 필요한 크기만큼의 이식편을 얻기 위해 후이개 피부의 진피층을 보존하면서 유양돌기(mastoid bone)까지 피하 박리를 한다. 유양돌기(mastoid bone)를 감싸고 있는 연부조직이 바로 채취할 이식편이 되며, periosteal elevator로 유양돌기 위를 박리한다. 이식편 채취가 끝나면 지혈을 하고 피부를 닫는다. 필요에 따라 penrose drain을 거치하고, 혈종 발생 및 dead space를 줄이기 위해 mild compressive dressing을 한다. 채취한 유양돌기 근막은 사용 의도에 맞게 말아서 원하는 모양으로 만든다.

3) 융비술 방법

유양돌기 근막(mastoid fascia)을 삽입한 뒤 고정하는 방법은 술자의 선호에 따라 다르나, 이식편이 원래 위치에서 벗어나 움직일 수 있고 이차 교정이 필요한 합병증이 생길 수 있기 때문에 radix와 supratip area에 separate suture로 고정하는 것이 좋다.

4) 장점

진피지방 또는 fascia lata나 temporal fascia와 같은 fascial graft는 채취를 위해 추가 절개선을 가함으로써 생기는 공여부 반흔이 눈에 띈다는 단점이 있는 반면, 이개 후부(postauricular area)에서 채취하는 유양돌기 근막(mastoid fascia)은 수술 중 체위를 변경하지 않고 같은 수술 시야에서 쉽게 접근이 가능하며, 절개선이 귀 후방에

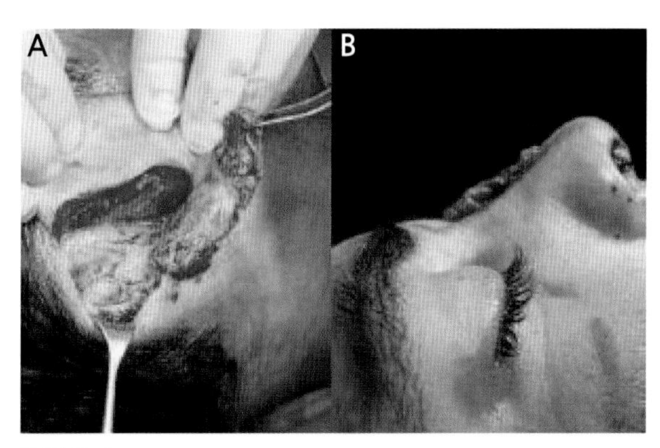

그림 7-1.
A. 후이개 절개를 통해 필요한 만큼의 유양돌기 근막 이식편을 elevation 함. B. 이식편을 올려 융비술에 적합한 위치 및 두께를 확인함. (REF. Dogan T, Aydin HU. Mastoid fascia tissue as a graft for restoration of nasal contour deformities. J Craniofac Surg. 2012Jul;23(4):e314-e316)

가려 공여부 반흔이 거의 보이지 않는다는 장점이 있다. Dorsal augmentation 하기에 적당한 양과 길이를 제공하며, conchal cartilage가 필요한 경우 추가 절개 없이 유양돌기 근막을 채취할 때와 같은 절개선을 이용하여 얻을 수 있다.

5) 단점

자가 조직을 채취하는 것이기 때문에 공여부 이환의 단점이 있다(**그림 7-1**).

3. Doral augmentation with diced cartilage wrapped with temporal fascia

연골을 잘게 갈아서 이를 fascia로 소시지 모양으로 싼 후에, 비배부에 삽입하여 비배부를 높이는 수술이다(**그림 10-67 참조**).

1) 방법

재료가 되는 연골은, 귀연골, 비중격연골, 늑연골 등이며, 귀연골이나 비중격 연골은 늑연골에 비해서 양이 부족하기 때문에, 귀연골이나 비중격 연골 하나만으로 사용하기보다는 둘 다 함께 사용하는 경우가 흔하다.

2) 적응증

rib cartilage는 비교적 쉽게 채취가 가능하고 양이 충분하며 흡수가 적기 때문에 비배부를 높일 수 있는 장점이 있다. 하지만 rib cartilage는 형태학적으로 곧은 부위가 충분치 않고 그 길이가 짧고 둘레가 충분치 않아서 비배부 전체를 높이기 쉽지 않다. 또한 비교적 크기가 적절한 연골을 채취했더라도 warping이 발생할 수 있다. 특히 젊은 환자의 경우 rib cartilage의 석회화가 덜 되어 있어서 warping은 rib cartilage의 사용에 있어서 가장 큰 제한점으로 작용한다. 이러한 제한점에 대한 대책으로 연골을 잘게 갈아서 fascia에 싼 후 비배부를 높이는 술식이 개발되었다.

3) 장점

이 수술은 비배부 표면의 irregularity가 적고 supratip 부위가 계단지게 보이는 현상이 적고 자연스럽다.

4. Dorsal augmentation with dermofat graft

진피지방이식은 피부에서 얇은 표피(epidermis)를 제거한 후 남은 진피(dermis)와 하방의 피부 밑지방층(subcutaneous fat)을 함께 채취하여 이식하는 수술이다.

1) 적응증

① 이전의 수술로 또는 선천적으로 코의 비배부 피부(dorsal skin of nose)가 매우 얇아서, 보형물을 삽입할 경우 보형물이 만져지거나 비쳐지고, 피부 변색의 위험성이 있거나 노출될 가능성이 큰 경우에 이를 대체할 목적

② 실리콘이나 고어텍스 등의 보형물에 심한 거부감이 있는 사람

③ 자연스러우면서도 과하지 않은 정도로 약간의 콧대만을 높이기 원하는 사람
④ 그 외에도, nasal dorsum이나 nasal tip 또는 ala부위의 함몰변형의 교정에도 유용하게 사용될 수 있다.

2) 채취방법

Sacrococcygeal area 좌우측의 엉덩이 살 부분은 지방이 비교적 단단하고, 진피의 두께가 우리 몸 중에서 가장 두터운 부위이기 때문에 가장 추천할 만한 부위이다. 이 부위는 옷으로 가려지는 부위이고 엉덩이 사이에서 쉽게 가려지기 때문에 흉터가 눈에 잘 띄지 않는다는 장점도 있다.

Sacrum의 정중앙은 채취 후 봉합 시 상처가 잘 아물지 않고 바로 아래의 sacral bone이 노출될 가능성이 있으므로 이보다 약 2~3 mm 정도 바깥측에서 채취하는 것이 추천할 만하다(**그림 10-51 참조**).

엎드린 자세(prone position)에서 채취하며 부분마취로도 쉽게 가능하다.

진피지방은 채취 직후 다소간의 수축을 보이므로 사용할 양보다 약간 크게 디자인해서 채취하는 것이 좋다. Dorsal augmentation을 위해 진피지방을 채취하는 경우 길이 60 mm, 폭 10 mm 정도의 진피와 그 아래 피하지방을 약 6~10 mm 두께로 채취하여 사용한다. 채취하는 부위는 항문에 가까워질수록 흉터가 양쪽 엉덩이에 가려지기 때문에 이상적이나 너무 가까이서 채취하면 진피의 질이 좋지 못하고 피부-항문 사이에 누공이 생길 수 있으며 또 상처가 아무는 동안 배설이 불편하기 때문에 최소 3 cm 정도는 떨어져서 채취하는 것이 좋다.

디자인 후 부분마취를 시행하고 15번 수술용 칼(#15 blade)로 피하지방(subcutaneous fat)이 노출되지 않을 정도로만 얕게 절개를 가한다. 이후 얇게 표피(epidermis)를 벗기는데(deepithelialization), 벗겨진 양이 적을수록 진피를 많이 확보할 수 있으나, 만약 표피 일부가 진피지방에 남으면 이식 후 표피낭종(epidermal cyst) 등을 일으킬 수 있으므로 표피가 남지 않도록 주의해야 한다. 표피 제거가 끝나면 다시 진피까지 절개를 가한 후 진피조직에 subcutaneous fat tissue가 포함되도록 진피 지방을 채취한다.

3) 융비술 방법

(1) 포켓형성

코뼈의 골막 아래에 넣는 보형물과는 달리, 진피지방을 이용한 융비술에서는 포켓의 형성은 supraperchondrial and supraperiosteal plane이다.

(2) 이식편의 준비와 삽입

엎드린 자세에서 엉덩이 부위에서 채취한 진피지방은 환자가 자세를 바꾸고, 코의 박리가 이루어지는 동안에는 상온에 방치하기보다는 젖은 거즈로 감싼 후에 멸균통에 넣어서 냉장보관한다.

보형물의 시작점을 아시아인에게서는 속눈썹(eyelash line)이나 쌍꺼풀 라인(double fold line)의 위치로 정하지만, 진피지방은 보형물의 시작점보다는 약간 더 위쪽에서 시작되도록 하는 것이 좋다. 주로, 쌍꺼풀 라인과 겉눈썹(eyebrow)의 중간 정도 지점이 적당하다(**그림 10-52 참조**). 그래야, 진피지방이 일정 비율 흡수되면서 radix부위의 모양이 자연스럽게 형성된다. 진피지방의 끝부위는 거의 nasal tip부위까지 도달하도록 한다.

진피지방을 넣기 전에 적당한 폭과 모양으로 다듬어야 한다(trimming). 폭은 대개 10 mm 정도가 적당하지만, 개인별 코의 폭을 고려해서 결정한다. 보형물처럼 진피지방의 바닥(floor)쪽이 더 넓고, 상부(roof)쪽은 좁게 다듬는다(**그림 10-53 참조**).

진피쪽을 roof로 할지, 지방쪽으로 roof로 할지에 대해서 일반적으로는 진피쪽을 roof로 해서 코의 skin envelope과 맞닿도록 해야 진피지방에 혈류공급이 더 잘되어 진피지방의 생존에 유리하다고 알려져 있으나, 실제로는 반대로 했을 때와 별 차이가 없는 것으로 생각된다. 이는 진피를 바닥쪽으로 하더라도, 코의 골막

(periosteum)과 접촉하기 때문일 것으로 추정된다. 오히려 지방을 roof로 하는 것이 보형물과 유사한 모양으로 trimming하기가 쉽다.

진피지방의 한쪽을 pull-out suture를 이용해서 겉눈썹 사이에 고정시키고 끝부위는 lower lateral cartilage나 septal cartilage에 고정한다(**그림 10-54 참조**). Pull-out suture는 일주일째에 제거한다. 진피지방은 흡수율을 고려해서 20~30% 정도의 과교정이 필요하고, 첫 한달 이상은 다소 높고 넓어보여서 어색함이 있음을 환자에게 알려줘야 한다. 그러나 높은 흡수율로 인해서, 높이가 원하는 높이에 이르지 못해 불만스러운 경우도 있다(**그림 10-56 참조**).

4) 장점

순수한 지방층만을 이식하는 경우 수용부(donor site)에 따라 생착률(survival rate)이 좋지 못할 수 있고, 진피만을 이식하는 경우 충분한 부피를 더해줄 수 없다. 반면 진피지방은 진피하 혈관얼기(subdermal vascular plexus)에 의해 지방에 대한 혈류공급이 지방만 단독 이식한 경우보다 더 원활히 할 수 있기 때문에 생착률을 높일 수 있어, dorsal augmentation에 가장 흔히 사용되는 자가조직이다.

5) 단점

진피지방은 이식 후에 시간이 지나면서 일부 흡수되어, 수술 직후에 비해서 약 20~50% 정도까지 높이가 낮아진다. 따라서 이런 점을 감안해서 과교정(overcorrection)을 하는 것이 좋다. 과교정의 정도는 수술 후 초기의 어색한 모습에 대한 환자의 수긍도롤 고려해서 상의하여 결정하게 되지만, 통상적으로는 20~30% 정도 과교정을 하는 경우가 흔하다. 그러나, 흡수율은 개인차가 있고, 정확히 예측하기는 힘들다.

5. Dorsal augmentation with Acellular dermal matrix

1) 적응증

보형물은 감염, 노출 등의 합병증이 있을 수 있고, 자가 조직은 공여부 이환의 단점이 있어 최근에는 인조진피(acellualr dermal matrix)를 dorsal augmentation에 이용하는 수술 방법이 시행되고 있다. 이식된 인조진피는 세포외기질 침착과 조직 재생을 촉진시키며, 따라서 콧등의 osteocartilaginous framework의 불규칙함을 보완하고 융비술에 단독으로 사용하거나 diced cartilage 등을 감싸는 용도로도 사용될 수 있다. 인조진피는 rigid한 보형물에 비해 수술 후 비배부의 윤곽이 자연스럽게 유지되고 skin thinning을 유발하지 않아 피부가 얇은 사람에게 사용하기 좋다. 따라서 인조진피는 인조물질(artificial material)을 인체 내에 삽입하기 원하지 않거나, 이차성 공여부 흉터 및 공여부 합병증을 원하지 않는 환자들에게 유용한 material로 이용될 수 있다(**그림 7-2**).

2) 융비술 방법

Nasal root까지 골막위 포켓(supraperiosteal pocket)을 만든다. 이때 골막과 주 혈관은 보존하도록 한다. 보형물 모양으로 제조된 인조진피를 사용하거나 혹은 의사가 환자의 코 모양에 적합하도록 인조진피를 조각하여 supraperiosteal plane에 삽입한다. 비첨성형이 동반되지 않은 경우, 인공진피를 고정하는 봉합은 하지 않아도 된다.

3) 장점

자가조직을 이용할 때 발생하는 공여부 손상이 발생하지 않으면서, 자가조직에 비해 낮은 인체 내 흡수율 및 구조적 안정성을 보인다. 또한 실리콘 보형물과 비교하여 인조진피에서 낮은 염증 발생률(low infection risk)을 보이고 생체 적합성(biocompatiblility), 신생혈관 생성(neovascularization)의 특징을 가진다. 이와 더불어 취

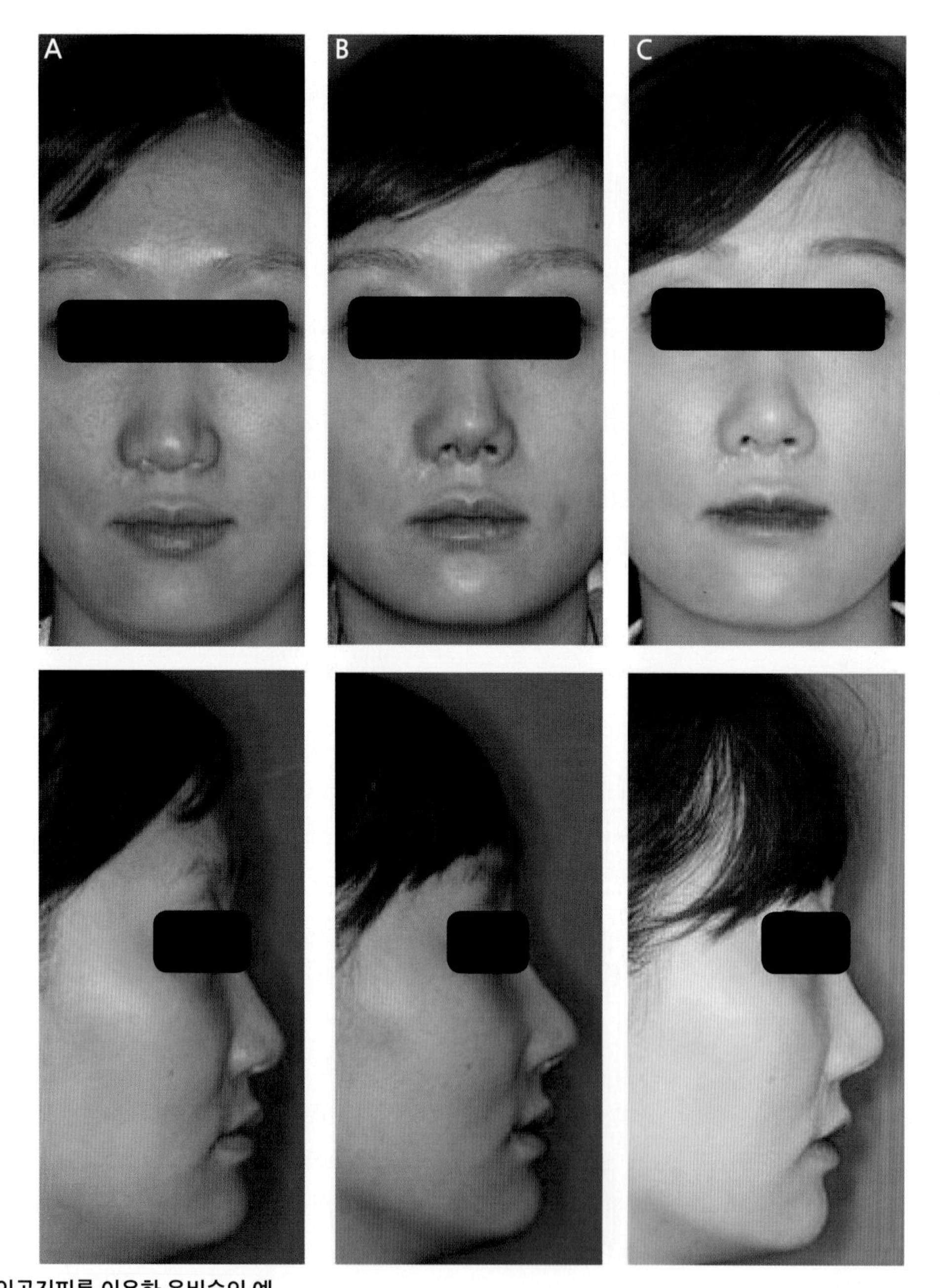

그림 7-2. 인공진피를 이용한 융비술의 예.
32세 여환으로 외상후 비변형(flat and deviated nose)을 주소로 골막위 인공진피삽입을 통한 융비술을 시행하였다. A. 수술 전 B. 수술 후 1주일 C. 수술 후 2년

급이 쉽고, 조기에 생체조직 침투(early tissue integration) 되어 삽입된 진피의 이동을 막아주는 장점도 있다.

4) 단점

이식 후 일부 흡수(absorption)가 일어날 가능성이 없지 않으며, 삽입물 제거를 원하는 경우 실리콘 보형물에 비해 제거가 어려울 수 있다.

6. Dorsal augmentation with rib cartilage

1) 수술 전 주의사항

(1) 환자가 고령일수록 연골의 석회화(calcifica-tion) 진행 가능성(**그림 10-57 참조**)이 있다.

① 수술 전에 미리 흉부 방사선 사진 등을 통해 석회화 여부를 검사

② 수술 중에도 피부절개 전에 바늘을 이용해 석회화 여부 확인

(2) 젊은 환자에게서도 늑연골의 석회화가 있는 경우 또는 전체 연골이 골화(ossification)된 경우도 있으므로, 가슴 절개 전에 미리 확인이 필요하다(**그림 7-3**).

2) 수술 방법

(1) 채취

늑연골의 채취는 부분마취로도 가능하지만 아주 익숙해지지 전까지는 전신마취로 수술하는 것이 기흉(pneumothorax) 발생 시 안전하게 대처할 수 있다는 점을 참고해야 한다.

① 절개

i. 코성형에 사용되는 늑연골의 채취는 대개 5~9번 늑연골에서 이루어지는 것이 대부분이며, 적은 양이 필요할 때는 floating rib에서도 채취가 가능하다.

ii. 여성의 경우 5, 6번 늑연골을 채취할 경우 흉터가 유방주름선(infra-mammary fold)에 놓이게 되어 절개 흉터가 유방으로 가려지는 장점이 있으므로 많이 사용되고 있다.

iii. 비배부 융비술처럼 5 cm 이상의 긴 늑연골이 필요할 경우에는 7, 8, 9번 늑연골에서 채취하는데, 유방주름선에서는 채취하기 어려우므로, 직접 해당 늑연골 위의 피부를 절개한다(**그림 10-59 참조**).

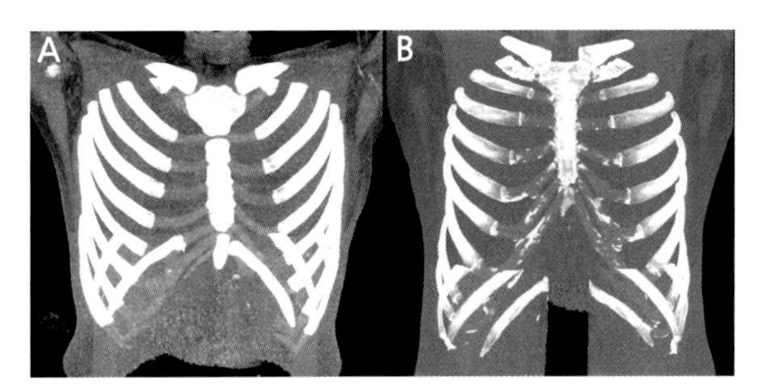

그림 7-3. 가슴연골 CT영상
A. Simple X-ray B. CT

② 연골 채취(그림 10-60 참조)

i. 피부 절개 후 연조직(soft tissue)과 근육(pectoralis major muscle, latissimus dorsi m., serratus anterior m.)을 박리해서 젖히고 연골막(perichondrium)을 노출한다.

ii. H 모양으로 연골막을 절개하고 연골로부터 박리하여 연골막은 그대로 두고 연골만을 채취하도록 한다.

iii. 앞쪽의 연골막은 비교적 쉽게 박리가 가능하며 연골 뒷편의 연골막은 끝이 구부러진 elevator를 이용해서 조금씩 박리를 진행해서 연골의 한쪽 끝부위의 연골막이 연골의 앞뒷면에서 모두 박리가 되도록 한다.

iv. 연골의 뒷면과 박리된 연골막의 사이 공간에 보호할 수 있는 protector를 넣은 후에 #10 blade를 이용해서 연골 두께의 3/4 정도를 절단한다.

v. 남은 두께는 blunt dissector를 틈에 넣어서 살살 비틀어서 절단되도록 한다. 이렇게 하면 흉막이 찢어지는 것을 피할 수 있다.

vi. 이후 절단된 말단 부위를 hook retractor를 이용해서 들어올리면서 후면 연골막의 박리를 sternum방향으로 더 진행한다. 연골막 하부의

늑막이 손상되지 않도록 주의하면서 남은 말단의 연골을 마저 절단해 원하는 만큼 연골을 채취한다.

vii. 늑연골 채취 후에는 마취과 의사와 협조하여, 늑연골 채취한 공간안에 식염수를 채운 후에 Valsalva maneuver를 취하게 하여 기포의 발생 여부를 확인하여, 기흉 여부를 체크하여야 한다.

viii. 연골채취 중 늑막이 손상되어 기흉이 발생한 경우 손상된 늑막을 통해 흉강(thoracic cavity) 내부에 튜브를 삽입하고 늑막을 봉합한다. 그 후에 마취과 의사의 도움을 받아 폐를 완전히 팽창시킨 상태에서 튜브에 음압을 걸어 흉강 내의 공기를 배출한 후 튜브가 삽입되었던 부분을 마저 봉합해주면 된다.

(2) 채취한 늑연골 조각

① 비배부 융비술에 늑연골을 사용할 때 가장 주의할 점은 늑연골의 warping이다. 그러므로, Gibson의 balanced cross section principle에 따라서 양쪽의 연골막을 동일하게 남겨서 사용하거나, 연골의 가운데 중심부위를 사용하는 것이 좋다(**그림 10-61 참조**).

② 그러나, 실제로 비배부 융비술을 위해 늑연골 조각시에는 비배부의 굴곡에 늑연골을 맞추어야 하므로 이 원리를 따르기가 어렵다. 다행히 매우 두터운 모양으로 조각할 경우에는 warping이 거의 오지 않기 때문에, 문헌에 소개되는 것 같은 K-wire를 늑연골 중심에 삽입하는 방법을(**그림 10-62 참조**) 저자는 선호하지 않는다.

③ 얇은 두께의 늑연골을 사용해야 할 경우에는 오히려 warping을 활용한 조각법을 활용할 수 있다.

i. 우선 balanced cross section principle에 따라서 좌우의 대칭을 잘 맞추어 조각을 한 후에, 늑연골의 floor와 roof의 모양을 보형물처럼 조각한다. Floor-roof 방향의 warping은 코의 굴곡과 유사하게 되므로, 큰 문제가 되지 않는다.

ii. 이러한 방법을 더 쉽게 적용한 기술이 늑연골의 한쪽 cortex를 포함하여 일정 두께를 슬라이스해서 사용하는 방법이다(**그림 10-63 참조**). 한쪽으로 warping이 일어나지만, 그 모양이 코의 nasal dorsum 굴곡과 유사하므로, 문제가 되지 않으며 오히려 좋은 모양을 제공해준다.

iii. 만일 과도한 warping이 발생할 경우에는 graft에 칼집을 내어서 조절할 수 있는데, 이를 위해서는 경험이 필요하다(**그림 10-64 참조**). Supratip break 부위의 부드러운 곡선이 구현되지 않을 경우에는 두 개의 조각을 서로 연결시켜서 모양을 만들 수도 있다(**그림 10-65 참조**).

(3) 이식편의 삽입

① 늑연골은 조각 후 30분간에 최대한으로 변형이 오므로 최소한 30분~1시간 동안 생리식염수에 담가둔 후 이식을 시행해야 한다.

② 늑연골은 코에 삽입 후에 상부는 K-wire로 고정하기도 하지만, 저자는 upper lateral cartilage의 상부와 하부 두 군데에 PDS suture로 고정한다(**그림 10-66 참조**).

3) 장점

① 늑연골(rib cartilage)은 채취할 수 있는 양이 풍부함

② 진피지방에 비해서 흡수율이 매우 적어, 비배부를 많이 높일 수 있음

4) 단점

① 수술 후에 이식편의 휨(warping)으로 인한 변형

② 가슴에 흉터가 남음

③ 채취에 시간이 걸림

참고문헌

1. Park SW, Kim JH, Choi CY, Jung KH, Song JW. Various applications of Deep temporal fascia in rhinoplasty, Yonsei Med J 2015;56(1):167-174
2. Pona Park, Hong Ryul Jin. Diced cartilage in fascia for major nasal dorsal augmentation in Asians: A review of 15 Conseccutive cases. Aesth Plast Surg (2016) 40:832–839
3. Sajjadian A, Naghshineh N, Rubinstein R. Current status of grafts and implants in rhinoplasty: Part II. Homologous grafts and allogenic implants. Plastic and reconstructive surgery 2010;125(3):99e-109e doi: 10.1097/PRS.0b013e3181cb662f[published Online First: EpubDate]|.
4. Sherris DA, Oriel BS. Human acellular dermal matrix grafts for rhinoplasty. Aesthetic surgery journal 2011;31(7 Suppl):95s-100s doi: 10.1177/1090820x11418200[published Online First:Epub Date]|.
5. Suh MK, Lee KH, Harijan A, Kim HG, Jeong EC. Augmentation Rhinoplasty With Silicone Implant Covered With Acellular Dermal Matrix. The Journal of craniofacial surgery 2016 doi:10.1097/scs.0000000000003225[published Online First: Epub Date]
6. Dogan T, Aydin HU. Mastoid fascia tissue as a graft for restoration of nasal contour deformities. J Craniofac Surg. 2012Jul;23(4):e314-e316
7. Hong ST, Kim DW, Yoon ES, Kim HY, Dhong ES. Superficial mastoid fascia as an accessible donor for various augmentations in Asian rhinoplasty. J Plast Reconstr Aesthet Surg. 2012;65(8):1035-1040

CHAPTER

8 수술 전 관리 및 마취 | Preoperative Management and Anesthesia

Chapter Author | 정재용

1. 수술 전 관리

이 장에서는 수술에 필요한 환자 관련 정보수집, 즉 환자의 병력, 상태, 그리고 이학적 검사 등과 함께 수술에 필요한 준비 및 유의사항에 대해 기술하였으며, 수술의 첫 시작인 마취에 관한 여러 가지 방법과 사용되는 약물 등에 대해 기술하였다.

1) 코성형술 환자에 대한 접근

(1) 문진 및 환자 정보 수집(interview and general nformation collection)

환자를 처음 만나 대화를 나눌 때 "환자가 원하는 것"이 무엇인지에 대해서만 초점이 맞춰지는 경우가 많다. 의학적인 지식이 없는 환자의 표현은 자칫 잘못 전달되거나 혼동을 일으키기도 하고, 주관적인 환자의 말에 이끌려 실제로 얻을 수 있는 결과와는 전혀 다른 예상을 하게 할 수도 있다. 수술 전 환자와의 면담에서 미용적인 효과를 얼마나 얻을 수 있는지, 무엇을 원하는지를 파악하는 것도 중요하겠지만, 동시에 눈으로는 최대한의 객관적인 정보를 얻어야 하며, 그것을 차트에 기록하는 것이 수술계획을 세우는 데 중요하다. 그러므로 수술자의 눈은 그만큼 바쁘게 움직여야 하고, 손은 되도록 정확하고 빠짐없이 기록하는 습관을 들여야 한다.

일반적인 환자의 전신상태를 확인하고, 코 수술에 영향을 줄 수 있는 부가적인 위험 등이 있는지 확인한다. 이를 위해서는 고혈압, 당뇨 등의 전신질환의 존재 여부, 기타 처방약 및 수면제, 여드름약, 진통제 등과 기타 건강보조제품의 복용여부를 확인해야 한다. 과거 수술의 병력이 있는 경우는 이전 수술에 관한 구체적인 정보를 파악하도록 노력해야 한다.

최근 들어 수술을 받는 환자의 연령대가 급속도로 빨라지고 있다. 수술을 받길 원하는 환자들의 나이가 점점 어려지면서, 수술자의 결정이 매우 중요한 시대가 왔다. 그러므로 연령에 따른 정신적, 신체적 성숙도를 잘 평가해야 한다. 코의 성장 및 성숙은 평균적으로 여자에서는 13.1세에서 최고에 달하며 약 98%가 15.8세에 완료된다. 남자에서는 14.7세에 최고에 달하며 약 98%가 16.9세경에 완료된다. 그러므로 코 수술은 충분한 성숙기간 이후에 하는 것이 추천된다.

(2) 환자의 욕구와 관심에 대한 고려사항 (consideration of patient's desire and concern)

미용수술, 특히 코 수술에서 환자의 욕구와 관심을 완전히 이해하는 것은 가장 중요하고 필요한 일이다. 그러므로 끈기 있게 환자의 주소(chief complaint)와 요구 등을 청취하도록 노력해야 한다. 의학지식이 없는 환자들은 표현방법이 제각각이기도 하지만, 환자의 인격, 성격, 기분 등에 따라서도 상당히 다양하게 나타난다. 환자의 지위, 직업, 생활상태 등에 관한 정보를 간접적으로 수집하는 것도 필요하며, 이를 통해 수술여부를 결정하는 참고자료로 활용해야 한다.

특히 2차 수술의 경우 이전 수술에 대한 불만으로 일방적인 환자의 말을 듣고 수술을 한다면 문제가 생길 수 있다. 과거의 정보에 관해 환자의 선택적 사고(selective thinking)나 의도된 거짓(intended lie) 등으로 인해 환자가 말하는 내용이 사실과 다른 경우가 많으므로, 충분히 확인하고, 필요한 경우 과거 수술과 관련된 자료를 수집하거나, 좀 더 자세한 질문을 통한 추가적인 상담을 계획해야 한다. 수술 이전의 환자사진(증명사진 등)을 확인하는 것도 도움이 된다.

유명인사(celebrity)의 얼굴처럼 변하는 것에 너무 집착하거나, 자기중심적이고 완벽한 결과를 기대하는 환자를 조심해야 한다. 만약 충분한 상담 후에도 환자의 기대치와 수술자의 의견차이가 좁혀지지 않는다면 수술을 권하지 않는 것이 현명하다. 짧은 상담시간 동안 많은 것을 얻어낼 수 있는 기술을 습득하는 것이 관건이다. 또한 정신과적 문제와 신체변형장애(body dysmorphic disorder)와 관련된 질환 등이 있다면 수술을 피하는 것이 좋다.

(3) 코에 관련된 병력수집 (rhinoplasty history taking)

과거에 외상이 있었던 경우, 자세한 치료병력뿐만 아니라 외상 전 후의 사진(photographic image) 또는 방사선 영상 등이 있다면 추가로 확인해야 하며, 이전 진료기록이 있다면 좀 더 도움이 된다. 외상의 방향과 원인에 따라 코변형의 원인을 유추하는 습관은 외상의 기전을 이해하고 수술을 시행하는 데 상당히 도움이 된다.

보통 미용수술을 원하는 환자들은 "코가 막히는 부분"에 대해서는 표현하지 않는 경우가 많으므로 문진 시 호흡곤란, 비염, 부비동염 등의 병력을 반드시 확인하도록 하며, 문진 전에 시행하는 NOSE /VAS 등의 객관적인 설문지도 도움이 된다. 코 수술자가 되고자 한다면 기능적인 부분을 무시해서는 안 된다. 부비동염, 만성비염 등이 있다면 코 내부에 잠재적인 염증이 계속 지속되는 상태이므로, 보형물을 이용한 수술을 하는 경우에는 치명적일 수 있다.

필러(filler) 등의 시술을 받은 병력이 있는 경우 제품명, 성격(흡수성인지, 영구적인지), 제조회사, 시술 횟수 및 시술 시기 등을 알아내야 하며, 그 외의 허가되지 않은 불법시술 등의 여부를 확인해야 한다.

(4) 코 이외의 고려할 문제들 (other considerations)

코 수술을 받은 많은 환자들이 수술 후 코가 "삐뚤어져 보인다"라고 말하는 경우가 있다. 수술에 의해 발생한 비대칭의 경우보다 원래 전반적인 안면 비대칭이 있었던 경우가 많다. 수술 후에 거울을 더 많이 보게 되는 이유도 있겠지만, 이런 비대칭에 관련된 문제는 수술 전 환자사진을 통해 미리 확인할 수 있으며, 이로 인한 교정의 한계에 대해 충분히 설명을 해야 한다. 여러 논문과 임상 경험을 종합해 보면, 여성의 경우 좌측의 안면이 우측보다 작고 얼굴뼈가 뒤로 들어가 있으며, 연부조직 두께 또한 좌측이 얇고 우측이 두꺼운 경우가 많다(**그림 8-1**). 코끝에서도 많은 경우 이런 양상을 보이지만, 외형적인 모양과 연골 간의 일반적인 규칙이나 상관관계는 없는 듯하다. 그러므로 수술 전 사진 분석과 수술 중 평가에 좀 더 신경 써야 한다. 악관절 또는 저작 운동장애가 있는지, 상하악의 교합관계가 올바른지 확인

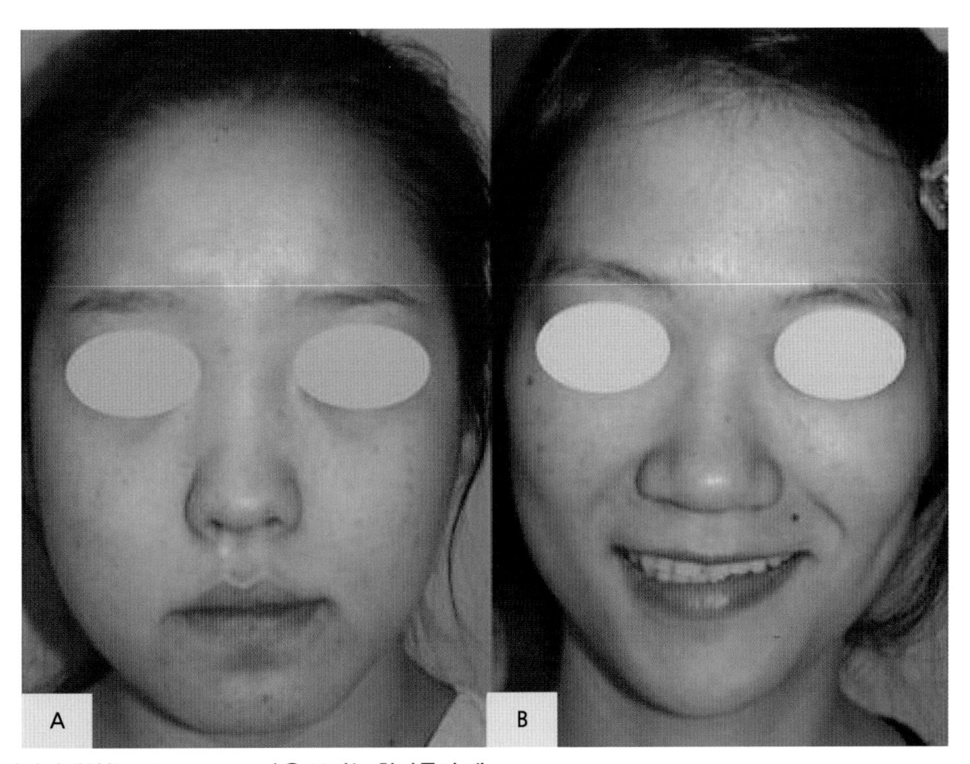

그림 8-1. 안면비대칭(facial asymmetry)을 보이는 환자들의 예
A. 많은 환자들이 비대칭을 보인다. B. 역동적인 표정을 지을 때 더 두드러진다.

하는 것 또한 필요하다.

개인적인 경험으로 보면 수술 중 많은 환자들에서 좌측 편향된 미측중격편위(caudal septal deviation)가 관찰된다. 미측중격(caudal septum)은 50% 이내, 전비극(anterior nasal spine)은 5% 이내에서 편위되어 있다고 한다. 이로 인해 수술 중 정중앙에 위치했음에도 불구하고 수술 후, 또는 장기적으로 코끝의 편위(tip deviation)가 나타나기도 한다. 특히 안면근육의 힘과 습관적 행동 등이 달라서 수술 후 장기적으로 진행되는 편위가 있을 수 있다(**그림 8-2**).

환자의 직업적, 습관적인 동작 등도 수술 후 결과에 영향을 줄 수 있다. 습관적으로 코 풀기, 만지거나 비비는 행위는 코 주변 피부, 코 안의 점막 등에 반복적인 자극을 주거나 세균감염을 일으키기도 한다. 안경착용의 여부, 미용사, 고개를 숙이고 일하는 직업 등은 수술결과에 영향을 줄 수 있으므로 수술 전 교육이 필요하다. 또한 마사지, 사우나 등을 자주하는 환자에서는 코외피(nasal envelope)의 자극으로 인한 장기적 변형이 올 수 있으므로, 수술 후 관리에 좀 더 신경써야 한다.

2) 수술 전 검사(Preoperative evaluation)

(1) 시진과 관찰(inspection and observation)

충분한 정보를 얻기 위해 몇 가지 간단한 보조기구를 이용하면 유용하다. 거울(2개), 면봉, 비경, 펜 라이트, 환자의 사진을 함께 볼 수 있는 모니터와 컴퓨터 장치, 자, 또는 미리 제작된 코 모형(prefabricated nose template) 등을 이용할 수 있다.

면담 중에 확인해야 하는 것들은 다음과 같다.

① 환자의 모습(patient's appearance): 비대칭 정도, 눈과의 상관관계, 정적인 모습(static appearance), 동적인 모습(dynamic appearance), 발음양상(talking pattern), 또한 말하거나 웃을 때의 코끝 움직임

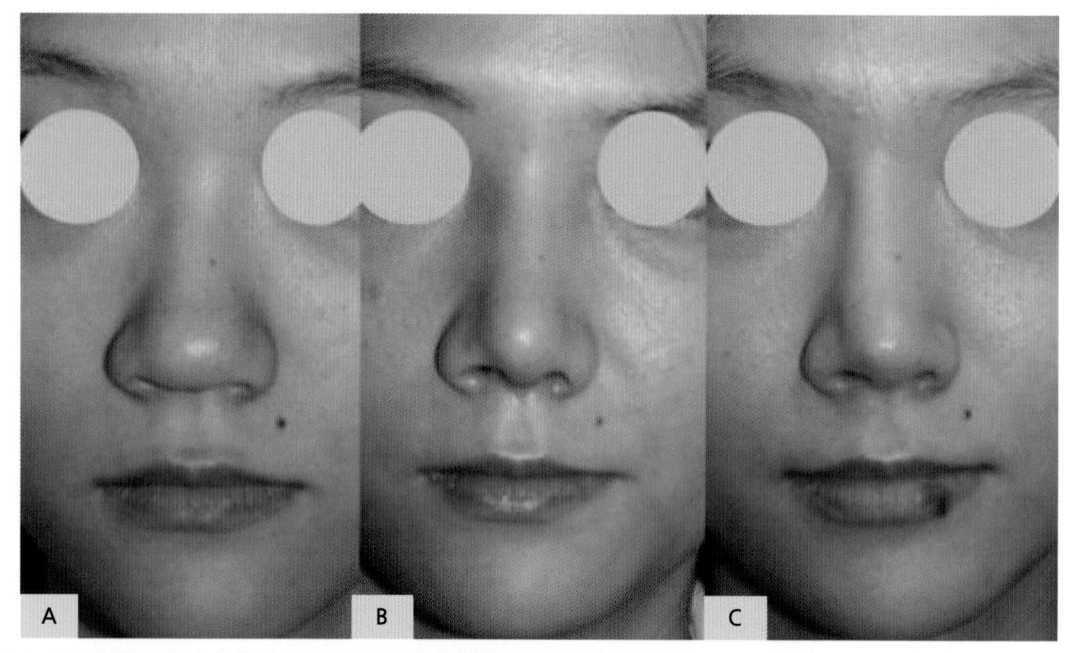

그림 8-2. 비대칭에 의해 수술 후 장기적으로 발생된 보형물의 변위(dorsal implant deviation)
A. 수술 전 B. 수술 후 2개월 C. 수술 후 8개월: 2개월 때 보이지 않았던 보형물의 변위를 관찰할 수 있다.

(tip motion), 입꼬리의 대칭 정도 확인, 인중의 편위 등을 관찰한다.

② 사진 평가(photographic assessment): 면담 시 눈으로 관찰할 수 없었던 여러 가지 정보를 얻을 수 있으므로 반드시 확인해야 한다. Frontal and both lateral view, worm's and bird's eye view를 촬영한다. 촬영과 관련된 내용은 2장 임상사진술을 참고한다. 이렇게 사진을 통해 얻은 정보는 반드시 환자와 공유해야 한다.

(2) 촉진 및 계측(palpation and measurement)

3장 코분석(Nasal analysis)을 참고한다.

콧등과 코끝의 피부는 두께와 성질에 있어 개인에 따라 다양한 차이를 보인다. 아시아인의 특징 중 하나는 코외피의 두께(nasal envelope thickness)가 매우 다양하다는 것이다(**그림 8-3**). 피부가 두꺼울수록 코끝의 표현이 만족스럽지 못하며, 아래쪽 연골구조물에 지속적인 압박(compression stress)을 준다. 그러므로 코외피 아래 숨어있는 골격(framework)도 외부에서 보이는 것과 차이가 있을 수 있다. 그러므로 양측 코뼈의 대칭 정도, 휘어진 정도, 매부리(비봉) 여부 등을 촉진하여 확인한다. 특히 재수술이나 휘어진 코 교정의 경우에는 더욱 중요하다.

수술 후 코의 길이 연장 정도 등을 예상하기 위해 직접 피부를 잡아서 pinching test 등을 해보거나, 면봉 등을 이용하여 피부의 질과 신장 정도를 확인한다. 코끝을 두측으로 밀어보면 미측중격각(caudal septal angle)이 보이거나 만져지기도 하므로 편위(deviation) 여부를 간단히 알 수도 있다. 코 길이, 두꺼운 코끝(tip bulbosity), 비 익연골(alar cartilage)의 크기 모양 등을 예측하도록 하며, 특히 코끝이 커서 축소를 원하는 경우에는 환자가 갖는 피부 특성에 따라 결과가 상당히 다를 수 있으므로 코끝이 큰 이유가 연골 때문인지, 두꺼운 연부조직 때문인지 최대한 파악하는 것이 좋다. 환자의 피부유형(skin type)과 질감(texture)은 수술 후 경과 및 결과에 큰 영향을 미칠 수 있으므로 수술자는 수술 전 이학적 검사

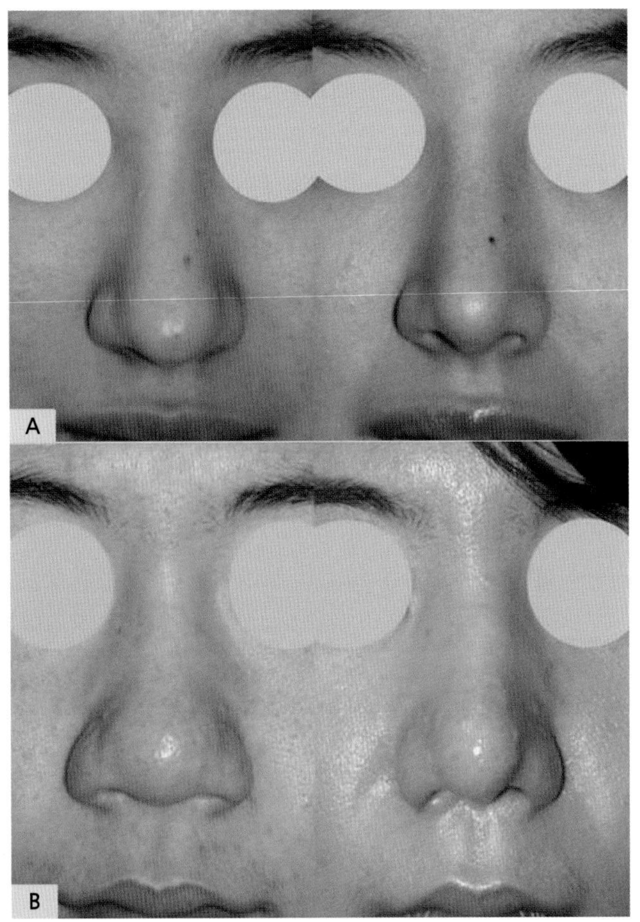

그림 8-3. 피부의 두께와 성질에 따라 수술 후 결과가 달라질 수 있다.
A. nasal tip은 크지만 피부가 얇은 환자의 수술 전(좌), 후(우) B. 피부가 두꺼운 환자의 수술 전(좌), 후(우). A의 결과보다 만족스럽지 못하다.

를 통해 반드시 평가하고 인지하고 있어야 한다. 피부가 두껍고 기름샘이 발달한 경우 부기가 오래가고 재구성된 구조물의 윤곽을 뚜렷이 반영하지 못하는 경향이 있다. 그에 비해 피부가 얇은 경우 부기가 잘 빠지지만 피부 밑의 사소한 변형도 드러나는 경우가 많으므로 주의해야 한다. 여드름장미종(acne rosacea), 여드름흉터(acne scar) 등으로 코끝의 피부가 두꺼워져 있는 경우 좋은 결과를 예측하기가 어렵다.

(3) 다양한 이학적 검사

코막힘의 원인을 감별하기 위해서는 내측밸브(internal nasal valve), 외측밸브(external nasal valve), 비강(nasal cavity)에 대한 이해가 필요하다. 외측밸브의 변형이 없는 상태에서 코의 편위가 보인다면 대부분 비중격의 편위 또는 내측밸브나 비강의 좁아짐이 코막힘의 원인이 된다. 밸브의 좁아짐에 의한 코막힘은 이학적 검사를 통해 쉽게 진단할 수 있는데, 의심되는 밸브부위를 면봉으로 들어올려 주었을 때 증상개선 여부를 통해 파악할 수 있다. Cottle 검사는 코막힘이 있는 쪽 뺨을 손가락으로 외측상방으로 당겨 밸브를 열어주었을 때 증상 개선 여부를 통해 판단하게 된다. 하지만 Cottle 검사 시 중격 또는 하비갑개에 의한 막힘 증상 역시 개선되므로 밸브문제를 진단하는 데 한계가 있다(**그림 8-4**).

(4) 비경검사(nasal speculum examination)

많은 경우의 코막힘 환자에서 코가 막히는 원인을 비경을 이용하여 거울로 환자에게 직접 보여주는 것이 가능하다고 한다. 이것은 코막힘의 원인들이 비경으로 벌려서 보이는 위치에 대부분 존재한다는 뜻이기도 하다.

전비경검사(anterior rhinoscopy)라고도 하며, 가장 기본이 되는 검사로 진료할 때 항상 확인하는 습관이 중요하다. 주로 anterior cavity(하비갑개, 중비갑개의 앞쪽 중비도, 하비도의 앞쪽)를 확인할 수 있으며 하비갑개 비후 정도, 점막 미란과 비후(mucodal erosion and hypertorphy), 미측중격편위, 중격돌기(septal spur) 등을 확인할 수 있다. 점막이 심하게 부어있는 경우에는 점막수축제(phenylepherine, bosmin)를 이용하면 관찰이 좀 더 용이하다.

(5) 방사선 검사(radiologic examination)

단순 방사선검사, 초음파 검사, CT 등이 이용될 수 있다. 미용 코수술에서 필수 검사는 아니지만, 주로 외상, 편위, 2차 수술 등에서 참고할 만한 좋은 자료가 된다. 단순방사선에서 실리콘 보형물의 모양이나 위치 등을 확인할 수 있으며, 주로 2차 수술이나 코 막힘 등의 임상적 증상과 동반된 휘어진 코, 외상 후 코 변형 등이 있는 환자에서는 CT가 추천된다(**그림 8-5**).

(6) 내시경 검사 및 다른 기타 검사들

비경으로 확인 후 내부구조를 좀 더 세세히 관찰할 필요가 있는 경우 점막수축제를 이용하면 좀 더 내부를 확인하기 수월하다. 사용되는 내시경은 여러 가지가 있으나, 일반적으로 성형외과적 진단과 치료에서는 단순하고 편한 내시경을 선택하는 것이 좋으며, 수술 중 내시경적 조작이 필요한 경우는 좀 더 고가의 내시경이 유리하다.

내시경을 이용하면 코 내부의 이상소견(만성비염, 비중격 편위, polyp, choana bulbosa 등)의 관찰에도 용이하다. 그 외에도 airflowmetry, acoustic rhinometry 등으로 기능적인 문제를 진단 할 수 있다(**그림 8-6**).

3) 수술 전 준비(Preoperative preparation)

(1) 환자의 준비사항

우선 수술 전후 과정과 수술 후 관리에 대한 간단한

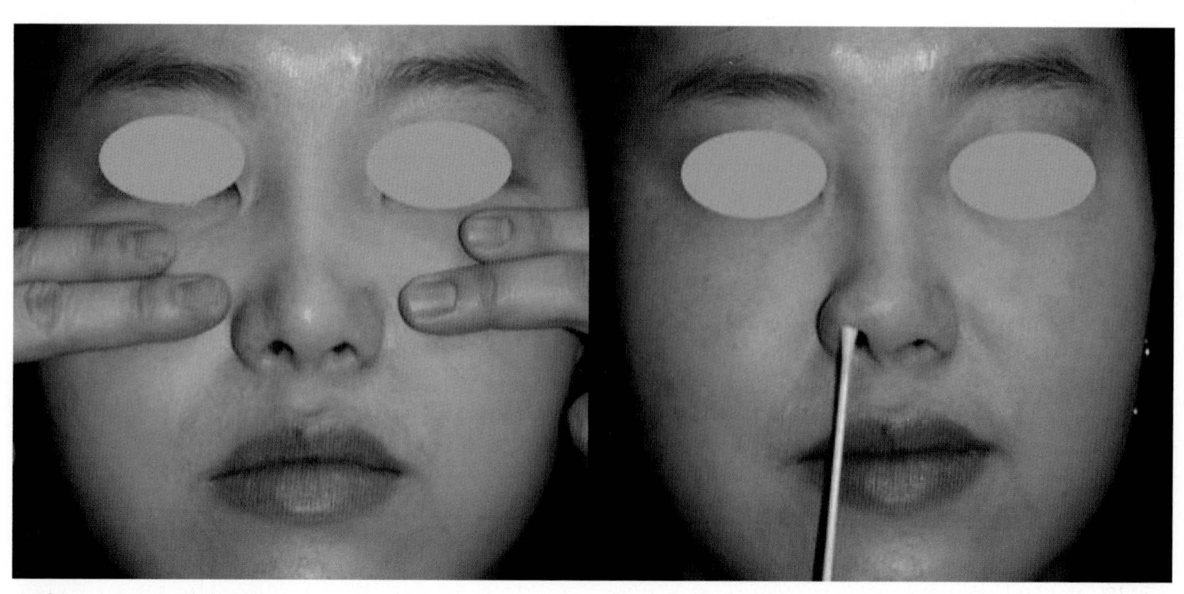

그림 8-4. Cottle 검사의 예

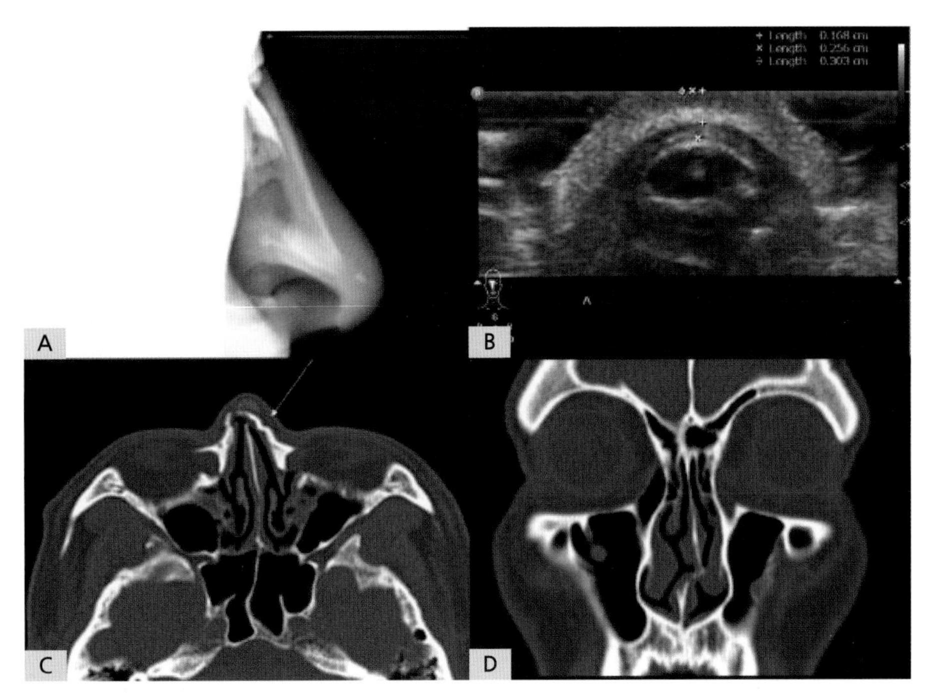

그림 8-5. 다양한 방사선 검사들

A. 단순촬영(X-ray) B. 초음파(sonography) C, D. CT(computed tomography)

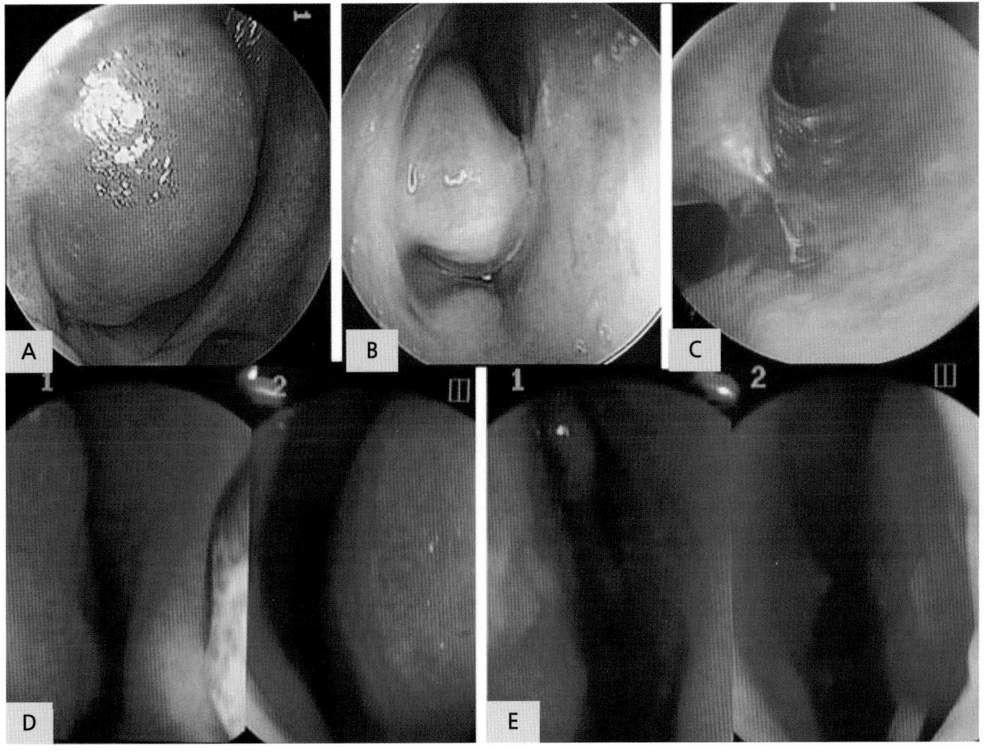

그림 8-6. 다양한 코 내부의 병변들

A. 알러지 비염(allergic rhinitis) B. 만성비염(chronic rhinitis) C. 점막유착(synechia) D. 비중격의 우측편위로 인해 발생된 좌측 하비갑개의 보상성 비후(compensated hypertrophy) E. D의 수술 후 교정된 모습. 수술 후 1개월경

사전교육이 필요하다. 금연, 금주 등 환자 개인이 지켜야 할 사항뿐만 아니라, 수술 후 조심해야 할 주의사항도 알려줘야 할 의무가 있다. 이런 내용에 대해 정리하여 문서화하면 편하다. 혈압약도 수술 당일 복용하도록 하며, 생리주간의 경우 수술의 절대적 금기는 아니지만 출혈양상이 증가할 수 있으므로 평소 생리양이 많은 경우는 미리 주의를 요한다.

수술 당일 아침에 간단한 샤워를 하도록 하고 화장은 금지하되 전신마취가 아니더라도 되도록 수술 전 식사는 금지하도록 한다. 간혹 항생제 등에 의한 약물반응으로 수술 중 구토반응이 오는 경우가 있기 때문이다.

코 주변 또는 코끝 등에 화농성병변이나 활동 중인 급성 여드름이 있다면 되도록 수술을 연기해야 하며, 반복적인 헤르페스 등의 병변이 입 주변에 잘 생기는 환자들의 경우 수술 전부터 예방적으로 항바이러스제제를 복용하면 좋다.

수술장 내에서 코털을 제거하는 것은 되도록 피하고 수술 전 미리 외래에서 준비한다. 코털을 제거할 때 안쪽 점막이나 전정피부가 다치지 않게 조심해야 한다. 또한 제거된 코털은 깨끗이 세척해야 한다. 보철기(intraoraldevice)를 사용하고 있는 환자는 염증과 연관되지 않도록 보철을 미리 제거하거나 수술 직전 꼭 양치를 하도록 한다.

(2) 수술자의 준비사항

① 사진촬영 및 저장: 내과의 기본검사가 일반혈액검사라면 성형외과에서는 사진촬영이다. 그러므로 환자에게 수술 전 사진촬영의 당위성을 설명하고 동의서를 구하도록 한다. 수술 전후의 비교가 가능하도록 적절한 저장매체에 보관하도록 한다.

② 수술동의: 수술동의서, 촬영동의서 등을 작성하도록 하고, 미성년자의 경우 수술과 관련 보호자 동의를 얻어야 한다.

③ 수술 계획 세우기: 수술 순서를 미리 예상하는 것은 수술자에게 가장 중요한 작업이다. 앞서 설명했던 모든 정보를 통합하여 수술 계획을 세운다. 자신만의 수술 순서를 미리 머릿속으로 예행연습하는 습관이 필요하다. 특히 수술계획에는 수술 예상시간, 수술 중 주의해야 할 사항 등에 대해도 반드시 미리 예측해야 한다(**표 8-1**).

④ 수술 기록방법: 기록의 습관화는 중요하다. 반복해서 기록하는 버릇이 생활화되어야 한다. Gunter's diagram 등을 각자 수술자의 목적에 맞게 수정하여 사용하면 유용하다(**그림 8-7**).

표 8-1. 수술 전 계획(Personal operative sequence의 예)

1. Prepare everything - headlight, loupes, light, endoscope, own instruments
2. Design and check the preoperative photo, again
3. Anesthesia
4. Local injection / Epinephrine gauze / - wait 10～15 min
5. Remove intranasal packing and shave vibrissae (optional)
6. Closed / Open approach
7. Elevation of nasal envelope
8. Exposure of lower lateral cartilages and bony-ULC vault
9. Identification of septal framework
10. Hump reduction - rasping, chiseling, cartilage shaving
11. Osteotomies
12. Septal harvest / Septoplasty / Turbinoplasty
13. Graft preparation (optional)
14. Spreader grafts or septal supporting graft
15. Variable tip sutures and optional add-on grafts(or manipulation of lower lateral cartilage)
16. Columellar strut and suture / Septal extension graft
17. Final tip works
18. Implant desi gn / Carving / Insetting
19. Closure
20. Alar base modification (optional)
21. Splints / Dressing / Intranasal packing

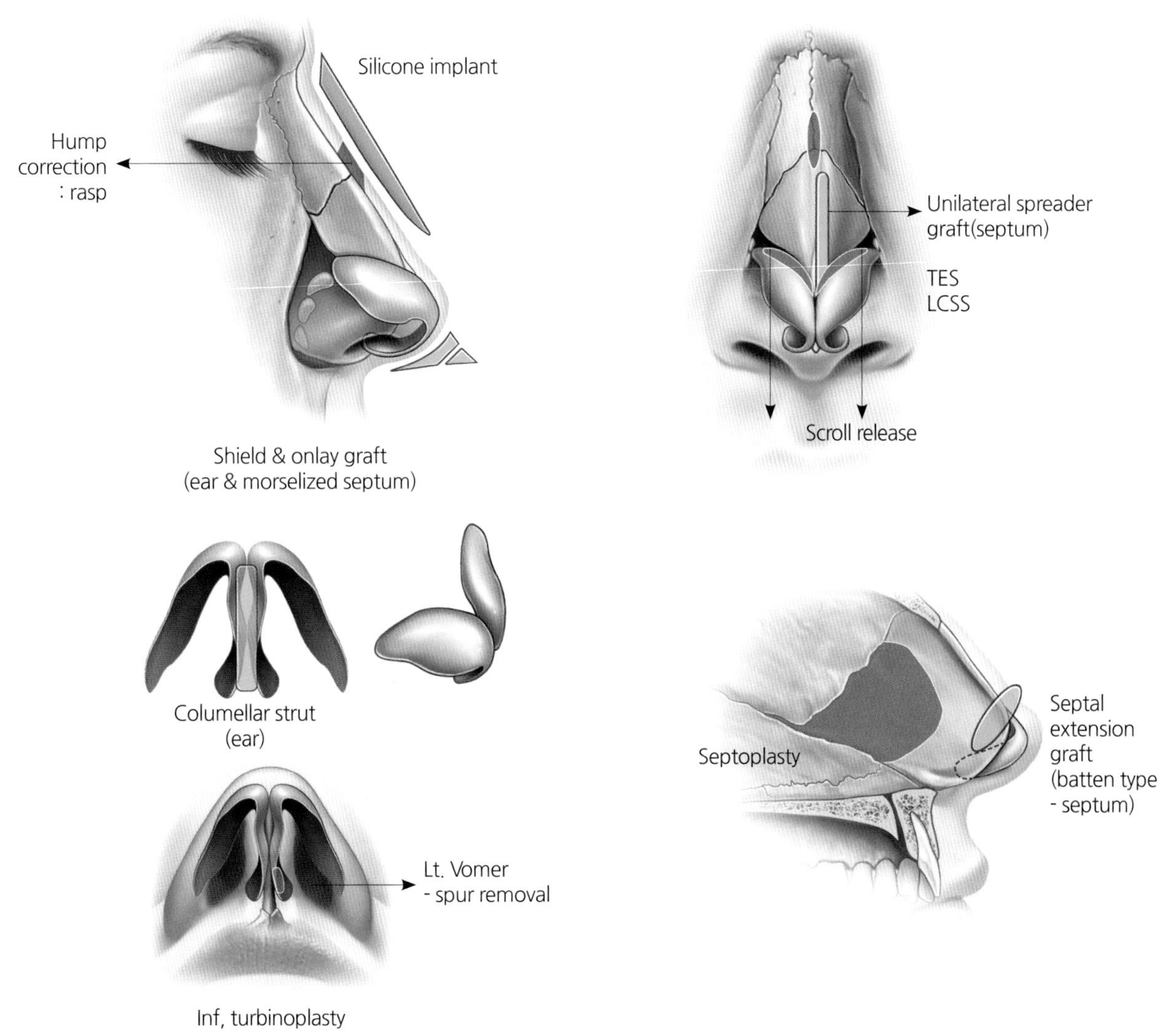

그림 8-7. Operative record의 예.
수술자편의에 따라 변형하여 사용한다.

(3) 수술방 및 수술팀의 준비사항

① 수면마취와 전신마취에 필요한 기본적인 준비뿐만 아니라 환자 정맥주사경로(IV route) 준비 등에 신경 쓴다.

② 기구 등의 소독을 철저하게 하고 수술방의 청결상태를 유지하는 것은 모든 수술의 기본이므로 생략하겠다. 그 외 간과할 수 있는 수술팀의 용모 정리(머리카락, 매니큐어, 화장품 사용 등)도 신경써야 한다. 여러 문헌을 고찰해보면 통계적으로 2.6~5.3%의 염증을 경험했다는 보고가 있으며, 저자의 경험으로 보면 최근 3년간 수술했던 환자 1,329명 중 수술 후 염증 또는 감염이 발생한 경우 29명으로 약 2.18%를 보였다(Viral infection 포함).

③ 수술기구 종류와 관리는 Chap. 4를 참고하도록 한다.

④ 그 외 기타 수술에 도움이 되는 headlight, loupe, 내시경장비, light source, 수술방 카메라, 캠코더 등 기타 촬영 장비 기구들의 준비도 잊지 말아야 한다.

⑤ 수술 중 항생제의 사용 및 지침: 부비동염 등의 기왕력이 없는 환자의 코 수술에 사용되는 예방적 항생제는 주로 1세대 cephalosporin과 Gentamycin 등이 사용되며, 수술 전 부비동염, 만성비염 등으로 인해 코 안의 위생상태가 좋지 않은 경우는 약 2주간의 적절한 항생제로 염증을 완화시킨 후 수술하는 것이 바람직하다.

2. 마취(Anesthesia)

1) 서론(Introduction)

코 수술의 경우 수면마취하에 국소마취를 하거나 전신마취를 이용하게 된다. 대부분의 코 수술은 환자의 불안과 통증을 경감해주고자 정맥주사를 이용한 수면마취를 이용하게 된다. 휘어진 코, 뼈가 크고 두꺼운 남자에서 절골술(osteotomy) 등을 해야 하는 경우, 2차수술 또는 합병증이 동반된 코(problem nose), 3시간 이상의 수술시간이 소요되는 경우, 소아 등에서는 전신마취하에 수술하는 것이 좋다.

그 외에 국소마취를 이용하여 안와하신경(infraorbital nerve), 활차하신경(infratrochlear nerve) 등 국소차단(regional block)하는 방법도 상당히 도움이 된다.

수술자 및 마취의사에 따라 약물의 사용과 방법에는 약간씩 차이가 있으므로, 각자 적합하고 환자에게 안전한 방법을 선택하는 것이 좋으며, 여기서는 개괄적인 방법들에 대해 소개하고자 한다.

2) 국소 마취에 사용되는 약물들

국소마취제는 화학결합양식에 따라 ester형과 amide형의 두 가지로 나눌 수 있다. 현재 사용되는 대부분의 국소마취제는 amide형이며 lidocaine, bupivacaine, mepivacaine 등이 해당된다. Ester형에는 cocaine, procaine, tetracaine, chloroprocaine 등이 있다.

Amide형은 대부분 간에서 서서히 분해되어 신장을 통해 배출되므로 혈장에서 가수분해되는 ester형 국소마취제보다 작용시간이 길고 독성이 강하게 나타난다. 따라서 간질환 환자나 심부전 같은 전신질환이 있거나 고령일수록 반감기가 길어진다. Ester형은 혈장 pseudocholinesterase에 의해 빠르게 대사되므로 마취효과가 짧으며 알러지 유발빈도가 높다.

(1) Lidocaine

마취발현시간이 빠르고 국소자극증상이 없으며 최대 허용량은 epinephrine을 섞어서 사용할 경우 7 mg/kg, 단독으로 사용되는 경우 4.5 mg/kg이다. 광범위한 부위를 마취해야 하는 경우 전신 독성의 위험을 줄이기 위해 0.5% lidocaine을 사용할 수도 있다. Lidocaine 자체에 의한 알러지 반응은 매우 드물며 섞여 있는 epinephrine이나 methylparaben 같은 보존제(preservative)가 알러지 반응을 일으키기도 한다. 경우에 따라 조직에 부기가 적게 생기고 마취가 잘 확산되도록 하이알루론산분해효소(hyaluronidase)를 첨가하기도 한다.

(2) Bupivacaine

중등도의 발현 시간과 긴 지속시간을 보이며 강도가 높다. 이러한 이유로 척추마취 시 많이 사용되는 국소마취제로서 약 2~3시간 정도의 작용시간을 나타낸다. 또한 낮은 농도에서는 감각신경만을 선택적으로 차단하는 효과가 있다.

(3) 혈관수축제(epinephrine)

국소마취제의 혈관흡수를 줄이기 위해 사용되며 마취의 강도와 작용시간을 증가시키는 효과가 있다. 또한 마취제의 혈관 내 주입을 조기에 알 수 있는 지표가 되기도 한다. Epinephrine을 포함한 국소마취제가 혈관 내로 유입되었더라도 양이 많지 않을 경우 일시적인 혈압과 맥박상승만 일어나지만, 유입량이 많았을 경우 저혈압과 부정맥 및 급성심부전이 발생할 수 있으므로 주의해야 한다. 비강 내 점막에 lidocaine을 주사할 때 첨가되는 epinephrine은 1:200,000~1:400,000을 주로 사용한다. 지나친 농도의 보스민 거즈 패킹은 전신적으로는 급성신부전, 국소적으로는 허혈 및 2차적인 부종을 조장할 수 있어 주의해야 한다. 보스민 비강패킹은 15~20분 이내 제거되어야 하며 오랜 시간 제거하지 않는 경우 점막의 허혈, 괴사, 반동성 종창(rebound swelling) 등의 문제가 발생할 수 있다.

3) 수면마취(Sedative anesthesia)

투여되는 약물은 크게 의식저하와 진정을 목적으로 투여되는 benzodiazepine계, barbiturates계, propofol 등의 약물과 진통을 목적으로 투여되는 opioid계 약물로 구분할 수 있다. 이들 약물은 투여량이 증가됨에 따라 진정, 진통효과뿐만 아니라 저호흡, 저혈압 등의 부작용이 생길 수 있다. 또한 여러 약물을 복합적으로 사용하는 경우 상승효과에 대해서도 유의해야 한다.

(1) Midazolam

반감기(1.5~2.5시간)가 짧고 호흡억제와 혈역학적 변화가 심하지 않으며 시술 중 기억을 없애주는 장점이 있다. 하지만 고령 환자에서는 역설적 반응(paradoxical reaction)에 의해 시술에 협조하지 않는 역효과를 가져올 수 있다. 사용량은 0.5~2 mg을 서서히 정주하되 필요시 동량을 반복 사용할 수 있으며 보통 2시간 정도의 수술 과정에서 5~10 mg까지 사용할 수 있다.

(2) Propofol

20~40초 이내로 작용발현이 빠르고 투약 중단 후 15분 이내로 빠른 회복이 가능하다. 또한 진정효과가 빠르게 나타나며 기억상실작용도 있어 성형외과 영역에서 많이 사용된다. 하지만 변질위험이 있어 개봉 후 6시간이 지난 약물은 사용할 수 없으며 입자가 커서 IV 주사시 통증을 유발한다는 단점이 있다. 또한 최근 정신적 의존성에 대한 사회적 문제가 빈발하고 있어 신중한 투여 및 철저한 관리가 필요하다. 성인의 경우 0.5~1 mg/kg을 1~5분에 걸쳐 투여하며 유지요법의 경우 1.5~4.5 mg/kg/hr을 투여한다.

(3) Ketamine

진정과 진통작용을 동시에 가지고 있으며 호흡 저하를 유도하지 않아 간단한 수술 또는 소아환자 마취에 많이 사용되어 왔다. 그러나 투여 시 혈압과 맥박, 구강 분비물(secretion)이 증가하는 특징이 있으며 특히 성인에서는 불쾌감 및 각성반응(arousal response)이 동반될 수 있어 benzodiazepine계 약물을 같이 사용할 수 있다. 각성반응은 투여받은 환자의 15% 정도에서 나타나며 꿈과 같은 상태, 환각 또는 흥분, 착란상태 등을 보이고 대부분 수 시간 이내로 회복된다. 정주(IV) 시 초회 1~2 mg/kg를 1분 이상에 걸쳐 천천히 투여하며 필요시 반량 또는 동량을 추가할 수 있다. 근주(IM) 시 초회 5~10 mg/kg를 투여하며 필요시 동량 또는 그 이하를 추가 투여할 수 있다.

4) 수술 중 국소마취 방법 및 유의사항

국소마취에서 주사(injection)는 수술의 일부이면서 시작이므로 소홀하게 해서는 안 된다. 국소마취약의 주입은 수력분리술(hydrodissection)의 의미뿐만 아니라, 바늘 끝으로 내부의 구조를 미리 확인하는 데도 상당한 도움이 된다. 코외피를 통해 여러 번 찔러 손상을 주는 것보다 되도록 한 번의 주사로 충분한 마취가 되도록 하는 것은 사소하지만 신경써야 하는 부분이다..

바늘을 전진하면서 주입하는 방식보다는 전진된 바늘을 후퇴하면서 주입하는 후퇴법(withdrawal technique)이 좀 더 안전하다. 주입하는 부분은 피판이 거상되는 박리면에 주입하는 것이 효과적이다(**그림 8-8**).

일반적인 주사기를 이용하는 경우도 있으나, 치과용

주사기(dental syringe)를 이용하는 것이 좀 더 적은 양으로 효과적인 주사를 할 수 있다.. 코 내부의 마취는 비경을 함께 이용해야 편하다. 저자는 1:200,000 epinephrine이 섞인 2% lidocaine을 치과용 주사기를 이용하여 내부 점막, 하비갑개의 국소마취를 시행하고 있다. 먼저 콧등과 코끝으로 가는 신경을 차단하기 위해 양측 안와하공(infraorbital foramen) 주위에 1 cc를 주사하여 활차하신경과 안와하신경 가지들을 마취한다. 이후 미측중격 주변의 코점막, 연삼각(soft triangle), 코기둥(columella), 절개부위인 콧방울연골의 미측 가장자리, 콧방울바닥(alar base), 코 옆벽 등을 직접주사 및 후퇴기법(withdrawal technique)을 이용하여 마취한다. 미측중격부터 마취를 시작하면 전사골신경(anterior ethmoidal nerve)의 종말분지인 외비신경(external nasal nerve)을 먼저 차단할 수 있다. 콧등 및 코뿌리(radix) 부분은 비강을 통해 접근하기는 어려우므로 직접 피부를 통해 마취한다. 만약 하비갑개성형술(inferior turbinoplasty) 또는 코중격성형술(septoplasty)을 시행할 예정이라면 비경을 이용하여 하비갑개 전방부분과 비중격점막 부분을 직접 마취하고 보스민 거즈를 패킹한다.

5) 비중격성형술 및 하비갑개 수술의 마취방법

일반적인 국소마취약을 이용하는 것으로 충분하지만, 비강 내의 시야 확보 및 출혈을 줄이기 위해 보스민 거즈를 충전해서 사용한다. 보스민 거즈는 주사로 도달하기 어려운 부위인 두측 및 후방으로 최대한 위치시키는 것이 좋다.

6) 수술 중의 환자 관리와 감시

코 수술은 다른 수술에 비해 수술 중 기도를 확보하는 것이 중요하며, 전신마취 또는 수면마취의 경우에는 특히 정맥라인 유지, 기도확보 및 응급상황에 대비할 수 있는 준비가 필요하다. 특히 국소마취약물인 lidocaine과 epinephrine 등이 과다하게 사용되지 않도록 주의해야 하며, 약물들이 혈관으로 직접 주입되면 빈맥, 혈압 상승 등이 발생하므로 주의 깊게 모니터링 해야 한다. 이런 경우 주입을 멈추고 환자의 상태를 지켜보고 수술을 진행하는 것이 좋다. 간혹 항생제의 과민반응으로 인해 환자가 오심 또는 구토 등을 수술장 내에서 호소하는 경우도 발생할 수 있으므로 당황하지 말고 기도확보를 하고, 충분히 안정된 후 수술을 진행해야 한다. 수술 후 회복 중에도 같은 원칙을 적용하도록 한다.

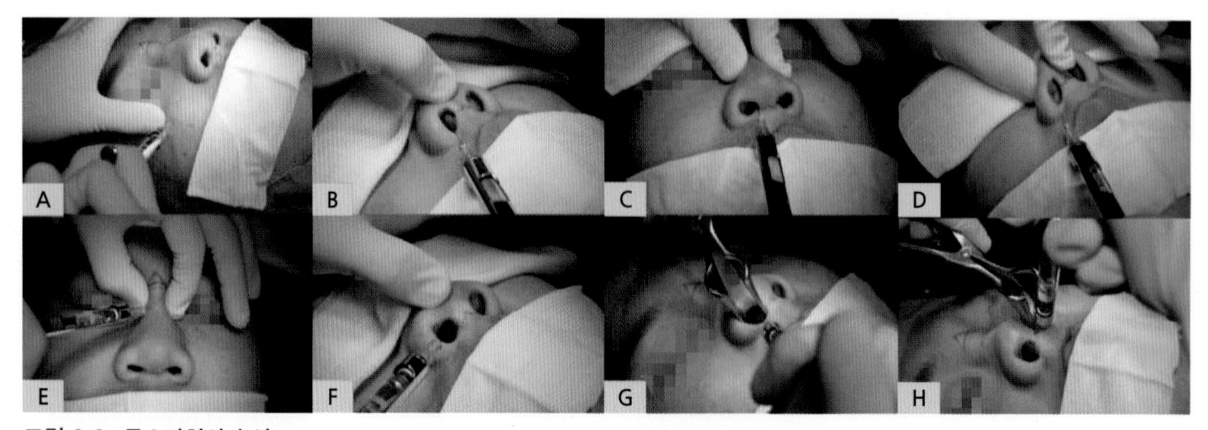

그림 8-8. 국소마취의 순서

A. Infraorbital nerve block B, C. Caudal septum부터 시작하여 전진하면 external nasal nerve을 먼저 차단할 수 있다. D. Nasal vestibule 피부 마취 E. Nasal root의 마취 F. Columellar portion의 마취 G. Nasal septum 마취 H. 하비갑개 마취

참고문헌

1. 강진성, 성형외과학, 1판, 서울, 군자출판사, 2004
2. 대한성형외과학회 코성형연구회 공저, 아시아인 코 성형술의 최신지견 수술가이드, 1판, 서울, 군자출판사, 2011
3. 민양기, 임상비과학, 1판, 서울, 일조각, 1997
4. Man Koon Suh, M.D., Asian rhinoplasty, 1st edition, Seoul, K,A,P,S, 2012
5. 장용주, Rhinoseptoplasty, 1판, 서울, 군자출판사. 2013
6. Bahman Guyuron, RHINOPLASTY, first edition, New York, Saunders, 2012
7. Constantian MB: A model for planning rhinoplasty. Plast Reconstr Surg 79: 472, 1987
8. Corur K, Polat G, Ozcan C. The role of apoptosis in traumatic versus nontraumatic nasal septal cartilage. Plast Reconstr Surg 2007;119:1773-6.
9. De Pochat VD, Alonso N, Figueredo A, Riveiro EB. The role of septal cartilage in rhinopalsty: Cadaveric analysis and assessment of graft selection. Aesthetic Surg J 2011;31(8):891-6.
10. Heijden P, Korsten-Meijer AG. Nasal growth and maturation age in adolescents. Arch Otolaryngol Head Neck Surg 2008;134(12):1288-93.
11. Holt GR. Biomechanics of nasal septal trauma. Otolaryngologic clinics of North America 1999;32:615-9,
12. Jack P. Gunter, Rod J. Rohrich, William P. Adams, Jr., DALLAS RHINOPLASTY, 2nd edition, St. Louis, QMP, 2007
13. Jeong JY. Tripod Framework rebuilding in Asian nose: Tip plasty using alar advancement technique. J Korean Soc Aesthetic Plast Surg 2010;16(3):125-38.
14. John B. Tebbetts, M.D., Primary Rhinoplasty, 2nd edition, Canada, Mosby, 2008
15. Letrourneau A, Daniel RK. The musculoaponeurotic system of the nose. Plast Reconstr Surg 1988;82(1):48-
16. Richmon JD, Sage A, Wong VW, Chen AC, Sah RL, Watson D. Compressive biomechanical properties of human nasal septal cartilage. Am J Rhinol 2006;20:496-501.
17. Richard YH, Byrd, HS. Septal extension graft revisited: 6-year experience in controlling nasal tip projection and shape. Plast Reconstr Surg 2003;112:1929-35.
18. Rohrich RJ, Adams WP Jr. The boxy nasal tip: classification and management based on alar cartilage suturing techniques. Plast Reconstr Surg 2001;107(7):1849-63
19. Rorich RJ: Nasal Tip Blood Supply: Confirming the Safety of the Transcolumellar Incision in Rhinoplasty. Plast Reconstr Surg. 106(7):1640, 2000.
20. Rollin K. Daniel, Mastering Rhinoplasty, 2nd edition, New York, Springer. 2010
21. Rotter N, Tobias G, Lebl T, Roy AK. Age-related changes in the composition and mechanical properties of human nasal cartilage. Arch Biochemistry and Biophysics 2002;403:132-40.
22. Toriumi DM. Structural approach to primary rhinoplasty. Aesthetic Surg J 2002;22:72-85.
23. Toriumi DM, Mueller RA, Grosch T, et al. Vascular anatomy of the nose and the external rhinoplasty approach. Arch Otolaryngol Head Neck Surg 1996;122(1):24-34
24. Warren, R., Plastic Surgery: Aesthetic Surgery, first edition, Saunders, 2012
25. Y Saban: An Anatomical Study of the Nasal Superficial Musculoaponeurotic System. Arc Facial Plast Surg 10: 2, 109, 2008

CHAPTER

9 수술 절개법 | Approach Methods

Chapter Author | 김영진

코 성형 수술에 사용되는 절개법으로는 크게 접근 시 코 연골을 노출시키기 위해 점막에 가해지는 절개법, open approach 시 비주에 가해지는 절개법, 비중격 노출을 위해 비중격 점막에 가해지는 절개법, 비익 성형 시 비익 피부에 가해지는 절개법으로 나누어 볼 수 있다.

1. Endonasal approach 시 사용되는 절개법

Endonasal approach는 노출법(delivery approach)과 비노출법(nondelivery approach)으로 나눌 수 있는데 이렇게 접근법을 분류하는 것은 비첨 변형의 정도에 따라서 선택하기 위한 것이며 어떠한 접근법이든지 nasal hump를 제거하거나 코를 높히는 등 콧등에 대한 기본적인 조작이 가능하다.

Endonasal approach 시 주로 사용하는 절개법은 infracartilaginous incision, marginal incision, intercartilaginous incision, intracartilaginous incision이 있다(**그림 9-1**).

1) Infracartilaginous incision(비익하연골절개)

Lower lateral cartilage 하연을 따라 절개하는 것으로 nostril rim을 따라 절개하는 rim incision(비공연절개)와는 다른 절개법이다. 절개선의 디자인은 더블 후크를 사용하여 nostril을 젖힌 뒤 시행하게 되는데, 대개 lower lateral cartilage의 medial crus는 피부의 직하방에 있는 반면, lateral crus는 외측으로 진행할수록 nostril rim에서는 멀어지게 되므로 이를 고려하여 피부 절개선을 디자인

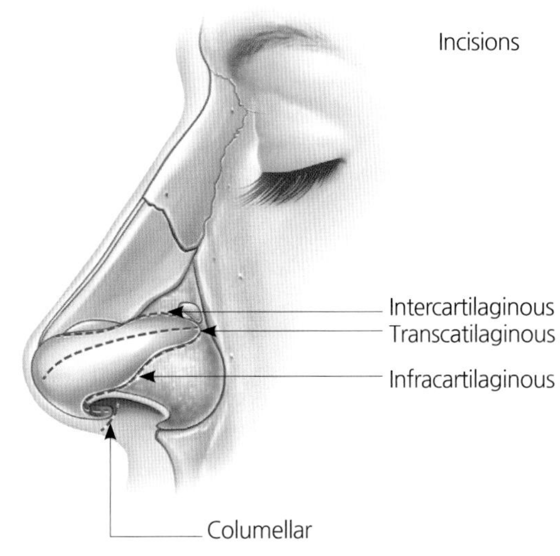

그림 9-1. **Endonasal approach 시 사용하는 절개법**

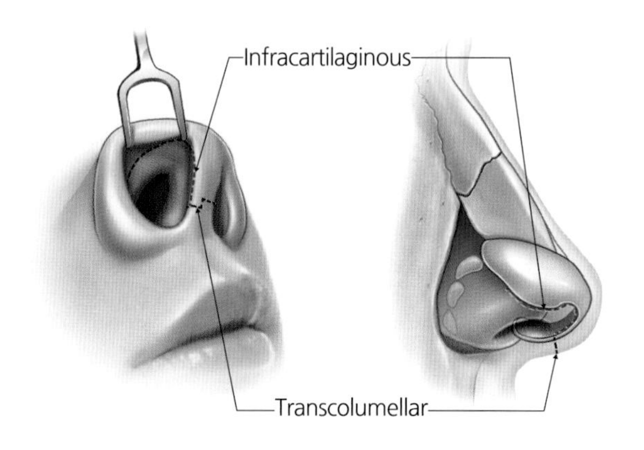

그림 9-2. Infracartilaginous and transcolumellar incision

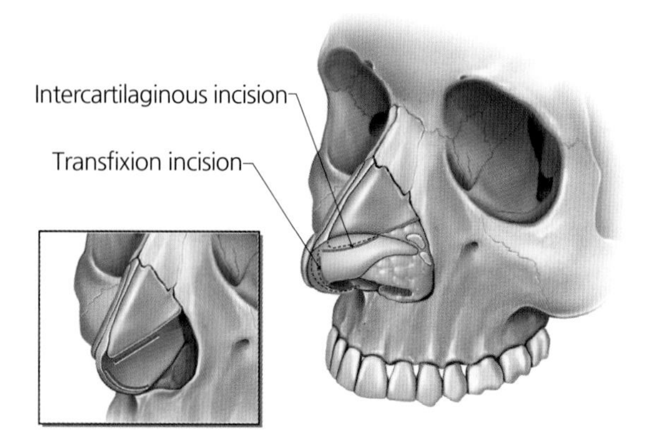

그림 9-3. Intercartilaginous and transfixion incision

한다. 1:100,000 에피네프린을 첨가한 1% 리도카인 용액을 절개선을 따라 주입한 뒤 절개를 시행하며, medial crura 부위에서 메스를 깊게 삽입하면 medial crura의 손상을 초래할 수 있으므로 주의한다. 많은 경우 infracartilaginous incision을 transcolumellar incision(비주횡절개선)과 연속시켜 open rhinoplasty를 시행한다(**그림 9-2**).

2) Intercartilaginous incision(비연골간절개)

Lower lateral cartilage과 upper lateral cartilage 사이의 공간을 따라 시행하는 절개를 지칭한다. 더블 후크를 이용하여 nostril을 젖혔을 때 upper lateral cartilage의 하연이 비교적 쉽게 나타나기 때문에 절개선을 디자인 하는데 큰 문제는 없다, 다만 수술 후 nasal valve의 손상을 줄 수 있기 때문에 limen vestibuli에서 1~2 mm하방을 절개하는 것이 좋다. 이 절개법은 비배 중앙으로부터 비근부의 접근이 용이한데, 특히 transfixion incision(관통절개)의 윗부분과 연결하면 osseocartilaginous vault로 직접 접근할 수 있기 때문에 이를 통해 humpectomy 등을 시행할 수 있다(**그림 9-3**).

3) Transcartilaginous incision(비연골내절개)

이 절개법은 경연골절개라고도 하는데, lower lateral cartilage의 cephalic portion을 절제하는 수술에서 많이 이용된다. Lower lateral cartilage의 lateral crura를 관통하도록 절개선을 디자인하는데, 대개 lateral crura의 미측 경계로부터 약 6~8 mm 두부에 절개를 시행한다.

4) Rim incision(비공연절개)

Nostril rim을 따라 시행하는 절개법으로 융비술 시 보형물을 삽입하기 위한 절개법으로 사용되기도 하지만, soft triangle의 반흔으로 인한 변형을 초래할 수 있는 단점이 있어 흔하게 사용되지는 않는다.

2. 비주에 시행하는 절개법

1934년 Emile Rethi가 transcolumellar incision을 처음 소개하면서 알려지게 되었으며 초창기에는 비주 부위의 반흔 때문에 쉽게 받아들여지지 않았지만, 1980년 초부터 비주 부위의 반흔이 큰 문제가 되지않으며 더 만족스러운 결과를 얻을 수 있다는 보고와 함께 현재는

infracartilaginous incision을 transcolumellar incision과 연결시켜 open rhinoplasty를 시행하고 있다.

비주 절개법에는 여러 종류가 있으나, 현재는 역브이(V) 절개(Goodman's incision)나 계단모양절개(stairstep incision)가 가장 많이 이용되고 있다(**그림 9-4**). 비주 외측에서는 1.5~2 mm 두께로 절개선을 연장하며 infracartilaginous incision과 연결시킨다.

Transcolumellar incision를 하면서 비첨의 혈액 공급을 보존하기 위해서는 비첨 피하조직의 과도한 제거나 비익 base의 과도한 절제를 하지 않아야 한다. 비첨의 혈관공급은 주로 비익 groove에서 2~4 mm 위를 지나는 외측비동맥(→ lateral nasal artery)에 의해서 이루어지므로 비주 절개로 인해 superior labial artery의 columellar branch가 손상된다 하더라도 피하 연조직의 제거나 과도한 비익 base의 절제만 피하면 실제 비첨 부위가 괴사될 위험은 거의 없다.

Transcolumellar incision은 columella의 가장 좁은 부분인 중간 부위에서 시행한다(**그림 9-5**). 15번 블레이드로 피부만 절개하여 medial crus의 손상이 가해지지 않도록 하고 nasal vestibule로 절개를 연장하여 lower lateral cartilage의 안쪽 medial crus의 caudal margin을 따라 middle crus까지 진행한다. 이후 비익을 더블훅으로

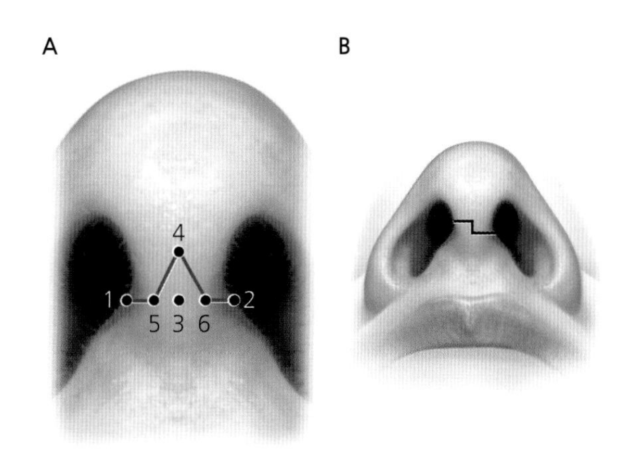

그림 9-4.
A. Inverted 'V' incision, B. Stair-step incision

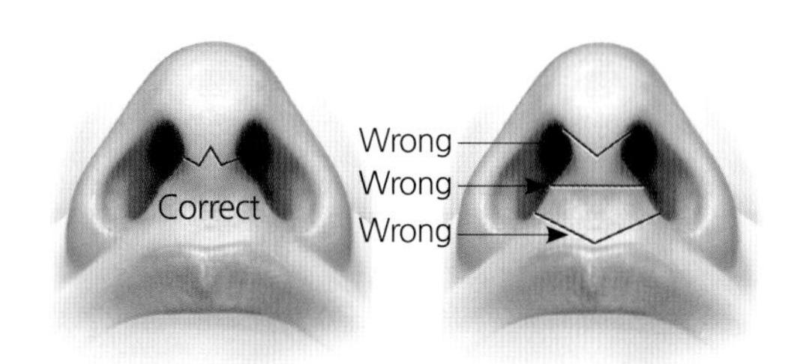

그림 9-5. 올바른 columella 절개선의 위치 및 모양

걸고 외부에서 압력을 주고 뒤집은 다음 lateral crura의 caudal margin을 따라 절개를 가하여 내측의 절개선과 연결한다. 미세한 박리용 가위를 이용하여 연골막 상방을 따라 코의 피부를 columella에서 비첨방향으로 박리를 한 뒤, lateral crura 상방에서도 연골막 상방으로 박리를 진행하여 middle crus위에서 두 박리면을 연결시킨다. 피부의 연골막 상방으로의 박리는 keystone 부위 상방 2 mm까지 진행하며, 여기서부터는 Joseph elevator를 이용하여 골막 하방으로 nasion까지 박리를 하여 필요한 pocket을 형성한다.

3. 비중격 점막에 시행하는 절개법

비중격에 대한 접근법은 크게 Killian 절개와 transfixion incision(관통절개)으로 나뉘고(**그림 9-6**), transfixion incision은 membranous septum(막성 비중격)의 양측에 모두 절개를 가하는 complete transfixation incision(완전관통절개)와 한쪽에만 절개를 가하는 hemitransfixation incision(반관통절개)로 다시 나눌 수 있다. Transfixion incision은 비중격의 caudal margin에서 약 1~2 mm 정도 cephalic portion에 시행하는데, 대개의 경우 hemitransfixation incision만으로도 membranous septum의 기본 구조를 보존하면서 전체 septum으로의 접근이 가능하며, intercartilaginous incision과 연속 하였을 때에는 비배부의 osseocartilagenous vault를 노출시킬 수도 있다. Killian절개법은 septal cartilage의 caudal margin에 절개

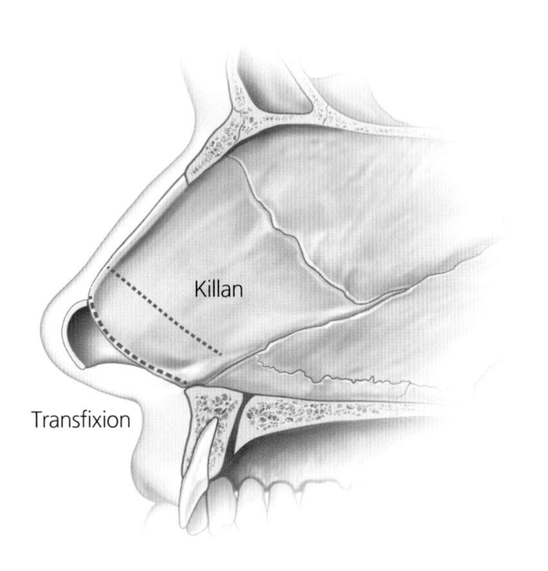

그림 9-6. Killian절개선 및 transfixion incision의 위치

를 가하는 transfixion incision보다 1~2 cm 가량 후방에 절개를 가하고 비중격으로 접근하는 방법이다. 이 방법은 비첨 supporting structures의 손상을 최소화할 수 있다는 장점이 있다.

4. 비익 성형술 시 사용되는 절개법

비익을 축소하기 위한 절개법에는 weir incision(둑절개법)과 wedge incision(쐐기절개법)이 있다(**그림 9-7**).

Weir incision은 비익 base를 줄일 때 nostril sill에 가해지는 절개법들을 지칭하는 비특이적인 용어이며 wedge incision은 비익 base를 줄이기 위해 코와 볼 사이의 비익 groove에 가해지는 절개법을 지칭한다. Weir incision은 절제할 조직의 양을 먼저 결정한 다음, 이 양을 폭(width)으로 하는 평행한 절개선을 nostril sill에 디자인하는데, dog-ear deformity을 방지하기 위해서는 두 절개선이 비익과 안면부의 경계 부위에서 자연스럽게 만나도록 작도하여야 한다. 또한, 외측 피판의 양이 충분해야 비익에서 nostril sill으로 이어지는 경계부위가 자연스러울 수 있음을 염두에 두어야 한다. 비익 기저부를 내측으로 이동하는 데 도움을 주기위해 전기 소작기를 이용하여 nasalis muscle을 절제하기도 한다.

Wedge incision의 디자인은 반드시 비익 groove에 시행되어야 하며, 이보다 높게 작도하였을 때에는 눈에 띄는 반흔이 남을 수 있다. 필요한 경우에는 weir incision

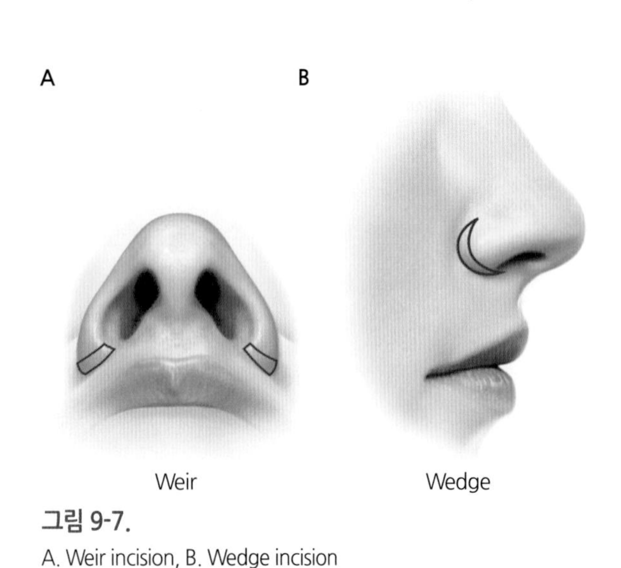

그림 9-7.
A. Weir incision, B. Wedge incision

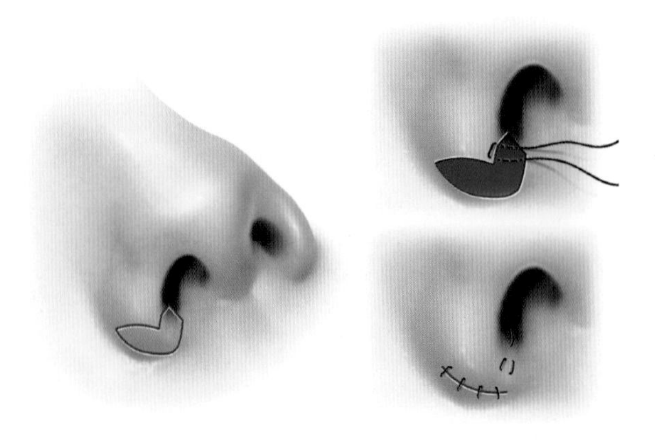

그림 9-8. Weir incision과 wedge incision을 혼합한 형태의 절개선

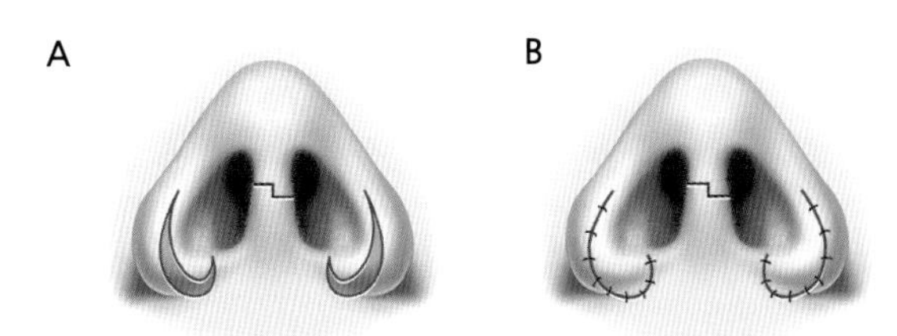

그림 9-9. **두꺼운 비기저부를 교정하기 위한 절개선**

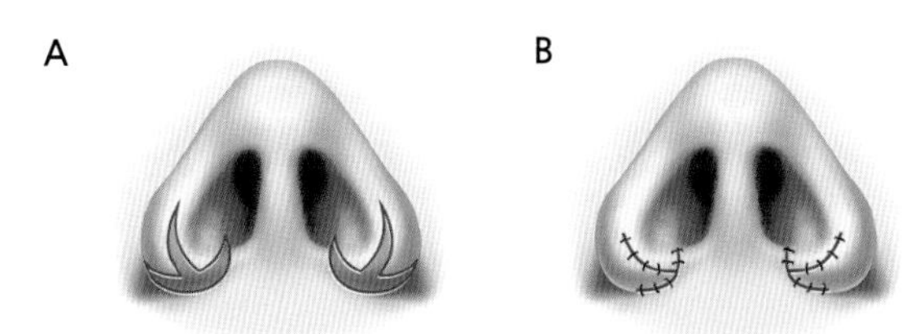

그림 9-10. **두껍고 넓은 비기저부를 함께 교정하기 위한 절개선**

과 wedge incision를 함께 시행하기도 한다(**그림 9-8**).

비기저부가 두꺼운 경우 초승달 모양이나 L자 형태의 절개선을 비익에 작도하여 비기저부를 줄여주는 수술을 시행하기도 한다(**그림 9-9, 10**).

참고문헌

1. 한동열, 이춘근. 동양인의 코 성형술. Seoul : 은산미디어, 2009;14-21
2. Azizzadeh B, Murphy MR, Johnson CM, Numa W. Master Techniques in Rhinoplasty.Philadelphia : Saunders, 2011;55-65
3. Daniel R. Mastering Rhinoplasty 2nd ed : A Comprehensive Atlas of Surgical Techniques with Integrated Video Clips. Heidelberg: Springer, 2010; 18-23
4. Suh MK. Asian Rhinoplasy. Seoul : Koonja Co, 2012; 47-53

CHAPTER 10

비배부 융비술 | Modification of Dorsum

Chapter Author | 서만균

1. 서론

아시아인의 코는 낮은 nasal dorsum(비배부)이 주요한 특성 중의 하나이다. 그러므로, 아시아인의 코를 다루는 성형외과 의사에게는, dorsal augmentation(비배부 융비술)은 가장 흔히 접하는 코성형술기가 되기 때문에, 이에 대한 술기와 사용되는 다양한 재료들에 대해서 깊은 지식을 갖추어야 한다.

1) 아시아인의 nasal dorsum 특성

아시아인의 nasal dorsum은 높이가 낮고, 코뼈의 길이가 짧으며 다소 넓은 편이다. 또한 연부조직(soft tissue)이 얇은 서양인에 비해, 아시아인의 피부는 진피(dermis)와 피하조직(subcutaneous tissue)이 두텁고 더 fibrotic하다.

이러한 특성으로 인해서 dorsal augmentation에 사용되는 재료에 대한 선호도에서 아시아권 의사와 서구 의사 사이에 뚜렷한 차이가 있다.

서양인들의 경우, 얇은 코의 피부로 인해서, 보형물 사용 시 비침이나 티가 나는 등의 부작용의 가능성이 높아서, 연골 같은 자가조직의 사용이 우선시되고 있다. 더욱이, 서양인들에게는 dorsal augmentation 자체가 흔하지 않을 뿐더러, 높여야 할 nasal dorsum의 양 자체도 작은 경우가 대부분이어서 적은 양의 연골로도 충분히 가능하다. 그러나, 아시아인들은 augmentation해야 할 양 자체가 서양인에 비해 훨씬 많기 때문에 자가조직을 이용한 augmentation에 다소 제한이 따른다.

2) Dorsal augmentation에 사용되는 재료에 관한 논란

Dorsal augmentation을 위해 사용하는 재료는 크게 보형물과 자가조직으로 나눌 수 있다.

성형외과 영역에서 자가조직의 안전성이나 유용성에 관해서는 논란의 여지가 없으나, 아시아인 dorsal augmentation에 자가조직만이 최선이냐 하는 것에 관해서는 여전히 많은 이견들이 존재하는 것이 사실이다. 자가조직의 경우 안전성에 비해, 모양면에서 보형물의 오똑함이나 날렵함에 미치지 못한다던지, 공여부의 흉터, 이식조직의 흡수, 그리고 수술이 좀 더 커지는 등의 문제가 있기 때문이다. 그동안 국내에서도 자가조직으로 dorsal augmentation을 하려는 노력들이 증가하고 있는데 주로 fascia, dermofat, rib cartilage, diced cartilage 등이 사용되고 있다. 그러나, dermofat graft나 diced cartilage graft는 흡수로 인해서 원하는 높이에 이르지 못하고 높이에 대한 예측성이 떨어지며, rib cartilage graft의 경우에는 질감이 단단하고, 얇은 연부조직을 가진 환자에서는 nasal dorsum에서 좌우 경계선이 날카롭게 비쳐보이는 경우가 있으며 드물게, 굴곡, 휨(warping) 등이 발생하기도 하여(**그림 10-1**), 아직까지는 모양 면에서의 보형물의 장점을 포기하기는 어려운 것이 현실이다.

자가조직이 안전한 재료이고, 가장 우선적으로 고려할 재료인 것은 누구나 인정하고, 실제로 임상에서도 그렇게 적용되고 있다. 그러나 서구 의사의 입장에서 보형물의 사용을 터부시하는 견해는 아시아인의 코의 조건에는 항상 맞는 것은 아니며, 오히려 자가조직만으로 dorsal augmentation 후에 모양의 불만족으로 재수술을 받는 경우도 많아, 아시아인의 피부특성이나 미적 요구의 동서양의 차이를 감안한다면, 보형물 사용은 여전히 아시아인의 코 성형의 주요한 부분을 차지할 수 밖에 없다.

이번 장에서는 dorsal augmentation에 사용되는 다양한 보형물과 자가조직의 특성, 사용법, 그리고 dorsal augmentation에 관련된 수술적 테크닉에 관해 다루고자 한다.

2. Dorsal augmentation with implants

아직까지 부작용이 전혀 없는 이상적인 보형물은 알려져 있지 않다. 각 재료는 장단점이 있으며, 성형외과 의사들 사이에도 재료에 관한 주장과 선호도가 다르다.

아시아, 특히 국내에서 dorsal augmentation을 위해 흔히 사용되는 보형물에는 silicone, e-PTFE (expanded polytetrafluoroethylene), sili-tex, Medpor 등이 있으나, 사용 빈도 순서로, silicone, e-PTFE, sili-tex 순이고, 이 셋에 대해서 다루고자 한다.

1) 보형물의 종류와 특성

(1) 보형물의 조건

보형물은 생체 내에 장기간 들어있어도 화학적 변화를 일으키지 않으면서 형태 변화가 없는 재료를 말하며, 보형물이 갖추어야 할 조건은 다음과 같다.

① 생체 내에서 물리화학적인 변화가 없어야 한다.
② 생체 내에서 염증(inflammation)이나 이물반응(foreign body reaction)을 발생시키지 않아야 한다.
③ 독성이 없어야 한다(non toxic).
④ 암을 유발시키지 않아야 한다(non carcinogenic).
⑤ 알레르기를 일으키지 않아야 한다(non allergenic).

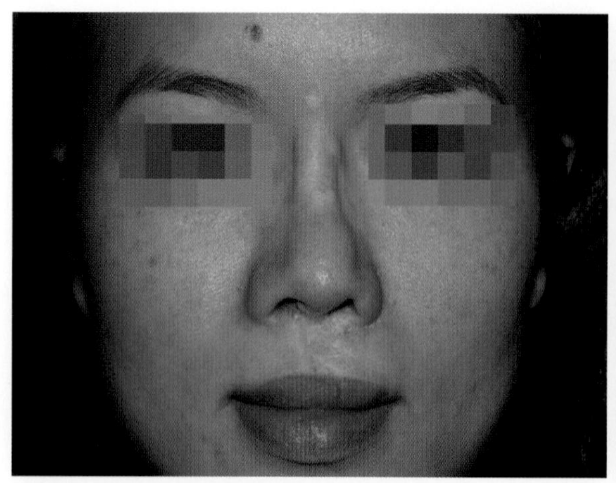
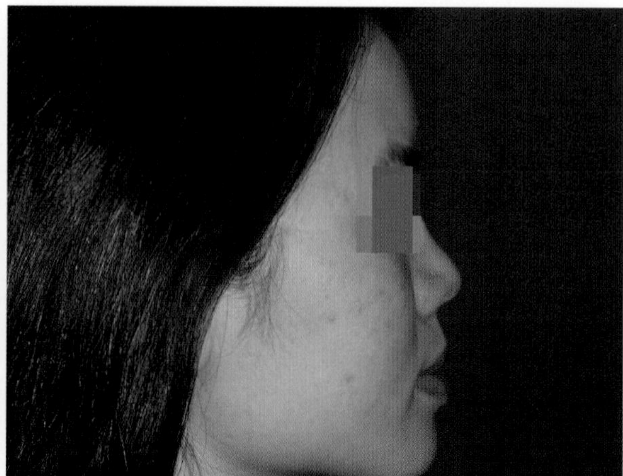

그림 10-1. 늑연골을 이용한 융비술. 변연이 잘 드러나고, 부분적인 흡수로 인해서 굴곡이 관찰된다.

(2) 실리콘(silicone)

① Silicone 보형물의 제조

우리말로는 실리콘이라 하지만, 용어에 대해서 구분하자면, silicone과 silicon은 엄연히 다르다.

Silicon은 원소인 규소(Si)를 말하며, 지구상에서는 순수한 원소형태로 존재하지 않고 주로 산화규소(SiO2)와 같은 화합물의 형태로 주로 암석에 존재하고 있으며, 정제하여 순수한 규소 원소를 얻을 수 있다. 성형외과에서 보형물로 사용되는 실리콘은 silicon에 -e를 붙여서 silicone이라고 명명하며, 원소인 silicon과 다른 첨가물의 혼합체인 폴리머(polydimethylsiloxane)이다.

코 성형에 사용되는 실리콘 보형물은 블록형태의 실리콘을 깎아서 제작하는 형식과 액상 실리콘을 직접 주물에 부어서 제작하는 형식이 있다. 최근에는 주물제작 방식의 보형물에 대한 선호도가 증가하였다.

실리콘의 제조뿐만 아니라, 블록형을 조각하여 납품하는 것 자체도 식품의약품안전청에서 허가를 받은 업체에서 하여야 하므로, 시술하는 의사는 반드시 허가된 업체인지 확인하여야 위법을 피할 수 있다.

② 실리콘의 경도(degree of softness)

실리콘의 단단한 정도는 분자사슬(molecular chain)이나 첨가제의 혼합 정도에 따라서 결정 되는데, 의료용 실리콘은 주로 말랑한 경도의 고무 실리콘(silicone rubber)을 사용한다. Rubber silicone의 경도는 경도계로 측정한 수치에 따라서 very soft, soft, medium, firm (hard) 등으로 구분한다. 일반적으로 코성형에서는 soft silicone의 사용이 흔하며, 매우 무른 실리콘은 high soft silicone이라 칭하여 사용되기도 한다.

③ 실리콘 보형물의 특성

실리콘 보형물의 중요한 특성은 다음과 같다.

i. 높이의 변화가 없다

e-PTFE와는 달리 nasal dorsum에 삽입된 후에 시간이 경과하더라도, 높이의 변화나 형태학적인 변화가 없다는 것이 장점이다. scar와 capsule contracture나 calcification에 따른 보형물의 구부러짐이나 변형이 드물게 존재하기도 하지만(**그림 10-2**), 재료 자체의 높이 저하는 거의 오지 않기 때문에, 모양에 대한 예측성이 좋은 재료라 할 수 있다.

ii. Capsule formation

실리콘이 인체 내에 삽입되면, 이물질로 인식되어, macrophage가 관여하는 foreign body reaction으로 인해 섬유조직 형성이 보형물 주변에 발생하여 보형물을 감싸게 되는데(**그림 10-3**), 이것이 capsule이다. capsule은 실리콘 보형물의 매우 중요한 특성으로, 다음과 같은 점을 염두에 두어야 한다.

a. 긍정적인 역할로는 capsule로 인해서 주변조직과 보형물 사이의 유착이 방지되므로 보형물 제

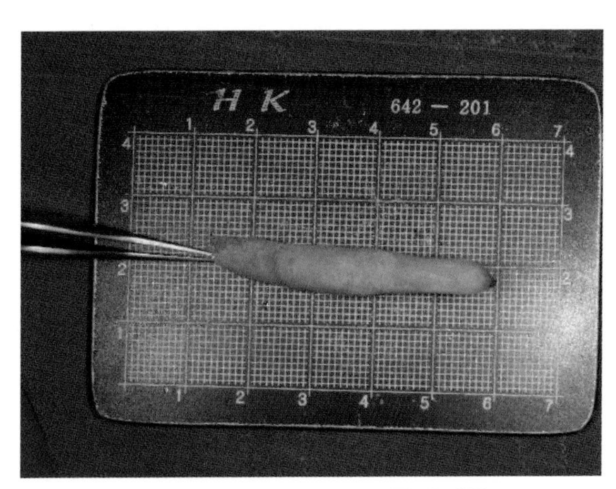

그림 10-2. 석회화로 인한 실리콘 보형물의 변형

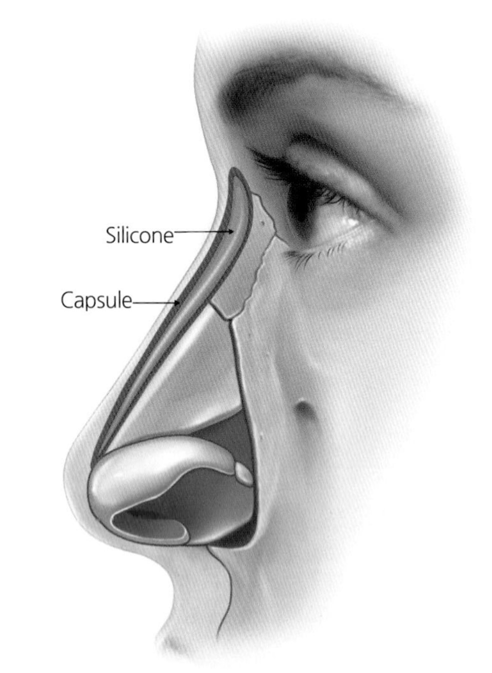

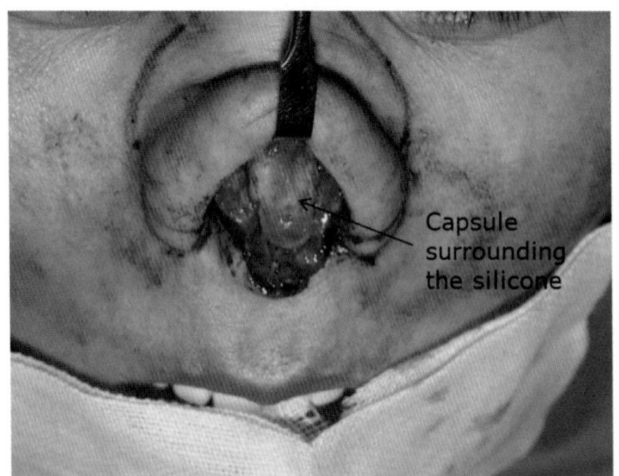

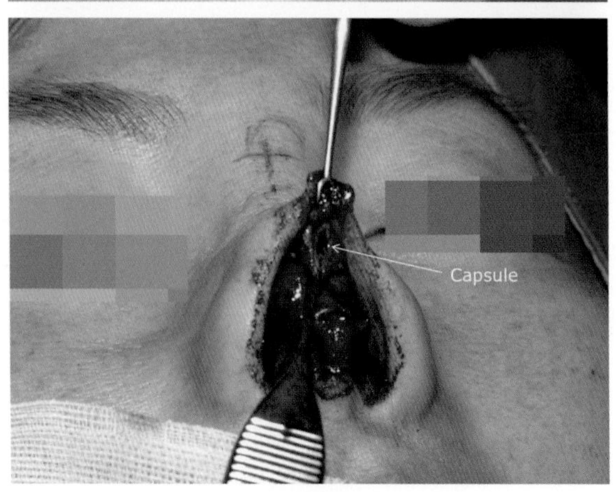

그림 10-3. 실리콘 보형물의 캡슐

거 시에 쉽게 될 수 있고, capsule이 보형물과 피부 사이에서 하나의 연부조직처럼 존재하기 때문에 보형물이 피부를 통해서 덜 비쳐 보이게 하는 역할이 가능하다(good capsule).

b. 흔한 경우는 아니지만, capsular contracture로 인해 들창코 변형이나 보형물의 가장 자리에 티가 나는 현상이 발생할 수 있고(**그림 10-4**), capsule이 비후화(hypertrophy)되는 경우에는 nasal dorsum이 두터워지는 현상이 발생할 수 있다(bad capsule)(**그림 10-5**).

iii. 실리콘 표면의 석회화(calcification)

실리콘 보형물이 오랫동안 신체에 삽입되어 있으면, 실리콘 표면에 칼슘이나 지질이 침착하여 석회화가 진행되는 경우가 있다. 고분자 의료용 삽입물에서 나타나는 석회화는 이영양성 석회화(dystrophic calcification)에 의한 것으로 명백한 원인은 아직 밝혀지지 않았고, 몇 가지 가설들만 보고되고 있다.

석회화는 주로 실리콘의 nasal dorsum쪽 표면에 존재하지만, capsule의 표면에 부착되기도 하며(**그림 10-6**), 외관상으로도 피부에서 몽우리처럼 보이고 만져지는 경우도 있다(**그림 10-7**). 고어텍스도 석회화가 있으나, 실리콘에 비해서는 매우 드물다.

(3) e-PTFE (expanded polytetrafluoroethylene)

테프론(Teflon)이란 브랜드로 잘 알려진 합성수지인 PTFE (polytetrafluoroethylene)를 열과 기계적 힘을 가하여 팽창시키면, 내부에 벌집모양의 미세한 기공들이 형성되는데, 이를 확장된 PTFE (ePTFE, expanded PTFE)라고 부른다. 임상적으로는 봉합사, 인공혈관, 심장수술 시에 patch용으로 사용되었고, 그 외에도 신경외과, 안과, 비뇨기과 영역 등 다양한 분야에서 사용되어

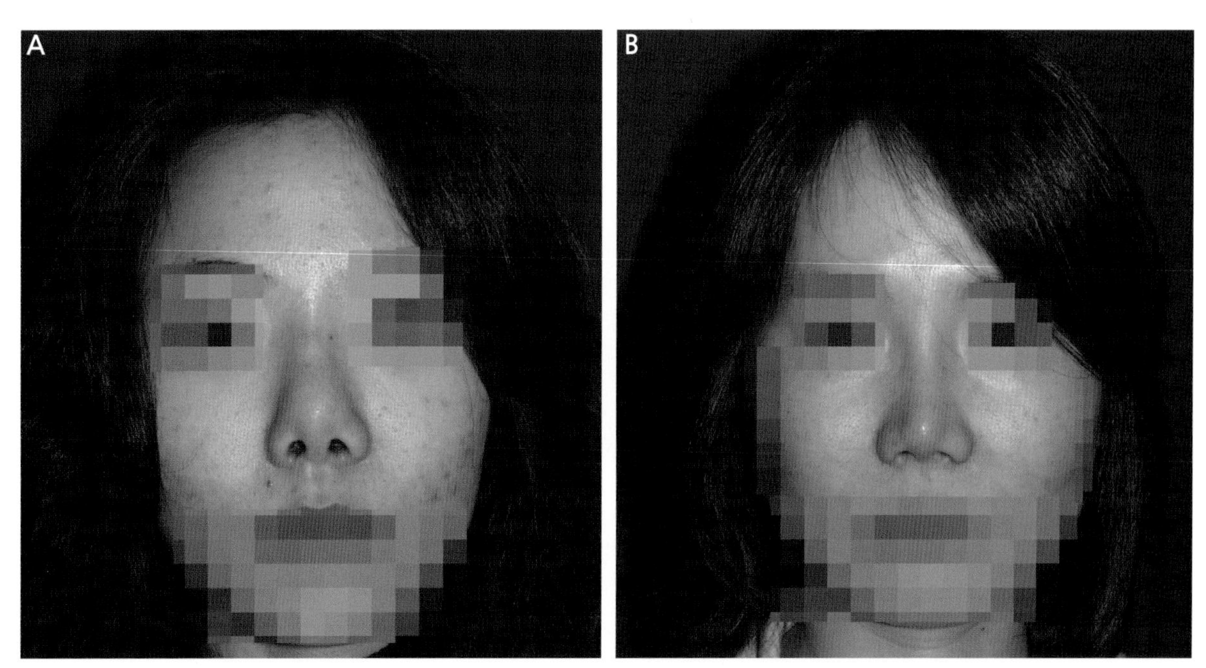

그림 10-4. Capsular contracture.
A. 캡슐구축으로 인한 코끝 들림(들창코 변형) B. 캡슐 구축으로 인해 보형물 좌우의 가장 자리가 잘록하게 보이는 현상

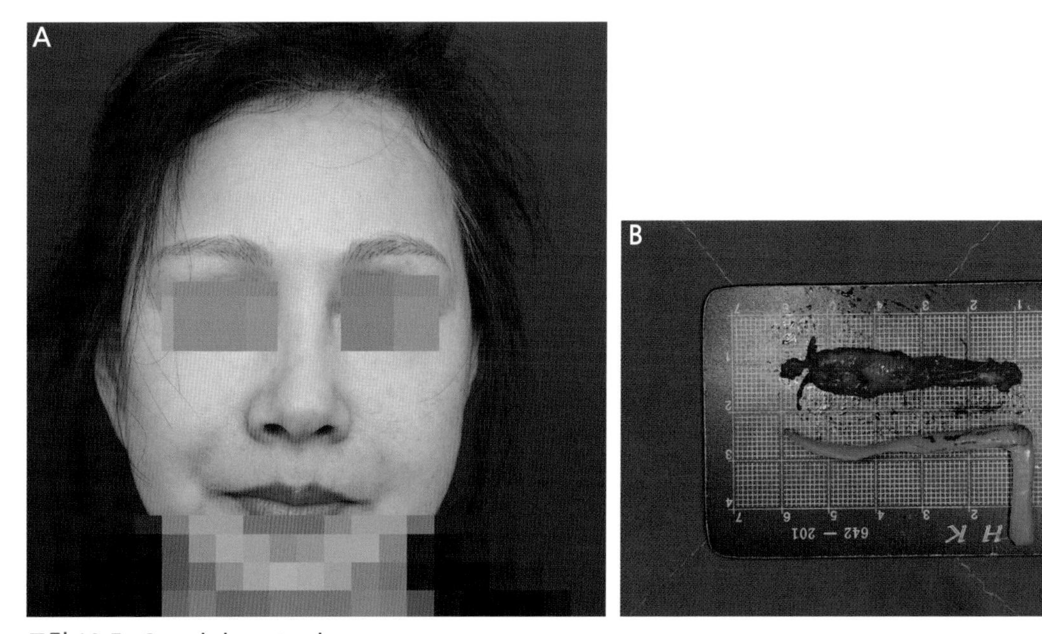

그림 10-5. Capsule hypertrophy.
A. 눈 사이의 비배부의 폭이 두터워져 있음 B. 눈 사이 비배부의 캡슐이 비후화 되어 있음을 알 수 있다.

왔다.

e-PTFE 상품 중에 가장 널리 알려진 고어텍스(Gore-Tex®)는 1972년 Soyer 등에 의해 처음 혈관 보형물로 임상에 소개되었으며, 1983년 Neel에 의해 안면부 조직 재건에 처음 사용된 이후, 1989년 Rosthein과 Jacobs에 의해 코 성형술에 사용되기 시작하였고, 1993년 미국 FDA에서 nasal augmentation을 포함한 미용성형 수술에 사용을 인정받은 물질이다.

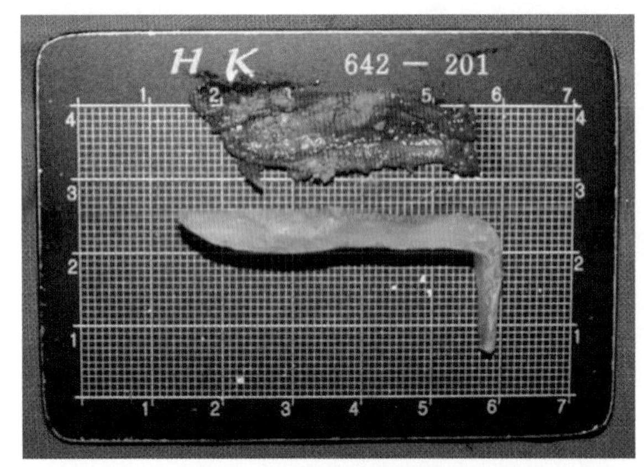

그림 10-6. Calcification on the surface of silicone and capsule

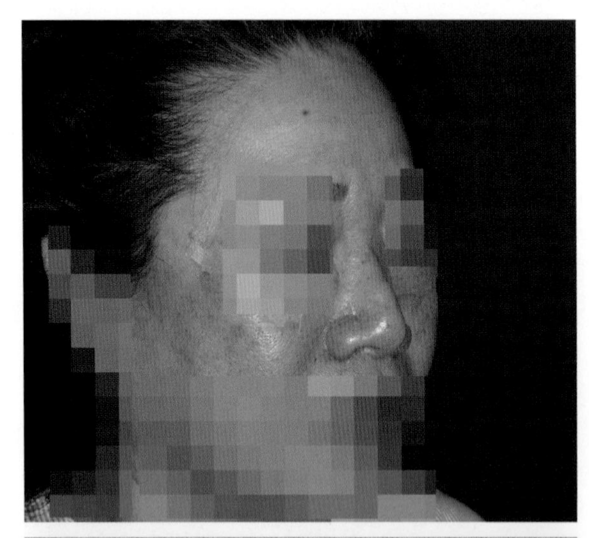

그림 10-7. 실리콘 석회화로 인한 비배부의 굴곡

① e-PTFE의 구조 및 제조

e-PTFE는 PTFE 결절(nodule)들이 fibril에 의해 연결되어 0.5~30 μm의 micropore(미세기공)를 가지고 있는 구조로(**그림 10-8**), micropore를 통해 주변조직이 삽입물 안으로 자라 들어갈 수 있다는 것이 특징이다.

고어텍스 보형물에는 어떠한 다른 부수물도 포함되어 있지 않으며, 순수한 e-PTFE로만 구성되어 있다.

제품은 시트형태(sheet type)와 블록형태(block type)가 있다(**그림 10-9**).

시트형태는 제조 중 팽창과정에서 양쪽 방향으로 팽창한 것이고(bidirectional expansion), 블록 형태의 제품은 한쪽 방향으로 팽창한(unidirectional expansion) 시트(sheet)를 여러 겹 포개어(laminated) 만들어지나, 구체적인 제조과정은 공개되어 있지 않다. 블록 형태와 시트 형태는 화학적인 구조는 동일하나, 현미경적인 결절구조(nodal structure)가 다르다고 볼 수 있다.

코의 보형물로 사용할 때는 과거에는 시트형을 한두 겹 겹쳐서 nasal dorsum에 넣거나, 블록형태의

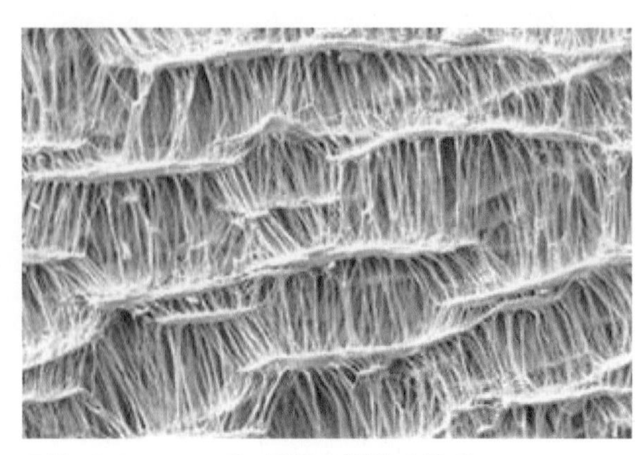

그림 10-8. e-PTFE의 미세구조(결절과 fibril)

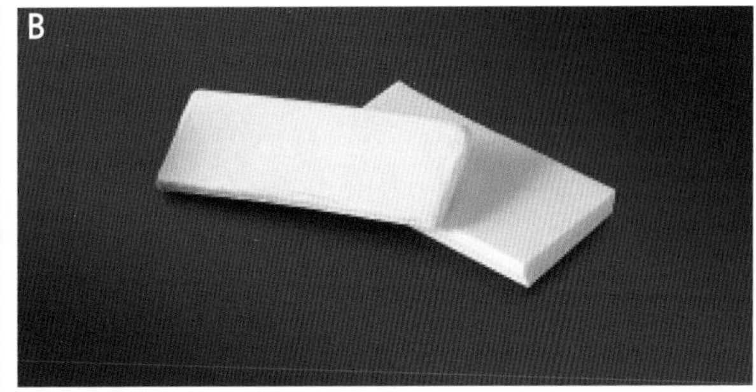

그림 10-9. e-PTFE 제품. (A) sheet type, (B) block type"

제품을 조각하여 사용하는 경우가 흔했으나, 최근에는 실리콘 보형물처럼, 공장에서 이미 다양한 모양과 높이로 조각된 제품의 형태로 공급되고 있다(**그림 10-10**).

그림 10-10. 조각되어 공급되는 e-PTFE 제품

② e-PTFE의 경도

e-PTFE의 경도는 soft, medium, hard로 나뉜다. 경도를 결정하는 인자로는, pore의 크기가 가장 중요한 요소인데 pore의 크기가 작고 치밀할수록 경도가 강하다. 그 외에 제조 시 팽창의 방향, 결절의 방향도 경도 결정의 요소가 된다. 팽창의 방향이란 한쪽 방향으로만 팽창했는지, 양쪽 방향으로 했는지의 차이인데, 양쪽 방향으로 한 경우에 경도가 더 부드럽다. 시트형태의 제품이 블록형태에 비해서 pore의 크기는 약간 더 작으나(15~25 μm), 양쪽 방향의 팽창으로 제조되었기 때문에 감촉이 다소 더 부드럽게 느껴진다.

③ e-PTFE의 특성

e-PTFE는 pore 내로 인체조직이 자라 들어가는 특성이 있으므로(tissue ingrowth),

i . 이로 인해서 보형물의 움직임이 적고

ii . 캡슐 형성이 없어서 capsular contracture로 인한 주변조직 변형이 적다.

iii. 육안적인 석회화가 실리콘에 비해서 현저히 적다.

그러나 단점으로는,

i . 인체 내 삽입 후에 시간이 지남에 따라서 보형물의 높이가 낮아지기 때문에 모양에 대한 예측성이 떨어지고,

ii . 주변 조직의 pore 내 ingrowth와 주변조직과의 유착으로 보형물 제거가 실리콘에 비해 어려우며,

iii. capsule 형성이 없는 점이 장점이기도 하지만, 반면에 보형물이 피부와 더 잘 유착되고 이것이 오히려 보형물의 양쪽 가장자리가 두드러져서 티가나는 원인이 되기도 한다(**그림 10-11**).

④ 생체 내에서의 e-PTFE의 변화

i. 생체 내에서의 조직학적 변화

이식 후 일주일째부터는 주변조직의 감입이 시작된다. 전자현미경 소견에 의하면 결제조직의 pore 내 ingrowth는 시간이 경과하면서 점점 더 증가하게 되며, 일년 이상 경과한 조직에서는 신생혈관이 관찰된다.

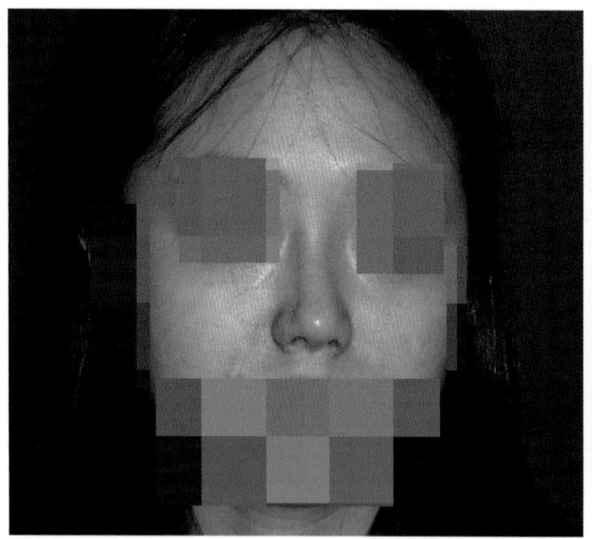
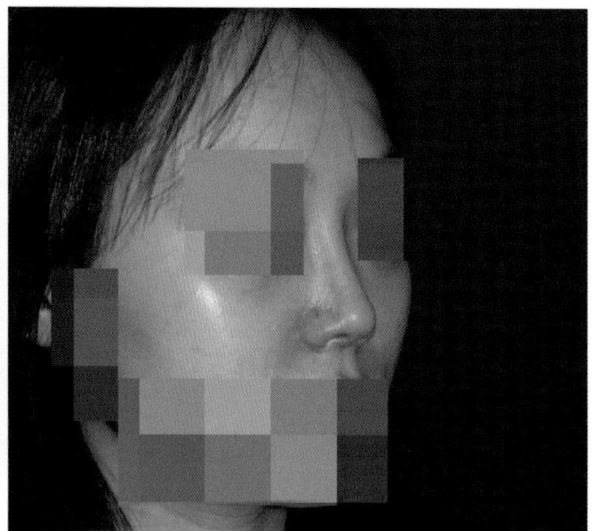

그림 10-11. Visible implant contour (e-PTFE)

저자가 인체의 nasal dorsum에 5년 동안 이식되어 있던 고어텍스를 제거하여 조직 검사한 소견에 의하면, 주변 결체조직의 고어텍스 내로의 증식은 잘 관찰되었으나, 이는 보형물을 구성하는 여러 겹의 시트 중에서 주로 표면부의 시트에 국한되면서 중심부까지는 진행되지는 않았다(**그림 10-12**). capsule 조직이라고 명확히 구분되는 조직은 관찰되지 않았다. 보형물 주변부의 결체 조직 내부에는 multinucleated giant cell이 고어텍스 입자를 포식하는 부위들이 관찰되는데, 이는 수술 당시 보형물 조각 과정 중에 발생한 고어텍스 표면의 미세입자 부스러기들에 대한 macrophage의 foreign body reaction으로 판단된다(**그림 10-13**). foreign body reaction은 보형물 표면의 손상이 없고 매끈

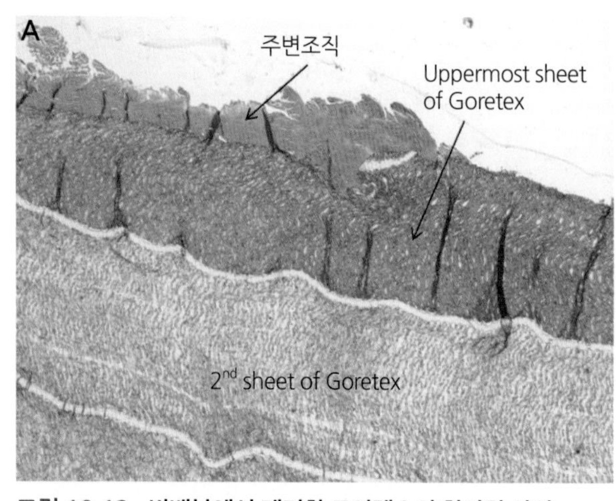

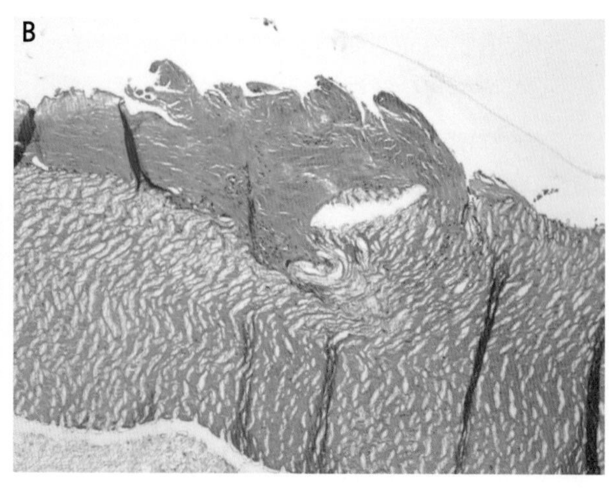

그림 10-12. 비배부에서 제거한 고어텍스의 현미경 사진

변조직이 고어텍스 내부로 ingrowth 되어 있으나, 여려 겹의 고어텍스 sheet 중에 서 가장 윗층의 sheet 깊이 정도만 ingrowth되면, 중심부에 미치지는 못한다(A. x20 B. x40)

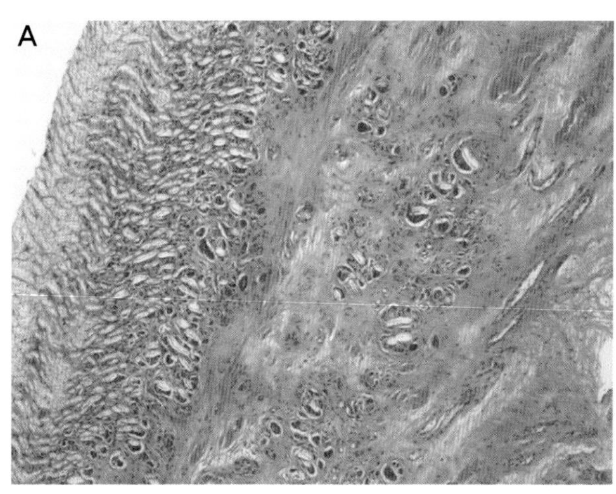

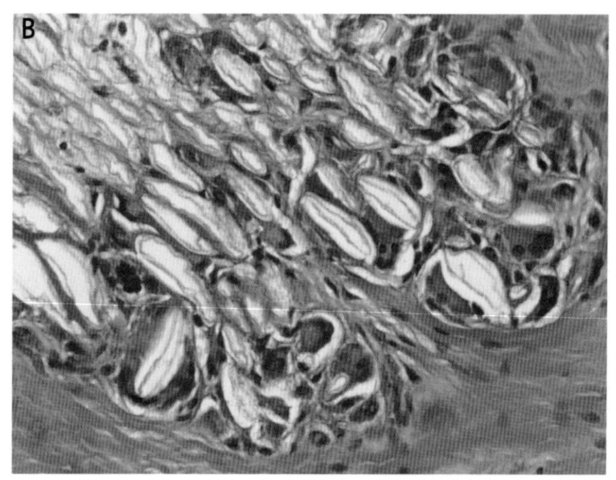

그림 10-13. 고어텍스 변의 이물반응 소견

A. x20, 좌측의 벌집모양의 구조가 고어텍스이고, 우측의 분홍색 부위는 변의 결체조직이다. Macrophage가 고어텍스입자를 포식하는 것이 보인다(이물반응). B. x200, 많은 mutinucleated giant cell 내부에 하얀색의 고어텍스 입자들이 보인다.

할수록 적다.

보형물 주변에 면역세포들이 증가하고, foreign body reaction이 증가하면, 수술 후 감염이 없음에도 불구하고 반복적으로 붓는 현상이 발생하게 된다.

ii. 형태학적 변화

nasal dorsum에 삽입된 후에 높이 변화는 많게는 40% 이상 낮아진다는 보고도 있으나, 대개 20% 정도의 변화가 평균적이다. 초기 보형물의 두께가 높은 것일수록 낮아지는 비율이 더 크고, nasal dorsum의 위치에 따른 차이는 없으며, 높이 변화는 대개 수술 후 9개월 이내에 완결되어 그 이후에는 거의 변화가 없다. 길이나 폭에 대한 변화는 크지 않은 것으로 보고된다.

보형물의 모양 변화는 e-PTFE의 가장 큰 단점이 된다. 이에 대한 대책으로 최근에는 soft type보다는 hard type을 사용하기도 하는데, 높이 변화는 최소화되지만, nasal dorsum에 모양을 정확히 맞추어 조각하는 것이 좀 더 어렵고, tissue ingrowth의 양은 저하된다는 점은 감안하여야 한다.

(4) 실리텍스(sili-Tex)

실리텍스는 실리콘 본체의 표면을 얇은 e-PTFE 시트로 감싼 제품이다. 수술 시의 조각을 위해서 보형물의 바닥면은 실리콘 상태로 노출되어 있다(**그림 10-14**). 높이 변화가 없는 실리콘을 본체로 하고, 표면은 캡슐 형성이 최소화되는 e-PTFE로 덮은 것으로 두 보형물의 장점을 취했다고 볼 수 있다.

① 장점

ⅰ. 실리콘이 높이 유지를 하므로, 보형물의 높이 변화가 없고,

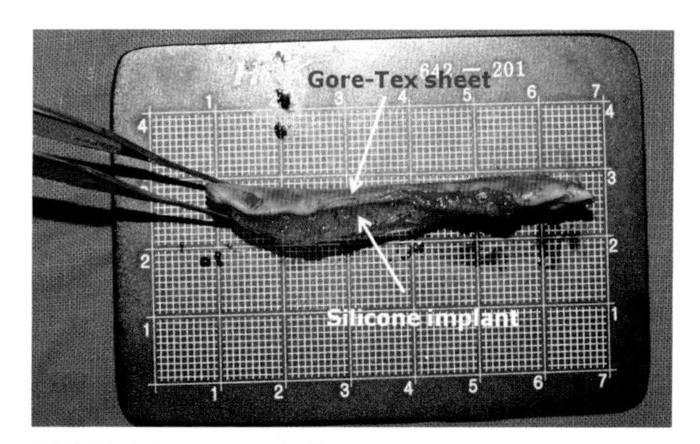

그림 10-14. Removed sili-tex

ii. 표면은 e-PTFE로 되어 있으므로, 주변 조직의 ingrowth를 유발하여

iii. capsule 형성이 억제되고(**그림 10-15**),

iv. 보형물의 움직임이 적다.

② 단점

i. 보형물의 밑면만 조각이 가능하므로, 보형물 폭의 조절이나 경사면의 조각 같은 정교한 조각이 불가능하고,

ii. 실리콘에 비해서 더 자연스럽게 보이느냐 하는 것에 대해서는 논란의 여지가 있다(**그림 10-16**).

iii. 실리콘에 비해서 제거가 어렵다(**그림 10-17**).

Sili-tex는 한때 많이 사용되었으나, 최근에는 그 빈도가 현저히 감소하였다.

2) 보형물과 주요 이슈

(1) 감염률

실리콘과 e-PTFE 중에서 어떤 보형물이 더 감염이 잘 생기는지에 대해서는 오랜 기간 논란이 되어왔다. 코에 사용된 실리콘과 e-PTFE의 감염률을 직접 비교한 보고는 찾기 어렵다. 그러나, 보형물 감염에 관련된 다양한 실험과 임상보고가 존재한다. 보형물의 감염은 세균의 접착(adherence)으로부터 시작되는데, Brewer 등의 in vitro experiment에 의하면, 고어텍스 보형물이 실리콘에 비해 세균이 더 적게 부착되었다. 실제 in vivo study에 의하면, 1977년 Kieschel은 세공성(porus) 보형물과 비공성(nonporous) 보형물의 감염 위험도가 동일하다고 보고하였다. Silistreli 등은 섬유성 조직과의 충분한 접촉과 고정은 보형물의 감염과 거부 반응에 대한 저항력을 향

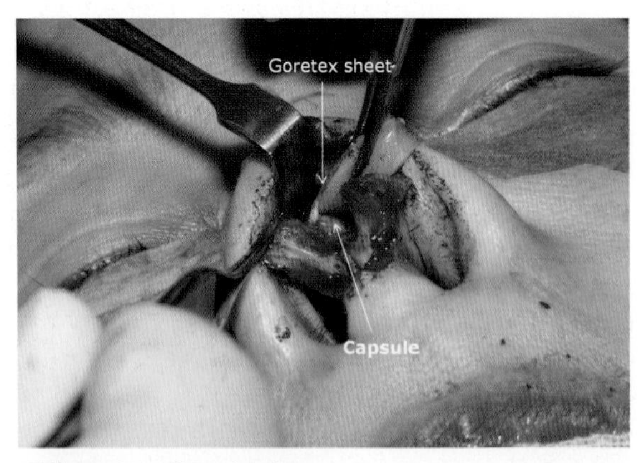

그림 10-15. sili-tex implant
실리콘을 덮고 있는 e-PTFE와 접한 부위에는 캡슐이 형성되지 않고, 주변 조직의 ingrowth가 생기며, 캡슐은 실리콘의 밑면 쪽에만 발생한다.

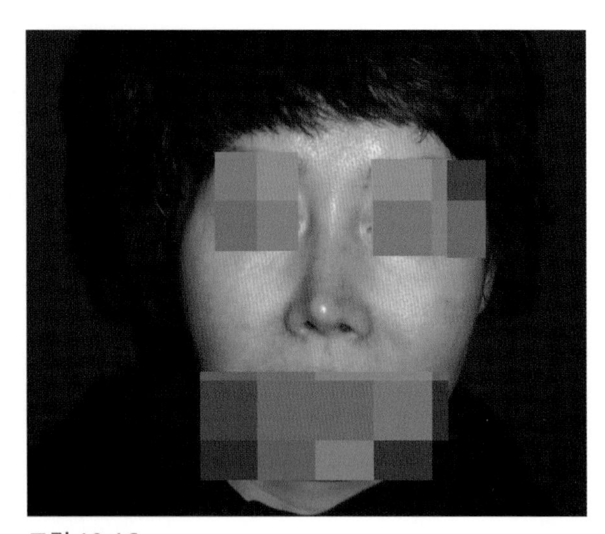

그림 10-16.
sili-tex로 수술한 환자의 모습으로 보형물의 좌우 경계 선이 뚜렷하게 보이고, 비배부 피부가 붉다.

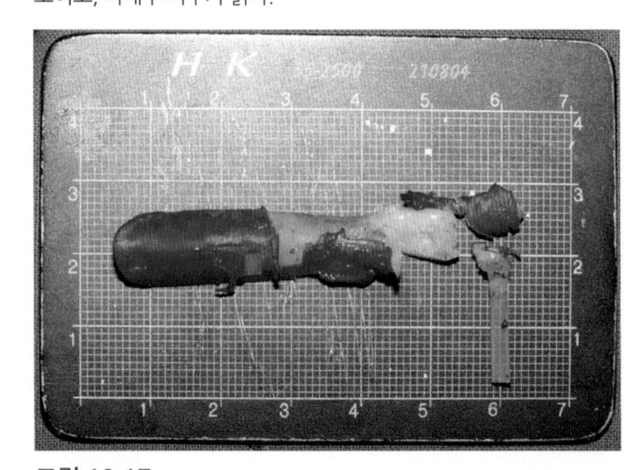

그림 10-17.
sili-tex제거 시에 얇은 e-PTFE sheet가 실리콘 표면에서 분리되는 경우가 있는데, 조각으로 분리되어 제거된 경우에는 반드시 조각을 맞추어서 코안에 남은 조각이 없는지 확인하는 것이 중요하다.

상시킨다고 보고하였다.

일반적으로 보형물의 표면적과 감염율은 비례한다. 따라서 pore를 가진 보형물(e-PTFE)의 감염률이 실리콘에 비해서 이론적으로는 더 높다고 볼 수도 있으나(**그림 10-18**), 일단 fibrovascular tissue가 pore 내로 자라 들어가고, pore가 소실된 후에는 표면적의 차이가 사라지므로 실리콘에 비해 감염의 위험이 더 큰 것은 아니다. 오히려 capsule에 의해서 주변조직과 분리되어 있고 조직 밀착이 없는 실리콘 보형물과는 달리 e-PTFE는 주변조직과의 밀착(contact)과 tissue ingrowth가 이 감염에 대한 억제력을 증가시켜주기 때문에, 감염률이 감소한다고 볼 수 있다. 즉, 인체 내 삽입 후 초기에는 e-PTFE의 감염률이 다소 더 높을 가능성이 있으나 시간이 경과하면서 감염률은 오히려 더 낮아질 수 있다. 결국, 전체적인 감염의 빈도는 e-PTFE와 실리콘 간에 별 차이가 없다고 보는 것이 타당하다.

저자가 10여 년간 dorsal augmentation에 시술했던 1,000여 케이스의 고어텍스에서 감염의 빈도는 0.5%로 실리콘의 감염률에 비해서 더 낮았다. 따라서 보형물의 감염률의 차이는 어떤 보형물을 사용했는가보다는 예방적 항생제의 사용 유무나, 항균물질의 전처리, 보형물을 다루는 의사의 기법 등에 근거한다고 할 수 있다.

e-PTFE의 pore 크기는 10~30 μm이므로, 크기가 30-40 μm인 macrophage는 기공 내로 들어가기 어렵지만, 크기가 0.5~1.5 μm인 세균의 유입은 가능하다. 그러므로 augmentation 중에 세균이 보형물의 기공 내에 들어가면 immzune system의 감시에서 벗어나기 쉽다(**그림 10-19**). 그러므로, 기공성 보형물(porous implant)을 조각하고 삽입하는 과정에서 철저한 무균조작(aseptic manipulation) 원칙을 지키는 것이 매우 중요하다.

Pore를 가진 보형물의 이러한 특성을 간과하여 철저한 무균원칙을 지키지 못한다면, e-PTFE 사용의 초심자들이 간혹 경험하는 빈번한 감염의 위험성을 마주하게 될지 모르며, late infection이나 subclinical infection을 경험하게 될 수도 있음을 인식하여야 한다.

(2) 티나는 것(operated looking)

보형물을 사용한 융비술 후에 수술한 티가 나는 원인은, 보형물의 높이가 과도하게 높거나 보형물의 폭이 너무 좁거나 넓어서 티가 나는 것을 제외하면, 대부분 비배부 피부의 변색(dorsal skin redness), 피부 얇아짐(thinned dorsal skin) 등이 있다.

일반적으로 고어텍스가 티가 덜 나고 자연스러우며,

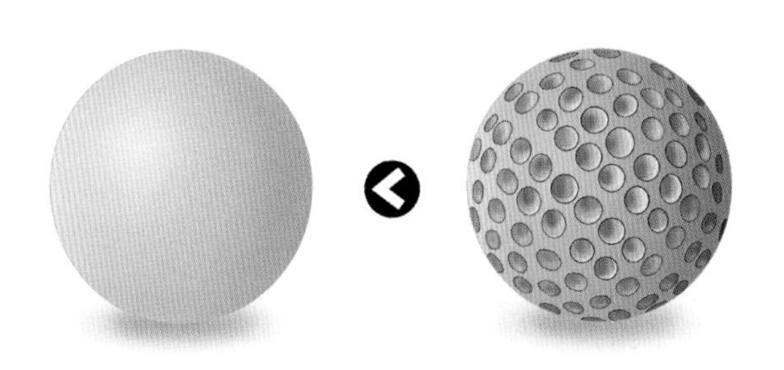

그림 10-18. 감염률은 보형물의 표면적에 비례한다

그림 10-19. 기공의 크기가 세균보다는 크지만, macrophage 보다는 작기 때문에, 기공 내에 들어간 세균에 macrophage가 접근하기는 어렵다.

실리콘 중에서도 경도가 무른 것(soft type)이 티가 덜 난다고 알려져 있으나, 그러한 믿음에 어긋나는 사례들을 많이 보게 되는 것이 사실이다. 어떠한 보형물이든지 티가 날 수 있다. 모든 환자에게서 항상 자연스러운 보형물은 존재하지 않는다(**그림 10-20**). 더욱이 기대와는 달리, 고어텍스 보형물을 넣은 후 시간이 경과하면서 캡슐이 없는 보형물에 피부가 유착되면서 보형물의 경계가 드러나고 티가 많이 나는 케이스들을 접하는 경우가 드물지 않다(**그림 10-21**).

결국 피부 변색이나 피부 얇아짐, 경계보임 등의 현상은 얼마나 많이 높였느냐, 피부가 얼마나 얇은가, 피부에 얼마나 많은 장력이 작용하느냐의 문제이지, 어떤 보형물인지는 그다지 중요하지 않다.

보형물의 경도도 마찬가지다. 소프트 실리콘이라고 해서 티가 덜 나는 것은 아니다. 다만, 소프트 타입이 nasal bone과의 흡착이 잘 되어 안전하게 고정이 되는 의미는 있으며, 연부조직에 대한 자극이 적고 이로 인한 감염의 확률이 저하되는 의미는 충분하다.

보형물의 경도는 코의 피부쪽이 아니라, 바닥의 골격의 밀착도에 관련된다. 부드러울수록 밀착도가 뛰어나서 삐뚤어짐이나 움직임이 적은 장점이 있으나, 피부변색이나 티나는 것과는 큰 관련성이 없다고 생각한다.

피부의 얇아짐, 붉어짐 등의 문제는 하이소프트 실리콘이나 고어텍스처럼 보형물의 경도를 낮춘다고 해서 극복되는 것이 아니다.

보형물을 자연스럽게 보이게 하는 요소들은 다음과 같다.

① 보형물의 높이(height of the implant): 보형물의 높이가 높을수록 부자연스럽게 보일 확률은 높아진다.

② Nasal dorsum 피부 두께(skin thickness): 원래 피부가 얇은 환자나 과도하게 높은 보형물을 사용해서 피부가 얇아진 환자는 보형물의 비쳐보임, 경계 보임 등이 발생하기 쉽다.

③ Nasal dorsum 피부장력(skin tension): 피부의 장력은 피부의 변색(붉어짐)과 관련되어, 티가 나는 원인이 된다.

④ 포켓의 깊이(pocket plane): 보형물과 피부 사이의 연부조직이 풍부할수록 티가 덜 난다. 인위적으로 이의 보강을 위해 근막의 사용, 기존 캡슐의 활용 등이 가능하다.

⑤ 보형물의 모양(implant carving): 보형물의 폭과 양

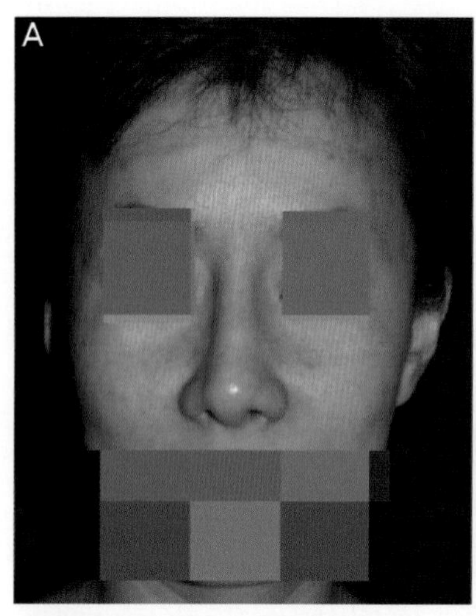

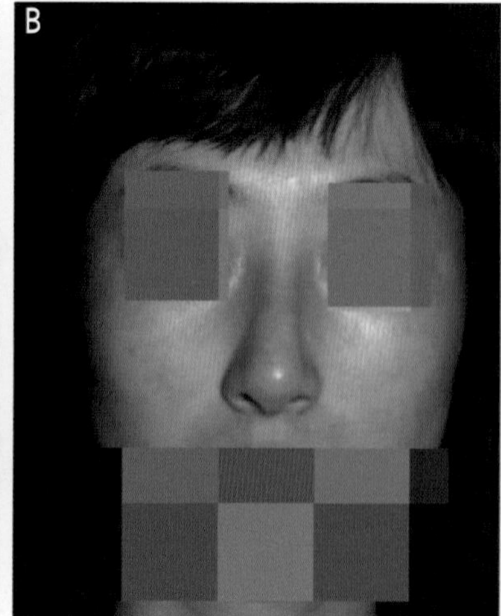

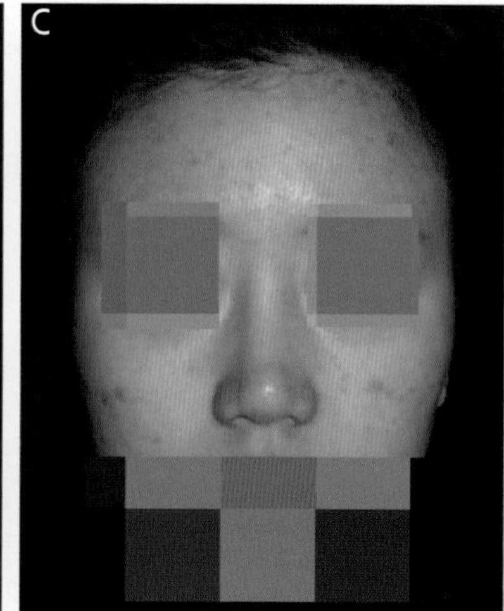

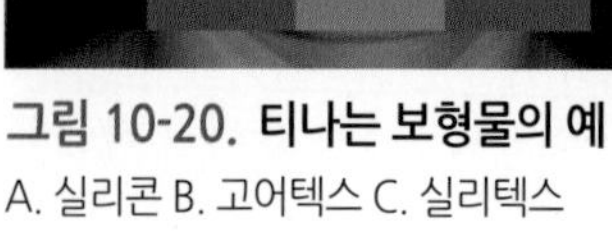
그림 10-20. 티나는 보형물의 예
A. 실리콘 B. 고어텍스 C. 실리텍스

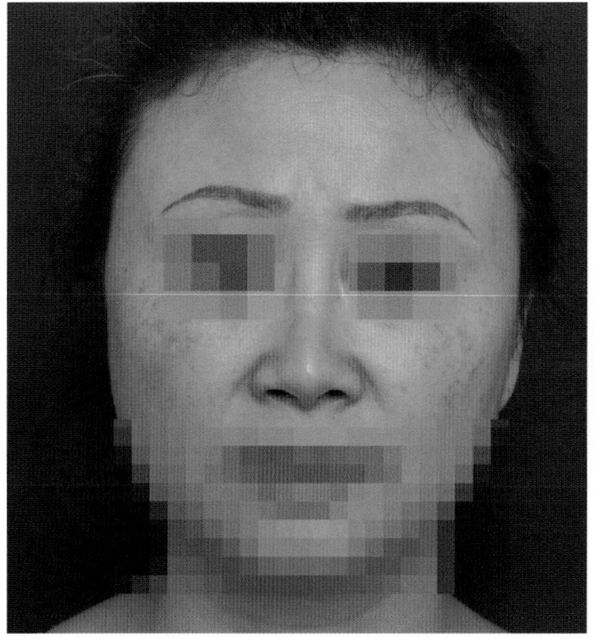
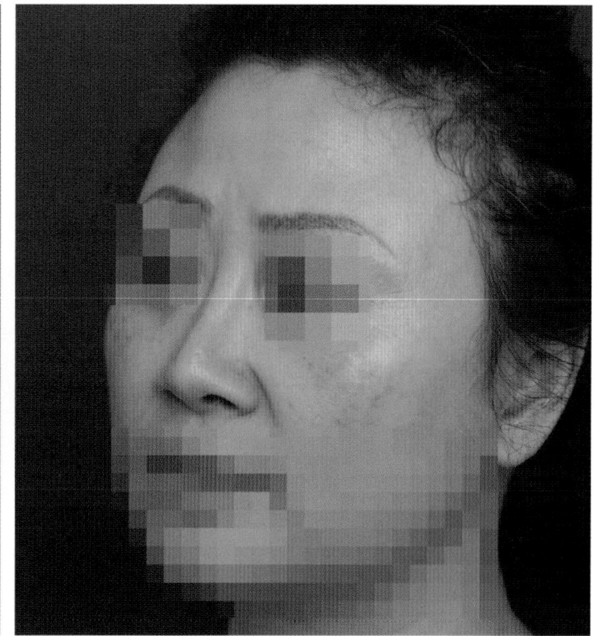

그림 10-21. 티나는 고어텍스 보형물

쪽 경사면의 형태에 따라서 자연스러운 모양이 결정된다.

피부가 얇아지거나 붉어지고, 보형물이 비쳐 보이거나, 경계가 보여서 티가 나는 것은 사용된 보형물보다는 코의 피부 두께, 피부 장력, 주변조직과의 유착의 정도 등에 기인한다. 그러므로, 한 가지 보형물만을 고집하거나, 막연한 편견을 갖는 것보다는 다양한 재료들을 다루면서, 환자의 조건에 맞는 재료를 선택적으로 사용하는 것이 필요하다. 특히, 재수술의 경우에, 문제의 원인을 재료의 종류에만 초점을 맞추다 보면, 해결방향 자체가 잘못될 수 있다.

3) 보형물을 이용한 dorsal augmentation 테크닉

(1) 보형물의 선택

아직까지는 부작용이 없는 이상적인 보형물은 없고 각 보형물은 장단점이 있기 때문에, 시술자는 한 가지 보형물만을 고집하는 것보다는 케이스별로 가장 적합한 보형물이 무엇인지 판단하여 선택적으로 사용하는 것이 필요하다.

보형물의 중요한 요건 중의 하나인 형태학적 변화가 없고, 높이에 대한 예측성이 우수하다는 점에서 실리콘의 사용이 일반적이나, 다음과 같은 경우에는 e-PTFE의 사용을 고려할 수 있다.

① Capsular contracture가 심한 구축된 코(contracted nose)

② Capsule이 비후하여서 비배부가 넓어진 경우(hypertrophied capsule)

③ 골막이 약한 경우(weak periosteum): 골막이 약한 경우, 보형물이 움직임이 발생하기 쉬우나, e-PTFE는 코뼈나 주의 조직과의 밀착도가 높아서 보형물의 움직임이 덜 하다.

④ 석회화가 동반된 실리콘 보형물의 재수술(calcification on the surface of Silicone implant)

⑤ 실리콘에 대한 이물 반응이 있는 경우(foreign body reaction to silicone)

⑥ 지연된 자발혈종이 동반된 실리콘 보형물의 재수

술(late spontaneous hematoma in silicone implant)

(2) 디자인 및 보형물 조각

수술 전 상담을 통해서, 환자의 코의 조건에 맞는 보형물의 종류와 보형물의 높이를 결정하고, tip plasty 등의 부수적인 수술에 대한 계획도 확정한다.

① 디자인

환자에게 정면을 응시하게 한 상태에서 보형물의 시작점과 끝점을 코에 표시한다(**그림 10-22**). 보형물의 시작점은 서양인들의 경우 쌍꺼풀 라인을 잡게 되지만, 아시아인의 경우에는 속눈썹을 기준으로 잡는 것이 자연스럽게 보인다. 이마가 돌출된 환자일수록 좀 더 위쪽으로 잡게 되고, 이마가 편편할수록 아래쪽으로 기준을 잡아야 한다.

보형물의 끝은 nasal tip까지 들어가지 않고, nasal tip의 바로 위쪽 정도까지 가게 하여야 하는데, 대개 길이가 35~45 mm 사이가 된다. nasal tip부위에는 어떠한 경우에도 보형물이 들어가지 않아야 하고, 연골을 사용하여야 한다(**그림 10-23**).

일반적으로 서양인처럼 코가 높으면 아름다울 것으로 생각하기 쉬우나, 아시아인의 코를 서양인처럼 많이 높이면 얼굴 전체 모습에 어울리지 않는다. 특히, radix 부위를 서양인처럼 많이 높이면, 서양인과는 달리 아시아인에서는 매우 인상이 강하고 사나운 얼굴이 된다(**그림 10-24**). 이마에서 radix로 이어지는 라인을 아시아인은 자연스럽게 해야 한다.

여성의 코라면 nasal tip이 dorsal line보다 약간 더 높아서, supratip break이 부드럽게 구현되어야 하므로, 연골 이식을 통해서 nasal tip도 같이 높여주는 것이 좋다(**그림 10-25**).

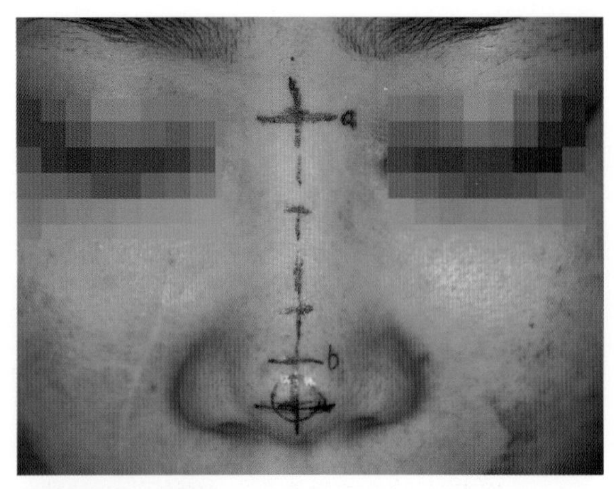

그림 10-22. 디자인
A. 보형물의 시작점 B. 보형물의 끝점

② 보형물의 조각(carving)

코에 표시한 선 위에 보형물을 놓고 보형물의 길이를 정한 후에, 환자의 코의 곡선에 맞게 적당한 높이와 폭을 가진 모양으로 조각하여 삽입하게 되는데, 이 조각과정이 아름답고 자연스러운 모양의 완성에 가장 중요하다. 보형물의 조각은 술자마다 다양한 테크닉이 존재하나, 초심자라면 #11 scalpel blade,를 사용하는 것이 편리하며, 여러 개의 blade를 준비해서 날이 조금이라도 무디어지면 새것으로 교환하면서 조각하여야 한다.

보형물의 조각 시에 주의할 점은 다음과 같다.

i . 실리콘 보형물에는 모양에 따라서 I-shape(boat shape)와 L-shape가 있다(**그림 10-26**).
I-shape은 주로 dorsal augmentation에 사용되며, L-shape는 dorsum과 tip을 동시에 높일 목적으로 사용된다. L형은 nasal tip을 통한 exposure의 위험성, nasal tip이 너무 단단해지고 비쳐 보이거나 피부변색 등의 위험성이 있으므로, 사용하지 말 것을 권한다(**그림 10-27**).

ii . 보형물의 폭은 8~12 mm 사이의 것을 주로 사용하는데, 코뼈의 폭에 따라서 개인별로 달리 설정한다.

iii. 보형물의 밑면은 오목하게 곡선을 주어 홈을 파서, 홈이 코의 골격에 밀착되도록 하여야 보

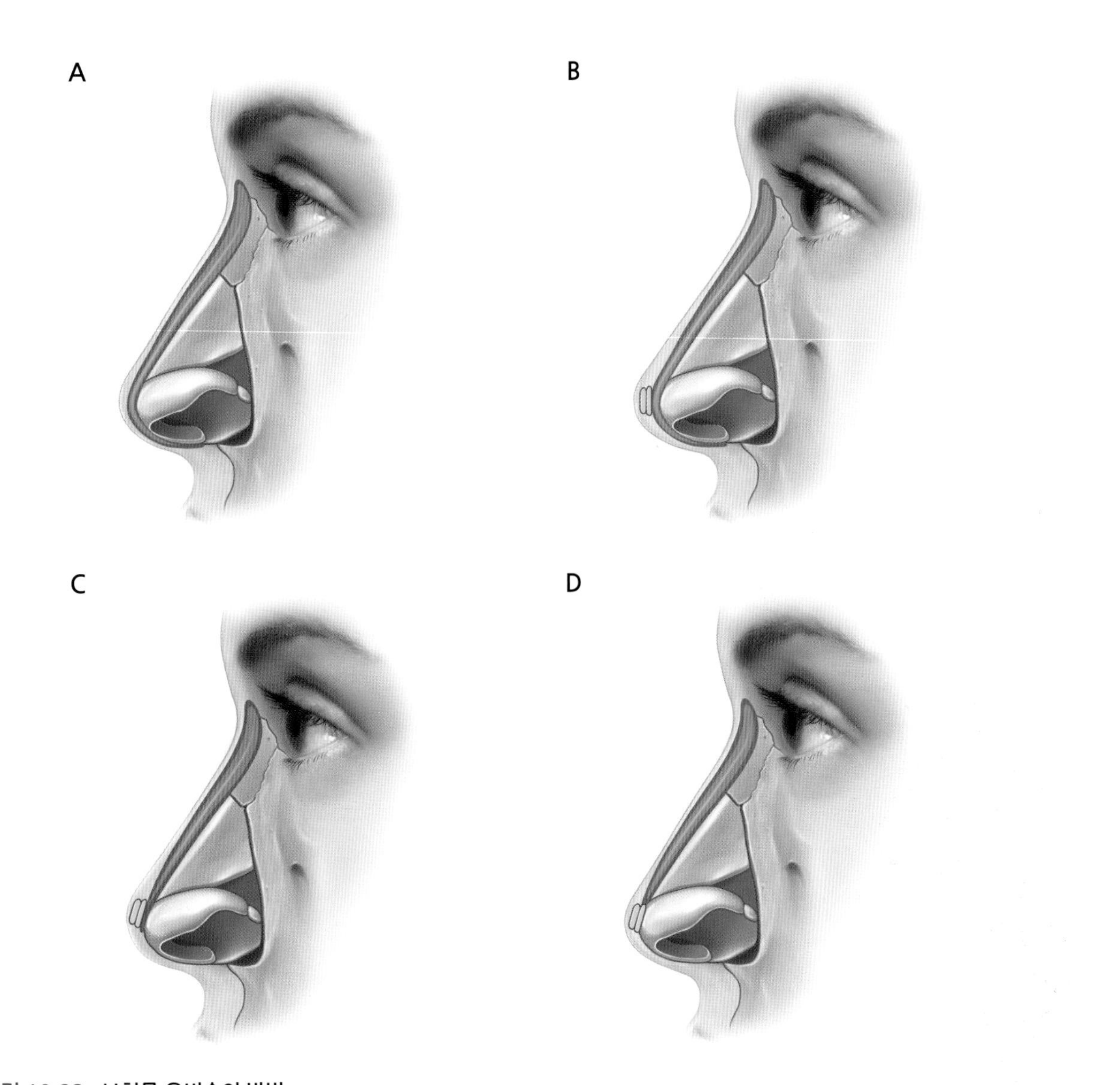

그림 10-23. 보형물 융비술의 방법.

A. L형 보형물만을 사용한 경우 B. L형 보형물의 끝을 자가연골로 덮은 경우 C. I형 보형물이 코끝까지 들어간 경우 D. 보형물이 코끝까지 들어가지 않게 한 경우

형물의 움직임이 적다.

ⅳ. 보형물의 선택 시, 단순히 높이와 길이만 중요한 것이 아니다. 보형물의 폭, 좌우 경사면의 기울기와 커브의 정도, 그리고 이마와 이어지는 보형물 시작부위 경사도가 중요하며, 다양한 보형물들을 구비하고 있어야 한다(**그림 10-28**). 보형물의 조각 시에는 단순히 밑면만 조각하여 비배부의 굴곡에 맞추는 것뿐만 아니라, 언급한 다양한 부분들도 환자의 코의 해부학적인 조건에 맞추고, 조각 시에 이에 대한 조절도 하여야 한다. 조각은 보형물의 모든 면에 대해서 이루어지는 것이다.

ⅴ. 보형물을 코의 피부면에 대어서 모양을 맞추어 조각한 후에 실제로 코의 내부에 들어가서 코뼈 면에 맞추어 졌을 때는 연부조직 두께로 인한 오차가 있어서 정확히 맞지 않기 때문에, 보

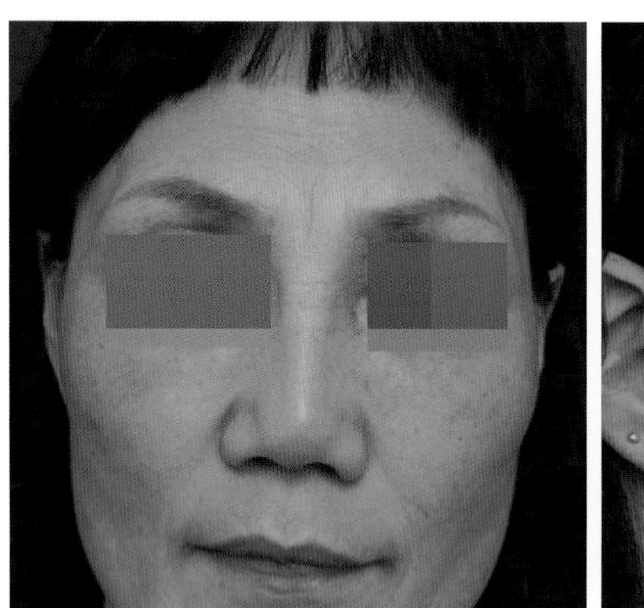

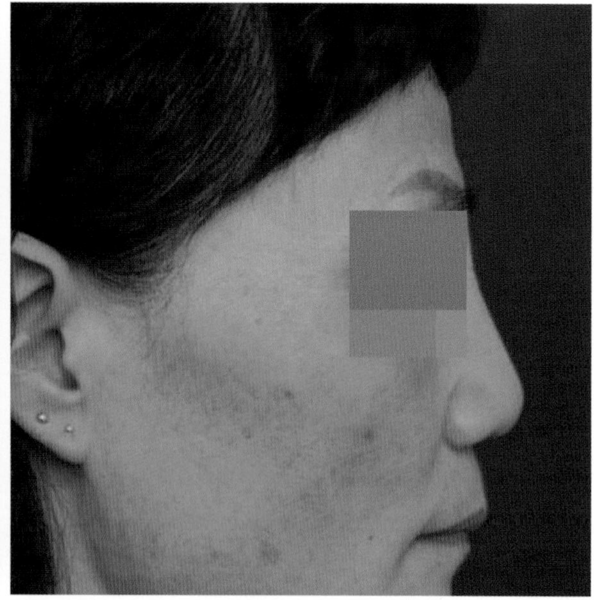

그림 10-24. 비배부를 과도하게 높이면 강한 인상과 더불어 수술한 티가 나게 된다.

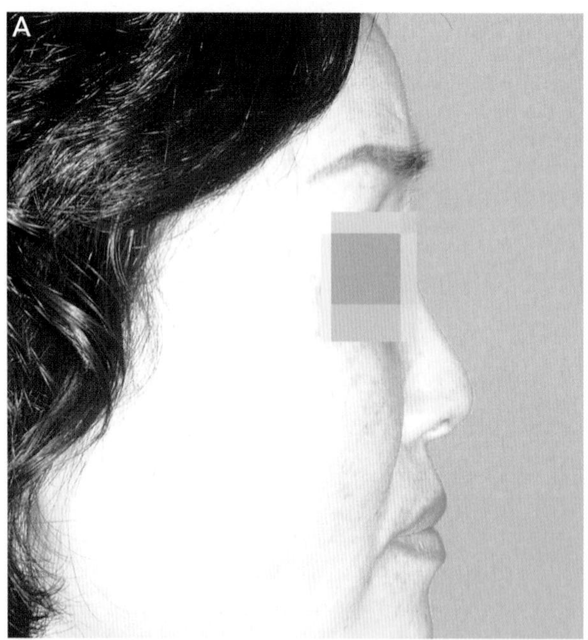

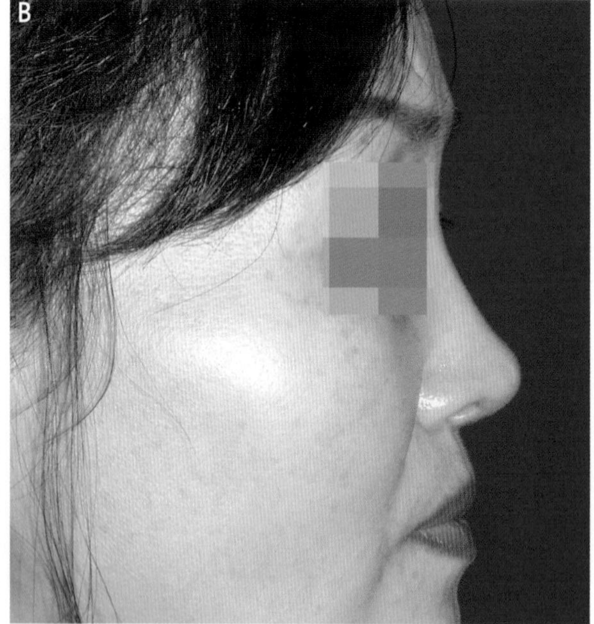

그림 10-25.
A. 비배부 융비술만 한 경우 B. 비배부 융비술과 tip projection을 같이 한 경우

형물을 코 안에 삽입한 후에는 나타난 모양과 곡선을 철저히 체크해서 수정하여 마무리 조각하여야 한다.

vi. 수술 전에 석고로 코의 모형을 떠서 이에 맞춰 보형물을 미리 제작하는 경우에도, 제작된 보형물은 실제 코의 내부에 삽입되었을 때는 오

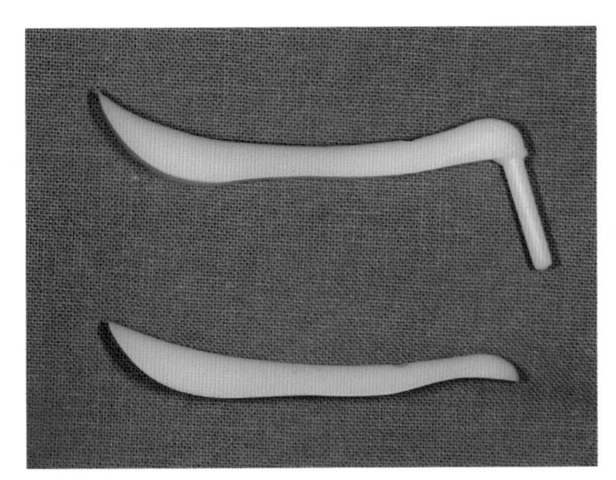

그림 10-26. Silicone implant
Upper. L-shaped silicone implant, Lower. I-shaped

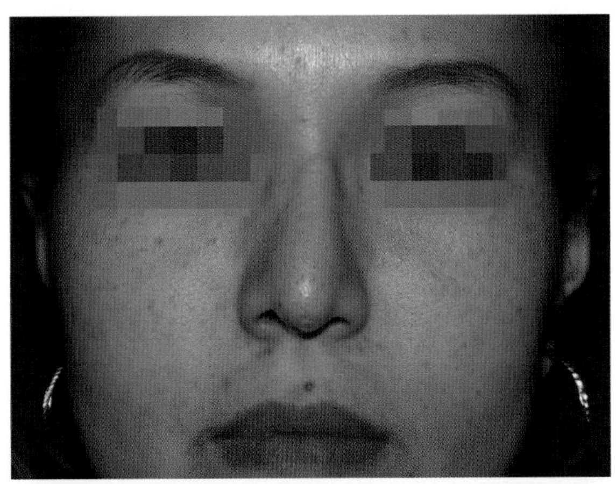

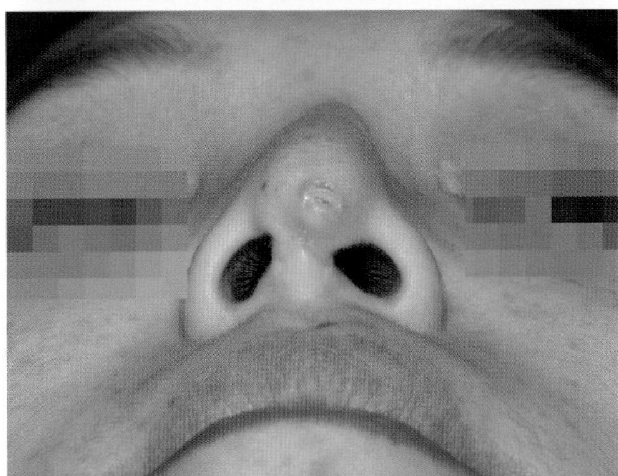

그림 10-27. Complications of L-shaped silicone implant
코끝 피부가 얇아지면서 보형물이 돌출된 모습

차가 있고 수정이 필요하다.

vii. 보형물의 끝 부위는 두께를 매우 얇게 처리하는 것이 좋다.

비근부(nasofrontal) 부위에서 코뼈와의 밀착도를 향상시키기 위해서 실리콘 보형물의 아랫면에 칼집을 넣기도 하지만(**그림 10-29**), 이로 인해서 posterior capsule의 두께가 균질하지 않게 되고, delayed spontaneous hematoma의 원인이 될 수도 있고, 보형물의 표면적이 증가하여, 염증의 확률을 높일 수 있으므로, 가급적 권하지 않는다.

실리콘의 움직임 방지를 위해서 보형물에 hole을 몇 개 뚫는 경우도 있으나(**그림 10-30**), hole 내에 형성된 캡슐의 구축으로 인한 dorsal skin dimpling이나 capsule 표면의 erosion이나 tearing으로 인한 late spontaneous hematoma의 원인이 될 수 있으므로 피하는 것이 좋다(**그림 10-31**).

e-PTFE의 경우, 과거에는 블록을 조각하여 사용하였으나, 최근에는 실리콘 제품처럼 다양한 모양으로 이미 조각되어 공급되는 제품을 사용하면, 조각하기가 매우 용이하다(**그림 10-10**).

(3) 절개(incision)

코성형 수술의 접근법은 코안쪽 절개를 통한 endonasal approach와 columella 절개를 통한 open approach로 나뉜다. 단순히 augmentation만 을 위한 수술이라면, endonasal approach로 충분히 가능하며, 이 경우, infracartilaginous incision이 가장 권장된다(**그림 10-34**).

절개는 columella의 중간부위 지점의 안쪽에서 시작하여, lower lateral cartilage의 medial crus의 caudal margin을 따라서 상방향으로 진행하면서 절개하는데, dome 부위까지 절개하여 진행하다가 lateral crus의 caudal margin을 따라서 계속 진행하면서 바깥쪽으로(laterally) 연장된다. Lateral crus의 caudal margin은 alar rim을 바깥쪽으로 제끼고 보면 확인이 되는데, 대개 코털이 난 부위와 나지 않은 부위의 경계선 정도에 해당하는 경우가

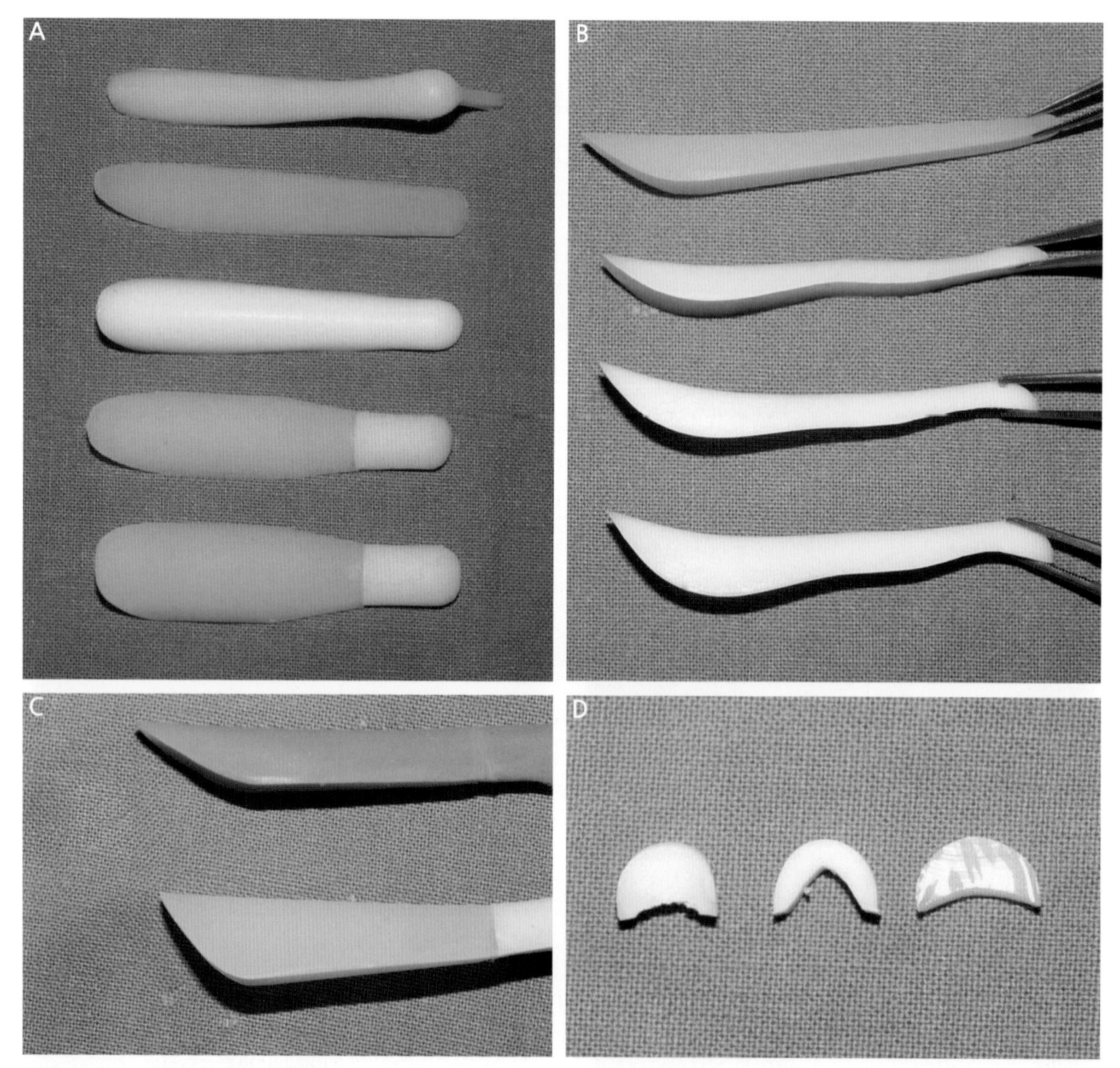

그림 10-28. 다양한 형태의 보형물

A. 다양한 폭의 보형물 B. dorsal surgace의 다양한 경사도 C. ventral surface쪽의 경사도 D. 보형물의 좌우 경사면의 기울기도 다양하다.

흔하며, 바깥쪽으로 갈수록 코의 내부로 더 깊게 들어가게 된다. 절개를 이렇게 하면 절개선은 alar rim의 가장자리보다는 안쪽에 위치하게 되는데, 코 성형의 절개를 alar rim을 따라서 하는 것은 콧구멍 모양의 변화를 초래하기 때문에 절대로 하지 말아야 한다(**그림 10-35**).

Tip plasty 등의 추가적인 수술이 필요로 할 때에는 open rhino 조각하는 과정은 실리콘과 매우 유사하다. 고어텍스는 nasal dorsum의 미세한 굴곡이나 눈에 잘 띄지 않는 hump이라도 잘 드러나는 경향이 있으므로(**그림 10-32**), 조각 시에 nasal dorsum의 굴곡에 맞추어서 세심하게 조각하여야 하며, nasal dorsum에 삽입 후에도 수차례의 체크와 수정을 한 후에 수술 종결을 하여야 한다.

e-PTFE도 실리콘처럼 nasal tip 부위까지 길게 들어가

그림 10-29. Hatching on the floor of the silicone implant

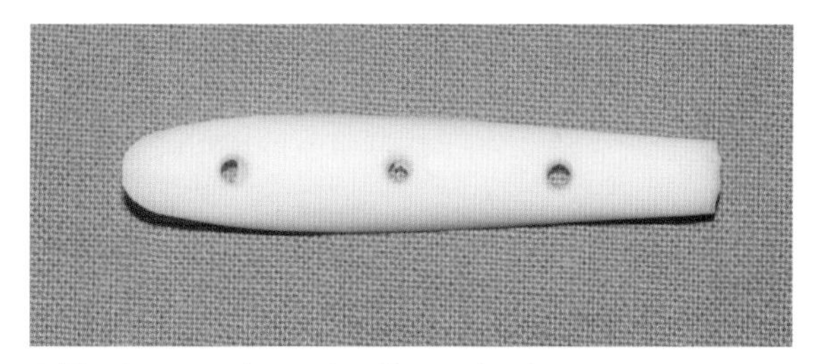
그림 10-30. Hole on the silicone implant

게 하면 안 된다.

부드러운 타입의 e-PTFE라고 하더라도, nasal tip을 높일 목적으로 사용하면 exposure나 피부 변색의 원인이 되므로, 끝 부위를 매우 얇게 처리하고 nasal tip 바로 위까지만 들어가게 하여서, nasal tip에서 딱딱하게 만져지거나 exposure되어 보이는 일이 발생하지 않도록 하여야 한다(**그림 10-33**).

plasty incision을 선택한다(**그림 10-36**).

변위는 보형물이 들어갈 포켓을 만드는 과정에서 발생한다. 오른쪽 비강에서 절개하여 포켓을 만들 때 비근부에서는 포켓이 왼쪽으로 치우치기 쉽다. 그러므로 양쪽 비강에서 모두 절개하여 대칭적인 포켓을 형성하는 것이 안전하다(**그림 10-38**).

(4) 박리(dissection)

보형물이 들어갈 공간을 포켓(pocket)이라고 하며, 반듯하고 대칭이 되는 포켓을 형성하는 박리는 dorsal aug-

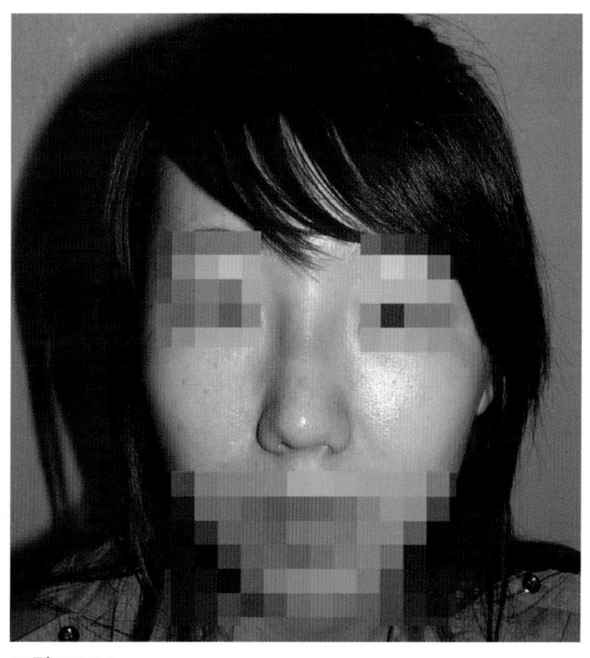

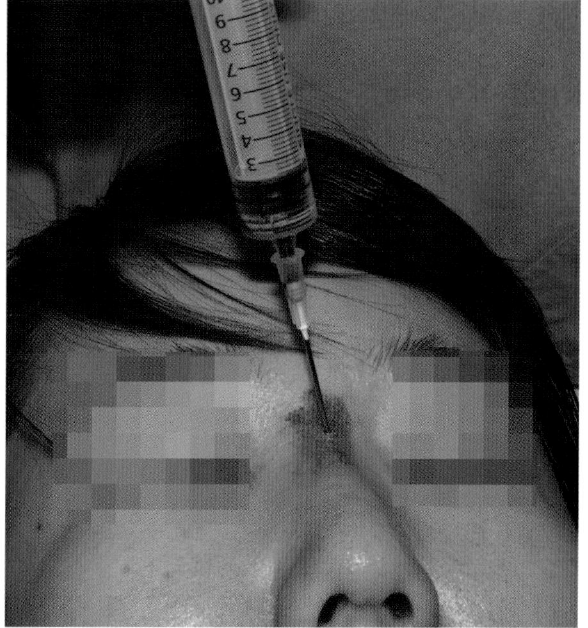

그림 10-31.
실리콘 보형물로 융비술 후에 오랜 기간이 경과한 후에 코에 갑자기 붓기와 멍이 발생했다면, spontaneous hematomal를 의심해야하면, 대개 원인은 정확히 알려져 있지 않으나, capsule의 erosion이 원인으로 의심되고 있다. Aspiration을 해보면 감염과 쉽게 구분이 가능하다.

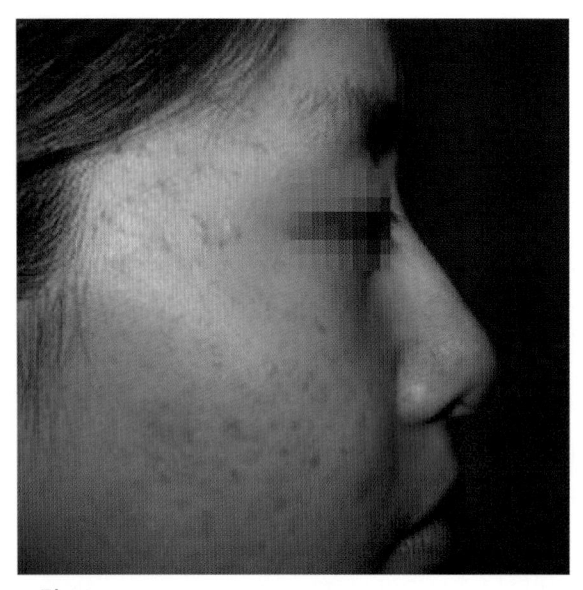

그림 10-32.
부드러운 고어텍스는 미세한 조각에 신경쓰지 않으면, 시간이 지나면서 굴곡이나 비봉이 드러나게 되는 경향이 있다.

mentation의 가장 중요한 부분이다.

Dissection plane은 supraperichondrial, subperiosteal plane이다. 즉, lower lateral cartilage와 upper lateral cartilage 부위에서는 연골막 위로 박리하고, 코뼈 부위에서는 골막 아래면으로 박리한다. lower lateral cartilage와 upper lateral cartilage부위는 Metzenbaum scissor를 이용해서 박리하되, 연부조직이 최대한 skin envelope에 많이 포함되도록 한다. Transverse nasalis m.은 좌우에서 detatch해주는 것이 대칭적인 포켓을 형성하는 데에 도움이 된다(**그림 10-38**).

Nasal bone에 이르러서는, periosteal elevator를 이용하여 periosteum을 elevation한다(**그림 10-39**). Subperiosteal pocket에 보형물을 삽입해야, 보형물의 움직임과 변위를 방지할 수 있고, 피부를 통해 보형물이 비쳐보이는 현상도 감소된다.

A

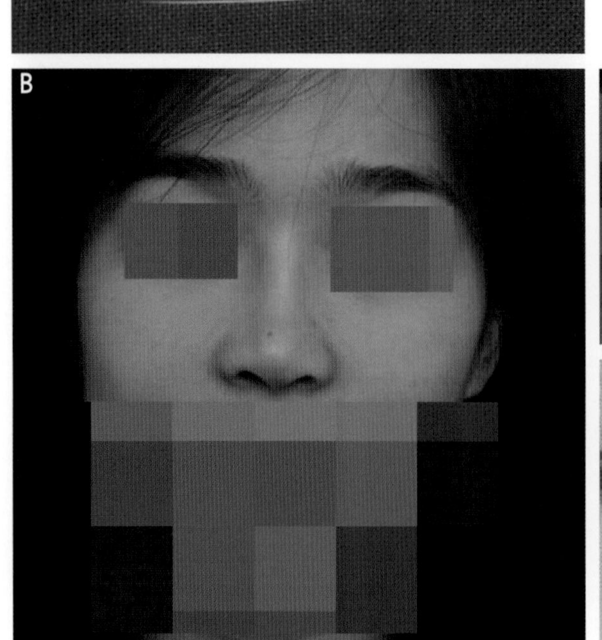

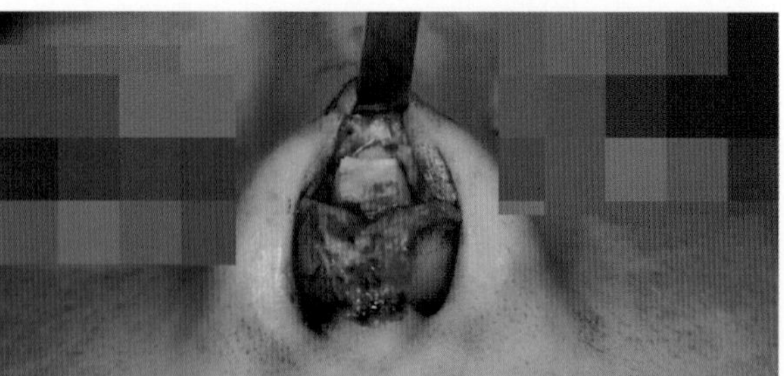

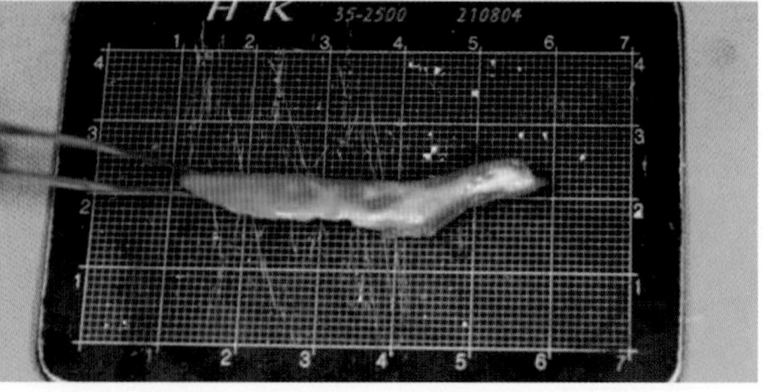

그림 10-33.
A. e-PTFE의 끝부위는 얇게 조각하는 것이 좋다. B. 고어텍스의 끝부위를 두텁게 해서 코끝을 높이는 경우에는 코끝의 돌출현상이나 피부 얇아짐 등의 현상이 나타날 수 있다.

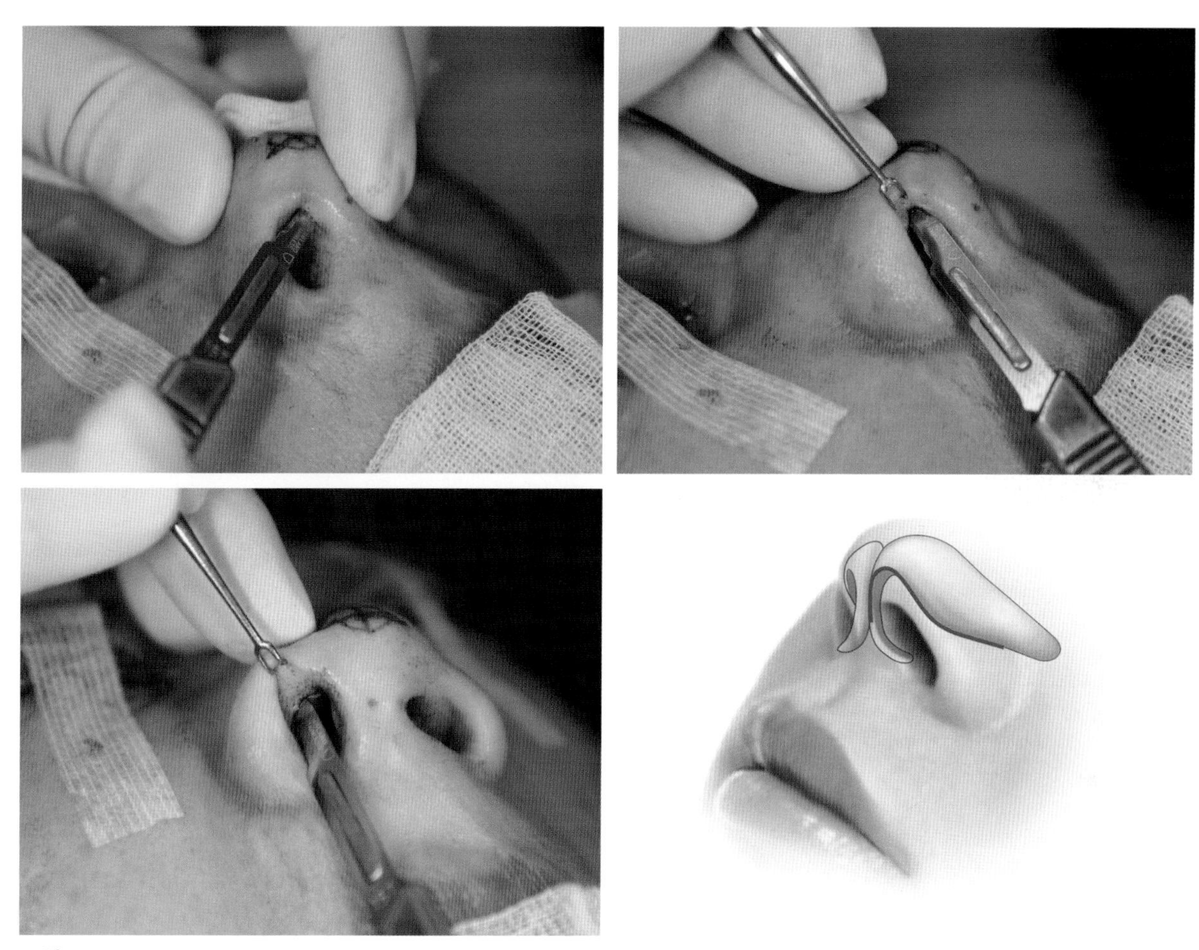

그림 10-34. Inframarginal incision

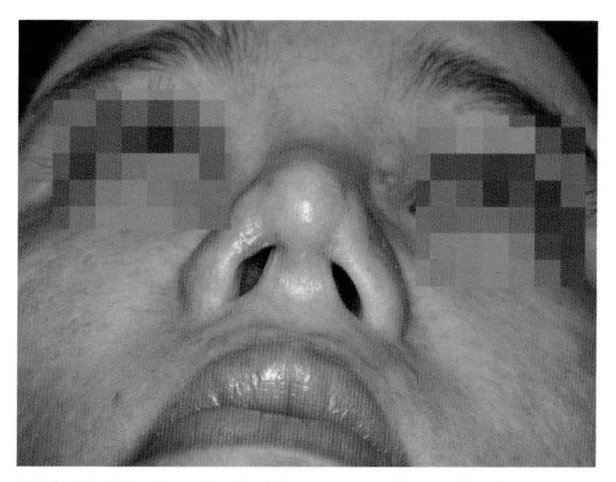

그림 10-35. Alar rim incision scar and nostril stricture

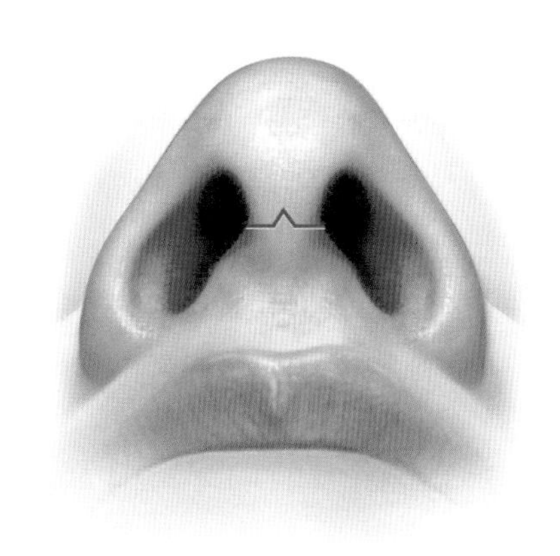

그림 10-36. Open rhinoplasty incision

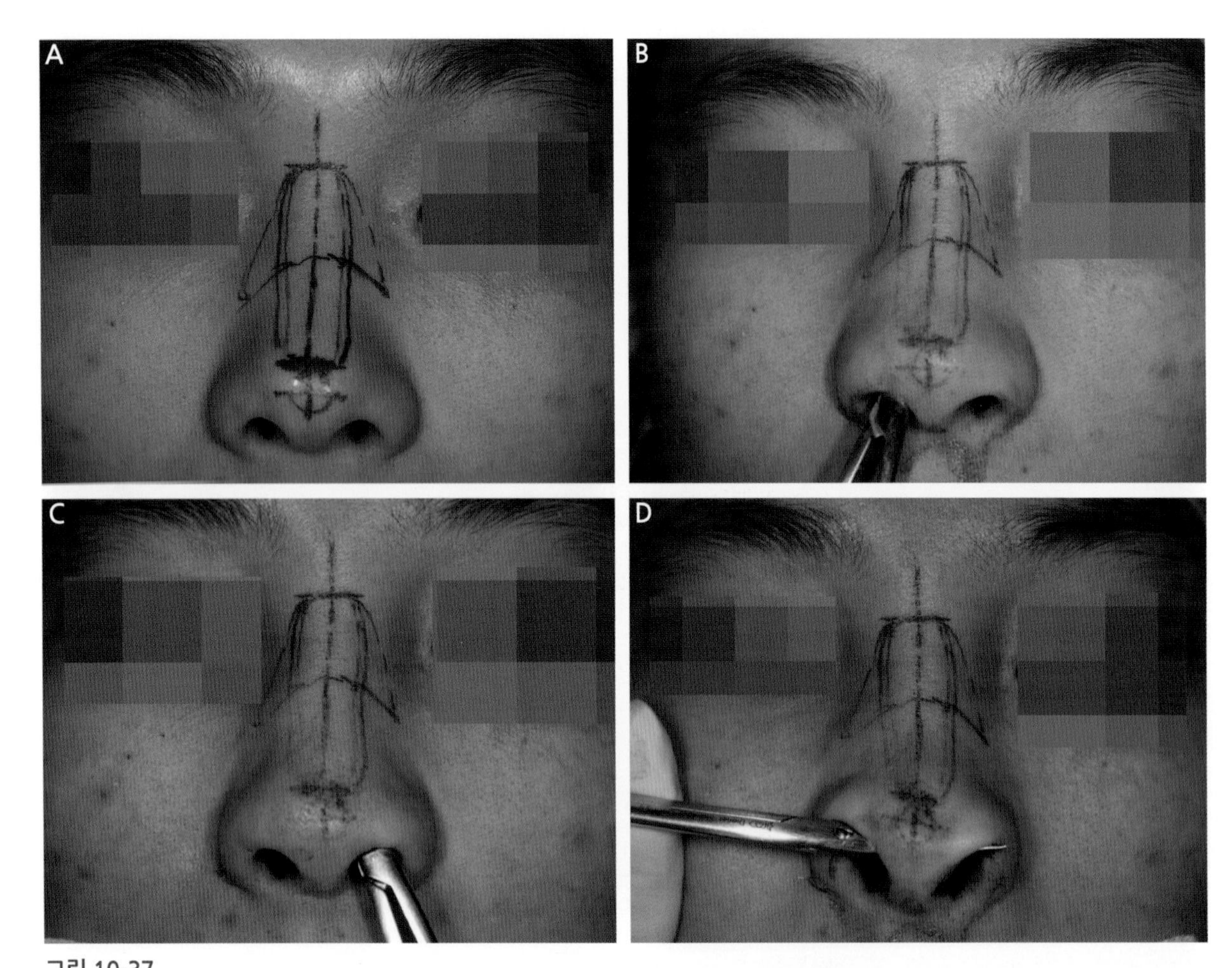

그림 10-37.
A. 보형물의 폭보다 약간 넓게 포켓의 범위를 표시한 디자인 B. 우측에서 먼저 박리를 시작하여 포켓을 형성하고, C. 반대측에 서도 박리하여서 기존 포켓내로 들어가서 대칭이 되게 한다. D. 박리가 덜 된 부위가 없도록 잘 확인하여야 보형물의 변위를 방지할 수 있다.

Nasal bone의 하연에서 약 1 mm 정도 위쪽에 Joseph knife를 이용해서 골막을 횡으로 절개한 후에, Joseph elevator를 이용해서 골막을 거상한다. 이때 한 부위를 한꺼번에 많이 거상하는 것보다는 조금씩 단계적으로 하여 상부로 진행해가는 것이 골막의 손상을 피할 수 있다(**그림 10-40**). 익숙해지면, Joseph kinfe를 사용하지 않고, elevator만으로 시술을 마칠 수 있다.

Subperiosteal pocket의 크기는 보형물의 크기에 딱 맞게 해야 한다는 주장과 약간 크게 해야 한다는 주장이 있지만, 저자는 약간 더 크게 하는 것을 권한다. 이론적으로는 보형물의 폭에 정확히 맞게 하는 것이 보형물의

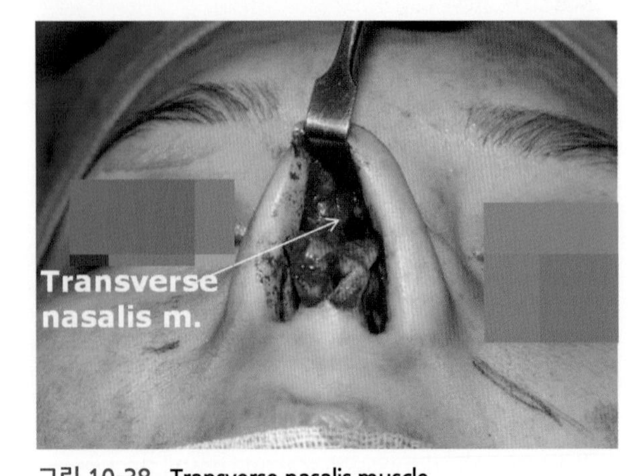

그림 10-38. Transverse nasalis muscle
이 근육은 Metzenbaum scissor나 elevator를 이용해서 detach할 수 있고, closed approach로 가능하다.

변위를 방지할 수 있어 좋겠지만, 실제로 좌우 포켓의 범위를 동일하게 정확히 할 수 있다는 보장이 없으므로, 보형물의 폭보다 약간 넓게 하는 것이 나중에 변위가 있을 때에 초기에 외부에서 손으로 바로 잡을 수 있는 여지가 있다고 생각된다. 보형물이 포켓 내에서 capsule의 형성에 의해 고정되는 시기는 수술 후 10~14일 사이이므로, 그 이전에 삐뚤어진 보형물은 손으로 강하게 움직여서 바르게 위치시키는 것이 가능하다.

하지만, 포켓을 너무 과하게 넓게 하는 것은 붓기도 많을 뿐더러 변위의 위험성도 증가하게 된다.

Nasal dorsum이 균일하지 않은 경우, 예를 들면 콧등이 한쪽으로 기울어져 있는 경우에는 보형물을 콧등 경사의 기울어진 차이가 잘 보상되도록 조각하여 넣지 않으면 삐뚤어지기 쉽다.

(5) 포켓의 세척(irrigation)

Povidone-iodine과 항생제가 혼합된 용액으로 포켓 내부를 세척하는 것은 감염 예방에 도움이 된다.

(6) 보형물의 삽입

절개창을 통해서 포켓 내부로 보형물을 삽입할 때는 보형물이 포켓의 정중앙에 한쪽으로 삐뚤어짐 없이 위치하도록 하여야 한다.

실리콘의 삽입은 그렇게 어렵지 않으나, e-PTFE는 micropore가 존재하므로, 감염예방을 위해 전처치와 삽입 시의 세심한 기술이 중요하다. 이를 위해서 다음 사항을 준수하여야 한다.

① 감염예방을 위해 철저한 무균조작과 글러브의 파우더 제거가 필요하다.

② 수술 전 처치로 세척이 필요한데, 세척액은 povidone-iodine이 항생제액보다 균주수 감소에 더 효과적이라는 보고가 있다. Conrad 등은 전처치로 음압을 이용하여 고어텍스의 내부로 항생제 용액을 침투시키는 방법을 사용하였는데, 고어텍스의 기공은 공기는 통과시키나 수분은 통과하지 못하므로, 단순히 항생제에 담그는 것으로는 기공 내로의 침투가 불가능하므로, 음압을 이용하여 강제적으로 기공 내로 침투시켜야한다. 저자는 povidone-iodine과 항생제를 혼합한 용액을 10 cc 주사기에 넣고 이 용액안에 보형물을 넣은 후에

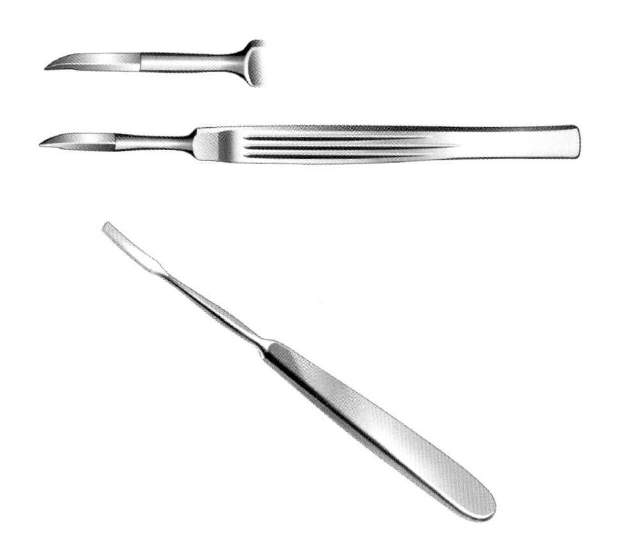

그림 10-39. Joseph knife and periosteal elevator

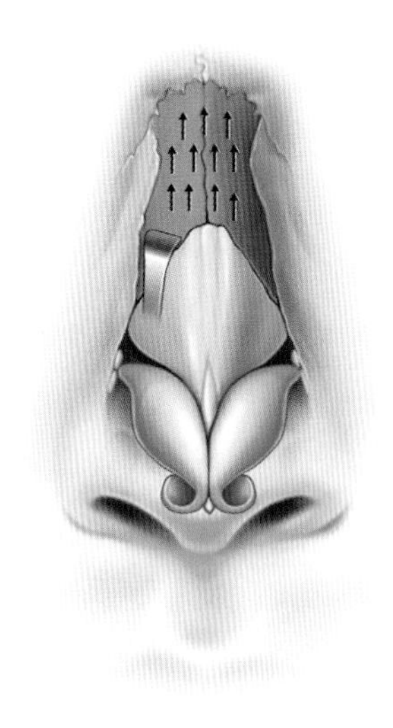

그림 10-40. Periosteal elevation

주사기의 피스톤을 잡아당겨서 용액 내에 음압을 가하는 방법을 사용한다(**그림 10-41**).

③ 비배부에 삽입 시에 forceps나 clamp를 이용해서 밀어 넣는 방식으로 삽입하게 되면, 부드러운 e-PTFE일 경우 눌리거나 구겨지면서 dead space가 생기게 되고, 이로 인한 염증 가능성이 높아지므로, 고어텍스를 가급적 밀어 넣지 말고, pull-out technique을 이용해서 당겨 넣는 방식이 필요하다고 생각된다. Pull-out technique은 보형물을 바른 위치에 놓기에도 용이하고, 수술을 마치기 직전 이 실을 drain처럼 활용하여 고여 있던 혈종을 배출한 후에 실을 제거하고 드레싱을 하면, 붓기나 혈종 형성을 최소화하는 효과도 있다(**그림 10-42**).

(7) 수술 후의 드레싱

코 수술 후에는 보형물을 바른 위치로 유지시키고, 부기나 혈종을 최소화하기 위해서 종이테이프를 이용해 술 부위의 피부를 압박 고정하는 것이 좋다. 테이프를 일 때에는 nasal tip 직상부에서 횡으로 미간부까지 붙인다. Tip plasty까지 한 경우에는 nasal tip 부위에도 압박드레싱이 필요한데 이때는 nasal tip 주위를 둘러싸는 oseph 드레싱을 해주는 것이 좋다(**그림 10-43**). 필요하다면, 아쿠아 스플린트를 대주면 혈종과 부기를 감소시키는 데에 더 도움이 된다(**그림 10-44**).

3. Dorsal augmentation with autogenous tissue

보형물에 비해서 자가조직을 이용한 비배부 융비술은 보형물과 관련된 부작용이 없기 때문에, 여전히 성형외과 의사들의 궁극적인 지향점이기도 하다. 그러나, 낮은 nasal dorsum을 많이 다루는 아시아 성형외과 의사들에게는 자가조직을 이용한 비배부 융비술의 불만족스

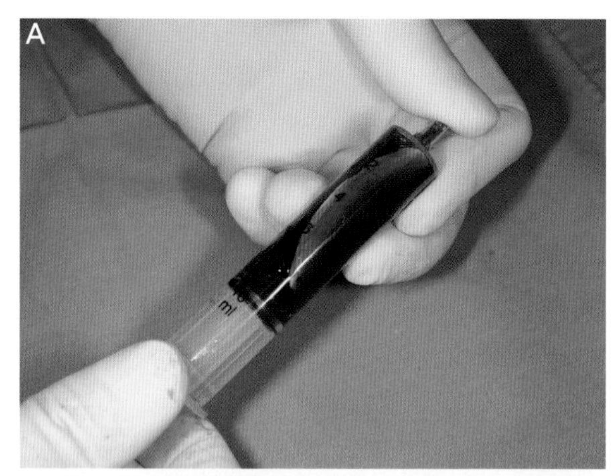

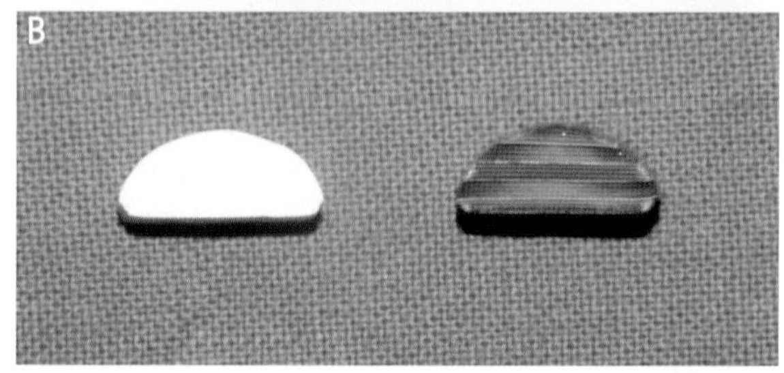

그림 10-41. e-PTFE의 전처치

A. 음압을 가하여 전처치 하면 기공내로 povidone iodine/항생제 혼합 용액의 침투가 용이하다. B. 단순히 혼합용액에 담그기만 해서는 용액이 기공내로 침투되기 어렵다(좌측 단면사진). 우측사진은 음압을 가해서 기공내로 용액이 침투된 모습

러운 결과가 좌절을 주는 것도 사실이다.

아시아인의 dorsal augmentation에 여전히 보형물의 사용이 가장 선호되는 이유는, 보형물이 모양면에서 우수할 뿐 아니라, 서양인에 비해서 nasal dorsum 피부가 두터운 아시아인에게서는 보형물로 인한 부작용의 빈도가 매우 낮기 때문이다.

그럼에도 불구하고, 자가조직을 이용한 dorsal augmentation은 nasal dorsum 피부가 매우 얇은 사람의 augmentation이나 보형물 부작용의 해결을 위해 반드시 습득하여야 할 수술법이다.

아시아인의 비배부 융비술에 주로 이용되는 재료는 temporal fascia, dermofat, rib cartilage, diced cartilage 등이다(**그림 10-45**).

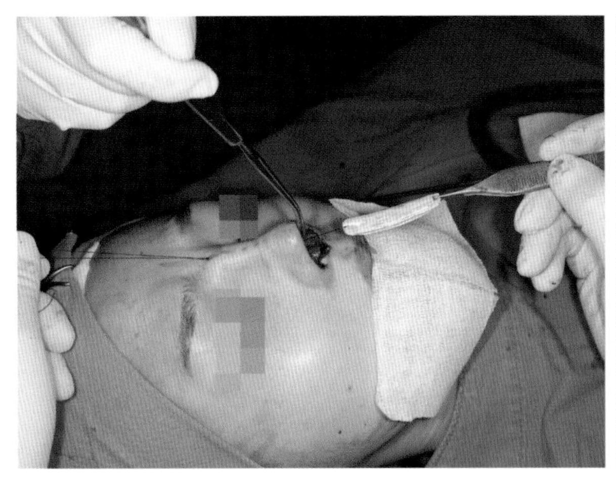

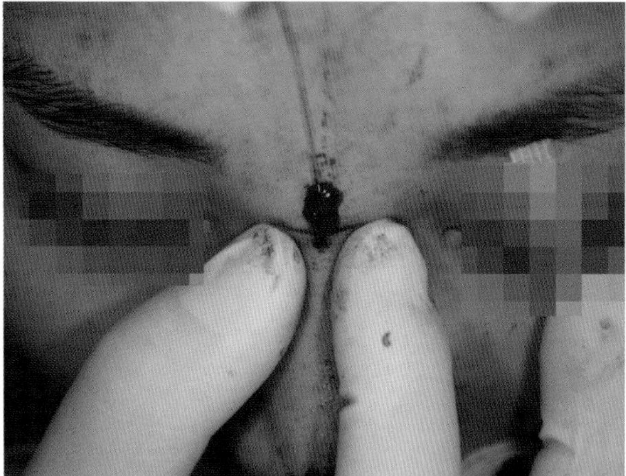

그림 10-42. Pull-out technique for e-PTFE insertion

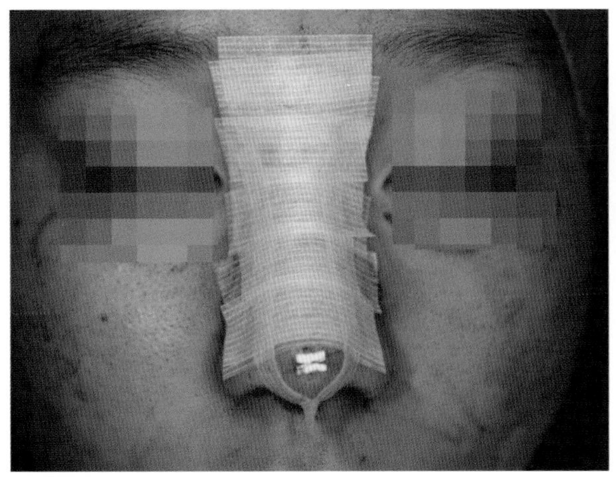

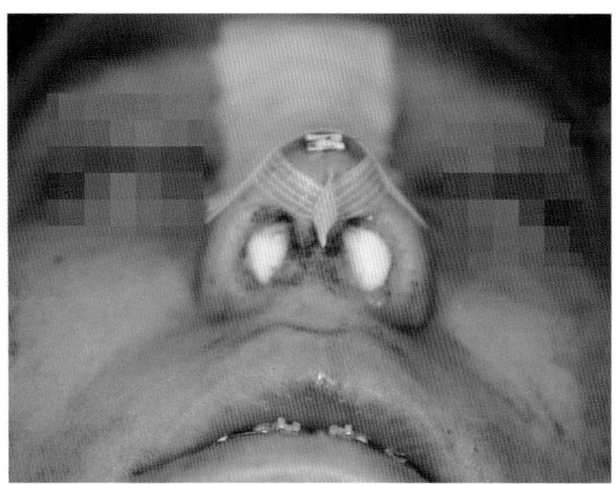

그림 10-43. Joseph dressing

1) Dorsal augmentation with temporal fascia

(1) 채취

코 성형에는 주로 공여부의 흔적이 남지 않는 temporal fascia(측두근막)를 사용한다(**그림 10-46**). 측두근막은 채취가 매우 용이하며, temporal crest와 귀 사이에서 채취한다(**그림 10-47**).

Superior root of ear helix 전방 1 cm 상방 3 cm 위치에 3~4 cm 길이의 절개를 가하고 아래로 박리해 나간다. 이때 모근의 손상을 피하기 위해서는, 넓은 면을 가진 retractor보다는 hook retractor를 사용하여 절개부위를 retraction하되, 무리한 힘을 가하지 않도록 주의하며, 지혈할 때는 모근에 열이 가해지지 않도록 주의하여야 한다. 그렇지 않으면 수술 후 절개창 주변에 alopecia가 발생할 수 있다(**그림 10-48**). superficial temporal vessel이 다치지 않도록 주의하되 필요시 지혈하도록 한다. superficial temporal fascia를 젖히고 나면 반짝반짝 광택이 나는 deep temporal fascia를 볼 수 있다. 이를 적당한 크기로 절개하여 temporal muscle과 잘 분리하여 떼어낸다. 가능하면, temporal muscle이 근막에 붙지 않도록 하는 것이 균일한 근막을 얻는 방법이다. Temporal fascia의 채취 후에는 출혈로 인한 혈종 발생 가능성이 있으므로 잘 지혈하고 압박 드레싱을 시행하도록 한다.

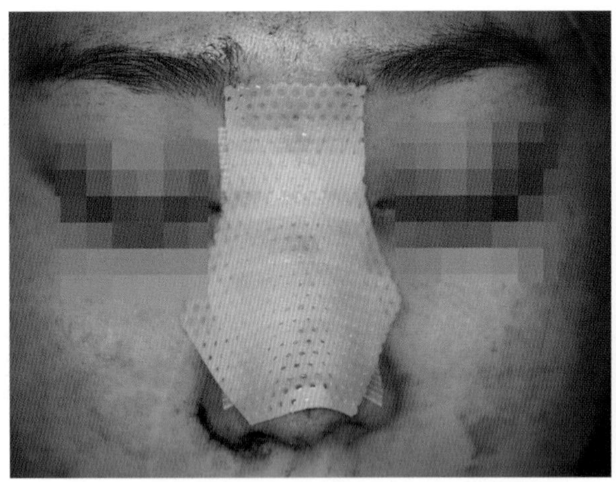
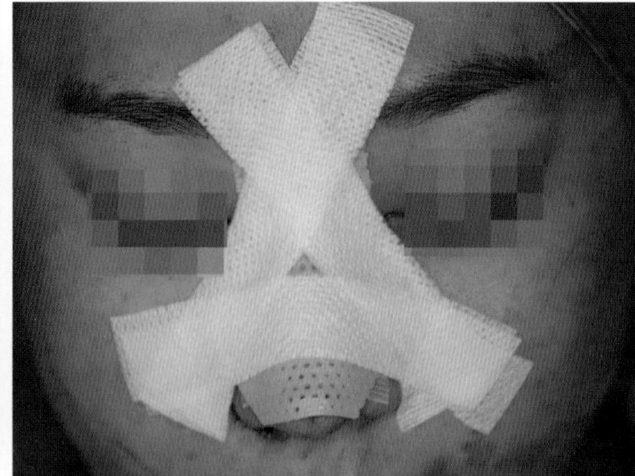

그림 10-44. Compression dressing using thermosplint

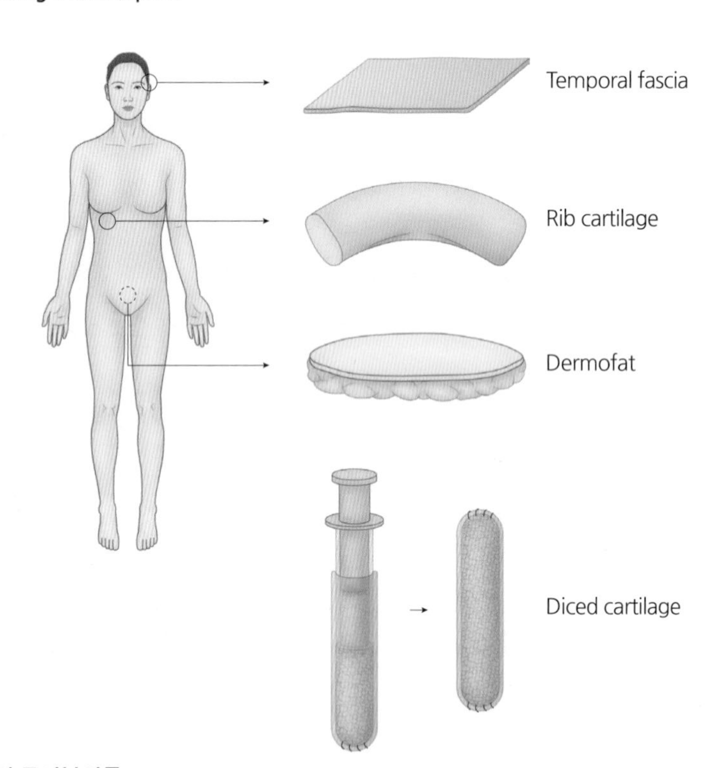

그림 10-45. 비배부 융비술의 자가조직 공여부위들

(2) 융비술 방법

Temporal fascia는 양이 많지 않고, 일정 비율의 흡수율로 인해서, dorsum 전체를 이 재료로 높이기에는 한계가 있다.

주로 radix 부위만 높이거나, dorusum의 부분적인 굴곡이나 함몰을 교정하는 용도로 주로 이용된다(**그림 10-49, 50**). Temporal fascia를 적당한 넓이가 되도록 겹치거나 말아서 원하는 볼륨으로 한 후에 원하는 부위에 넣어서 높이도록 하되 흡수율을 고려한 과교정이 필요하다.

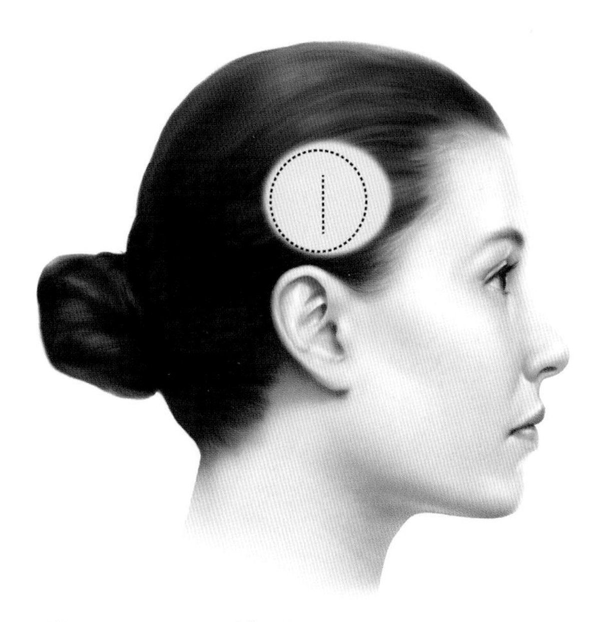

그림 10-46. Temporal fascia

2) Dorsal augmentation with dermofat graft

진피지방이식은 피부에서 얇은 표피(epidermis)를 제거한 후 남은 진피(dermis)와 하방의 피부밑지방층(subcutaneous fat)을 함께 채취하여 이식하는 수술이다.

순수한 지방층만을 이식하는 경우 수용부(donor site)에 따라 생착률(survival rate)이 좋지 못할 수 있고, 진피만을 이식하는 경우 충분한 부피를 더해줄 수 없다. 반면 진피지방은 진피하 혈관얼기(subdermal vascular plexus)에 의해 지방에 대한 혈류 공급이 지방만 단독 이식한 경우보다 더 원활히 할 수 있기 때문에 생착률을 높일 수 있어, dorsal augmentation에 가장 흔히 사용되는 자가조직이다.

(1) 적응증

① 코의 비배부 피부(dorsal skin of nose)가 매우 얇아서, 보형물을 사용 후에 보형물의 비쳐 보임이나 피부 변색의 위험성이 있는 환자

② 실리콘이나 고어텍스 등의 보형물에 심한 거부감이 있는 사람

③ 자연스러우면서 과하지 않은 정도로 약간의 콧대만을 높이기 원하는 사람

④ 이전의 수술로 또는 선천적으로 피부가 심하게 얇아져 있어 보형물을 삽입할 경우 보형물이 만져지거나 비쳐지고 또 노출될 가능성이 큰 경우에 이를 대체할 목적

⑤ 그 외에도, nasal dorsum이나 nasal tip 또는 ala부위의 함몰변형의 교정에도 유용하게 사용될 수 있다.

(2) 채취

Sacrococcygeal area 좌우측의 엉덩이 살 부분은 지방이 비교적 단단하고, 진피의 두께가 우리 몸 중에서 가장 두터운 부위이기 때문에 가장 추천할 만한 부위이다. 이 부위는 옷으로 가려지는 부위이고 엉덩이 사이에서 쉽게 가려지기 때문에 흉터가 눈에 잘 띄지 않는다는 장점도 있다.

Sacrum의 정중앙은 채취 후 봉합 시 상처가 잘 아물지 않고 바로 아래의 sacral bone이 노출될 가능성이 있으므로 이보다 약 2~3 mm 정도 바깥측에서 채취하는 것이 추천할 만하다(**그림 10-51**).

엎드린 자세(prone position)에서 채취하며 부분마취로도 쉽게 가능하다.

진피지방은 채취 직후 다소간의 수축을 보이므로 사용할 양보다 약간 크게 디자인해서 채취하는 것이 좋다. 저자의 경우 dorsal augmentation을 위해 진피지방을 채취하는 경우 길이 60 mm, 폭 10 mm 정도의 진피와 그 아래 피하지방을 약 6~10 mm 두께로 채취하여 사용한다. 채취하는 부위는 항문에 가까워질수록 흉터가 양쪽 엉덩이에 가려지기 때문에 이상적이나 너무 가까이서 채취하면 진피의 질이 좋지 못하고 피부-항문 사이에 누공이 생길 수 있으며 또 상처가 아무는 동안 배설이 불편하기 때문에 최소 3 cm 정도는 떨어져서 채취하는 것이 좋다.

디자인 후 부분 마취를 시행하고 15번 수술용 칼(#15

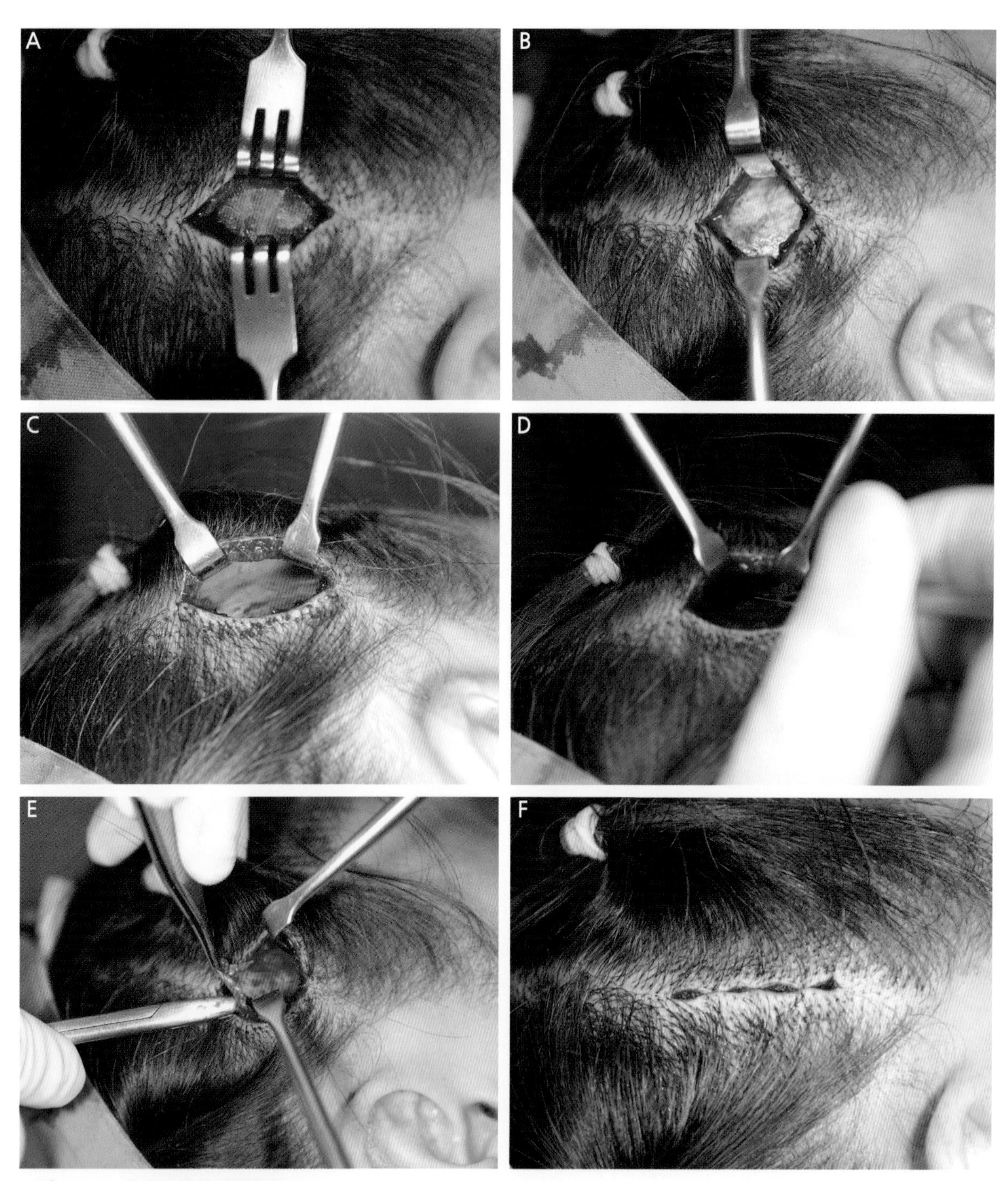

그림 10-47. 측두근막의 채취방법

A. 귀위쪽에 3 cm정도의 두피 절개를 가한 후에 superficial temporal a.를 손상시키지 않게 조심하면서 supeficial temporal fascia를 노출시킨다. B,C. Supeficial temporal fascia를 제끼면 deep temporal fascia를 확인 할 수 있다. D. deep fascia에 절개를 가한다. E. deep fascia를 채취하는 모습 F. 두피의 봉합(계속)

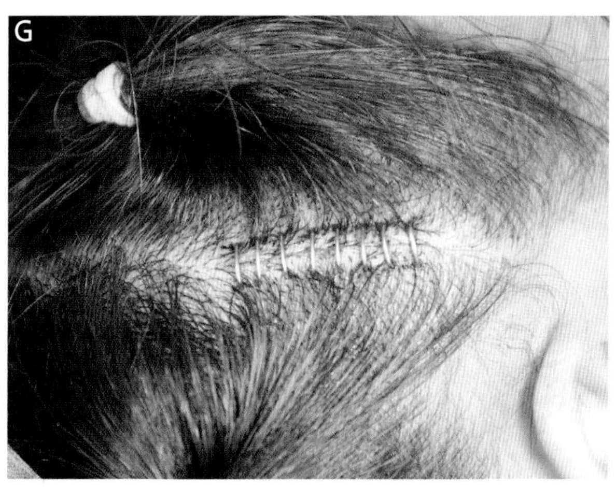

그림 10-47. (계속)측두근막의 채취방법
G. 두피의 봉합 H. 채취한deep temporal fascia

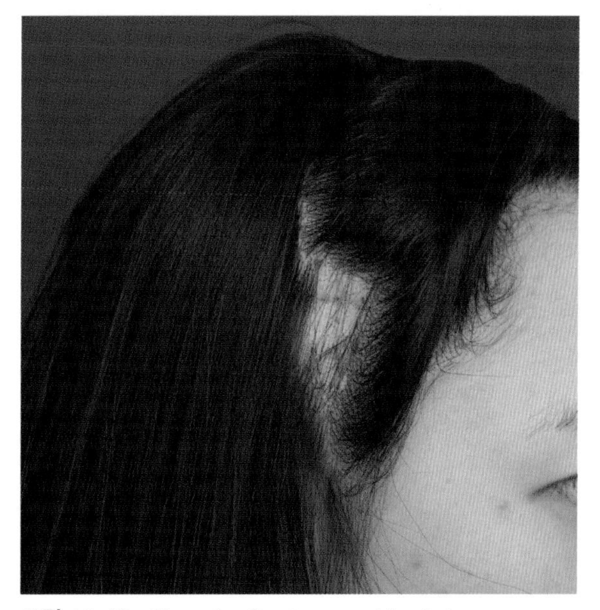

그림 10-48. Alopecia after temporal fascia harvest

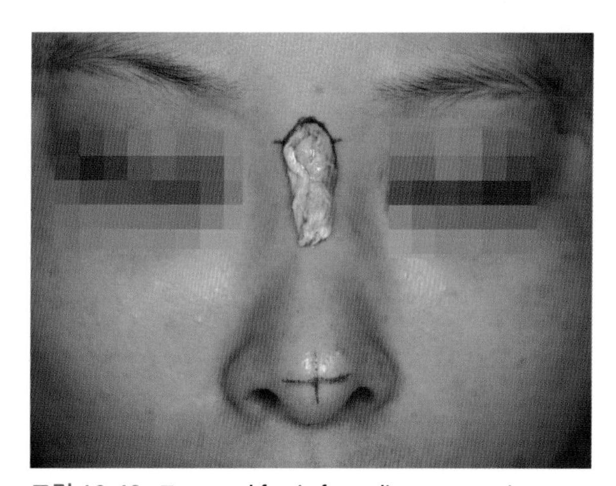

그림 10-49. Temporal fascia for radix augmenation

blade)로 피하지방(subcutaneous fat)이 노출되지 않을 정도로만 얕게 절개를 가한다. 이후 얇게 표피(epidermis)를 벗기는데(deepithelization), 벗겨진 양이 적을수록 진피를 많이 확보할 수 있으나, 만약 표피 일부가 진피지방에 남으면 이식 후 표피낭종(epidermal cyst) 등을 일으킬 수 있으므로 표피가 남지 않도록 주의해야 한다. 표피 제거가 끝나면 다시 진피까지 절개를 가한 후 진피조직에 subcutaneous fat tissue가 포함되도록 진피지방을 채취한다.

진피지방은 이식 후에 시간이 지나면서 일부 흡수되어, 수술 직후에 비해서 약 20~50% 정도까지 높이가 낮아진다. 따라서 이런 점을 감안해서 과교정(overcorrection)을 하는 것이 좋다. 과교정의 정도는 수술 후 초기의 어색한 모습에 대한 환자의 수긍도를 고려해서 상의하여 결정하게 되지만, 통상적으로는 20~30% 정도 과교정을 하는 경우가 흔하다. 그러나, 흡수율은 개인차가 있고, 정확히 예측하기는 힘들다.

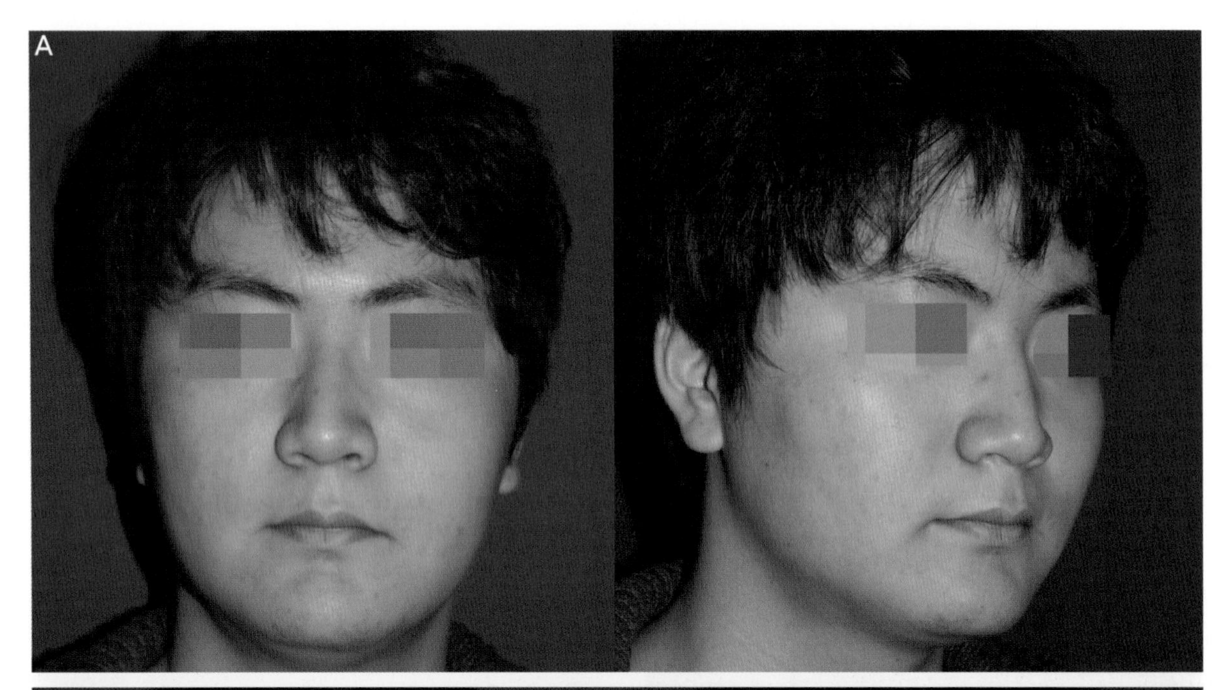

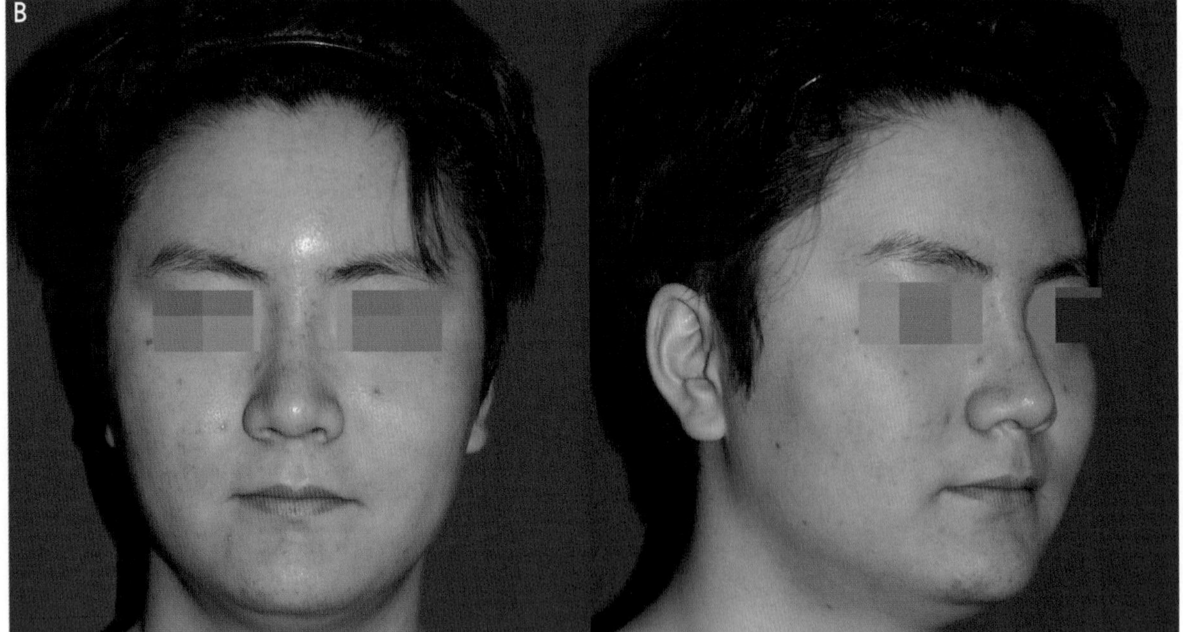

그림 10-50. deep temporal fascia를 사용하여서 raidx와 supratip의 depresseion을 교정한 사례

(3) 융비술 방법

① 포켓 형성

코뼈의 골막 아래에 넣는 보형물과는 달리, 진피지방을 이용한 융비술에서는 포켓의 형성은 supraperchondrial and supraperiosteal plane이다.

② 이식편의 준비와 삽입

엎드린 자세에서 엉덩이 부위에서 채취한 진피지

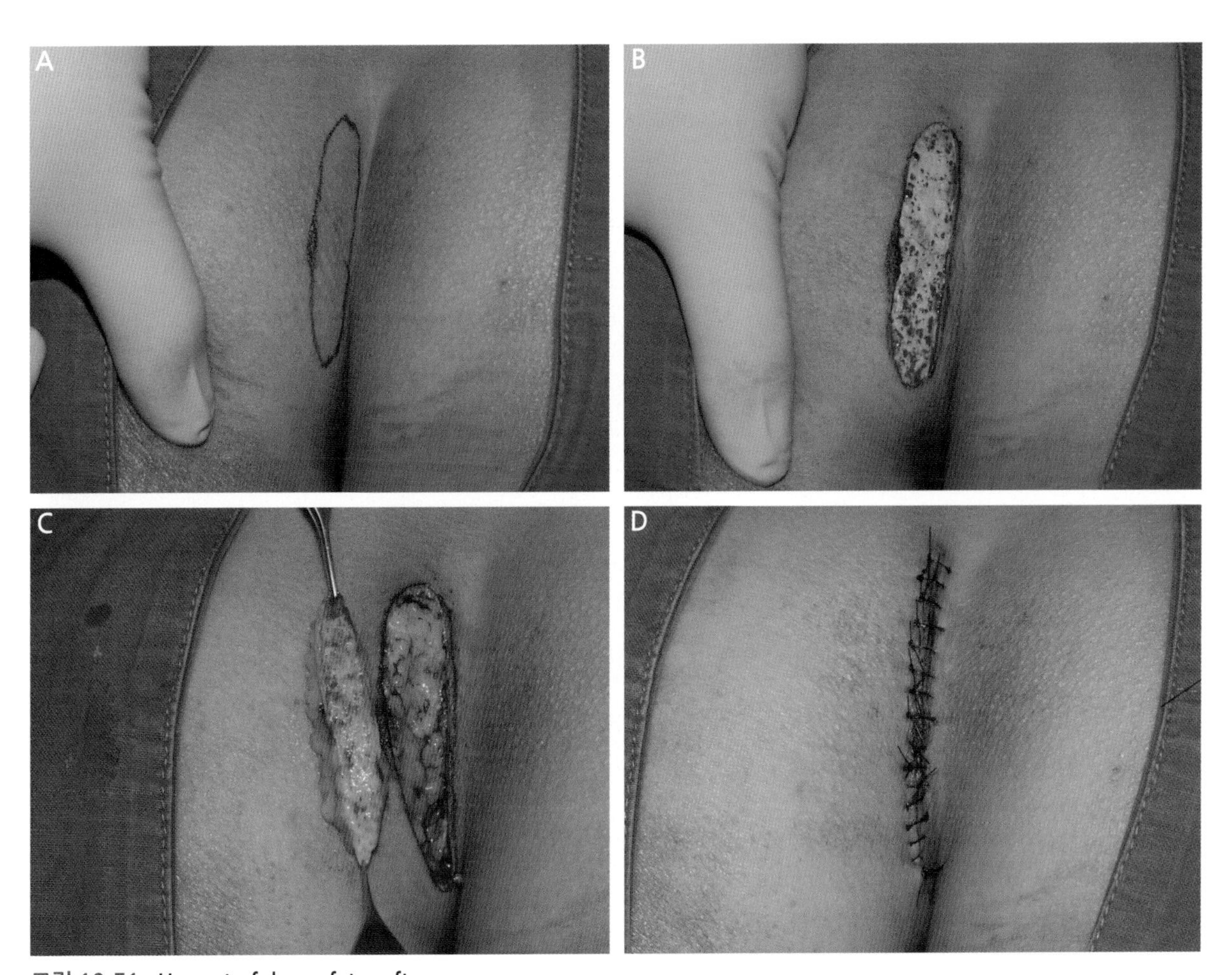

그림 10-51. Harvest of dermofat graft

방은 환자가 자세를 바꾸고, 코의 박리가 이루어지는 동안에는 상온에 방치하기보다는 젖은 거즈로 감싼 후에 멸균통에 넣어서 냉장보관한다.
코의 박리가 완료된 후에 진피지방은 코의 nasal dorsum에 올려 놓고, 길이와 폭을 가늠해본다.
보형물의 시작점을 아시아인에게서는 속눈썹(eyelash line)이나 쌍꺼풀 라인(double fold line)의 위치로 정하지만, 진피지방은 보형물의 시작점보다는 약간 더 위쪽에서 시작되도록 하는 것이 좋다. 주로, 쌍꺼풀 라인과 겉눈썹(eyebrow)의 중간 정도 지점이 적당하다(**그림 10-52**). 그래야, 진피지방이 일정 비율 흡수되면서 radix 부위의 모양

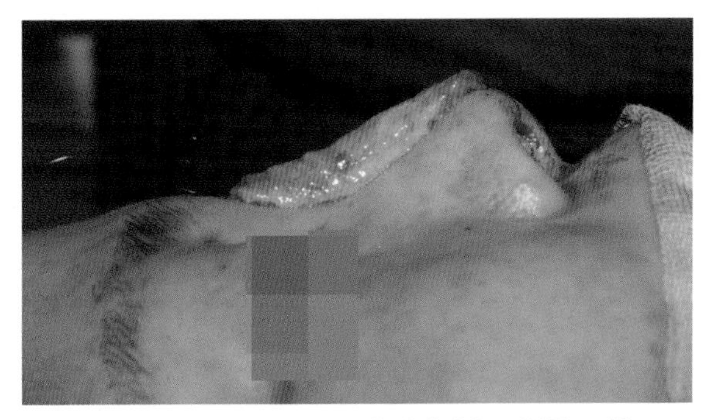

그림 10-52. dermofat graft의 시작점은 보형물보다는 3-4 mm 더 cephalic 쪽에 위치하게 한다.

이 자연스럽게 형성된다.
진피지방의 끝부위는 거의 nasal tip 부위까지 도달하도록 한다.

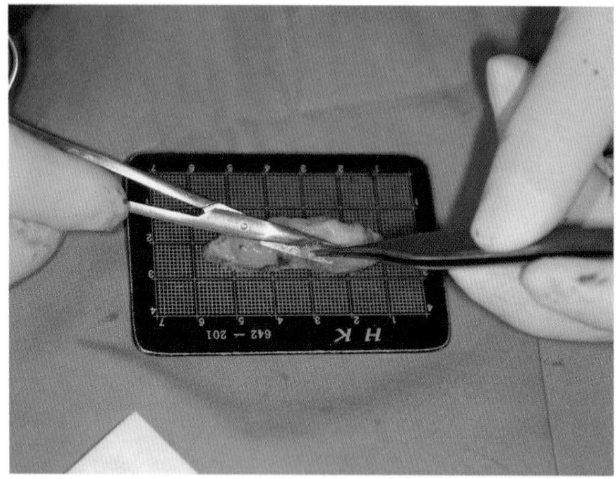

그림 10-53. Trimming of dermofat graft

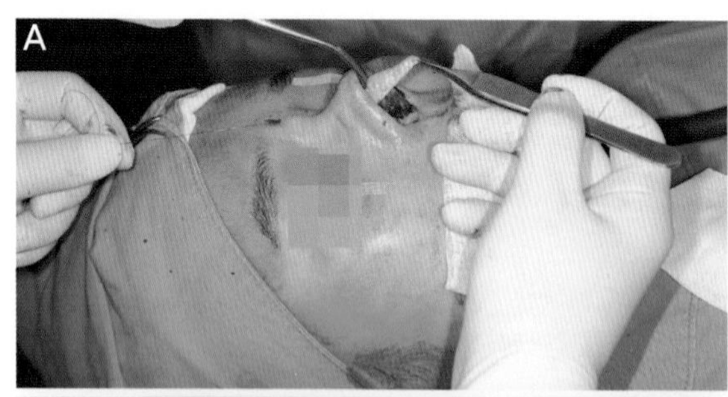

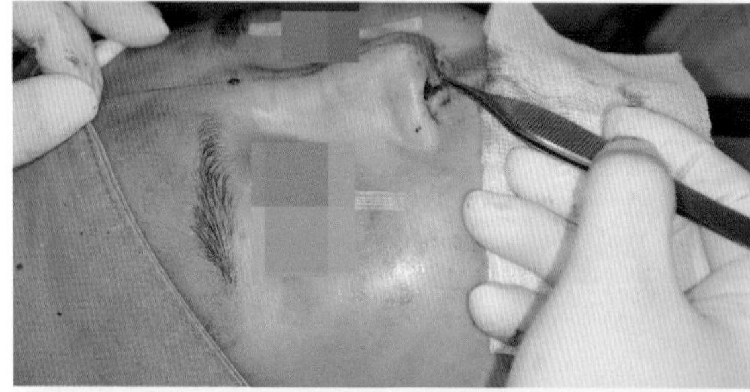

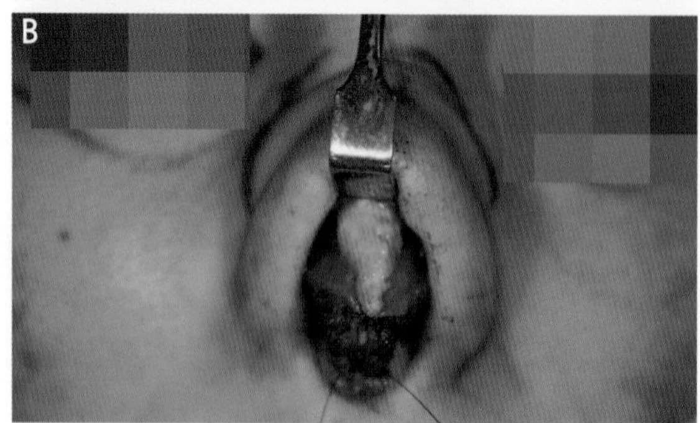

그림 10-54. Insetting of dermofat graft.
A. pull-out technique for insertion, B. fixation of graft tip to alar dome

진피지방을 넣기 전에 적당한 폭과 모양으로 다듬어야 한다(Trimming). 폭은 대개 10 mm 정도가 적당하지만, 개인별 코의 폭을 고려해서 결정한다. 보형물처럼 진피지방의 바닥(floor)쪽이 더 넓고, 상부(roof)쪽은 좁게 다듬는다(**그림 10-53**).

진피쪽을 roof로 할지, 지방쪽을 roof로 할지에 대해서 일반적으로는 진피쪽을 roof로 해서 코의 skin envelope과 맞닿도록 해야 진피지방에 혈류 공급이 더 잘 되어 진피지방의 생존에 유리하다고 알려져 있으나, 실제로는 반대로 했을 때와 별 차이가 없는 것으로 생각된다. 이는 진피를 바닥쪽으로 하더라도, 코의 골막(periosteum)과 접촉하기 때문일 것으로 추정된다. 오히려 지방을 roof로 하는 것이 보형물과 유사한 모양으로 trimming하기가 쉽다.

진피지방의 한쪽을 pull-out suture를 이용해서 걸 눈썹 사이에 고정시키고, 끝부위는 lower lateral cartilage나 septal angle에 고정한다(**그림 10-54**). Pull-out suture는 일주일째에 제거한다.

진피지방은 흡수율을 고려해서 20~30% 정도의 과교정이 필요하고, 첫 한 달 이상은 다소 높고 넓어 보여서 어색함이 있음을 환자에게 알려주어야

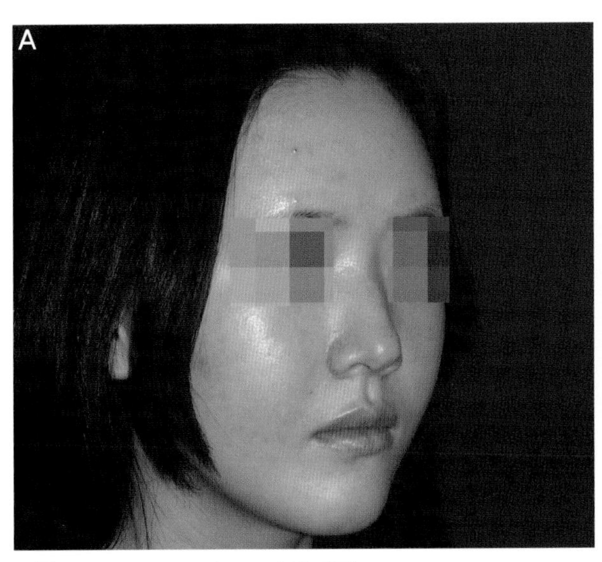

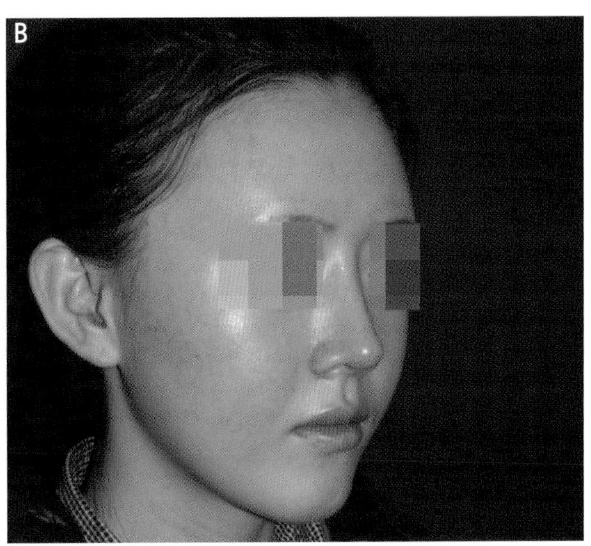

그림 10-55. Dermofat graft의 사례
A. 수술 전 B. 자가진피로 비배부 융비술 및 비중격 연골을 이용한 tip plasty 후 4개월째의 모습

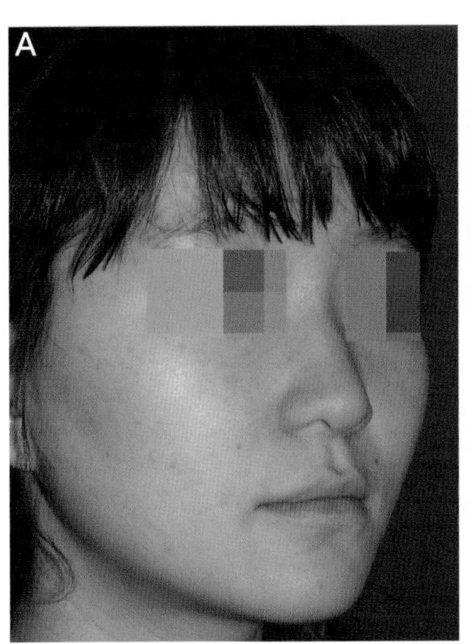

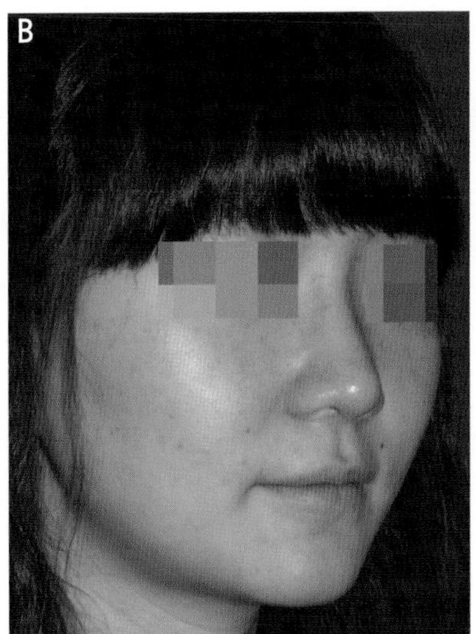

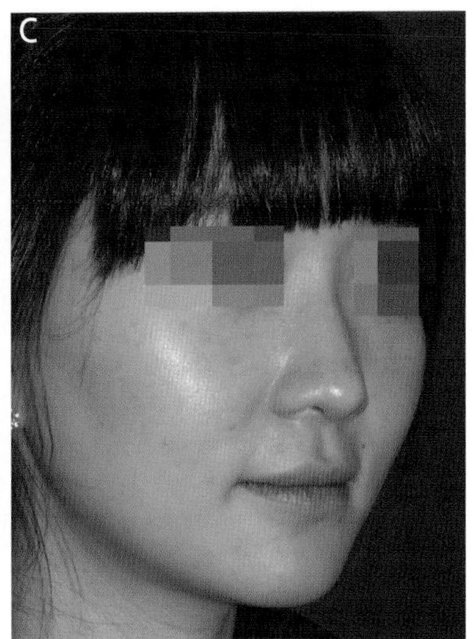

그림 10-56. Unfavourable result of dermofat graft.
A. 수술 전 B. 수술 후 3개월째 C. 수술 후 6개월째

한다.

그림 10-55는 실제 수술 전후의 모습이다.

그러나, 높은 흡수율로 인해서, 높이가 원하는 높이에 이르지 못해 불만스러운 경우도 있다(**그림 10-56**).

3) Dorsal augmentation with rib cartilage

늑연골(rib cartilage)은 채취할 수 있는 양이 풍부하고, 진피지방에 비해서 흡수율이 매우 적어서, 비배부를 많이 높일 수 있는 장점이 있다.

하지만 수술 후에 이식편의 휨(warping)으로 인한 변형이 생길 가능성이 있고, 가슴에 흉터가 남으며, 채취에 시간이 걸린다는 단점이 있다.

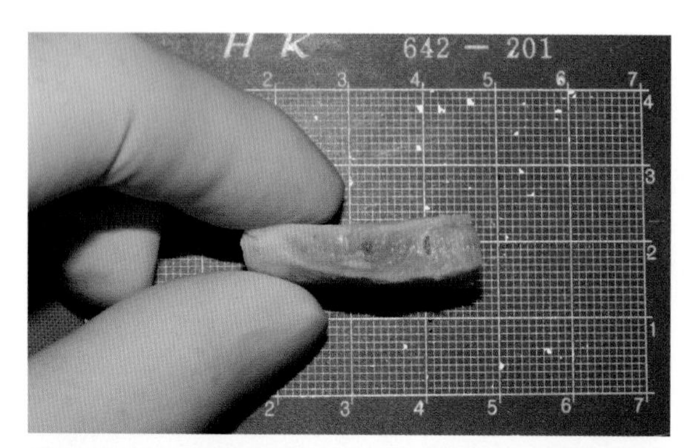

그림 10-57. calcification and aging change inside the rib cartilage

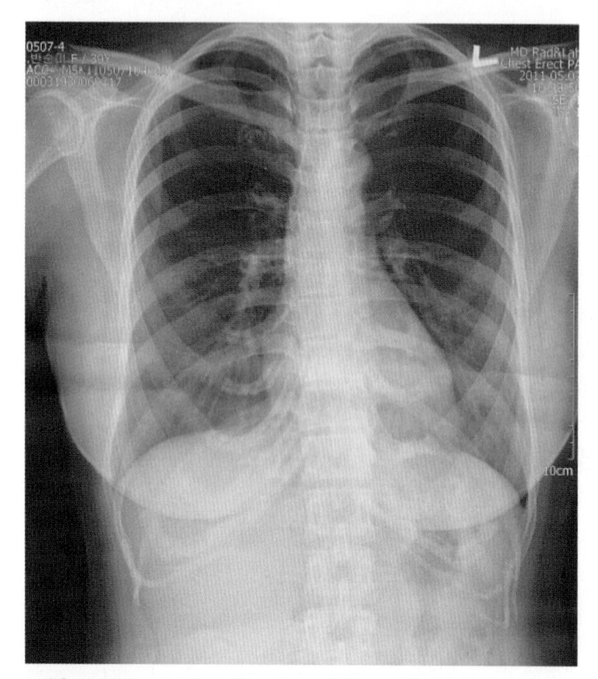

그림 10-58. Total ossification of rib cartilages

환자가 고령일수록 연골의 석회화(calcification)가 진행된 경우가 있으므로(**그림 10-57**) 수술 전에 미리 흉부 방사선 사진 등을 통해 석회와 여부를 검사해두는 것이 좋고, 수술 중에도 피부절개 전에 바늘을 이용해 석회화 여부를 알아보아야 한다. 젊은 환자에게서도 늑연골의 석회화가 있는 경우 또는 전체 연골이 골화(ossification) 된 경우도 있으므로, 가슴 절개 전에 미리 확인하여야 한다(**그림 10-58**).

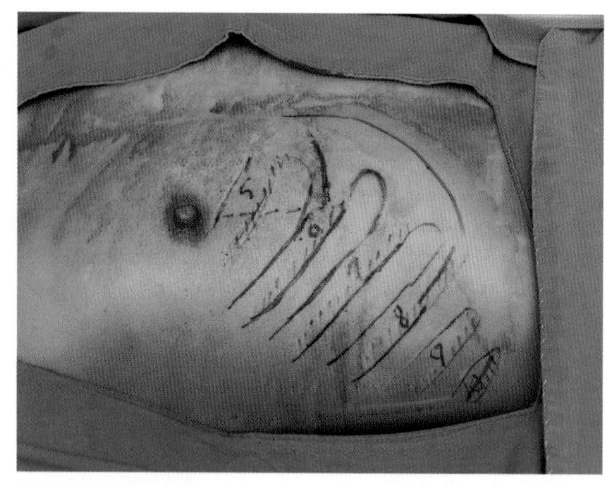

그림 10-59. Incision for rib cartilage harvest

(1) 채취

① 절개

코 성형에 사용되는 늑연골의 채취는 대개 5~9번 늑연골에서 이루어지는 것이 대부분이며, 적은 양이 필요할 때는 floating rib에서도 채취가 가능하다. 여성의 경우 5, 6번 늑연골을 채취할 경우 흉터가 유방주름선(inframammaryfold)에 놓이게 되어 절개 흉터가 유방으로 가려지는 장점이 있으므로 많이 사용되고 있다.

그러나, 비배부 융비술처럼 5 cm 이상의 긴 늑연골이 필요할 경우에는 7, 8, 9번 늑연골에서 채취하는데, 유방 주름선에서는 채취하기 어려우므로, 직접 해당 늑연골 위의 피부를 절개한다(**그림 10-59**).

늑연골의 채취는 부분마취로도 가능하지만 아주 익숙해지기 전까지는 전신마취로 수술하는 것이 기흉(pneumothorax) 발생 시 안전하게 대처할 수 있다는 점을 참고해야 한다.

② **연골 채취(그림 10-60)**

피부 절개 후 연조직(soft tissue)과 근육(pectoralis major muscle, latissimus dorsi m., serratus anterior m.)을 박리해서 젖히고 연골막(perichondrium)

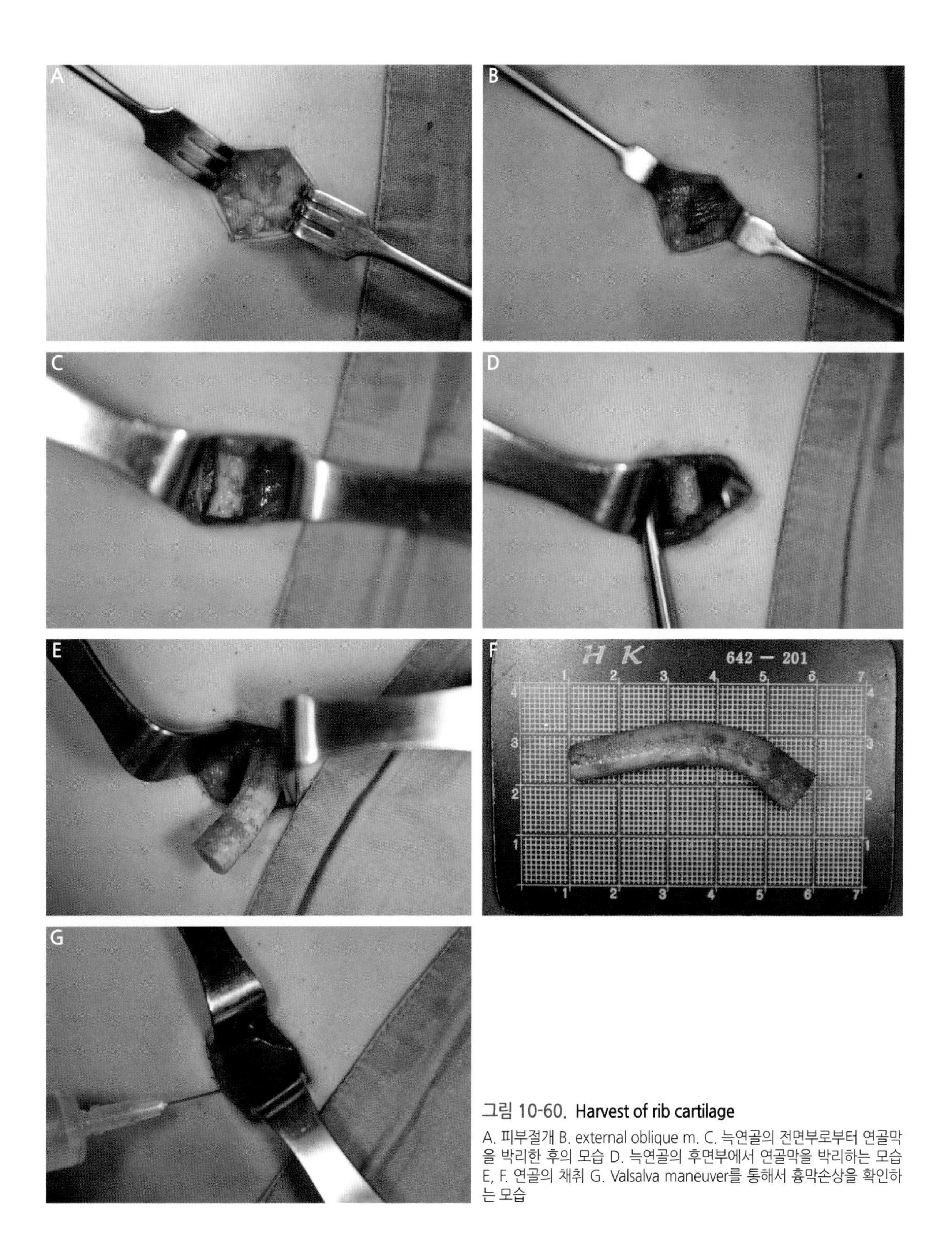

그림 10-60. **Harvest of rib cartilage**

A. 피부절개 B. external oblique m. C. 늑연골의 전면부로부터 연골막을 박리한 후의 모습 D. 늑연골의 후면부에서 연골막을 박리하는 모습 E, F. 연골의 채취 G. Valsalva maneuver를 통해서 흉막손상을 확인하는 모습

을 노출한다. H 모양으로 연골막을 절개하고 연골로부터 박리하여 연골막은 그대로 두고 연골만을 채취하도록 한다. 앞쪽의 연골막은 비교적 쉽게 박리가 가능하며 연골 뒷편의 연골막은 끝이 구부러진 elevator를 이용해서 조금씩 박리를 진행해서 연골의 한쪽 끝부위의 연골막이 연골의 앞 뒷면에서 모두 박리가 되도록 한다. 연골의 뒷면과 박리된 연골막의 사이 공간에 보호할 수 있는 protector를 넣은 후에 #10 blade를 이용해서 연골 두께의 3/4 정도를 절단한다. 남은 두께는 blunt dissectorr를 틈에 넣어서 살살 비틀어서 절단되도록 한다. 이렇게 하면 흉막이 찢어지는 것을 피할 수 있다. 이후 절단 된 말단 부위를 hook retractor를 이용해서 들어올리면서 후면 연골막의 박리를 sternum방향으로 더 진행한다. 연골막 하부의 늑막이 손상되지 않도록 주의하면서 남은 말단의 연골을 마저 절단해 원하는 만큼 연골을 채취한다.

늑연골 채취 후에는 마취과 의사와 협조하여, 늑연골 채취한 공간 안에 식염수를 채운 후에 Valsalva maneuver를 취하게 하여 기포의 발생여부를 확인하여, 기흉 여부를 체크하여야 한다.

연골채취 중 늑막이 손상되어 기흉이 발생한 경우 손상된 늑막을 통해 흉강(thoracic cavity) 내부에 튜브를 삽입하고 늑막을 봉합한다. 그 후에 마취과 의사의 도움을 받아 폐를 완전히 팽창시킨 상태에서 튜브에 음압을 걸어 흉강 내의 공기를 배출한 후 튜브가 삽입되었던 부분을 마저 봉합해주면 된다.

(2) 채취한 늑연골 조각

비배부 융비술에 늑연골을 사용할 때 가장 주의할 점은 늑연골의 warping이다.

그러므로, Gibson의 balanced cross section principle에 따라서 양쪽의 연골막을 동일하게 남겨서 사용하거나, 연골의 가운데 중심부위를 사용하는 것이 좋다(**그림 10-61**). 그러나, 실제로 비배부 융비술을 위해 늑연골 조각 시에는 비배부의 굴곡에 늑연골을 맞추어야 하므로 이 원리를 따르기가 어렵다. 다행히 매우 두터운 모양으로 조각할 경우에는 warping이 거의 오지 않기 때문에, 문헌에 소개되는 것 같은 K-wire를 늑연골 중심에 삽입하는 방법(**그림 10-62**)을 저자는 선호하지 않는다. 얇은 두께의 늑연골을 사용해야 할 경우에는 오히려 warping을 활용한 조각법을 활용할 수 있다.

우선 balanced cross section principle에 따라서 좌우의 대칭을 잘 맞추어 조각을 한 후에, 늑연골의 floor와 roof의 모양을 보형물처럼 조각한다. floor-roof 방향의 warp-

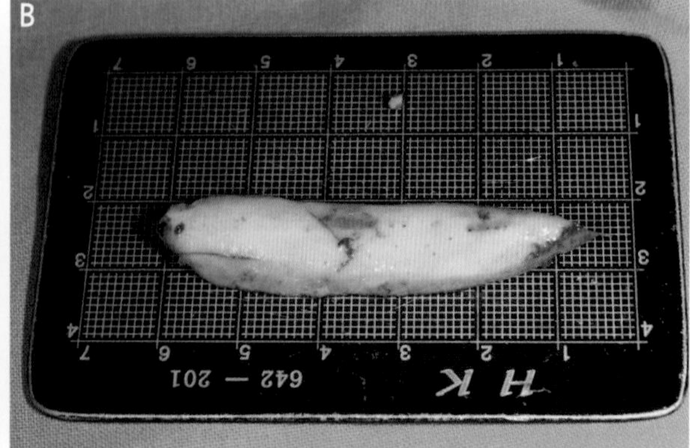

그림 10-61. Carving of rib cartilage for dorsal augmentation.
A. 늑연골의 중심부위를 사용함으로써 연골의 warpping을 최소화할 수 있다. B. carving 후의 모습

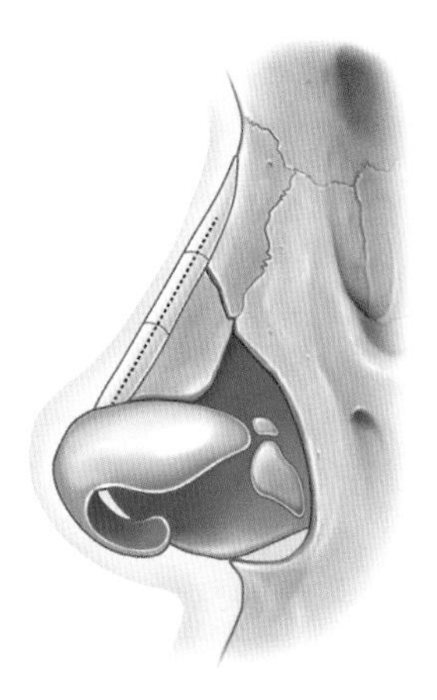

그림 10-62. K-wire to prevent graft warping

ing은 코의 굴곡과 유사하게 되므로, 큰 문제가 되지는 않는다. 이러한 방법을 더 쉽게 적용한 기술이 늑연골의 한쪽 cortex를 포함하여 일정 두께를 슬라이스해서 사용하는 방법이 있다(**그림 10-63**). 한쪽으로 warping이 일어나지만, 그 모양이 코의 nasal dorsum 굴곡과 유사하므로, 문제가 되지 않으며 오히려 좋은 모양을 제공해준다.

만일 과도한 warping이 발생할 경우에는 graft에 칼집을 내어서 조절할 수 있는데, 이를 위해서는 경험이 필요하다(**그림 10-64**). Supratip break부위의 부드러운 곡선이 구현되지 않을 경우에는 두개의 조각을 서로 연결시켜서 모양을 만들 수도 있다(**그림 10-65**).

(3) 이식편의 삽입

늑연골은 조각 후 30분간에 최대한으로 변형이 오므로 최소한 30분~1시간 동안 생리식염수에 담가둔 후

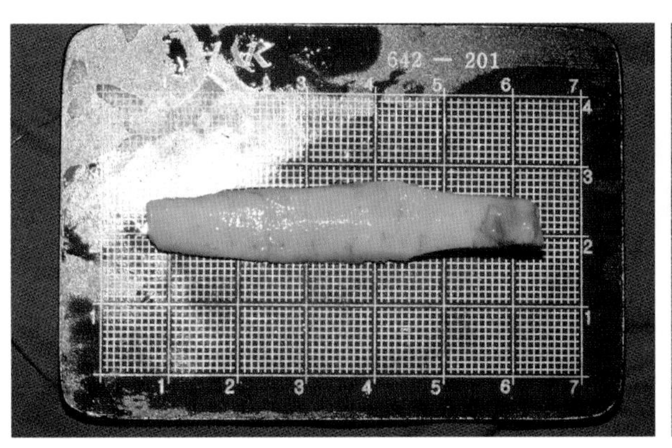

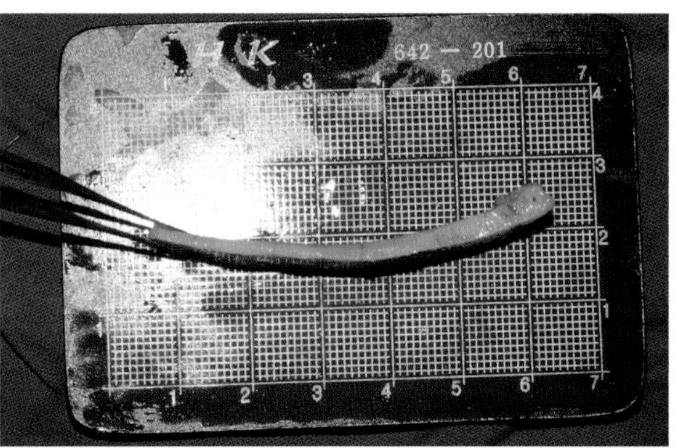

그림 10-63. 늑연골의 한쪽 cortex 부위를 포함해서 조각한 모습

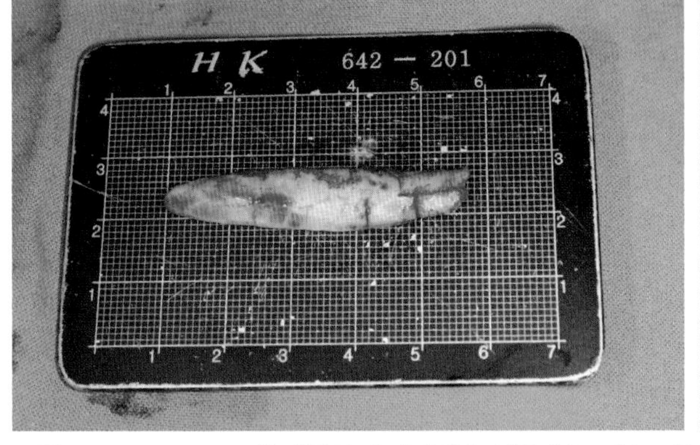

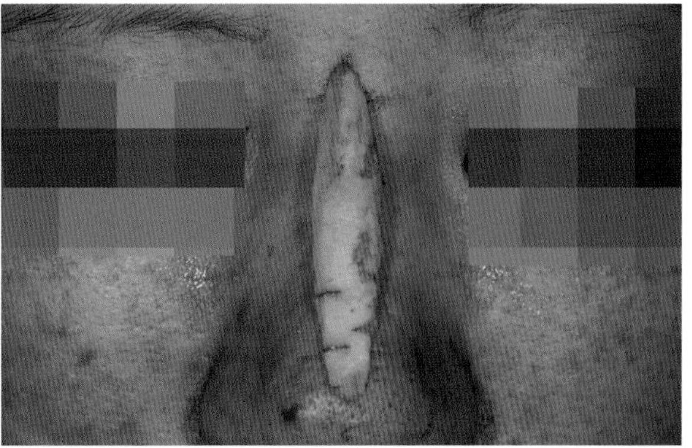

그림 10-64. warping을 예방하기 위해서 늑연골에 hatching을 가한 모습

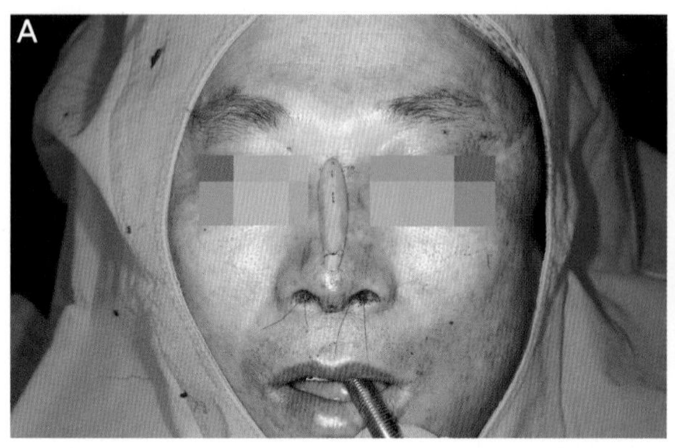

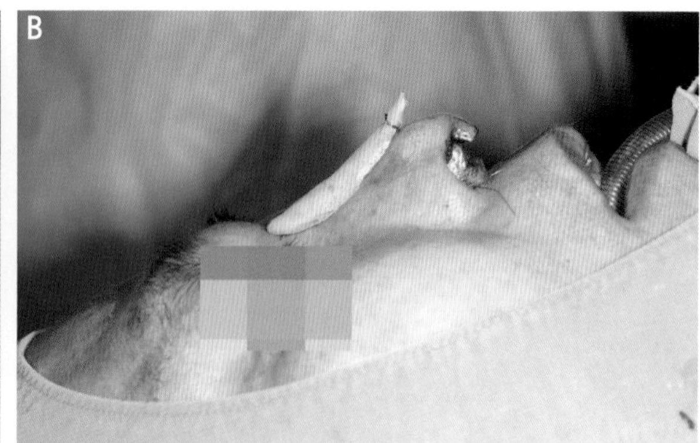

그림 10-65.
A. 늑연골의 본체에 작은 조각을 연결하여 supratip break을 자연스럽게 구현한 모습

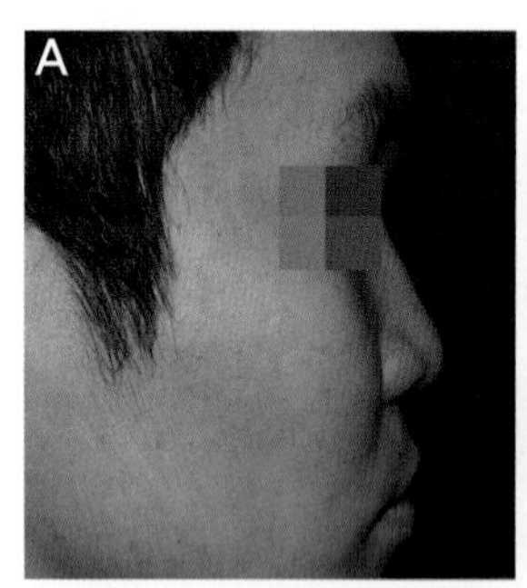

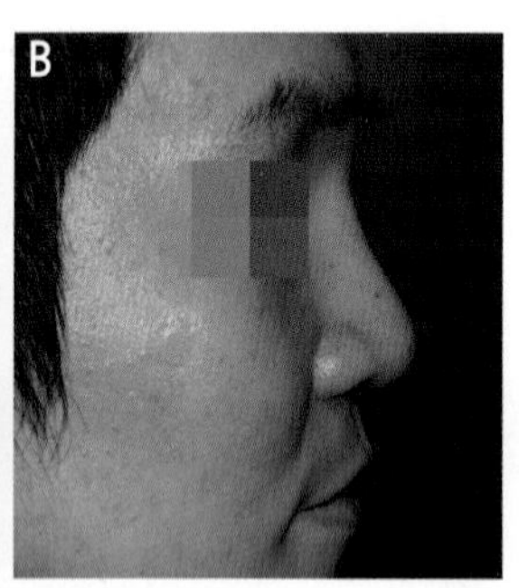

그림 10-66. 늑연골을 이용한 비배부 융비술
A. 수술 전 B. 수술 후

이식을 시행해야 한다.

늑연골은 코에 삽입 후에 상부는 K-wire로 고정하기도 하지만, 저자는 upper lateral cartilage의 상부와 하부 두 군데에 PDS suture로 고정한다.

그림 10-66은 늑연골 융비술 전후의 모습이다.

4) Dorsal augmentation with diced cartilage wrapped with temporal fascia

연골을 잘게 갈아서 이를 fascia로 소시지 모양으로 싼

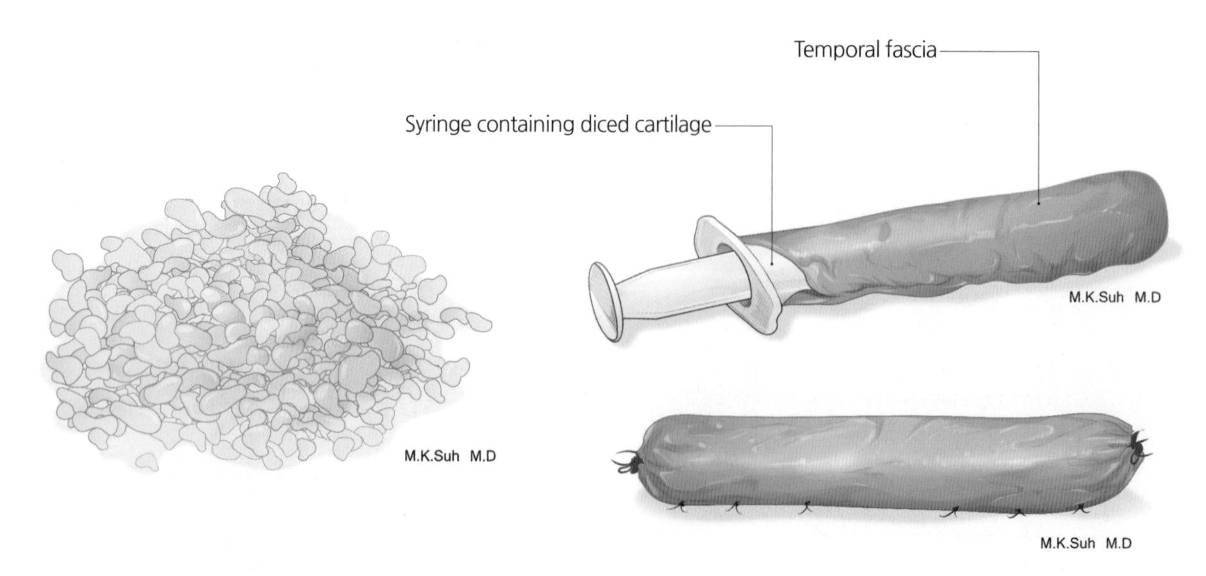

그림 10-67. Diced cartilage graft

후에, 비배부에 삽입하여 비배부를 높이는 수술이다(**그림 10-67**).

재료가 되는 연골은, 귀연골, 비중격연골, 늑연골 등이며, 귀연골이나 비중격 연골은 늑연골에 비해서 양이 부족하기 때문에, 귀연골이나 비중격 연골 하나만으로 사용하기 보다는 둘 다 함께 사용하는 경우가 흔하다.

이 수술은 늑연골을 통째로 사용하는 것에 비해서, 연골의 좌우 윤곽이 드러나보이는 현상이 적고 자연스럽다.

그러나, 흡수율이 높기 때문에, 원하는 높이에 이르지 못하는 경우가 흔하고, 수술시간이 훨씬 더 긴 것에 비해서 높이면에서 유리하지 않고, 작은 굴곡이 보이는 경우도 있어서, 최근에는 이 방법의 사용 빈도가 감소하는 추세이다.

참고문헌

1. 박찬흠 외 : 고어텍스 이식물의 수술 전 처치방법과 이에 대한 유용성 연구. Korean J Otorhinolayngol-Head Neck Surg, 2009 : 52 : 145-8
2. 서만군, 동종 늑연골을 이용한 구축된 들창코 변형의 교정. 대한미용성형외과학회지 16(3) : 117-124, 2010
3. 양순재 외 : 성공적인 융비술을 위한 지침. 대한성형외과학회지. 11(1) : 34-39, 2005
4. 양순재 외 : 융비술에 사용된 Expanded Plytetrafluoroethylene (Gore-Tex)의 문제점. 대한성형외과학회지. 31(1) : 28-33, 2004
5. 진현석, Jin HS, Kim HJ, Han KH : Calcification deposits in nasal silicone implants : Regional disgtribution in relation to surrounding soft tissues. J Korean Soc Plast Reconstr Surg, 31 : 315, 2004
6. Berman M, etc. The use of Gore-Tex E-PTFE bonded silicone rubber as an alloplastic implant material, Laryngoscope. 96: 480-483, 1986
7. Brewer AR, Stromber BV. In vitro adherence of bacteria to prosthetic grafting materials. Ann Plasti Surg. Feb: 24(2): 134-138, 1990
8. CH Park. Histological study of expanded polytetrafluoroethylene(Gore-Tex) implanted in the human nose. Rhinology. 2008 46 : 317-23
9. Colin Tham, Yan-Lung, Chau-Jin Weng, Yu-Ray Chen. Silicone augmentation rhinoplasty in an oriental population. Ann Plast Surg. 2005 ; 54(1) : 1-5
10. Conrad K, Torgerson CS, Gillman GS : Application of Gore-Tex implants in rhinoplasty reexamined after 17 years. Arch Facial Plast Surg. 10(4) : 224-31, 2008
11. Coursey, D.L. Staphylococcal endocartidtis following septorhinoplasty. Arch. Otolaryngol. 99 : 545, 1974
12. Daniel RK. Calvert JC. Diced cartilage in rhinoplasty surgery. Plast Reconstr Surg. 113: 2156, 2004
13. Daniel RK. Mastering rhinoplasty. Springer. 2010
14. Deva AK, Merten S, Chang L. Silicone in nasal augmentation rhinoplasty : a decade of clinical experience. Plast Reconstr Surg 1998;102(4) : 1230-7
15. Deva AK, Merten S, Chang L. Silicone in nasal augmentation rhinoplasy : a decade of clinical experience. Plast Reconstr Surg 1998;102(4) : 1230-7
16. DH Jung, Rhinoplasty. Greenbook Co. 91, 2002
17. Godin MS, Walderman SR, Johnson CM. Nasal augmentation using Gore-Tex : a 10-year experience. Arch Facial Plast Surg 1999;1 : 118-21
18. Jang, et al. Histologic study of Gore-Tex removed after rhinoplasty. The Laryngoscope 2009; 119 : 620-627
19. Lacy, G. M., and Conway, H. Recovery after meningitis with convulsions and paralysis following rhinoplasty : Cause for pasuse. Past. Reconstr. Surg. 36: 254,1965
20. Malaisrie SC, Malekzadeh S, Biedlingmaier JF : In vivo analysis of bacterial biofilm formation on facial plastic bioimplant. Laryngoscope. 1998 Nov : 108(11 Pt 1) : 1733-8
21. Merritt K, Shafer JW, Brown SA : Implant site infection rates with porous and dense materials. J Biomed Mater Res. 1979 13 : 101, 1979
22. Miller TA. Temporalis fascia grafts for facial and nasal implants. Br J Plast Surg. 25: 276, 1972
23. Silistreli OK, Capar M, Ulusal BG, Ikinci N, Avtug Z, Oztan Y : Behavior of the different implant materials in acute infection and efficacy of antibiotherapy : experimental study in rats. J Biomed Mater Res B Appl Biomater. 2007 Feb : 80(2) : 468-78

24. Tham C, Lai YL, Weng CJ, Chen YR : Silicone augmentation rhinoplasty in an oriental population. Ann Plast Surg 54 : 1, 2005
25. Thomas, S.W., Baird, I.M. and Frazier R.W. Toxic shock syndrome following submucous resection and rhinoplasty. JAMA 247 : 2402, 1982
26. William J. Pearce, etc : The use of Gore-Tex e-PTFE bonded to silicone rubber as an alloplastic implant material. Laryngoscope 1986; 96 : 480-483
27. Yong Gi Jung, etc : Ultrasonographic monitoring of implant thickness after augmentation rhinoplasty with expanded polytetrafluoroethylene. Am J Rhinol Allerygy 2009; 23 : 105-110
28. Zeng Y, Wu W, Yu H, Yang J, Chen G : Silicone implants in augmentation rhinoplasty. Aesthetic Plast Surg 26 : 85, 2002

CHAPTER 11

비첨부 교 | Modification of Tip

Chapter Author | 조태영

1. Modification of Tip position

1) Increasing Tip projection

우리나라 사람들의 코성형 수술 중 가장 많은 빈도로 시행되는 것은 콧대와 nasal tip을 올리는 수술이다. 그 중 nasal tip을 올리는 과정은 columellar strut이나 septal extension graft 등으로 하부 지지력을 만들어주는 술기와 그 힘을 바탕으로 위쪽에서 구체적인 nasal tip 모양을 만들어 주는 술기로 나눌 수 있다. Onlay graft나 lower lateral cartilage의 suture technique 등은 위쪽에서 실질적인 tip defining point를 만들어 주는 술기에 해당된다.

얻고자 하는 projection의 양이 많은 경우에는 septal extension graft처럼 단단한 하부구조를 만들어 놓고 위쪽에 onlay graft나 lower lateral cartilage 봉합법 등을 시행하여 모양을 만들어 주는 것이 장기적으로 좋은 수술 결과를 얻을 수 있다. 하지만 lower lateral cartilage가 서양인들처럼 비교적 튼튼하게 잘 발달되어 있고 tip support가 좋은 환자 군에서 적은 양의 projection만 얻어도 되는 상황이라면 굳이 septal extension graft를 하지 않고 columellar strut 정도의 하부구조만 보강해 주어도 충분히 원하는 수술 결과를 얻을 수 있다(**그림 11-1**).

코수술을 시행할 때 open approach를 하게 되면 nasal tip을 지지하고 있는 정상적인 연결부위들이 끊어지게 되어 그 자체만으로도 2~3 mm 정도는 nasal tip이 내려가게 되므로 open approach를 할 때에는 반드시 소실된 nasal tip 높이를 잘 보충해 주어야 한다. 3 mm 이상의 nasal tip 높이를 보강하려면 columellar strut과 transdomal suture 등의 lower lateral cartilage에 대한 봉합술기들만으로는 부족하고 그 위에 어느 정도 연골이식을 추

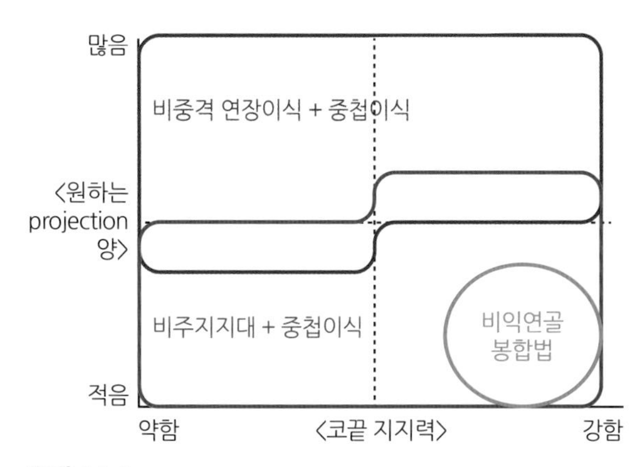

그림 11-1.
projection을 많이 얻고자 한다면 septal extension graft처럼 강한 하부구조를 만들어 놓아야 하고, 얻고자 하는 양이 적은 경우에는 columellar strut과 onlay graft만으로도 원하는 nasal tip 모양을 얻을 수 있다. Lower lateral cartilage 봉합법은 lower lateral cartilage의 발달이 잘 되어 tip의 지지력이 좋은 환자군에서 효과가 크다.

가로 해주어야만 원하는 정도의 nasal tip projection을 얻을 수 있다.

(1) Columellar strut

Nasal tip의 supporting power를 보강해주는 역할, 실질적인 projection을 얻어내는 역할과 함께 양쪽 medial crura의 모양이나 대칭을 맞춰주는 역할을 한다. Septal cartilage나 ear cartilage를 주로 이용하며 한 겹으로 대주는 것보다는 convex하거나 concave한 면을 겹쳐서 두 겹으로 대주는 것이 deviation을 피하는 데 도움이 된다.

Columellar strut의 폭은 보통 3~4 mm 정도로 하여 양쪽 medial crura 사이에 숨겨주는 invisible type으로 넣어주는 경우가 많지만, columella가 retraction되어 있는 경우나 infratip lobular augmentation이 필요한 경우에는 columellar strut이 약간 앞쪽으로 밀려 나오는 visible type으로 대줄 수도 있다.

Columellar strut의 길이와 깊이에 따라 anterior nasal spine에서 2-3 mm 정도 간격을 떼어 놓는 floating type과 columellar strut이 bone에 닿아 있는 fixed type으로 나눌 수 있다(**그림 11-2**). 말하거나 웃는 등의 표정을 지을 때는 depressor septi nasi m.이 당겨 내리는 힘이 nasal tip을 누르게 되므로, floating type으로 columellar strut을 넣을 때는 strut의 아래쪽 끝 부위와 anterior nasal spine 사이에 어느 정도 soft tissue를 남겨 놓는 것이 스프링처럼 buffering 역할을 해줄 수 있는 공간이 되어 nasal tip이 눌릴 때 clicking되는 현상을 피할 수 있다. 3 mm 이상 많은 양의 projection을 얻으려면 지지력이 강한 fixed type이 더 유리하지만, nasal tip이 고정되므로 표정을 지을 때 부자연스럽고 딱딱한 느낌이 드는 것을 피할 수 없다. Floating type의 columellar strut을 넣더라도 위쪽에 추가로 onlay graft 등을 해서 보충해주면 원하는 만큼의 projection을 얻을 수 있으므로 가능하면 환자들이 편하고 자연스러운 floating type으로 수술하는 것이 좋다고 생각한다.

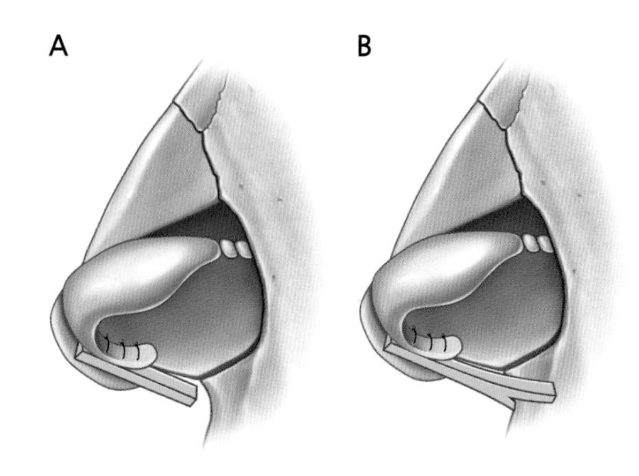

그림 11-2. 두 가지 type의 columellar strut
A. Floating type B. Fixed type

(2) Septal extension graft

1997년 Dr. Byrd에 의해 소개된 후 여러 가지 type으로 응용되어 우리나라에서 아주 많이 사용되고 있는 수술 방법이다. Columellar strut에 비해 강력한 지지력을 바탕으로 tip projection 이외에도 nasal tip의 위치를 길게(caudal rotation) 또는 짧게(cephalic rotation) 변화시켜 원하는 위치로 이동시켜 줄 수 있다는 장점을 가지고있다. 하지만 membranous septum이 희생되면서 코의 위쪽 fixed portion과 아래쪽 mobile portion이 하나의 fixed unit으로 고정되어 nasal tip의 상하 움직임이 제한되고 딱딱해지는 단점이 있다.

Septal extension graft는 술자에 따라 여러 가지 모양으로 시술되고 있지만, 크게는 batten type과 spreader type 두 가지로 나눌 수 있다(**그림 11-3**). Nasal tip의 projection을 얻으려면 batten type이 유리하고, nasal tip의 lengthening을 얻으려면 spreader type으로 design하는 것이 더 유리하다. 경험이 많아 익숙한 술자라면 batten type의 septal extension graft 모양을 미리 계획대로 design 한 후 넣어주어도 원하는 tip position을 얻을 수 있겠지만, 비중격이 크게 확보되는 환자들에서는 떼어낸 그대로 일단 비중격에 overlapping 시켜 놓은 후에 원하는 위치로 lower lateral cartilage를 setting하고 나서 남는

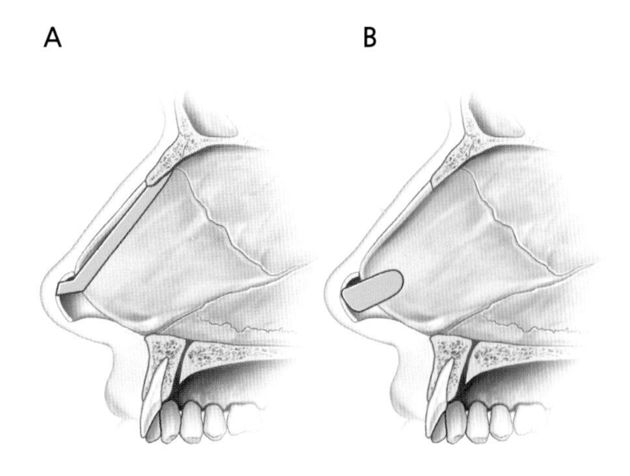

그림 11-3. 두 가지 type의 septal extension graft
A. Batten type B. Spreader type

부위를 절제하는 것도 이식편의 design이 잘못되어 실패하는 것을 피할 수 있는 방법이다(**그림 11-4**).

여러 가지 다양한 모양으로 batten type의 septal extension graft를 만들 수 있지만, nasal tip projection을 얻고자 할 때 중요한 것은 이식편이 anterior nasal spine쪽으로 길이가 충분히 내려가 있어야 수술 후 오랜 시간이 지나도 지속적으로 depressor septi nasi m.의 누르는 힘을 버텨낼 수 있다는 것이다. 또 이식편과 비중격을 고정시키는 부위도 위아래 방향으로 충분히 겹쳐지게하여 장기적으로 잘 버틸 수 있도록 해야 한다(**그림 11-5**).

(3) Cartilage graft on tip

① Onlay graft

Conchal cartilage나 septal cartilage를 이용해서 dome 부위에 한 겹이나 여러 겹으로 중첩시켜서 올려주는 방법이다. Lower lateral cartilage의 발달이 적은 아시아인에서는 nasal tip의 projection을 얻기 위해 거의 routine으로 시행되는 익숙한 술기이다. 귀연골은 연골 자체가 가지고 있는 굴곡이 있기 때문에 이러한 curve를 잘 이용하면 onlay graft와 shield graft가 연결되는 모습으로 올려줄 수 있어서 tip defining point를 자연스럽게 만들어 줄 수 있다(**그림 11-6**). 피부가 얇은 환자들에서는 이식된 연골의 경계부위가 드러나 보일 수 있기 때문에 crusher나 morselizer를 이용해서 부드럽게 다듬어서 올려주는 것이 좋다.

Nasal tip을 올릴 때는 원하는 projection의 양을 septal extension graft나 columellar strut 등의 하부 구조물과 onlay graft 등의 상부구조물이 적절하게 분담하도록 해야 자연스러운 basal view를 얻을 수 있는데, 상대적으로 너무 많은 양의 중첩이식을 하게 되면 infratip lobule 부위만 너무 올라가게

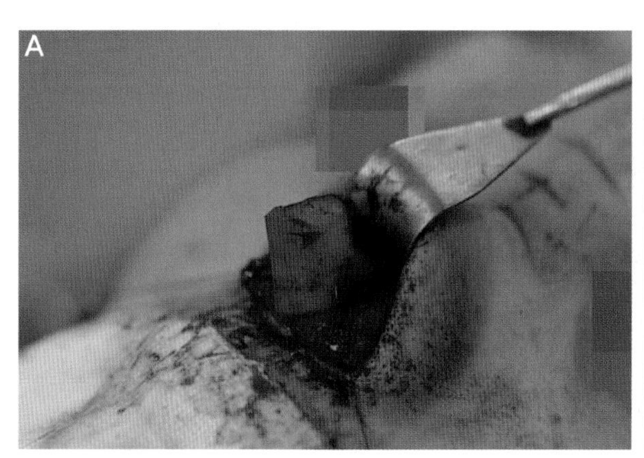

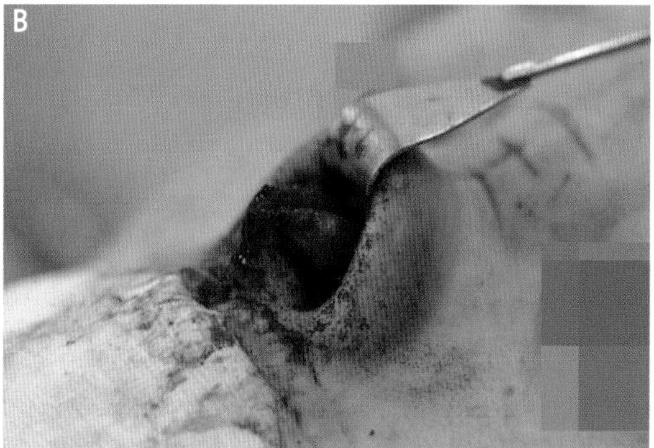

그림 11-4.
A. 떼어낸 비중격을 다듬지 않고 먼저 고정한 모습 B. Lower lateral cartilage를 원하는 위치에 고정시킨 후 남는 비중격을 잘라 낸 후의 모습

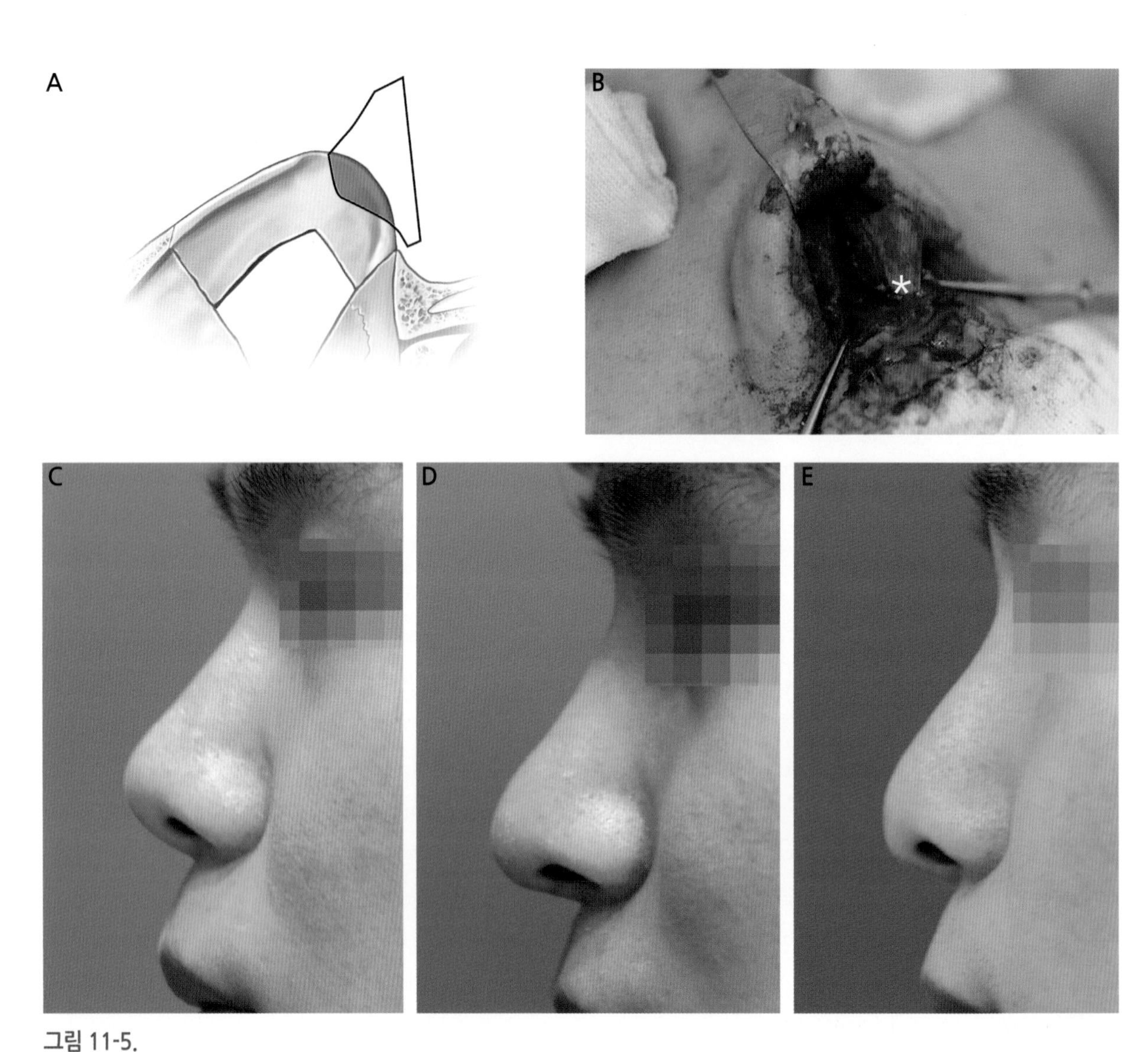

그림 11-5.

A. Nasal tip projection을 얻는 데 효과적인 septal extension graft design B. Nasal spine과 septal extension graft 사이가 멀리 떨어져 있으면* 시간이 지나면서 tip 높이가 많이 내려오게 되어 장기적으로 좋은 결과를 얻을 수 없다. C,D,E. 수술 직후의 nasal tip 높이가 유지되지 못하고 1년 정도 시간이 지나면서 내려오는 모습

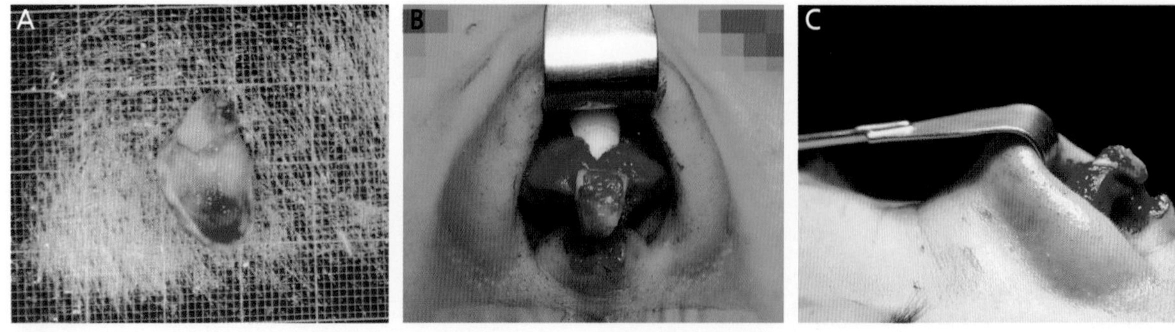

그림 11-6.

A. Cymba concha에서 떼어낸 귀연골 B,C. 귀연골이 가지고 있는 curve를 잘 이용하면 onlay graft와 shield graft의 효과를 한꺼번에 얻어 자연스러운 tip defining point를 만들 수 있다.

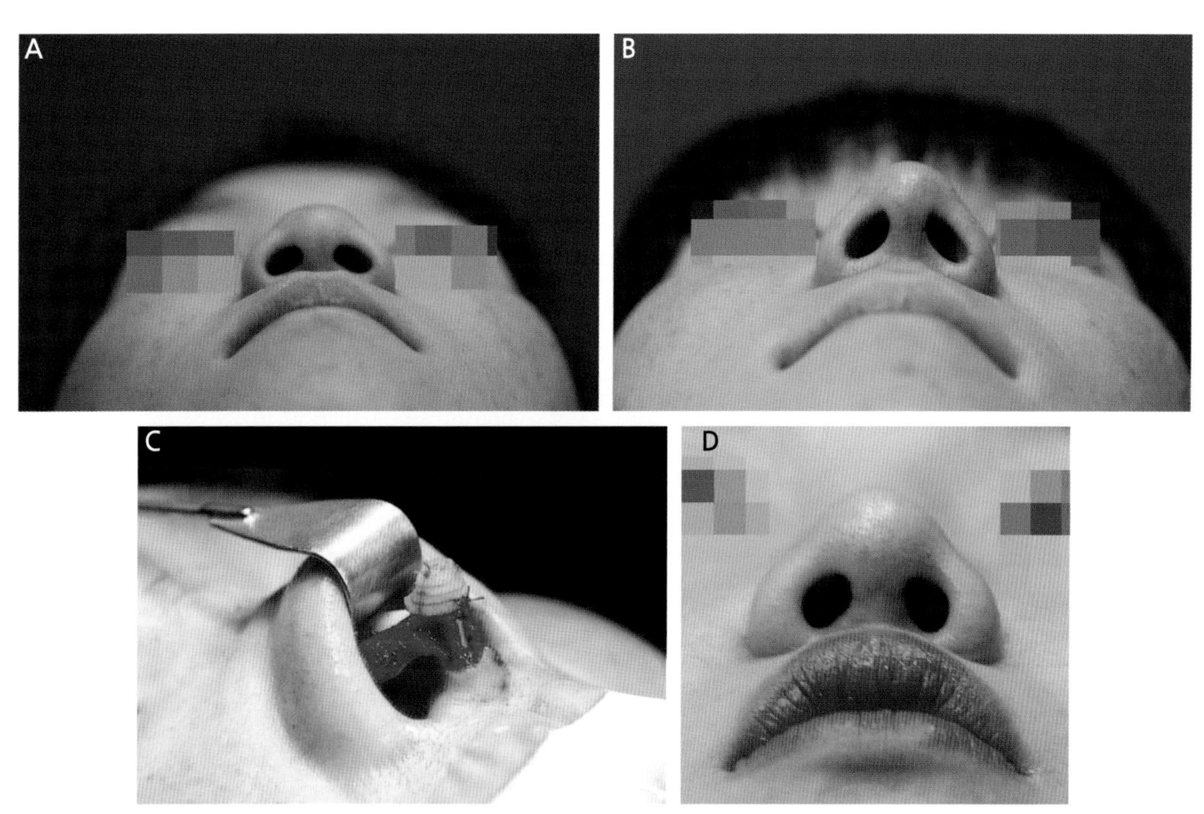

그림 11-7.

A, B. Columellar strut과 onlay graft의 비율을 적절히 하면 columellar portion과 infratip lobule이 함께 늘어나며 자연스럽게 projection이 된다. C, D. Columellar strut이 짧고 onlay graft의 비중이 크면 infratip lobule 부위의 높이가 상대적으로 많이 올라가게 된다.

되어 columella 부위와의 균형이 깨져 자연스럽지 못하게 되므로 주의한다(**그림 11-7**).

② Cap graft

Tip defining point를 만들어주는 middle crura 사이에 넣는 작은 graft를 의미한다. nasal tip이 projection 되는 양은 적지만 nasal tip의 모양을 다듬어 주는 효과가 있다(**그림 11-8**).

③ Umbrella graft

많은 양의 onlay graft를 하는 경우 아래쪽에서 받쳐주는 힘이 있어야 코끝 피부가 누르는 힘을 버텨낼 수 있으므로, columellar strut을 길게 넣어주고 나서 그 위에 onlay graft를 연결해서 대어 주는 경우를 말한다(**그림 11-9**). Lower lateral cartilage의 발달이 좋지 않아 columellar strut을 넣어도 dome 부위와 연결이 안 되는 경우 무리해서 위쪽

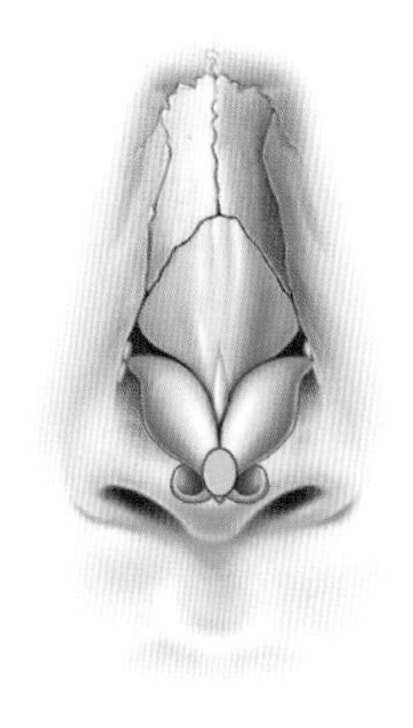

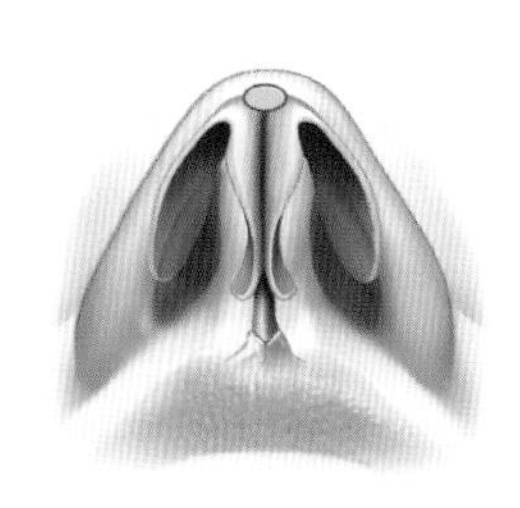

그림 11-8. Cap graft

까지 lower lateral cartilage와 columellar strut을 봉합하면 nasal tip이 cephalic rotation되어 코끝이 짧게 들리게 된다. 이런 경우 columellar strut을 너무 길게 대지 않고 위쪽에 작은 onlay graft를 하나 넣어서 dome까지 높이를 맞춰준 후 그 위에 다시 크기가 큰 onlay graft를 얹어서 umbrellar type의 graft를 하게 되면 nasal tip이 들리지 않으면서 원하는 nasal tip projection을 얻을 수 있다(**그림 11-10**).

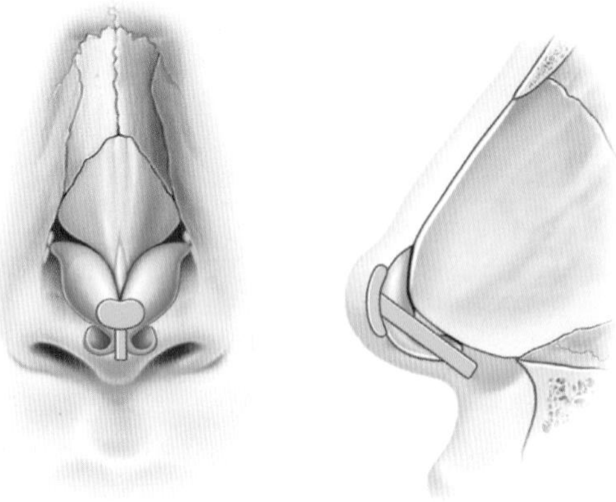

그림 11-9. **Umbrella graft**

(4) Lower lateral cartilage 봉합법

Nasal tip을 projection 시켜주는 봉합법들은 다음과 같다. 주로 사용되는 실은 5-0 nylone이나 5-0 PDS이다.

① Middle crural suture

Lower lateral cartilage의 medial crus 상방에 있는 middle crus 부위를 모아주는 봉합법으로 돔 사이 간격을 줄여주고 lobule 부위를 위쪽으로 projection 시켜주는 효과가 있다. 주로 columellar strut이나 septal extension graft를 사이에 두고 시행한다(**그림 11-11**).

② Transdomal suture

양쪽 lower lateral cartilage 각각의 domal segment에 horizontal mattress suture를 하여 돔 분절의 벌어진 각도를 모아주면서 nasal tip의 projection을 얻는 봉합법이다(**그림 11-12**). 봉합사의 위치가 dome apex에서 바깥쪽으로 멀어질수록 lower lateral cartilage의 lateral crus가 더 오목하게 모아지면서 nasal tip이 projection 되는 양도 더 늘어나게 된다. 하지만 너무 지나친 힘으로 당겨 놓으면 lateral crus의 buckling이 생기거나 pinched tip deformity가 올 수 있으므로 주의해야 한다.

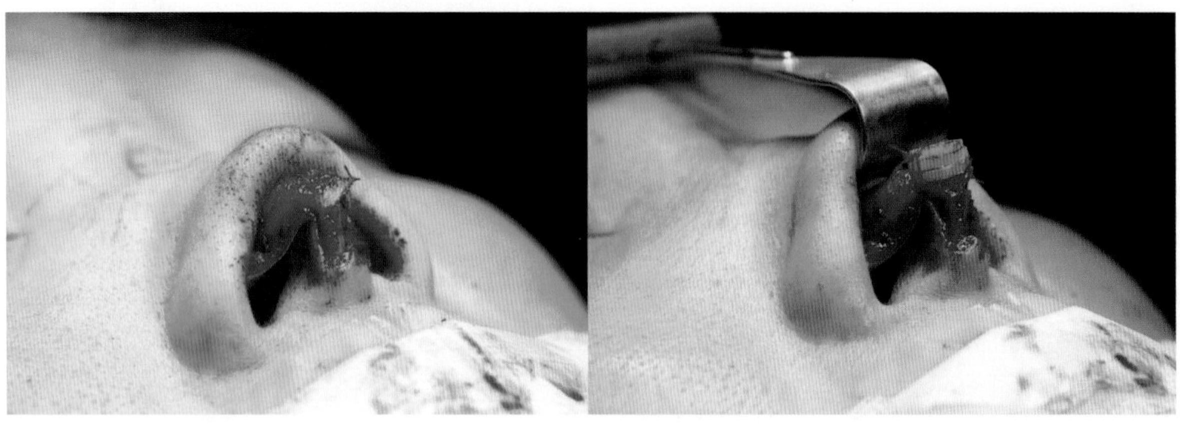

그림 11-10. **Lower lateral cartilage의 발달이 약한 경우의 umbrella graft 응용법**
작은 이식편을 columellar strut 위쪽에 넣어서 dome과의 높이를 맞춘 후 그 위쪽에 더 큰 onlay graft를 한다.

A

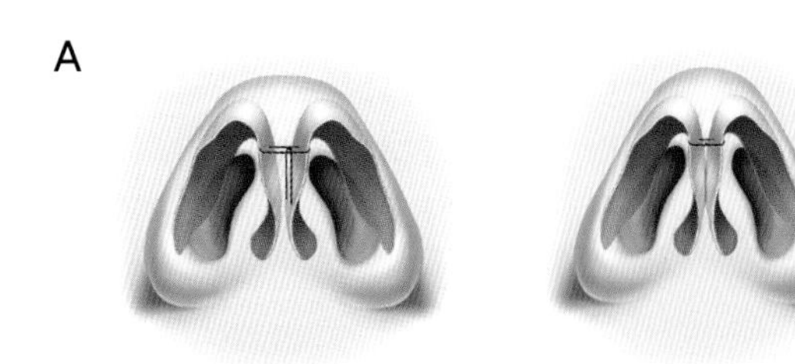

B

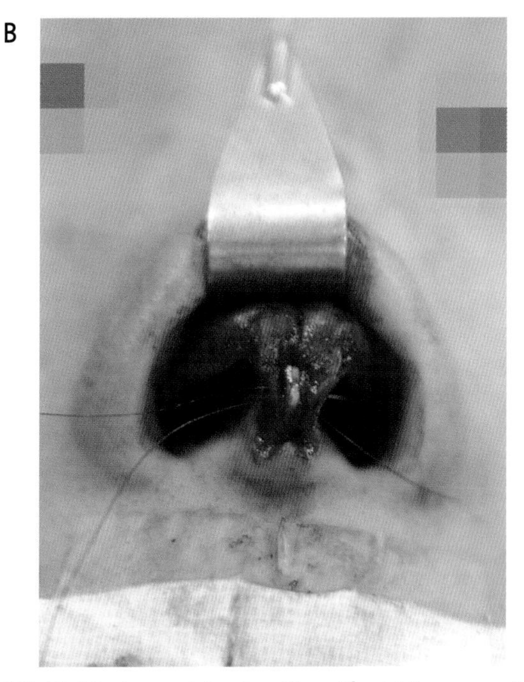

그림 11-11. **Lower lateral cartilage의 middle crura suture**

A. 두 lower lateral cartilage의 medial crura 상방에 있는 middle crura 부위에 매듭이 안쪽에 오도록 하여 봉합해서 모아준다. B.대부분 middle crura 사이에 columellar strut이나 septal extension graft가 들어간 상태에서 함께 봉합되는 경우가 많다.

③ Interdomal suture

양쪽 lower lateral cartilage의 domal segment를 연결해서 모아주는 봉합법이다.

Domal divergence angle을 줄여주고 tip defining point를 모아주게 되므로 nasal tip의 넓이가 좁아지고 nasal tip이 projection되는 효과가 있다(**그림 11-13**).

양쪽 lower lateral cartilage에 대해 transdomal suture를 시행하면 항상 양쪽 lower lateral cartilage 사이에 비대칭이 생기기 마련인데, 이런 경우 interdomal suture를 해주면 lower lateral cartilage의 비대칭을 해결할 수 있어서 두 가지 봉합법은 함께 쓰이는 경우가 많다.

두 개의 수평 매트리스 봉합(horizontal mattress suture)을 연결시켜 한꺼번에 transdomal suture와 interdomal suture를 해주는 방법도 있다(**그림 11-13**).

④ Medial crura-septal suture

Lower lateral cartilage의 medial crus 부위와 비중격의 antero-caudal portion을 연결해 주는 봉합법이다. Medial crus와 비중격이 봉합되는 위치에 따

A

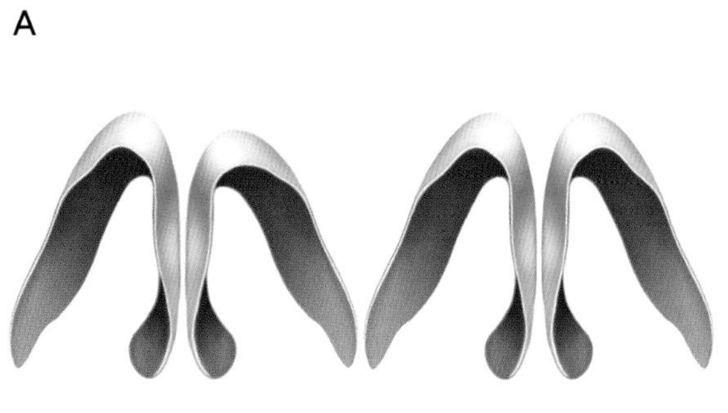

B

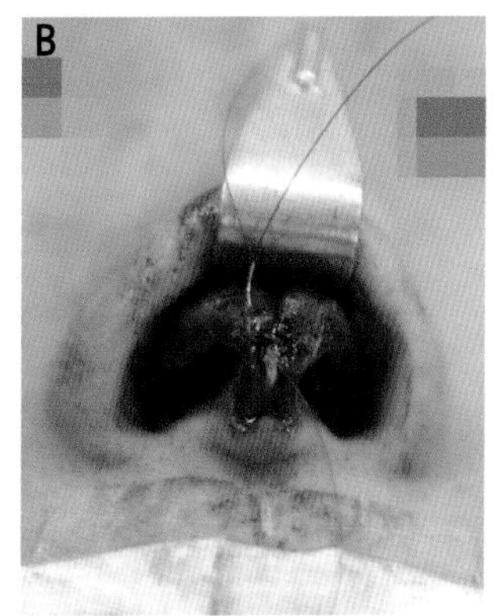

C

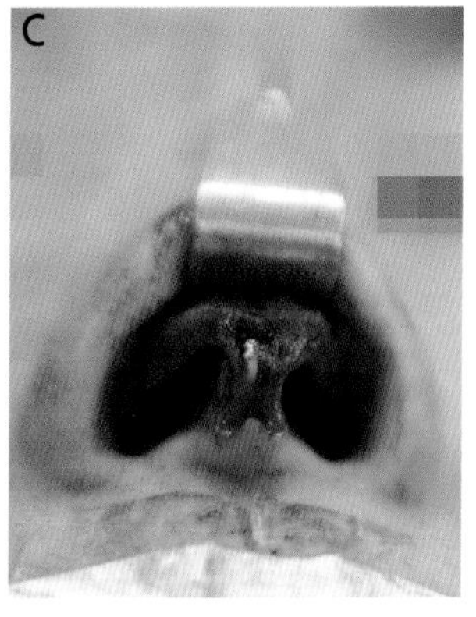

그림 11-12. **Lower lateral cartilage의 transdomal suture**

A. 양쪽 lower lateral cartilage, 각각의 돔분절(dome segment)에 수평매트리스 봉합을 해준다. B.오른쪽 돔경유 봉합을 하고 있는 모습 C. 오른쪽 돔경유 봉합이 끝난 모습. 좌측에 비해 돔 높이가 증가된 것을 볼 수 있다.

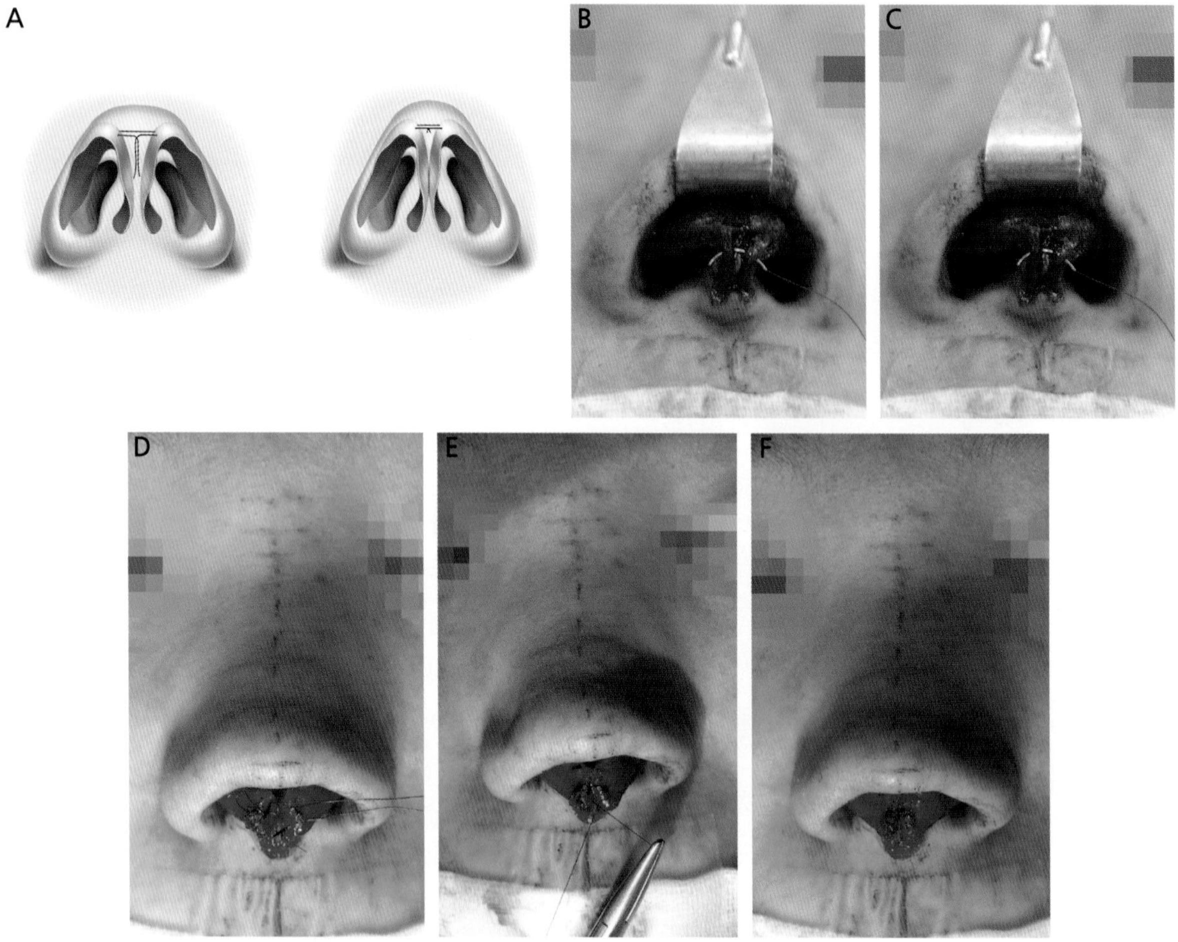

그림 11-13. Lower lateral cartilage의 interdomal suture

A, B, C. 양쪽 lower lateral cartilage 돔분절에 수평매트리스 봉합을 하여 모아준다. D, E, F. 두 개의 수평매트리스 봉합을 연결하여 transdomal suture와 interdomal suture를 한꺼번에 해줄 수도 있다.

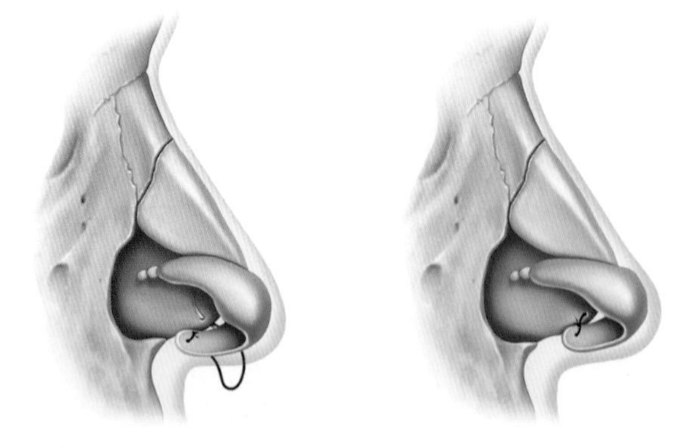

그림 11-14. Lower lateral cartilage의 medial crura-septal suture

Lower lateral cartilage의 medial crura-septal suture. lower lateral cartilage의 medial crus 부위와 비중격의 anterocaudal 부위를 연결해서 3-point 봉합한다. Lower lateral cartilage의 medial crus보다 anterior쪽의 비중격에 연결해 주면 tip projection을 얻을 수 있다.

라 nasal tip projection을 위쪽으로 증가시킬 수도 있고, 반대로 아래쪽으로 감소시켜줄 수도 있으며 단순히 columella를 뒤쪽으로 당겨주는 효과만 줄 수도 있다(**그림 11-14**).

2) Decreasing tip projection

Dr. Anderson의 triangular theory에 의하면, lower lateral cartilage의 두 개의 lateral crura가 각각 한 개씩의 다리, 그리고 두 개의 medial crura가 함께 담당하는 다른 한 개의 다리가 만드는 triangular structure에 의해 nasal tip이 지지된다고 한다. 이 세 개의 다리를 모두 끊어주

게 되면 nasal tip의 위치는 projection이 감소되면서 자연스럽게 아래로 떨어지게 될 것이다. 세 개의 다리 중 위쪽에 있는 두 개의 lateral crura만 끊어준다면 nasal tip은 projection이 줄어들면서 동시에 cephalic rotation 될 것이고, 아래쪽의 medial crura만 끊어준다면 nasal tip은 projection이 줄어들면서 동시에 caudal rotation 되는 효과가 있을 것이다(**그림 11-15**).

Nasal tip을 지지해주며 projection을 유지하게 해주는 요소들은 여러 가지가 있다. 가장 먼저 lower lateral cartilage의 lateral crus와 medial crus 자체의 길이와 두께가 triangular structure를 잘 유지하는 기초가 된다. 그 다음으로는 lower lateral cartilage가 주변 구조물들과 연결되는 부위들이다. Medial crus는 caudal septum에 fibroelastic fiber들로 붙어 있는데, 아시아인에서는 연결되어 있는 조직들이 거의 없거나 아주 약하다고 한다. Lateral crus는 upper lateral cartilage와 fibrous tissue들로 강하게 붙어있는데, 이 부위를 scroll ligament라고 부른다. 또 lateral crus의 끝 부위는 accessory cartilage들과 함께 lateral crural complex를 형성하여 pyriform aperture와 fibrous attachment로 연결되어 있으며 이 부위는 nasal hinge라는 명칭으로 불린다. Lateral crus와 middle crus의 돔 사이는 interdomal ligament라고 하는 구조물로 연결되어 있다. 마지막으로 nasal tip을 덮고 있는 피부도 역시 nasal tip을 지탱해주는 역할을 하고 있다(**그림 11-16A**).

최근 Dr. Rohrich는 lower lateral cartilage의 lateral crus 부위의 구조물들을 통합하여 좀 더 광범위하게 펼쳐져 있는 fascial system으로 분류하고 이를 pyriform ligament라고 표현했다(**그림 11-16B**).

(1) Cephalic trimming of lateral crus

Lower lateral cartilage lateral crus의 cephalic portion을 절제해주면 중요한 지지구조인 scroll ligament가 끊어지면서 버티는 힘이 약해지므로 nasal tip이 아래로 떨어지며 projection이 감소되는 효과가 있다. 시술하기 전에

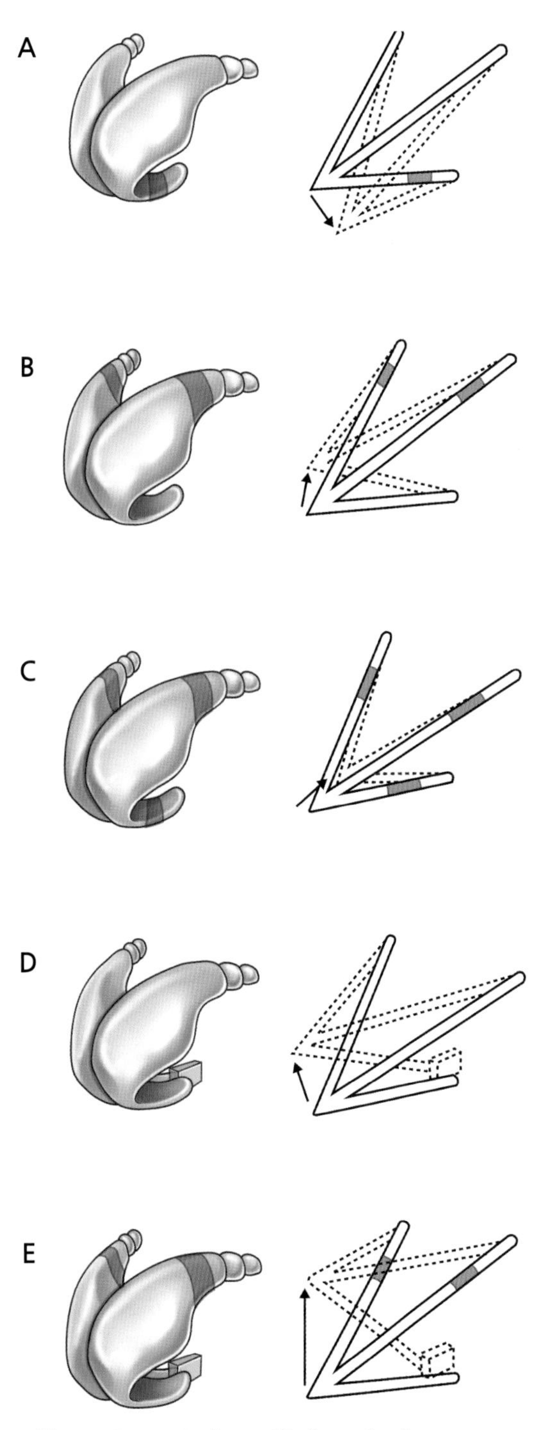

그림 11-15. Dr. Anderson의 triangular theory

A. medial crus를 끊어주면 nasal tip은 낮아지면서 길어진다. B. lateral crus를 끊어주면 nasal tip은 낮아지면서 cephalic 쪽으로 짧아진다. C. medial crus와 lateral crus를 끊어주면 nasal tip은 낮아지고 cephalic 쪽으로 짧아지지만, 짧아지는 양은 적다. D. medial crus를 올려주면 nasal tip은 높아지면서 cephalic 쪽으로 짧아진다. E. medial crus는 올려주고 동시에 lateral crus를 끊어주면 nasal tip이 caphalic rotation되는 양이 훨씬 많아진다.

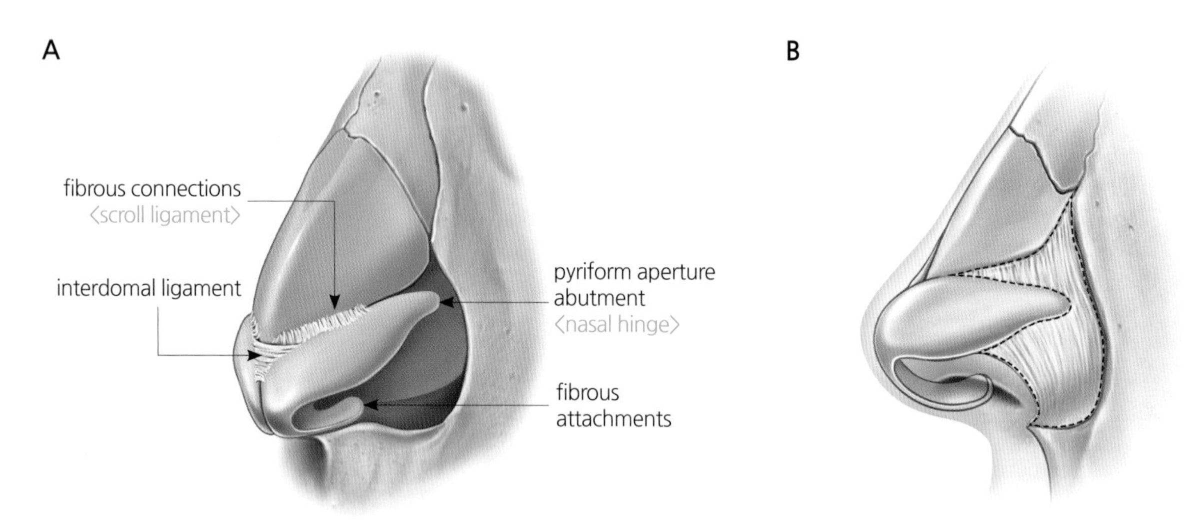

그림 11-16.
A. nasal tip의 projection을 유지할 수 있도록 버티고 있는 구조물들 B. Pyriform ligament

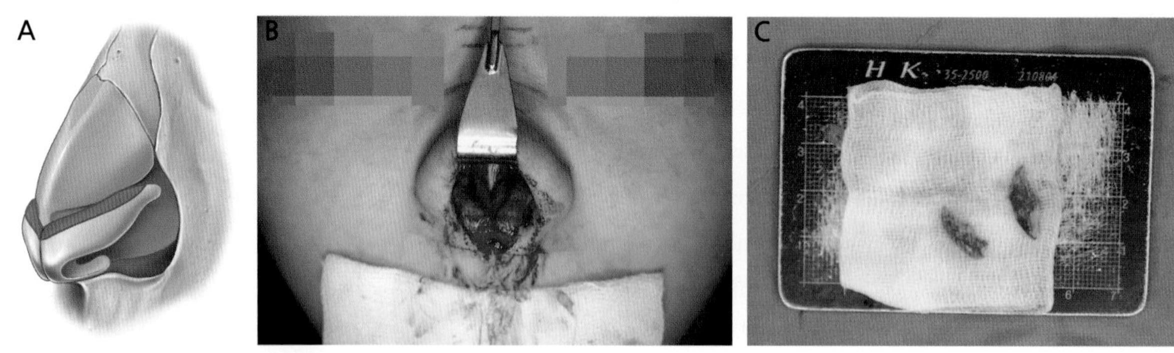

그림 11-17. Lower lateral cartilage lateral crus 의 cephalic trimming
A. 전체 넓이의 20-25% 이내에서만 절제되도록 한다. B. Lateral crus의 절제될 부위와 양을 미리 표시해 놓은 모습 C. 절제된 lateral crus 연골은 columellar strut이나 onlay graft 등의 재료로 쓸 수 있다.

미리 절제할 부위에 표시를 하면 양쪽 대칭을 맞추는 데 도움이 된다. 또 절제하기 직전에 local infiltration을 해서 hydrodissection을 해주면 비강쪽 점막이 손상되는 것을 피할 수 있다(**그림 11-17**). 너무 많은 양의 연골을 절제하게 되면 nasal tip 지지력이 너무 약해지거나 코 막힘 등이 발생할 수 있으므로 조심해야 하며, 특히 lower lateral cartilage가 작고 발달이 덜 된 환자에서는 제한적으로 사용해야 한다. 가능한 lower lateral cartilage 전체 넓이의 20~25%를 넘지 않는 범위 내에서만 절제되도록 하는 것이 좋다.

(2) Medial crus cutting

Lower lateral cartilage의 medial crura를 끊어서 중첩시키면 nasal tip은 caudal rotation 되면서 tip의 높이가 낮아지게 된다(**그림 11-18**).

(3) Lateral crus cutting

Lower lateral cartilage의 lateral crura를 끊어서 중첩시키면 nasal tip은 cephalic rotation 되면서 tip의 높이가 낮아지게 된다. 절제하고자 하는 부위를 미리 아래쪽 점막에서 박리시킨 후 시행하는 것이 좋다(**그림 11-19**).

Lower lateral cartilage의 medial crus와 lateral crus를 함

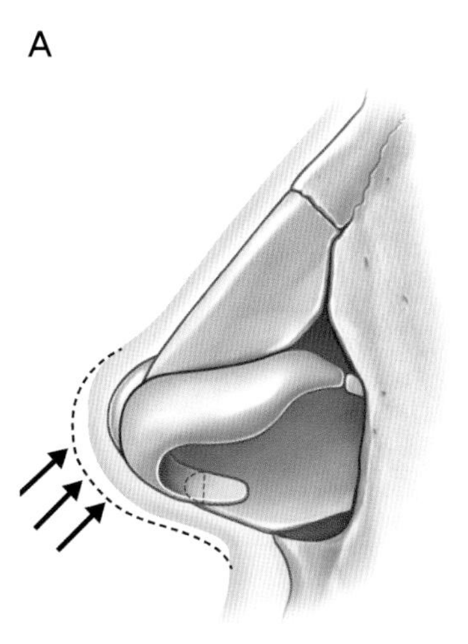

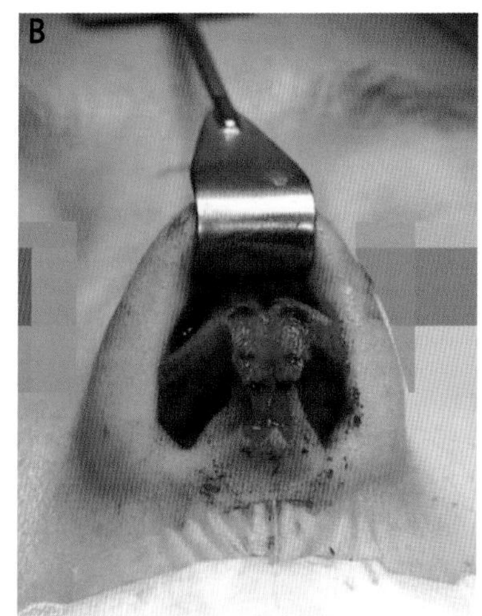

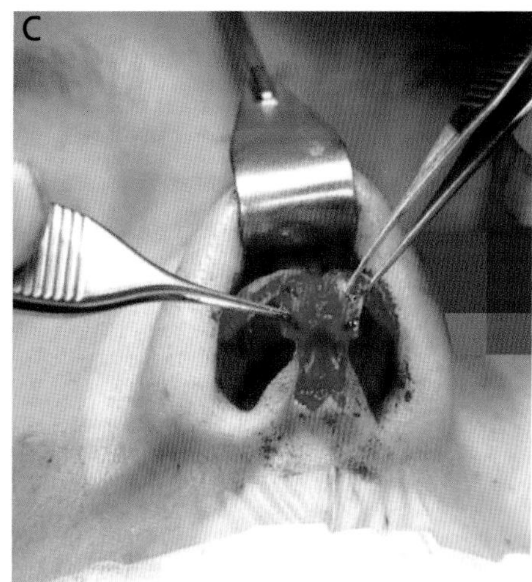

그림 11-18. Lower lateral cartilage 의 medial crus cutting

A. Lower lateral cartilage medial crus를 절단한 후 내려서 겹쳐준다. B. medial crus 절단 전 위치를 미리 표시해 놓은 모습 C. medial crus 절단 후 모습.

께 절단해서 nasal tip이 내려오게 되면 상대적으로 alar 부위가 넓어지게 되므로 때로는 alar excision을 함께 시행해 주는 것이 필요하다.

(4) Lower lateral cartilage의 봉합법

Nasal tip projection을 감소시켜 낮아지게 하는 봉합법은 다음과 같다.

① Middle crura-septal suture

Lower lateral cartilage의 middle crura 부위를 비중격의 antero-caudal portion과 연결해서 3-point 봉합한다. 비중격에 걸어주는 부위를 middle crura에서 걸었던 위치보다 posterior쪽에 연결시키면 nasal tip이 당겨 내려가는 효과가 있다(**그림 11-20**).

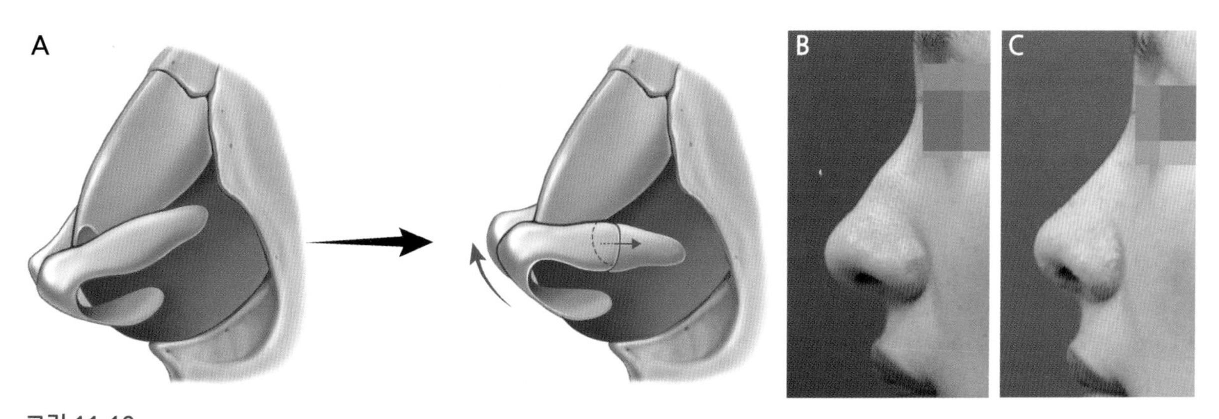

그림 11-19.

A. Lower lateral cartilage 의 lateral crus를 절단하여 내려서 겹쳐준다. B, C. nasal tip의 위치가 낮아지면서 caphalic 방향으로 이동되는 효과가 있다.

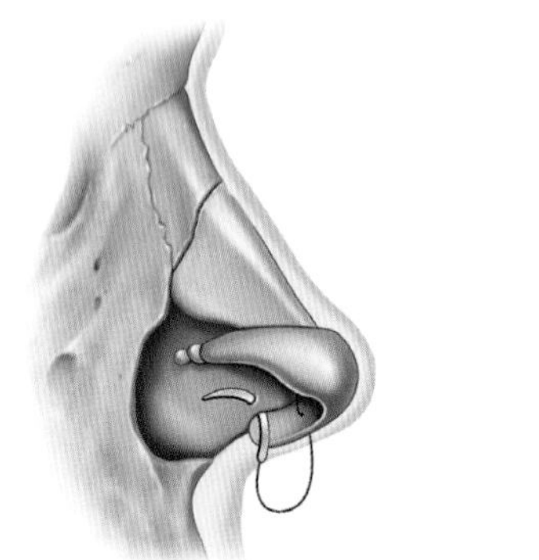
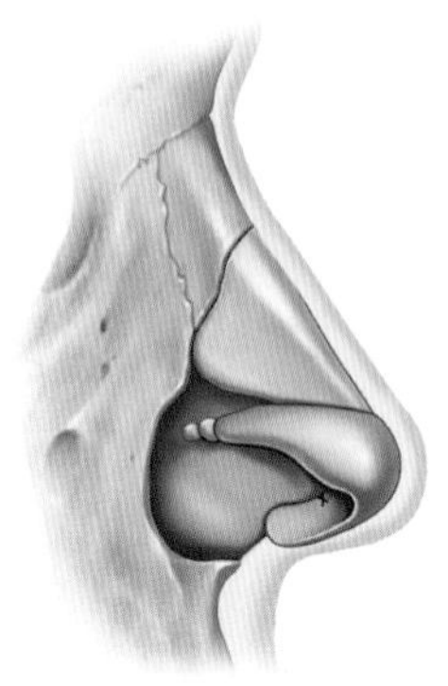

그림 11-20. **Lower lateral cartilage 의 Middle crura-septal suture**

Lower lateral cartilage의 middle crura와 비중격의 anterocaudal 부위를 연결해서 3-point 봉합한다. Lower lateral cartilage의 middle crura 보다 posterior쪽의 비중격에 연결해 주면 nasal tip이 당겨 내려가게 된다.

3) Cephalic rotation of Tip

Nasal tip이 길게 내려와 있어서 columella-labial angle이 예각을 이루고 있는 drooping tip(비첨하수)을 교정하는 경우이다. hump nose(매부리코)와 함께 동반되는 경우가 많다.

Nasal tip을 cephalic으로 이동시켜주는 방법은 lower lateral cartilage 자체를 직접 조작해서 이동시키는 술기와 depressor septi nasi m. 등의 근육에 대한 dynamic force(동적인 부분)를 제거해주는 술기로 나눌 수 있다.

(1) Cephalic resection of lateral crus

Lower lateral cartilage의 cephalic portion을 절제해주는 방법이다. Upper lateral cartilage와 lower lateral cartilage 사이를 연결하고 있는 scroll ligament가 끊어지면서 지지력이 약해지므로 nasal tip의 상방이동을 얻을 수 있다. 또 수술 후에도 시간이 지나면서 lower lateral cartilage가 절제된 부위에 scar tissue가 형성되며 수축이 진행되게 되므로 양쪽 lateral crus 사이의 폭이 좁아지고 lower lateral cartilage가 cephalic 쪽으로 당겨지는 효과가 진행되게 된다.

Lower lateral cartilage의 lateral crus를 완전히 절제하지 않고 dome쪽이 붙어 있는 turn up flap을 만든 후 flap의 cephalic portion을 upper lateral cartilage와 비중격 연골의 위쪽에 봉합해줌으로써 인위적으로 당겨지는 효과를 추가할 수도 있다(**그림 11-21**).

(2) Lateral crura overlapping

Nasal tip을 지지하고 있는 tripod structure에서 Lateral crus의 distal portion을 절단하여 겹쳐지게 하면 nasal tip이 낮아지면서 cephalic direction으로 당겨 올라가는 효과가 있다.

(3) Columellar strut and onlay graft

Nasal tip의 projection을 위해서 columellar strut과 onlay graft를 시행하는 것만으로도 nasal tip이 cephalic direction으로 이동되는 효과를 얻을 수 있다. Tripod structure 중 lower lateral cartilage의 medial crus가 보강되어 길이가 늘어나게 되면 nasal tip 높이도 올라가면서 tip이 cephalic direction으로 이동되는 효과가 생기는 것을 이해할 수 있을 것이다. 수술 전에는 nasal tip의 위치가 짧지 않은 환자라고 해도 projection을 많이 얻고자 할수록 nasal tip은 cephalic direction으로 함께 이동되기 때문에 콧대와 nasal tip을 올리는 환자들에서는 늘 nasal tip의 길이가 짧아지지 않도록 신경 쓰면서 수술해야 한다(**그림 11-22**).

(4) Depressor septi nasi m. 절제

Nasal tip drooping이 심한 경우에는 animation 시 tip을 아래로 당겨 내리는 힘을 완전히 풀어 놓는 것이 장기적으로 좋은 결과를 유지할 수 있는데, 이 때 중요한 구조물은 depressor septi nasi m.이다. 웃는 표정을 지을 때 depressor septi nasi m.이 tip을 아래로 당기는 역할을 하게 되고, levator labii superioris alaeque nasi m.이 alar 부위를 당겨 올리는 역할을 한다(**그림 11-23**).

Dr. Han에 의하면 아시아인들의 depressor septi nasi m.은 비중격의 caudal margin, lower lateral cartilage의

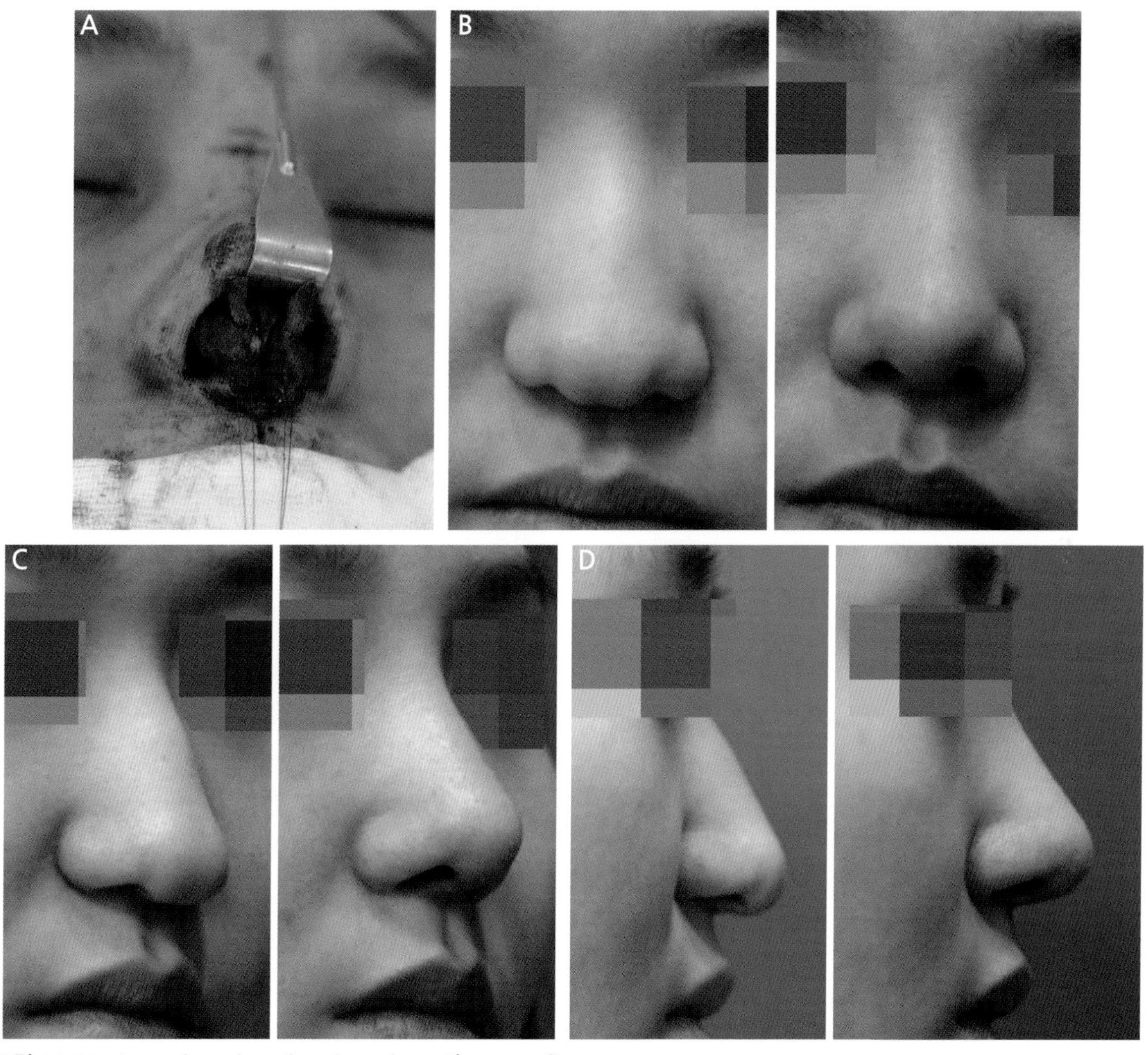

그림 11-21. Lower lateral cartilage lateral crus의 turn up flap

A. Lateral crus의 cephalic portion을 완전히 절제하지 않고 dome쪽에서 붙어 있는 turn up flap을 만든 후 flap의 cephalic portion을 upper lateral cartilage 와 비중격 연골의 윗쪽에 봉합해 준다. B. 수술 전후 정면사진 C. 수술 전후 사면사진 D. 수술 전후 측면사진

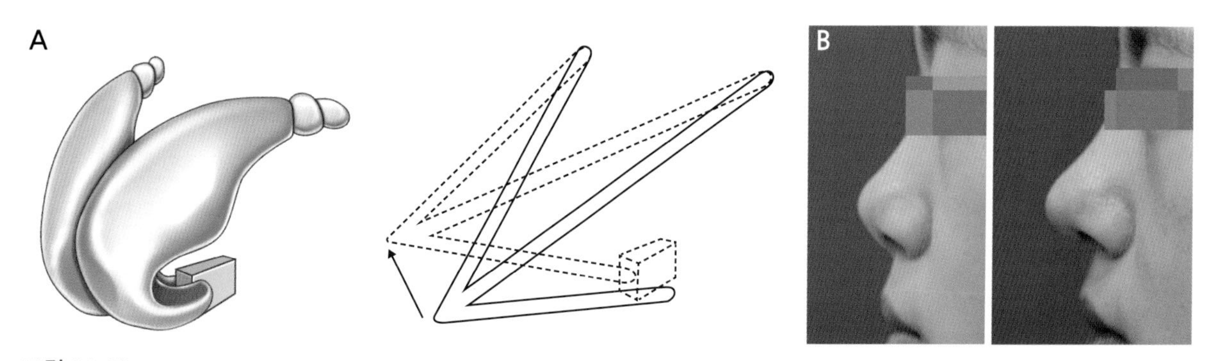

그림 11-22.

A. Lower lateral cartilage의 medial crus의 길이가 길어지면 nasal tip은 올라가면서 caphalic 방향으로 이동한다. B. Nasal tip projection을 많이 얻고자 할수록 tip 길이는 짧아진다.

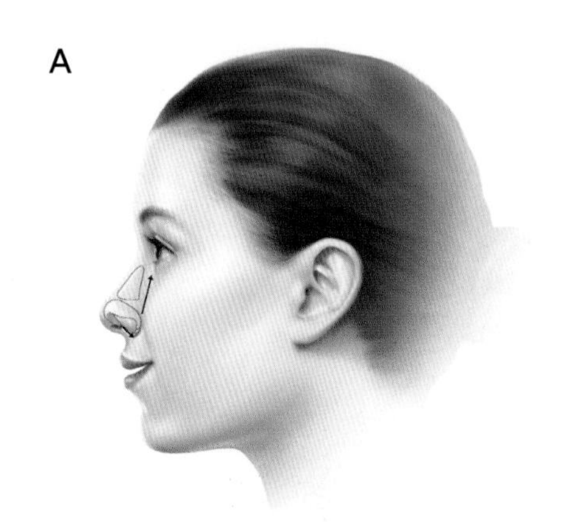

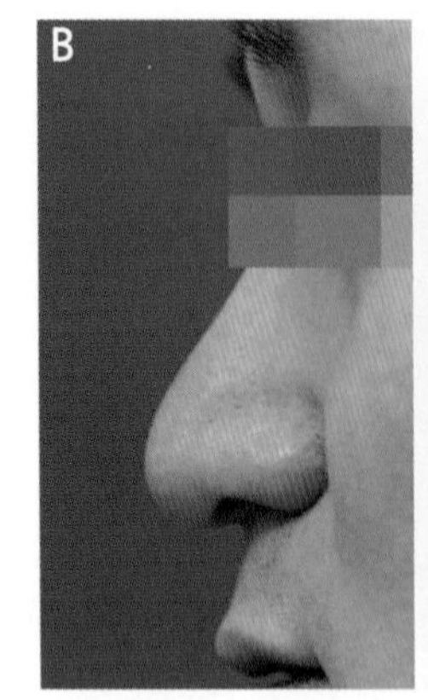

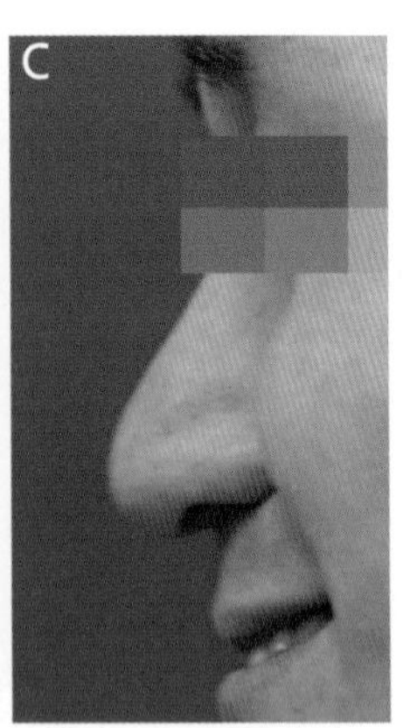

그림 11-23.
A, B, C. 웃는 표정을 지을때 depressor septi nasi m 이 nasal tip을 당겨 내리고, levator labii superioris alaeque nasi m은 alar 부위를 당겨 올리는 역할을 한다.

footplate segment, membranous septum, columella skin까지 광범위하게 연결이 되어 있어서 서양인들 보다 nostril 모양이 수평으로 넓게 퍼져 보이는 모양을 갖는다고 한다. Depressor septi nasi m.의 절단은 구강 내 절개를 통해서 시행할 수도 있지만, lower lateral cartilage의 footplate segment 아래쪽까지 깊게 박리를 하고 들어가면 코 쪽 절개부위를 이용해서도 끊어 줄 수도 있다(**그림 11-24**).

(5) Lower lateral cartilage의 봉합법

nasal tip을 cephalic rotation 시키는 봉합법들은 다음과 같다.

① Cephalic 쪽에 위치하는 transdomal suture Transdomal suture을 시행할 때 수평매트리스 봉합사를 돔분절(dome segment)의 cephalic과 caudal direction으로 얼마나 치우치게 하는가에 따라 nasal tip의 위치를 cephalic rotation시키거나 caudal rotation시키는 효과를 줄 수 있다(**그림 11-25**).
Lower lateral cartilage가 잘 발달되어 돔 부위의 넓이가 어느 정도 확보되어 있는 환자에서만 적용할 수 있으므로 아시아인들처럼 lower lateral cartilage가 작고 연부조직이 많은 경우에는 효과를 보기 어렵다.

② Hemi-transdomal suture
Dr. Amarjit에 의해 발표된 방법으로 lower lateral cartilage의 dome apex에서 2~3 mm 떨어져 있는 cephalic portion에 수평매트리스 봉합을 하여 돔의 cephalic portion은 모아지게 하고 caudal portion의 벌어진 각도는 그대로 유지시켜주는 방법이다(**그림 11-26**).
적은 양이지만 nasal tip을 cephalic direction으로 이동 시키는 효과를 얻을 수 있다.

③ Middle crura-septal suture
Lower lateral cartilage의 middle crus를 비중격의 caudal margin이 아닌 antero-cephalic부위에 연결해서 3-point 봉합해주면 nasal tip이 cephalic rotation 되는 효과를 얻을 수 있다(**그림 11-27**).

4) Caudal rotation of tip

Nasal tip이 짧게 올라가 있어서 columella-labial angle이 둔각을 이루고 있는 경우에 tip 위치를 caudal로 회전

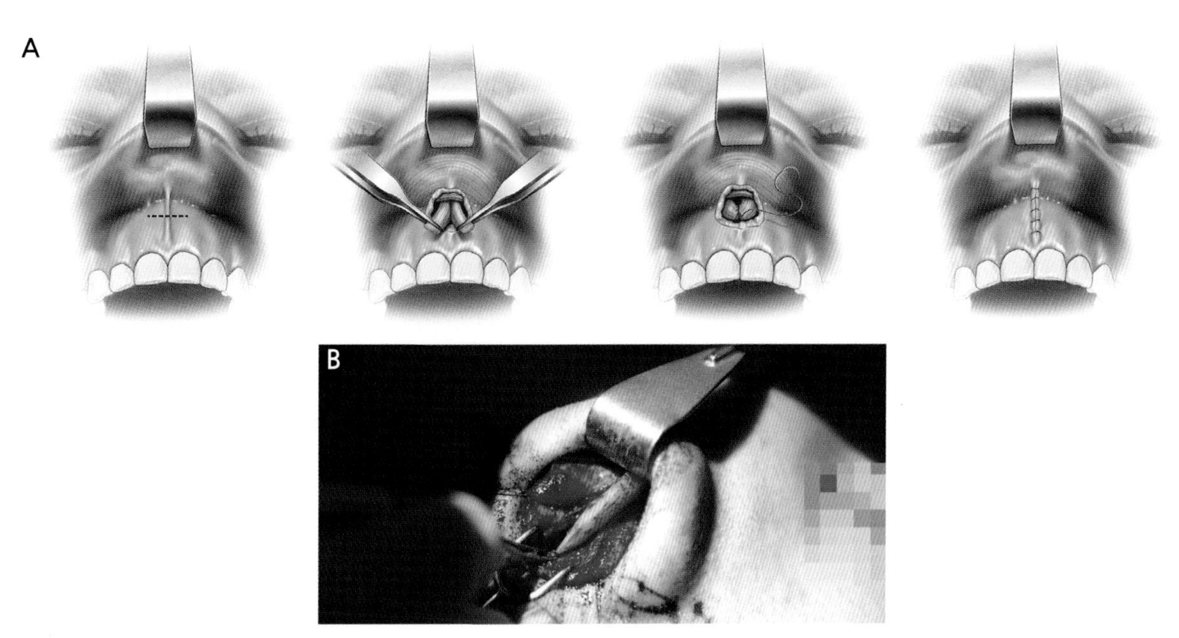

그림 11-24.

A. 구강 내 절개를 이용한 depressor septi nasi m 절단 B. Open approach를 통해서도 비중격과 anterior nasal spine 부위까지 깊게 박리해 들어가면 depressor septi nasi m을 끊어줄 수 있다.

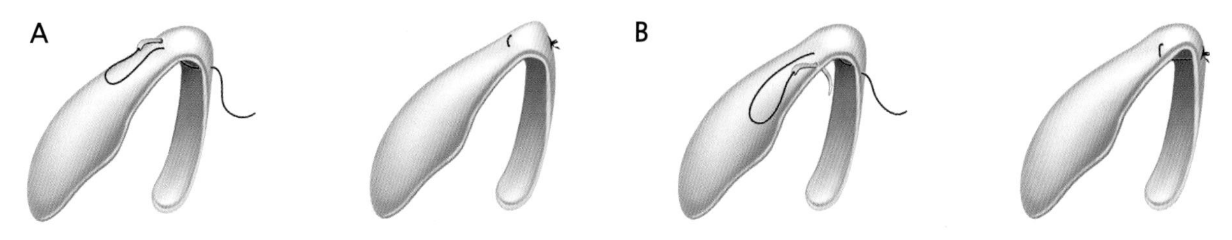

그림 11-25.

A. 수평매트리스 봉합사가 돔분절의 cephalic portion에 위치하면 nasal tip이 cephalic rotation되는 효과가 있다. B. 돔분절의 caudal portion에 위치한 봉합사는 nasal tip을 caudal rotation시키는 효과가 있다.

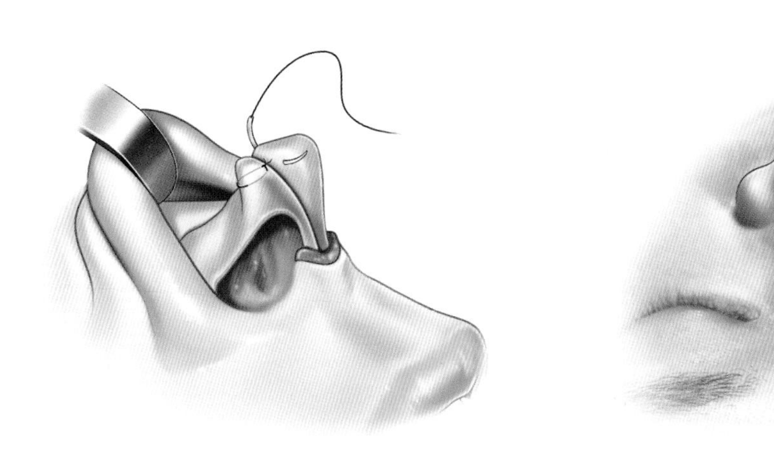

그림 11-26. Hemi-transdomal suture

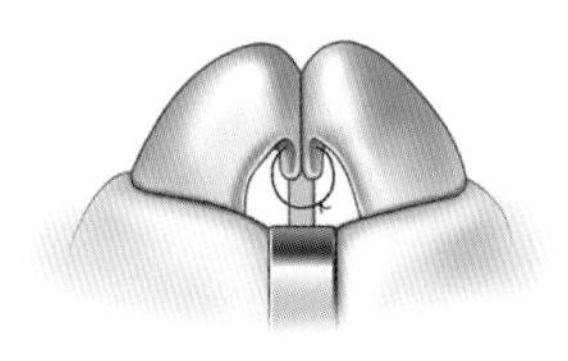
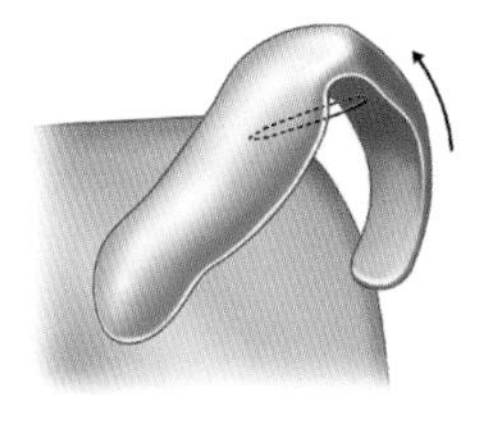

그림 11-27. 비중격의 anterior portion에 연결된 middle cruraseptal suture

시켜 내려주는 방법이다.

많이 쓰이고 있는 수술 방법으로는 비중격을 덧대서 길이를 늘려주는 septal extension graft와 upper lateral cartilage와 lower lateral cartilage 사이에 연골을 넣어서 밀어 내려주는 derotation graft가 있다. Septal extension graft로 tip을 내려주는 경우에는 바깥쪽의 alar portion은 상대적으로 밀려 내려오는 힘이 약하므로 조금이라도 alar retraction이 있는 경우에는 쓰지 않는 것이 좋다(**그림 11-28**). Alar retraction이 있다면 nasal tip을 내리는 과정에서 alar extension graft 등의 추가적인 술기를 추가하여 함께 교정해주면 더 나은 결과를 얻을 수 있다(**그림 11-29**).

Nasal tip을 내려주는 과정에서 중요한 것은 lower lateral cartilage를 충분히 주변조직으로부터 free하게 박리하여 주변의 구조물들로부터 완전히 분리시켜 준 후 새로운 위치에 고정을 해주는 것이다. 이 때 가장 중요

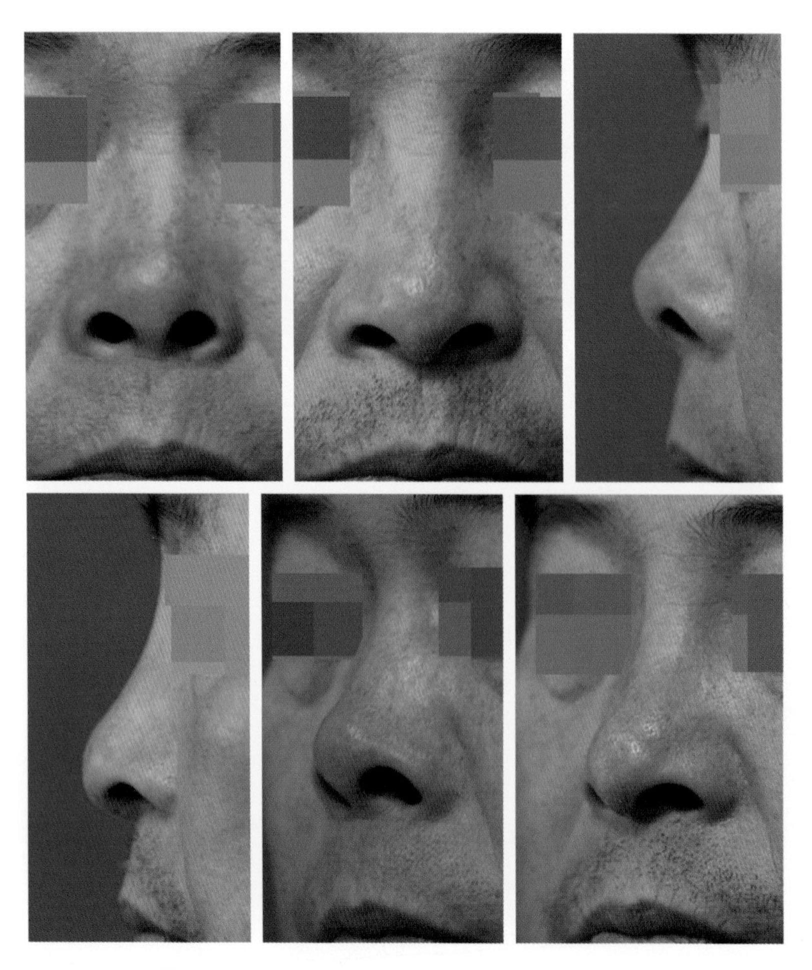

그림 11-28.
Alar retraction이 있는 환자에서 septal extension graft를 이용해 nasal tip을 내려주게 되면 alar retraction이 더 심해 보일 수 있으므로 주의해야 한다.

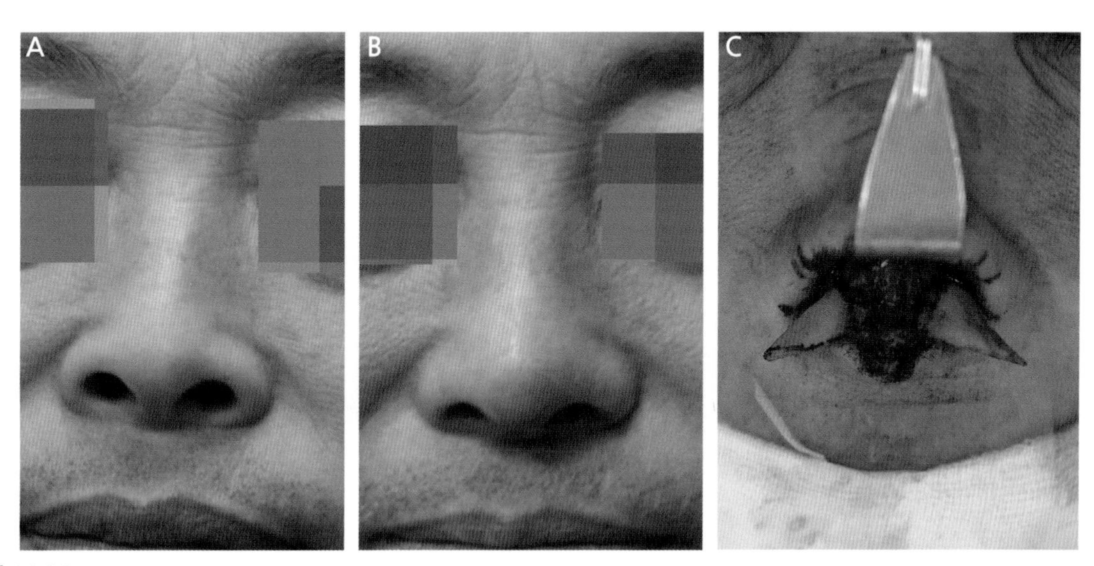

그림 11-29.
A, B. Nasal tip을 내릴 때 alar retraction을 함께 교정해준 환자의 모습 C. Nasal tip을 내리기 위한 derotation graft와 alar extension graft를 함께 시행하고 있는 수술 사진

한 부위는 upper lateral cartilage와 lower lateral cartilage가 연결되어 있는 scroll area인데 이곳을 잘 박리해주면 가장 많은 양의 tip 이동을 얻을 수 있다(**그림 11-30**). 또한 lower lateral cartilage 의 lateral crura가 pyriform aperture에 연결되어 있는 hinge area를 잘 박리해 주면 추가적인 tip의 이동을 얻는 데 도움이 된다. Nasal hinge area를 박리할 때는 출혈이 많으므로 지혈에 신경 쓰면서 조심해야 한다(**그림 11-31**).

(1) Septal extension graft

Nasal tip을 아래로 내려주는 septal extension graft는 spreader type으로 design하는 것이 더 유리하다. 만약 batten type으로 시행하고자 한다면 단순하게 projection을 위한 design과는 달리 dorsum쪽으로 septum과 graft가 겹치는 부위를 충분히 확보하여 tip이 아래로 눌리지 않고 버텨낼 수 있도록 design해주는 것이 중요하다.

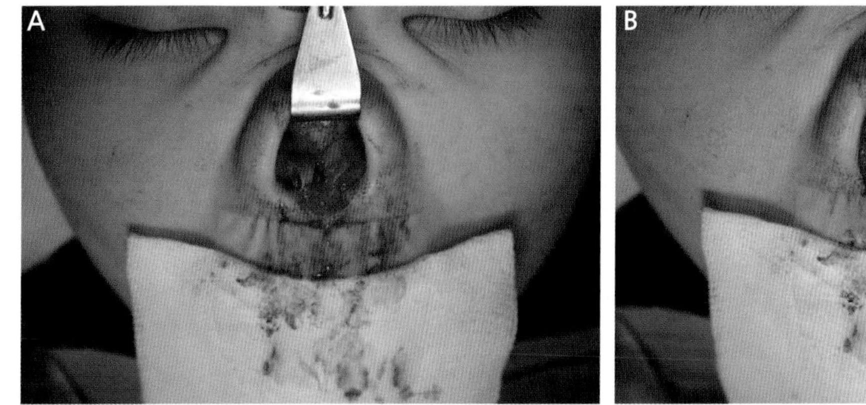

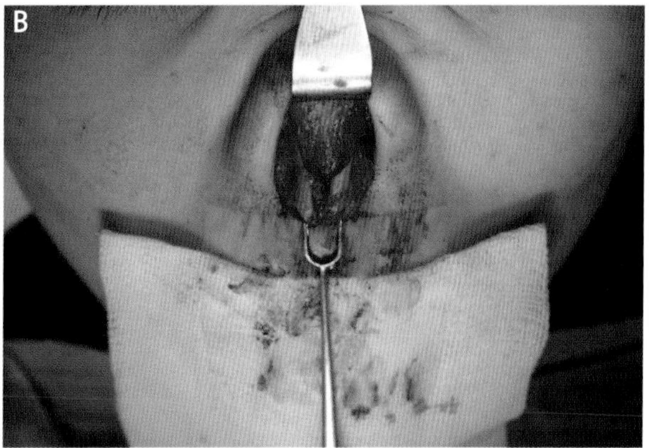

그림 11-30.
A, B. 두루말이 부위(scroll area)를 잘 박리해 주면 많은 양의 lower lateral cartilage의 이동을 얻을 수 있다.

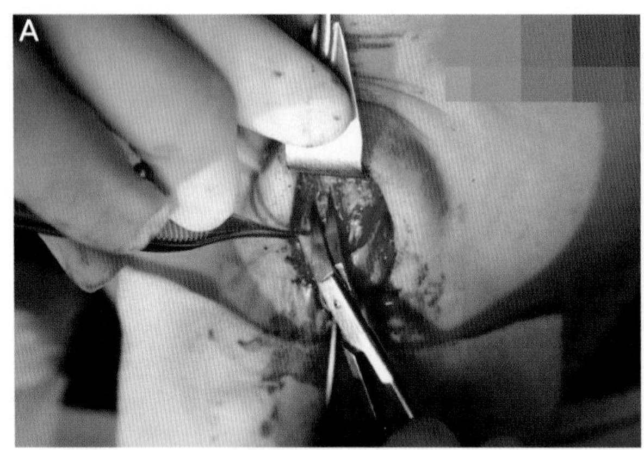
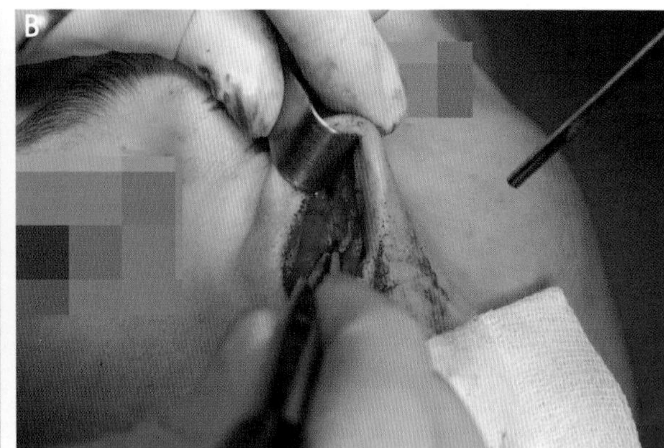

그림 11-31.
A. 우측 scroll area를 박리하는 모습 B. 좌측 hinge area를 박리하는 모습

(2) Derotation graft

Upper lateral cartilage와 lower lateral cartilage 사이의 scroll area와 interdomal ligament 등을 잘 박리해서 분리시킨 후 그 사이에 연골이식을 넣어 nasal tip을 caudal로 회전시키며 밀어 내리는 방법이다. Lower lateral cartilage가 caudal rotation하면서 밀려 내려가면 tip projection도 줄어들게 되므로 columellar strut과 onlay graft를 추가하여 충분한 양의 projection을 보충해 주어야 좋은 결과를 얻을 수 있다. Conchal cartilage를 이용하는 것이 자연스러운 curve를 얻을 수 있어 주로 이용되지만, 경우에 따라서는 septal cartilage를 이용할 수도 있다(**그림 11-32**).

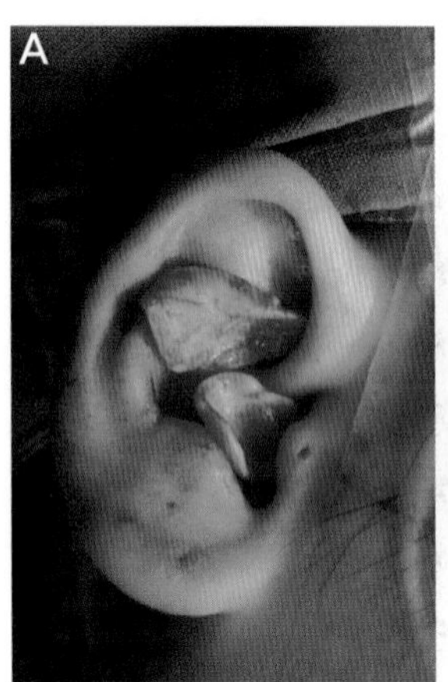
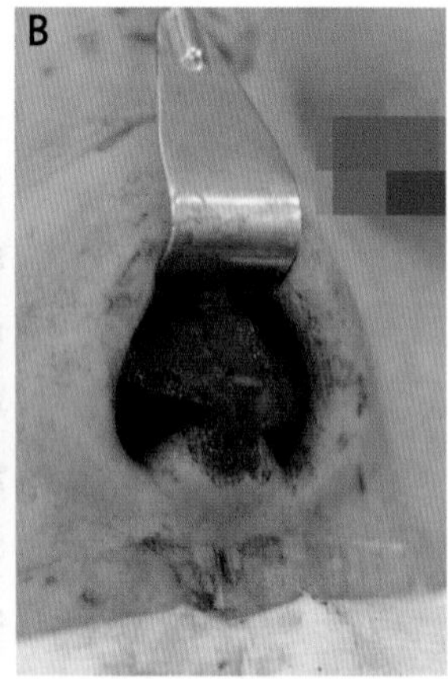

그림 11-32. 귀연골을 이용한 derotation graft
A. Cymba concha와 cavum concha 부위에서 각각 연골을 떼어낸 모습 B. Cymba concha에서 떼어낸 연골로 derotation graft를 시행한 모습

(3) Cartilage graft on tip

① Shield graft

Lower lateral cartilage의 middle crura 앞쪽에 위치시켜서 nasal tip의 길이 연장을 얻을 수 있는 graft 방법이다(**그림 11-33**). 연골 이식편의 위쪽을 조금 올라오도록 위치시키면 nasal tip의 projection 효과도 함께 얻을 수 있지만, tip 부위의 피부가 얇은 경우 이식편의 경계부위가 드러나거나 만져질 수 있으므로 주의해야 한다. Shield graft를 여러 겹 시행하게 되면 수술 중에는 연골부위가 늘어나서 tip의 길이가 길어진 것처럼 보이지만 마지막에 피부를 덮고 나면 피부장력에 의해 이식된 연골부위가 cephalic쪽으로 밀려 올라가게 되어 nasal tip 길이를 늘이려고 했던 효과가 감소된다. 따라서 shield graft를 두 겹 이상 하는 경우에는 반드시 위쪽에 septal extension graft나 derotation graft 등의 지지 구조물을 보강해주어야만 아래쪽으로 nasal tip이 길어지는 효과가 있다.

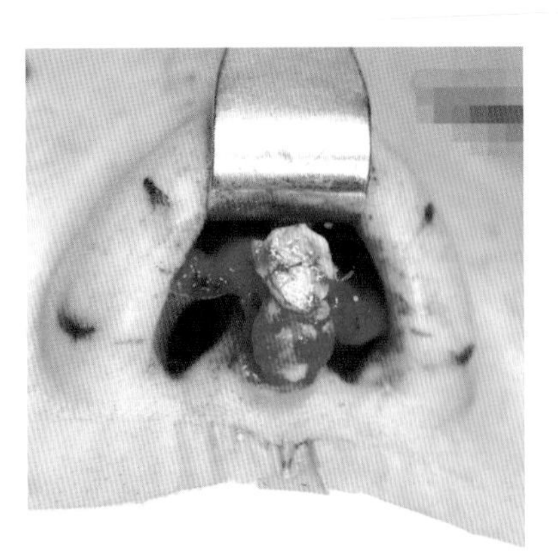

그림 11-33. Shield graft와 onlay graft를 시행한 모습

(4) Lower lateral cartilage의 봉합법

Nasal tip을 caudal rotation 시켜주는 봉합법들은 다음과 같다.

① Caudal쪽에 위치하는 transdomal suture

Transdomal suture를 시행할 때 수평매트리스 봉합사를 돔분절(dome segment)의 caudal portion에 위치시키면 nasal tip의 위치를 caudal direction으로 회전시키는 효과를 줄 수 있다.

② Dome쪽에 가까운 lateral crural spanning suture

Lower lateral cartilage의 lateral crus 중간 부위를 dorsum을 가로지르는 수평매트리스 봉합(horizontal mattress suture)을 이용하여 당겨 모아주는 방법이다(**그림 11-34**). Convex한 lateral crus를 concave하게 바꾸어주는 효과와 함께 interdomal distance(양쪽 돔간 간격)를 감소시켜주는 효과가 있다. 봉합사의 위치가 돔에 가까울수록 돔을 모아주는 효과가 증가되고 돔 부위가 caudal rotation 되어 nasal tip이 길어지는 효과가 있다. 돔을 caudal rotation 시키는 효과를 얻기 위해서는 lower lateral cartilage가 주변 구조물과 연결되어 있는 scroll area나 pyriform ligament 등을 미리 잘 박리하여 free하게 끊어 놓고 봉합을 시행해야 원하는 결과를 얻을 수 있다.

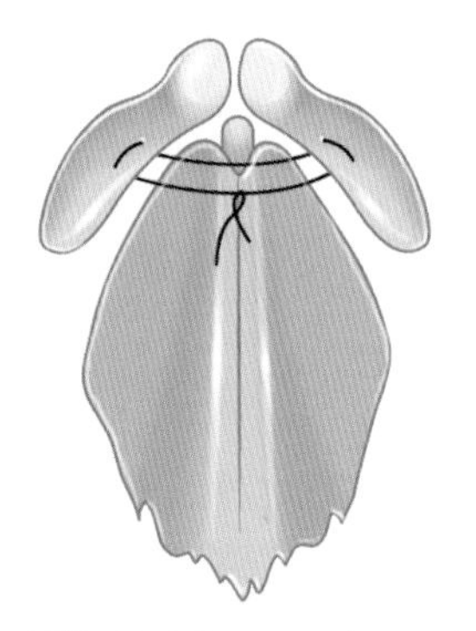

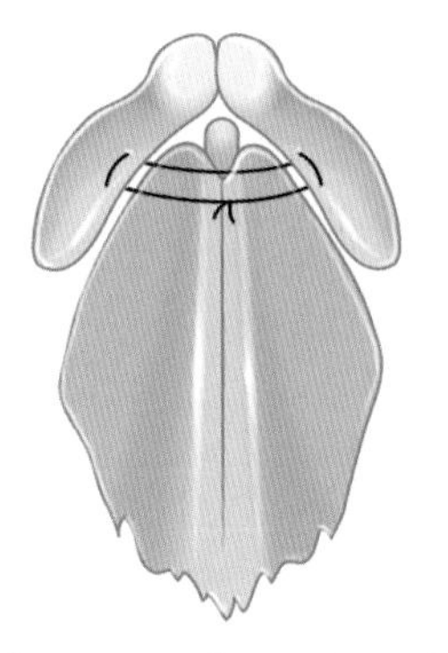

그림 11-34. Lateral crural spanning suture (lower lateral cartilage의 lateral crus 연결 봉합법)

2. Modification of Tip shape

1) Bulbous tip

Nasal tip이 크고 뭉뚝한 경우를 우리나라에서는 복코라고 부르기도 하지만 조금 더 날렵한 모양으로 교정하고 싶어하는 환자들이 많다. Bulbous tip의 교정은 연부조직과 lower lateral cartilage의 두 부분으로 나누어서 분류할 수 있다.

(1) Soft tissue resection

아시아인 코의 연부조직은 서양인보다 피하지방조직이 더 두껍고 섬유지방조직도 더 조밀하다. Nasal tip 부위의 연부조직은 총 5층으로 분리할 수 있는데, 바깥쪽부터 skin, superficial fatty layer, fibromuscular layer, deep fatty layer, perichondrium으로 구성된다. open approach 시에 주로 이용하는 supraperichondrial dissection은 deep fatty layer과 perichondrium 사이를 박리하면서 들어가는 방법으로 이 layer는 혈관이 적고 dissection이 쉽기 때문이다. 하지만 bulbous tip 환자의 연부조직을 제거해야 되는 경우에는 보다 superficial한 layer로 박리를 한 후 아래쪽 lower lateral cartilage 부위에 남겨놓은 fibromuscular layer (SMAS가 포함된)와 deep fatty layer를 나중에 supraperichondrial level에서 제거해주는 것이 skin의 손상이나 skin blood supply를 유지하는 데 더 안전하다(**그림 11-35**). 상황에 따라서는 일반적인 supraperichondrial dissection을 시행한 후 박리된 위쪽 피부 피판에서 연부조직을 제거할 수도 있지만, 피부괴사를 만들지 않도록 많은 주의가 필요하다.

(2) Lower lateral cartilage resection

Lower lateral cartilage가 크고 넓게 발달되어 nasal tip이 뭉뚝한 경우에는 lower lateral cartilage에 대한 절제와 봉합이 필요하다. Lower lateral cartilage에 대한 cephalic trimming, transdomal suture, interdomal suture, lateral crura spanning suture 등의 여러 가지 방법들이 추가적으로 함께 사용될 수 있다(**그림 11-36**).

Lower lateral cartilage의 발달이 덜 되어 크기가 작지만 연부조직의 양이 많아 nasal tip이 bulbous한 경우에는 lower lateral cartilage의 절제나 봉합법으로는 날렵한 tip을 만들 수 없으므로 columellar strut이나 septal extension graft를 lower lateral cartilage 사이에 넣어주고 nasal tip을 projection 시켜주어야만 시각적으로 nasal tip이 날렵해 보이는 효과를 얻을 수 있다. 이러한 상황에서는 tip의 연부조직을 너무 많이 제거하게 되면 projection을 위해 이식해놓은 연골이 겉으로 드러나 보일 수 있으므로, tip projection을 통해 bulbous한 tip을 개선하는 경우에는 오히려 어느 정도 tip의 연부조직을 남겨 놓는 것이 도움이 된다.

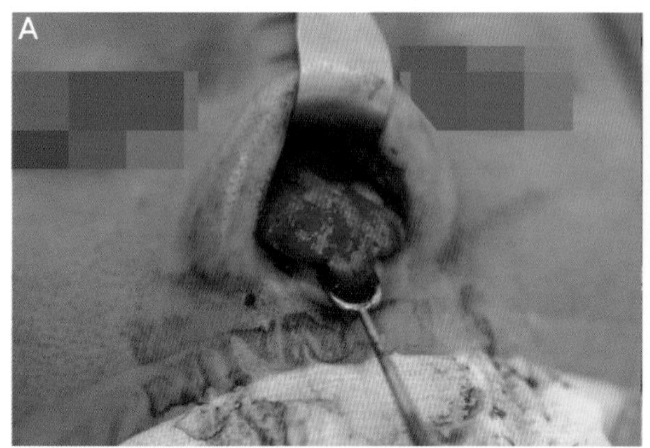

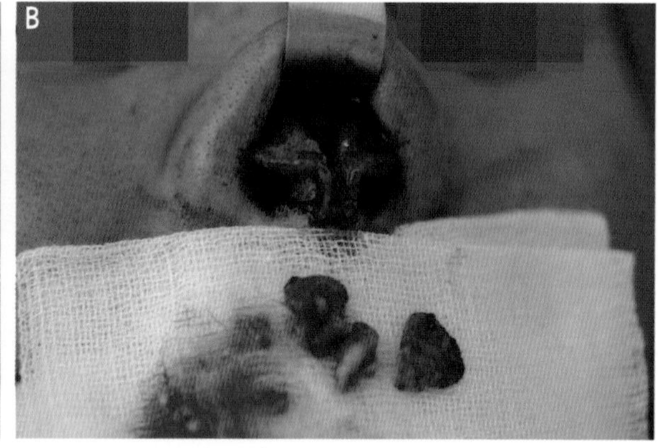

그림 11-35.

A. Supraperichondrial layer보다 더 상방으로 박리해 놓은 모습. 출혈이 많으므로 지혈을 잘 시켜주는 것이 중요하다. B. Lower lateral cartilage에 남겨 놓았던 연부조직들을 supraperichondrial layer에서 제거한 후 모습

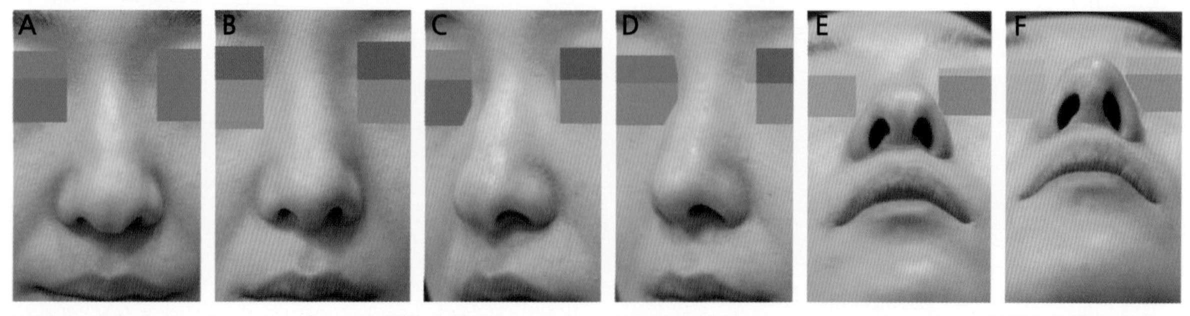

그림 11-36. Lower lateral cartilage의 발달이 잘 되고 nasal tip이 넓은 환자에서 lower lateral cartilage 절제와 봉합법으로 교정한 수술 전 후 모습

2) Narrow tip (pinched tip deformity)

Pinched tip을 보이는 경우는 선천적으로 lower lateral cartilage의 lateral crus가 너무 위쪽으로 vertical하게 발달되어서 나타날 수도 있지만 대개는 일차수술 후 오는 이차적인 변형이 원인인 경우가 많다. 일차 tip 수술 시 너무 과도한 힘으로 lower lateral cartilage의 돔 부위를 모아놓으면 tip defining point가 부자연스럽게 좁아보이는 원인이 된다. 또 onlay graft 시행 시 너무 많은 양의 연골을 쌓아 올리면 columellar strut이 담당하는 columella 부위와 비율이 맞지 않게 infratip lobule 부위만 과도하게 솟아오르게 되고 더불어 tip 피부가 과도한 장력으로 당겨지면서 안쪽 연골들을 부드럽게 숨겨주지 못하게 되어 부자연스럽게 뾰족한 tip이 된다(**그림 11-37**). 또 L-shape의 실리콘 보형물을 넣어 콧대와 tip을 함께 올려놓은 환자들에게서 오랜 세월이 지나면 tip부위의 피부가 얇아지면서 pinched tip 모양을 보일 수 있다(**그림 11-38**). 각각의 경우 onlay graft한 연골의 높이를 줄여서 낮춰주거나 nasal tip을 밀고 있는 실리콘 보형물을 제거하고 연골로 바꿔주는 등의 원인을 제거하는 처치를 해주면 쉽게 교정할 수 있다.

(1) Alar spreader graft와 derotation graft

수술이 원인이 아닌 일차적인 원인으로 lower lateral cartilage의 lateral crus가 너무 vertical하게 위로 올라가 있어서 nasal tip이 뾰족하고 자연스럽지 못한 경우 alar spreader graft를 하여 lower lateral cartilage를 벌려주거나, derotation graft의 크기를 조금 넓게 하여 양쪽 lower lateral cartilage의 lateral crus를 벌어지게 해서 밀어내려주면 부자연스럽게 좁아 보이는 nasal tip이 좀 더 자연스러운 tip defining point를 갖도록 개선시킬 수 있다(**그림 11-39**).

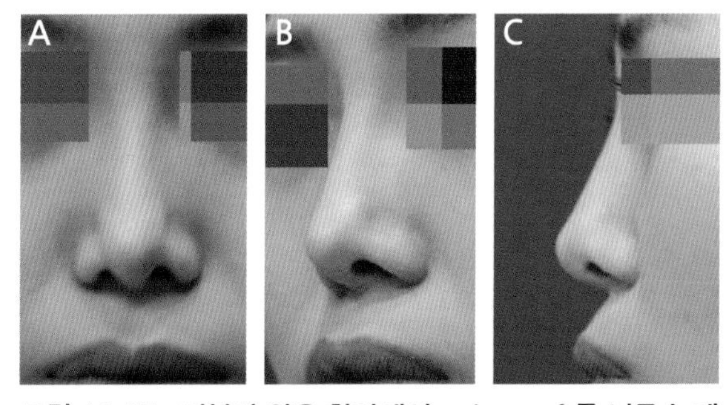

그림 11-37. 피부가 얇은 환자에서 onlay graft를 너무 높게 하면 tip이 과도하게 솟아올라 자연스럽지 못한 모습이 될 수 있다.

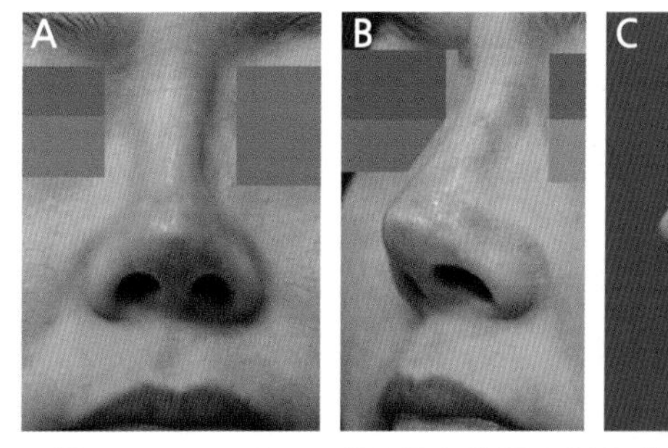

그림 11-38. L-shape 실리콘 보형물을 넣은 환자에서 구축이 생겨 nasal tip이 뾰족하고 부자연스럽게 보이는 모습

(2) Bifid columellar strut

Columellar strut을 넣을 때 길이를 조금 길게 확보하여 dome보다 높게 올라오도록 lower lateral cartilage의 medial crus 사이에 고정시킨 후 위쪽으로 올라온

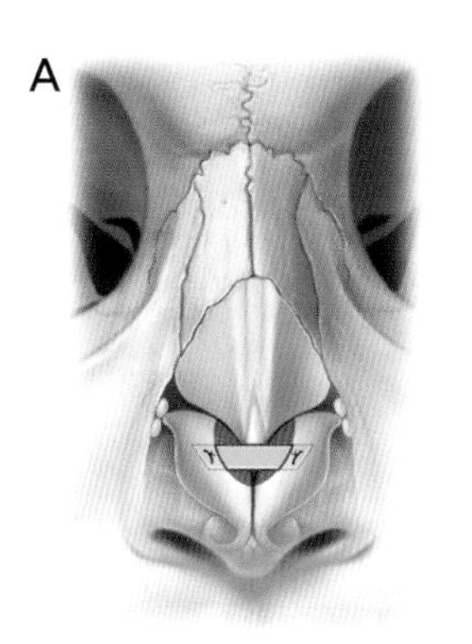

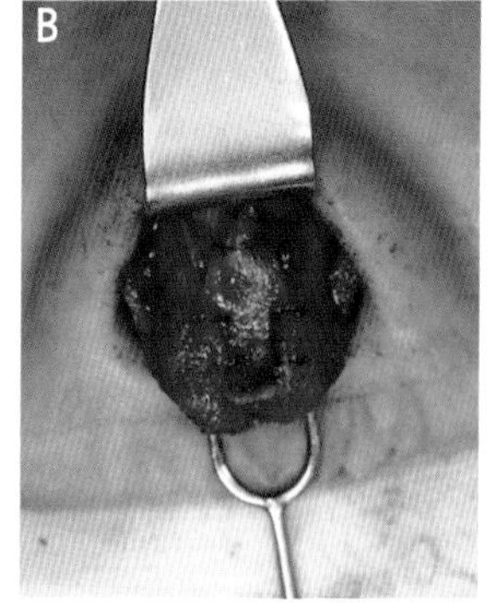

그림 11-39.

A. Alar spreader graft를 이용하면 lower lateral cartilage의 lateral crus를 벌려줄 수 있다. B. Derotation graft를 조금 넓게 시행하면 양쪽 lower lateral cartilage의 lateral crus를 벌어지게 하면서 밀어 내려줄 수 있다.

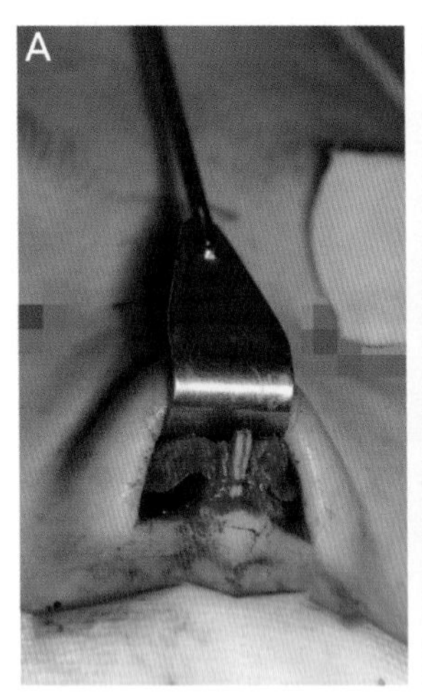

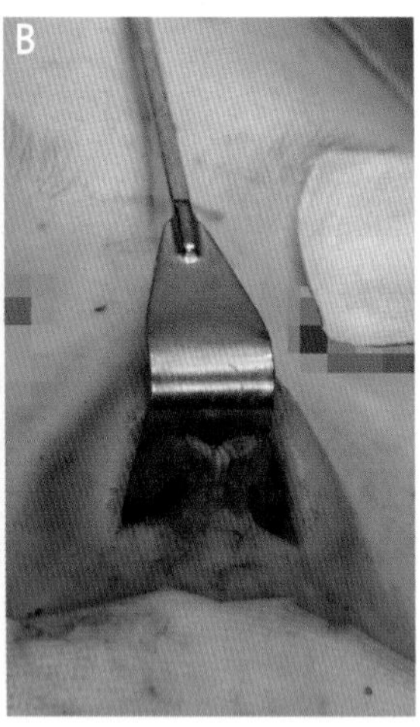

그림 11-40.
A. 귀연골을 두 겹으로 겹쳐 columellar strut을 만든 후 돔보다 높게 올라오도록 고정한 모습 B. 올라온 끝 부위를 bifid strut 모양으로 벌려 놓은 모습

columellar strut 끝부분을 양쪽 방향으로 벌려주면 좁게 붙어 있었던 돔사이 간격을 넓혀줄 수 있다. 벌려 놓은 columellar strut 자체로 nasal tip 표현점을 만들어 줄 수도 있고 그 위쪽으로 onlay graft를 추가하여 원하는 nasal tip 모양을 만들어 줄 수도 있다(**그림 11-40**).

참고문헌

1. 강진성. 강진성 성형외과학. 3rd ed, 군자출판사, 2004, 1142- 1284
2. 고법민, 강상윤, 유영천, 양원용. 자가연골이식을 통한 해부학적 비첨 성형술. 대한성형외과학회지 29: 17, 2002
3. 김재훈. Surgical guides for overcomming disadvantages of septal extension graft in Asians. Rhinoplasty symposium Seoul 2009, 54-57
4. 대한성형외과학회 코성형연구회 공저. 아시아인 코 성형술의 최신지견 수술가이드. 1st ed, Seoul: 군자출판사, 2011 3-25, 57-67, 277-289
5. 백무현. Pinched tip correction. 대한성형외과학회 추계심포지움. 2013
6. 백무현. Derotation graft를 이용한 짧은 코의 교정. Rhinoplasty symposium Seoul 2009, 105-106
7. 정재용, 오상하. 코중격내림근의 해부학적 고찰 및 임상적 적용. 대한미용성형외과학회지 15: 50, 2009
8. 조태영. Nasal tip supporting mechanism. Rhinoplasty symposium Seoul 2010, 41-46
9. 조태영. Tripod projection and lengthening by septal extension graft. Rhinoplasty symposium Seoul 2009, 105-106
10. Adamson PA, Morrow TA. The nasal hinge. Otolaryngol Head Neck Surg 111: 219, 1994
11. Anderson JR. Personal techniques of rhinoplasty. Otolaryngol Clin N Am 8: 599, 1975
12. Ann Letourneau and Rollin K. Daniel. The superficial musculoaponeurotic system of the nose. Plast Reconst Surg 82: 48, 1998
13. Amarjit S. Dosanjh, Charles Hsu, Gruber RP. The hemitranscomal suture for narrowing the nasal tip. Ann Plast Surg 64: 708, 2010
14. Ashkan Ghavami, Jeffrey E Janis. Tip shaping in primary rhinoplasty: An algorithmic approach. Plast Reconstr Surg 122: 1229, 2008
15. Arregui JS, Elejalde MV, Regalado J, Ezquerra F, Berrazueta M: Dynamic rhinoplasty for plunging nasal tip : Functional unity of inferior third of the nose. Plast Reconst Surg 106:1624, 2000
16. Arregui JS, Elejalde MV Dynamic rhinoplasty for plunging nasal tip: Fuctional unity of inferior third of nose. Plast Reconst Surg 106: 1624, 2000
17. Behmand RA, Ashkan Ghavami, Guyuron B. Nasal tip sutures part I: The evolution. Plast Reconstr Surg 112:1125, 2003.
18. Byrd HS, Hobar PC : Rinplasty ; A practical guide for surgical planning. Plast Reconst Surg 91:642, 1993
19. Byrd HS, Andochick S, Copit S, Walton KG. Septal extension graft: A method of controlling tip projection shape. Plast Reconstr Surg 100: 999, 1997
20. Daniel R.K. Rhinoplasty: An atla of surgical technique. New York, Springer-Verlag, 2002, p 82
21. Gruber RP, Friendman GD. Suture algorithm for the broad or bulbous nasal tip. Plast Reconstr Surg 110: 1752, 2002.
22. Gruber RP, Farzad Nahai, Bogdan MA, Friedman GD. Changing the convexity and concavity of nasal cartilages and cartilage grafts with horizontal mattress

sutures: Part II. Clinical results. Plast Reconstr Surg 115: 595, 2005

23. Gunter JP, Landecker A. Frequently used graft in rhinoplasty: Nomenclature and analysis. Plast Reconst Surg 118: 14, 2006
24. Gruber RP, Weintraub J, Pomerantz P. Suture techniques for nasal tip. Aesthetic Surg J 28: 92, 2008
25. Gunter JP, Rorich RJ. Correction of the pinched nasal tip with alar spreader graft. Plast Reconst Surg 90: 821, 1992
26. Gunter JP. Tip rhinoplasty: a personal approach. Facial Plast Surg Clin North Am 4: 263, 1987
27. Guyuron B, Behmand RA. Nasal tip suture part II: The interplays. Plast Reconst Surg 112: 1130, 2003
28. Jack P Gunter, Rod J. Rohrich, William P. Adams Jr. Dallas Rhinoplasty Vol.1 193-437 ST. LOUIS, MISSOURI QMP, 2002
29. Kridel RWH, Konior RJ, et al. Advances in nasal tip surgery. Arch Otolaryngol Head Neck Surg. 115: 1206, 1989
30. Man Koon Suh MD. Asian Rhinoplasty 1st ed, Seoul: KAPS, 2012 141-235
31. Mckinney P. Management of the bulbous nose. Plast Reconst Surg 106: 906, 2000
32. Pinto DS, Rocha PD, Filho WQ, Carmago AB : Anatomy of median part of septum depressor muscle in asthetic surgery. Aesth. Plast. Surg 2: 111, 1998
33. Rohrich, RJ, Bang H. Importance of the Depressor septi nasi muscle in rhinoplasty. Plast Reconst Surg 105: 376, 2000
34. Rohrich RJ, Hoxworth RE, Thorton JF, Pessa JE. The pyriform ligament. Plast Reconst Surg 121: 277, 2008
35. Seung-kue Han MD, Dong-Geun Lee. An anatomic study of nasal tip supporting structures. Ann Plast Surg 52: 134, 2004
36. Tardy ME Jr, Patt BS, Walter MA. Transdomal suture refinement of the nasal tip: Long term outcomes. Facial Plast Surg 9:275, 1993.
37. Tebbetts JB : Shaping and positioning the nasal tip without structural disruption : A new, systemic approach. Plast Reconst Surg 94:61, 1994.
38. Toriumi DM. New concepts in nasal tip contouring. Arch Facial Plast Surg 8: 156, 2006
39. Toriumi DM, Pero CD. Asian rhinoplasty. Clin Plastic Surg 37: 335, 2010

CHAPTER 12

비중격 및 비갑개 교정 | Modification of Septum & Turbinate

Chapter Author | 동은상

1. 서론

코 수술은 코의 독특한 해부학적 특성 때문에 learning curve가 길다. 수술 도중에 발생하는 수많은 변수와 봉합 후에 예견되는 결과는 단기적인 학습이나 관찰보다는 긴 학습과 경험의 결과로 얻어질 수 있다.

지난 수년 동안 코 수술의 기법에 대해 많은 발전이 있어서 이제는 코의 겉모양만을 생각하고 간단한 임플란트로 외형상의 문제를 해결하려 하거나 다른 집도의가 시술한 2차 수술(secondary rhinoplasty)을 임플란트를 교체하는 수술로 인식하는 성형외과 의사는 더 이상 존재하지 않을 것이다. 이제는 코의 기능과 미용적 개선을 동시에 요구하는 환자들이 대부분이며 코 수술을 마스터하기 위한 노력으로 비중격 및 비갑개에 대한 해부학 및 합병증을 최소화하는 수술법에 대한 철저한 이해가 필요하다.

2. 비중격 수술을 위한 준비

환자에 대한 신중한 병력 청취가 중요하다. 환자의 최근 1개월 동안의 코막힘 정도(nasal obstruction symptom examination scale, NOSE scale)에 대한 기록은 수술 전후의 환자의 평가와 환자의 호전도를 측정하는 데 중요한 지표이다(**표 12-1**). 최소한 환자의 코막힘의 정도가 하루 중에 어떤지, 최근에 감기를 앓은 과거력이 있는지, 부비동 증상이 있는지에 대한 병력 청취는 필수적이다.

3. 올바른 기구의 사용

비중격 수술에 사용되는 비경(speculum)은 대, 중, 소로 나뉜다. 그 중 실제 비중격 수술에 사용되는 것은 중간의 크기와 작은 크기의 것이 쓰인다(**그림 12-1**). 이 중 끝이 얇은 중비경이 적절한 비중격 수술을 위해 필수적인데 비경을 잡는 방법을 간과하는 경우가 있는데 **그림 12-2**와 같이 조작하면 비중격을 관찰하기도 전에 Kisselbach plexus의 출혈을 초래하므로, 우측의 **그림 12-3**과 같이 비경을 조작해야 한다.

또한 bayonet forceps를 사용하여 보스민액에 잘 적신 패킹거즈를 비강 안에 삽입하면 비강 안쪽을 관찰하기가 용이하다(**그림 12-4**).

표 12-1. **Nasal Obstruction Symptom Evaluation (NOSE)**

	Not a problem	Very mild problem	Moderate problem	Fairly bad problem	Severe problem
Nasal congestion or stuffiness	0	1	2	3	4
Poor sense of smell	0	1	2	3	4
Snoring	0	1	2	3	4
Nasal blockage or obstruction	0	1	2	3	4
Trouble breathing through the nose	0	1	2	3	4
Trouble sleeping	0	1	2	3	4
Having to breath through my mouth	0	1	2	3	4
Unable to get enough air through my nose during exercise or exertion	0	1	2	3	4
Feeling panic that I cannot get enough air through my nose	0	1	2	3	4
Embarrasement around friends and coworkers because I have trouble breathing through my nose	0	1	2	3	4
In general, my health is	0	1	2	3	4

최근 한달 간 환자가 겪은 증상에 표시 하세요.

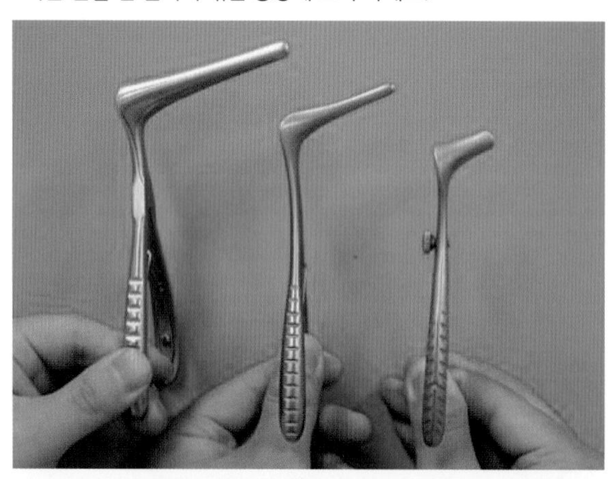

그림 12-1. **비경의 종류. 좌측부터장비경, 중비경, 단비경**

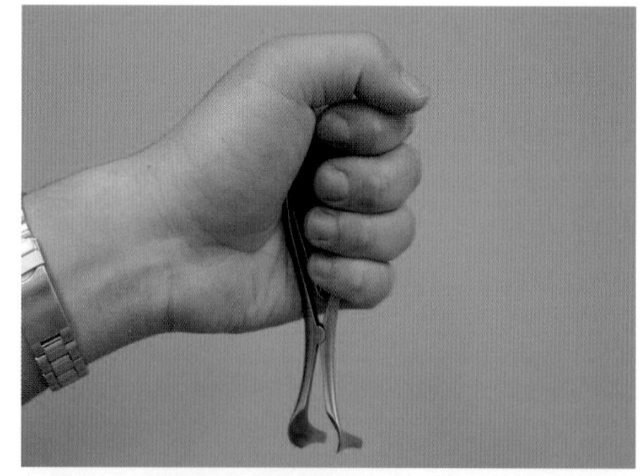

그림 12-2. **잘못된 비경조작법**

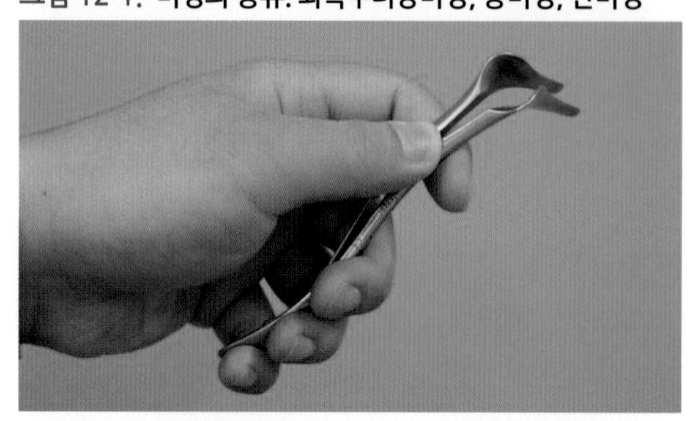

그림 12-3. **적절한 비경조작법. hinge를 엄지로 잡고 3, 4, 5번 손가락으로 눌러 벌린다.**

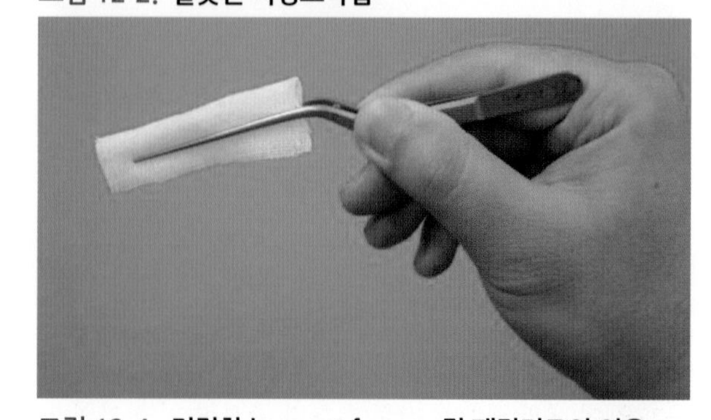

그림 12-4. **적절한 bayonet forceps 및 패킹거즈의 이용**

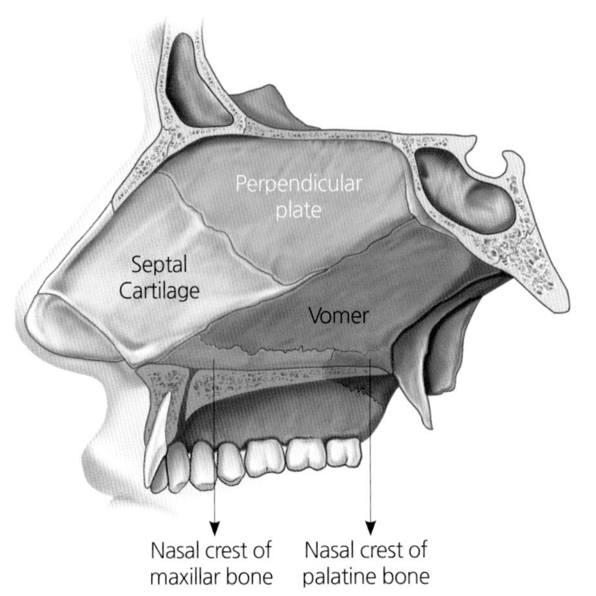

그림 12-5. 코의 해부 시상면

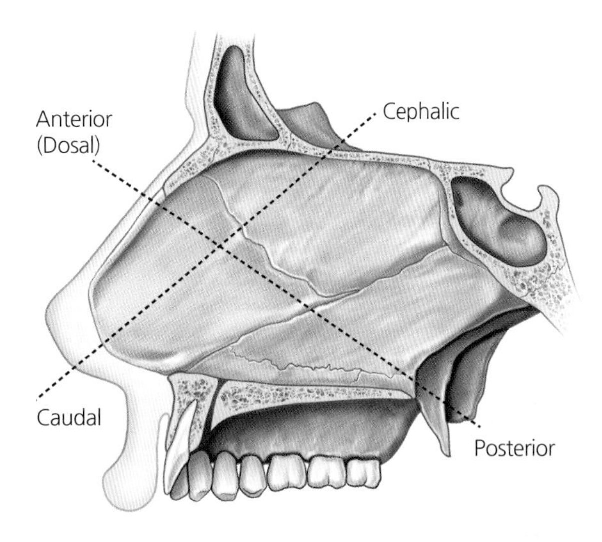

그림 12-6. 코의 nasal support line

비골의 미부와 전비극을 잇는 가상선이 코의 지지라인이다.

4. 비중격과 비갑개의 임상 해부학

1) 비중격을 이루는 뼈

비중격은 다음 네 개의 골로 이루어져 있다.

(1) perpendicular plate of ethmoid(사골 수직판)

(2) vomer(서골)

(3) nasal crest of maxilla(상악골비릉)

(4) nasal crest of palatine bone(구개골비릉)

이 중 비골과 perpendicular plate of ethmoid bone, 그 하부의 vomer가 비골의 수직적 높이를 지지하는 구조물이다(**그림 12-5**).

2) 연골성 비중격 및 막성 비중격

cartilaginous septum(연골성비중격)과 membranous septum(막성비중격)은 차례대로 코의 안쪽에서 바깥쪽으로 만져지는 부분이다. 비강은 전체가 비점막으로 싸여 있고 각각 그 특징상 골성비중격은 골막에, 연골성비중격은 연골막에 싸여 있으며 그 표재부에 비강 점막이 존재한다. 발생학적으로 부착부위와 위치에 따라 그 강도가 다르며 연령별, 성별 차이가 있다. 연골성비중격은 vomer와 ethmoid bone에 접합하는 부위보다 상악골에 부착하는 부위에서 박리가 어렵다. 그 이유는 maxilla의 nasal crest 부위에서는 골막 상부에 연골막이 부착하고 그 상부에 점막이 존재하게 되므로 연골부에서 골 쪽으로 박리하면 100% 열상을 초래하게 된다. 또한 maxilla의 nasal crest에서 비중격 연골이 탈구된 경우 점막 열상을 피할 수 없는 경우가 많다. 따라서 이곳에서는 골부에서 연골부 방향으로 박리하는 것이 중요하다.

3) 비중격의 정위

코 수술을 이해할 때 중요한 것이 코를 지칭하는 정위이다. 콧등 쪽을 전방(anterior), 반대쪽을 후방(posterior), 머리쪽을 두측(cephalic), nasal tip 쪽을 미측(caudal)으로 나누고 좌 우측을 포함해 여섯 개의 정위를 이용해 지칭한다. 흔히 말하는 콧등 쪽을 anterior 또는 “high”라고 표현하고 이는 osteotomy 시 자주 사용되는 정위이며 반대쪽을 “low”라고 표현하기도 한다(**그림 12-6**).

5. 비중격성형술

1) 비중격 만곡의 원인

비중격 만곡의 원인에 대해서는 여러 가설이 있으나 대부분은 외상 등에 의한 과도한 "성장(growth)"과 "긴장(tension)"이라고 보고 있다. 즉 공간보다 더 많이 성장하여 자란 비중격 연골이 휘게 되며, 외상 시 후방의 골에서 dislocation되면서 과잉 성장하는 것이라 본다. 임상적으로 비중격의 한면에 scoring incision만 한 경우 교정이 어렵다. Scoring만으로는 비중격 연골의 휘어짐(warping)이 곧게 일어난다고 하여도 dorsum을 밀어내며 펴지는 힘을 얻을 수 없는 경우가 많다. 잉여 연골을 절제(resection)한 뒤 scoring을 한 경우는 비중격이 잘 펴진다. 또한 비골 골절 시 비중격의 긴장에 따라서 골편이 전위되는 것을 보면 비중격 연골의 intrinsic tension이 deviated nose 변형의 중요한 요소임을 알 수 있다.

2) Swinging-door법이란 무엇인가?

quadrangular cartilage를 ethmoid bone, vomer와 nasal crest of maxilla에서 dislocation 시키고 key stone 지점을 축으로 이 quadrangular cartilage가 밑바닥에서 좌우로 걸림이 없이 "swing"되도록 잉여 연골이나 골을 절제하는 방법이다(**그림 12-7**). quadrangular cartilage는 최대한 보존하면서 연골에 내재한 긴장을 풀어주고 휘어 있는 비중격 연골이 곧게 펴질 수 있는 공간을 확보하는 비중격 성형술의 기본 개념이다. 점막하 절제(submucous resection, SMR)를 하지 않고 과도한 부분의 연골과 ethmoidal perpendicular plate (EPP 또는 PPE)의 일부만 제거하여 가능한 한 많은 양의 quadrangular cartilage를 보존하는 수술이다.

3) 비중격 성형술의 순서

(1) 패킹, 관찰, 마취

전신마취는 기도확보가 용이하다는 장점이 있다. 마취 회복 도중의 갑작스러운 혈압상승으로 야기되는 출혈이 있다는 단점에도 불구하고 환자가 출혈 성향이 있거나 목이 짧고 굵거나 과체중이거나 하비갑개 성형술이 필요한 경우는 전신마취를 하는 것이 안전하다. 시야 확보를 위해 보스민 희석액(1:100,000 내외)에 적신 패킹 거즈를 국소 마취를 시행하기 5~10분 전에 패킹하며, 환자의 혈압 변화와 부정맥 유무를 관찰한다. 이때 환자가 에피네프린(epinephrine)에 과민하여 갑자기 혈압이 상승한다면 앞으로 사용할 에피네프린의 용량에 주의하여야 한다. 패킹한 보스민 거즈를 제거한 뒤에야 비로

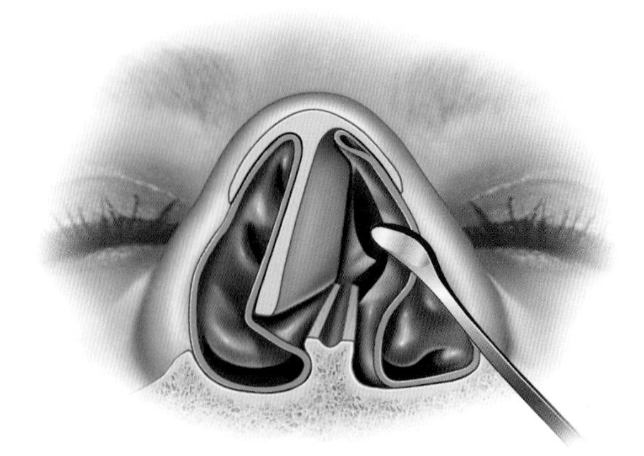

그림 12-7. quadrangular cartilage를 maxilla의 nasal crest에서 탈구

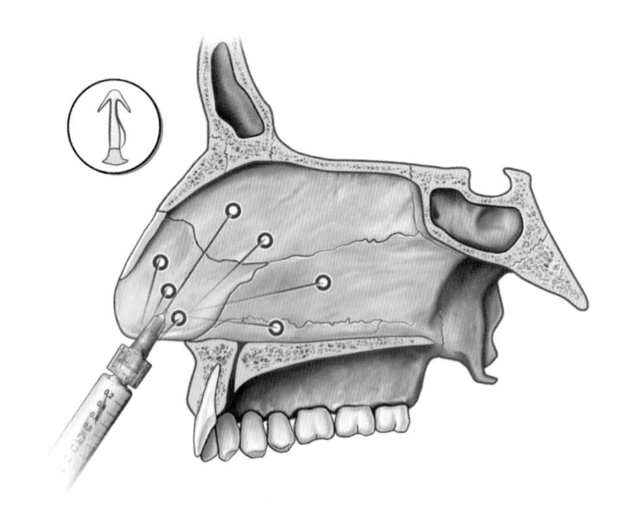

그림 12-8. 마취
적절한 마취를 위해 한쪽면에 6~7군데의 hydrodissection을 한다.

소 비중격의 모양을 잘 관찰 할 수 있다. 사용하는 마취제(lidocaine + 1:100,000 또는 1:200,000 epinephrine)에 hyaluronidase를 소량 섞어 비중격 점막의 박리에 사용한다.

비중격에 대한 마취 시행 시 한쪽 면에 6-7군데의 적절한 주사를 하여야 하는데 hydrodissection을 위해 한쪽에 total 30 cc 이상의 마취액을 주사한다.

이때 목표로 하는 신경은 anterior ethmoidal nerve, nasopalatine nerve 및 anterior superior alvelolar nerve의 말단 분지이다(**그림 12-8**).

(2) 절개와 비중격 박리

Transcolumellar incision을 통한 개방적 피부판 박리 후 양측의 lower lateral cartilage를 가르고 anterior approach를 하거나 한쪽의 연골성 비중격을 종절개 하여(**그림 12-9**), 한쪽의 점막-연골막 피판을 거상하면서 사각연골을 노출시킨다. 반대쪽의 nostril 거즈를 넣고 좌측을 박리하면 caudal portion을 용이하게 찾을 수 있다. 비중격의 caudal portion에 blade를 45° 세워 긁듯이 박리하면 연골막이 벗겨지며 성근 연골이 나타난다. Anterior septal angle을 확인하고 비중격 caudal margin도 국소적 박리를 한다. 나중에 8자형 봉합(figure of 8 suture)을 하려면 비중격 연골 caudal margin의 좌우측이 박리되어 있어야 한다. nasal crest 옆의 결합 부위는 박리가 가장 어려운 부분이다. Quadrangular cartilage막 터널에서 아래의 nasal crest의 골막 쪽으로 위에서 아래로 박리하면 점막이 쉽게 찢어진다.

(3) 연골 절개(chondrotomy)

Ethmoid bone과 사각 연골 연결 부에 L-strut를 남기면서 수직의 posterior chondrotomy를 먼저 가한다(**그림 12-10**). L-strut를 보존하며 "ㄷ자" 모양의 절개를 가한다. 후방 절개와 미부 절개는 작고 날카로운 기구로 하고 전방 절개는"D knife"를 이용하여 한다. 이를 위해 vomer, maxillary crest와 anterior nasal spine 위의 연골을 탈구시키는 inferior chondrotomy를 가한다(**그림 12-11**). Quadrangular cartilage의 편위가 심하지 않다면 anterior nasal spine 위에서 탈구시키지 않는 것이 nasal tip의 지지를 위해 중요하나 코 막힘의 원인이라 생각되면 caudal쪽 swing door를 시행하기 위해 하방의 비중격

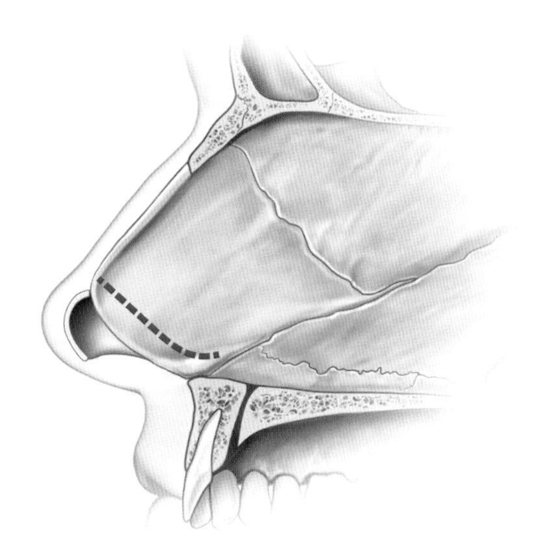

그림 12-9. 절개
modified killian 절개

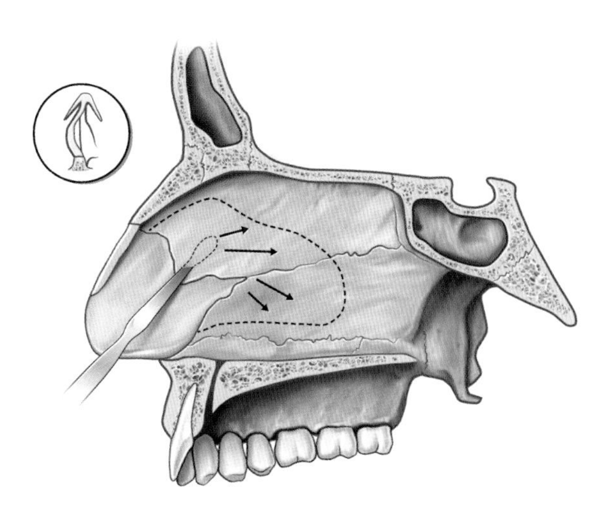

그림 12-10. posterior chondrotomy

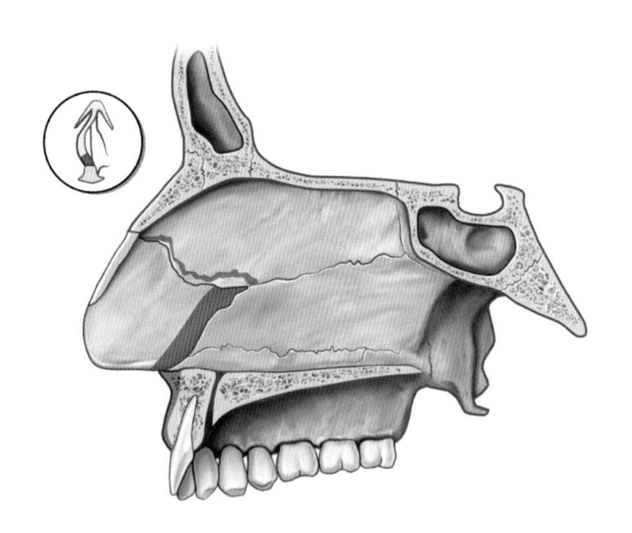

그림 12-11. inferior chondrotomy and chondrectomy for swinging- door

을 nasal crest 위에서 탈구시키고 보수적인 연골 절제를 시행한다.

(4) 점막하 절제(SMR) 및 돌출 골 절제

Anterior and caudal septum에 각각 9~10 mm의 L-strut를 남기고 나머지 부분을 채취한다. 이때 rhinion 하부 keystone 부위의 연골이 골절되면 전체 전방 비중격의 지지가 약해지므로 조심하며 우측의 점막 피판이 Lstrut에 부착되도록 한다.

Maxillary crest와 vomer가 돌출되어 있으면 시상 절제를 통하여 bony spur를 제거한다. 이때 발생하는 골성 출혈은 철저히 전기 소작하거나 왁싱(waxing)하여야 한다. 과도한 제거는 상구순의 감각 이상을 초래할 수도 있다.

Ethmoid bone의 과도한 제거는 corrective osteotomy 시행에 부담이 된다. 비골 삼각의 전체 지지가 소실될 수 있으므로 과도한 절제는 금기이다.

(5) ANS (anterior nasal spine) suture, quilt suture

anterior nasal spine과 새로 만든 posterior septal angle

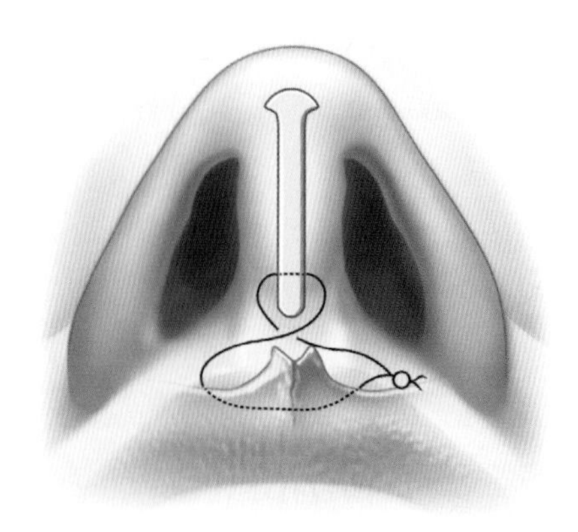

그림 12-12. "8자형" 봉합
anterior nasal spine(ANS)과 posterior septal angle과 시행한다.

을 4-0 PDS로 8자형 봉합(figure of 8 suture)한다(**그림 12-12**). 좌우의 nostril을 통하여 4-0 vicryl 봉합사로 quilt suture(누빔 봉합)를 한두 번 해준다.

(6) 패킹 및 부목 고정

패킹은 수술만큼 중요하다. 에피네프린 거즈를 패킹한 채로 귀가하면 점막 괴사(mucosal necrosis)가 올 수 있다. 또한 에피네프린 거즈를 수술 내내 사용하다가 수술이 끝나서 바로 꺼내고 충전 거즈로 패킹하는 것도 위험하다. 점막이 재관류(reperfusion)되는 시간이 부족하기 때문이다. 충전 강도와 양을 정하기 힘들기 때문에 처음 써보는 재질의 패킹 제재를 사용할 경우 주의해야 한다. 바셀린이나 항생제 연고를 묻힌 편거즈 등을 이용하여 1~3일 동안 충전을 유지한다. 개방성 비중격-비성형술에서 전체 환자의 13~16% 는 일시적인 bacteremia 상황에 노출된다(Kaygusuz, 2000, Okur, 2006). 수술 중과 수술 후 청결에 주의하고 코 주위의 피부와 구강주위를 수시로 소독하는 노력이 필요하다. 항생제의 수술 전, 중, 후의 경험적 사용이 필요하다.

4) 성공적인 비중격성형술을 위한 팁(tip)

합병증을 피하고 성공적인 비중격성형술을 위해서는 다음의 사항을 숙지하여야 한다.

(1) 비중격은 출혈이 많고 열상을 입기 쉬우며 비강 점막의 창상 치유가 완료되기까지는 최소 일주일이 걸린다.
(2) 환자가 anticoagulant, herb 등 생약 성분을 복용하는지 알아야 한다.
(3) 수술 전에 비강의 궤양이나 점막 손상 등의 상태를 알아야 한다. 심한 궤양이 있거나 미란이 있는 경우 수술을 연기하거나 조직검사가 필요한 경우가 있다.
(4) 비강 내 출혈을 줄이기 위해 비중격 내 hydrodissection을 이용한 국소마취가 도움이 된다.
(5) 수술 후 비강 내 출혈의 가장 흔한 원인은 비갑개 수술 부출혈이다.
(6) 비중격수술은 clean contaminated 수술이다. 따라서 감염율이 5% 이상으로 간주하고 술 전, 술 후 항생제 정맥 내 투여가 필요하며 연골 등을 이식할 경우에는 필수적이다.
(7) 어떤 경우에도 박리는 submucoperichondrial layer로 한다.
(8) 수술 중 발견된 소량의 점막 열상은 적절한 실리콘 판을 적용하고 관찰한다. 봉합하려 하면 점점 더 열상이 심해지며 실리콘 판을 대지 않더라도 결손부위가 크지 않으면 자연 치유된다.
(9) 수술 중 발견된 비중격천공 또한 봉합하지 않고 관찰한다. 대부분의 경우 비강의 위생을 관찰하면서 주시하면 자연적으로 낫는 경우가 많다. Silicone button을 수개월간 적용하여도 무방하다.

5) 비중격수술 후 합병증

(1) 냄새를 잘 못 맡는 경우

0.3~2.9% 환자군에서 이런 경우가 있으나 대부분 비강 내 충전에 따른 점막 손상이 원인으로 한달 내 호전된다. 드물게 바이러스 감염이나 ethmoid bone부위 반흔 형성 또는 열상된 비점막과 비갑개의 유착이 그 원인일 수 있다. 수술 전 커피 맛이 어떤지 등의 문진이 수술 후 후각 능력을 비교하는 데 도움이 되므로 술 전 후각 능력을 꼭 체크한다.

(2) 구개부 감각이상

2~3%의 환자군에서 발생하며 nasopalatine nerve의 손상이 원인이며 palatine bone의 nasal crest에 존재하는 spur를 과도하게 절제한 경우가 그 원인이다.

(3) 식사 시 비루(gustatory rhinorrhea)

이 또한 nasopalatine 신경의 손상이 원인이며 항 히스타민제를 복용하며 기다리면 호전되는 양상을 보인다.

(4) 시력 상실

아주 드문 경우로 비강 내 국소마취 주입 시 강한 압력으로 혈관 수축제가 직접적으로 ophthalmic artery로 역류하여 급속한 혈류감소로 일어났다는 보고가 있다.

6. 아시아 인의 비중격-비성형술

아시아인의 비중을 남기고 가운데에 submucous resection을 시행하여 비중격 연골을 가능한 많이 떼는 방향으로 진행된다. 여러 곳에 이식이 필요하기 때문이다. Caudal septum이 maxilla의 nasal crest나 anterior nasal spine 에서 한쪽으로 편위되어 defelction이 심해 비강의 협소를 유발할 때 비중격비성형술은 매우 어려운데 그 이유는 비중격 연골이 해부학적으로 작기 때문이다. 콧등과 caudal septum의 추형의 교정에는 대부분 연골이식이 필요하다. 심지어 코가 막혀서 방문한 환자들 대부분도 성형외과에서 수술을 하면 기능은 당연히 좋아지며 코의 모양이 더 높아지고 오똑해지는 것으로 기대한다. 따라서 quandrangular cartilage의 대부분을 보존적으로 남기며 swinging door 개념의 비중격 성형술은 드물게 시행되는 비축소술의 경우를 제외하고는 아시아인에 적용하기 힘들다.

이미 오래 전부터 radix로부터 tip까지의 augmentation을 위해 보형물을 사용해 왔다. 실리콘은 간단한 camouflage에 쉽게 사용되고 부작용으로 인한 노출도 0.5% 이하로 보고될 정도로 많이 쓰인다. 그러나 모양의 개선을 위한 실리콘의 camouflage만으로는 코의 기능을 개선할 수는 없다. 광범위 절개가 필요한 open structural septorhinoplasty에 이러한 보형물을 사용하는 것이 안전한가 하는 것에 대한 evidence-based result가 아직 없다. 비중격과 콧등을 독립된 공간으로 시술하는 것도 한 방법이나 어떠한 경우에도 septum 에 광범위 절개를 가한 뒤에 무거운 실리콘을 dorsum에 사용하지 않는 것이 좋다.

아시아인의 비중격-비성형술에서는 적절한 L-struuadal septum을 swing-door 형태로 교정하게 되는데 이 조작은 tip support와 projection의 감소를 유발한다. 따라서 swing door procedure 후에 이 부분의 안정적인 보강이 필요하다. 또한 비중격 연골이 약한 경우 점막하절제(SMR) 자체가 key stone area의 약화를 심화하는데 unilateral 혹은 bilateral spreader graft나 extended spreader graft로 해결한다. spreader graft로 증강/보강된 rhinion과 posterior septal angle 양측으로 시행한 septal strut이 단단한 새로운 L-strut을 이루는 것이 좋다. 아름다운 nasal tip은 이렇게 잘 만들어진 tip tripod의 기저에서 시작된다.

7. Turbinate(비갑개)

비갑개는 상, 중, 하의 세 부분으로 구성된다. 복잡한 정맥층 및 항염세포로 이루어진 lamina propria로 이루어져 있으며 비기류 방향을 조절하고 비강 내 공기의 흐름을 제어하여 온도 차이를 조절하고 습도를 조절하는 중요한 구조물이다.

1) 하비갑개(inferior turbinate) 성형술

비폐색의 원인이 되는 여러 원인 중 가장 흔하며 치료의 대상이 되는 것은 internal nasal valve 주위의 공간 협소로 인한 것이다. 이 치료를 위해 비중격 성형술과 함

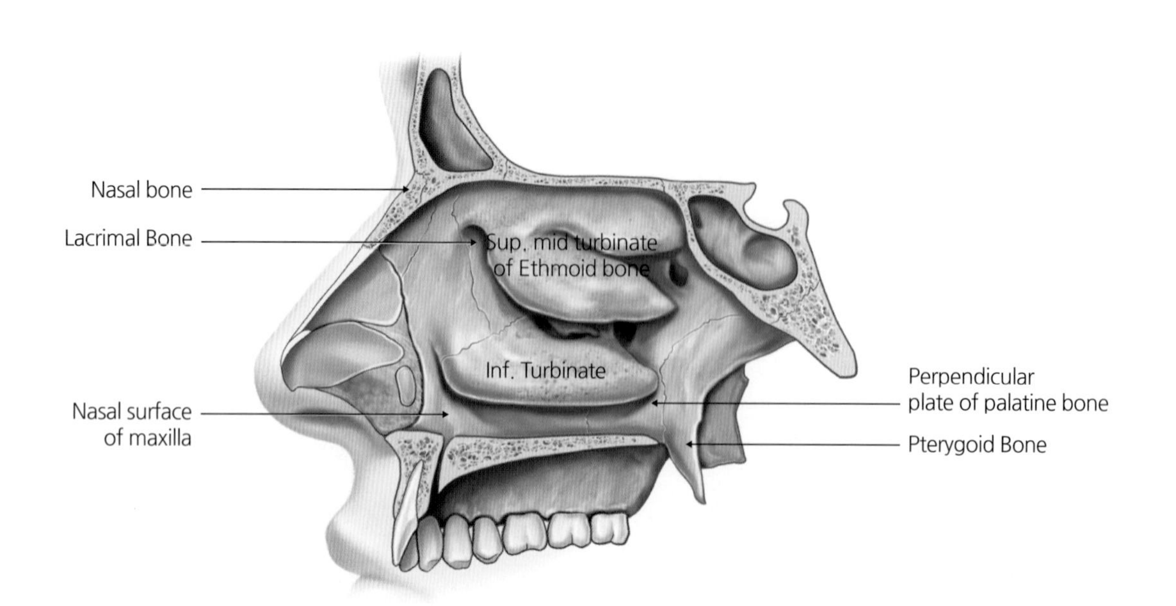

그림 12-13. 우측 nasal cavity의 외측벽 모습

께 필수적으로 동반되는 것이 하비갑개 성형술이다(**그림 12-14**).

비중격성형술로 볼록(convex)한 쪽의 비중격을 곧게 만들면(**그림 12-15, 16**) 반대측 비강은 역설적으로 협소해진다. 그러나 전체 비강의 저항이 줄고 생리적 기능이 좋아지기 때문에 비중격 수술은 효과가 있음을 알 수 있다. 이 때 필요한 수술이 오목(concave)한 쪽에 보상성으로 비후해진 하비갑개 축소술이다.

간단하게 하비갑개의 laminar propria를 비롯하여 해면골 조직을 기계적으로 제거하는 방법인 MAIT (microdebrider assisted inferior turbinoplasty)와 전기적으로 소작하는 RAIT (radiofrequency assisted inferior turbinoplasty) 방법이 많이 사용된다. RAIT의 경우 효과가 1년 이하라는 논란이 있으나 **그림 12-14**의 좌측 상부의 그림과 같은 하비갑개 절골술을 병행한다면 좋은 효과를 기대할 수 있다.

Turbinate out-fracture

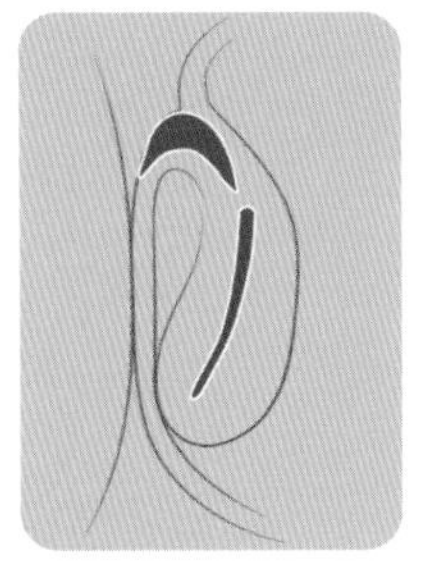

Radiofrequency channelling

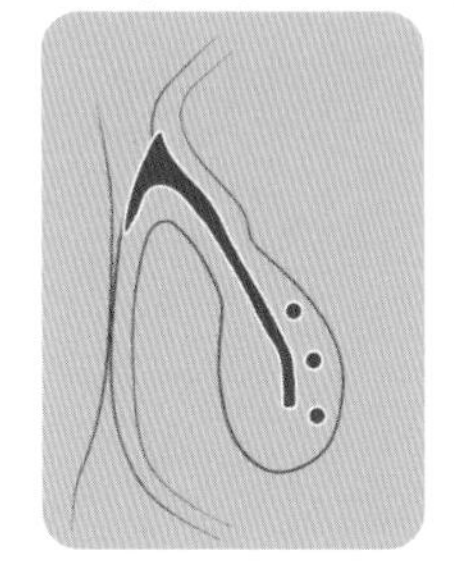

Laser surface ablation

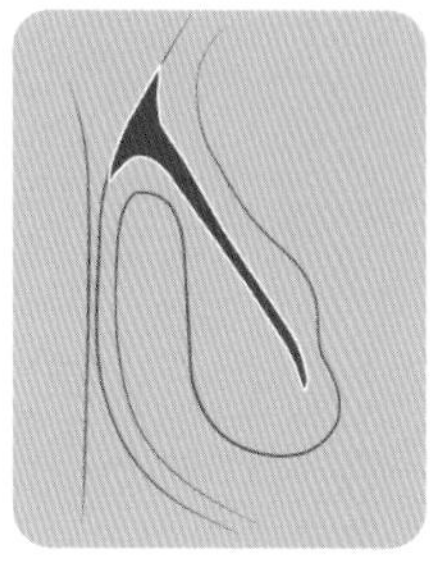

Inferior turbinectomy (partial)

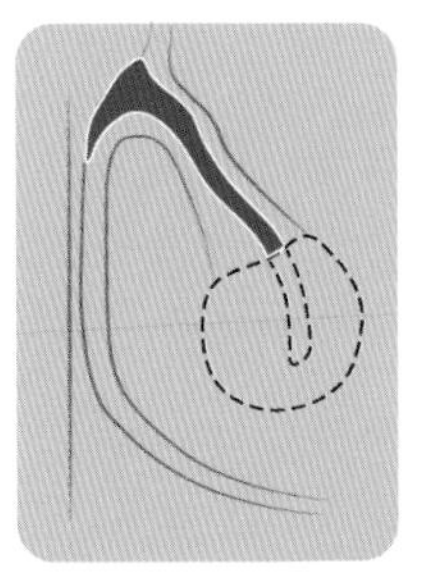

Inferior turbinectomy (total)

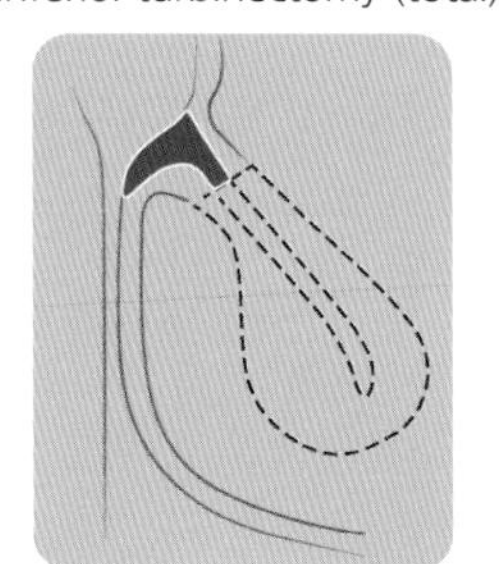

Submucosal turbinectomy

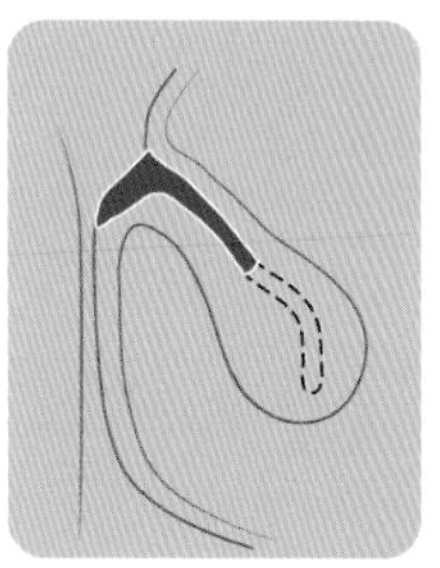

그림 12-14. **다양한하비갑개성형술**

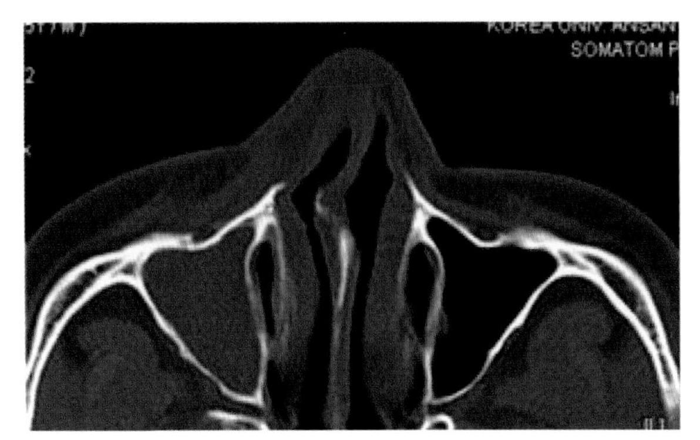

그림 12-15. **비중격 만곡증 환자 비중격 성형술 전 CT 소견**
우측은 볼록하고 좌측의 비강은 오목한 비중격을 갖는다.

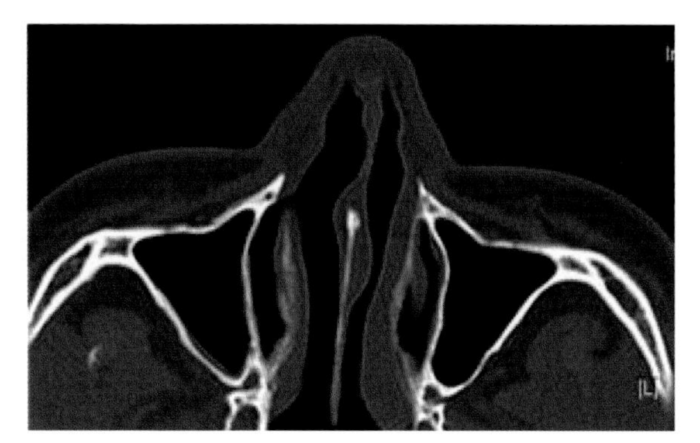

그림 12-16. **비중격 만곡증 환자 비중격 성형술 후 CT 소견**
비중격은 교정되었으나 상대적으로 좌측의 비강 협소가 발생할 수 있다.

참고문헌

1. Brook I. Treatment modalities for bacterial rhinosinusitis. Expert Opin Pharmacother. 2010; 11(5):755
2. Gunter JP, Rohrich RJ, Adams WP. Dallas rhinoplasty: nasal surgery by the masters. 2nd ed. St. Louis, Mo.: Quality Medical Pub.; 2007.
3. Kaygusuz I, Kizirgil A, Karlidag T, Yalcin S, Keles E, Yakupogullari Y, et al. Bacteriemia in septoplasty and septorhinoplasty surgery. Rhinology.2000; 41(2):76
4. Okur E, Yildirim I, Aral M, Ciragil P, Kilic MA, Gul M. Bacteremia during open septorhinoplasty. Am J Rhinol. 20(1):36,2006
5. Petropoulos I, Nolst Trenite G, Boenisch M, Nousios G, Kontzoglou G. External septal reconstruction with the use of polydioxanone foil: our experience. Eur Arch Otorhinolaryngol.2006; 263(12):1105
6. Stewart MG, Witsell DL, Smith TL, Weaver EM, Yueh B, Hannley MT. Development and validation of the Nasal Obstruction Symptom Evaluation (NOSE) scale J Otolaryngol Head Neck Surg 2004; 130:157-63.
7. Tebbetts JB. Primary rhinoplasty : a new approach to the logic and the technicques. St. Louis: Mosby; 1998.

CHAPTER 13

콧망울 바닥 및 콧구멍턱 교정 | Modification of Alar Base and Nostril Sill

Chapter Author | 황규석

1. 배경

Nostril의 모양을 교정을 하는 수술은 단독으로 시행되기보다는 다른 코 수술과 동시에 시행되는 경우가 대부분이므로 비교적 관심이 적은 분야라고 할 수 있다. 하지만, 실제로는 nasal tip의 모양을 교정하는 수술의 대부분이 nostril의 모양 변화를 초래하게 되므로, nostril의 모양만을 단독으로 교정할 때뿐 아니라 nasal tip의 모양을 교정하는 수술을 할 때는 반드시 nostril 모양의 변화에 대하여 관심을 가지고 nostril의 모양을 결정하는 여러 가지 요소에 대하여 주의를 기울여 수술을 하여야 한다. Nostril과 nasal base의 모양을 결정하는 여러 요소들과 nostril의 독특한 특징 및 이상적인 nostril 및 nasal base의 교정을 위한 수술 방법은 다음과 같다.

2. 본론

1) Nostril의 계측학적 분류

Nostril의 형태 및 계측학적인 분류는 다음과 같다. 먼저 Bernstein (1972) 등은 nasal tip과 alar, nostril 및 columella의 형태에 따라서 **그림 13-1**과 같이 분류를 하였으며, Farkas (1983)는 nostril의 모양을 nasal tip의 폭과 높이 그리고 columella의 길이 및 nostril축의 경사도에 따라서 Type I - VII (Type I: below 41°, type II: 41°-70°, type III: 71°-100°, type V: 101°-130°, type VI: 131°-180°, type VII: above 180°. Type IV had no visibly discernable difference between the long axes and short axes.)으로 분류하였다(**그림 13-2**).

Gunter (1996) 등은 alar-columellar relationship에 따라 분류하여 측면에 보았을 때 nostril의 맨 위와 아래를 그은 선이 nostril의 좌우를 절반씩 나눈 것이 가장 이상적이며, alar rim이 1.5~2.0 mm 이상 위로 올라가 있는 경우에는 alar retraction, 1.5~2.0 mm 이하인 경우에는 hanging alar이라고 분류하였다(**그림 13-3**).

Powell (1984) 등은 nasal tip을 밑면에서 보았을 때 서양인의 intrinsic tip의 크기는 전체 nasal tip 높이의 1/3이 적당하며 inter-alar width가 inter-canthal distance (ICD)와 같은 것이 이상적인 거리라고 정의하였고, inter-alar width이 비익과 안면 연결부위 간 거리(interala cheek junction distance)보다 2 mm 이상 바깥쪽에 위치하는 경우를 과도한 비익퍼짐(excessive alar flaring)이라고 정의하였다(**그림 13-4**).

또한 Daniel (2001)은 nostril/tip proportion을 고려할

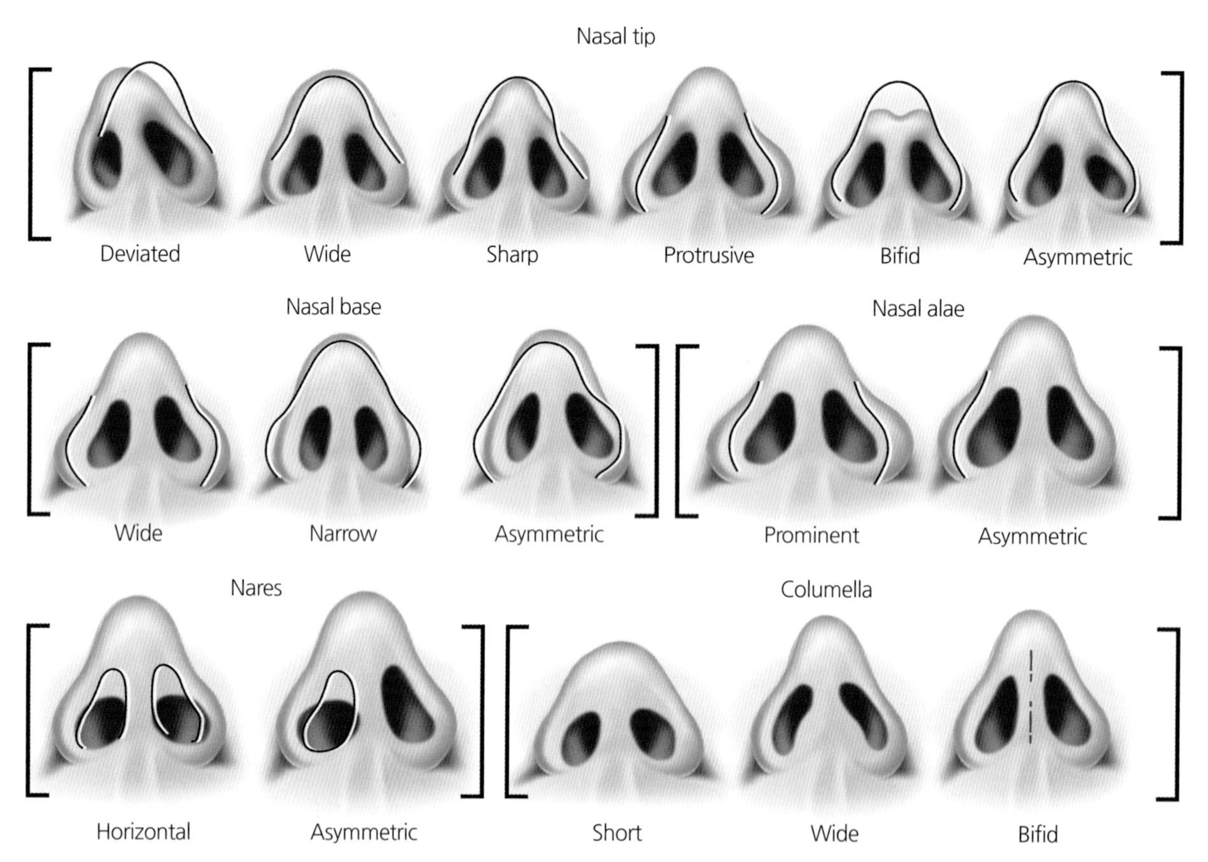

그림 13-1. 여러 가지 형태에 따른 비저의 다양성

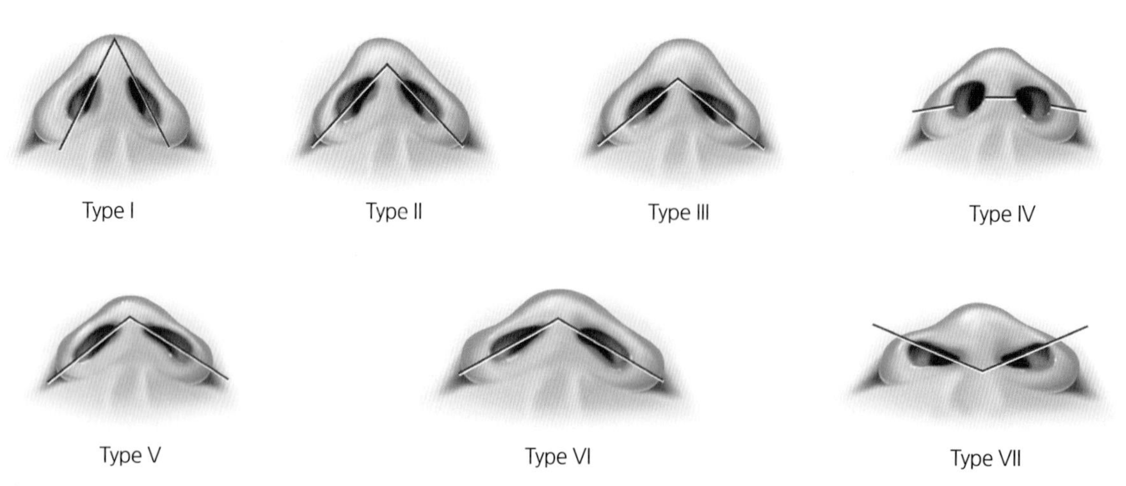

그림 13-2. Farkas에 의한 I 형부터 VII 형 까지 nostril의 분류

nasal tip의 폭과 높이 그리고 columella의 길이 및 폭, nostril axis의 경사도에 따라 분류함.

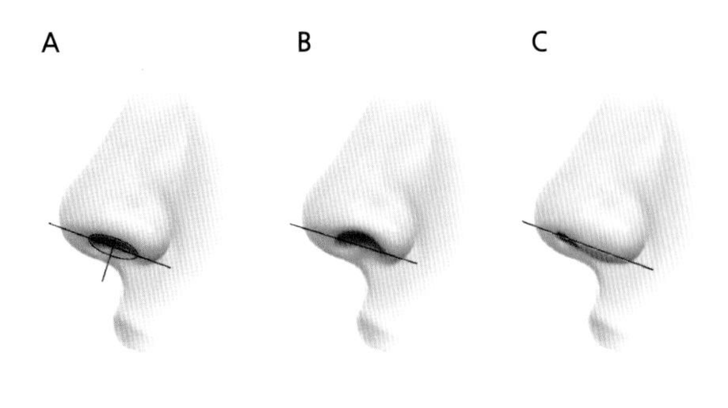

그림 13-3. Alar - columellar relationship

정상 비익(A, nostril의 장축이 nostril의 좌우를 대칭적으로 나누는 경우로 비익의 위치가 nostril의 장축보다 1.5 내지 2.0mm 정도인 경우), alar retraction(B, alar가 nostril의 장축보다 1.5-2.0mm 이상 떨어져 있는 경우), hanging alar(C, alar가 nostril의 장축보다 1.5-2.0mm 이하로 떨어져 있는 경우).

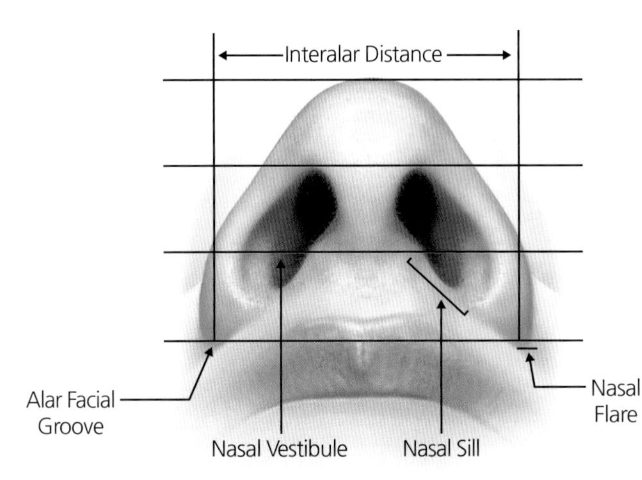

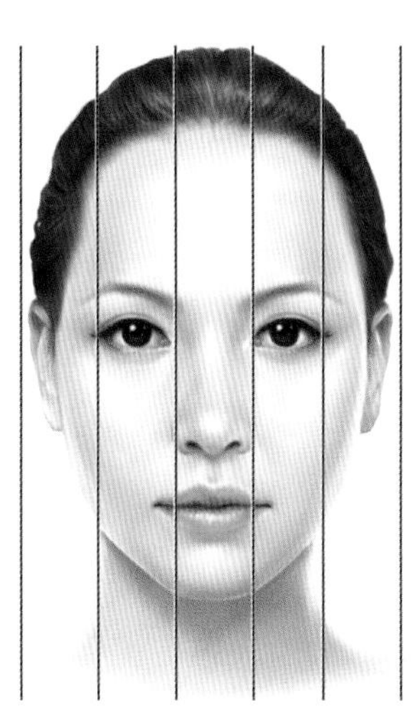

그림 13-4. Classic Caucasian vertical fifths of the face & alar base anatomy

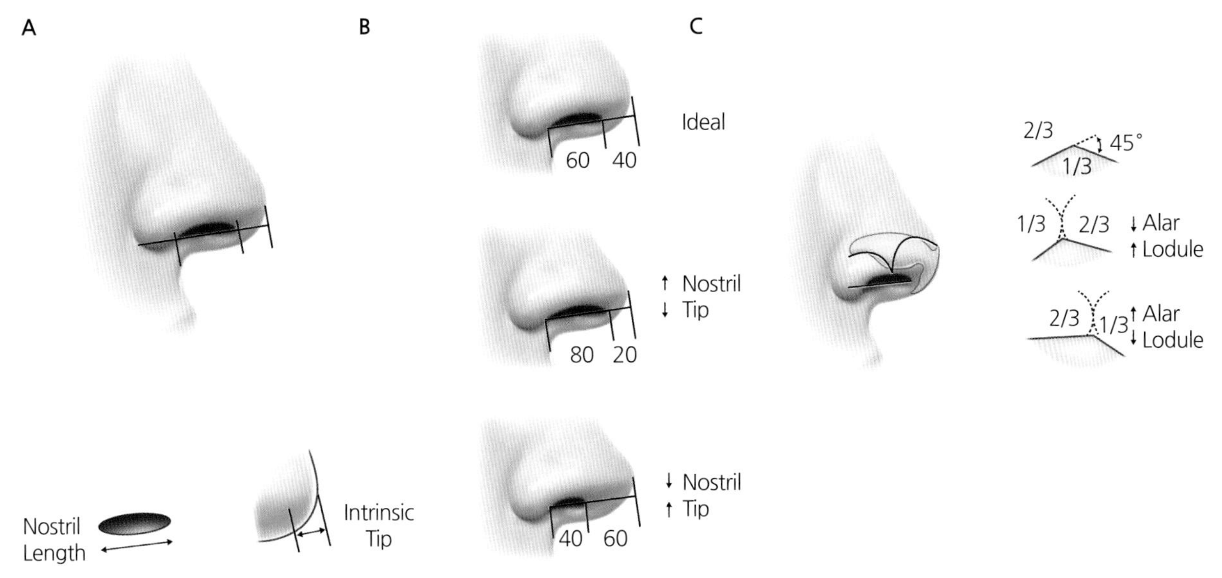

그림 13-5.

A. Nostril의 길이는 nostril의 apex에서부터 base까지의 길이, intrinsic tip의 길이는 columella break-point(C)으로부터 nasal tip(T)까지의 길이로 정의 할 수 있다. B. 이상적인 nostril의 길이와 intrinsic tip의 비율은 55: 45 에서 60: 40이며, nostril이 비정상적으로 큰 경우에는 80:20의 비율도 존재하며, 반대로 intrinsic tip이 비정상적으로 큰 경우에는 40:60의 경우도 존재 한다. C. nostril break-point 기준으로 할 경우 ala와 lobule의 비율은 50:50이 이상적인 비율 이라고 정의하였다.

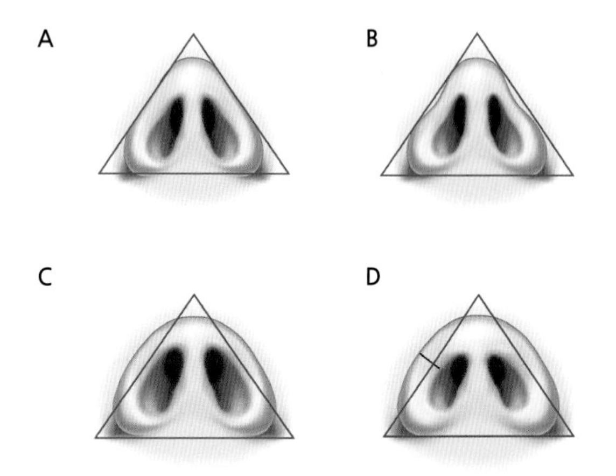

그림 13-6.
A. 코를 밑면에서 보았을 때 이상적으로 이등변삼각형을 이루는 모양. B. 꺼진 비익 C. lower lateral cartilage가 벌어져서 바깥쪽으로 더 벌어진 alar D. 지나치게 두꺼운 alar의 연부조직 때문에 바깥쪽으로 더 벌어진 alar.

때 측면에서의 서양인 nostril의 이상적인 nostril의 길이와 intrinsic tip 비율은 55:45 에서 60:40이라고 정의하였으며, nostril break point를 중심으로 하여 alar와 lobule의 비율은 50:50이 이상적인 비율이라고 정의하였다(**그림 13-5**).

Guyuron (2001)은 코를 밑면에서 보았을 때 이등변삼각형을 이루는 것이 이상적인 모양이며 바깥쪽으로 더 벌어진 비익의 원인을 lower lateral cartilage와 지나치게 두꺼운 alar soft tissue로 분류하여 교정 방법을 다르게 구분하였다(**그림 13-6**).

2) nostril shape에 영향을 미치는 요소

Nostril의 모양을 결정하는 요소는 크게 infra-tip lobule, alar 및 columella의 모양 그리고 infra nostril area로 나누어 볼 수 있다.

(1) Infra-tip lobule

Infra-tip lobule은 nostril 상부의 모양을 결정하는 부위로서, lower lateral cartilage의 medial crus가 만드는 divergence angle과 Infra-tip lobule의 연부조직의 형태 및 크기는 nostril의 상부 모양을 결정하는 가장 중요한 요소이다.

즉, lower lateral cartilage에 대한 수술적 조작으로 인한 medial crus의 벌림각(divergence angle) 변화는 nasal tip의 변화와 함께 필연적으로 nostril의 모양 변화를 초래하게 된다. 또한 soft triangle의 절제나 봉합을 통한 nostril/tip proportion의 변화 또한 nostril 모양의 변화에 중요한 역할을 하게 된다.

(2) Columella and alar rim

비주 및 비익의 형태와 두께는 nostril의 중앙부 모양을 결정하는 요소이다. Columella를 형성하는 lower lateral cartilage의 medial crus 및 비중격 원위부와 alar rim의 형태는 alar-columellar relationship을 결정하는 중요한 요소이며, medial crus 사이에 존재하는 dermo-cartilaginous ligament (Pitanguy's ligament)의 제거는 nasal tip의 역동적 움직임에 영향을 미치게 되어 nasal tip을 아래로 내려주는 depressor septi nasi muscle의 작용을 약화시킴으로써 columellolabial angle을 5~30°(평균 15°) 정도 커지게 하는 역할을 하게 된다(황건, 황규석, 2006) (**그림 13-7, 8**)

(3) nostril sill

Nostril sill의 모양은 lower lateral cartilage의 foot plate의 형태 및 nostril sill의 경사도(inclination), 그리고 nostril sill과 alar가 만나는 경계부위 연부조직의 형태에 의하여 결정된다.

3) 수술 방법

Constantian (1989)은 dorsum이 낮은 경우 상대적으로 alar width가 넓어 보인다고 주장 하였으며 단순히 nostril의 모양만이 아니라 전체적인 얼굴의 크기 및 dorsum과 nasal tip의 높이 및 넓이, 그리고 alar flaring, alar-columella relationship, nostril/tip proportion 등의 여러

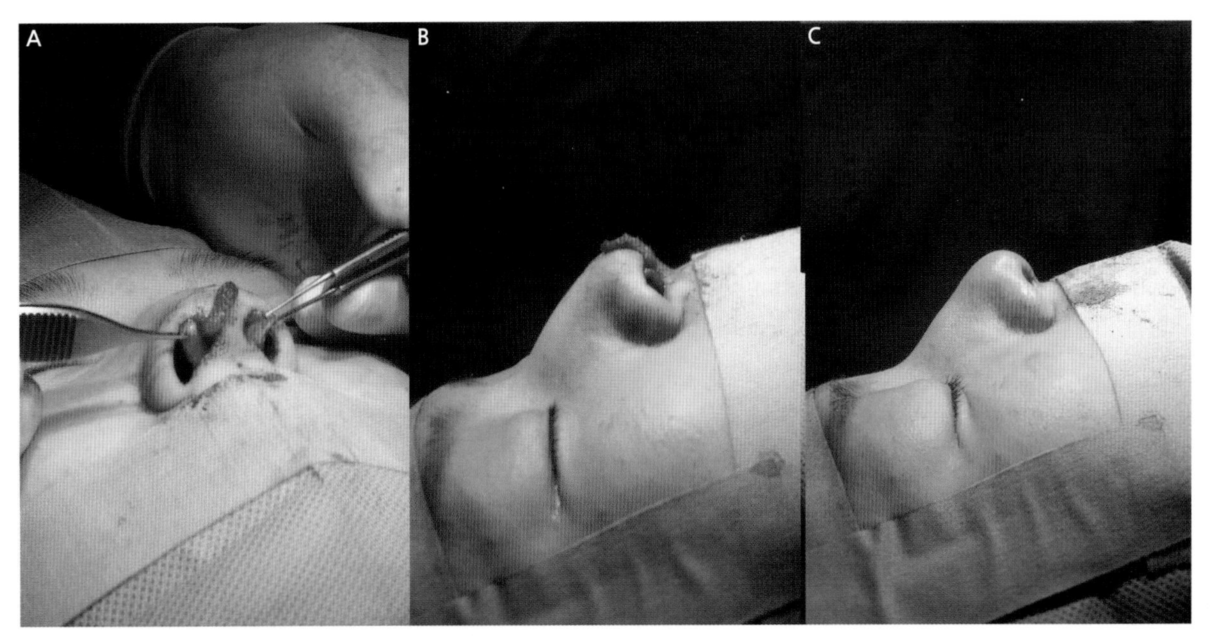

그림 13-7. Dermo-cartilaginous ligament (Pitanguy's ligament)를 제거하여 depressor septi nasi muscle의 작용을 약화시킴으로서 columellolabial angle을 커지게 하는 수술과정
A, B. 박리된 dermo-cartilaginous ligament C. 수술 직후 모습

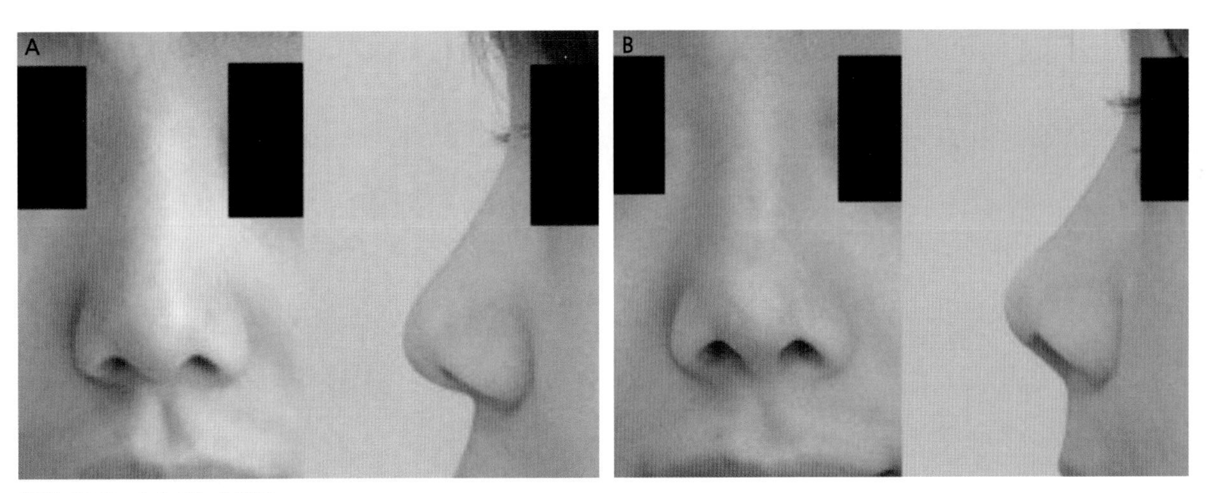

그림 13-8. 수술 전, 후사진
A. 수술 전 B. 수술 후 7일

가지 요소를 고려하여 수술해야 한다고 하였다. 위에서 살펴본 바와 같이 nostril의 모양을 결정하는 것은 어느 한 가지 요소가 아니라 여러 가지 요소들에 의하여 복합적으로 구성되어 있다. 이러한 여러 요소에 대한 각각의 교정 방법을 소개하면 다음과 같다.

(1) Infra-tip lobule의 교정

하비첨소엽의 모양을 결정하는 요소에는 lower lateral cartilage의 middle crus의 크기, 형태 및 divergence angle, 그리고 soft triangle과 infra-tip lobule의 연부조직의 크기 및 형태가 복합적으로 작용한다. Intercrural suture,

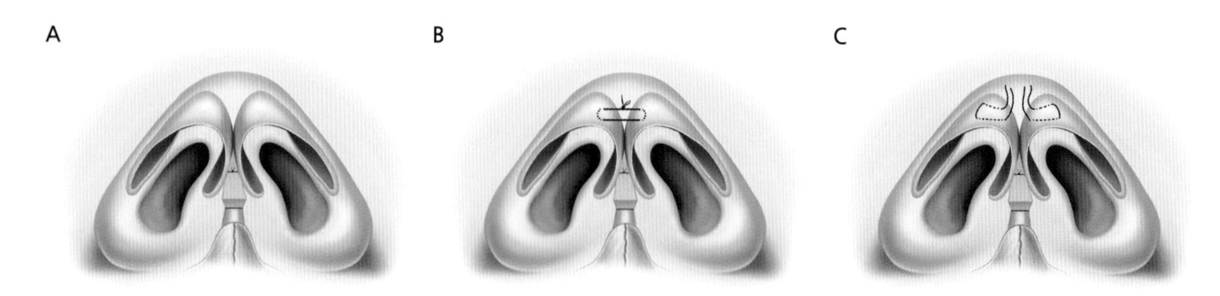

그림 13-9. 수술 전, 후 사진
A. Intercrural suture B. interdomal suture C. transdomal suture.

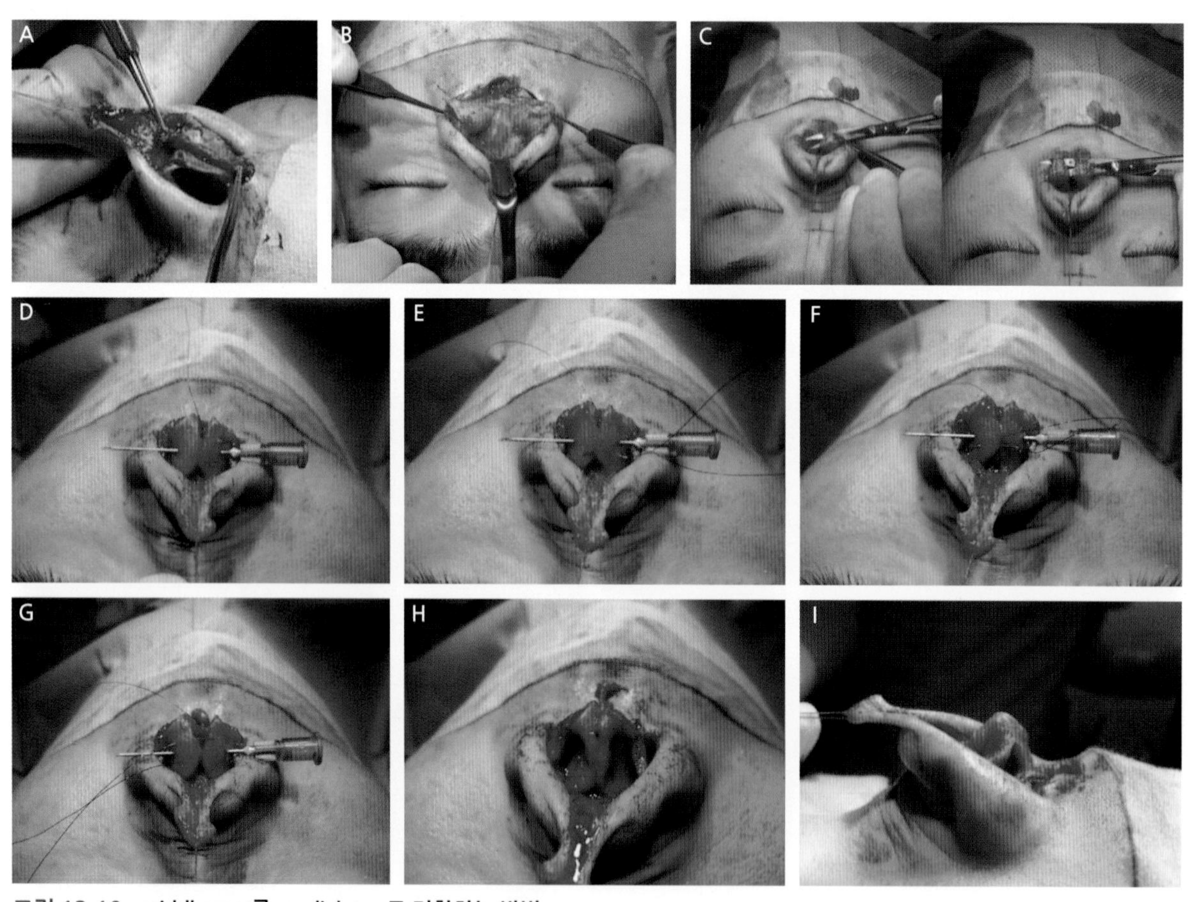

그림 13-10. middle crus를 medial crus로 전환하는 방법

interdomal suture, transdomal suture 등의 연골 조작술을 이용하여 lower lateral cartilage의 middle crus의 위치, 형태 및 divergence angle 등을 교정해야 한다.

이러한 middle crus에 대한 조작은 infra-tip lobule뿐만이 아니라 nostril 자체의 모양을 교정하는 데 가장 중요한 역할을 하게 된다(**그림 13-9**). 또한 이러한 nasal tip 상부에 대한 교정은 결과적으로 nasal alar angle 및 nostril axis angle의 변화를 초래하게 된다.

① Middle crus medialization technique

큰 divergence angle을 갖고 있는 아시아인에서 divergence angle을 줄이고 nasal tip의 높이를 높이기 위하여 middle crus를 medial crus로 전환하는 수술 방법이다(황규석, 2011).
수술 방법은 다음과 같다(**그림 13-10**).

i. 먼저 개방형 절개를 통하여 upper lateral cartilage와 lower lateral cartilage를 충분히 노출시킨다.
ii. 조직을 박리하는 층은 연골막과 연부 조직의 사이로 박리하여 연골막을 보존하는 것이 수술 후 연골 간의 유착을 방지하여 원활한 nasal tip 움직임을 가능하게 할 수 있으며, 양측 medial crus 사이의 dermocartilaginous ligament를 충분히 박리하여 주면 depressor septi nasi muscle의 작용을 약화시켜서 nasal tip이 다시 낮아지는 것을 방지하여 줄 수 있다(**그림 13-10A**).
iii. 수술의 충분한 효과를 얻기 위해서는 lower lateral cartilage를 완전히 자유롭게 박리하는 것이 중요한데, 그러기 위해서는 lower lateral cartilage와 upper lateral cartilage, 그리고 좌우 lower lateral cartilage 사이를 비중격 연골의 위치까지 충분히 박리하여 주어야 한다는 점이다. 이때 비점막이 손상되지 않도록 주의하여 박리하여야 하며, 수술 중에 비점막이 손상되는 경우 6-0 vicryl 등과 같은 흡수성 봉합사로 봉합한다(이와 같이 upper lateral cartilage와 lower lateral cartilage 사이를 충분히 박리한 경우 대개는 4~5 mm까지 lower lateral cartilage를 자유롭게 움직일 수 있는 것이 가능해진다).
iv. Lower lateral cartilage의 자유로운 움직임이 가능해진 후 lower lateral cartilage의 middle crus와 비점막 사이를 박리한다(**그림 13-10C**).
v. 5-0 nylone 봉합사를 이용하여 우측 lower lateral cartilage의 middle crus caudal부위에서 연골과 비점막 사이로 바늘을 통과시켜서 우측 lower lateral cartilage의 lateral crus의 caudal 부위로 바늘이 나오게 한다(**그림 13-10D**).
vi. 우측 lower lateral cartilage의 lateral crus의 cephalic 부위에서 연골과 비점막 사이로 바늘을 통과시켜서 우측 lower lateral cartilage의 middle crus의 cephalic 부위로 바늘이 나오게 한다(**그림 13-10E**).
vii. 좌측 lower lateral cartilage의 middle crus의 cephalic 부위에서 연골과 비점막 사이로 바늘을 통과시켜서 좌측 lower lateral cartilage의 lateral crus의 cephalic 부위로 바늘이 나오게 한다(**그림 13-10F**).
viii. 좌측 lower lateral cartilage의 lateral crus의 caudal 부위에서 연골과 코점막 사이로 바늘을 통과시켜서 좌측 lower lateral cartilage의 middle crus caudal 부위로 바늘을 나오게 한다(**그림 13-10G**).
ix. 봉합의 위치 및 강도는 얻고자 하는 middle crus medialization 정도와 원하는 divergence angle에 따라서 달라지게 되며 환자의 lower lateral cartilage의 크기 및 상태에 따라서 다르게 조절하게 된다(**그림 13-10H**).

본 middle crus medialization 방법을 사용하여 strut를 사용하지 않고서도 대개 3~5 mm 정도의 nasal tip의 높이를 추가로 높일 수 있으며(**그림 13-10I**)
Lower lateral cartilage의 divergence angle을 줄여주게 되므로 옆으로 퍼져 있는 nostril의 모양을 위로 선 모양으로 교정이 가능하다(**그림 13-11**).
다만, 이 방법의 경우, nasal tip의 크기가 작은 환

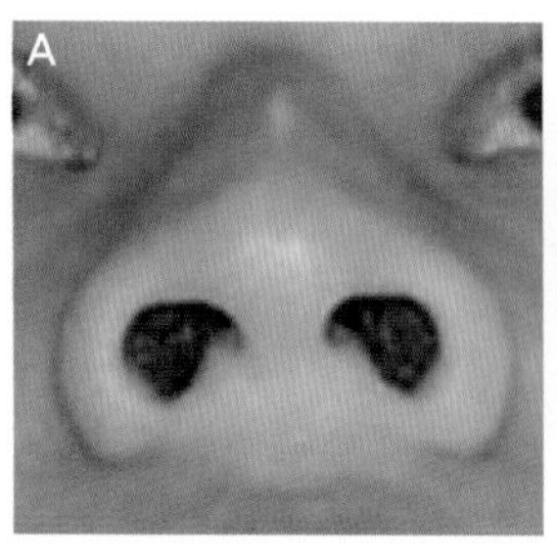

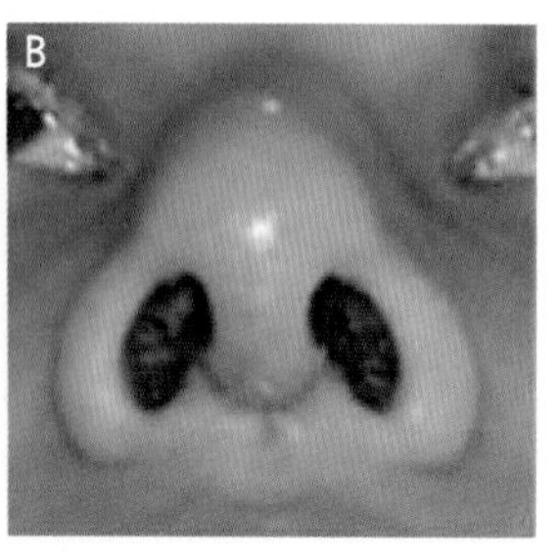

그림 13-11. Middle crus medialization technique를 이용하여 lower lateral cartilage의 벌림각(divergence angle)을 교정한 수술 전 · 후 사진

A. 수술 전 B. 수술 후 5일째.

(Basal view of nostril after correction of divergence angle of lower lateral cartilage.)

A

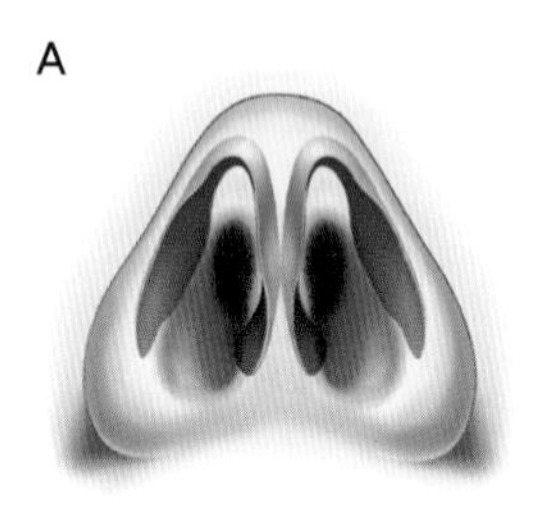

B

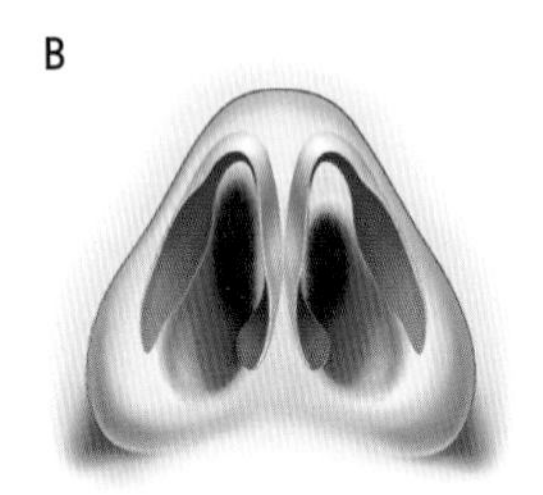

그림 13-12. Soft triangle 조직 과다로 인한 작은 nostril / tip proportion의 교정 방법

A. 수술 전 B. 수술 후.

자의 경우 pinched tip 문제가 발생할 수 있으므로 주의해야 하며, 수술 전에 환자의 tip 상태를 관찰하여, tip의 크기가 크고 nasal tip의 divergence angle이 큰 경우에 한하여 시술하여야 한다.

② nostril/tip disproportion의 교정

Guyuron (2005) 등은 nostril의 비율이 55% 이하로 nostril/tip disproportion이 존재하는 경우 soft triangle 조직을 절제하여 줌으로써 nostril/tip의 비율을 맞추어 줄 수 있다고 하였다(**그림 13-12, 13**).

middle crus medialization technique만으로도 nostril/tip proportion의 비율의 교정이 가능하나, 아시아인의 경우에는, lower lateral cartilage의 크기가 작거나, nostril/tip proportion의 비대칭의 정도가 심하여, middle crus medialization technique만으로는 교정이 부족한 경우가 많이 있다.

그런 경우에는 middle crus medialization technique 이후 5-0 prolene을 이용하여 좌,우 soft triangle 부위의 비점막을 위쪽으로 끌어올려 봉합하여 주면, 피부 봉합 시 soft tissue triangle의 위치를 추가로 상방으로 이동시키는 효과를 얻을 수가 있어서 nostril/tip disproportion을 더욱 효과적으로 교정할 수 있다(황규석, 2011)(**그림 13-14**).

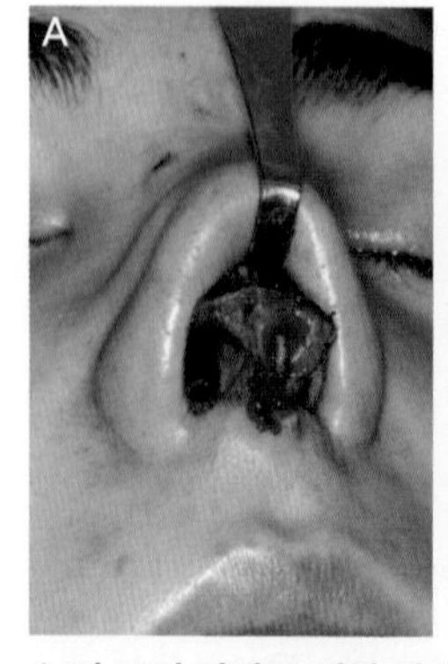

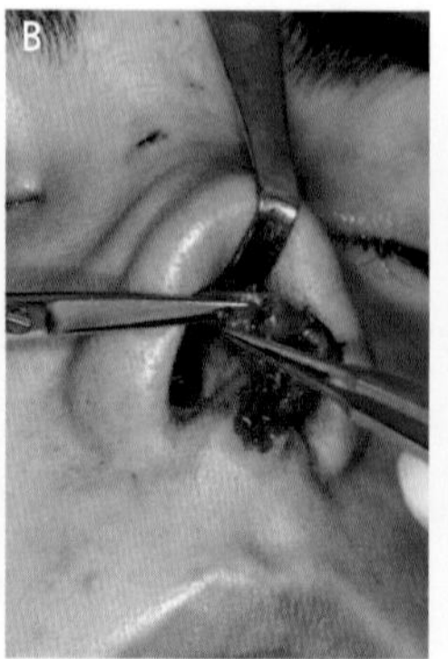

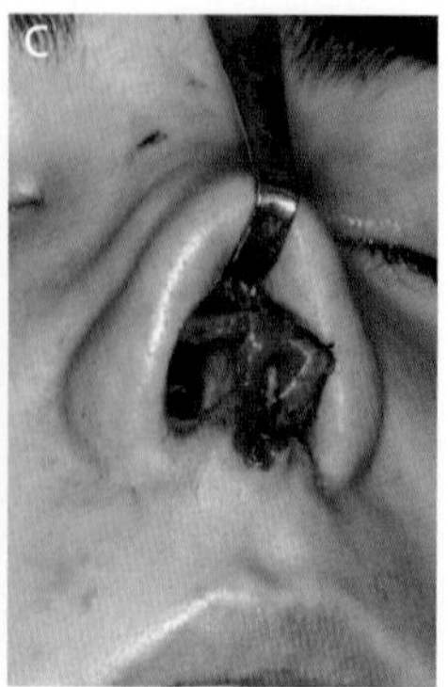

그림 13-13. Soft triangle의 조직 과다로 인한 작은 nostril / tip proportion의 교정 방법

A. Soft triangle 연부조직 제거 전 사진 B. 연부조직 절제 중 C. 연부조직 절제 후

(adapted from Guyuron, B. et Al. Components of the Short Nostril. Plast. Reconstr. Surg. 116: 1517, 2005.)

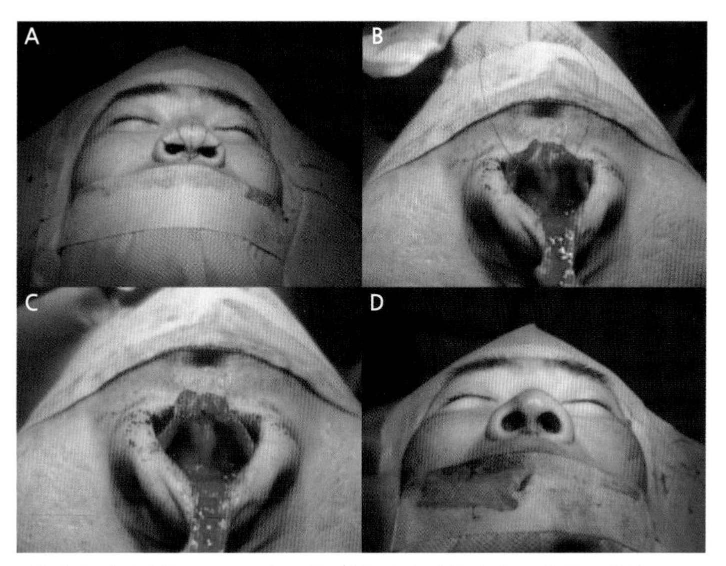

그림 13-14. Soft triangle 부위의 비점막을 #5-0 prolene을 이용하여 봉합하여 교정하는 방법

A. 수술 전 B. middle crus medialization technique 이후 좌,우측 soft triangle 부위의 비점막을 5-0 prolene을 이용하여 봉합 하기 전 모습 C. 5-0 prolene 봉합 후 모습 D. 수술 후.

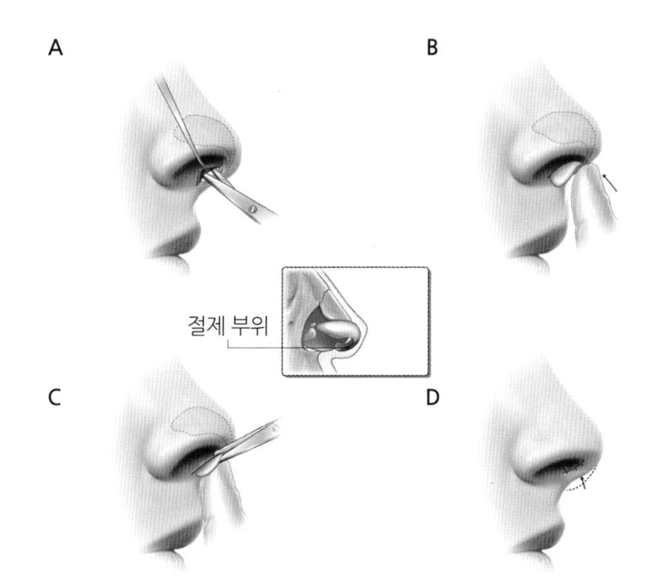

그림 13-15. Hanging columellar 교정 방법

A. 절개창을 통하여 lower lateral cartilage의 medial crus를 끄집어낸다. B. 손가락으로 columella 피부를 밀어 넣어 보아서 medial crus의 caudal 부분을 얼마나 절제하면 될지 알아본다. C. Medial crus의 caudal 부분을 잘라낸다. D. 절개창을 봉합한다. 필요하면 일부 비중격연골의 caudal 부분도 같이 절제할 수 있다.

(2) Columella and alar rim : Alar-columella relationship

Nostril의 중앙부위는 주로 columella와 alar rim과의 상관관계에 의하여 모양이 결정되므로, columella의 모양을 결정하는 lower lateral cartilage의 medial crus와 비중격연골의 원위부의 위치를 교정하거나, alar rim의 모양을 교정하는 방법은 다음과 같다.

① Hanging columellar

Hanging columellar의 교정 시 lower lateral cartilage의 medial crus가 지나치게 아래로 처진 경우에는 아래로 처진 medial crus를 잘라내어 교정한다(**그림 13-15**).

다른 원인으로는 막성비중격(membranous septum)이 과다하게 늘어진 경우, 늘어진 막성비중격을 과다한만큼 절제하거나, Transfixion incision을 통하여 비중격연골의 근위부와 과다하게 늘어진 막성비중격을 함께 절제하여 교정한다.

또 다른 방법은 lower lateral cartilage 의 medial crus를 근위부로 이동시켜 비중격 연골의 원위부에 봉합을 이용하여 고정하거나, anterior septal angle 부위에서 점막을 박리하여 양쪽 lower lateral cartilage의 medial crus 사이에 공간을 만들어 septal angle을 그 사이에 끼워 넣어서 nasal tip을 걸어 올려놓은 상태에서 transfixion suture으로 고정하여 준다(함입술식, invagination procedure) (McCarthy JG. 1990)(**그림 13-16**).

② Columella retraction

Columella retraction의 교정은 퇴축원인에 대한 처치가 중요하며, 일반적으로 여러 가지 방법의 septal extension을 이용하여 lower lateral cartilage의 medial crus를 caudal쪽으로 이동시켜서 교정하는 것이 가장 대표적이며, 이에 대한 구체적인 논의는 다른 장의 내용을 참고하시기 바라며, 간편한 교정 방법으로는 columella 기저부에 보형물이

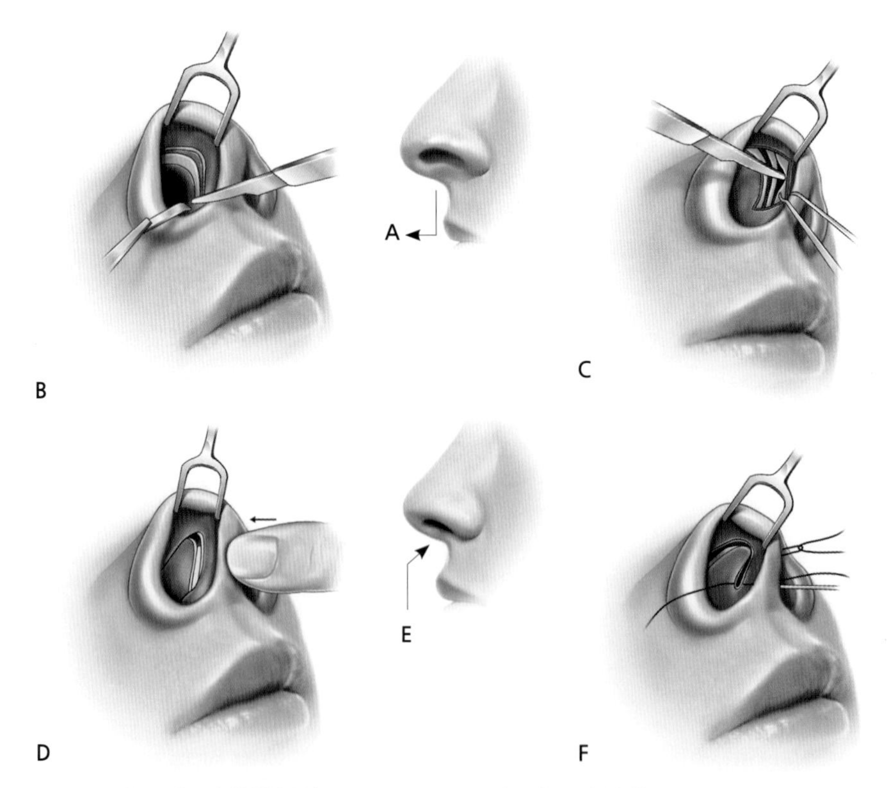

그림 13-16. Hanging columellar의 함입술식(Invagination procedure) 교정 방법

A. Nasal tip이 septal angle로부터 아래로 처져 있다. B.septal angle로 부터 점막을 박리한다. C.양쪽 lower lateral cartilage의 medial crus 사이에 공간을 만든다. D.septal angle을 양쪽 medial crus 사이에 끼워 넣는다. E.Nasal tip이 septal angle 쪽으로 올라가게 된다. F. septal angle이 medial crus 사이에 끼워져 있도록 transfixion suture로 고정한다.

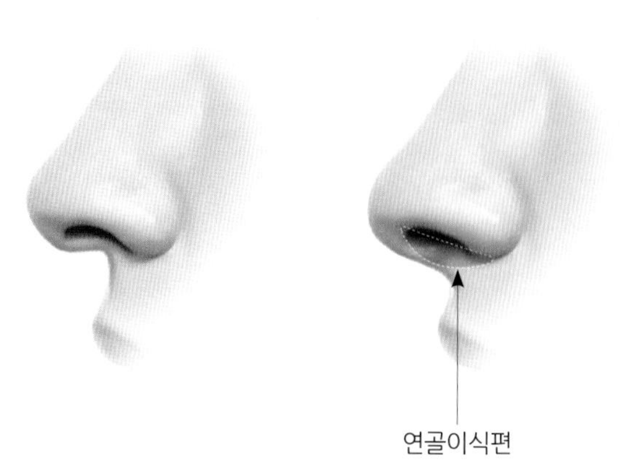

그림 13-17. Correction of columella retraction

Lower lateral cartilage의 medial crus 사이에 보형물이나 비중격연골, 귀연골 등의 자가조직을 이식하여 columella가 caudal 측으로 전진되게 한다.

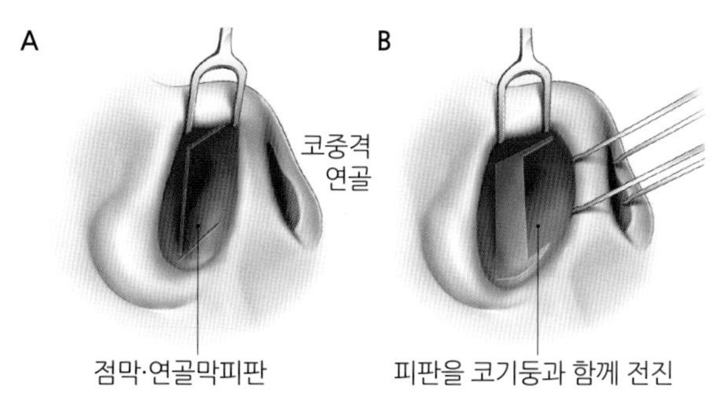

그림 13-18. Correction of columellar retraction "소매법(sleeve technique)"

A. 비중격의 mucoperichondrium과 mucoperiosteum을"ㄷ"자 모양으로 절개하여 이 피판을 비중격연골의 caudal margin까지 일으킨다. B. Columella를 caudal 쪽으로 잡아당기면 이 피판이 당겨져 나오면서 columella가 caudal로 전진한다. 노출 된 연골은 reepithelization에 의해서 저절로 치유된다. 이 술식은 비중격연골 이식편을 columella에 이식해주는 술식과 아울러 해야만 효과를 본다.

나 비중격연골, 귀연골 등의 자가조직을 이식하여 교정하는 방법이 있다(**그림 13-17**).

다른 방법으로는 Converse법(sleeve technique)으로 비중격의 양쪽 점막. mucoperichondrium에 'ㄷ'자 모양의 절개를 하여 점막. mucoperichondrium flap을 비중격연골의 caudal margin까지 일으킨 다음 점막. mucoperichondrium flap을 caudal 쪽으로 이동시켜 columella를 caudal로 이동, 교정하게 된다(Converse, 1964)(**그림 13-18**).

또 다른 방법으로는 lower lateral cartilage의 lateral crus의 cephalic portion을 포함하는 vestibular flap(코안뜰 피판)을 일으켜서 이를 막성 비중격으로 옮겨서 (transposition하여) columella를 caudal로 전진시켜서 교정할 수 있다(Millard, 1974)(**그림 13-19**).

그러나 저자의 경우 columella retraction의 여러 가지 원인 중 비중격 형성부전이나 다른 이차적인 원인 없이 정상적인 columella에서 columella 하부의 퇴축이 존재하는 경우 보형물이나 자가조직의 이식 없이 단순히 양측 middle crura 사이의 dermo-cartilaginous ligament를 충분히 박리하여 columella 하부에 이식하여 줌으로써 교정하는 방법을 사용하고 있다(황규석, 2011).

저자의 수술 방법은 columellar base와 pre-maxilla

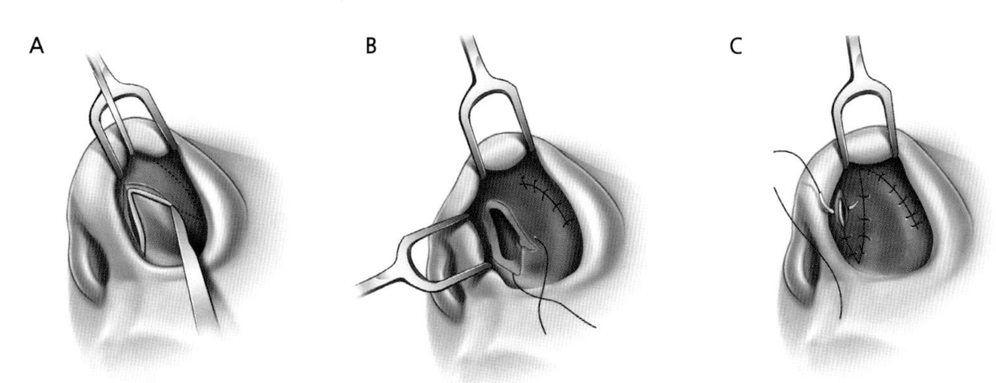

그림 13-19. Correction of columellar retraction. "Millard법"

Vestibular flap을 일으켜서 이것을 막성비중격(membranous septum)으로 옮겨 다가 보충한다.

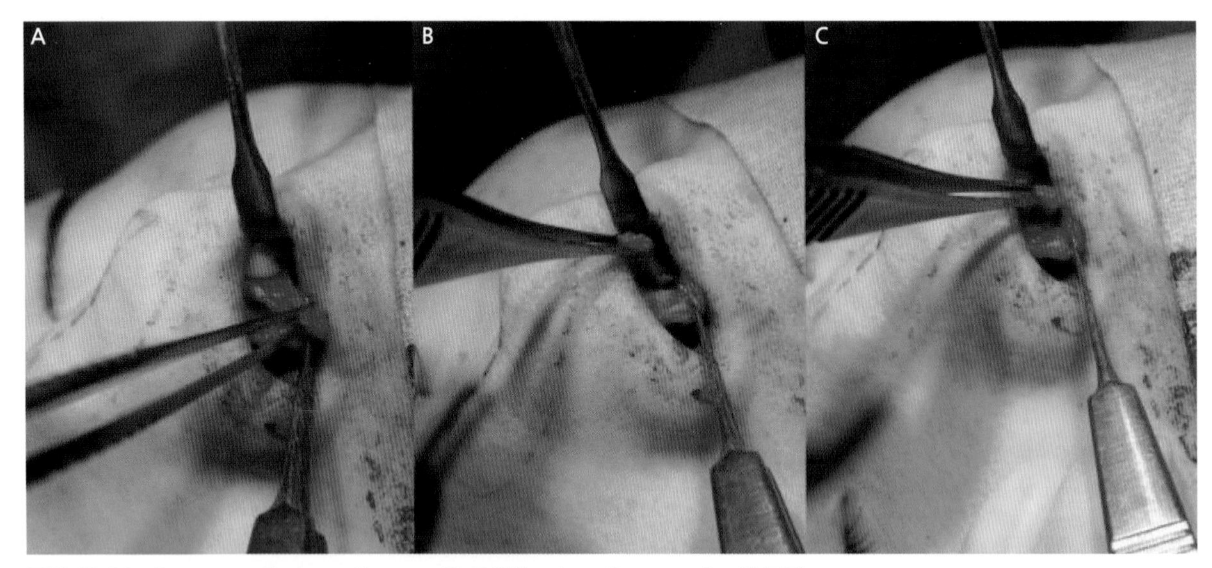

그림 13-20. Dermo-cartilaginous ligament를 이용한 columellar retraction의 교정
A, B. 박리한 dermo-cartilaginous ligament 모습 C. Columella base와 pre-maxilla의 유착을 충분히 박리한 후 양측 middle crura 사이에서 박리한 dermo-cartilaginous ligament 조직을 넣어 주는 모습

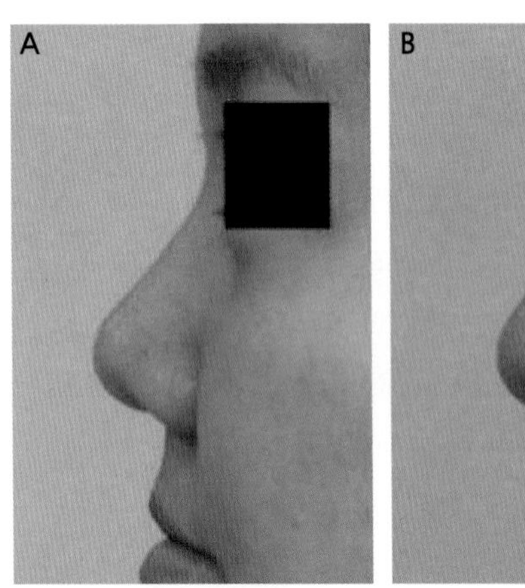

그림 13-21. 수술 전 · 후 사진
A. 수술 전 B. 수술 후 1년

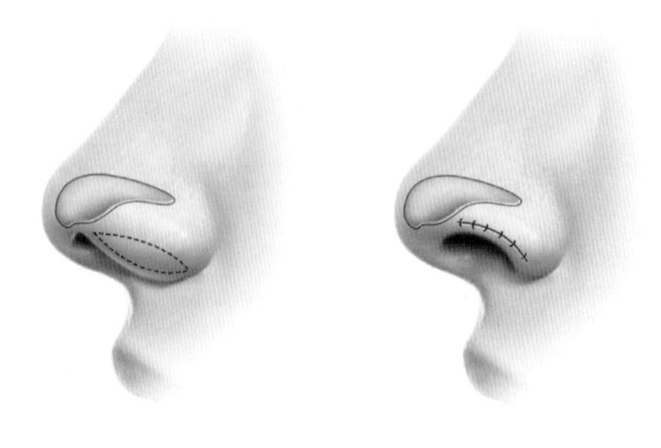

그림 13-22. 외부 피부와 점막이 만나는 부위에서 과도한 alar tissue를 절제하여 hanging alar를 교정하여 주는 방법.

의 유착을 충분히 박리한 후 양측 middle crura 사이에서 박리한 dermo-cartilaginous ligament를 박리한 공간 사이에 넣어 줌으로써 columella의 기저부와 pre-maxilla가 새롭게 유착되는 것을 방지하여 주고 depressor septi nasi muscle의 작용을 약화시켜서 재발을 방지하는 장점이 있다(**그림 13-20, 21**).

다만, dermo-cartilaginous ligament가 충분히 발

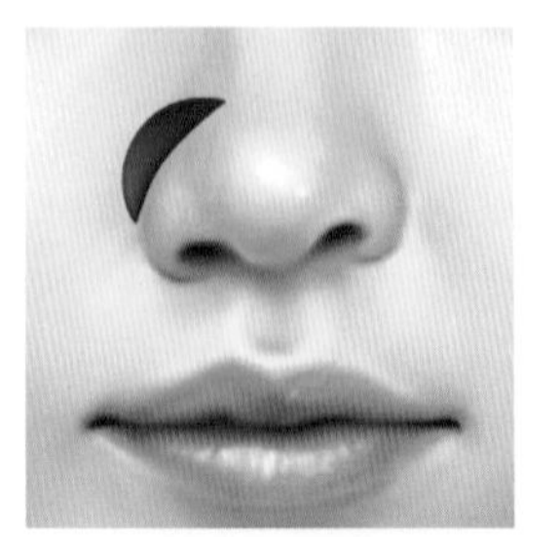

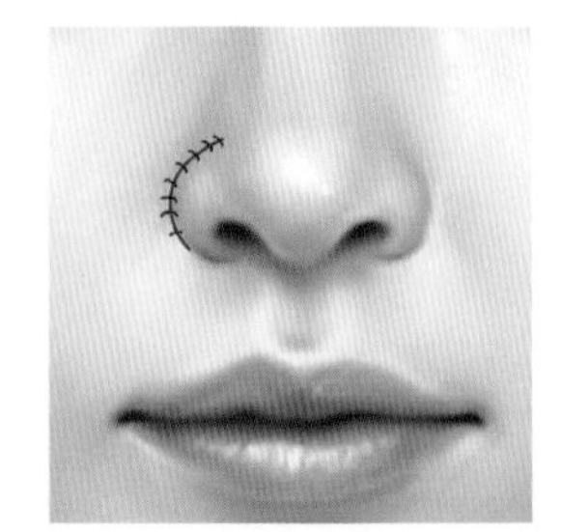

그림 13-23. 선천적으로 alar가 처져있는 경우 교정
Alar groove 에서 초승달 모양으로 피부를 절제하고 봉합한다.

달하지 못하여 dermo-cartilaginous ligament 조직의 양이 부족한 경우 추가로 자가진피를 이식하여 주는 방법을 사용하기도 하나 대개의 경우에는 dermo-cartilaginous ligament 조작만으로도 충분히 교정할 수 있었다.

③ Hanging Alar

Hanging alar에 대한 교정은 외부 피부와 점막이 만나는 부위에서 과도한 alar tissue를 절제하여 주는 방법(**그림 13-22**)이 있으며, 선천적으로 alar rim이 아래로 처져 있는 경우에는 alar groove에서 초승달 모양으로 피부를 절제하고 봉합하여 교정을 하기도 한다(**그림 13-23**).

④ Alar retraction

Alar retraction의 교정은 정도가 심하지 않고 연부조직이 부족하지 않은 경우에는 lower lateral cartilage의 lateral crus를 accessory cartilage에서 떼어내어 caudal쪽으로 이동시키는 방법으로도 만족스러운 결과를 얻을 수 있다(**그림 13-24**).

또한 경우에 따라서는 retraction 정도가 심하지 않은 경우에는 retraction 부위의 점막 아래에 공간을 만들어 귀연골이나 자가진피 또는 복합조직이식편(composite graft) 등을 이식하여 교정할 수 있다(**그림 13-25, 26**).

그러나 retraction의 정도가 심한 경우에는 비점막의 V-Y 전진피판을 이용하여 교정하여 줄 수 있다

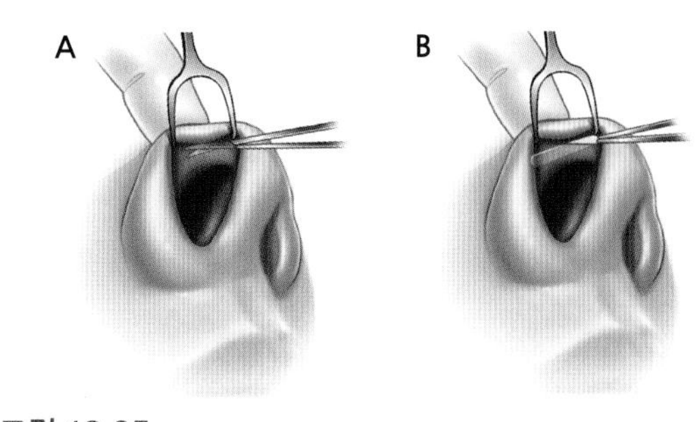

그림 13-25.
A. lar rim을 따라서 점막아래 공간을 만드는 과정 B. 귀연골이나 자가진피 등의 삽입

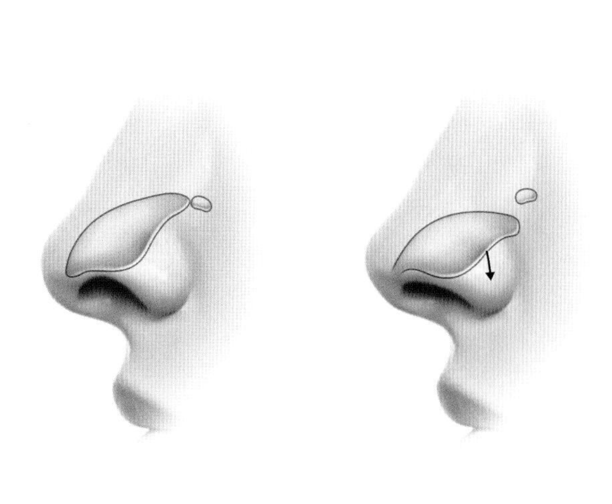

그림 13-24. Correction of alar retraction
lower lateral cartilage의 lateral crus를 accessory cartilage로부터 분리하여 caudal 쪽으로 이동시킨다.

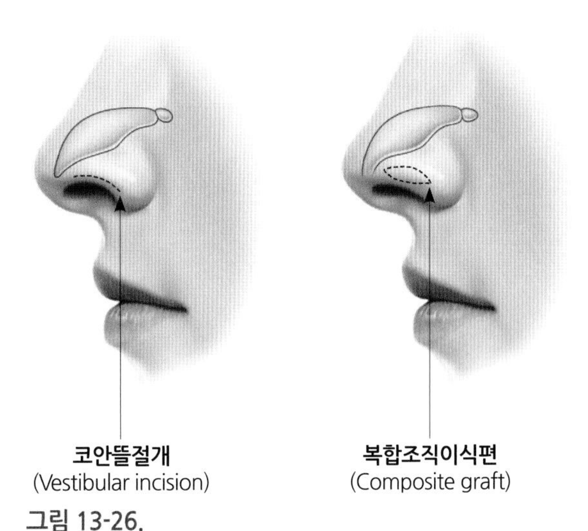

그림 13-26.
Alar rim에 평행하게 vestibule에 절개를 한 후, alar rim을 caudal 쪽으로 이동시킨 후 결손 부위에 비중격연골과 점막으로 된 복합조직이식편을 이식하여 충당한다.

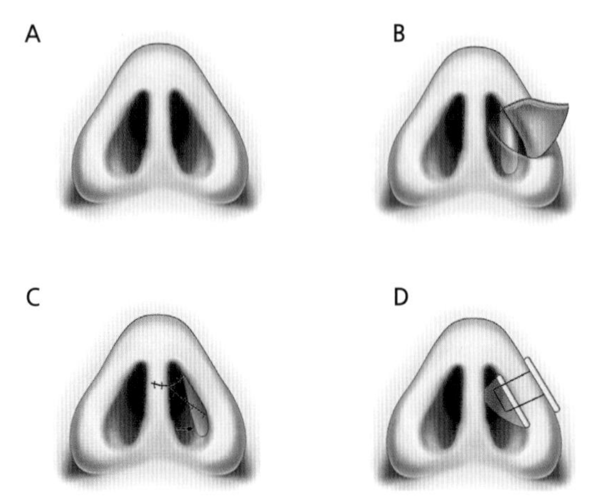

그림 13-27.
A. V의 시작은 nostril의 맨 윗부분에서 시작하여 inter-cartilaginous line까지 상방으로 진행하여 nostril의 가장 뒤쪽까지 위치하게 한다. B. 피판은 피부를 뚫고 나오지 않도록 조심하며 alar rim의 끝까지 박리한 후 책을 펼치듯이 펼친 후, C. V-Y advancement 를 하여 5-0 흡수성 봉합사를 이용하여 봉합 한다. D. 봉합 후 alar의 내·외부에 부목을 댄 모습.

(**그림 13-27**). 수술 시 V는 nostril의 맨 윗부분에서 시작하여 inter-cartilagenous line까지 상방으로 진행하여 nostril의 가장 뒤쪽까지 위치하게 한다 (**그림 13-27A**). 피판은 피부를 뚫고 나오지 않도록 조심하며 alar rim의 끝까지 박리한 후 책을 펼치듯이 펼친 후(**그림 13-27B**), V-Y advancement를 하여 5-0 흡수성 봉합사를 이용하여 봉합한다 (**그림 13-27C**). 봉합 후 alar의 내외부에 부목을 대줌으로써 빈 공간을 방지하여 scar formation에 의해 alar가 두꺼워 지는 것을 방지하여야 한다(**그림 13-27D**). 일반적으로 내부의 부목은 5각형 모양으로 사각형 모양의 외부의 부목보다 작게 만들어 주는 것이 좋으며 5-0 prolene을 사용하여 through and through "U"봉합으로 고정하고 술 후 5~7일에 제거하며 피부 괴사에 특히 주의하여야 한다.

또 다른 원인으로 lower lateral cartilage의 lateral crus가 cephalic으로 변위되어 alar rim에 평행하게 있지 않고 거의 수직으로 되어 있는 경우가 있다. 그런 경우 교정 방법은 lateral crus를 정상 위치로 재배치하고 버팀목 연골 이식편을 lateral crus에 대어주는 것이다. 먼저 옆에서 보았을 때 lateral crus의 장축이 수직선에 대해 45도 정도 기울게 놓이도록 교정한 후 alar batten graft를 lateral crus

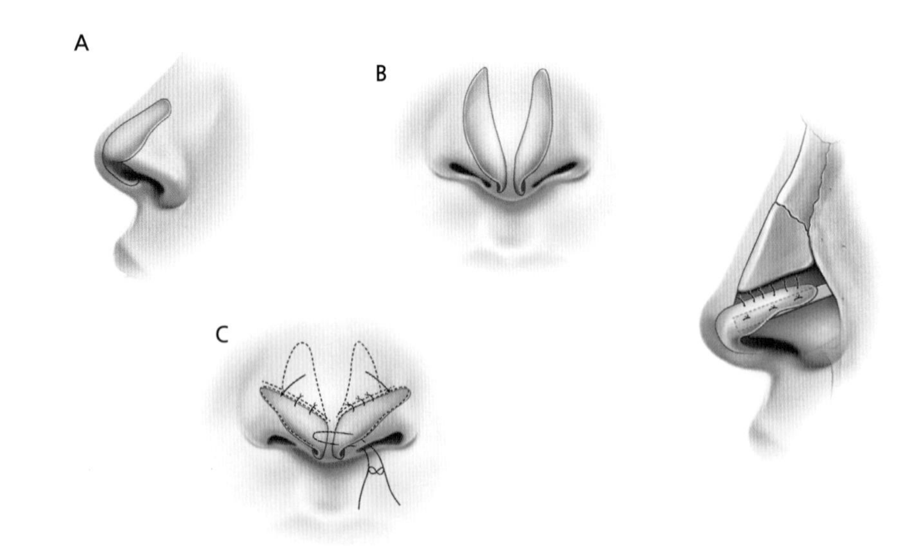

그림 13-28. 두측으로 변위된 lower lateral cartilage lateral crus의 교정
lateral crus를 분만시켜서 alar rim을 따라 재배치하여 봉합 고정한 다음 lateral crus 밑면에 버팀목 연골이식편을 이식하여(alar batten graft) 고정한다.

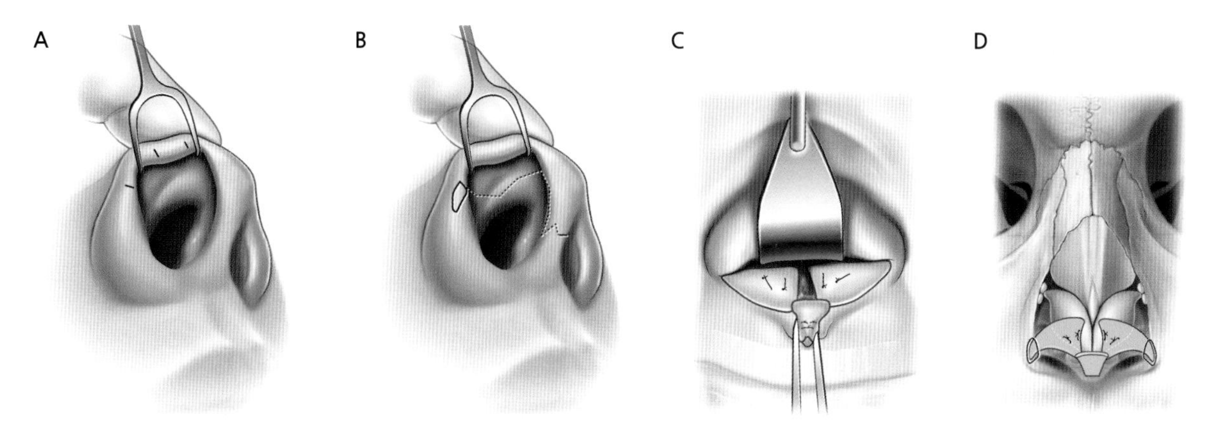

그림 13-29. 비익연장이식술의 수술방법

A. 옆모습에서 코날개테의 미측연(caudal margin)을 확인하고 nostril의 장축을 가상으로 정한 뒤, 코날개테와 가상의 장축이 가장 멀리 위치하는 곳(비익퇴축이 있는 곳)을 코날개테 위에 표시하는데, 대부분 nostril의 장축 위에서 내측 1/4지점과 1/3 지점 사이에 위치하게 된다(AR). 앞모습을 보면서, 비익퇴축이 교정된 후에 코날개테가 미측으로 내려와야 할 가상의 선을 정하고, 이 선이 코날개테와 만나는 두 점을 표시한다(A1, A2). B. 절개선을 정할 때는 먼저 연삼각 (soft triangle)의 바로 뒷면에서부터, lower lateral cartilage 미측연의 안쪽(medial) 1 mm를 따라 columella 장축의 가쪽 1/4지점까지 절개선을 그은 후, 절개선을 완만하게 90도 꺾어서 코날개테에 미리 표시한 점 'A1'을 향하여 수직으로 절개선을 연장한다. 절개선의 끝부분이 닿는 코날개테 조직에, 입구의 폭이 약 5 mm 정도 되는 피하 주머니(subcutaneous pocket)를 만들어 두어, 비익연장이식편(alar extension graft)의 바깥 부분이 삽입될 수 있도록 준비한다(Sp). C. 이식편이 고정된 모습.

에 대어준다(**그림 13-28**). 그러나 이 방법은 한국인처럼 alar rim 피부가 두껍고 단단한 사람에서는 백인들에서처럼 의도한 대로 수술을 하기에 어려운 경우가 있다.

또 다른 방법으로는 개방형절개로 lower lateral cartilage를 노출시키고 삼각형모양의 비중격연골로 만든 alar extension graft를 이용하여 alar retraction의 원인이 되는 비익에 onlay graft를 하여 교정하기도 한다(김현수, 2005)(**그림 13-29**).

수술 방법은 다음과 같다.

i. Lower lateral cartilage의 전면에 삼각형 모양의 연골을 onlay graft하여 안쪽 끝을 lower lateral cartilage에 고정하고
ii. 가쪽 끝을 vestibular skin 주머니에 넣어 고정한 후
iii. Vestibular skin을 U자형 피판으로 만들어 advancement flap 형태로 이용하고
iv. 부드러운 shield graft를 이용하여 눈에 띄는 계단 변형을 방지한다.

(3) 비공상(nostril sill)

Nostril sill의 모양은 lower lateral cartilage의 발판분절(foot plate)의 형태 및 크기, 경사도(inclination), 그리고 nostril sill과 비익이 만나는 경계부위 연조직의 형태를 교정하는 것이 중요한데, nostril sill과 비익장개(Alar flaring)는 다음과 같이 구분하여 교정할 수 있다.

i. Alar flaring만 있는 경우
→ Weir excision(비익저절제술)으로 교정
ii. Wide Inter-alar distance만 있는 경우
→ 비저축소술(Nasal base reduction)으로 교정
iii. Alar flaring + wide inter-alar distance) 의 경우
→ Nasal base reduction + Weir excision으로 교정
iv. 정상 inter-alar distance + 낮은 nostril sill의 경사도(obtuse nostril sill inclination)의 경우
→ 외측 nostril sill 연조직 절제를 이용한 nostril sill

deepening procedure (nostril sill deepening procedure with lateral nostril sill soft tissue excision)를 이용한 교정

① Alar wedge excision

Alar의 하부와 alar groove 사이의 조직을 방추형으로 절제하는 방법이다. Alar가 medial canthus에서 내려 그은 수직선보다 2 mm 이상 바깥으로 벌어져 있는 경우 alar base를 쐐기 모양으로 절제하는 방법으로 절개선이 nostril 안으로 들어가지는 않는다.

Alar base를 절제를 할 때에는 절개를 nostril 문턱 가쪽부분에서부터 시작하여 alar cheek groove 보다 1 mm 전방(nasal tip쪽)을 돌아가면서 절개한 다음 조직을 절제하여 나중에 자연스러운 alar cheek groove에 변형이 생기지 않도록 한다. 비익바닥 절제 시 절개선이 alar groove 상방으로 올라가게 되면 lateral nasal artery가 손상될 수도 있으므로 절개 시에는 근육까지는 절개하되 점막까지는 관통하지 않도록 한다. 대개 2.3~5.0 mm 정도 절제한다(**그림 13-30**).

② Nasal base reduction

넓은 nasal base를 줄이는 방법에는 다음과 같은 여러 가지 방법이 있다.

A

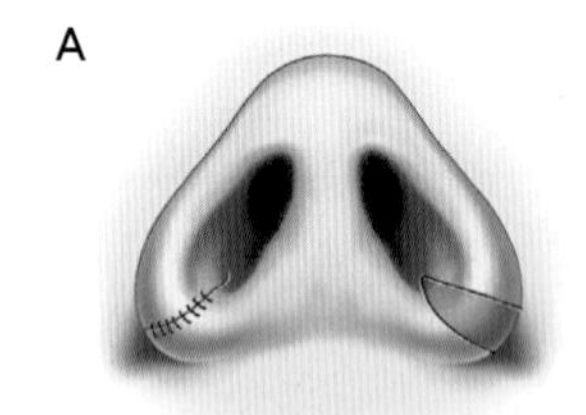

B

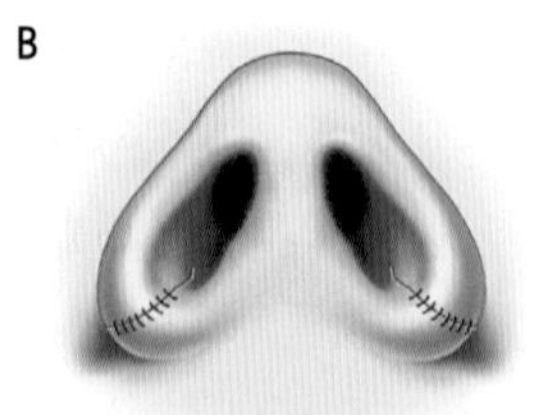

그림 13-30. Alar가 벌어져 있고 nasal base가 넓은 경우를 교정하기 위하여 alar base 부분을 쐐기모양으로 절제하는 방법 (alar wedge resection, Weir 절제법)

A. 비익 길이를 단축하고자 할 때는 alar base 가까이에서 alar를 쐐기모양으로 절제한다. 이때 절제하기 위한 절제선이 vestibule 안으로는 들어가지 않는다.

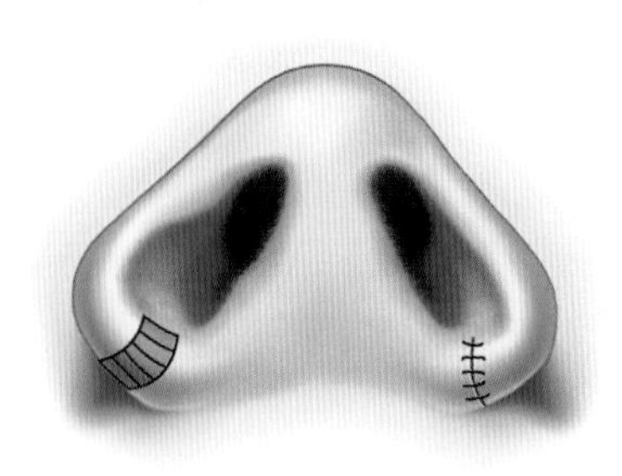

그림 13-31.

넓은 nostril sill을 좁혀주고 alar base를 내방으로 이동하고자 할 때는 nostril sill의 가쪽 부분을 포함해서 alar base를 쐐기모양으로 절제한다. 이때 절제하기 위한 절개선이 vestibule 안으로 들어가게 한다.

i. Nostril sill의 쐐기 절제술

Nostril sill의 조직을 방추형으로 절제하는 방법으로 nostril 문턱과 함께 alar base 부분을 쐐기 모양으로 절제한다(**그림 13-31**).

ii. Nostril sill resection

절제할 범위를 두점으로 표시한 후 수직으로 절제하고 이완절개(relaxation incision)를 해서 긴장이 없도록 봉합한다(**그림 13-32A**).

이보다 좀 더 좁혀주고자 하는 경우에는 절제하고자 하는 범위를 두 점으로 표시한 다음 점들로부터 두 개의 선을 긋기 시작하여 이들 선이 nostril sill과 윗입술 이음부에 수평으로 그은 선들과 만나게 하고, 외방으로 alarfacial groove를 따라 외방으로 연장한다. 이때 alar base와 nostril sill의 이음부를 훼손하지 않도록 alar base 바로 안쪽에 조직을 적당히 남겨두며, alar base와 cheek이 이루는 자연스러운 곡선미가 잘 보존되도록 하고, 안쪽에서는 alar base로부터 nostril sill으로 우아하게 이행되도록 절제한 후 절개선을 봉합한다(**그림 13-32B**).

iii. Alar cinch, sutures for nasal base narrowing(비저좁힘봉합술)

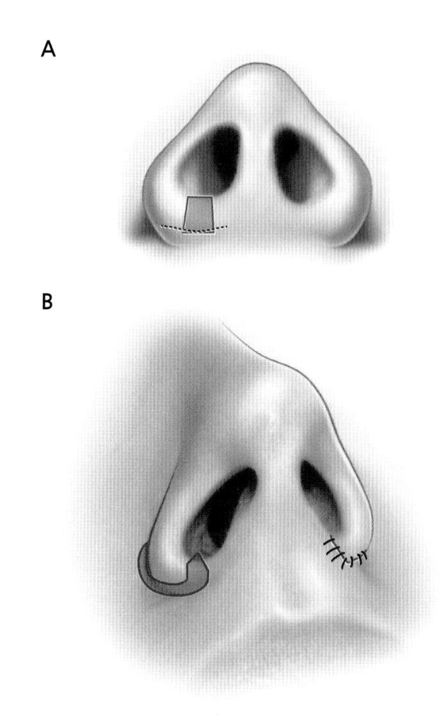

그림 13-32. 넓은 nostril sill 교정

A. Nostril sill이 조금 넓은 경우에는 좁혀주고자 하는 만큼 단순히 절제하고 봉합한다. B. Nostril sill이 넓은 경우에는 nostril sill 가쪽부분과 alar base 둘레를 돌아가면서 쐐기 모양으로 피부를 절제하여 nostril sill을 좁혀준다.

Alar와 nostril sill 이음부에 절개만 하거나 또는 그 부위에서 일부 조직을 절제한 후 영구적 또는 반영구적인 봉합사로 alar base의 폭을 좁혀주는 방법으로 골막하박리를 통하여 Alar 및 alar base의 연부 조직을 maxilla로부터 충분히 박리한 후 봉합사를 이용하여 적절한 위치로 모아주어 교정하는 방법으로 추후 재발할 것을 감안하여 약간 과교정을 하는 것이 좋다(**그림 13-33**).

iv. 역 T자형 절제술(inverted “T” resection)

T자형 절제 중 수평 절제는 alar-facial groove를 따라 비익 바닥을 돌아 nostril 바닥에 이르러 nostril base를 좁혀주고, 수직 절제는 alar base의 정중선을 따라 쐐기 모양으로 절제해서 ala를 얇게 만든다(**그림 13-34**).

③ 외측 nostril sill 연조직 절제를 이용한 비공상저 깊이 강화술(nostril sill deepening procedure with lateral nostril sill soft tissue excision)

정상적인 inter-alar distance를 가지고 있으나 nostril sill의 경사도가 낮아서 평평한 nostril을 이루는 경우(obtuse nostril sill inclination) lateral nostril sill 부위의 연부조직을 wedge excision하는 경우 흉터의 걱정 없이 inte-ralar distance에는 변화를 주지 않고 nostril의 깊이가 깊어지게 되어 전체적인 nostril의 모양이 길어짐으로써 nostril/tip disproportion의 개선 및 nostril axis angle의 교정이 가능하다(황규석, 2011).

Nostril sill 외측의 연조직 절제를 이용한 nostril

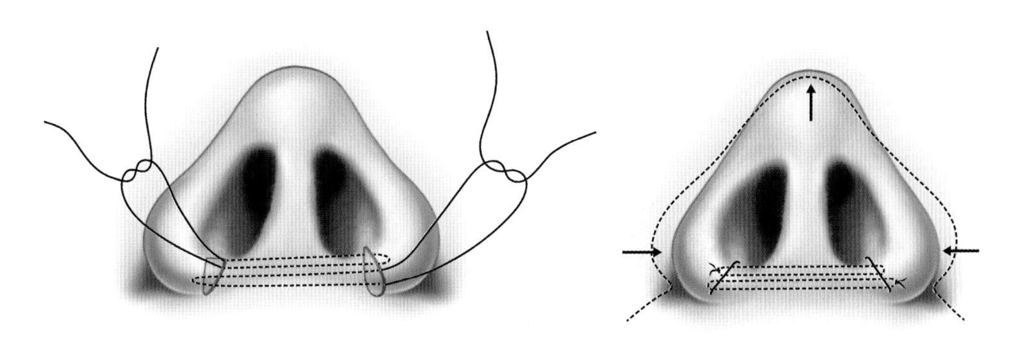

그림 13-33. Alar cinch, sutures for nasal base narrowing(비저좁힘봉합)

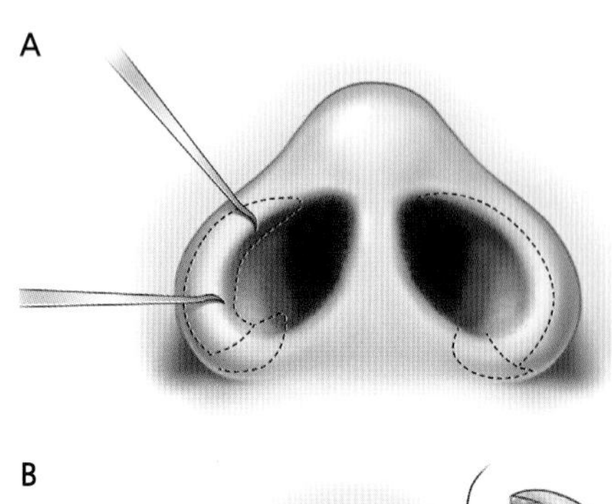

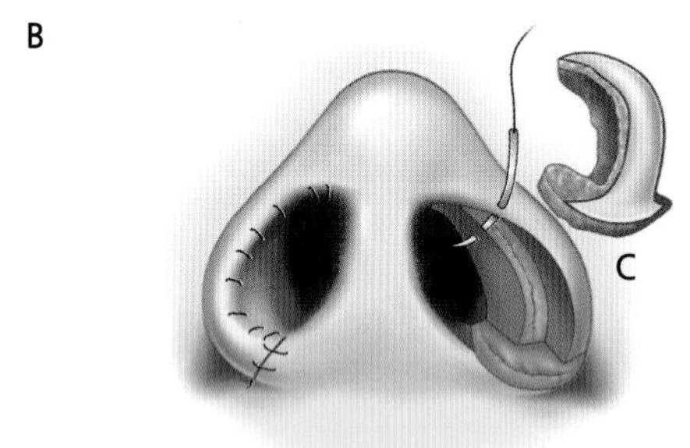

그림 13-34. 넓은 nostril sill 및 두꺼운 alar base 교정을 위한 역T자형 절제술

sill deepening procedure의 수술 방법은 다음과 같다(**그림 13-35**).

i. 수술 시 절제할 연조직의 범위는 위로는 alar groove가 시작되는 nostril break point에서부터 시작하여 아래로는 nostril sill break point (columella nostril sill이 alar nostril sill로 변화되는 부위)까지이며, 원위부는 alar rim이 nasal cavity로 전환되는 부위에서 시작하여 근위부는 상피가 비점막으로 변위되는 부위까지 방추형으로 절제를 하게 된다(**그림 13-35A**).

ii. 절제하는 nostril sill 부위와 alar 부위의 조직비율은 대략 2:1 정도가 된다(**그림 13-35B**).

iii. 절제하는 조직의 깊이는 가장 넓은 부분은

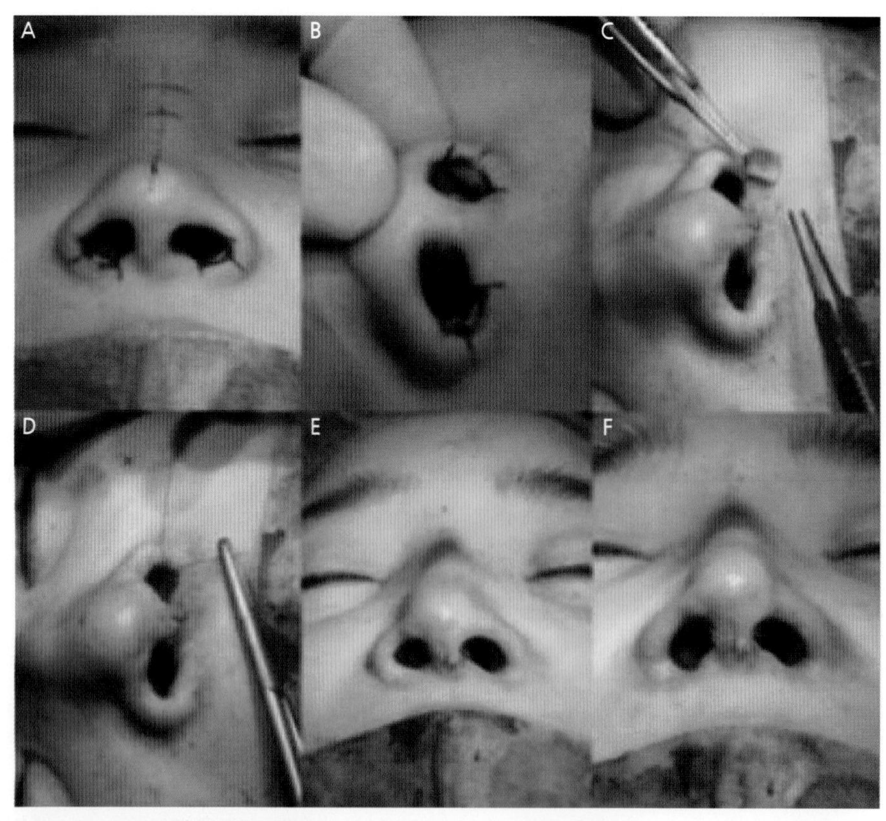

그림 13-35. 외측 nostril sill 연조직 절제를 이용한 nostril sill deepening procedure

A. (중앙)수술 전 도안 B. 절제 할 좌측 left lateral nostril sill soft tissue C. 절제된 외측 nostril sill soft tissue D. 5-0 prolene을 이용한 피하봉합 E. 수술 직후 좌측만 수술한 경우 F. 양쪽 모두 수술 직후 모습.

pyriform aperture 부분까지 깊게 절제하여야 하며, 주변으로 갈수록 점차로 얇게 절제하게 된다(**그림 13-35C**).

iv. 일반적으로 출혈은 많지 않으나 출혈이 되는 경우 충분히 지혈하고 5-0 prolene으로 alar groove의 피하조직을 pre-maxillar의 periosteum에 고정하여 준 후, 6-0 nylone을 이용하여 피부를 봉합하여 준다(**그림 13-35D**).

3. 결론

Farkas (1983)는 인종별로 nostril의 형태를 분류하였을 때, 백인은 주로 I, II형의 분포를 보이며, 아시아인은 주로 II, III(m/c), V형의 분포, 흑인은 VI(m/c), VII형의 분포를 보인다고 하였으며, 이러한 결과는 한국인을 대상으로 한 계측에서도 유사한 결과를 보이고 있다.

하지만, 한국인의 경우에는 흑인과 달리 alar flaring이 심하지 않으며, 계측상 넓은 한국인의 interalar width는 한국인의 얼굴 크기를 고려할 때 상대적으로 넓다고 이야기 할 수 없다.

또한 백인과 비교 할 때 한국인의 nostril은 다음과 같은 특징을 가지고 있다.

① 비익각이 더 넓다(Wider nasal alar angle).
② 비공축각이 더 넓다(Wider nostril axis angle).
③ 비공상이 완만한 경사를 이룬다(Obtuse nostril sill inclination).
④ 비공/비첨 불균형이 심하다(Severe nostril / tip disproportion).
⑤ 비익의 연조직이 풍부하다(Abundant alar soft tissue).

즉, 한국인의 nostril 모양을 교정하기 위해서는 우선적으로 nostril의 상부, 중부, 하부의 세 부분으로 나누어 수술적인 고려를 하는 것이 필요하다.

첫째로, nostril의 상부에서는 nostril 모양에 직접적으로 영향을 미치는 lower lateral cartilage에 대한 조작으로 넓은 lower lateral cartilage의 divergence angle을 교정하여 nasal alar angle 을 줄여주는 것이 중요하며, soft triangle에 대한 수술적인 조작을 통하여 nostril/ tip disproportion을 교정할 수 있다.

둘째로, nostril 중앙부에서는 lower lateral cartilage의 medial crus, 비중격 연골의 원위부 및 columella와 alar soft tissue에 대한 교정을 통하여 alar-columellar relationship과 nostril 모양의 교정이 가능하다.

셋째로, nostril 하부의 모양을 교정하기 위해서는 수술 후 비교적 흉터가 쉽게 남는 특성을 고려하여 alar wedge excision이나 nasal base reduction과 같은 직접적인 교정 방법보다는 상기의 다른 교정 방법을 먼저 시행한 후 최종적으로 고려하여야 할 것으로 생각된다. 특히 일부 환자에서 inter-alar distance는 정상이나 nostril 바닥의 경사도가 낮아 평평한 nostril 모양을 보이는 경우(obtuse nostril sill inclination)에는 lateral nostril sill soft tissue를 방추형으로 절제(wedge excision)하여 nostril의 바닥을 깊게 해주는 수술(nostril sill deepening procedure)을 이용하면, inter-alar distance에는 변화 없이 nostril axis angle에 대한 교정과 함께 nostril/tip disproportion의 개선이 가능하다.

참고문헌

1. 강진성, 성형외과학, 제3판. 서울, 군자출판사, 2004; 1125-1389
2. 대한성형외과학회 코성형연구회, 아시아인 코성형술의 최신지견, 제1판, 서울, 군자출판사, 2011; 203-217
3. 김현수, 노시균. 콧방울연장이식술을 이용한 코방울

뒤당김의 교정. 대한성형외과학회지 36:66, 2009

4. Bernstein L. Esthetic anatomy of the nose. Laryngoscope. 82: 1323, 1972.
5. Farkas, L.G. Objective Assessment of Standard Nostril Types ; a Morphometric Study. Ann. Plast. Surg. 11: 381, 1983.
6. Gunter, J. P., Rohrich, R. J., and Friedman, R. M. Classification and correction of alar-columellar discrepancies in rhinoplasty. Plast. Reconstr. Surg. 97: 643, 1996.
7. Powell NP, Humphries B. Proportions of the Aesthetic Face. New York, NY: Thieme Stratton Inc; 1984:8.
8. Rohrich, R.J., Muzaffar, A.R. Rhinoplasty in the African-American Patient. Plast. Reconstr. Surg. 111: 1322, 2003.
9. Daniel, R.K. Rhinoplasty: large Nostril/Small Tip Disproportion . Plast. Reconstr. Surg. 107: 1874, 2001.
10. Guyuron, B. Alar Rim Deformities. Plast. Reconstr. Surg. 107: 856, 2001.
11. Kun Hwang, Gyusuk Hwang, Daejoong Kim. Relationship between Depressor Septi Nasi Muscle and Dermocartilagenous Ligament; Anatomic Study and Clinical Application. The Journal of Craniofacial Surgery 2006; 17: 286-290
12. Constantian, M.B. An Alternate Strategy for Reducing the Large Nasal Base. Plast. Reconstr. Surg. 83: 41, 1989.
13. Guyuron, B. et Al. Components of the Short Nostril. Plast. Reconstr. Surg. 116: 1517, 2005.
14. Cho JH, Han K.H., Kang J.S. Normal anthropometric values and standardized templates of Korean face and head. Korean J. Plast. Surg. 20:995, 1993.

CHAPTER 14

비절골술 기법
Osteotomy Technique

Chapter Author | 한기환, 한소은

1. 서론

코에서 하는 절골술(osteotomy)은 비배축소술(dorsal reduction)을 하는 내측비절골술(medial osteotomy)과 외측비절골술(lateral osteotomy) 두 가지이다. 두 가지 술기 모두 한국인에서 흔히 하는 수술이 아니며, 서양인에서 흔히 보는 중증코변형도 우리에게는 드물기 때문에 우리 손에는 익숙하지 않을 수 있다. 또, 사용되는 술기들은 서양인의 코를 수술하기 위해 개발된 것으로서 우리와 다를 수 있으며, 서양에서조차 술기의 선호가 끊임없이 변화되고 있다. 예를 들면, 서양에서 대가인 Sheen은 외측비절골술을 꼭 적응증이 되는 증례에서만 하지, 가능하면 하지 말라고 권유하였다. 그의 후학들이 그의 가르침을 따라 일차 비성형술(primary rhinoplasty)에서 외측비절골술을 하지 않았을 때 결과가 실망스러워서 요즈음에는 외측비절골술을 하기가 망설여지는 경우라도 시행하는 경우가 잦다고 한다. 이런 변화는 우리에게서도 일어났다. 저자는 한국인 코성형술에서 비배축소술(dorsal reduction)보다는 외측비절골술을 더 자주하며, 외측비절골술도 미용 목적으로 간단한 저-고위외측비절골술(low-to-high lateral osteotomy)과 부드럽게 약목비골절술(greenstick fracture)을 하는 증례도 있지만, 대부분의 일반 한국인에서는 저-저위외측비절골술(low-to-low lateral osteotomy)과 완전횡단골절술(complete transverse fracture)을 한다. 왜냐하면, 비골(nasal bone)과 상악골(maxilla)의 양쪽 전두돌기(frontal process)가 이루는 외측비벽(lateral wall)의 경사가 서양인(약 57°)보다 훨씬 적어서 골원개(bony vault) 자체가 낮을 뿐만 아니라 골저폭(base bony width) 간격이 넓기 때문에 외측비벽 전체를 내측으로 많이 이동시킴으로써 골저폭 간격을 많이 줄여주고, 외측비벽을 세워줌으로써 골원개를 동시에 높일 수 있기 때문이다. 따라서, 이 장에서는 서양인 위주의 설명으로부터 벗어나 한국인에게 맞는 적합한 술기를 기술하고자 한다.

2. 해부

1) 골-연골원개(osseocartilaginous vault)

비절골술을 하는 골-연골원개의 해부를 보면 발생이 그대로 반영된 것을 알 수 있다. 코는 발생 초기에 비판(nasal placode)으로 되어 있는데, 이것이 연골화(cartilaginization)되면 다음 2가지 사건이 발생한다. ① 연골성판(cartilaginous sheet)에 중배엽의 내성장(mesodermal ingrowth)이 일어나서 비연골(nasal cartilage)로 되며, ② 그 위로 석회화(calcification)가 일어나되, 두측에서 일어난다. 따라서, 연골원개(cartilaginous vault)의 두측에 비골이 중복되게 된다. 중복된 크기는 서양인에서는 정중선에서 11 mm, 외측에서 4 mm인데, 한국인에서는 좀 더 작은 것 같다(**그림 14-1**).

이렇게, 골원개(osseous vault)와 연골원개는 이어져 있는 게 아니라, 중첩된 일체(overlapped integration)이다. 이런 중첩의 중요성은 축소 비성형술(reduction rhinoplasty)에서 드러난다. 즉, 연골비봉(cartilaginous hump)이 골비봉(bony hump)보다 훨씬 더 크기 때문에 축소술을 할 때 골비봉을 먼저 줄질(rasping)하고 나서 그 아래에 더 큰 연골비봉이 드러나면 줄질을 제대로 한 것을 의미한다. 따라서, 골비봉의 과대절제를 피할 수 있다. 외측중첩(lateral overlapping)은 서로 달라붙어 있어서 분리하기가 힘든데, 이는 골-연골원개가 붕괴될 가능성을 최소화하도록 연골막과 골막이 유합되어있기 때문이다. 사체해부 연구에서 축소 비성형술을 했을 때 비골로부터 상외측연골(upper lateral cartilage)을 떼어내는 것이 거의 불가능함이 밝혀졌지만, 여전히 많은 술자들은 이것이 임상적으로 가능하다고 주장한다. 이렇게 떼어내기가 쉽다는 주장은, 비골은 중첩된 끝에서 수직방향으로 가장 약하므로 비골이 탈구(disarticulation)되기보다는 오히려 골절(fracture)되기 때문에 비골이 골절된 것을 떼어낸 것으로 잘못 판단해서 나온 주장으로 생각한다.

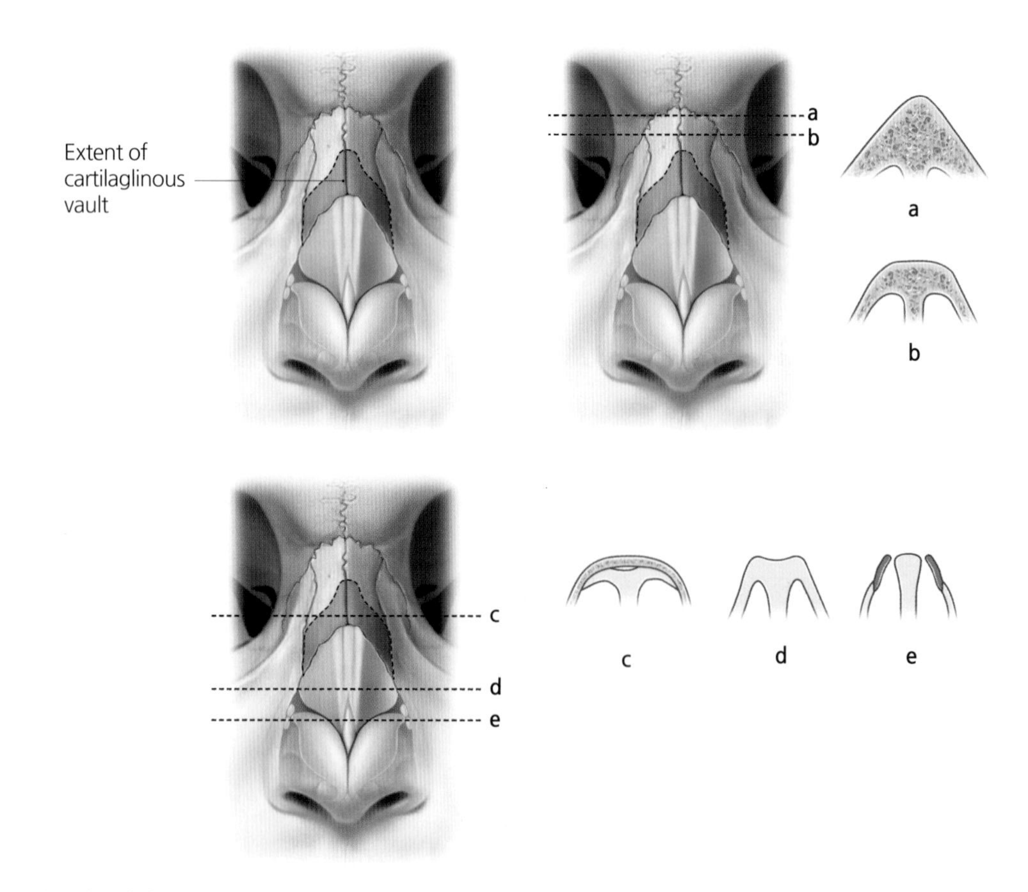

그림 14-1. 골-연골원개(Osseocartilaginous vault)

2) 골원개(Osseous vault)

소아의 코 높이는 주로 비골에 의존한다. 그 후, 사춘기 직전부터 사춘기 동안에 코는 급격하게 변하는데, 이는 주로 코 윤곽을 따라 일어나는 흡수(absorption)와 침착(deposition), 상악골의 전방돌출에 의한 것이다. 코 높이는 상악골전두돌기(frontal process of maxilla)의 영향을 주로 받으며, 코의 절골술을 할 때 골저폭을 좁히기 위해서 외측비절골술을 이 부위에서 시행한다. 비배봉(dorsal hump)은 비근(radix)에서는 골흡수(bony absorption)가 일어나지만, 비배점(rhnion)에서는 골침착이 되어서 생긴다. 마찬가지로, 비근에서 골흡수만 일어나면 전형적인 그리스코가 된다.

3) 연골원개(Cartilaginous vault)

아마도, 연골원개는 해부학적으로 많은 오해가 있을 수 있는 부위로 생각된다. 간단히 말하면, 연골원개는 하나의 해부학적 구조물이지, 2개의 상외측연골과 비중격이 서로 분리된 것이 아니라는 사실을 대개 간과한다. 대부분의 술자들은 이를 3개의 분리된 구조물로 보기를 더 좋아한다. 축소 비성형술을 하면 분명히 3개로 나눌 수 있지만, 연골원개는 실제로는 연골낭(cartilaginous capsule)에서 유래된 이음매 없는 하나의 구조물이다. 따라서, 연골비배축소술(cartilaginous dorsum reduction)을 해서 정상적인 하나의 구조물이 3개의 구조물로 나누어지면 역V형변형이 드러나게 되는데, 이때에는 연전이식술(spreader graft)을 시도해서 정상적인 코 해부를 재건해야 한다. 또 다른 해부학적으로 중요한 점은 연골비배의 위치에 따른 모양의 변화이다. 골비배 아래에서는 넓은 'T'형이지만, 비배점(rhinion)에서는 'Y'형으로, 그리고 비중격각(septal angle) 가까이에서는 더 좁은 'I'형으로 점진적으로 바뀐다(**그림 14-1**). 개방비성형술(open rhinoplasty)을 하는 동안, 골원개에 줄질을 하여 연골원개의 연골막 덮개가 들려지면 이러한 변화를 흔히 볼 수 있다.

4) 내재비근(Intrinsic nasal muscle)과 외재비근(Extrinsic nasal muscle)

내재비근은 nasalis m.과 dilator naris m. 또는 levator alae m.이며, 외재비근은 procerus m., orbicularis oculi m., depressor septi nasi m., levator labii alaeque nasi m.이다. 이 근육들은 표정을 짓는 데도 중요하지만, 특히 내재비근은 비기도(nasal airway)를 유지하는 데 중요한 역할을 한다. Transverse nasalis m.은 상외측연골에 부착하므로 근육이 수축하면 상외측연골을 바깥으로 벌림으로써 내비판막(internal valve)을 열어서 비기도를 증가시킨다.

5) 연조직외피(Soft tissue envelope)

연조직외피의 두께는 비근에서 가장 두꺼우며, 비배점에서 가장 얇다. 그리고 상비첨부(supratip area)에서 두께를 예측하기가 가장 어렵다. 비근이 가장 두꺼운 이유는 주로 근조직, 특히 골-연골원개에서 기시하여 이마 중앙에 부착하는 procerus m. 때문이다. 비배점에서 두께가 가장 얇은 이유는 피하지방이 가장 적고, transverse nasalis m.의 근섬유가 건막(aponeurosis)으로 대체되었기 때문이다. 상비첨부는 흔히 피하지방으로 채워져 있어서 연골비배가 미측으로 하강되더라도 잘 드러나지 않는다. 혈관은 진피 아래, 근육에 표재성으로 존재한다. 코성형술에서 박리층은 연골막상층(supraperichondrial plane)이다. 이 층은 SMAS (submusculoaponeurotic system) 아래인 건막하공간(subaponeurotic space)이므로 무혈관층이다. SMAS와 진피에 손상을 주지 않으므로 이차 비성형술(secondary rhinoplasty)에서 조차도 섬세한 진피하신경얼기(subdermal plexus)가 손상을 가장 적게 받는 층이며, 연조직외피를 일으킬 때 아래에 놓인 연골막으로 둘러 싸인 연골을 볼 수 있다.

3. 수술계획

수술 계획은 측면에서 봤을 때 변형시켜야 할 것부터

결정한 다음, 앞에서 봤을 때 변형시켜야 할 것을 계획한다.

1) 측면분석

측안면성형술(profiloplasty)은 비배축소술(dorsal reduction), 비배증대술(dorsal augmentation), 균형비성형술(balanced rhinoplasty)을 하거나, 아니면 아무런 조작을 하지 않아도 될지를 결정하는 것이다. 측면 분석에서 중요한 요소는 비-안면각(nasofacial angle)이다. 서양에서는 여성 약 34도, 남성 약 36도가 표준치로 받아들여지고 있으며, 한국인들은 남녀 모두 35도를 이상적으로 생각하고 있다(**그림 14-2**).

비-안면각(NFA)은 N (nasion, 비근점)을 지나는 수직선과, N과 T (tip, 비첨점)를 이은 선 사이의 각도이다. 만일, 비봉이 있으면 비봉을 무시하고 지나도록 그린다. 이상적인 미학적 비배선(aesthetic dorsal line)은 여성에서는 약간 오목한 선으로, 남성에서는 직선으로 생각한다(**그림 14-2**). NFA이 너무 크면 코가 너무 튀어 나왔다고 호소하며, NFA가 작으면 코가 너무 납작하다고 호소한다. 그런데, NFA에 관계없이 비교적 이상적인 비배높이(dorsal height)를 가진 증례를 볼 수 있다. 이런 증례에서는 비근과 비첨이 실제로 낮기 때문에 그 사이에 있는 비배가 꽤 돌출되어 보이므로 교정을 위해 비근과 비첨에 이식술을 하고, 비배에서는 경도의 축소술을 하는 균형비성형술을 해준다. 이런 균형비성형술이 과거 비배축소술 전용시대의 부산물인 과대비배축소술로 인한 소위, 비성형술장애자(rhinoplasty cripple)를 줄이는 데 크게 기여하였다. 과거의 수기들은 비첨이 낮더라도 비첨을 적절한 높이로 낮춘 다음 낮아진 비첨에 맞추어 비배축소술을 했기 때문에(dorsum fit the tip) 비배부를 과대절제하기 일쑤였다. 요즈음에는 반대로 비배높이를 자연스럽게 높도록 비배축소술을 경미하게 한 다음 비배부에 맞추어 비첨돌출(tip projection)을 조절하는 개념으로 수술하는 균형비성형술을 함으로써 과대비배축소술이라는 심각한 후유증을 줄일 수 있게 되었다. 그러므로, 비배부를 단순히 비근점(nasion)과 비첨 연결선이라기보다는 이상적 높이를 가지는 NFA의 구성 요소로서 생각하는 개념을 가져야 한다.

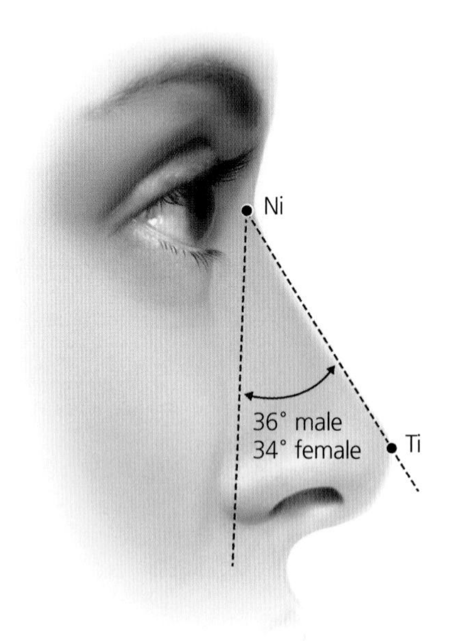

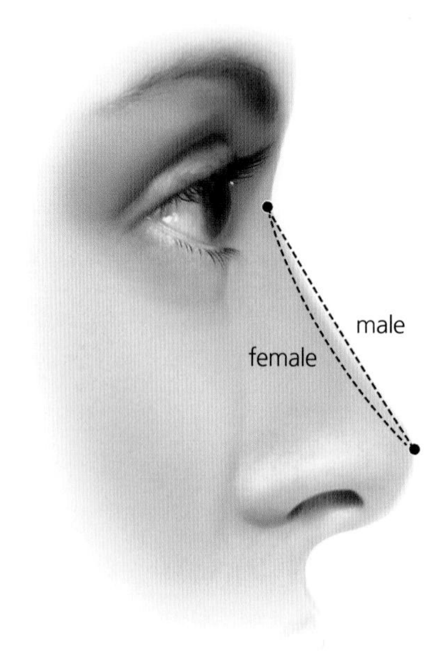

그림 14-2. 비배(dorsum)의 측면분석
비안면각(nasofacial angle)과 이상적인 미학적 비배선(aesthetic dorsal line).

Daniel은 이상적 비배높이를 개념화하는 방법을 소개하였는데, 이는 코를 직각삼각형으로 보는 것이다. 즉, 환자의 측안면에서 Frankfort horizontal line의 수직선이 미간(glabella)을 지나도록 그어서 직각삼각형의 긴 밑면으로 삼으면 비근점은 이 선에서부터 10 mm 전방, 비배중앙(mid dorsum) 또는 keystone area(비종석부)는 20 mm 전방, 비첨은 30 mm 전방에 위치한다.

2) 정면분석

정면에서는 비배부의 폭, 골저폭 그리고 외측비벽경사(lateral wall inclination)를 평가한다. 비배부의 폭은 양쪽 비배선 사이의 폭이며, 비배선은 안와상릉(supraorbital ridge)의 연속선으로서 비근점에서는 조금 좁아졌다가 비첨정의점(tip defining point)으로 내려온다. 비배부의 폭은 흔히 비첨정의점의 폭과 인중주(philtral column)의 폭과 일치하며, 서양 여성 6~8 mm, 남성 8~10 mm이다(**그림 14-3**).

골저폭은 상악골 수준에서 코의 가장 넓은 점(X) 사이(X-X)로서 측경기(caliper)로써 쉽게 계측할 수 있다. 골저폭(X-X)을 내안각사이거리(intercanthal distance)(EN-EN)와 비교함으로써 외측비절골술의 필요성과 종류를 결정한다.

한국인에서의 일차비배부성형술에서는 서양인에서와는 달리, 비배증대술이 대부분을 차지하며, 비배축소술을 하더라도 경하게 하는 증례가 더 흔하다. 즉, 낮은 비첨을 돌출시킨 다음, 비배축소술을 조금만 해도 되는 균형비성형술로써 만족할 만한 결과를 얻을 수 있는 증례가 흔하다.

4. 수술

1) 부분별비배봉축소술(Component dorsal hump reduction)

비배봉축소술(dorsal hump reduction)을 할 때 비배부와 내비판막(internal valve)의 해부학적, 생리학적 기능에 주의를 기울여야 한다. 그렇지 않으면 술 후 불규칙한 비배부, 중간원개(midvault)의 과도한 협소, 역V형변

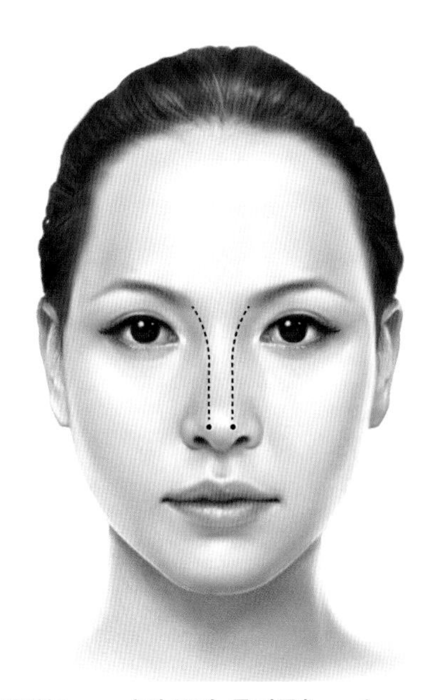

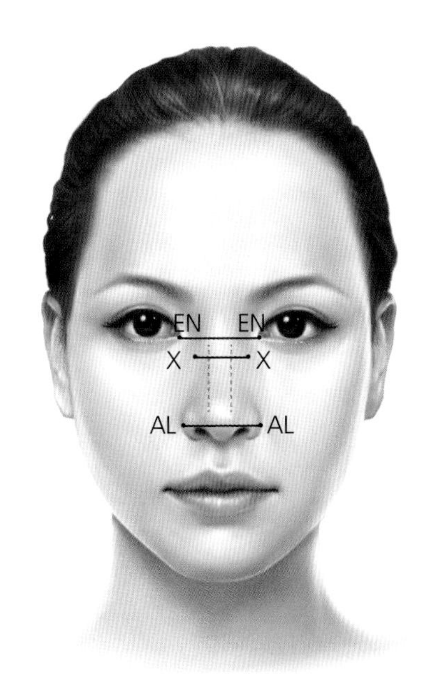

그림 14-3. 비배(dorsum)의 폭과 골저폭(base bony width)

형(inverted-V deformity), 골-연골비봉의 과대절제 또는 과소절제가 야기될 수 있다. 저자는 과거에는 거의 모든 증례에서 복합비배봉축소술(composite dorsal hump reduction) 또는 일괄비봉절제술(en-bloc hump removal)을 했지만, 요즈음에는 Rohrich의 부분별비배봉축소술을 따르고 있다. 일괄비봉절제술을 하지 않는 이유는

① 골은 절골도(osteotome)를 사용하여 비교적 원하는 양만큼 정확하게 축소시킬 수 있지만, 연골은 수술 직전에 절골도를 아무리 예리하게 갈았더라도 연골을 절골도로써 단칼에 절개하기에는 여전히 무디기 때문이다. 따라서, 골원개를 과대절제할 위험이 있으며, 연골원개를 과소절제와 불규칙한 면을 만들 가능성이 있다.
② 일괄비봉절제술을 하면 원하지 않는 골절이 비골에 발생할 수 있다. 특히, 과거 비골골절이 치유되어 생긴 외상성비변형(traumatic nasal deformity)에서 그러하다. 반면에,
③ 점증골비봉축소술(Incremental bony dorsal reduction)을 하면 골축소량을 세밀하게 조정할 수 있고, 재현성(reproducibility)이 높으므로 과대절제의 위험을 최소화하는 가장 효과적인 방법이다. Daniel은 3번의 조정할 수 있는 기회가 있다고 하였다. 즉, 처음 줄질을 할 때 1번, 최소한의 줄질을 할 때 1번, 다음, 비절골술을 마치고 나서 한 번의 기회가 더 있다는 것이다.

부분별비배봉축소술(component dorsal hump reduction)은 5단계로 이루어진다.
① 연조직외피와 양측점연골막하터널(bilateral submucoperichondrial tunnel) 형성
② Rasp을 이용한 점증골비배축소술(incremental bony dorsal reduction)
③ 비중격으로부터 상외측연골의 분리와 비중격연골의 점증연골축소술(incremental reduction)
④ 촉진에 의한 검증
⑤ 필요에 따라 마지막으로 변형술(spreader graft, suturing technique, osteotomy) 등을 시행한다. Rohrich은 비중격연골축소술(septal cartilage reduction)부터 한 다음 골축소술(bone reduction)을 하며, Daniel은 반대로 골축소술부터 한다.

(1) 연조직외피(soft tissue envelope)와 양측점연골막하터널(bilateral submucoperichondrial tunnel)형성

박리는 연골원개에서는 연골막 직상으로 조직가위로써 연골막상층(supraperichondrial layer)에서 박리하며, 골원개에서는 예리한 Freer periosteal elevator를 사용하여 골막하박리(subperiosteal dissection)함으로써 골원개의 중앙부에서만 연조직외피를 들어 올린다. 다음, interdomal suspensory ligament를 자름으로써 양쪽 하외측연골을 따로 분리시킴과 동시에 비중격으로부터 분리시킨다. 다음, 나중에 연골비봉(cartilaginous hump)을 절제할 때 아래에 놓인 점막성연골막이 절단되는 것을 피하기 위해 대부분의 증례에서 비배측비중격(dorsal septum)을 따라 양측점연골막하터널 또는 점막외터널(extramucosal tunnel)을 만든다(**그림 14-4**).

만일 점막성연골막이 손상되면 술 후 내비판막의 반

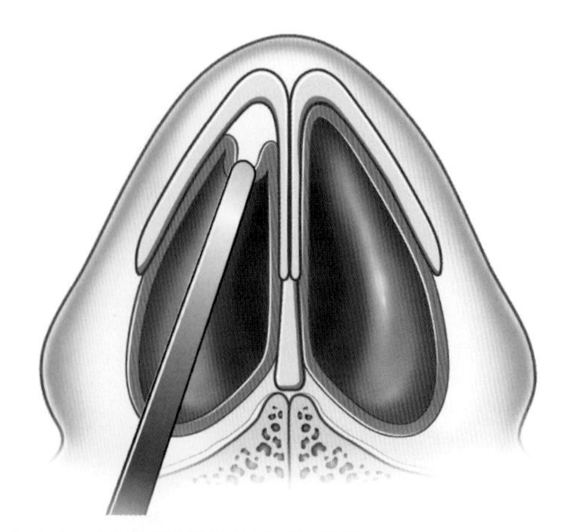

그림 14-4. 양측점연골막하터널(Bilateral submucoperichondrial tunnel) 형성.

흔성협착(cicatrical narrowing)과 vestibular webbing이 생겨서 비기도협착(nasal airway obstruction)이 생길 수 있다. 점연골막하터널을 만들때 1:100,000배의 epinephrine이 섞인 1% lidocaine으로 수력박리(hydrodissection)을 시행하면 편리하다. 전비중격각(anterior septal angle)에서 연골막(perichondrium)을 15번 수술도로써 score 한 다음, Cottle elevator로써 미측부(caudal portion)로부터 두측부(cephalic portion)로 비배측비중격을 따라 비골에 도달할 때까지 점연골막하 박리를 한다. 비중격연골로부터 점막성연골막(mucoperichondrium)을 일으킬 때 저항을 느낄 수 있으면 박리면을 정확하게 찾은 증거이다. 이때, 박리의 정도는 줄질할 골-연골원개보다 조금 더 크면 된다. 만일 너무 넓게 박리하면 절골된 골-연골원개를 지지해주는 힘을 약화시킬 우려가 있다.

(2) Rasp을 이용한 점증골비배축소술 (incremental bony dorsal reduction)

3 mm 미만의 골비배비봉축소술(bony dorsal hump reduction)은 downbiting diamond rasp을 사용하여 점증축소술(incremental reduction)을 한다. 우선, rasp의 예리한 정도를 미리 파악해 두는 것이 중요하다. 다른 코 성형술의 기구는 사용하기 직전에 갈아서 소독한 다음 사용할 수 있지만, rasp은 전문가조차도 갈기가 쉽지 않다. 신품인 경우 줄날이 예리하므로 과대절제될 수 있으며, rasp을 사용할수록 날이 무디어질 뿐만 아니라 갈 수도 없어서 날이 무디므로 절제하기가 쉽지 않다. 줄질하는 순서는 술자에 따라 다를 수 있는데, Rorich은 양쪽 비배선을 따라서 먼저 한 다음, 중앙부를 하는 데 비해, Daniel은 정중선부터 한 다음, 양쪽에서 사용한다. 이렇게 정중선과 양쪽 비배선을 따로 줄질하는 이유는 줄질을 계속하면 비골이 균등하게 절제되지 않아서 비배선을 좌우로 구분하여 따로 줄질할 필요가 있기 때문이다. 이때 중요한 점은 길게 줄질하는 것보다는 짧게 excursion해야 골축소량을 더 잘 조절할 수 있다는 점이다. 줄질을 계속하면 골비봉은 잘 절제되는 데 비해, 연골비봉은 덜 절제되므로 여전히 남아 있음을 흔히 볼 수 있으며, 줄질 시 비골의 끝이 골절되어 상외측연골이 분리되지 않도록 조심한다. 줄질의 끝마침의 결정은 매우 신중해야 한다. 골비배의 높이가 비근점과의 관계를 고려하여 만족스러워질 때까지 줄질을 계속한다. 즉, 이상적인 비배선의 두측 1/2을 얻을 때까지 줄질한다(**그림 14-5**).

과대절제하면 내비판막(internal nasal valve)의 붕괴, dorsal irregularity가 생길 수 있으므로 조심한다. 이런 합병증은 비골이 짧거나, 골-연골원개가 높고 좁은 증례에서 생길 위험이 있다. 줄질이 끝나면 따뜻한 saline 용액으로써 세척을 충분히 해서 골부스러기를 잘 청소하며, 관찰과 직시함으로써 확인한다.

만일 3 mm 이상 골축소가 필요하면 guarded 8-mm 절골도를 사용한다. 비골의 미측끝부분(caudal end)에 절골도를 대고 비근을 향하여 절골한다. 이 경우에도 마무리를 위해 흔히 줄질할 필요가 있다.

(3) 비중격으로부터 상외측연골의 분리와 비중격연골축소술(septal cartilage reduction)

비중격연골을 점증축소술하려면 우선, 점연골막하터널에서 비중격 양쪽에서 곧은 tissue scissors를 대고 방비중격수직절개술(vertical cut)을 함으로써 상외측연골

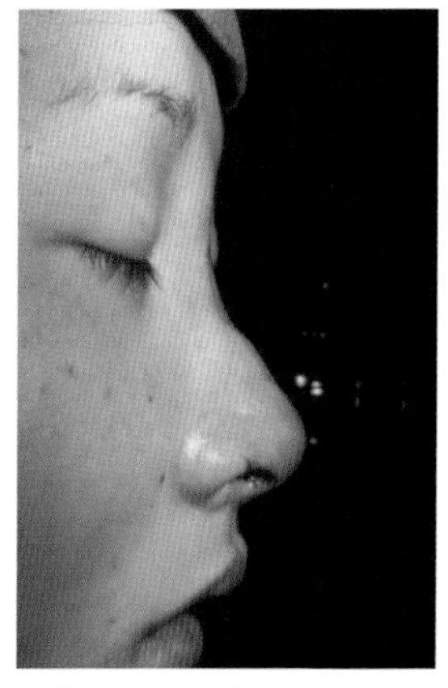

그림 14-5. Rasp을 이용한 점증골비배축소술(incremental bony dorsal reduction).
이상적인 비배선의 두측 1/2을 얻을 때까지 줄질한다.

을 비배측비중격으로부터 분리시킨다. Daniel은 이를 수직분할비봉축소술(vertical split hump reduction)이라고 하였다. Tissue scissors는 straight (Daniel) 또는 angled (Rohrich)를 기호대로 사용한다. 조직가위를 연골원개 위에 걸터 앉힌 다음 절개하면 비배측비중격과 굽은 dorsal edge를 가진 2개의 상외측연골 등의 3부분이 생긴다(**그림 14-6**). 이때, T-shaped dorsal septum의 횡단돌출(transverse projection)이 상외측연골과 나란히 위치하도록 유지하는 것이 중요하다. Rohrich은 이러한 비중격과 상외측연골의 관계를 Ibeam structure로 명명하였으며, 이 구조물은 코의 중간 1/3의 안정을 제공하므로 내비판막의 뼈대이다. 만약 잘 유지되어 있지 않으면 수술의 끝자락에 내비판막을 유지하기 위해 연전이식술(spreader graft)을 시행해야 한다. 다음, 연골비배를 낮춘다. 연골원개를 축소하는 데에는 다음의 두 가지 방법이 유용하다.

① 비중격연골의 횡단일괄축소술(transverse en-bloc reduction)

횡단일괄축소술(transverse en-bloc reduction)은 끝을 자른 11번 수술도를 사용하여 연골비봉 전체를 일괄축소술하는 것으로서 먼저 비골과의 접합부에 수술도를 댄 다음 이상적인 비배선이 되도록 비중격각까지 자른다. 이 방법은 시행이 간단하여 절제해 낸 조직을 나중에 이식물로 사용할 수 있는 장점이 있다. 그러나 이 방법은 개방 비성형술(open rhinoplasty)에서는 바로 보면서 시행하므로 쉽게 할 수 있지만, 폐쇄 비성형술(closed rhinoplasty)에서는 시행하기 어려울 수 있다.

② 비중격연골의 점증비중격연골절제술(incremental excision)

조직가위를 눕혀서 연골원개의 3부분을 각각 점증축소술한다(**그림 14-7**). 이때, 연조직외피를 두 측쪽으로 견인하면 상외측연골이 인위적으로 높이 들어 올려지는 경향이 있음을 알고 주의해야 한다. 이러한 수직분할(vertical split)의 장점은 폐쇄 비성형술을 할 때 더 쉬운 것이다. 골원개의 줄질과, 비중격과 상외측연골에 최소한의 절제술이 추가로 필요할 수 있다.

한국인에서는 다른 연골이식(columellar strut graft, tip shield graft, cap graft)이 흔히 필요하기 때문에 저자는 점증축소술의 변법을 사용한다. 즉, 첫 번째 cut은 이상적인 비배선을 가상한 대로

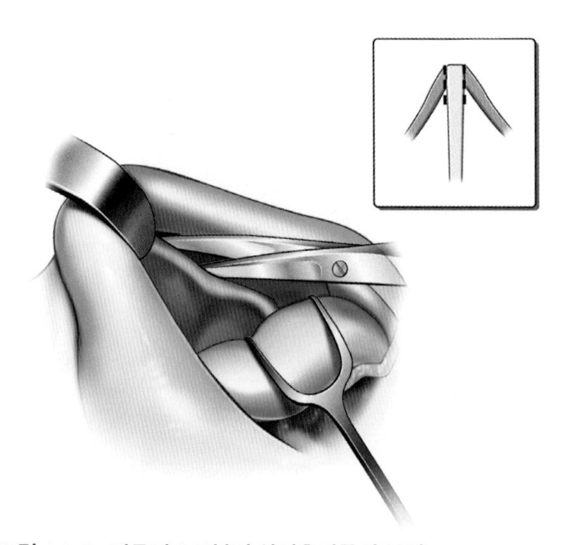

그림 14-6. 비중격으로부터 상외측연골의 분리.

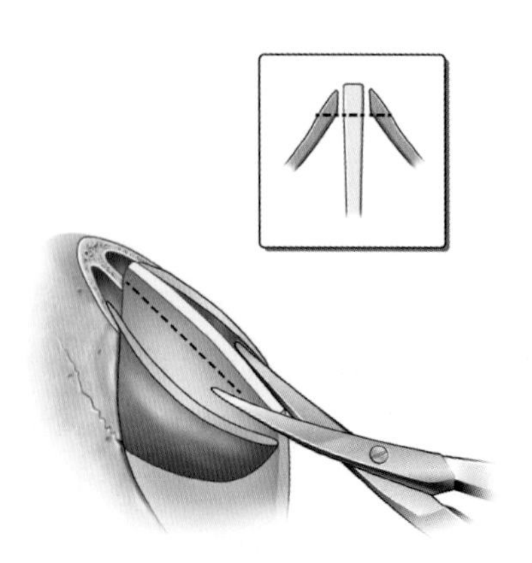

그림 14-7. 점증비중격절제술.

잘라서 이를 이식물로써 이용하며, 다음 cut부터 차츰 차츰 깎고 또 깎는다.

이때, 상외측연골을 보존해야 자연스럽고 이상적인 비배선을 만들 수 있다. 만일 비중격과 상외측연골을 같은 분량으로 축소하면 비배 부분이 둥글게 되며, 상외측연골을 과대축소하면 역V형변형(inverted-V deformity)이 유발된다.

(4) 촉진에 의한 검증

이렇게 골-연골원개의 점증축소술을 다 마치면 연조직외피를 redrape(재배치)시켜서 비배의 윤곽을 평가함으로써 과대축소를 방지한다(three-point dorsal palpation test). 집게손가락에 saline 용액을 묻혀서 양쪽 비배선과 정중선을 촉진함으로써 불규칙한 면이나 함몰 등을 검사한다.

(5) 마지막 변형술(spreader graft, suturing technique, osteotomy).

T-shaped dorsal septum의 횡단돌출(transverse projection)이 상외측연골에 붙어있으면 자가연전이식술(autospreader graft)로서 기능을 하므로 내비판막의 개통성과 비배선의 윤곽이 보존된다. 피부가 두꺼운 증례에서는 비배의 형태를 재건하기 위해 상외측연골을 한다. 이때, 상외측연골을 연골성 연전피판(cartilaginous spreader flap)이 되도록 안으로 말아서 봉합하기도 한다. 연전이식술은 이차 비성형술에서 사용된 데 이어 일차 비성형술에서도 내비판막붕괴(internal valve collapse)를 치료하거나 방지하기 위해 사용되고 있다. 요즈음에는 연전이식술의 기능적 측면 외에 미학적 측면이 똑같이 강조되면서 널리 사용되고 있다. 연전이식술을 일차 비성형술에서 하는 적응증은 ① 미용적 비배선의 재건, ② 중간원개의 폭 유지 내지 확장, ③ 휜 코(deviated nose)에서 비대칭의 교정 등이다(**그림 14-8**). 연전이식술을 기법적으로 고려할 점은 다음과 같다.

① 비중격점막성연골막(septal mucoperichondrium)은 골원개 아래에서 최소한으로 일으킨다.

② 전형적인 연전이식술은 비중격연골로써 만들며, 높이 3~6 mm, 길이 25~30 mm 정도이며, 폭은 미학적 요구에 따라 결정한다.

③ 터널은 상외측연골과 비중격의 접합부 가까이에서 시작하여 골원개 아래로 연장되도록 만든다.

④ 연전이식술의 끝이 가는 한쪽을 포켓으로 넣은 다음, 25번 percutaneous needle로써 이식물을 제자리에 고정시킨다.

⑤ 5-0 PDS (polydioxanone suture)를 사용한 2개의 horizontal mattress suture로써 이식물을 제자리에 고정한다.

이때, Daniel은 양측 연전이식술과 비중격의 세 층을 함께 봉합하기를 더 좋아하지만, 때로는 양측 상외측연골까지 포함하여 다섯 층을 봉합하기도 한다. 비배측비중격에 평행하게 양측 또는 일측으로 이식한다. 연전이식술의 두측부를 건재한 골원개 아래에 놓거나, 터널안에 놓음으로써 술 후 deviation(변위)과 visibility(가시성)를 피하도록 하는 것이 원칙이지만, 목적에 따라 위치를 달리 할 수 있다.

① 미용적 비배선의 개선이 목적이면 비배측비중격보다 앞으로 위치시킴으로써 visible graft를 한다.

② 내비판막의 기능 개선이 목적이면 비배측비중격보다 뒤에 위치시킴으로써 invisible graft를 한다.

③ 짧은 코를 연장시키기 위해서는 연장연전이식(extended spreader graft) 로서 미측단을 미측비중격 아래로 돌출되도록 위치시킨다.

일차 비성형술에서 연전이식술을 남용하면 중간원개의 폭이 과대해질 수 있음에 주의해야 한다. 이론적으로는 외측비절골술을 한 다음에 연전이식술을 하는 게 옳지만, Daniel은 외측비절골술을 하기 전에 연전이식술을 하는 경향이 있다. 왜냐하면, 특히, 폐쇄 비성형술에서 외측비절골술을 한 뒤에 혈액이 스며 나오는 가운데에서 봉합하기란 기법적으로 힘들기 때문이다. 연전이

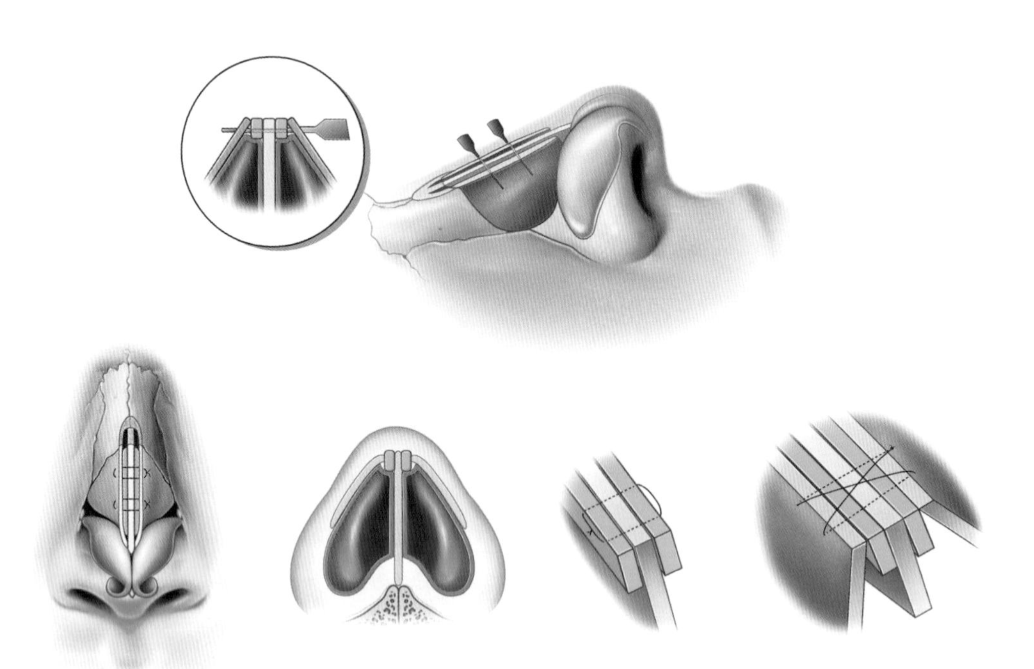

그림 14-8. 연전이식술(spreader graft).

식술을 제 자리에 봉합하지 못하면 나중에 드레싱할 때 돌출되거나 술 후에 때때로 변위될 수 있다. 비배축소술을 한 다음 비골이 넓거나 비대칭이면 교정하기 위해, 열린-지붕변형(open-roof deformity)을 닫아주기 위해 절골술을 한다.

2) 외측비절골술(Lateral osteotomy)

절골술은 넓은 골원개를 좁히고, 열린-지붕변형을 닫아주고, 휜 비골(deviated nasal bone)을 바로 해주기 위해 사용한다. 절골술의 목적은 부드러운 비배선을 유지하거나 만들고, 골원개의 바람직한 폭을 얻는 것이다. 절골술의 분류는 접근법에 따라 외부(external) 또는 내부(internal), 절골술 종류에 따라 외측(lateral), 내측(medial), 횡단(transverse), 또는 복합(combination) 절골술, 그리고 접근 높이에 따라 저-고위(low-to-high), 저-저위(low-to-low), or 이중수준외측절골술(double- level) 등으로 나눈다. 접근법은 주로 내비접근술(intranasal approach)로써 하며, 외비접근술(extranasal approach)인 구강내접근술(intraoral approach)은 너무 낮게 접근해야 하기 때문에 절골 방향을 조절하기 힘들다. 절골술이라고 하면 흔히 외측비절골술을 말한다. 전술한 부분별비배봉축소술(component dorsal hump reduction)은 내측비절골술에 해당한다. Daniel은 요즈음 내측비절골술과 외골절술(outfracture)은 거의 하지 않는다고 한다. 내측비절골술을 하면 골의 불규칙성과 과다 출혈의 빈도가 높기 때문이다. 또, 전형적인 외절골술은 비골의 과대한 이동(mobility)과 수직화(verticalization)를 초래하기 때문에 전혀 필요하지 않다고 한다.

절골선은 언제나 일정하게 절골할 수 있도록 뼈가 비교적 얇아야 하며, 절골의 양상을 예측할 수 있어야 한다. 이렇게 골 두께가 감소되는 이행지대(transition zone)는 이상구(pyriform aperture)와 비근 사이에 있는 비골과 상악골전두돌기(frontal process of maxilla)의 junction 가까이이다. 따라서, 비골이 짧은 환자,비골이 지나치게 얇은 노인, 비교적 피부가 두꺼운 환자, 코가 지나치게 낮고 넓은 환자는 절골술의 상대적 금기증(relative contraindication)이다.

(1) 술 전 계획

특별한 증례만 제외하고, 어떤 절골술을 할 것인지 술 전에 결정할 수 있으며, 대개 수술 도중에도 변경하지 않고 그대로 할 수 있다. 외측비절골술의 종류는 수년 동안 목적보다는 부위나 수준에 의해 분류되었다. 그러나 무엇을 할 것인가 하는 목적에 따라 수기를 선택하는 것이 옳다. 골저폭을 좁히기 위해 외측비벽을 얼마나 많이 그리고 어느 부위를 이동시킬 것인가에 따라 외측비절골술과 횡단비절골술을 각각 달리 선택한다. 한국인에서 외측비절골술이 필요한 증례는 두 가지이다.

① 한국인 코가 서양인처럼 코 전체가 커서 3차원적으로 축소술이 필요한 중증에서는 저-고위외측비절골술(low-to-high osteotomy)을 한 다음 수지압박술(digital pressure)로써 횡단약목비골절술(transverse greenstick fracture)을 시행한다(**그림 14-9**).

② 한국인에서는 비배높이에 관계없이 골저폭이 넓은 증례가 흔하다.

즉, 골저폭이 내안각간격(intercanthal distance)보다 더 넓은 증례이다. 이때에는 저-저위외측비절골술(low-to-low osteotomy)을 한 다음 횡단완전비절골술(transverse complete osteotomy) 또는 골절을 시킴으로써 외측비벽을 완전이동시킨다.

횡단비절골술은

① 외측비벽의 원위부(distal part)만 제한적으로 이동시켜야 하는 경우(distal movement) 횡단부를 따라서 약목비골절술만 해도 충분하다.

② 반대로, 외측비벽을 많이 이동시켜야 하는 경우(complete movement) 횡단부를 따라서 골을 분리시키는 완전절골술(complete osteotomy)가 필요하다.

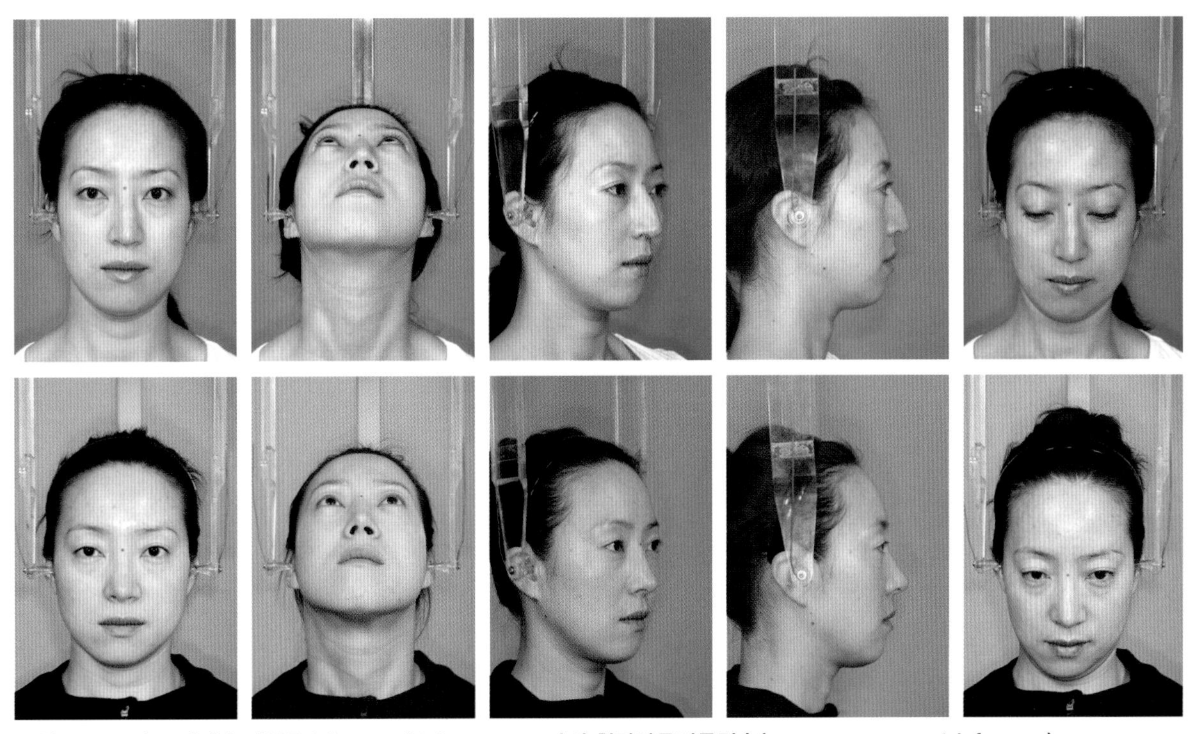

그림 14-9. 저-고위외측 비절골술(low-to-high osteotomy)와 횡단약목비골절술(transverse greenstick fracture)
32세 여성 긴장코(tension nose) 술 후 3년.

(2) 수술

① 저-저위외측비절골술(low-to-low osteotomy)과 완전횡단골절술(complete transverse fracture)

절골술 직전에 epinephrine이 섞인 국소마취제를 절골선을 따라 추가로 주사한다. 절골선을 따라 골막하터널(subperiosteal tunnel)을 일으키지는 않는다. 이유는 연조직의 혈관을 손상시킬 위험도 있지만, 터널을 작게 만들었다 하더라도 절골술에 의해 골막이 벗겨져서 절골된 외측비벽의 안정성을 해칠 수 있기 때문이다. 작은 speculum을 이상구에 대고 벌린 다음 점막을 5 mm 정도 절개하되, 골막까지 한꺼번에 절개한다. 저-저위외측비절골술을 할 때 곧은 절골도(straight osteotome)를 사용하며, 이상구에서 가능한 한 낮게 위치시킨다(**그림 14-10**).

이때, 절골도의 면이 수술실 바닥에 평행하게 위치하도록 유의한다. 어떤 술자는 굽은 보호절골도(guarded osteotme)를 사용하는데, 저자는 굽은 보호절골도를 사용하면 저-고위외측비절골술이 될 우려가 있기 때문에 곧은 절골도를 선호한다. 약간 굽은 보호절골도는 저-고위외측비절골술의 가능성을 염두에 두고 조심스럽게 사용할 수 있다. 절골도의 두께도 중요한데, 너무 두꺼우면 절골도가 지나가는 절골선 주위의 골이 부스러짐을 알아야 한다. 저자는 보호기(guard)의 위치를 내비가 아니라 외비에 둔다. 촉지함으로써 절골술의 방향을 조절할 수 있기 때문이다. 다음, 조수가 연이어서 가볍게 두드리면('따닥 딱, 따닥 딱') 절골도는 이상구의 가장 낮은 곳으로부터 상악골전두돌기를 지나서 내안각 수준의 상악골전두돌기에서 멈춘다. 이때, 보호절골도의 보호기는 절골도보다 약 5 mm 정도 더 긴 것에 유의해야 한다. 다음, 얇은 비골을 가로 질러 열린-지붕에 이르는 횡단비절골술 또는 골절술을 한다. 저자는 횡단비절골술이 내비접근법으로써는 하기가 힘들며, 내안각에

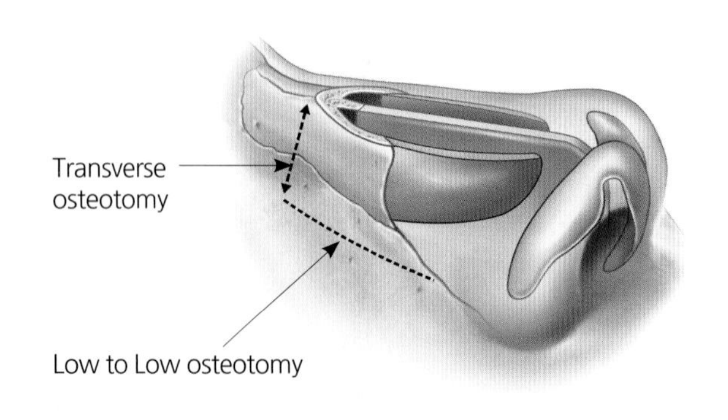

그림 14-10. 저-저위외측비절골술(low-to-low osteotomy)과 완전횡단골절술(complete transverse fracture)

stab incision을 넣어야 가능하기 때문에 횡단골절술하기를 좋아한다. 그러나, 엄지손가락과 집게손가락을 사용한 수지압박으로써 내골절시켰을 때 특히, 외상성비변형(traumatic nasal deformity)에서 양쪽의 골절 수준이 비대칭이 되는 증례를 종종 볼 수 있었다. 이를 해결하기 위해 비골골절에 사용하는 Walsham septum forceps의 끝부분을 내안각 수준에 댄 다음 외골절술(outfracture)과 내골절술(infracture) 시킴으로써 완전절골술(complete osteotomy)를 얻을 수 있다(**그림 14-11**). 이렇게 하면, 횡단비절골술에서 경첩(hinge)을 이루면서 외측비벽을 내측으로 이동시킬 수 있다. 다음, 완전 내측 이동된 외측비벽을 잘 유지하기 위해 cotton pledget으로 만든 roll과 transnasal suture로써 압박해준다(**그림 14-20B 참고**).

이 술기는 비배높이가 낮으면서 골저폭의 폭이 넓은 변형을 가진 한국인에서 효과적이다(**그림 14-12**). 왜냐하면, 저-저위외측비절골술과 횡단완절골절술을 시행하여 비록 작은 외측비벽이지만 외측비벽 전체를 완전 내측 이동시킬 수 있기 때문이다. 만일 비배높이가 낮은 증례에서 저-고위외측비절골술을 하면 가뜩이나 작은 외측비벽의 일부를 이동시키게 되므로 사실은 금기증인 셈이다.

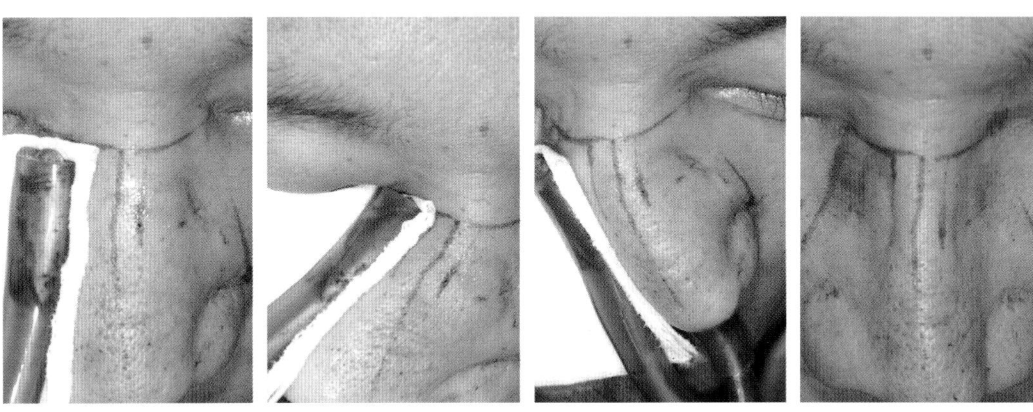

그림 14-11. Walsham septum forceps를 이용한 완전횡단골절술
골-연골원개가 곧게 바루어진 것을 볼 수 있다.

실제로, 저-고위외측비절골술은 외측비벽을 이동시키기보다는 기울여서 열린-지붕을 닫아줄 수 있을 뿐이다.

② 경피외측불연속절골술(percutaneous lateral discontinuous osteotomy)

Daniel은 경피절골술이 segmental bony bridge와

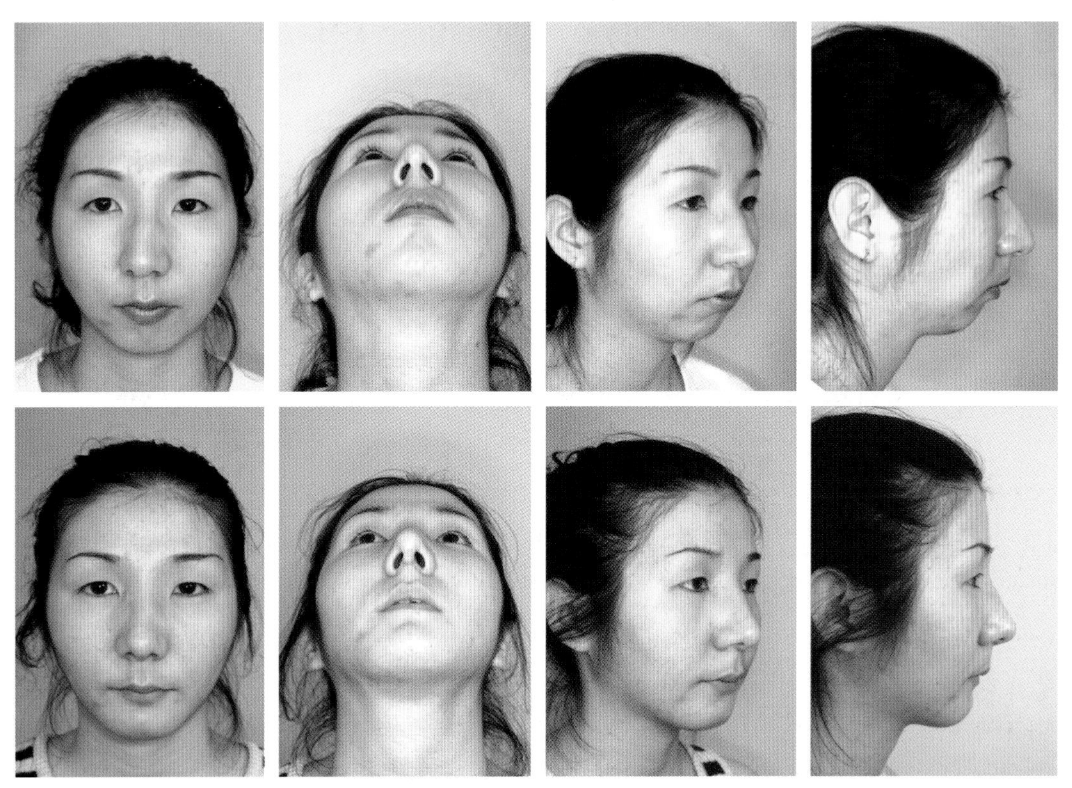

그림 14-12. Case. 저-저위외측비절골술(low-to-low osteotomy)과 완전횡단골절술(complete transverse fracture)
28세 여성, 술 후 6개월. 얼굴 크기에 비해 큰 코를 가지며 코 전체가 휜 코인 것을 고려할 때 긴장코로 진단하였다. 동시에 horizontal advancement osteotomy of chin도 함께 실시하였다.

피부에 구멍을 지나치게 많이 만드는 단점이 있어서 잘 사용하지 않는 데 비해, Rohrich은 내비손상을 덜 주면서 절골을 더 잘 조절할 수 있기 때문에 이 술기를 즐겨 쓴다(**그림 14-13**).

이 외에 출혈, 반상출혈(ecchymosis), 부종이 적은 장점이 있다. 절골선(osteotomy line) 미리 피부에 그려 놓으면 도움이 되는데, 저-저위외측비절골술과 superior oblique osteotomy도 가능하지만, 대개는 저-고위외측비절골술선과 약목비골절술선을 그린다. 절골술을 하는 시기는 비성형술을 하는 도중 언제나 할 수 있지만, 대개 수술의 마지막에 한다. 하안와열(Inferior orbital rim)의 수준에서 nasofacial groove에 2 mm의 절개를 한다. 예리한 2 mm 곧은 절골도를 절개창으로 넣어 골막에 이른다. 골막하박리를 할 때 bony nasofacial groove 쪽으로(외측으로 하면) angular artery를 외측으로 변위시키므로 손상을 방지할 수 있다. 절골도의 한쪽 끝만 골에 직접 닿게 해야 정확도를 높일 수 있다. 절골술은 미측에서부터 불연속적으로 하되, 이상구에서 상악골전두돌기의 미측 부분을 보존해야 내비판막의의 붕괴를 방지하며, 두측으로 내안각의 수준에 이른다. 내안각보다 두측으로 지나지 않아야 눈물분비계(lacrimal system)의 손상을 방지할 수 있다. 망치질의 끝마침은 저항이 없어지는 것과 소리가 변하는 것이다. 저-저위외측비절골술을 계획했으면 약목비골절술을 시키고, 저-고위외측비절골술을 계획했으면 내측으로 superior oblique osteotomy를 계속 한다. 약목비골절술은 엄지와 집게손가락으로 gentle pressure를 가해 외측비벽을 바람직한 위치에 재위치시킨다. 만일 gentle pressure로 잘 되지 않으면 절골도를 다시 넣어 불연속적 절골 사이에 절골되지 않은 큰 뼈가 있는지를 확인해야 한다. Superior oblique osteotomy는 굽은 절골도를 열린-지붕의 두측부에 위치시킨 다음, 내안각을 향해 두측으로 절골한다.

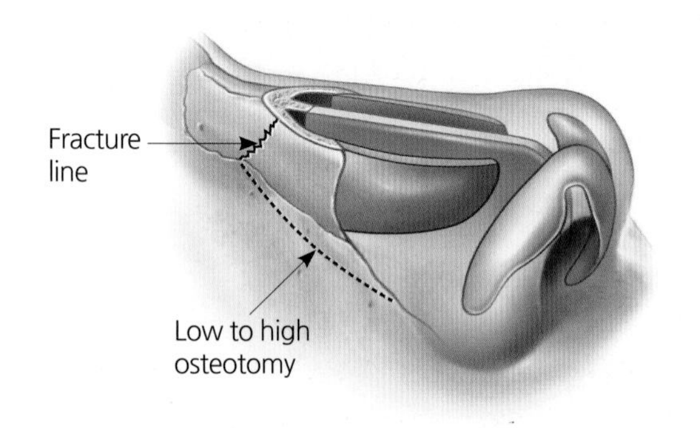

그림 14-13. 경피외측불연속절골술(percutaneous lateral discontinuous osteotomy)

③ 2부위동시절골술(two-part combined osteotomy) : 횡단경피절골술(transverse percutaneous osteotomy)과 저-저위외측비절골술(low-to-low osteotomy)

Daniel이 외측비벽의 더 큰 이동이 필요할 때 사용하였다(**그림 14-14**). 저자의 저-저위외측비절골술과 완전횡단골절술 처럼 외측비벽을 완전히 이동시킬 수 있다. 다른 수기와는 달리, transverse percutaneous osteotomy(경피절골술)을 먼저 한 다음, 저-저위외측비절골술을 한다. 15번 수술도로써 내안각 바로 위에 수직으로 stab incision한 다음, 2 mm 절골도로써 내안각 바로 위에서부터 열린-지붕까지 외측비벽을 가로로 완전히 골절시킨다. 다음, 곧은 절골도를 사용하여 저-저위외측비절골술을 한다. 이때, 절골술은 본질적으로 상악골전두돌기 저부를 따라 해야지, 저-위외측비절골술고에서처럼 상악골전두돌기를 가로 질러서는 안 된다. 일단 전에 해둔 횡단비절골술의 수준에 도달하면 절골도를 내측으로 회전시킴으로써 외측비벽을 내측으로 밀어 넣어서 최대한 이동시킨다. 횡단비절골술을 하는 이유는 두꺼운 상악골을 바람직한 수준에서 확실하게 부러뜨린 다음,

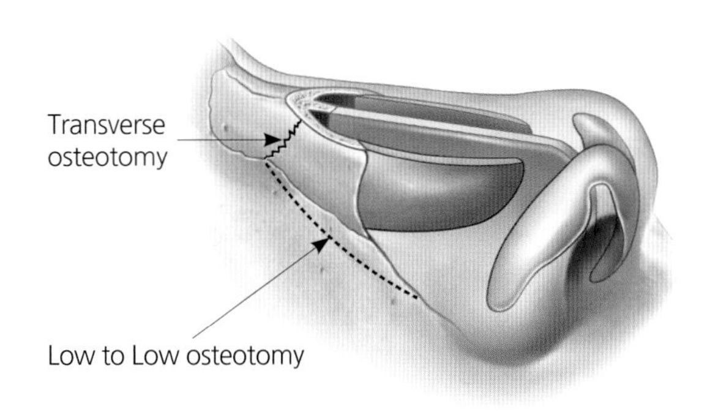

그림 14-14. 2부위동시절골술(two-part combined osteotomy)
횡단경피절골술과 저-저위외측비절골술.

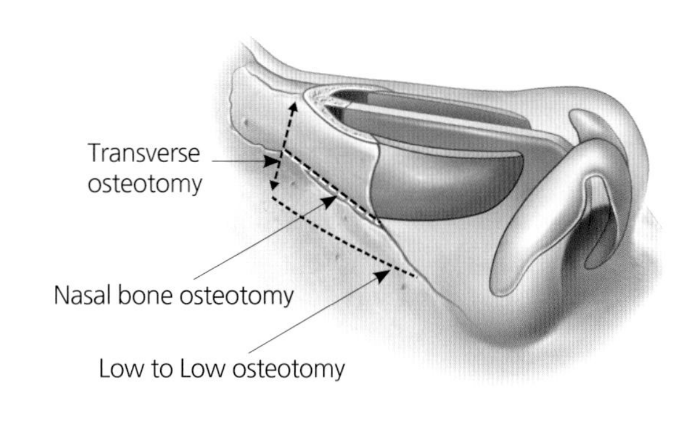

그림 14-15. 이중수준절골술(double level osteotomy)

분리시켜서 완전히 이동시키기 위함이다.

④ **이중수준절골술(double level osteotomy)**

이 수기는 볼록한 외측비벽을 줄이기 위해 고안되었지만, 골원개가 매우 넓고, 외측비벽이 거의 수직인 경우에서도 사용한다. 먼저, 비골의 외측 경계인 상악골전두돌기와의 접합부를 따라 작은 2 mm 절골도로써 절골술을 하되, 동시에 하는 저-저위외측비절골술과 평행하도록 한다(**그림 14-15, 16**).

⑤ **방정중절골술(paramedian osteotomy)**

Daniel이 비배높이는 정상이지만, 넓은 비배를 가진 증례를 교정하기 위해 고안하였다(**그림 14-17**).

i. Open approach로써 비배를 노출하고, 양측점연골막하터널을 만든다.
ii. 정중선을 표시한다.
iii. 골-연골원개에 이상적인 비배폭을 5~8 mm로 표시하는데, 이는 피부 두께 1~2 mm를 제외한 것이다.
iv. 연골원개를 따라서 비종석부까지 paramedian cut을 한다.
v. 곧은 보호절골도를 사용하여 방정중절골술을 시행하여 비골로 연장한다.
vi. 저-저위외측비절골술과 횡단비절골술을 한다.
vii. 내골절술을 시킨 다음 상외측연골의 과대한 높이를 잘라 다듬는다(흔히 3~6 mm).
viii. 상외측연골을 T-shaped dorsal septum의 횡단돌출에 봉합한다.

저자는 휜 코의 교정에 방정중절골술을 사용한다. 굽은 골원개를 따라 곡선의 방정중절골술을 약 8 mm 간격으로 도안한 다음 정중선으로부터 변위된 정도를 계측하여 삼각형의 골절제량을 non-deviated side의 비골에 도안한다. 연골원개에서도 같은 방법으로 연골절제량을 계측하여 non-deviated side의 상외측연골에 도안한다. 그 후 절골술을 하면 골절이 생기기 쉬우므로 줄질하며, 연골 절제는 조직가위를 사용한다(swinging door operation). 다음으로, 저-저위외측비절골술을 함으로써 골간격을 닫아주고, 상외측연골은 T-shaped dorsal septum의 횡단돌출에 봉합한다(**그림 14-18, 19**).

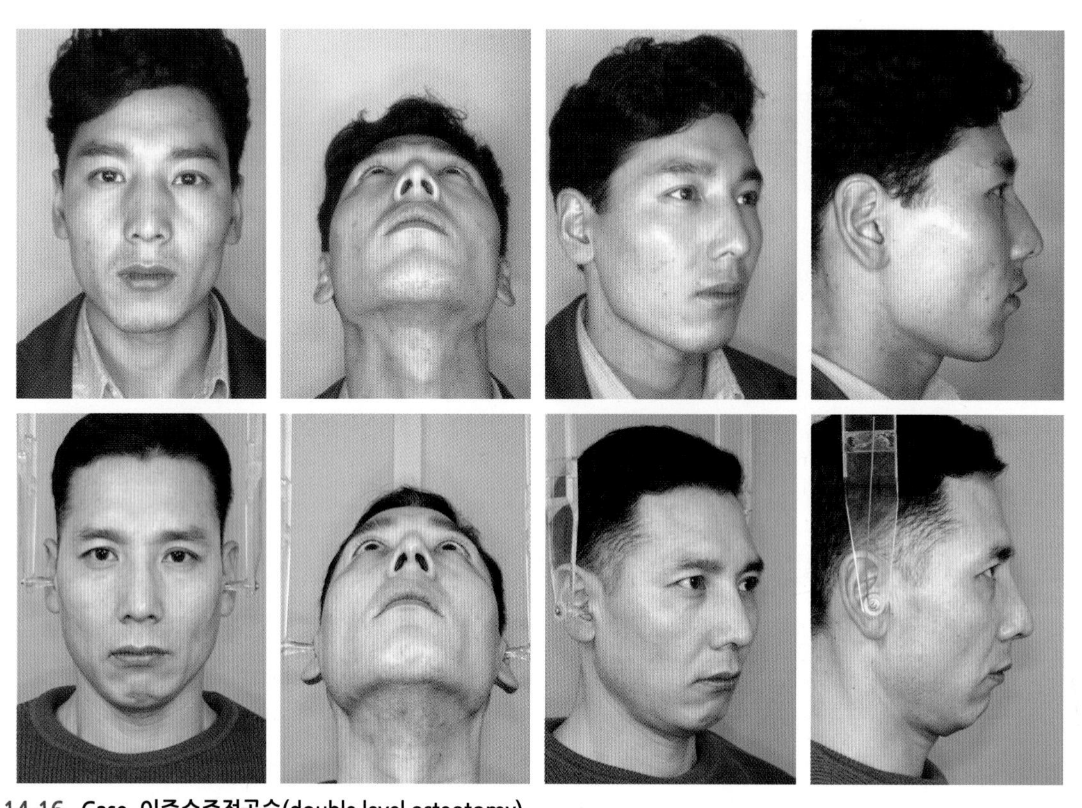

그림 14-16. Case. 이중수준절골술(double level osteotomy)

남성, 25세, 술후 16년. 비배높이는 서양인만큼 높지만 적절하였고, 골원개가 매우 볼록하면서 컸다. 이중수준절골술과 완전횡단골절술을 시행하였다.

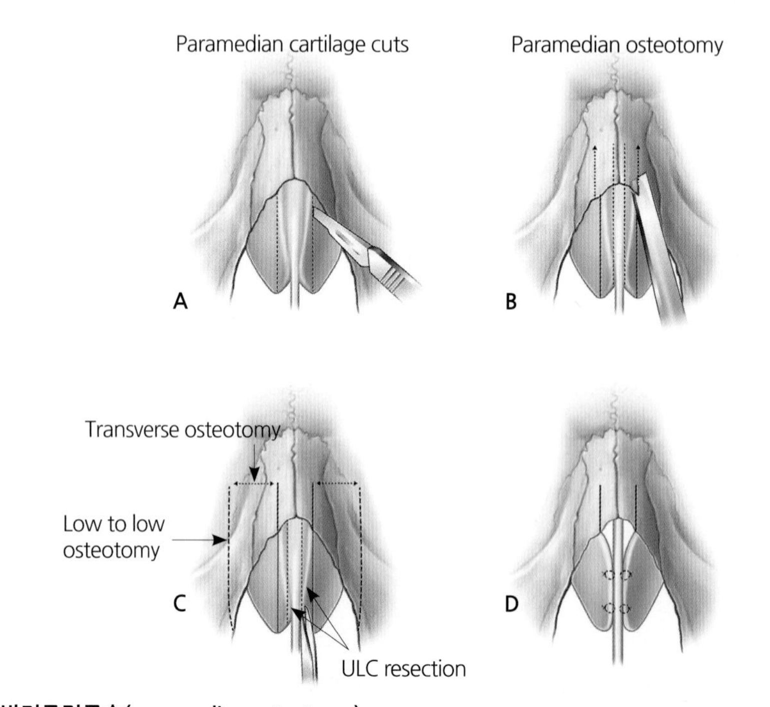

그림 14-17. 방정중절골술(paramedian osteotomy)

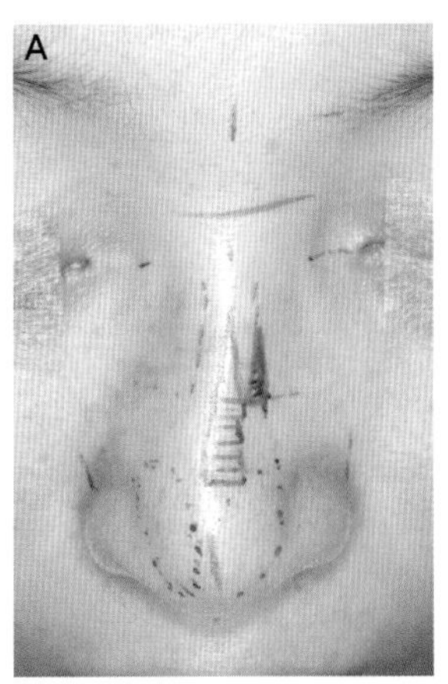

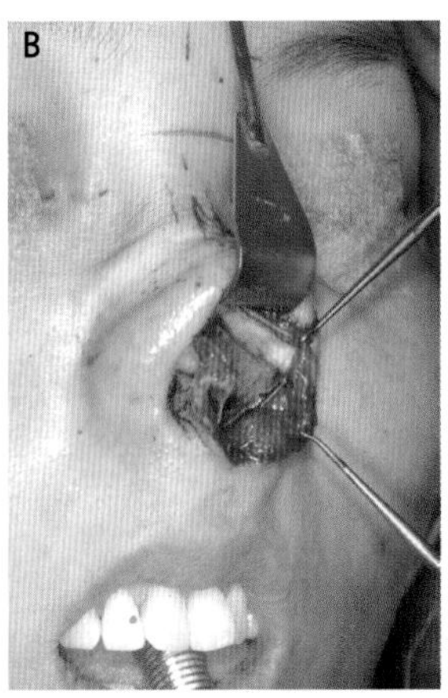

그림 14-18. 방정중절골술(paramedian osteotomy)을 이용한 휜코의 교정

A. 굽은 골원개를 따라 곡선의 방정중절골술을 약 8 mm 간격으로 도안한 다음 정중선으로부터 변위된 정도를 계측하여 삼각형의 골절제량을 non-deviated side의 비골에 도안한다. 연골원개에서도 같은 방법으로 연골절제량을 계측하여 non-deviated side의 상외측연골에 도안한다. B. 절골을 하면 골절되기 쉬우므로 줄질을 하며, 연골절제는 조직가위를 사용한다. 다음으로, 저-저위외측비절골술 함으로써 bony gap을 닫아주고, 상외측연골은 T-shaped dorsal septum의 횡단돌출에 봉합한다.

(3) 봉합(closure)과 소독(dressing)

봉합하기 전에 따듯한 saline 용액으로 골부스러기를 제거함으로써 불필요한 변형이 생기는 것을 방지한다. Intranasal wound는 drain 역할을 하도록 봉합하지 않는다. Intranasal packing은 비중격연골을 L-strut만 놔두고 모두 채취한 경우 양쪽 비중격 점막성연골막끼리 3-0 chromic catgut으로 quilting suture(누빔봉합술)를 여러 군데 해준 뒤 Merocel® 과 silicone tube로써 충전한다. 외비는 종이테이프를 사용하고 통상적으로

splint를 대어준다. 다음, 저-고위외측절골술을 한 경우에는 Aqauaplast splintTM를 하고(**그림 14-20A**), 저-저위외측비절골술을 한 경우에는 외측비벽의 완전 이동을 보장하기 위해 cotton pledget으로 만든 roll을 양쪽 외측비벽에 대어주되, 높이는 내안각에서 alar groove까지로 한다(**그림 14-20B**). Roll의 고정방법은 4-0 nylon 직침을 roll 아래로 한쪽 외측비절골술선을 관통시켜

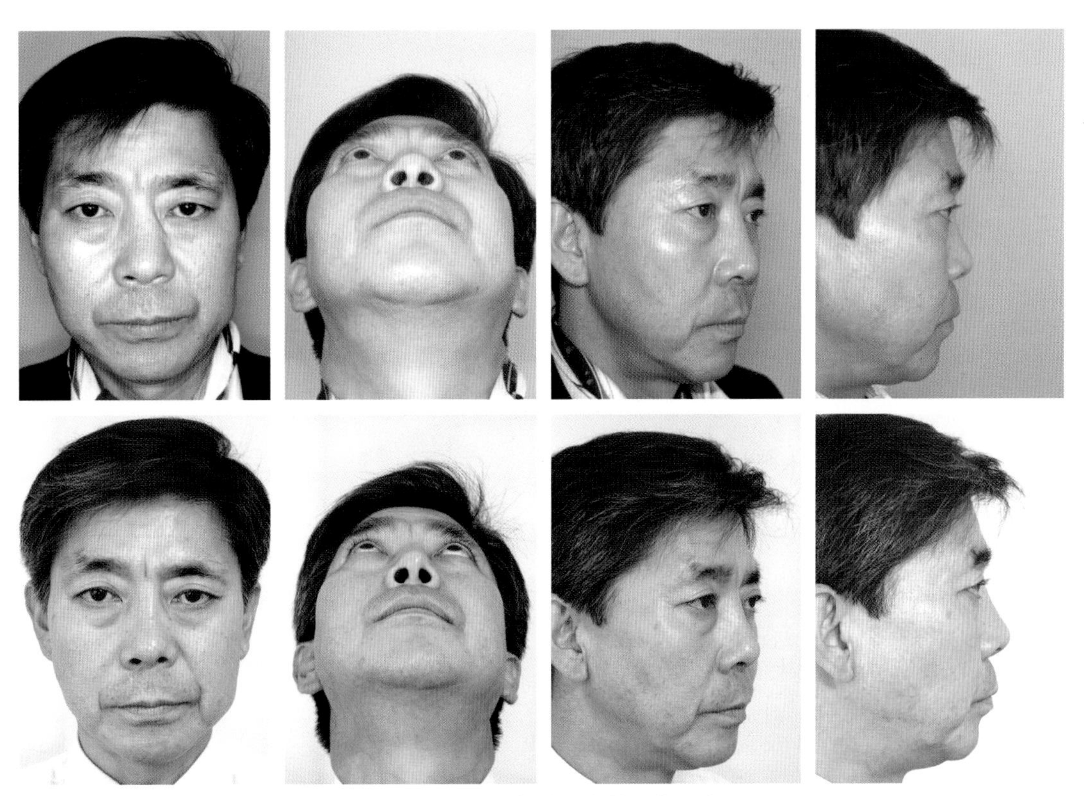

그림 14-19. Case. 방정중절골술(paramedian osteotomy)을 이용한 휜코의 교정

남성 49세, 술 후 8개월.

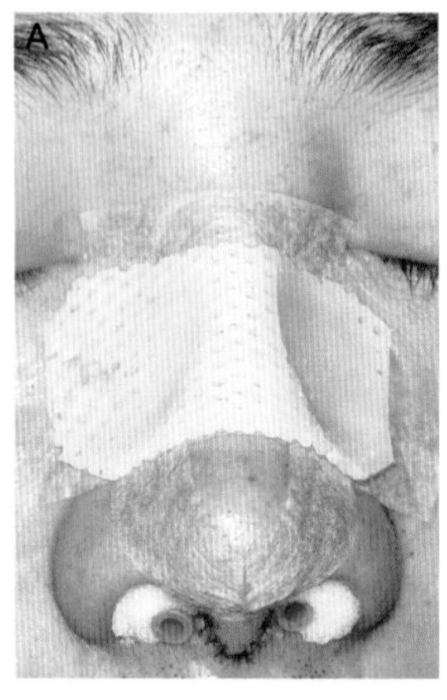

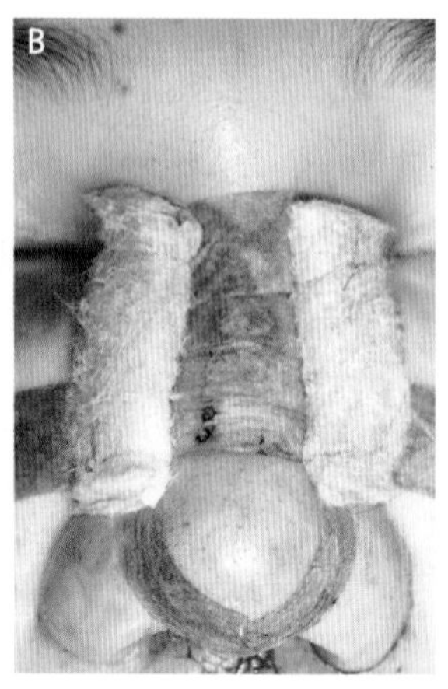

그림 14-20. 소독(dressing)

A. 저-고위외측비절골술을 한 경우에는 Aqauaplast splintTM를 하고, B, 저-저위외측비절골술을 한 경우에는 cotton pledget으로 만든 roll을 양쪽 외측비벽에 대어준다.

nasal cavity를 지나 반대쪽 외측비절골술 선으로 나와서 roll을 둘러싼 다음 다시 비배의 피하를 관통하여 반대쪽으로 온 뒤 roll 위에서 묶는다.

참고문헌

1. 김성조, 한기환, 강진성. 한국인 코의 생체계측치. 대한성형외과학회지 1982; 9: 1-10.
2. 한기환, 이민재, 김준형, 김현지, 손대구. "C"자형 만곡비변형의 교정: 건측 비골판줄질과 건측 비배측 비중격절제술의 중요성. 대한성형외과학회지 2005; 32: 710-716.
3. Daniel RK. Rhinoplasty: an atlas of surgical techniques. New York: Springer, 2002; 23-58.
4. Enlow DH. The Human Face: an Account of the Postnatal Growth and Development of the Craniofacial Skeleton. New York: Hoeber, 1968.
5. Letourneau A, Daniel RK. The superficial musculoaponeurotic system of the nose. Plast Reconstr Surg 1988; 82: 48-57.
6. McKinney P, Johnson P, Walloch J. Anatomy of the nasal hump. Plast Reconstr Surg 1986; 77: 404-405.
7. Rohrich RJ, Muzaffar AR, Janis JE. Component dorsal hump reduction: the importance of maintaining dorsal aesthetic lines in rhinoplasty. Plast Reconstr Surg 2004; 114: 1298-1308.
8. Rohrich RJ, Liu JH. The dorsal columellar strut: innovative use of dorsal hump removal for a columellar strut. Aesthetic Surg J 2010; 30: 30-35.
9. Rohrich RJ. Ahmad J. Open technique rhinoplasty. In: Warren RJ, editor. Plastic 10. Surgery 3rd ed, Philadelphia: Elsavier, 2013; 387-412.
10. Sheen JH, Sheen AP. Aesthetic Rhinoplasty (2nded.) St. Louis: Mosby, 1987.

CHAPTER 15

짧은 코의 교정 | Correction of Short Nose

Chapter Author | 김재훈

1. 배경

짧은 코(short nose)를 교정하는 것은 매우 까다로우며 코의 길이를 연장함과 동시에 미적으로도 좋은 모양과 각도를 유지하는 것은 더욱 어려운 일이다.

특히 동양인의 코는 비교적 작고 짧은 편이며 해부학적으로도 서양인에 비해 조직을 늘리기에 취약한 구조이기 때문에 좋은 결과를 얻기는 더욱 어려운 일이다. 서양인에 비해 작고 짧은 코를 가진 동양인은 이를 극복하기 위해 연골의 이동이나 조작보다는 보형물이나 연골의 중첩이식으로만 해결하려던 경향이 있었는데, 이는 외형적으로 심각한 합병증을 유발하기도 하였다. 불과 수년 전까지만 해도 동양인의 취약한 해부학적 특성 때문에 코 성형술에 있어서 지나친 연골 조작은 불필요하며 서양인처럼 좋은 결과를 기대하기 어렵다는 생각이 지배적이었으나 도전적인 성형외과 의사들의 적극적인 해부학 및 임상적 고찰을 통한 동양인의 nasal tip 특성의 이해를 통하여 동양인에게도 다양한 nasal tip 성형술을 적용하여 좋은 결과를 낼 수 있다는 것이 입증되었다.

2. 짧은 코의 정의

미용적으로 짧은 코의 정의를 nasal tip이 심하게 위쪽으로 향해 있고 nasofrontal angle과 tip defining point 간의 거리가 짧은 것이라 할 수 있는데, 대게는 비구순각이 증가되어 있으며 정면상에서 nostril이 노출되어 있다. 그러나 이상적 코의 길이를 정량적으로 정의하기가 어려운 것은 전체 얼굴과의 비율, 코의 위치나 상악의 돌출 정도에 따른 미적인 느낌도 고려 되어야 하기 때문이다(**그림 15-1**).

짧은 코(short nose)의 교정은 코의 길이 만을 생각한다면 직접적으로 nasal tip의 길이를 연장하거나 콧등을 높여 비근부를 올림으로써 코 길이의 연장을 하는 것으로 요약할 수 있다. 그러나 코가 짧다는 것이 nasal tip의 들림과 무관한 경우도 있고 우리가 통상적으로 알고 있는 짧은 코라는 것이 nasal tip이 들려있는 코를 말하므로 진단과 치료 계획의 혼선을 우려하여 코의 길이와 무관하게 nasal tip이 들려 nostril이 보이는 코를 들창코(upturned nose)라 명명하기도 한다.

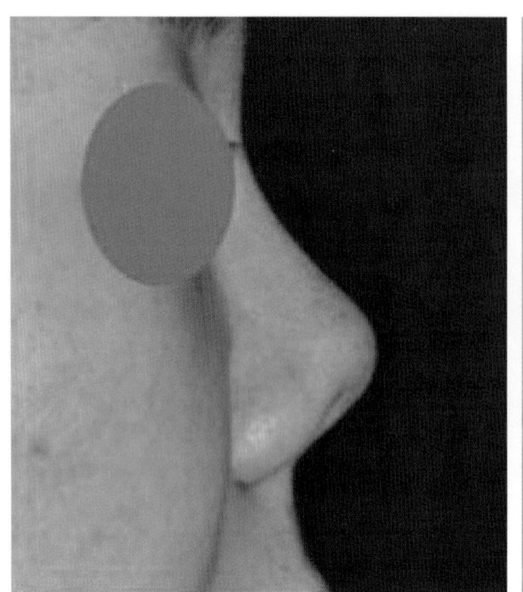
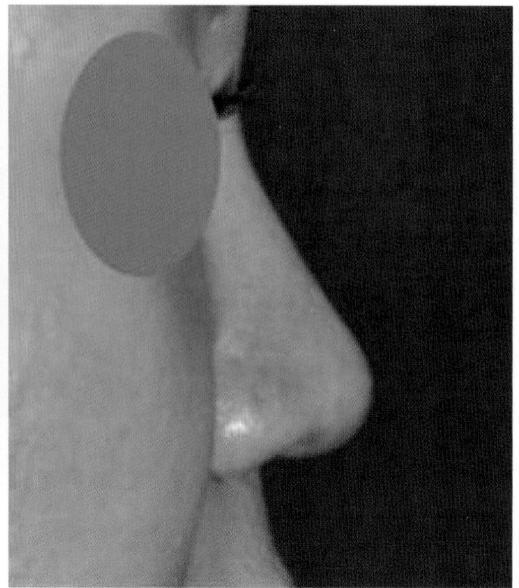

그림 15-1. 짧은코
비전두각(naso froatal angle)이 감소되고 비구순각(nasolabial angle)이 증가 되어있으며 비전두각과 비첨정의점간의 거리가 짧다.

3. 수술 과정

짧은 코를 교정하는 데 있어서 가장 중요한 점은 최대한 조직의 긴장 없이 수술을 완료하는 것이다. 아무리 강력한 연골을 이용하여 조직을 늘린다 하더라도 무리한 긴장이 가해지면 교정은 실패하게 된다. 그러므로 늘어나는 지지구조 및 피복하는 피부 피판은 가능한 긴장 없이 박리되고 이완되어야 하는 것이 짧은 코 교정수술의 핵심이라고 할 수 있다.

수술의 과정은 먼저 연장된 연골 구조를 덮을 수 있는 충분한 피부 피판을 거상하는 것인데 대개는 개방형 절개를 가하여 충분한 박리를 할 수 있도록 한다. 다음으로 lower lateral cartilage를 주변으로부터 박리 이완하여 긴장 없이 늘릴 수 있도록 하고 연장된 lower lateral cartilage를 다시 되돌아 가지 않도록 고정을 한다. 다음은 nasal tip의 모양을 만들거나 nasal dorsal augmentation을 시행하며 최종적으로 봉합과 부목으로 수술을 완료한다.

1) 피부 피판의 거상

짧은 코를 늘리거나 들린 코를 내리기 위해서는 우선 충분히 늘어날 수 있는 피부 피판을 거상해야 한다. 연골구조를 잘 늘려 놓아도 덮는 피부가 여유롭지 못하여 장력이 생기면 수술은 실패할 확률이 높을 수밖에 없다. 절개는 대개 개방형 절개를 하는데 이차 수술의 경우에는 가능한 이전 수술의 절개선을 따르나 과거 절개 반흔이 너무 columella의 아랫쪽에 있거나 두 개 이상의 반흔이 있는 경우는 columella의 혈행 장애를 예측해 보고 절개선을 선택하는 것이 좋다. 피하피부 피판의 박리는 균등하고 광범위하게 해야 하며 특히 동양인의 nasal tip 피부는 서양인에 비해 질기고 두꺼운 편이고 피하 연부조직도 발달되어 있는 편이라 잘 늘어나는 피판을 얻기 위해서는 연부 조직에 대한 처리를 해야 하는 경우도 있다. nasal tip의 연부 조직을 처리할 때는 suprapeichondrial plane으로 피판을 거상하여 피판에 붙어 있는 피하지방 등의 연부조직을 처리할 수도 있으나 균등하게 절제해 내기가 힘드므로 연부조직을 연골쪽에 붙여서 피판을 균등하게 거상한 뒤 바닥에서 처리하는 것이 좋다.

2차 수술로 보형물이 삽입되어 있거나 반흔구축이 있는 경우에는 피판을 거상할 때 당겨보면서 저항이 최소화되도록 반흔과 캡슐로부터 분리해야 하는데. 이때 캡슐로부터 박리가 수월하도록 hydrodissection을 하기도 하며 피판이 얇아지기 때문에 혈행 상태를 자주 확인하면서 박리를 해야 한다. 또한 캡슐로부터 피부 피판을 분리하는 과정 중에 캡슐을 무리하게 제거하려다가 자칫 피부의 굴곡을 초래할 수 있으므로 캡슐의 상태가 염증 소견 없이 얇고 안정되어 있다면 피부쪽으로의 캡슐면을 남길 수도 있으며 캡슐과의 박리 없이도 피판이 충분히 연장되는 경우에는 피부 피판의 두께를 보강하기 위하여 전체 캡슐을 피판쪽으로 붙일 수도 있다.

2) 연골 구조의 이완

Nasal tip 부위 연골 구조의 이완은 짧은 코를 연장하는 수술에 있어서 가장 중요한 과정이라 할 수 있다. 동양인은 lower lateral cartilage의 발육이 미약하며 피부나 연부조직이 잘 늘어나지 않는 경우가 많으므로 lower lateral cartilage의 완전한 분리 및 이완이 필요하여 훨씬 더 광범위한 박리가 요구된다. 기본적으로 nasal tip의 지지 구조물은 5가지로 upper lateral cartilage과 lower lateral cartilage 사이의 연결구조, lower lateral cartilage의 latral crus와 pyriform aperture의 연결구조(nasal hinge, 비경첩), lower lateral cartilage의 양쪽 dome 사이의 연결구조, lower lateral cartilage의 medial crus와 caudal septum 사이의 연결구조, 그리고 dermocartilaginous ligament (Pitanguy's ligament)로 이루어져 있다.

코를 연장하기 위해서는 이들 구조 및 구축된 반흔을 완전하게 이완시켜야 하는데, 동양인에서는 lower lateral cartilage의 latral crus 바깥부위까지도 깊고 넓은 박리가 필요한 경우가 많다. 이 nasal hinge부위는 nasal tip 지지에 중요한 역할을 하고 주요 혈관들이 주행하기 때문에 가능한 박리를 하지 않는 부위로 되어 있었다. 그러나 최근 동서양인 코의 해부학적 차이에 따른 임상적 재조명으로 동양인의 상대적으로 두껍고 질긴 피부와 짧은 공기 유입 경로 등의 특징으로 인해 비경첩 부위를 포함한 광범위한 박리가 코의 지지나 기능에 비교적 안전한 것으로 확인되었으며, 이러한 박리는 동양인 nasal tip 수술에 매우 중요한 과정 중의 하나로 받아들여지고 있다 (**그림 15-2**).

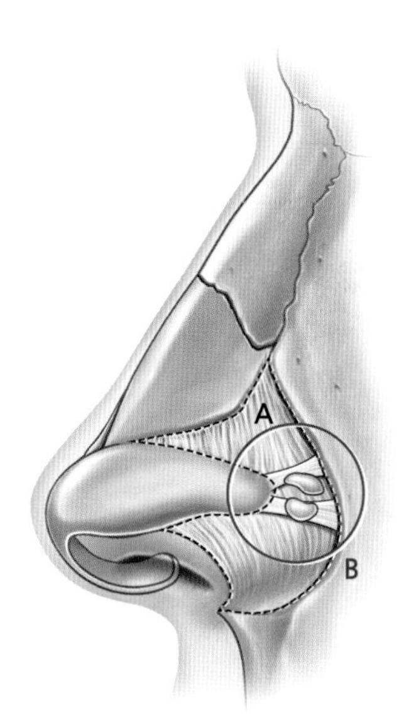

그림 15-2.
A. 이상구인대(pyriform ligament) B. 비경첩(nasal hinge)

(1) Lower lateral cartilage 주위의 해부학

Lower lateral cartilage 주위의 광범위한 fascial support인 pyriform ligament는 upper lateral cartilage와 lower lateral cartilage 사이와 비골로부터 anterior nasal spine에 걸쳐있는 광범위한 fascial support라 할 수 있으며 상악의 골막으로도 이행되고 있다(**그림 15-3**).

Lower lateral cartilage의 가장 외측 부위의 accessory cartilage와 pyriform ligament, 섬유성 조직, sesamoid cartilage 등으로 단단하게 연결되어 있는 부위를 nasal hinge라고 한다.

이 부위는 lower lateral cartilage의 lateral crus에 단단하게 연결되어 lower lateral cartilage를 이완할 때 lower lateral cartilage의 pivot motion 및 advancement를 제한하게 된다.

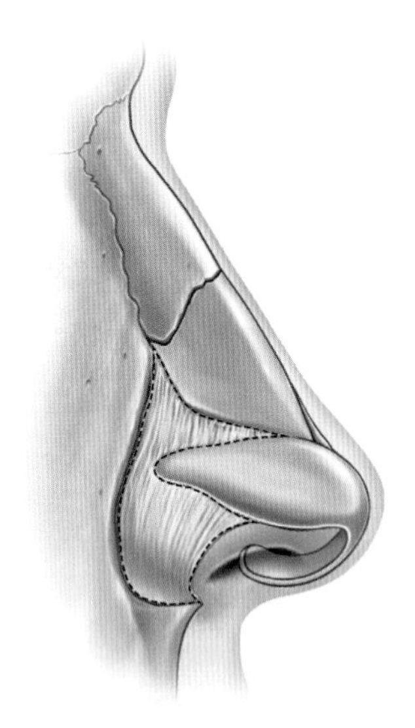

그림 15-3. 이상구인대(pyriform ligament)가 비익 연골 주위로 광범위한 네트웍을 이루는 모식도

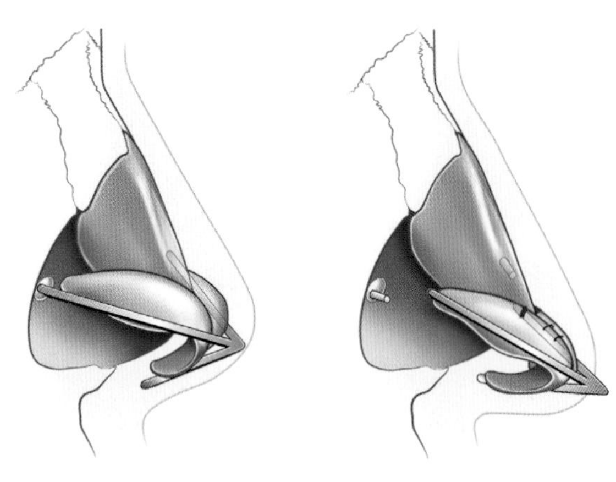

그림 15-4. 비첨연장봉합(tip extenfsion suture)의 모식도

Anderson의 삼각구조(tripod)의 두 다리에 해당하는 비경첩 부위(nasal hinge)까지 이완 되어야 삼각구조가 완전히 자유로워져서 전진 및 내측 이동이 가능하며 비첨연장봉합이 가능하다.

대개는 개방형 코 성형술 시에 upper lateral cartilage와 lower lateral cartilage 사이의 두루마리부(scroll area)만을 박리하여 lower lateral cartilage의 이동을 도모하게 되는데, 이는 lower lateral cartilage의 caudal rotation (derotation)을 포함한 제한적인 이동만 가능하게 된다. Anderson의 Tripod 이론에 의하면 고정된 양쪽 다리의 끝이 pyriform ligament의 nasal hinge부위에 해당한다고 할 수 있으며 이 구조를 이완시키게 되면 lower lateral cartilage의 충분한 caudal rotation 및 advancement 그리고 내측 혹은 외측 이동도 가능하여 tip extension suture나 alar retraction의 교정을 시행하는 데 유용하다(**그림 15-4**).

(2) 연골구조의 박리

개방형 절개 시 infra-cartilaginous incision을 lower lateral cartilage의 caudal margin을 따라 lateral로 가할 때 가능한 lateral crus의 가장 lateral까지 가한다. 이때 caudal margin이 확실히 인지되지 않는다면 연골 손상을 최소화하기 위해 피판을 거상하면서 조금씩 절개선을 연장하도록 한다. Lower lateral cartilage을 미측으로 당기면서 upper lateral cartilage와 lower lateral cartilage 사이 두루마리 부(scroll area) pyriform ligament(이상구인대)를 박리하여 이완시키는데 pyriform ligament는 여러 겹의 조직처럼 보이므로 비점막의 손상을 조심하면서 천천히 벗겨내듯이 박리한다. 이때 점막이 찢어지는 경우가 있는데 작은 크기라면 그냥 놔두어도 무방하며 결손이 생길 경우에는 점막이식이나 복합이식을 할 수 있다. 이렇게 거의 비점막만 남긴 채로 latral crus의 외측 깊숙이 더 박리하면 sesamoid complex나 pyriform margin이 보이게 되는데 이곳을 조심스럽게 완전히 박리하면 lower lateral cartilage가 이상구 연으로부터 완전히 자유로워지며 더 충분한 caudal rotation (derotation)뿐 아니라 caudal advancement도 가능함을 확인할 수 있다(**그림 15-5**).

이렇게 derotation이 되면 nasolabila angle이 좁아지고 코의 길이도 증가되는 것이며, nasal hinge area까지 이완되면 코의 길이를 더 증가시키거나 nasal tip을 높일 수록 여유를 얻을 수 있어 tip projection을 위한 다양한 봉합법을 시행할 때 nasal tip이 cephalic rotation되는 경향이 줄어들고 lower lateral cartilage의 latral crus를 medialization해도 pinching이 잘 일어나지 않는다. 미측 비중격의 길이와 높이가 확보되어 있는 경우에는 latral crus

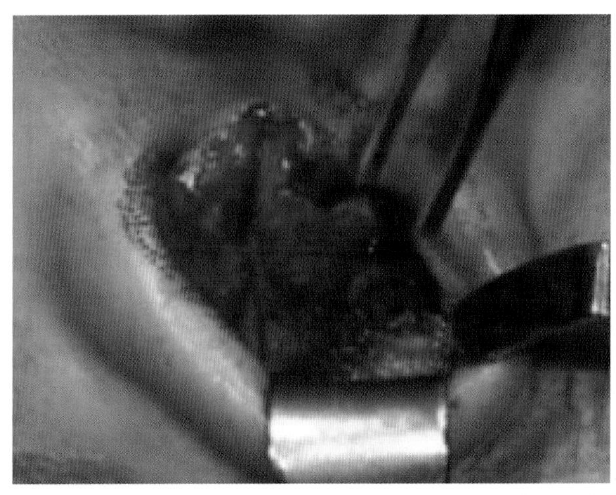
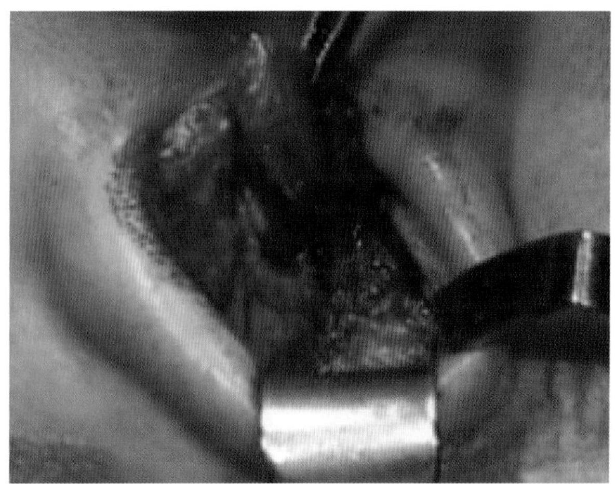

그림 15-5. 이상구 인대 및 비경첨 부위가 완전히 박리되어 비익 연골이 완전히 이완되어 늘린 사진

를 미측으로 전진시키면서 비중격에 봉합해서 고정해 주는 tip extension suture (TES)도 가능한데, 이때 lower lateral cartilage의 폭이 충분치 않은 경우이거나 비중격에 봉합하기 위하여 너무 심하게 내측 이동을 하는 경우에 pinching 현상 등의 모양 변형이 올 수 있으므로 주의하여야 한다.

이와 같이 lower lateral cartilage 주위의 광범위한 근막 조직을 이완시키게 되면 alar rim의 정적 자세를 유지시켜주는 retaining ligament가 이완되고 후 dilator naris posterior m.이 자연히 분리되게 되는데, alar base reduction을 할 때 재발의 위험을 줄이고, alar rim의 외측연 전체가 안으로 모이게 되어 좀 더 자연스러운 모양으로 줄일 수 있는 장점도 있다.

또한, nasal hinge 부위까지 완전히 박리가 되면 개방형 코수술의 시야가 훨씬 더 넓어지게 되고 충분한 공간까지 확보되어 개방 시야를 통한 lateral 및 medial osteotomy를 시행할 때 정확성 및 양측 대칭성을 향상시킬 수 있으며 충분한 시야하에서 철저한 지혈이 가능하여 광범위한 골막 거상으로 우려되는 술 후 부종도 최소화할 수 있다.

3) 이완 연장된 연골 구조의 고정

연장된 lower lateral cartilage를 고정하는 방법은 크게 봉합법, derotation graft, septal extension graft, rib cartilage를 사용한 extension graft (cantilever 형태, Lstrut 형태, K-wire columellar strut) 등으로 나눌 수 있다. 또한 alar retraction이 동반된 짧은 코의 경우는 nasal tip을 연장하면서 alar retraction이 더 심화되지 않도록 비익을 벌려서 고정하는 alar spreader graft를 하거나 alar extension graft 등을 시행할 수 있다.

모든 방법은 각각의 장단점과 필요성 정도에 따라 단독 혹은 병행해서 적용할 수 있으나 중요한 것은 어떤 방법을 사용하든 지지력에 의존하기보다는 충분하게 이완을 시키는 데 중점을 두어야 한다는 점이다. 짧은 코나 들린 코를 교정하고도 실패를 하는 원인의 대부분은 lower lateral cartilage의 이완이 부족한 경우일 것이다. 고정을 단단하게 하는 것이 중요하긴 하지만 지속적으로 작용하는 조직의 저항이나 반흔의 구축력은 생각보다 강하기 때문에 연장하고 싶은 정도의 길이까지 lower lateral cartilage를 늘려도 거의 저항이 없을 정도로 충분히 이완을 시켜야 하며 창상치유 과정 중에 안정된 반흔 주형(scar cast)이 생길 수 있도록 수술 중에 철저한 지혈과 염증의 예방 등이 이루어져야 한다.

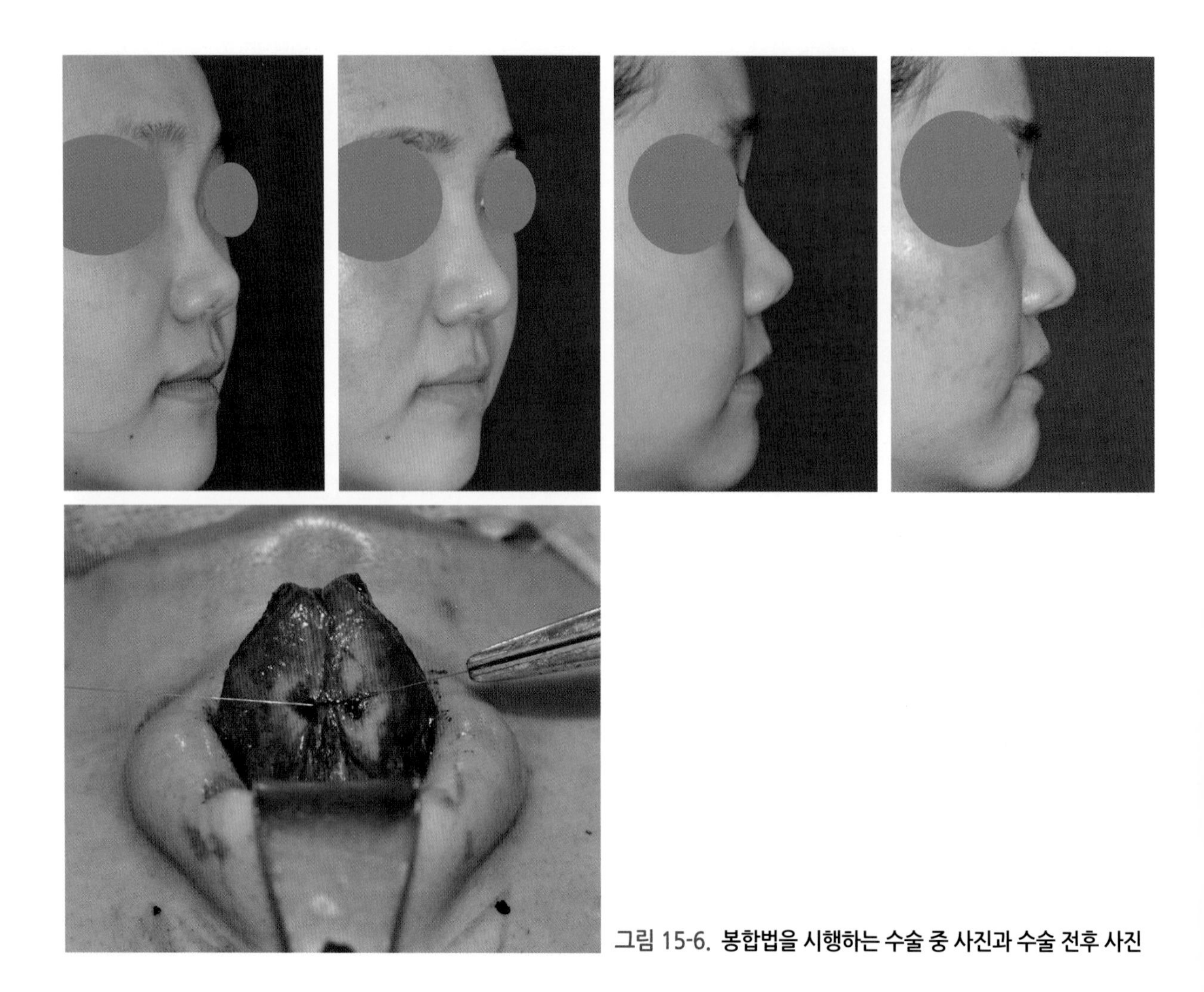

그림 15-6. 봉합법을 시행하는 수술 중 사진과 수술 전후 사진

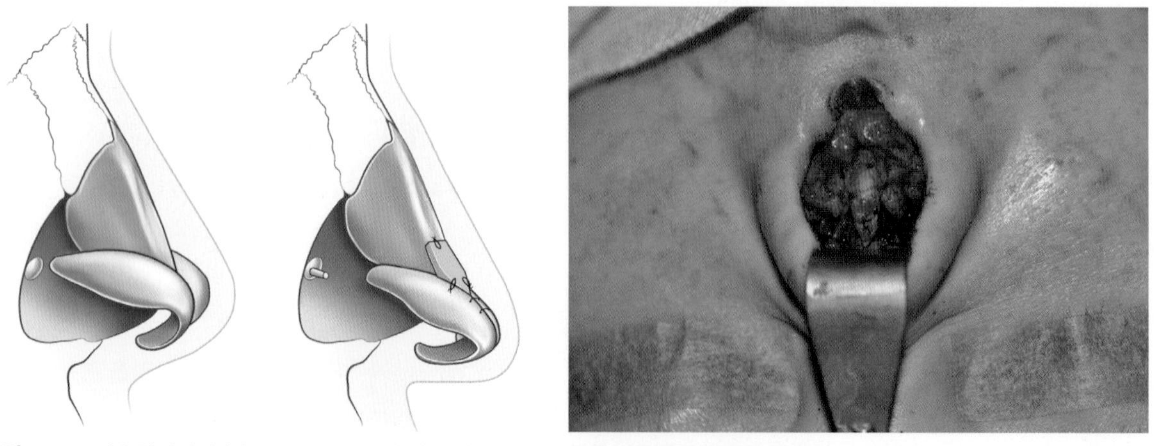

그림 15-7. 미측회전이식술(Derotation graft)의 모식도 및 귀연골을 이용하여 이식한 사진

(1) Tip extension suture (TES)

Lower lateral cartilage가 pyriform ligament로부터 완전히 이완되고 주변 반흔 조직으로부터 자유로워지면 caudal측뿐 아니라 medial측으로의 이동도 가능하게 되며 이렇게 이동된 lower lateral cartilage를 비중격의 caudal margin에 봉합해준다. 이러한 tip extension suture를 적용하려면 비중격의 길이나 높이가 연장 후 고정하기에 적당할 정도로 발육이 되어 있어야 하며, lower lateral cartilage의 발육도 봉합에 저항할 수 있을 정도는 되어 있어야 한다. lower lateral cartilage를 비중격에 봉합하기 위해 과도하게 내측으로 이동하는 것은 pinched deformity 등의 모양 이상을 유발할 수 있으므로 주의 하여야 하며, lower lateral cartilage의 발육이 충분하면 lower lateral cartilage가 caudal advancement하면서 자연스럽게 넓어지는 lower lateral cartilage의 모양에 따라 내측 이동을 많이 하지 않고도 비중격에 봉합을 할 수 있게 된다. 이렇게 lower lateral cartilage가 연장되어 비중격에 고정되면 lower lateral cartilage의 cephalic margin이 겹쳐지면서 불룩해지는데 이를 적절히 절제하고 봉합하면 자체 연골의 탄성과 장력으로 인하여 nasal tip의 부가적인 연장과 돌출을 얻을 수 있다(**그림 15-6**).

(2) Derotation graft

Lower lateral cartilage를 연장시킨 후 caudal septum의 dorsum 쪽에서 연골을 널판 형태로 dorsal batten graft 하는 방법이다. 이식편을 고정시킬 비중격의 길이나 높이가 어느 정도만 확보되어 있으면 작은 조각의 이식편으로도 효과적인 지지력을 얻을 수 있는 방법이다(**그림 15-7**). 연골 재료로는 유연하고 탄성이 좋은 귀연골이 좋으며, 이 방법은 columellar strut이나 septal extension graft 등과 병행하여 이용될 수도 있다. 경우에 따라 derotation의 추축(pivot)을 위한 columello-septal suture를 하여 회전 정도를 조절할 수도 있는데. 이는 목적에 따라 봉합하는 columella와 caudal septum의 높낮이를 변경하여 적용할 수 있으며 hanging columella가 동반된 경우를 효과적으로 교정할 수 있다.

이식편을 디자인할 때는 이식부위가 도드라지거나 너무 뭉툭해지지 않도록 주의하여야 하며, 이식편의 위치는 nasal tip의 모양이나 요구에 따라 lower lateral cartilage의 상부에 위치하거나 lower lateral cartilage의 하부

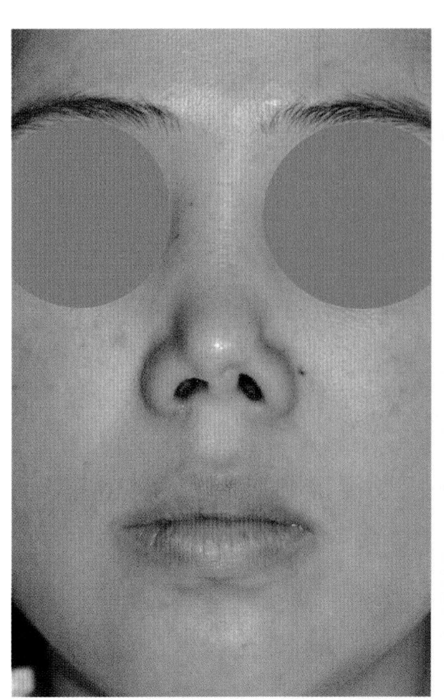
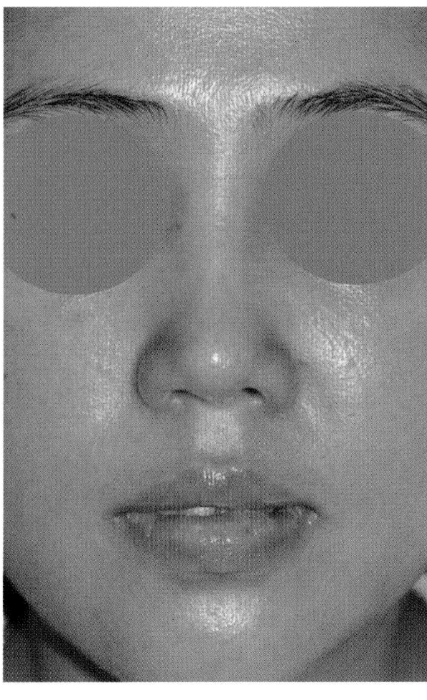
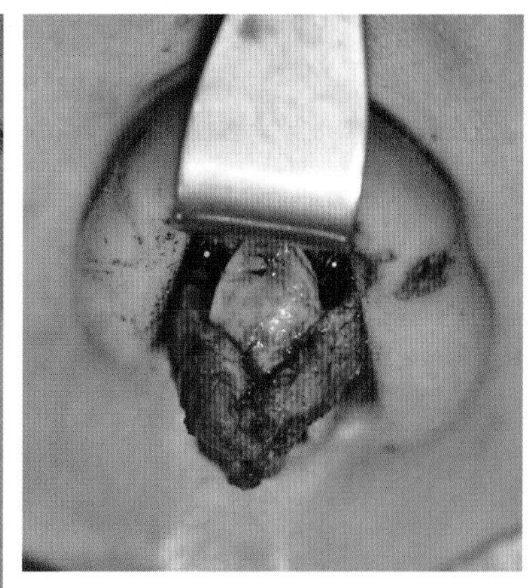

그림 15-8. 미측회전이식술의 증례
이식편을 비익연골 사이에 비교적 크고 넓게 끼운 형태로 연장 고정하여 찝힘변형(pinched tip deformity)과 들린코를 동시에 교정함.

에 끼워 넣어 alar spreader graft 형태로도 고정할 수 있는데. alar retraction이 있거나 pinched deformity이 동반된 경우에는 이를 동시에 교정할 수 있는 장점도 있다(**그림 15-8**).

Alar retraction이나 pinched deformity가 동반된 경우에는 lower lateral cartilage를 벌려 주는 것이 좋으므로 수직으로 고정하는 비중격 이식보다는 dorsal batten graft를 변형한 alar spreader graft을 하는 것이 효과적이며 비중격 이식을 해야 하는 경우에도 가능한 lower lateral cartilage을 벌려주는 술식을 병행하거나 직접 적인 alar extension graft를 하여 nasal tip을 연장하면서 alar rim retraction이 심화되는 것을 예방해야 한다(**그림 15-9**).

Alar retraction은 옆에서 보는 alar-columellar discrepancy를 근거로 nostril의 노출 정도로 분류할 수도 있지만 secondary case에서 발생하는 다양한 형태의 alar retraction을 기술하기에는 한계가 있고, 실제로 측면에서는 잘 안 보이지만 정면에서 alar notching의 양상으로 alar retraction 형태가 보이는 경우도 많다. Lower lateral cartilage의 lateral crus가 벌어짐과 관련이 있는 alar notching이 정면에서 보이는 위치에 따라 alar retraction을 내측형(medial type, AR type I), 중간형(central type, AR type II), 외측형(lateral type, AR type III)으로 나누는 새로운 분류는 진단 및 수술 계획을 수립하는 데 도움이 될 수 있다(**그림 15-10**).

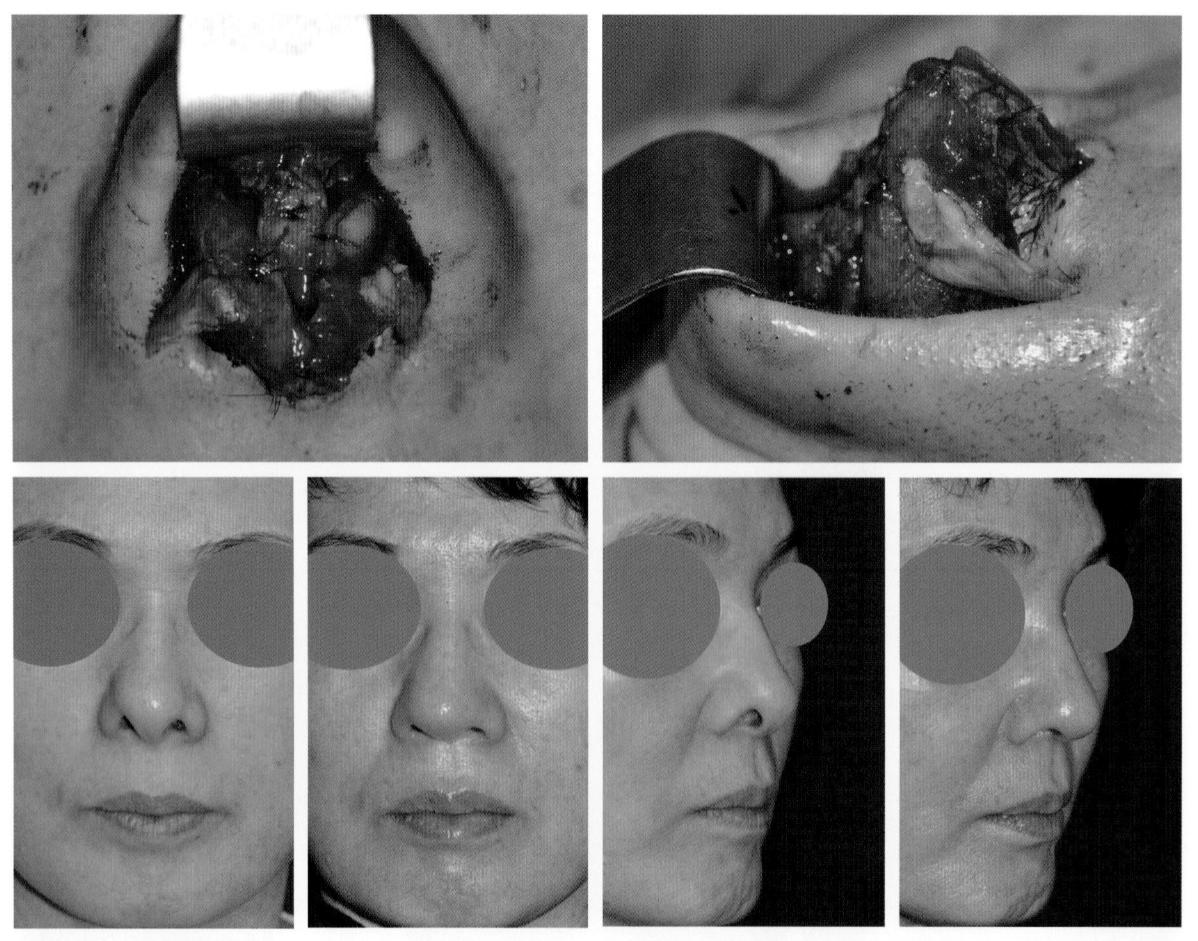

그림 15-9. 비익퇴축의 교정
alar spreader graft와alar extension graft를 동시에 적용하여 비익퇴축을 교정한 증례

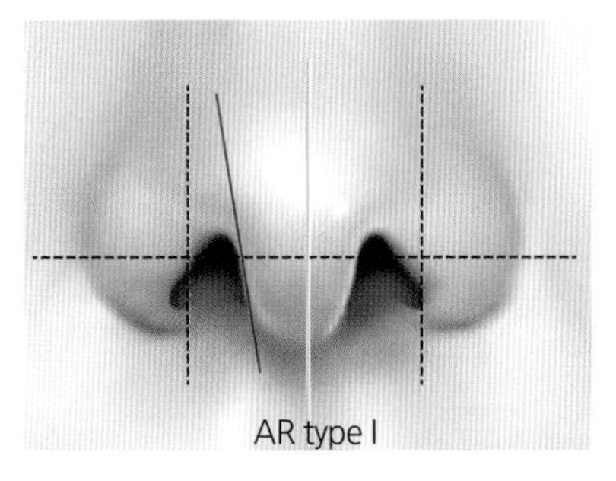

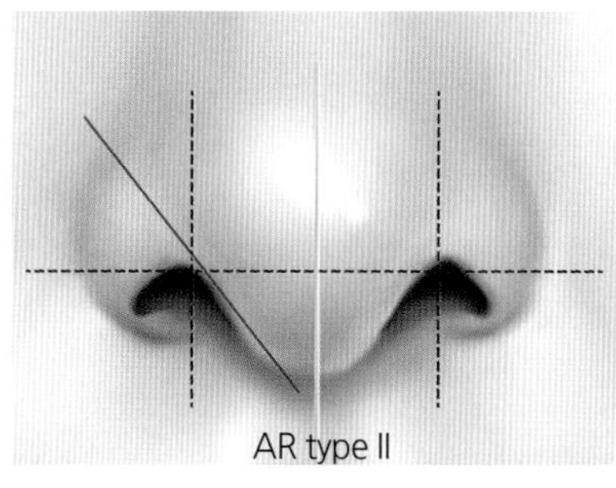

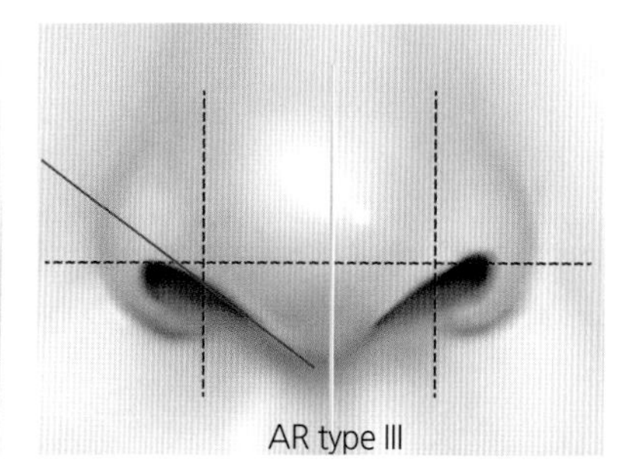

그림 15-10. 비익퇴축의새로운분류(alar retraction, AR)
AR type I : medial type, AR type II : central type, AR type III : lateral type

Nasal tip을 연장할 때 caudal side로 이동되는 lower lateral cartilage는 단단한 고정을 위해서 고정되는 연골 구조나 이식 연골에 모아져서 봉합이 되는 경우가 많다. 이때 alar retraction이 있는 경우는 정면으로 볼 때 더 medial type으로 바뀌어 지거나 nasal tip과 columella가 길어지면서 측면으로의 nostril 노출이 더 심해질 수도 있기 때문에 연장 이식의 방법을 잘 선택해야 하며 봉합 시에도 주의를 기울여야 한다.

(3) Septal extension graft

Septal extension graft는 코의 길이를 길게 해주고 nasal tip의 높이도 얻을 수 있는 매우 효과적인 수술이며 동양인의 코의 길이를 연장하는 수단으로 가장 많이 사용되는 술식일 것이다. 이 술식은 근본적인 nasal framework의 직접적인 길이를 연장하는 것이므로 구조적으로는 가장 안정적인 방법일 것이며, 이미 여러 성형외과 의사들을 통하여 다양한 형태의 septal extension graft의 방법이 제시된 바 있다. 비중격 연장술은 형태에 따라 spreader graft type, batten graft type, 그리고 직접적으로 비중격을 caudal쪽으로 연장시키는 direct extention graft type 등으로 나누어 만들고자 하는 nasal tip position에 따라 각각 다르게 적용할 수 있다. 동양인은 비중격 연골의 크기가 작기 때문에 bibilateral type으로 이식하기에는 무리가 있는 경우가 많으므로 여러 의사들에 의해 다양한 형태로 응용되어 널리 사용되고 있다.

① Septal extension graft의 단점을 극복하는 방법

i. 비중격 연골의 부족

동양인은 코가 작고 nostril도 작은 편이라 비중격을 채취하기가 힘들고 연골의 발육도 비교적 미약하여 채취 가능한 양도 부족한 편이다. 지지대 붕괴의 위험을 최대한 배제하고 최대 크기의 비중격을 채취해야 하는데, 비중격의 L-strut은 최소한 1 cm 이상을 남기는 것이 안전하나 비중격의 두께에 따라 2 mm 정도는 더 남기거나 덜 남겨도 될 것이다. Keystone 부위와 caudal angle 부위는 외부 충격에 대비하여 완만하게 절제하는 것이 좋으며, 아래쪽 연골부위 크기가 제법 되므로 이를 vomer로부터 완전하게 분리하여 채취하면 좀 더 많은 연골을 채취할 수 있다. 필요에 따라 골성 비중격도 조심스럽게 포함하여 채취하기도 한다(**그림 18-11**).

또한 부족한 연골을 이용하여 무리한 연장을 하여 고정하면 고정력이 너무 약하게 되고 그렇지 않으면 너무 소극적인 수술로 이어져 undercorerction이 될 수 있다. 한 방향의 고정력보다는 각각 다른 방향에서 고정을 하면 더 작은 힘으로도 강한 고정을 할 수 있는데, septal extension graft의 고정력이 부족하다면 dorsum의 derotation graft를 병행할 수도 있으며 tip extention suture 등 봉합법으로

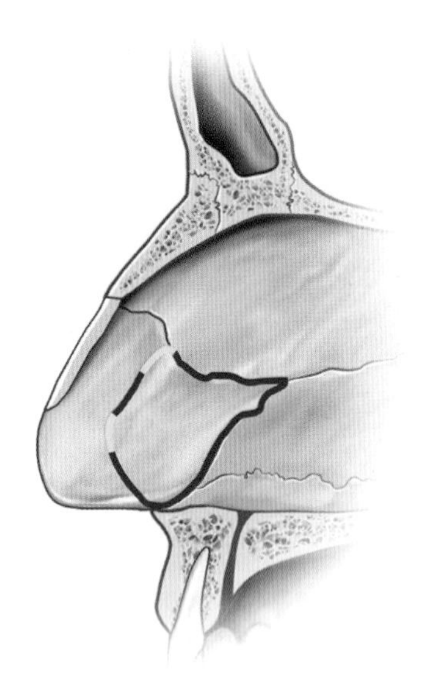

그림 15-11. 비중격의 채취 부위

L-지지대는 약 1 cm 정도 폭을 남기며 keystone과 septal angle 부위도 완만하게 절제하여 지지대의 붕괴와 휨 현상을 예방한다.

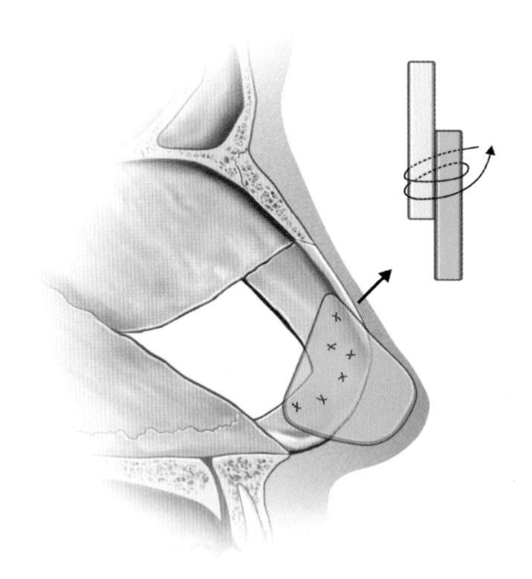

그림 15-12. 비중격의 L-지지대와 이식부가 만나는 위아래 축부위에 축잠금봉합(pivot-locking suture)를 하여 이식부의 불안정함을 줄일 수 있다.

부가적인 연장과 고정력을 얻을 수 있다. 또한 비중격 연골이 부족하다면 concha cartilage를 이용하여 일측성 혹은 양측성으로 batten graft 등을 더 하여 부족한 고정력을 보강할 수 있다.

ii. Tip drooping

Septal extension graft의 재발원인은 불안정한 고정, 과도한 연장, lower lateral cartilage나 반흔조직의 불완전한 이완 그리고 반흔구축 등으로 볼 수 있다.

좀 더 단단한 고정을 하기 위해서 이식부와 비중격의 접촉면을 가능한 넓게(3 mm 이상) 하고 고정 봉합은 4군데 이상으로 하며 이식부와 비중격의 L-strut이 만나는 등쪽과 caudal side에 축잠금봉합(pivot locking suture)을 하여 불안정함을 줄인다(**그림 15-12**). 접촉면을 넓게 하지 못하거나 직접 연장(direct extension)을 하는 경우에는 batten graft로 보강을 하는 것이 보다 더 안정적이다. Nasal tip의 기울어짐이나 nostril의 비대칭을 고려하여 한쪽에만 septal extension graft를 하기보다는 대개는 부가적인 지지 연골 이식을 하는 것이 좋은데, 동양인의 비중격 연골의 부족성을 고려하여 한쪽에 주된 extension graft를 대고 작은 조각의 unilateral batten graft을 하는 것이 동일한 크기로 양측성의 이식을 하기보다는 고정력의 획득과 함께 extension graft가 columella의 중앙으로 오게 하는 장점이 있고, 연골의 절약과 함께 이식 연골의 두께로 nostril의 크기가 줄어드는 단점도 극복할 수 있다(**그림 15-13**).

Septal extension을 하고 lower lateral cartilage를 고정할 때는 긴장(tension)을 최소화할 수 있도록 충분한 이완을 하여야 하는데, 이식연골에 의한 버팀목의 역할이 긴장에 대한 강한 지지대 역할이기보다는 반흔주형(scar cast)이 이루어질 때까지 최소한의 긴장으로 연장된 형태를 유지시켜주는 역할에 좀 더 비중이 있는 것이다. 불안정한 반흔 구축은 일단 시작되면 아주 강한 버팀목일지라도 변형이나 뒤틀림을 막기가 힘들기 때문에 충분한 tension free의 이완이 매우 중요하며 반흔 구축을

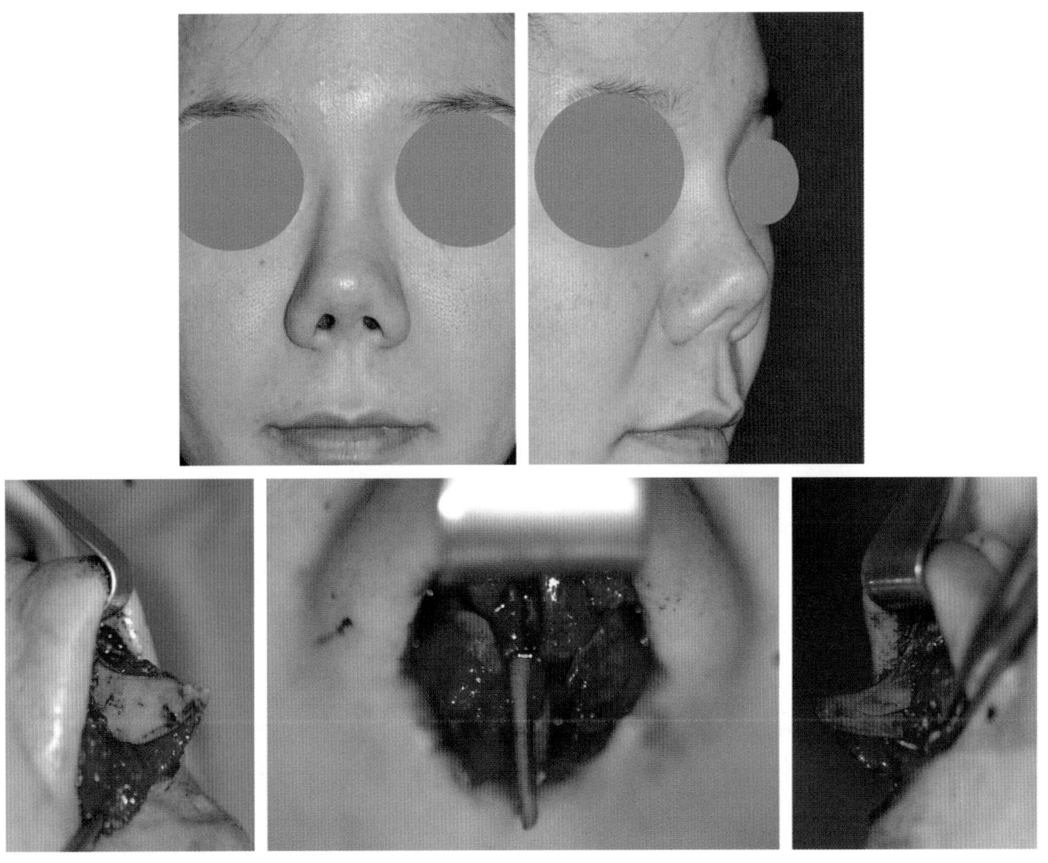

그림 15-13. 비중격연장술의 증례
membranous septum의 하부를 보존하고 반대편에는 unilateral batten graft로 보강한 수술 중 사진과 수술 전후 사진.

최소화하고 안정된 반흔주형을 이루기 위해서 철저한 지혈과 혈종 예방을 위한 드레인 및 다양한 부목과 압박 드레싱 등이 이루어져야 할 것이다.

② 부자연스럽고 딱딱한 nasal tip

성형외과 의사들이 septal extension graft를 기피하는 대부분의 이유는 nasal tip이 딱딱하고 움직이지 않아 어색하고 부자연스럽다는 점이다. 원칙적으로 nasal tip의 높이를 유지하기 위해서는 columella 기저부의 튼튼한 지지력이 중요하기 때문에 tip 높이 유지를 위한 septal extension graft가 columella의 아래 부분까지 내려와야 더 오랫동안 높이를 유지할 수가 있다. 하지만 이렇게 되면 코의 유연함에 중요한 역할을 하는 막성비중격(membranous septum)의 역할이 소실되기 때문에 코의 유연함이 떨어지고 nasal tip이 딱딱하고 부자연스럽게 보이기도 하는 것이다. 그러므로 septal extension graft의 주된 목적이 nasal tip의 높이를 유지해야 되는 편이거나 columella retraction을 보완해야하는 경우라면 columella의 기저부까지 보강하는 이식편의 디자인을 하지만, nasal tip의 연장이나 caudal rotation을 주된 목적으로 하는 환자라면 막성비중격의 아래쪽을 최대한 보존하는 형태로 연장 이식편을 디자인하는 것이다. 이때 고정력과 지지력이 다소 부족하다고 염려되면 이를 보완하기 위해 dorsal batten graft (derotation

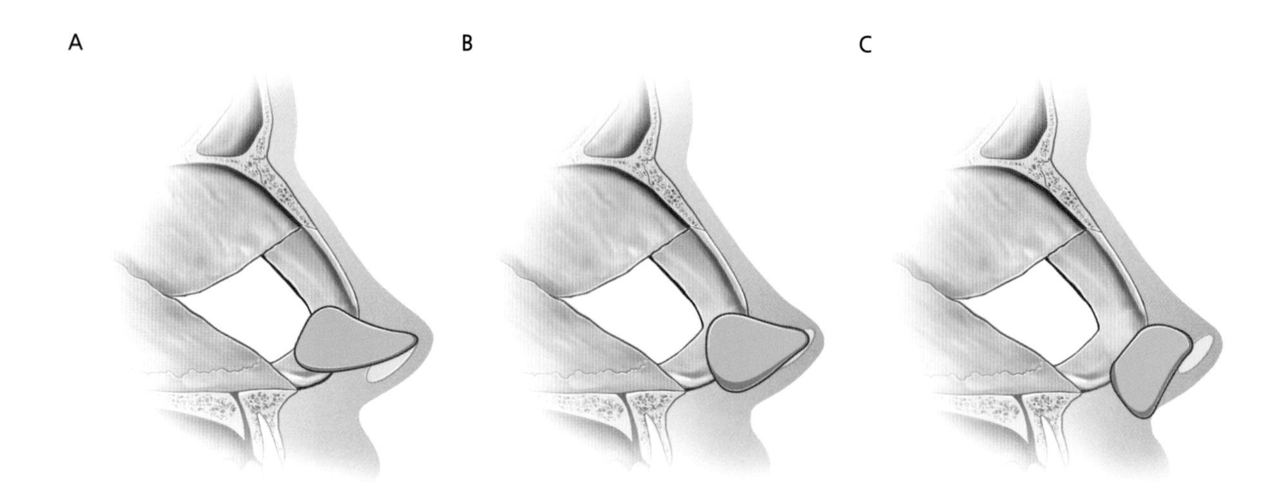

그림 15-14.
A. membranous septum의 하부를 많이 보존하는 형태: 코끝을 연장하는 것이 수술의 주된 목적일 경우 B. nasal base까지 튼튼하게 extension strut를 대는 형태: 코끝의 높이를 유지하는 것이 수술의 주된 목적일 경우 C. retracted columella를 교정하는 경우.

graft)와 unilateral batten graft 등 상기에 기술한 여러 방법들을 동원하여 보완하면 nasal tip의 높이를 최대한 유지하면서도 유연함과 자연스러움이 상당히 보전될 수 있다(**그림 15-14**).

4) 늑연골을 이용한 연장

여러 차례의 수술이나 감염 등으로 인해서 코의 조직이 구축이 심하고 흉조직이 단단하게 만들어져 있는 경우나 이전의 수술로 인해 사용 가능한 연골이 부족한 경우, 그리고 비중격의 약화로 인한 중앙 지지구조의 변형 등에는 늑연골을 사용할 수 있다.

늑연골은 대개 6번에서 10번까지 환자의 상태나 이식 방법에 따라 혹은 반흔 위치에 대한 환자의 선호에 따라 선택될 수 있으며, 전체 혹은 부분 채취를 하여 사용한다. 연골의 디자인은 다양하게 할 수 있어 batten graft type, cantilever(외팔보) 형태와 L-strut 형태 이외에 Kwire columella strut 형태 등이 많이 사용된다. Batten graft나 cantilever graft 등의 큰 조각이 요구되는 경우는 6, 7, 8번 늑연골을 사용하는데 여성의 경우 반흔이 덜 보이게 하기 위하여 유방 밑주름에 절개선을 가하여 채취를 하며 남성의 경우는 상의를 탈의할 때를 고려하여 흉곽의 모양에 따라 환자와 협의하여 절개선을 결정한다. 절개선 그림 9, 10번 늑연골은 해부학적으로 흉막 손상의 위험이 없고 1~2 cm 정도의 작은 절개로도 채취가 가능하므로 국소마취로도 채취가 용이하다(**그림 15-**

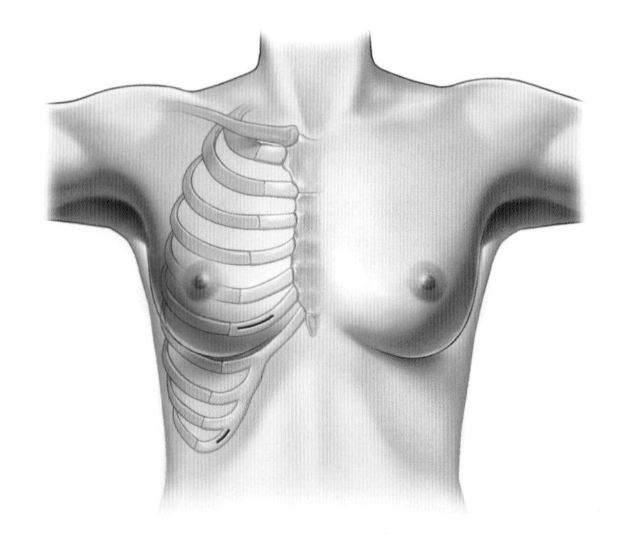

그림 15-15. 늑연골 채취의 절개 부위
여성의 경우 대개 유방 밑주름 부위로 6, 7번 연골을 채취하여 반흔을 감추며 9, 10번 연골부위에서는 보다 작은 절개로도 채취 가능하다.

15).

또한 10번 늑연골은 특별히 조각이 필요 없이 그대로 사용이 가능하여 휘어짐에 대한 우려를 줄일 수가 있으며 연골의 원래 모양을 그대로 이용하면서 columellar strut으로 사용할 수 있다. K-wire를 이용하여 columellar strut을 anterior nasal spine에 고정하면 nasal tip 연장이나 변형을 교정하는 데에 있어서 강한 지지력을 얻을 수 있다.

5) Dorsal augmentation 및 부가적 nasal tip의 onlay graft

Dorsum이 낮거나 이차 수술로 dorsum의 높이를 바꾸어야 할 경우에 어울리는 dorsum의 높이를 예측하는 것은 매우 중요하다. Nasal tip을 잘 교정하고도 콧대의 높이를 잘못 정하여 환자들에게 불만을 듣는 경우가 의외로 많은데, 이는 nasal tip이 연장되면서 변하는 코의 전체적인 높이와 얼굴 전체적인 균형을 잘 예측하지 못했기 때문이다. Nasal tip이 들려 있고 naso frontal angle이 감소되어 있으면 콧등이 낮다고 느끼며, 들린 nasal tip을 내리고 코가 길어지면 실제 콧대보다 높아지는 효과가 있게 된다. 또한 미간 부위가 높아지면 코가 상방으로 이동하는 것과 같은 효과가 있으므로 수술 전에 전체적인 얼굴의 비율을 고려하여 콧등의 높이를 정해야 한다.

Dorsal augmentation의 재료로는 실리콘, 고어텍스 등 인공 보형물이나 자가연골, 진피 및 근막 등이 사용될 수 있다.

Nasal tip의 onlay graft는 그것만으로 코를 연장하기는 힘들지만 nasal tip 연골 조직을 충분히 연장시켜 고정한 뒤 nasal tip의 모양을 증진시키거나 미세한 부가적 연장을 하는 데는 매우 유용하게 사용되는 방법이다. Onlay graft를 할 때는 nasal tip의 피부두께를 고려하여 피부가 두꺼운 편이라면 중첩이식을 여러 겹 하거나 각을 세워서 해도 되지만 조금이라도 연골의 경계(demarcation)가 보일 위험이 있다면 연골의 전체나 변연부에 압좌(morselization)를 하여 이식해야만 수술 부종이 빠진 뒤에 경계가 보이는 것을 최대한 방지할 수 있다.

6) 봉합 및 부목

피부의 봉합은 비흡수 봉합사를 사용하여 봉합을 하는데 코 안쪽의 점막 부위는 대게 흡수성 봉합사를 사용하는 것이 수술 후 치료에 용이하다. 봉합할 때는 columella의 중앙을 잘 맞추고 soft triangle을 주의해서 봉합하여 nostril의 비대칭이 생기지 않도록 주의하여야 한다. 또한 안정된 반흔주형(scar cast)을 형성하기 위해서 봉합 전에 철저한 지혈과 세척을 시행하며 다양한 방법의 압박 드레싱을 시행하여 혈종이 생기지 않도록 주의하여야 하는데 특히 두루마리부(scroll area)를 포함한 pyriform ligament를 박리한 부위는 비후성 반흔이 생기기 쉬운 부위이므로 외부 부목뿐 아니라 nostril 내부에서도 압박을 철저히 하여야 한다(**그림 15-16**).

또한 짧은 코를 교정하는 수술은 조직의 박리가 광범위하고 특히 이차 수술인 경우에는 주된 혈행 분지의 손상이 많기 때문에 피부의 혈행 상태에 매우 세심한 주의를 요하여 수술 후에는 장시간의 압박 드레싱이나 종이

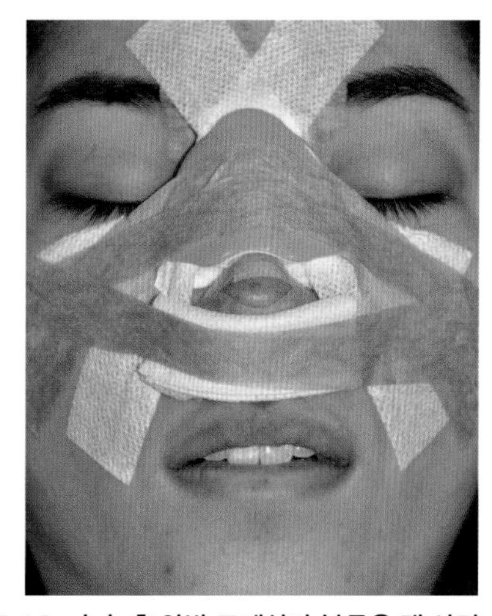

그림 15-16. 수술 후 압박 드레싱과 부목을 댄 사진
피부가 직접 닿는 부위는 딱딱한 부목을 직접 대는 것보다는 거즈 등을 말아 압박한 뒤에 부목으로 누르는 것이 피부 손상을 예방할 수 있으며 압박에도 더 효과적이다.

테이프 등에 의한 미세 혈행 순환 장애를 철저히 확인하여야 한다.

4. 요약

짧은 코의 교정은 기존의 연골 구조나 발육상태, 이전 수술에 의한 반흔 정도, 이전의 보형물로 인한 피막의 상태, 비중격이나 귀연골 등의 사용 유무에 따라 다양한 수술 방법을 단독으로 혹은 병행하여 적용할 수 있어야 한다. 수술 전 철저한 진찰과 진단 그리고 세밀한 수술 계획이 수립되어야 함은 틀림이 없으나 전자에 기술한 여러 가지 변수와 동양인의 두꺼운 연부 조직 등을 감안할 때 한 가지 방법만을 계획하고 그 방법에만 의존하려 한다면 수술에 실패할 확률이 있다. 구체적인 수술 방법은 수술 중에도 수정될 수 있음을 대비하여야 하며, 이는 환자에게도 주지시켜야 할 것이다.

따라서 이러한 상황에 대처할 수 있도록 성형외과 의사들은 다양한 수술 방법을 염두에 두어야 하고 숙지하여야 할 것이다.

참고문헌

1. 김재훈, 오원석, 박성완, 김국현 : 들창코의 정도에 따른 다양한 코성형 술. 대한미용성형외과학회지 2010; 16(1): 21-34
2. Kim JH, Park SW, Oh WS, Lee JH : New Classification of Alar Retraction Using the Alar Spreader Graft. Aesth Plast Surg 2012; 36: 832-841
3. Kim JH, Song JW, Park SW, Oh WS, Lee JH : Effective Septal Extension Graft for Asian Rhinoplasty. Arch Plast Surg 2014;41:3-11
4. 김재훈 : Surgical guides for overcoming disadvantages of septal extension graft in asians. Rhinoplasty symposium in Seoul 2009;54-57
5. 한승규 : 한국인 코의 해부학적 특징. 대한미용성형외과학회지 2005; 11(1):1
6. 대한성형외과학회 코성형연구회 : 아시아인 코성형술의 최신지견 수술가이드. 제1판. 군자출판사, 2011
7. 김현수 : 이차코수술에 적합한 콧등 융기술, 대한미용성형외과학회지 2008; 14(2): 79
8. 백무현 : 짧은 코의 교정. 대한미용성형외과학회지 2005; 11(1): 22
9. 오상하, 정재용 : 축잠금봉합 대한미용성형외과학회지 2008; 14(2): 173
10. 조태영 : Tripod projection and lengthening by septal extension graft. Rhinoplasty symposium Seoul 2009; 49-53
11. 서만군 : Septal cartilage harvest. Rhinoplasty symposium Seoul 2009; 20-24
12. Rod J. Rohrich, Ronald E. Hoxworth : The pyriform Ligament. Plast Reconst Surg 2008; 121: 277
13. Adamson PA, and Morrow TA : The nasal hinge. Otolaryngol Head Neck Surg 1994; 111: 219
14. Ann Letourneau and Rollin K. Daniel : The superficial musculoaponeurotic system of the nose. Plast Reconstr Surg 1998; 82 : 48
15. Han SK, Erick G. Dicut, Kim SB : Factors affecting nostril shape in asian noses. Plast Reconstr Surg 2006; 118: 1613
16. HAN SK, LEE DY : The effect of releasing tip-supporting structures in short-nose correction. Ann plast Surg 2005; 54: 375
17. Tebbetts JB : Primary rhinoplasty , A new approach to the logic and the techniques. 1st ed, St. Louis, Mosby Co., 1998;5
18. H.Steve Byrd, Scott Andochick : septal extension graft : A method of controlling tip project shape. Plast Reconstr Surg 1997; 100:999
19. Gunter JP, Rohrich RJ : Lengthening the aesthetically short nose. Plast Reconstr Surg 1989; 83: 793
20. Nasal base reduction : A treatment algorithm including alar rease with medialization. Plast Reconstr Surg 2009; 123: 716
21. Gunter JP, Clark CP : Internal stabilization of autogenous rib cartilage grafts in rhinoplasty : a barrier to cartilage warping. Plast Reconstr Surg 1997; 100: 161
22. Tebbetts JB : Shaping and repositioning the nasal tip without structure disrupyion : a new systemic appoach. Plast Reconstr Surg 1994; 94: 61

23. Kim JH, Song JW, Park SW: Tip Extension Suture: A new Tool Tailored for Asian Rhinoplasty Plast and Reconstr Surg Nov 2014; 134:907-916
24. Hwang SH, Hwang G, Kim JH: Anatomy of the Tenth Costal Cartilage for a Columella Strut in an Asian Rhinoplasty J of Craniofac Surg 2016;26 927-929
25. Kim JH, JW Song, Park SW: 10th Rib Cartilage: Another Option of the Costal Cartilage for Rhinoplasty Arch of Aesth Plast Surg Jun 2015;21 47
26. KIM JH : Intention of Releasing Nasal Hinge for Asian Rhinoplasty Rhinoplasty Symposium Seoul 2010; 47

CHAPTER 16

긴 코의 교정 | Correction of Long Nose

Chapter Author | 양순재

Long nose는 다양한 해부학적인 불균형에 의해 나타나고, 실제보다 더 나이가 들어 보이게 하며, 실제로 코가 길지 않더라도 길어 보이는 것일 수도 있다. 긴 코의 수술은 해부학적인 문제를 고려하여 수술을 계획해야 한다.

1. 수술 전 분석

Byrd와 Hobar에 의하면 이상적인 코의 길이(radix에서 tip까지; RT)는 중안면(glabella에서부터 alar base plane까지)의 0.67배이고, RT는 stomion에서 mentum까지의 거리와 비슷하다. Radix projection은 RT의 0.28배이고, 이는 9-14 mm 정도 된다. alar-cheek junction으로부터의 이상적인 tip projection은 RT의 0.67배이다. 임상적으로 여자는 정면에서 보았을 때 nostril의 1/2에서 2/3가 보이지 않으면 인상이 답답해 보이므로 이상적인 collumelar-labial angle은 여자는 85도에서 95도이며, 남자는 정면에서 보았을 때 1/3 이상 보이면 들창코라 생각하기 때문에 남자의 이상적인 collumelar-labial angle은 80도에서 90도라 생각한다(**그림 16-1**). 이 각이 예각인 경우 긴 코처럼 보일 수 있고 반면에, 실제로 코의 길이가 길지만 caudal septal overgrowth가 있는 경우 길게 보이지 않을 수도 있다.

2. 원인과 해부학

코가 길어 보이는 이유 중 드물게 radix가 높은 경우가 있다. Roman nose 같이 radix가 높은 경우 전두골과 코뼈의 과돌출(overprojection)이 생기며, procerus m.이 두꺼운 경우에도 이마와 연결되어 보이기 때문에 코가 길어 보이게 된다.

코가 길어 보이는 흔한 이유는 nasal tip이 caudal portion쪽으로 위치한 경우로서 원인은 크게 두 가지로, nasal tip의 지지가 부족한 경우와 실제로 비중격과 lower lateral cartilage가 긴 경우이다. nasal tip의 지지가 부족한 경우 입술을 움직이는 힘과 중력에 의해 nasal tip의 돌출이 제한되고 아래로 돌아가 보여 nasal tip이 아래와 뒤쪽으로 움직여 코가 길어 보이고 콧등이 볼록해진다. Supratip 부위에서 anterior septal angle이 더 부풀어 보이는 것이며, 이는 웃을 때 더 두드러져 보인다. Nasal tip 지지가 부족해진 이유는 발달과정(developmental), 외상, 이전의 코 수술에 의한 경우, 노화과정(aging) 등

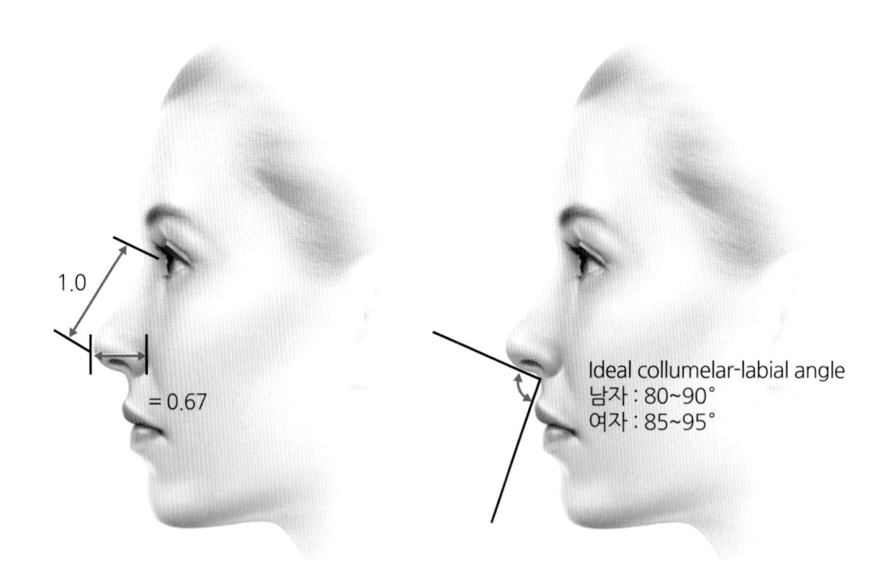

그림 16-1. 이상적인 columelar-labial angle은 여자는 65도에서 95도, 남자는 80도에서 90도이다.

이 있다. 발달과정상 nasal tip의 지지가 약해진 경우에는 lower lateral cartilage가 작고, upper lateral cartilage와 lower lateral cartilage 사이의 섬유성 연결과 dome에서 medial crura와 비중격 사이의 섬유성 연결이 약한 경향이 있다. 비중격은 작거나 underprojection 되어 있다. facial cleft나 midface hypoplasia에서도 ala 주위의 결함에 의해 코가 길어 보일 수 있다. 외상에 의한 경우 비중격 지지가 약해지면서 동반되는 경우가 많다. 외상에 의해 코뼈보다 비중격연골의 손상이 발생하고 이런 비중격의 골절이나 위치 변동에 의해 tip 지지가 약해지면서 collumela의 retraction이 동반된다. 코뼈나 maxilla, nasal spine, 치아 결손이나 alveolar bone의 결손도 nasal tip 지지에 영향을 준다. 코 성형 수술 중에도 대부분 섬유조직의 파괴가 동반되며 이는 nasal tip 지지를 약하게 할 수 있다. 따라서 연골과 anterior nasal spine의 절제 및 불필요한 조작을 최소화해야 한다. 나이가 들면서 따라 코는 길어지는 변화를 보인다. 코의 지지기반들이 퇴축하는데, 특히 이러한 퇴축은 lower lateral cartilage에서 비중격연골과 upper lateral cartilage를 연결하는 섬유조직에서 잘 일어난다. 연골은 두꺼워지고 골화되기도 하며, lateral crus는 아래쪽으로 이동한다. Medial crura가 떨어지면서 collumelar show가 심해진다. 뼈와 지방조직의 흡수는 medial crura의 지지를 더욱 약하게 만들고, 이는 collumelar-labial angle을 예각(acute)으로 만든다. Alveolar bone과 maxilla가 흡수되어 midface가 짧아지면서 상대적으로 코가 길어 보인다. 또 다른 요인으로는 피부 장력이 떨어지는 것이 있고, 특히 남성에서는 피지선이 커지면서 nasal tip이 커지는 것도 이유가 될 수 있다.

비중격 연골과 lower lateral cartilage의 불균형적인 과성장도 코가 길어 보이게 할 수 있다. Upper lateral cartilage와 lower lateral cartilage의 과성장은 lower lateral cartilage의 위치를 변화시킨다. 비중격의 불균형에 의한 긴 코는 아래쪽으로 돌아가고 over projection을 보일 뿐만 아니라 collumellar-labial angle이 둔해지고(blunt) 윗입술이 짧아지는 양상을 보인다. 비중격연골의 과성장은 콧등쪽 비중격 연골이 큰 경우(dorsal septal hypertrophy)와 미측 비중격 연골이 큰 경우(caudal septal hypertrophy)로 나눠지기도 한다.

3. 수술적 치료

1) High radix(코 뿌리점이 높은 경우)

Radix가 높은 경우 교정이 다소 어려운데, 이는, 뼈가 매우 단단하고 bone reduction의 25% 정도만 연부조직으로 반영되어 나타나기 때문이다. Rasp를 이용해 줄여도 육안으로 티가 나지 않아 high speed burr가 효과적이다. Daniel은 2 mm의 가시적인 효과를 위해서는 뼈를 8 mm 제거해야 한다고 하였다. 또한, 보존적인 방법으로 두꺼워진 근육을 제거하기도 한다. Nasofrontal junction을 깊게 만들 때 정상적으로 좁았던 intercanthal bridge가 넓게 보여질 수 있음을 주의해야한다.

2) Nasal tip의 지지가 없거나 부족한 경우

nasal tip의 지지가 부족해서 생긴 긴 코는 뼈 구조물들이 길거나 큰 것이 아니기 때문에 절제가 크게 필요하지 않다. 이는 손가락으로 코를 cephalic 쪽으로 미는 것만으로도 코가 짧아지는 것을 볼 수 있다. 우선은 nasal tip의 지지를 다져야 한다. Constantian은 nasal tip의 하수는 지지가 강해질수록 늘어난 길이를 교정할 수 있다고 하였다. 나이든 사람에서 코의 비중격은 길지 않으나, 막성 비중격(membranous septum)은 길 수 있다. strut을 사용하여 nasal tip의 안정성을 확보하는 것이 많이 사용된다.

Tip complex를 비중격에 봉합하거나 이식하는 술기가 tip의 위치를 조절하는 데 가장 유용하다. 이러한 방법으로 Tebbetts 은 projection control suture 와 tip rotation suture 두 가지를 소개했다. Projection control suture는 medial crura와 septum을 suture하고, tip rotation suture는 medial crura의 cephalic border보다 앞쪽과 anterior septal angle 근처의 dorsal septum을 suture한다. 반면, Gruber는 crural septal suture를 사용하였는데, 이는 middle crura 사이의 fibrous tissue와 caudal septum을 suture하고, caudal septum의 suture 부위는 rotation과 projection 양에 따라 결정한다. 여기에 transdomal과 interdomal suture도 도움이 된다(**그림 16-3, 4**). Caudal septum 위에 medial crura를 얹는 것도 nasal tip의 rotation과 projection을 조절할 수 있으며 원하는 nasal tip의 위치만큼 septal extension graft를 이용하여 septum을 연장하는 것도 유용하다.

긴 코의 수술은 수술 후 다시 긴 코로 돌아갈 수 있는 문제들을 고려하여 피하박리를 잘하고, nasal tip과 돔을 연결하는 suspensory ligament들이 high septal angle에 기대는 부분들을 풀어놓거나(release) septal angle trimming을 해야 한다. Lower lateral cartilage의 lateral crus와 upper lateral cartilage가 연결되는 부분이 nasal tip의 회전을 방해할 수도 있어 intercartilaginous incision이나 lateral crus의 cephalic trimming이 필요할 수 있다. 또한 이런 것들이 다 풀어져 있다 하더라도 lateral crus가 길거나 piriform aperture에 높게 붙어 있다면 회전하는 데 저항을 보일 수도 있다. Lateral crus가 upper lateral cartilage와 붙어 있음으로 해서 nasal tip이 움직이는 데 저항을 보이는 경우, lateral crural spanning suture로 이러한 볼록함을 해결할 수는 있지만, lateral crus가 회전에 저항하는 힘은 여전히 남아있어 suture를 이용하여 재구성하기 전에 lateral crus를 자유롭게 하는 것이 우선되어야 한다.

선천적으로 nasal tip이 약한 사람에서는, lower lateral cartilage가 작거나 약할 수 있어 septal extension graft하고 추가적인 volume 증대와 projection이 필요하다면 shield type이나 onlay type의 tip graft를 사용할 수도 있다. 또한 중간과 내측각의 caudal shaving을 포함한 infratip area를 다듬는 작업으로 추가적으로 코의 길이를 줄여줄 수 있다.

Alar 주변부의 결손을 보이는 retrognathic maxilla 같은 경우 Lefort I 절골술을 고려할 수도 있고, onlay graft나 고어텍스와 같은 implant도 유용하게 사용할 수 있다. Nasal spine에만 국한된 결손이라면 layered cartilage graft나 multiple stuffed cartilage plumping graft도 효과적이다. 뒤쪽으로 넓어지는 collumellar strut도 고려할 수 있다. 노화에 의해 나이가 있는 환자에서 nasal tip이 떨어

진 경우에는, 보존적으로 접근하는 것이 좋다.

(임상 예)

1. 수술 전 사진

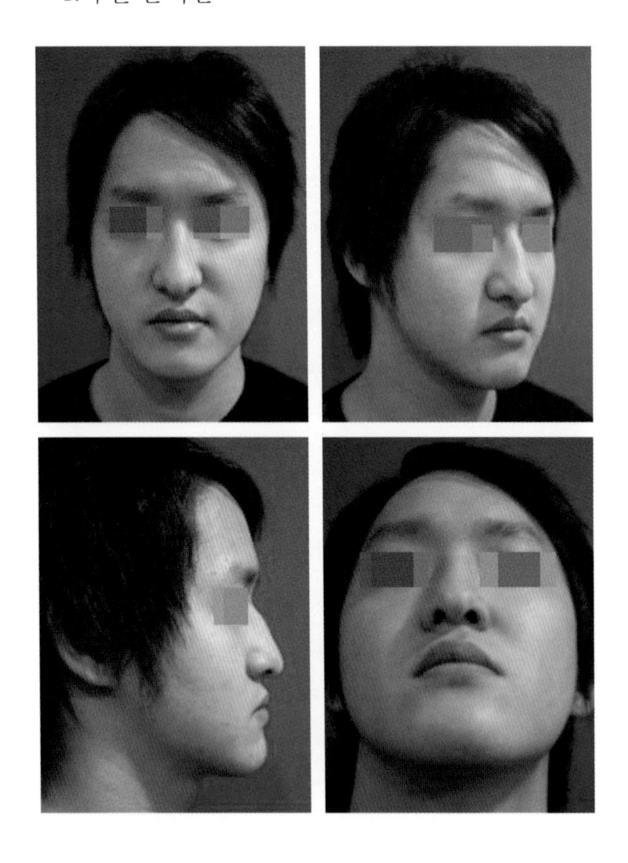

2. Surgical plan
   · Reduction of dorsal hump
   · Endonasal approach through the marginal incision
   · Ala sculpturing procedure

3. 수술 중 사진

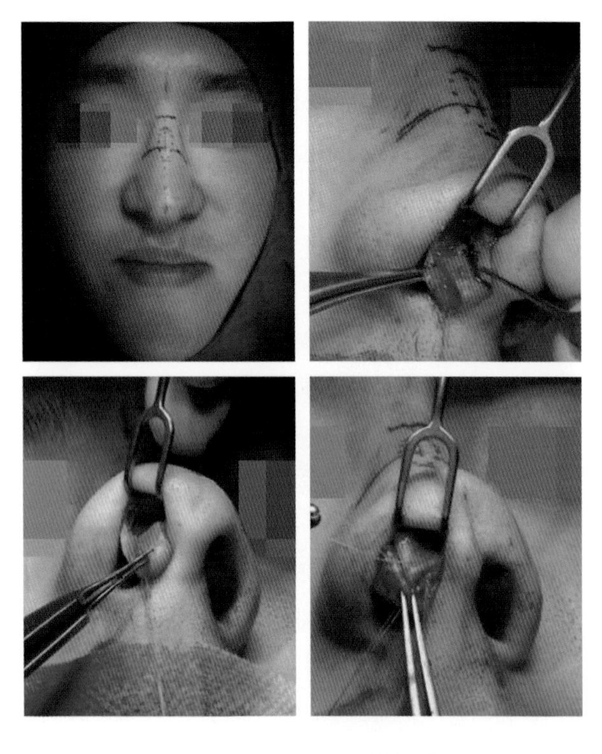

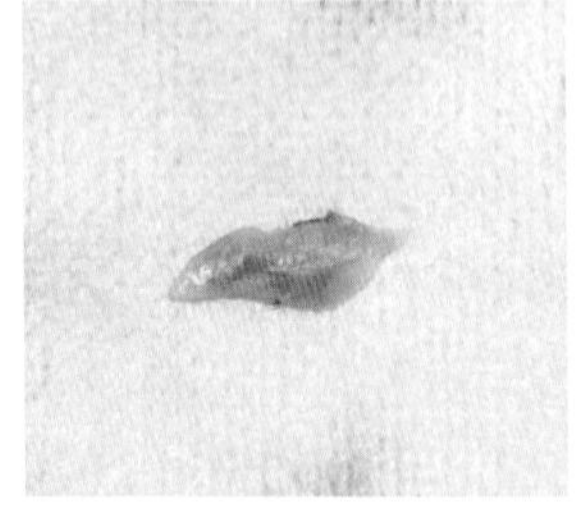

Dorsal hump

Cephalomedial volume reduction

4. 수술 후 사진

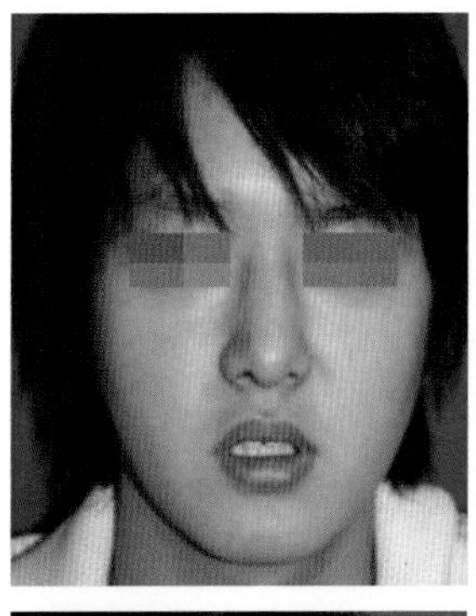
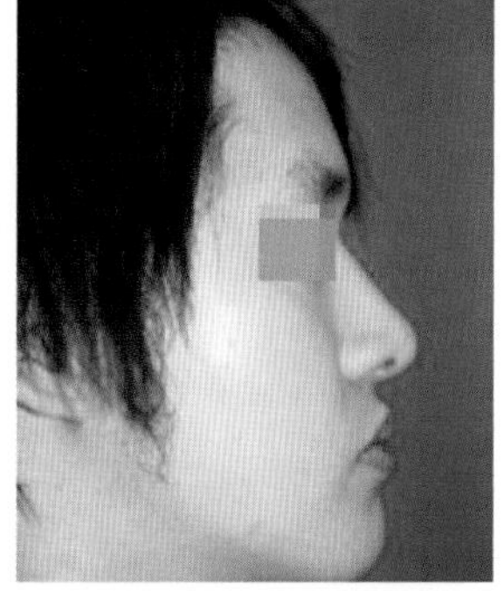
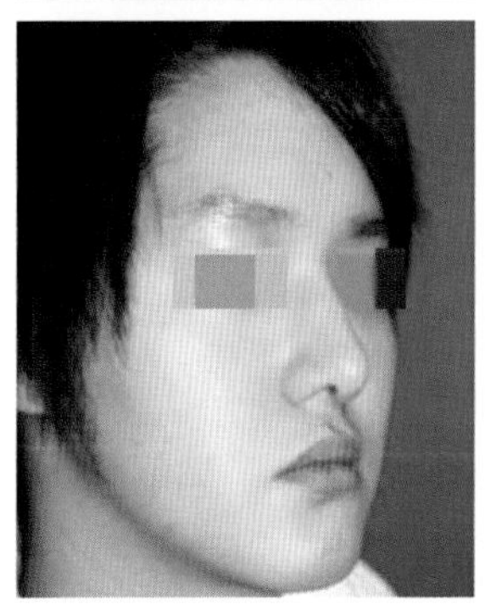
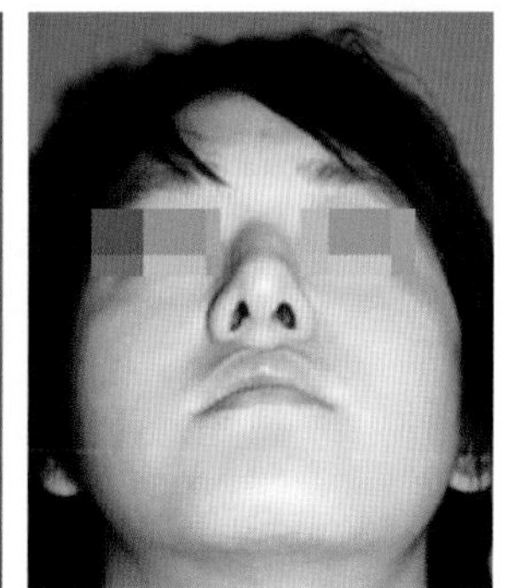

참고문헌

1. Byrd HS, Hobar PC. rhinoplasty: a practical guide for surgical planning. Plast Reconstr Surg 1993; 91: 642-54.
2. Daniel R. The long nose. dallas rhinoplasty symp 1994; 11: 149.
3. Gunter JP, Rohrich RJ, Friedman RM, et al: Surgical correction of the long nose. In: Gunter J.P., Rohrich R.J., Adams Jr W.P., ed. Dallas rhinoplasty: nasal surgery by the masters, St Louis: Quality Medical Publishing, 2002; 528-54.
4. Tardy ME. Rhinoplasty in midlife and aging patients. in tardy me, ed. rhinoplasty: the art and the science, vol 2. philadelphia: WB saunders, 1997.
5. Rohrich R, Hollier LH. Rhinoplasty with advancing age. Clin Plast Surg 1996; 23: 281-96.
6. Tardy ME, Walter MA, Patt BS. The overprojecting nose: anatomic component analysis and repair. Facial Plast Surg 1993; 9: 306-16.
7. Daniel RK. The radix. In daniel RK, ed. Aesthetic plastic surgery: rhinoplasty. boston: little, brown, 1993.
8. Constantian MB. Functional effects of alar cartilage malposition. Ann Plast Surg 1993; 30: 487-99.
9. Tebbetts JB. Shaping and positioning the nasal tip without structural disruption: a new systematic approach. Plast Reconstr Surg 1994; 94: 61-77.
10. Gruber RP. Primary open rhinoplasty. In Gruber RP, Peck GC, eds. Rhinoplasty state of the art. st. louis: mosby-year book, 1993.
11. Gruber RP. Personal communication, 1999.
12. Gunter JP. Basic nasal tip surgery. Dallas rhinoplasty symp 1999; 16: 67.

CHAPTER 17

휜 코 및 콧등돌출 교정 | Correction of Deviated and Hump Nose

Chapter Author | 정원균

1. 술 전 관찰 및 상담

휜 코의 경우 술 전 상담 시 휜 정도 및 유형, 코의 연조직비대칭 및 안면비대칭, 코 막힘 등을 면밀히 관찰하고 술 후의 결과나 경과에 대해서 환자와 충분한 논의를 하여야 한다.

휜 코 수술 후 가장 흔히 발생할 수 있는 문제점은 교정이 덜 된 경우이다. 코의 모든 구성성분이 손상되거나 변형된 휜 코는 일반적으로 완벽한 교정이 쉽지 않다. 더욱이 코 연조직의 비대칭뿐만 아니라 안면 비대칭까지 동반된 경우라면 좋은 결과를 기대하기 어려워지기 때문에 술 전 상담 시 술 후 결과에 대해 환자와 충분한 논의를 하고 수술에 임해야 한다. 그 외에 nostril의 비대칭, 새로운 코 막힘, 콧등의 라인이 반듯하지 않게 되는 경우 등도 생길 수 있으므로 이에 대한 충분한 설명이 필요하다.

1) 코 자체만 휘었는지 아니면 안면비대칭(facial asymmetry)이 동반된 휜코인지를 정확히 관찰하여야 한다. 만일 안면비대칭이 동반된 휜 코라면 수술로 100% 교정은 불가능하므로 술 전에 이에 대한 충분한 설명과 동의가 필요하다.
2) 코가 작거나 콧등이 낮은 환자의 경우 절골된 비골을 움직여서 콧등을 좁히는 과정이나 휘어진 비중격 측면에 batten graft를 하는 과정에서 정상적인 비강의 공간이 오히려 줄어들 수 있기 때문에 수술로 인해 오히려 코 막힘이 초래될 수도 있다는 점을 주지시켜야 한다.
3) Spreder graft를 양측에 하는 경우 콧등의 폭이 넓어질 수 있다는 점을 미리 설명하여야 한다.
4) 술 후에 nostril 모양 및 크기의 변화나 비대칭이 생길 가능성을 주지시켜야 한다. 특히 nasal tip이 움직이는 쪽의 nostril에 retraction이 생길 가능성에 대해 설명해야 하고 실제로 술 중에 퇴축이 심하게 발생하면 lower lateral cartilage의 lateral crus에 비중격 연골판을 이식하는 방법으로 교정해야 한다.

2. 휜 코의 외형상 분류

1) C형 또는 역C형 비만곡증(cephalocaudal C-shape or reverse C-shape)
2) S형 또는 역S형 비만곡증(cephalocaudal S-shape or reverse S-shape)

3) 비뚤어진 코(straight septal tilt)

3. 휜 코 수술의 일반적인 순서

비만곡증 교정의 가장 중요한 포인트는 비중격성형술(septoplasty)이지만 osteotomy와 비후된 하비갑개(hypertrophic inferior turbinate)에 대한 치료도 잘 이루어져야 미용적으로나 기능적으로 가장 좋은 결과를 얻을 수 있다.

Open approach
Reduction of hump
Submucosal resection(SMR) of septum
Septoplasty
Caudal septal relocation
Medial osteotomy
Lateral osteotomy
Tip plasty
Camouflage onlay graft
Postoperative dressing

Hypertrophic inferior turbinate에 대한 치료는 휜 코 수술 초반부나 후반부에 시행한다.

4. 접근방법(Approach)

1) Endonasal approach

(1) Killian approach
(2) Transfixtion incision approach

2) Open approach

(1) Dorsal approach
(2) Transfixtion incision approach+dorsal approach
caudal septal deviation correction을 같이 시행할 때 적합하다.
(3) Medial crural approach+dorsal approach
caudal septal deviation cerrection, septal replacement나 septal extention을 같이 시행할 때 적합하다.

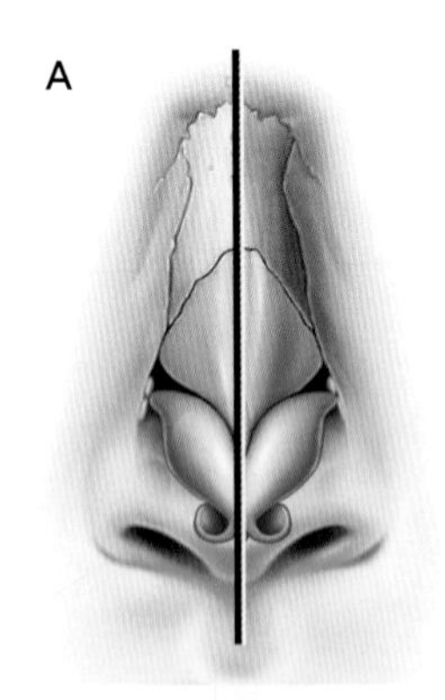

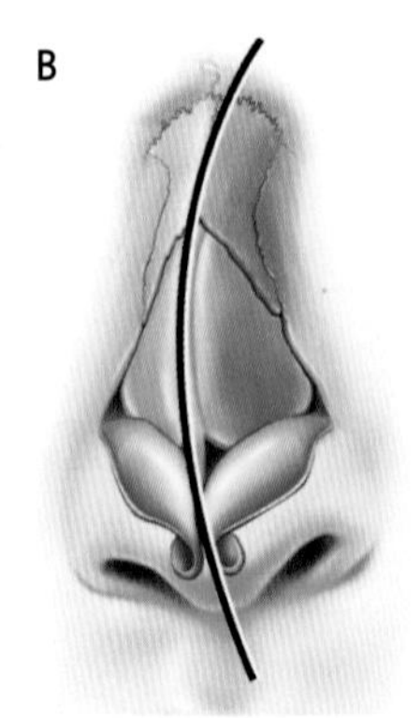

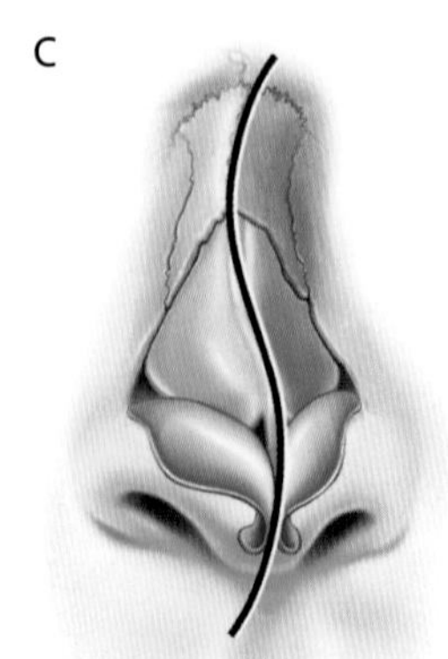

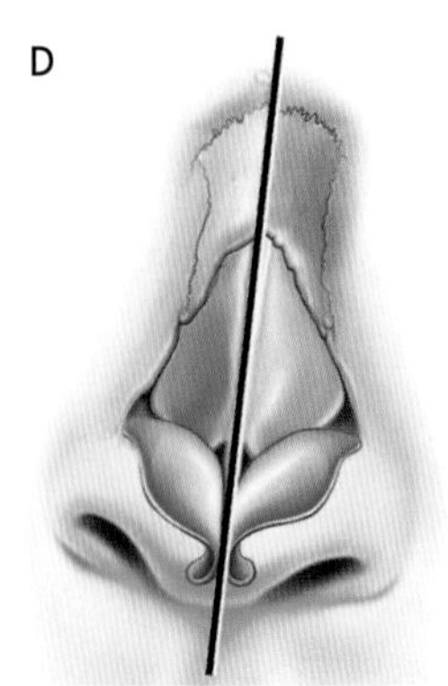

그림 17-1. 휜코의 외형상 분류
A. C형 또는 역C형 비만곡증(C-shape or reverse C-shape) B. S형 또는 역S형 비만곡증(S-shape or reverse S-shape) C. 비뚤어진 코(straight septal tilt)

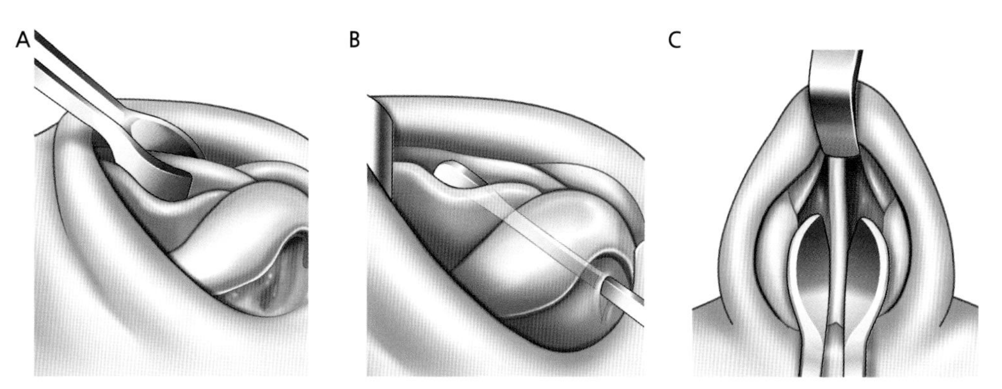

그림 17-2.
A. Dorsal approach B. Transfixtion incision approach+dorsal approach C. Medial crural approach+Dorsal approach

5. Correction of Hump Nose(매부리코의 교정)

Hump의 높이가 3 mm 이하로 작은 경우의 hump reduction 시에는 en bloc humpectomy가 좋으나 hump가 큰 경우의 축소 시에는 조직손상 및 술 후 후유증을 최소화하기 위해서 dorsal hump의 component reduction을 시행하는 것이 좋다.

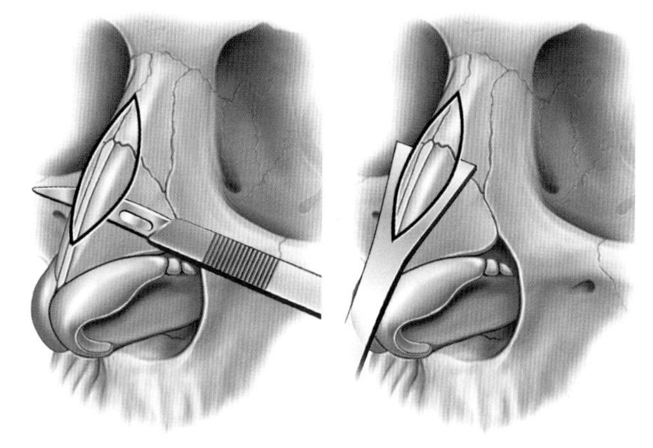

그림 17-3. En bloc humpectomy

1) Methods of hump correction

(1) En bloc humpectomy

제거하고자 하는 hump의 모양과 크기를 콧등 피부 위에 디자인을 한 후 연골부는 11번 외과용 메스(No.11 scalpel)를 이용하여 상부에서 하부 방향으로 절제하고 비골부는 10~14 mm의 osteotome로 절골함으로써 hump를 한 덩어리로 떼어내는 방법이다. 이 방법은 빠르고 간편하다는 장점이 있지만 hump를 너무 크게 떼어내면 dorsal vestibular mucosa에 손상을 줄 수 있으므로 3 mm 미만의 축소술에서만 시행하여야 하며 자칫하면 과교정이나 이차변형을 남길 수 있으므로 필요한 양을 한 번에 정확히 떼어내는 기술이 필요하다. 또한 humpectomy 후 점막손상이 발생하였을 때 이를 방치하면 vestibule에 유착이 일어나면서 vestibule의 공간이 작

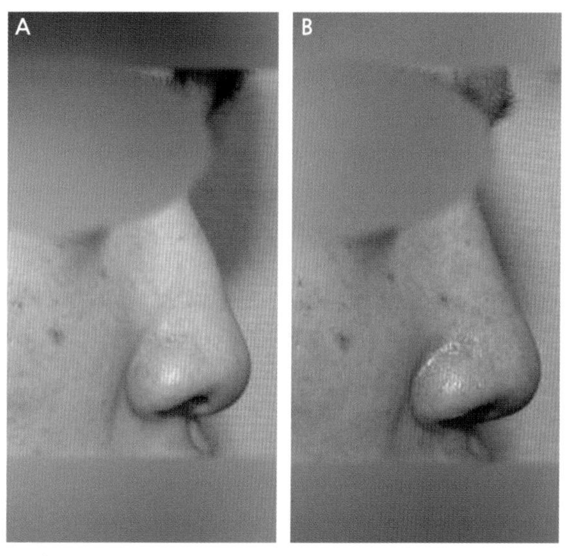

그림 17-4. En bloc Humpectomy
A. 수술 전 B. 수술 후 모습

아질 수가 있기 때문에 손상부위는 반드시 흡수성 봉합사로 봉합을 해주어야 한다.

(2) Component reduction of dorsal hump

hump의 구성 요소인 비중격, 비골, upper lateral cartilage를 각각 순서대로 떼어내어 hump를 축소하는 방법으로 dorsal approach나 medial crural approach로 양쪽 mucoperichondrium과 upper lateral cartilage를 비중격연골로부터 분리시켜 비중격연골의 dorsum을 노출시킨 후 cartilaginous hump는 메스로 절개를 가하고 bony hump는 osteotome을 이용하여 비골과 비중격 연골부위를 한 덩어리로 떼어낸다. 그 후에 수술 가위로 upper lateral cartilage의 축소도 시행한다. 한편 비중격연골부위를 떼어낼 때는 과교정하지 않도록 유의하고 혹시 약간 남더라도 마지막 마무리를 할 때 제거하도록 한다. 또한 3 mm 이상의 축소가 필요할 때는 dorsal vestibular mucosa도 일부 제거해야 하는데 손상부위는 꼭 봉합해주도록 한다.

이 방법은 시술이 번거롭기는 하지만 보다 정교한 수술이 가능하며 보존해야 할 부위는 선택적으로 남길 수 있다는 장점이 있다.

2) Hump correction 시 주의해야 할 점

(1) Deviated nose에서 양측 외측벽의 폭이 서로 다른 경우에는 hump를 기울게 절제함으로써 양측 외측벽의 폭이 같아지게 한다.

(2) Upper lateral cartilage가 너무 많이 제거 되면 internal valve가 좁아질 수 있으며 hump의 중앙부가 너무 많이 제거되어 비골과 upper lateral cartilage의 연골부가 약해지는 경우에는 inverted V deformity가 발생할 수 있고 supra tip의 연골 부위가 적절히 절제되지 못하고 남게 되면 앵무새부리변형(polly beak deformity)이 생길 수 있으니 주의하여야 한다.

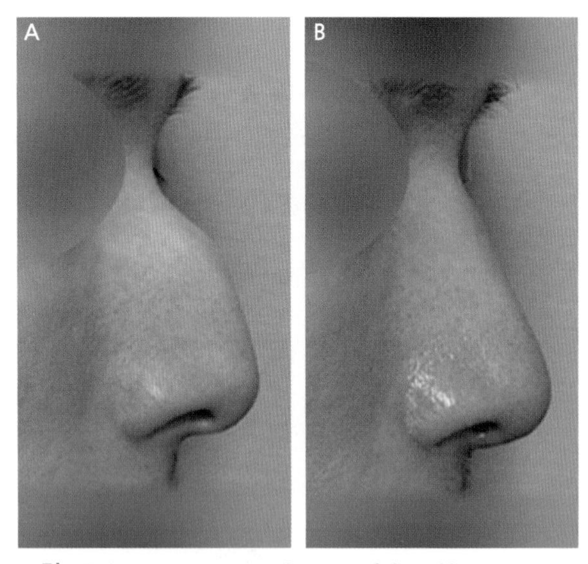

그림 17-6. Component reduction of dorsal hump
A. 수술 전 B. 수술 후 모습

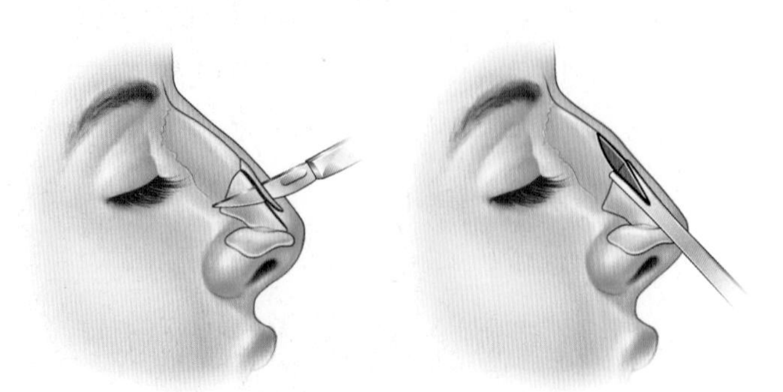

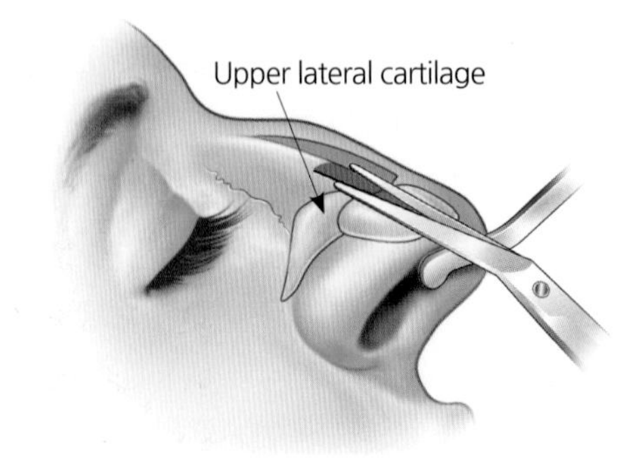

그림 17-5. Component reduction of dorsal hump

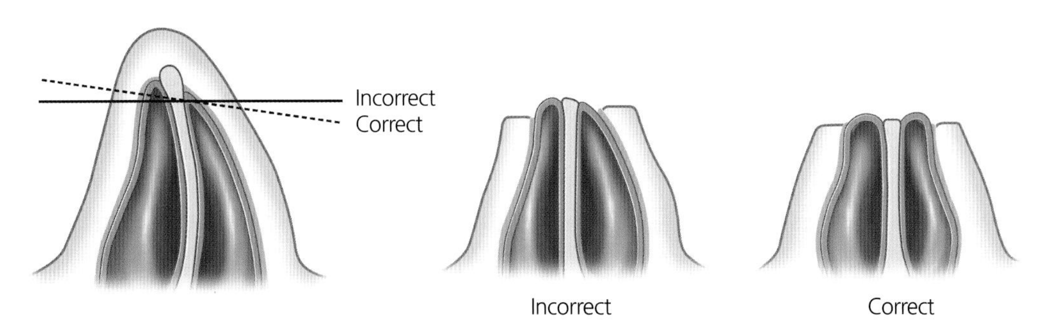

그림 17-7. 양측 외측벽의 폭이 서로 다른 경우에는 hump를 기울게 절제함으로써 양측 외측벽의 폭이 같아지게 한다.

6. 변형된 비중격의 교정(Correction of Deformed Septum)

1) 비중격만곡(Septal deviation)의 종류 및 교정 방법

(1) Key stone area가 반듯하고 caudal septal displacement도 동반되지 않은 C형, 역C형, S형, 역S형 비중격만곡

이는 가장 교정이 쉬운 상태로 scoring incision, wedge excision, batten graft 및 spreder graft 등을 사용하여 교정한다.

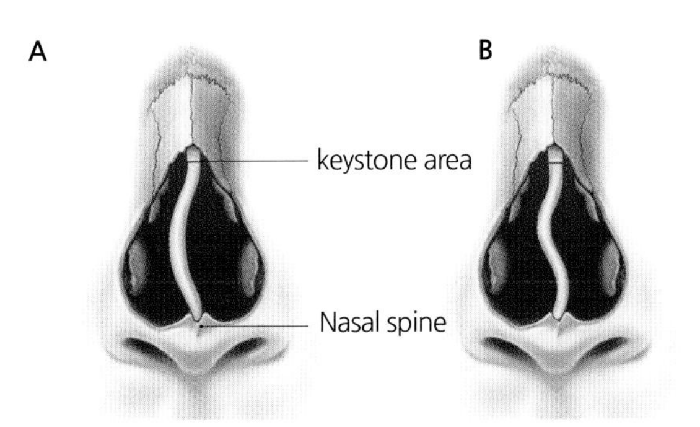

그림 17-8. 비종석부부위(keystone area)가 반듯하고 미측 비중격전위(caudal septal displacement)도 동반되지 않은 비중격만곡.
A. C형 B. S형

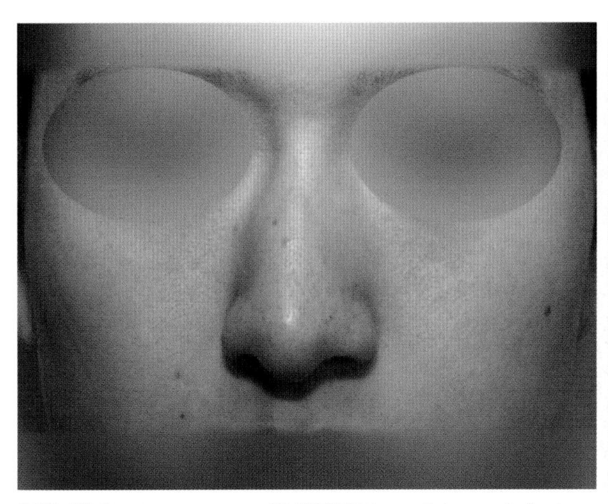

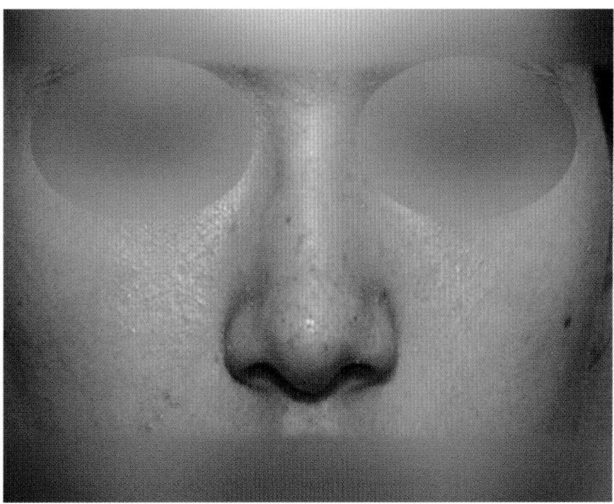

그림 17-9. Keystone area가 반듯하고 caudal septal displacement도 동반되지 않은 C형 비중격만곡
수술 전후 모습

(2) Key stone area는 반듯하나 caudal septal displacement가 동반된 C형, 역C형, S형, 역S형 비중격만곡

Scoring incision, wedge excision, batten graft, spreder graft 등과 더불어 caudal septal relocation이 필요하다.

(3) 심하게 손상된 경우

① 비중격연골이 keystone area에서 심하게 휘어 있는 경우(severe deviation at the key stone area)

A

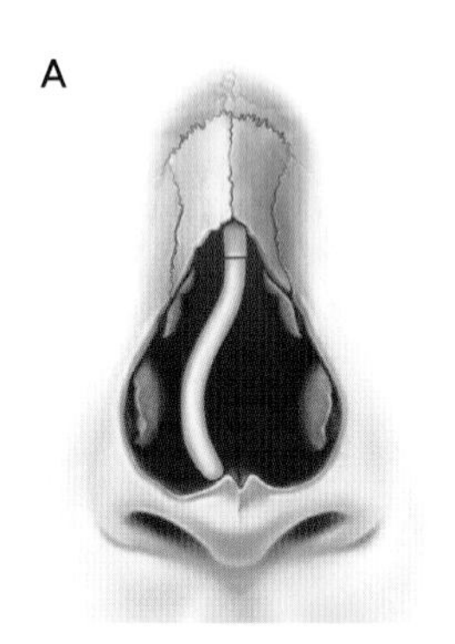

B

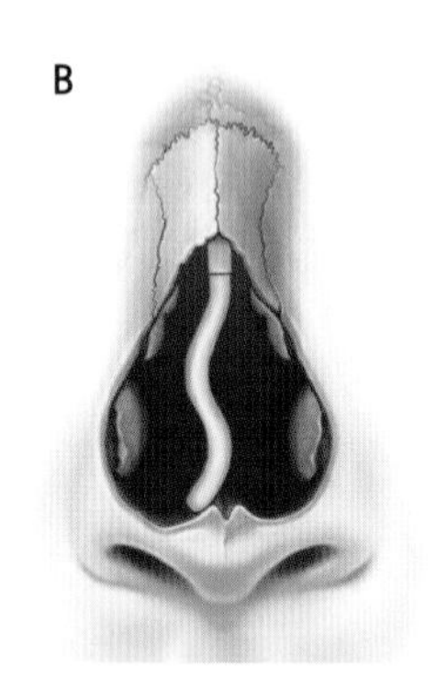

그림 17-10. Keystone area는 반듯하나 caudal septal displacement가 동반된 비중격만곡
A. C형 B. S형

② 비중격연골이 복합적으로 심하게 손상된 경우(severe complex septal deviation)

③ 비뚤어진 비중격연골(straight septal tilt)

이들은 가장 교정이 어려운 상태로 subtotal septal cartilage replacement graft나 total septal cartilage replacement graft가 필요하다.

2) 비중격 교정에 필요한 수술 기법들(Septoplasty)

(1) Submucosal resection (SMR) of septum

일반적으로 L-strut만 남기고 절제하는데 이때 10 mm 이상의 폭은 꼭 유지하도록 한다. 또한 비중격의 손상이 적고 심하게 휘어 있지 않다면 수술 시 사용할 비중격연골을 채취하는 정도만 절제하고 최대한 많은 양을 L-strut로 남긴다.

(2) correction of the ethmoidal deviation

Ethmoid bone의 만곡 부위는 평평한 주둥이가 달린 굽은 겸자(septal platform forcep) 등을 이용하여 조심스럽게 제거하며 이때 keystone area에서 뼈와 연골이 분리되지 않도록 주의하여야 한다. 만일 수술에 필요한 큰판의 ethmoid bone 부위가 필요한 경우에는 채취할 eth-

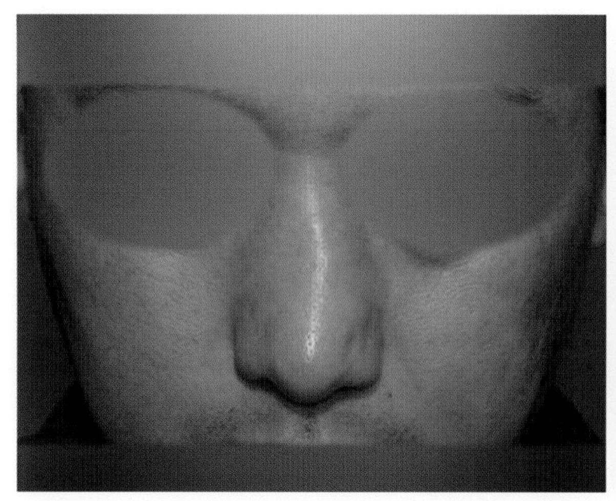

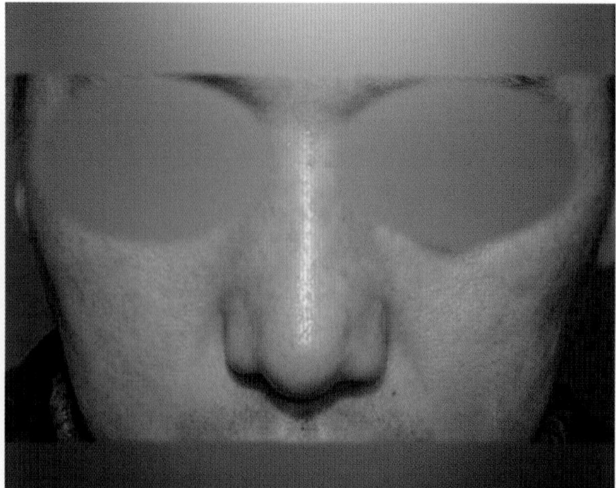

그림 17-11. Keystone area는 반듯하나 caudal septal displacement가 동반된 역C형 비중격만곡
수술 전후 모습

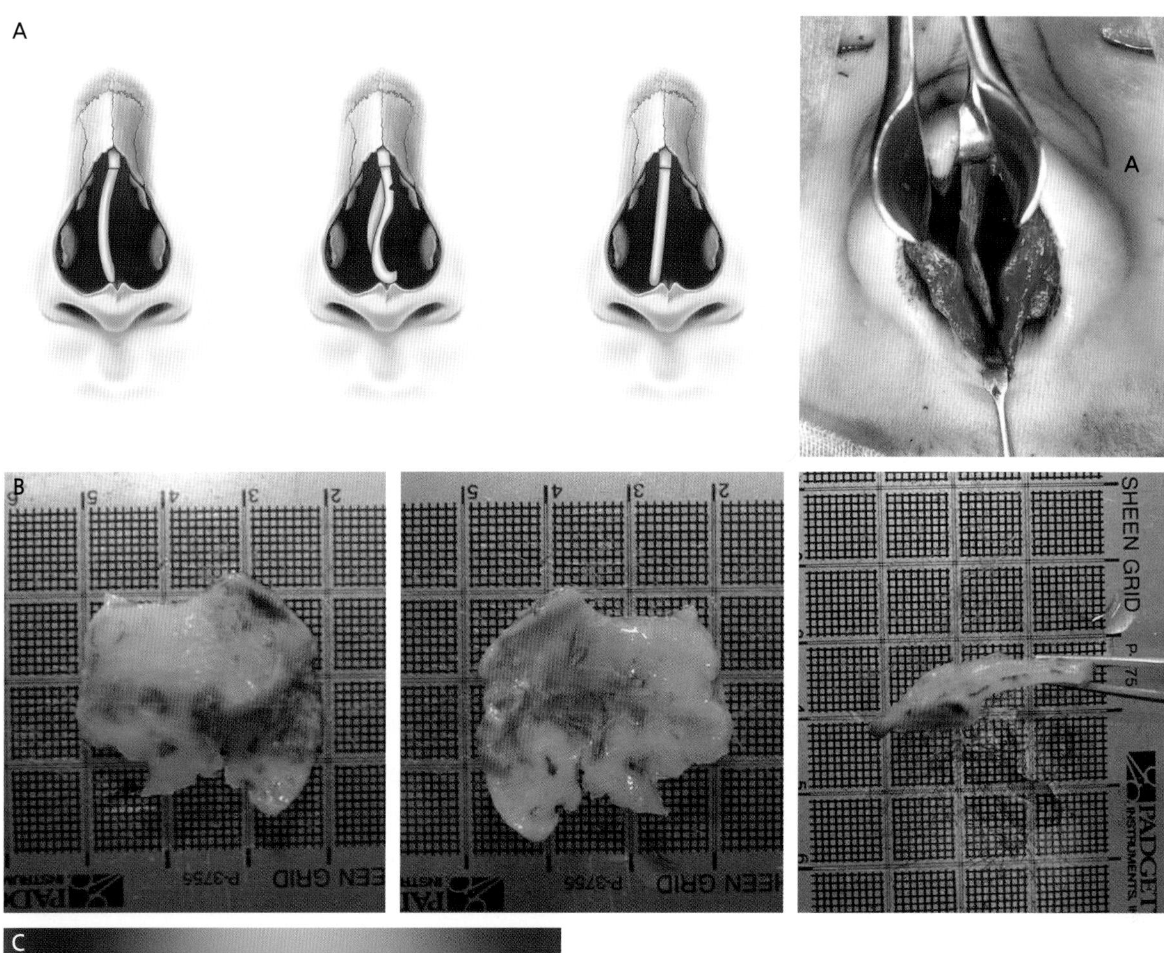

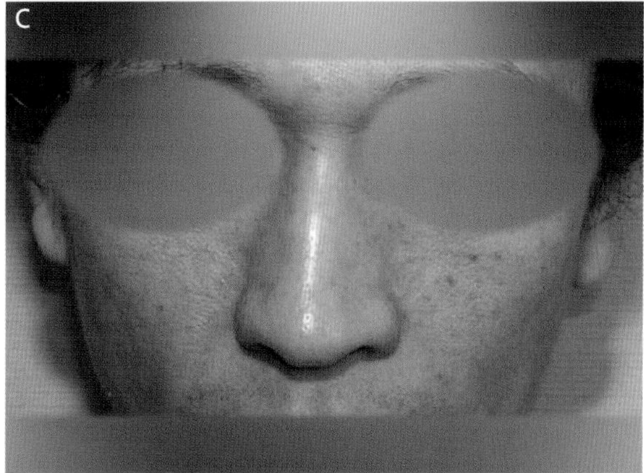

그림 17-12. 심하게 손상된 경우

A. severe deviation at the key stone area B. severe complex septal deviation C. straight septal tilt

moid bone의 등쪽은 osteotome으로 잘라내고 ethmoid bone을 굽은 겸자로 잡은 다음 조심스럽게 흔들어서 머리 쪽의 ethmoid bone을 greenstick fracture 시킨 후 꺼낸다.

(3) scoring incision 및 wedge excision

Concave side에는 scoring incision을 하고 convex side에는 wedge excition을 한다. 만곡이 심한 경우에는 scoring incision과 wedge excition을 동시에 사용하며 경우에

따라서는 batten graft를 같이 시행하기도 한다.

(4) Batten graft

비중격연골이나 ethmoid bone을 작은 막대모양으로 만들어서 사용하며 scoring incision 및 wedge excition과 같이 사용하면 더 효과적이다.

(5) Spreder graft

비중격연골이나 ethmoid bone을 긴 막대 모양으로 만들어서 사용하며 unilateral graft의 경우 dorsal septum의 휜 정도나 휜 모양에 따라 오목한 쪽이나 볼록한 쪽으로 이식을 하게 되는데 일반적으로 C형의 비중격만곡에서 일측성이식은 볼록한 쪽에 하는 경우가 많다. 또한 심한 C형이나 S형에서는 같은 두께나 다른 두께로 bilateral graft를 하기도 한다. Spreder graft는 휘어진 dorsum의 비중격을 반듯하게 펴주면서 dorsum의 반듯한 라인을 만들어주고 internal valve의 유지, 복원 또는 확장에 도움을 주며 비중격을 지지하여 장기적으로 코의 middle vault collapse를 예방하는 효과가 있으나 너무 두껍게 양측성이식을 하는 경우 콧등의 폭이 너무 넓어져서 외관상 보기 싫게 되는 경우가 있으니 유의하여야 한다.

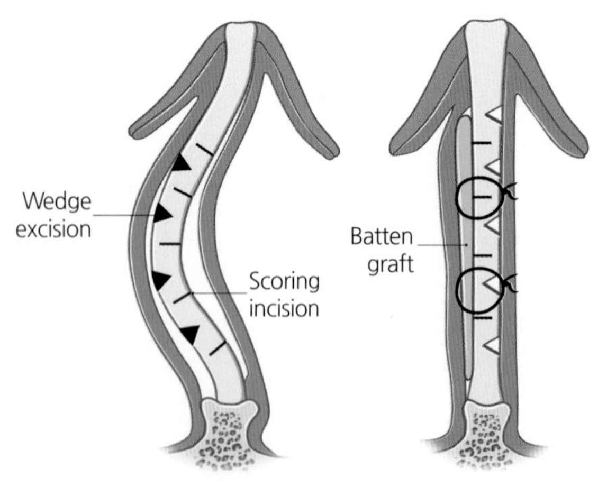

그림 17-13. Scoring incision, Wedge excision, Batten graft

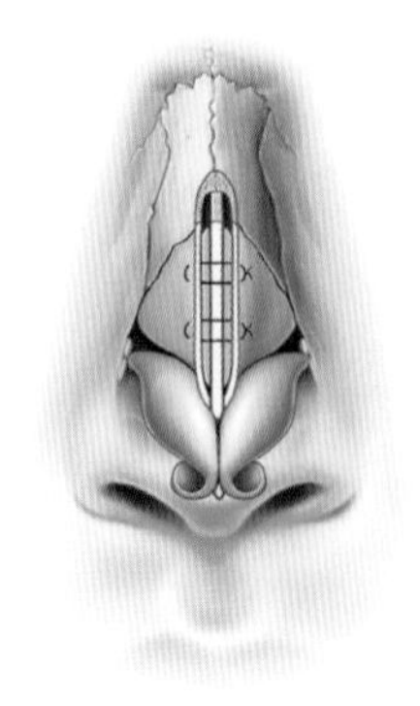
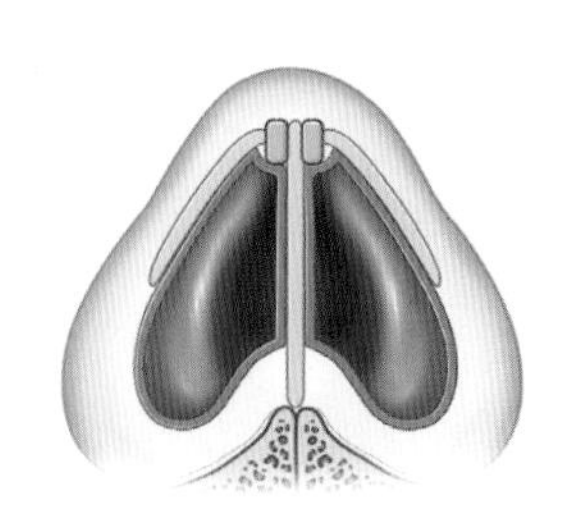

그림 17-14. bilateral spreader graft

(6) Caudal septal relocation

caudal septum의 전위(displacement)는 흔히 이 부위의 만곡증과 같이 발생하며 환측의 nostril을 좁게 만들며 nasal tip 변형도 유발시키므로 꼭 교정을 하여야 한다. 방법은 caudal septum의 하부를 바닥으로부터 완전히 분리시킨 후 midline의 바닥에 재위치시키고 고정하는 것이며 중격 하부가 너무 휘어 있으면 anterior nasal septum을 중심으로 반대쪽으로 옮겨서 고정하거나 일부 절제하고 고정하기도 한다. 이때 가능하면 anterior nasal septum 주변의 골막과 연조직을 최대한 보존해서 여기에 8자형 봉합(figure of eight suture)으로 고정하며 anterior nasal septum이 정중앙에 잘 위치하고 있으면 여기에 드릴로 구멍을 뚫고 고정하기도 한다. 하지만 anterior nasal septum이 정중앙에서 너무 벗어나 있으면 osteotome으로 일부 또는 전부를 제거하기도 한다. 판으로 전부 떼어낸 후 떼어낸 연골의 평평한 부분을 골라 여기서 반듯한 L-strut을 만들어낸다. 연골이 심하게 변형된 경우에는 scoring incision, wedge excision, batten graft 등을 이용해서 반듯한 L-strut을 만들며 이때 L-strut의 폭은 1~1.5 cm 이상이 되도록 한다. 새로 만든 L자형 지주의 cephalic portion은 남겨진 연골 부분에 봉합하여 고정하고 caudal portion은 anterior nasal spine에 구멍을 뚫고 여기에 고정시키거나 anterior nasal spine의 골막에 8자형 봉합술로 봉합하여 고정한다.

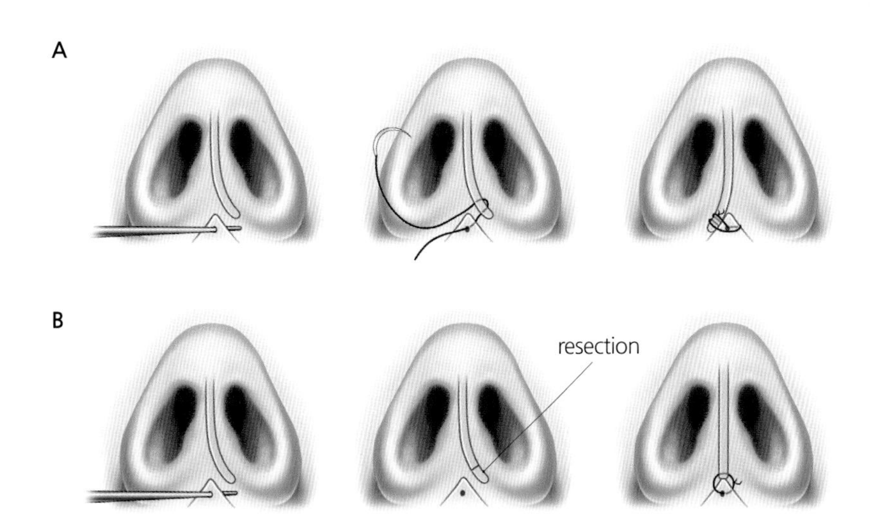

그림 17-15. caudal septal relocation
A. Anterior nasal septum을 중심으로 반대쪽으로 옮겨서 고정하는 방법, B. 일부 절제하고 고정하는 방법.

(7) Septal cartilage replacement graft

비중격연골이 keystone area에서 심하게 휘어 있는 경우(severe deviation at the key stone area)나 비중격연골이 복합적으로 심하게 손상된 경우(severe complex septal deviation) 또는 삐뚤어진 비중격연골(straight septal tilt)과 같이 비중격이 심하게 손상되거나 변형된 경우에는 비중격을 제자리에 둔 상태로 수술해서는 좋은 결과를 얻을 수 없다. 따라서 이때는 변형된 비중격연골의 거의 대부분 또는 전부를 들어낸 후 이를 다시 반듯한 L-strut으로 만들어서 원위치로 이식하는 septal cartilage replacement graft가 필요하다.

① subtotal septal cartilage replacement graft

Keystone area를 보존시키면서 dorsum 부위에 조그만 사각형 모양의 연골부분(cartilaginous stump)만 남기고 나머지 비중격연골을 한판으로 전부 떼어낸 후 떼어낸 연골의 평평한 부분을 골라 여기서 반듯한 L-strut을 만들어낸다. 연골이 심하게 변형된 경우에는 scoring incision, wedge excision, batten graft 등을 이용해서 반듯한 L-strut을 만들며 이때 L-strut의 폭은 1~1.5 cm 이상이 되도록 한다. 새로 만든 L자형 지주의 cephalic portion은 남겨진 연골 부분에 봉합하여 고정하고 caudal portion은 anterior nasal spine에 구멍을 뚫고 여기에 고정시키거나 anterior nasal spine의 골막에 8자형 봉합술로 봉합하여 고정한다.

② Total septal cartilage replacement graft

연골부분(cartilaginous stump)을 남기지 않고 비중격연골을 완전히 떼어낸 후 비슷한 방법으로 반듯한 L strut을 만들어낸다. 비골의 양 측면부에 구멍을 뚫고 L-strut의 머리부분을 비흡수성 봉합사를 이용하여 봉합하며 L-strut의 꼬리부분은 anterior nasal spine에 구멍을 뚫고 여기에 고정시키거나 anterior nasal spine의 골막에 봉합하여 고정한다. 이때 비골과 L-strut가 봉합된 부위가 부실한 경우에는 비중격연골이나 ethmoid bone을 이용하여 batten graft나 spreader graft를 댐으로써 좀 더 견고히 한다.

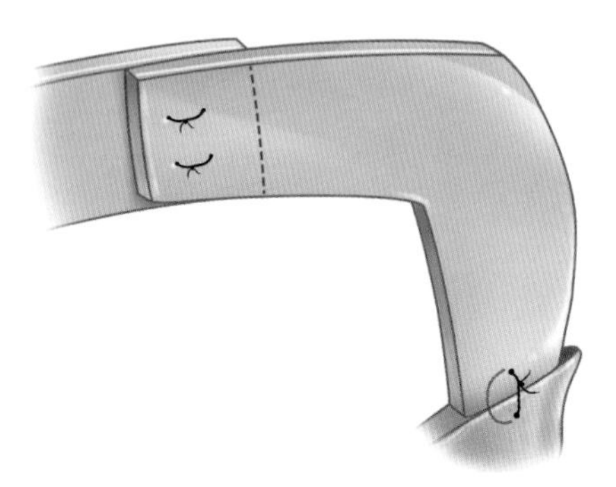

그림 17-16. subtotal septal cartilage replacement graft

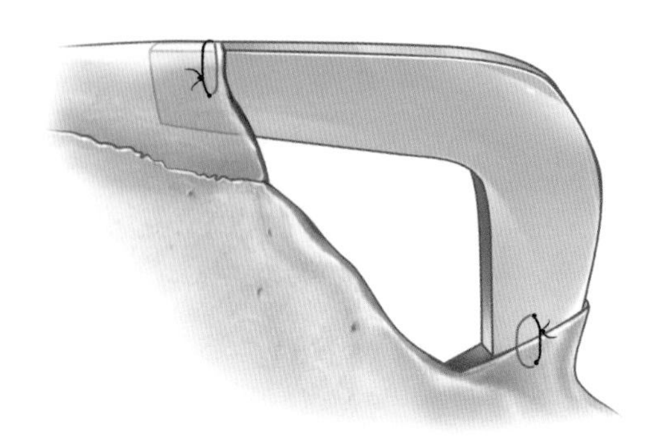

그림 17-17. total septal cartilage replacement graft

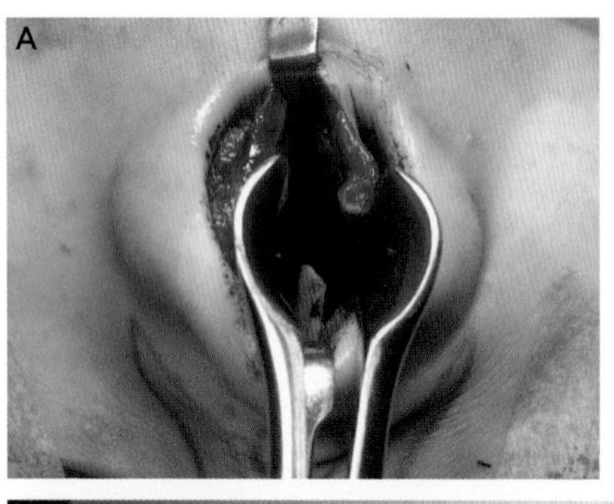

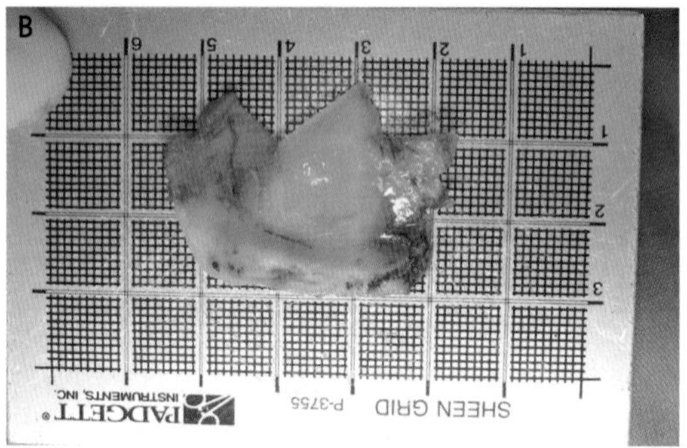

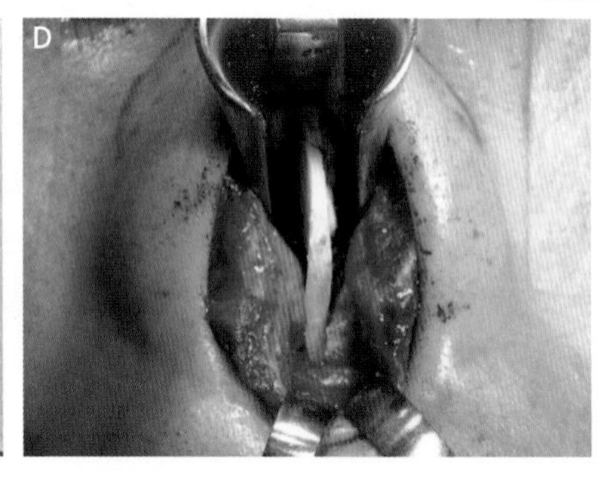

그림 17-18. subtotal septal cartilage replacement graft

A. dorsum 부위에 조그만 사각형 모양의 연골 부분만 남기고, B. 비중격연골을 한판으로 전부 떼어낸 후, C. 떼어낸 연골의 평평한 부분을 골라 여기서 반듯한 L-strut을 만들어 낸 다음, D. 다시 이식한다.

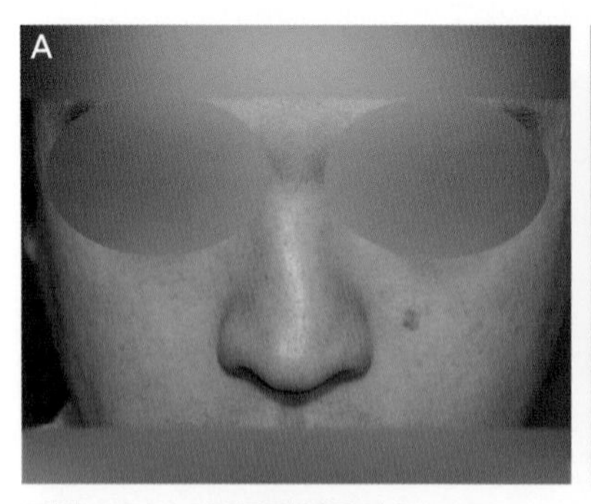

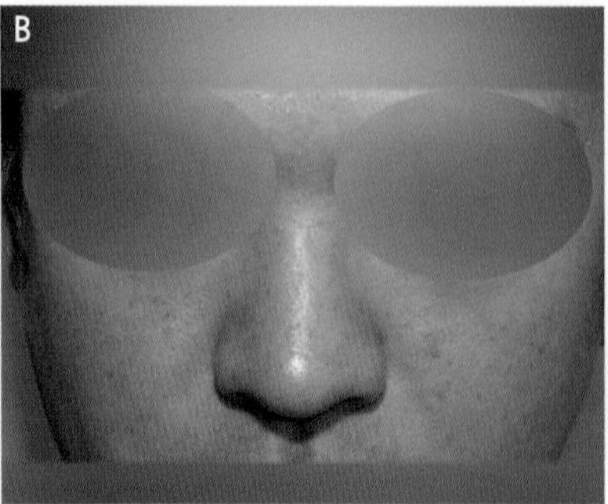

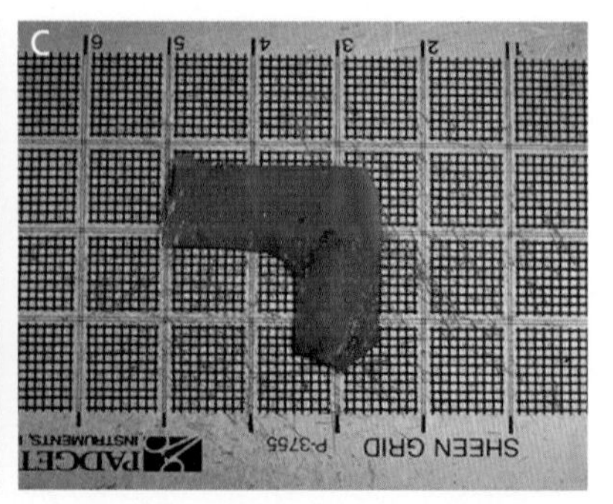

그림 17-19. 비중격연골이 keystone area에서 심하게 휘어 있는 경우(severe deviation at the key stone area)의 S형 비중격만곡의 total septal cartilage replacement graft

A. 수술 전 B. 수술 후 C. 새로 만든 L-strut.

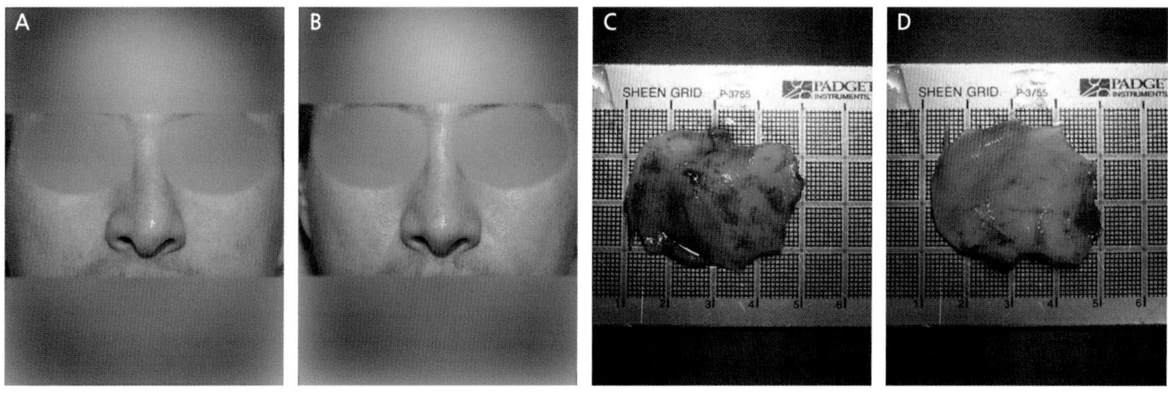

그림 17-20. 비중격연골이 복합적으로 심하게 손상된 경우(severe complex septal deviation)의 total septal cartilage replacement graft

A. 수술 전 B. 수술 후 C, D. 심하게 손상된 비중격 연골의 모양.

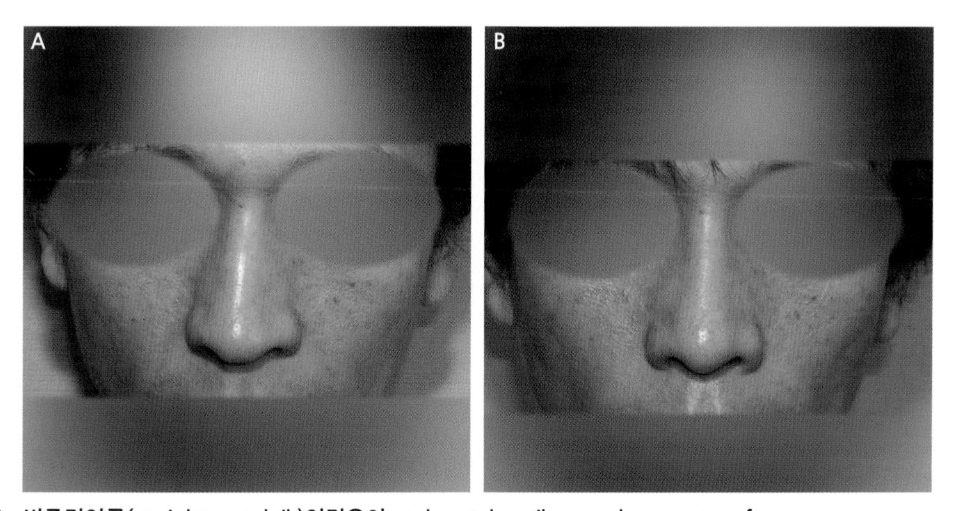

그림 17-21. 비중격연골(straight septal tilt)인경우의total septal cartilage replacement graft

A. 수술 전 B. 수술 후

7. 비골절골(Osteotomy)

휜 코에서 비스듬히 기울어진 콧등의 위치나 모양을 바꾸기 위해서는 절골이 꼭 필요하다. 휜 코의 비골절골 시에는 complete osteotomy를 시행하여 골편이 완전히 분리되도록 하여야 한다. 만일 incomplete osteotomy가 되거나 greenstick fracture가 되면 수술 후 시간이 지나면서 비골부위의 만곡이 다시 재발할 수 있기 때문이다.

1) Medial osteotomy

지나치게 중심선에 붙여서 수직선상의 내측절골을 하게 되면 미간 부위가 비정상적으로 돌출되거나 넓어지는 흔들의자바닥변형(rocker-bottom deformity)이 발생할 수 있으니 주의 하여야 한다. 따라서 중심에서 바깥쪽으로 20~25° 정도로 비스듬하게 절골하는 superior oblique osteotomy가 제일 무난한 방법이다.

2) Lateral osteotomy

동양인에서는 비골의 측면 바닥에서 시작하여 max-

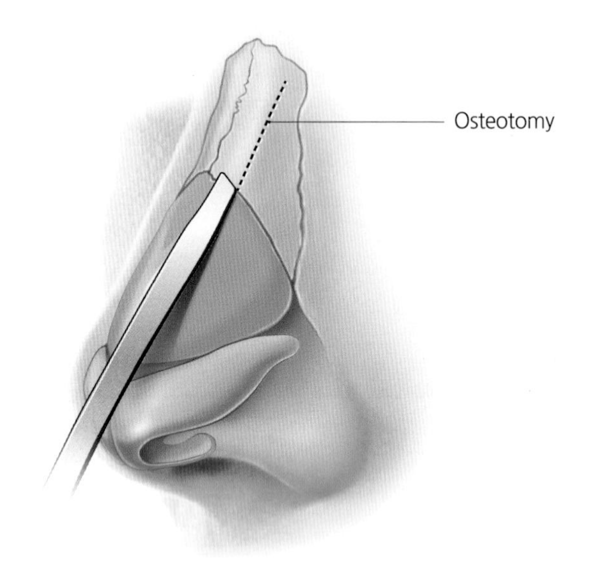

그림 17-22. superior oblique medial osteotomy

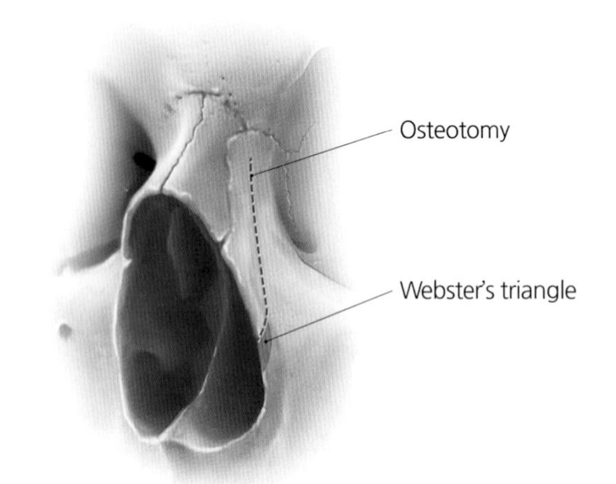

그림 17-23. Lateral osteotomy 시 webster's triangle이라 불리우는 internal valve 근처의 maxillary frontal process 부위는 보존해야 한다.

illa의 frontal process 쪽으로 비스듬히 진행되는 low-to-high osteotomy가 제일 많이 시행된다. 하지만 콧등이 높거나 콧등 측면이 과하게 볼록한 경우에는 low-to-low 또는 double level osteotomy를 시행하기도 한다.

Lateral osteotomy를 할 때 pyriform aperture의 바닥 근처에서 시작하면 internal valve 부위의 함몰이 일어나면서 코 막힘이 발생할 수 있다. 따라서 lateral osteotomy 시 webster's triangle이라 불리우는 internal valve 근처의 maxillary frontal process 부위는 보존해야 하며 이를 위해서는 절골을 하비갑개의 위쪽 부위에서 시작할 수 있도록 하여야 한다. 또한 비골부위의 얇은 부분만 골절되는 high-to-high osteotomy가 될 경우에는 겉에서 보거나 만져보았을 때 계단 모양의 단절이 나타나는 stair-step deformity가 나타나므로 이렇게 되지 않도록 유의하여야 한다.

3) Transverse osteotomy

Medial osteotomy line과 lateral osteotomy line이 연결되지 않는 경우에는 percutaneous transverse osteotomy를 하여 완전한 골절이 되도록 한다.

8. 기타 성형수술

1) Lower lateral cartilage에 대한 수술

Nasal tip, nostril, columella 등에 비대칭이 남아 있는 경우 lower lateral cartilage에 대한 수술로 교정한다.

2) Camouflage onlay graft(위장 연골이식)

비골부위나 upper lateral cartilage부위에 함몰변형이 남아 있는 경우 연골과 같은 자가조직으로 onlay graft한다.

3) Dorsal augmentation

환자가 비만곡증 교정과 함께 코를 높이기를 원한다 하더라도 가능하면 보형물은 쓰지 않는 것이 좋으며 진피, 근막, 연골과 같은 자가조직으로 높이는 것이 좋다. 왜냐하면 완전절골이 되어서 지지하지는 힘이 약한 콧등 위에 단단한 보형물이 올라가게 되면 콧등의 모양이 변형되거나 다시 휘어질 수 있기 때문이며 비만곡증 수술의 특성상 수술 후 비강과 콧등 사이에 작은 소통부위가 발생할 수 있는데 이 통로를 통한 보형물로의 세균 감염의 확률도 높아질 수 있기 때문이다.

9. Hypertrophic inferior turbinate에 대한 치료

1) 비만곡증에서의 코 막힘의 원인 및 치료

비만곡증에서 코 막힘의 원인으로는 비중격만곡증, 비갑개의 비후, internal valve 주변 upper lateral cartilage의 함몰, external valve 주변 lower lateral cartilage의 함몰 또는 변형 등을 들 수 있다. 이 중 비중격만곡증은 비중격연골의 submucosal resection과 septoplasty로, hyperplastic turbinate는 turbinate의 위치를 변화시키거나 볼륨을 줄이는 수술들로, upper lateral cartilage의 함몰은 spreader graft로, lower lateral cartilage의 함몰 또는 변형은 tip plasty로 교정하면 환측 비강 내의 공간을 좀 더 확대할 수가 있다.

2) Hypertrophic turbinate

비만곡증에서 비중격이 휘면서 양쪽 비강의 크기가 달라지게 되면 양쪽 비강 내의 공기 흐름의 양을 갖게 하려는 생리적 보상반응으로 인해 공간이 커진 쪽 비강 내의 inferior turbinate의 hypertrophy가 생기게 된다. 그런데 비만곡증 교정 시 비후된 비갑개의 크기를 줄여주지 않으면 휘어진 비중격이 반듯하게 펴지면서 비후된 비갑개가 위치하고 있는 쪽 비강의 공간의 크기가 작아지게 되므로 비만곡증 수술 후 코 막힘이 발생할 수 있다. 따라서 비만곡증 수술 후 코 막힘이 악화되거나 오히려 새로운 코 막힘이 발생할 소지가 있는 환자의 경우에는 비후된 하비갑개의 크기를 줄여주는 수술을 꼭 같이 시행하여야 한다.

3) Turbinoplasty

Inferior turbinate의 hypertrophy를 치료하기 위해서는 electrocauterization 및 out-fracture technique과 점막하절제술(submucosal resection)을 주로 사용한다.

또한 turbinate resection에 따른 출혈이나 협착의 위험을 줄이기 위해서 가능하면 비수술적 방법이나 골절술을 먼저 생각해 보고 꼭 절제를 하여야 할 경우 절제 부위는 inferior turbinate의 전하측(anterior-inferior)으로 국한하여야 한다.

(1) 비수술적 방법

Turbinate의 뼈 점막의 비후가 심한 경우에 쓸 수 있는 방법들로 steroid injection, electrocauterization 등이 있으며 쉽게 적용할 수 있지만 효과가 적고 재발률이 높다는 단점이 있다. 특히 많은 양의 점막을 전기 소작하는 경우는 direct En bloc excision에서 볼 수 있는 문제점들이 발생하므로 유의하여야 한다.

(2) Fracture technique

① Out-fracture technique

Septal platform forcep, elevator, osteotome의 손잡이 부분 등을 inferior turbinate의 내측에 대고 외측방향으로 눌러서 비갑개 내의 turbinate bone을 out-fracture 시켜 비강을 넓혀주는 방법으로 손쉽게 사용할 수 있으나 점막성 비후가 심한 경우는 효과가 떨어진다. 또한 out- fracture가 한 번에 잘 안 되는 경우에는 inferior turbinate를 비강 안쪽으로 끌어당겨서 in- fracture 시키고 다시 바깥쪽으로 눌러서 out-fracture 시키면 더 쉽게 골절할 수 있다.

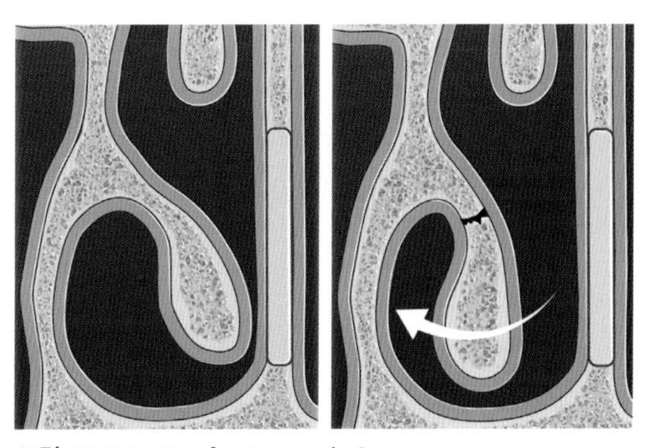

그림 17-24. Out-fracture technique

(3) Resection

① direct En bloc excision

inferior turbinate 하단부의 bone과 점막을 한 번에 절제하고 출혈을 막기 위해 수일간 비강 내 충전(packing)을 시행하는 방법으로 과도한 출혈과 점막퇴축으로 인한 퇴축성 비염(atrophic rhinitis)이 올 수 있다는 단점이 있다.

② submucosal resection

1:100,000으로 희석한 에피네프린을 수술부위의 점막에 충분히 주사하고 inferior turbinate를 in-fracture 시켜 좀 더 시야를 확보한 후 inferior turbinate의 전하측(anterio-inferior) 점막에 bovie electrocautery로 1.5-2 cm 정도 절개를 가하고 점막골막을 양쪽으로 거상한다. 노출된 turbinate bone의 하단부를 Gruenwald forcep 등으로 부분적으로 절제한 후 외측점막도 일부 잘라내는데 가능하면 출혈을 줄이기 위해 앞쪽 1/3-1/2 정도만 절제하는 것이 좋다. 그 다음에 electrocautery로 출혈 부위를 소작하고 길게 늘어진 내측점막을 외측으로 덮은 후 bayonet needle folder 와 bayonet forceps를 사용하여 뒤쪽에서 앞쪽으로 연속봉합(over and oversuture)하는데 이때 turbinate bone이 노출된 채로 마무리되지 않도록 유의한다. 수술 시 점막을 과도하게 절제하거나 뼈가 적게 절제되어 turbinate bone이 일부 노출되게 되면 수술 후 분비물이 많아지며 심한 경우에는 골염(osteitis)도 발생할 수 있으므로 유의하여야 한다. 또한 turbinate가 과도하게 절제되면 퇴축성비염(atrophic rhinitis)이 발생하여 딱지가 앉고 출혈이 반복되는 상황이 생길 수 있으므로 이 역시 주의하여야 한다.

10. 술 후 처치(Postoperative dressing)

비중격의 광범위한 노출로 인한 비중격 혈종을 막기 위해 비강 내 부목(splint)을 대고 Merocel이나 Vaseline 거즈 등을 이용해서 충분한 packing을 시행하며 외측에도 역시 외부목을 대어준다. Merocel이나 vaseline 거즈는 술 후 1-2일째 제거하고 내부목과 외부목은 술 후 7일째 제거한다.

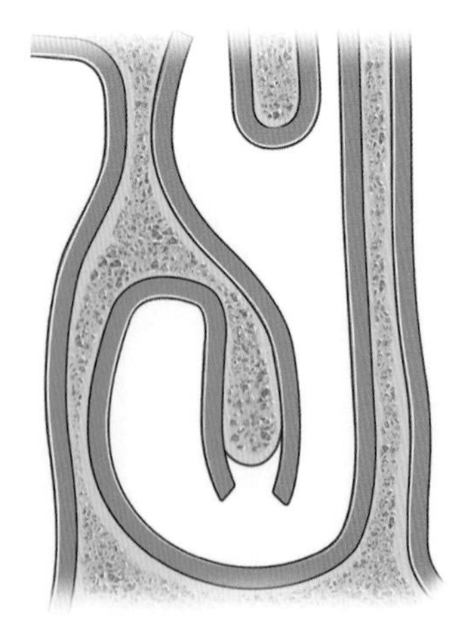
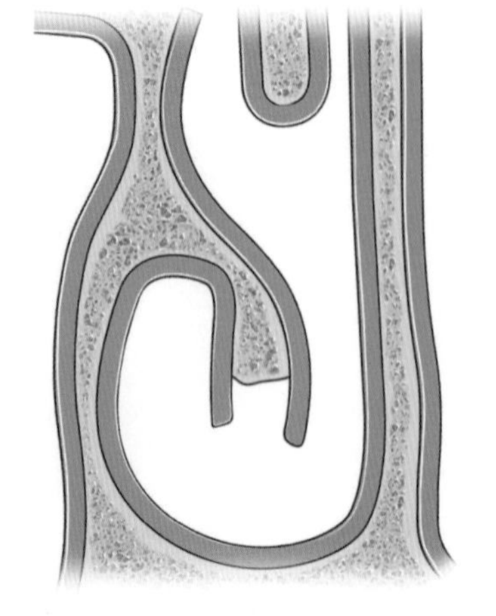
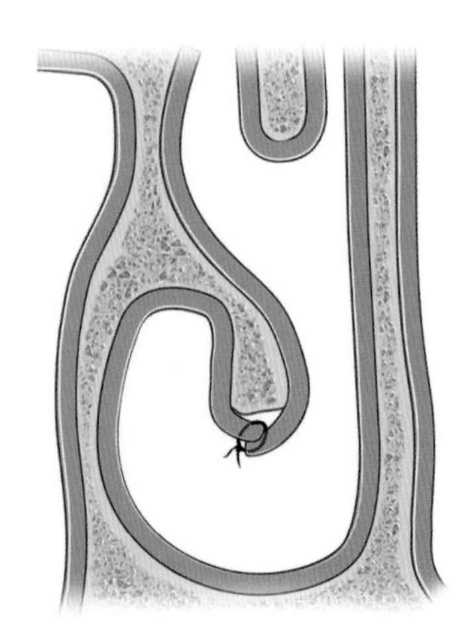

그림 17-25. Submucosal resection

참고문헌

1. 대한성형외과학회 코성형연구회. 아시아인 코성형술의 최신지견 수술가이드. 서울: 군자출판사, 2011; 105-26.
2. Tebbetts JB. Primary rhinoplasty : Redfining the Logic and Techniques, St. Louis: Mosby, 2007
3. Daniel RK. Rhinoplasty. An atlas of surgical techniques. New York: Springer, 2002
4. Gunter JP, Rohrich RJ. Management of the deviated nose : The importance of septal reconstruction. Clin Plast Surg 1988: 15-43
5. Andre RF, Vuyk HD. Reconstruction of dorsal and/or caudal nasal septum deformities with septal battens or by septal replacement: an overview and comparison of techniques. Plast Reconstr Surg. 1986 Sep;78(3): 320-30.
6. Constantin MB : Rhinoplasty craft & magic, St. Louis: Quality Medical Publishing, Inc., 2009
7. Gubisch W. The extracorporeal septum plasty: a technique to correct difficult nasal deformities. Plast Reconstr Surg. 1995 Apr;95(4): 672-82.
8. Gunter JP, Rohrich RJ, Adams WP : Dallas Rhinoplasty : Nasal Surgery by the Master, St. Louis : Quality Medical Publishing, Inc., 2002
9. Jugo SB. Total septal reconstruction through decortication (external) approach in children. Arch Otolaryngol Head Neck Surg. 1987 Feb;113(2):173-8.
10. McCarthy JG : Plastic surgery. Philadelphia : WB Saunders Co., 1990
11. Rees TD. Surgical correction of the severely deviated nose by extramucosal excision of the osseocartilaginous septum and replacement as a free graft. Plast Reconstr Surg. 1997 Jul;100(1): 250-6.
12. Toriumi DM, Ries WR. Innovative surgical management of the crooked nose. Facial Plast Clin. 1993; 1-63
13. Yong Ju Jang, Chan Heum Park. Practical septorhinoplasty, Seoul : Koonja publishing Inc., 2007

CHAPTER 18

코 기둥 변형의 교정 | Correction of Columellar Deformities

Chapter Author 박성근

Columella의 모양은 distal septum, lower lateral cartilage의 medial crus와 middle crus, anterior nasal spine에 의하여 영향을 받고, nostril shape, alar rim의 위치, infratip lobule의 크기 등에 따라 그 미적인 정도가 다르게 보이므로 이에 대한 복합적인 이해가 필요하다. 또한, columella 교정수술은 nasal tip의 교정과 분리하여 생각할 수 없으므로 columella 수술 시 nasal tip plasty에 대한 충분한 이해가 있어야 한다.

Columella의 변형은 lateral view에서의 변형과 basal view에서의 변형으로 나누어 볼 수 있다. 옆모습에서 본 columella와 alae의 위치관계에 따라 나눈 Gunter의 6가지 type 중 Type I의 hanging columella와 Type V의 columellar retraction이 lateral view에서의 대표적인 columella의 변형이다(**그림 18-1**). Gunter는 basal view에서 백인 여성의 가장 좋은 nasal base의 윤곽은 이등변삼각형이고, 중심축을 따라 columella가 위치하며, columella와 infratip lobule의 비율이 2:1 정도라 하였으나, Guyuron은 nostril과 infratip lobule의 비율이 60:40에서 55:45 정도가 좋다고 Daniel과 비슷한 결과를 발표하였다. 그러나 아시아인에서는 그 비율이 1:0.85에서 1:1.1 정도로 columella는 백인보다 짧고, infratip lobule은 더 길다(**그림 18-2**). Basal view에서 columella의 변형은 수직변형(vertical array deformity, 비뚤어진 코 기둥)과 수평변형(horizontal array deformity, nostril 높이의 비대칭), wide columellar base 그리고 short columella 등으로 나누어 볼 수 있다.

1. Hanging columella

Gunter는 옆에서 보았을 때, 타원형인 nostril의 최전방점과 최후방점을 잇는 선이 nostril을 절반으로 나누고, 그 중간선에서 columella와 alar rim의 거리가 각각 1~2 mm인 것이 이상적이라 하였고, columella와 alar rim의 위치에 따라 6가지 형태로 분류하였다(**그림 18-1**). Hanging columella는 columella의 가장자리가 이 중간선보다 2 mm 이상 더 내려온 경우를 말하는데, alar rim이 위로 당겨져 있어 상대적으로 columella가 처져 보이는 pseudohanging columella, 즉 alar retraction과는 구별하여 교정하여야 한다.

1) 원인

Hanging columella의 병리 해부학적 원인으로는 (1) septal cartilage의 caudal portion이 밑으로 길게 내려

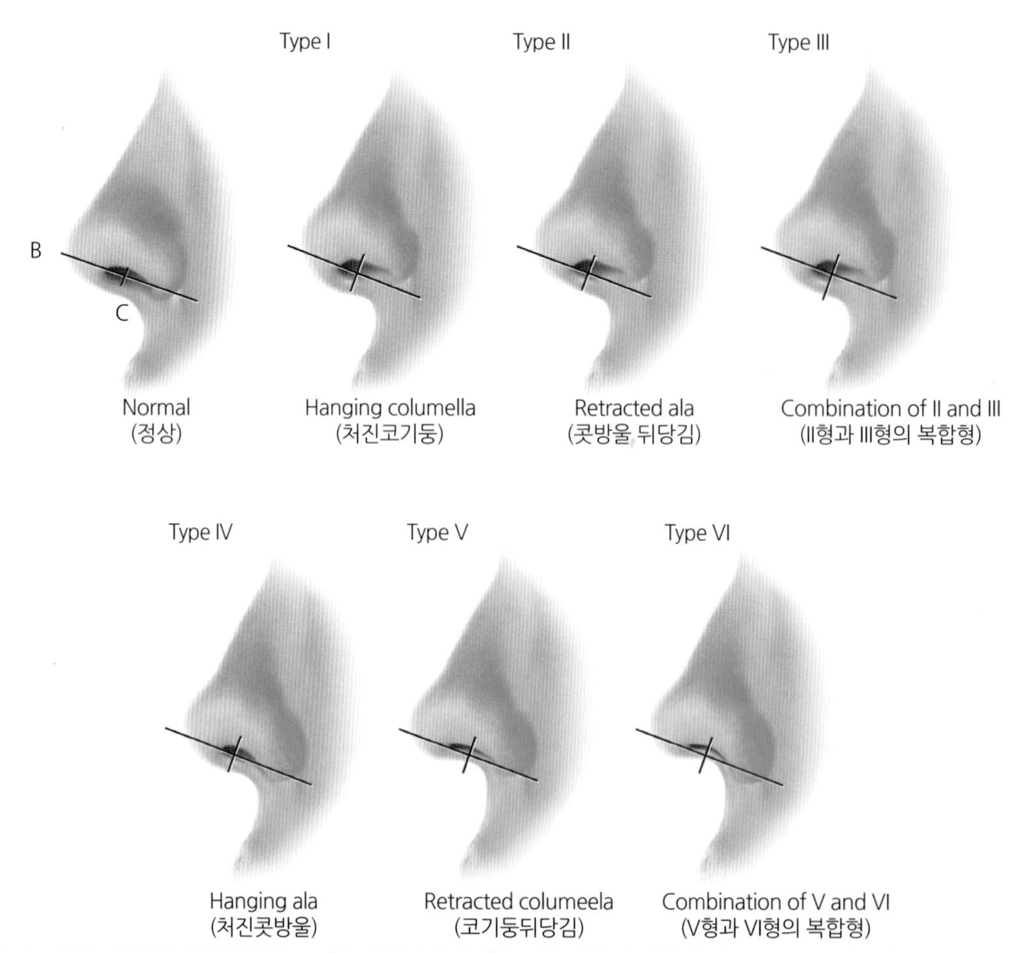

그림 18-1. 정상: 콧구멍 중간선에서 코기둥 테두리와 콧망울 테두리의 거리가 각각 1~2 mm 이내인 것, Type I (Hanging columella): 코기둥 테두리까지가 2 mm 이상, Type II (Retracted ala): 콧망울 테두리까지 2 mm 이상, Type III: I과 II의 복합, Tpye IV (Hanging ala): 콧망울 테두리가 중앙선을 내려옴, Type V (Retracted columella): 코기둥 테두리가 중앙선 위로 감. Type VI: IV, V의 복합변형.

와 lower lateral cartilage의 medial crus를 밀어 내리거나 membranous septum이 늘어져 septal cartilage의 caudal portion과 lower lateral cartilage의 medial crus와의 거리가 다소 떨어져 있는 경우, (2) lower lateral cartilage의 medial crus의 폭이 columella가 처져 보일 정도로 큰 경우, (3) lower lateral cartilage의 middle crus가 다소 길고 medial crus와의 이음부가 구부정해 medial crus가 밑으로 돌출해 있는 경우 등이 있다. 또한 이 세 가지 경우가 복합적으로 발생할 수 있다(**그림 18-3**). septal cartilage가 긴 경우는 손가락 끝으로 columella를 위로 밀어 보면 septal cartilage의 distal edge가 바로 만져지므로 진단하기가 쉽다.

2) 교정방법

Nasal tip이 처지지 않고, nostril의 모양의 이상이 없는 경우에는 늘어진 membranous septum을 타원형으로 절제(elliptical excision)하고 distal septum과 lower lateral cartilage의 medial crus의 proximal edge를 박리하여 포켓을 만들고 5-0 nylon 봉합사로 당겨 봉합해주는 columellar septal suture를 한다(invagination technique). septal cartilage가 긴 경우는 septal cartilage의 caudal portion을 절제함과 동시에 membranous septum을 전층 절

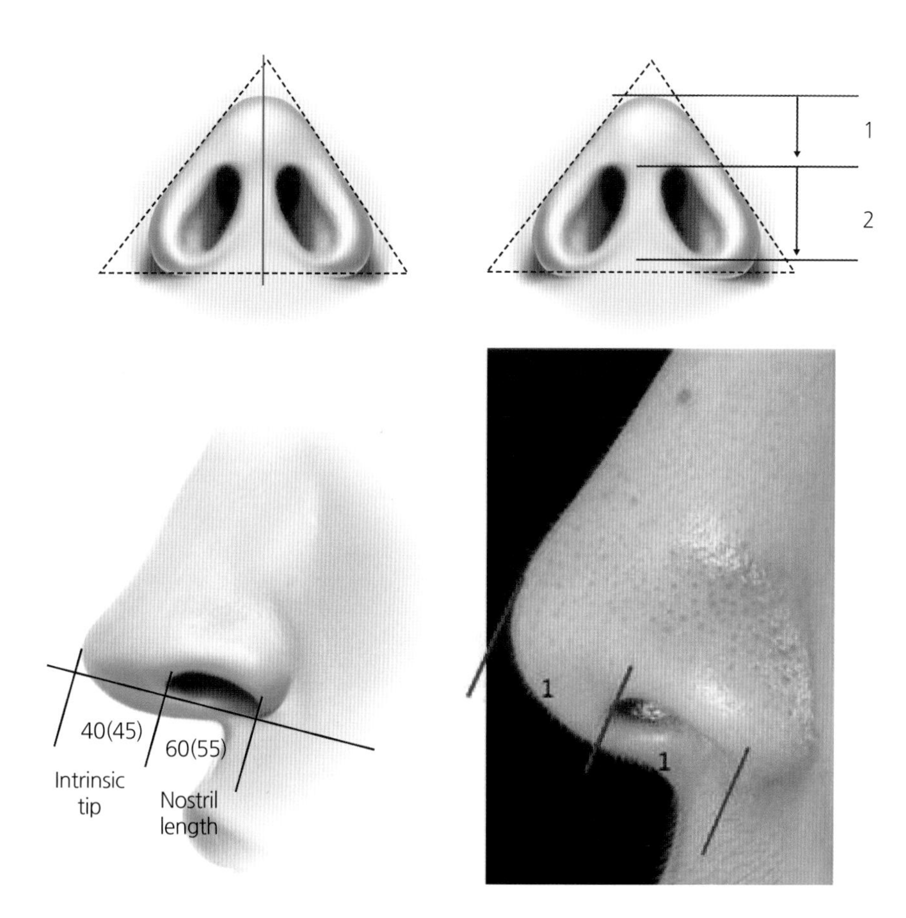

그림 18-2.

Gunter는 백인 여성의 가장 좋은 코바닥의 윤곽은 이등변 삼각형이고 중심축을 따라 코기둥이 위치하며 코기둥과 코끝아래소엽(infratip lobule)의 비율이 2:1 정도라 하였으나 Guyuron은 코구멍(nostril)과 코끝아래소엽(infratip lobule)의 비율을 60:40에서 55:45 정도가 좋다고 하였다. 그러나 아시아인에서는 그 비율이 1:0.85-1:1.1 정도로 코기둥은 백인보다 짧고, 코끝아래소엽은 더 길다.

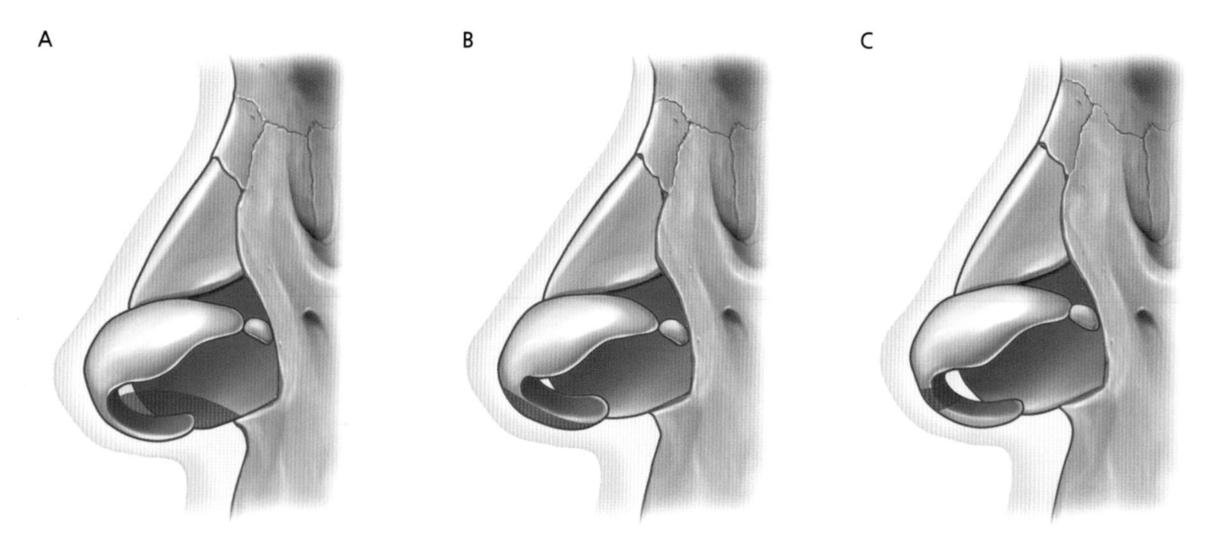

그림 18-3.

A. Septal cartilage의 caudal portion이 밑으로 길게 내려온 경우 B. lower lateral cartilage의 medial crus 쪽이 큰 경우 C. lower lateral cartilage의 middle crus가 길고 구부정해 medial crus가 밑으로 내려온 경우(붉은 표시는 절제할 부분)

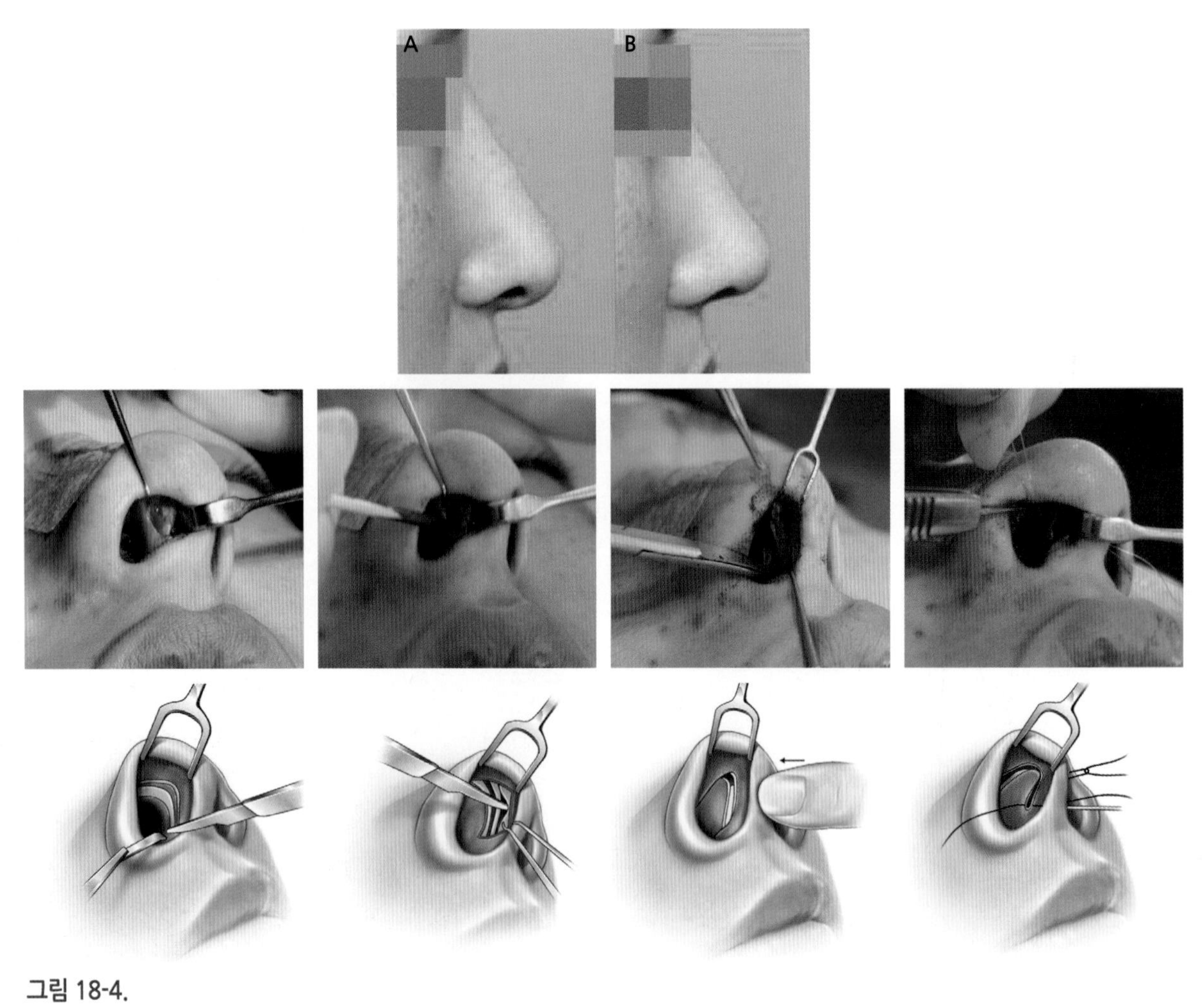

그림 18-4.

A. 술 전 B. 술 후 3개월. 관통절개를 통하여 Septal cartilage의 caudal portion을 노출시키고(좌) 긴 caudal portion을 절제하고 (중간) 머리쪽 medial crus와 caudal septum을 봉합한다.(우)

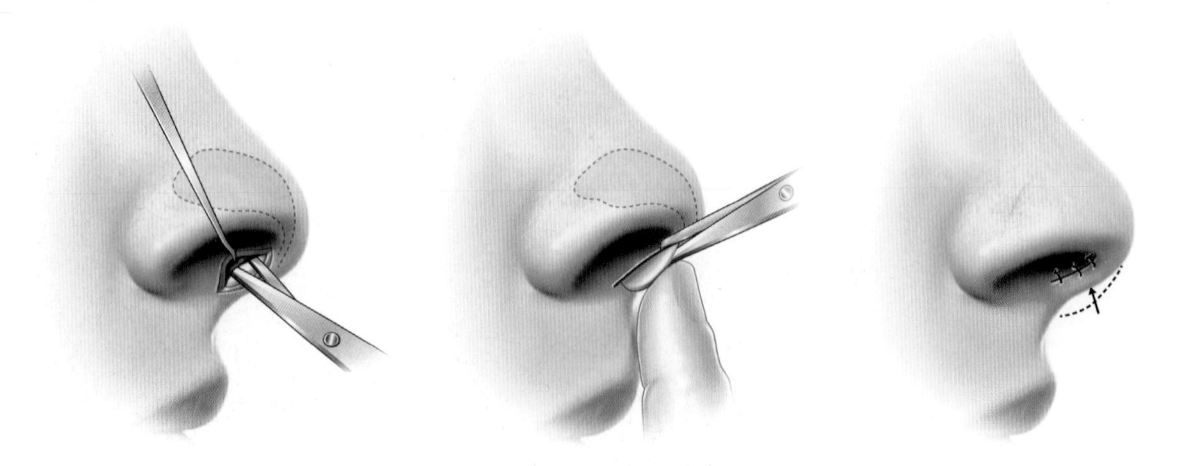

그림 18-5. columella rim incision을 통하여 넓은 medial crus의 caudal portion을 절제 후 봉합한다.

제하고 transfixion suture해 준다(**그림 18-4**).

Lower lateral cartilage의 medial crus가 지나치게 커서 처져 보일 경우는 columellar rim incision을 통해 medial crus의 caudal portion을 절제하여 준다(**그림 18-5**). 또 lower lateral cartilage의 middle crus가 길고 수직으로 일어서 있는 경우(vertically oriented middle crus)는 middle crus를 분절절제(segmental resection)한 후 두 연골사이를 단단봉합해 주고 columella가 cephalic쪽으로 올라가도록 columellar septal suture를 더해줄 수 있다.

2. Columellar retraction

Columella가 위로 당겨져 올라가 alar rim이 내려온 것처럼 보이며 columello-labial angle이 좁아 입술이 튀어나와 보인다.

1) 원인

Columellar retraction의 병리 해부학적 원인으로는 (1) septal cartilage의 caudal portion이 작거나, (2) premaxilla와 anterior nasal spine의 발육부전, (3) 외상 또는 과도한 수술로 인한 membranous septum, nasal vestibular floor 및 anterior nasal spine에 발생한 구축성 흉터, (4) 코 성형술 때 과도한 septal cartilage caudal portion의 절제 등이 있다. 대부분의 경우 septal cartilage의 발육부전이 원인이다.

2) 교정방법

(1) Septal extension graft

Septal cartilage나 rib cartilage를 이용하여 caudal septum의 길이를 연장시켜주어 columella가 앞쪽으로 밀려 내려오게 만드는 가장 확실한 교정 방법이다. columella의 당겨진 정도가 심하거나 이전 코 수술로 인해 colu-

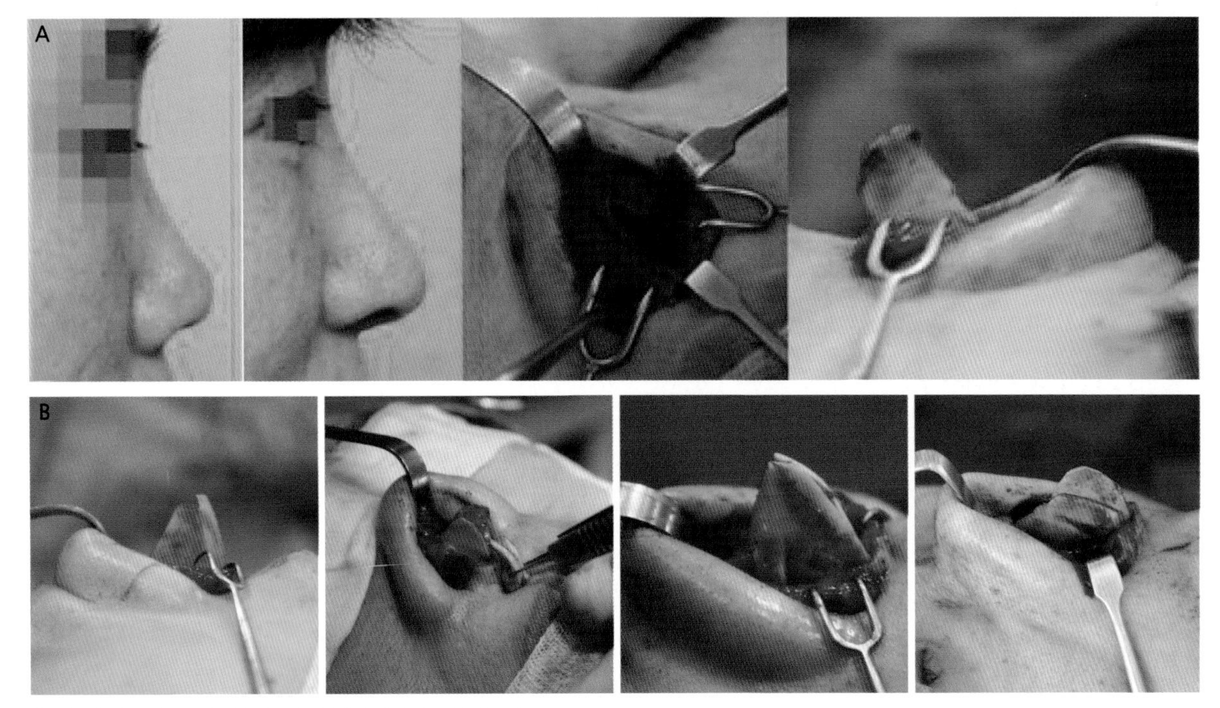

그림 18-6. 심하게 당겨진 코 기둥과 술후 교정된 모습.
A. 코중격연골이 손상되어 있어 가슴연골(costal cartilage)로 anterior nasal spine 아래까지 extension graft한 모습 B. 코중격연골과 귀연골을 이용하여 다양한 형태로 columella가 내려 오도록 extension graft한 모습.

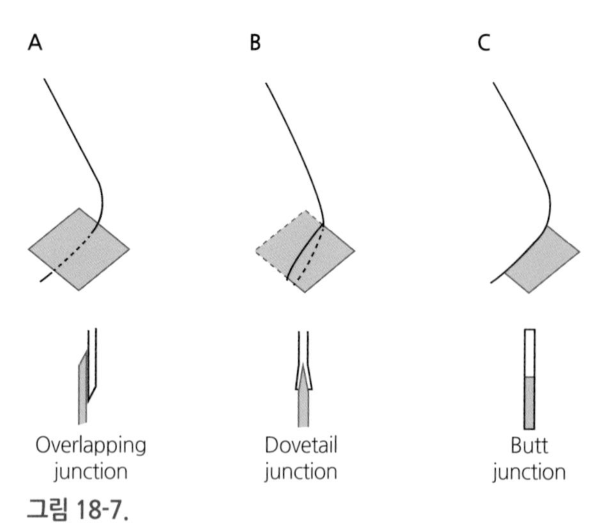

그림 18-7.

코중격연골의 caudal portion에 고정시키는 방법으로는 A. 덧대어주는 방법(overrapping junction type) B. 끼우는 방법(dovetail junction type) C. 단단봉합(butt junction type) 방법으로 나눌 수가 있다

mella가 심하게 retraction되고 그 길이가 단축된 경우, 또 이전 수술로 cartilaginous septum이 손상되거나 남아있는 연골이 적은 경우 주로 사용한다(**그림 18-6**).

Septal extension graft를 위한 재료로는 septal cartilage가 가장 좋으나 septal cartilage가 매우 작거나 손상된 이차 수술인 경우는 rib cartilage를 주로 이용한다. 그 외 방사선 조사한 사체가슴연골(irradiated costal cartilage)과 다공성폴리에틸렌판(porospolyethylene sheet, Medpore)을 사용할 수 있다. 그러나 이런 이물질은 감염, 흡수 등의 문제가 있고, 이차수술인 경우 사용하는 데 한계가 있다.

채취한 연골 이식편을 septal cartilage의 caudal portion에 고정시키는 방법으로는 (1) 덧대어주는 방법(overlapping junction type), (2) 끼우는 방법(dovetail junction

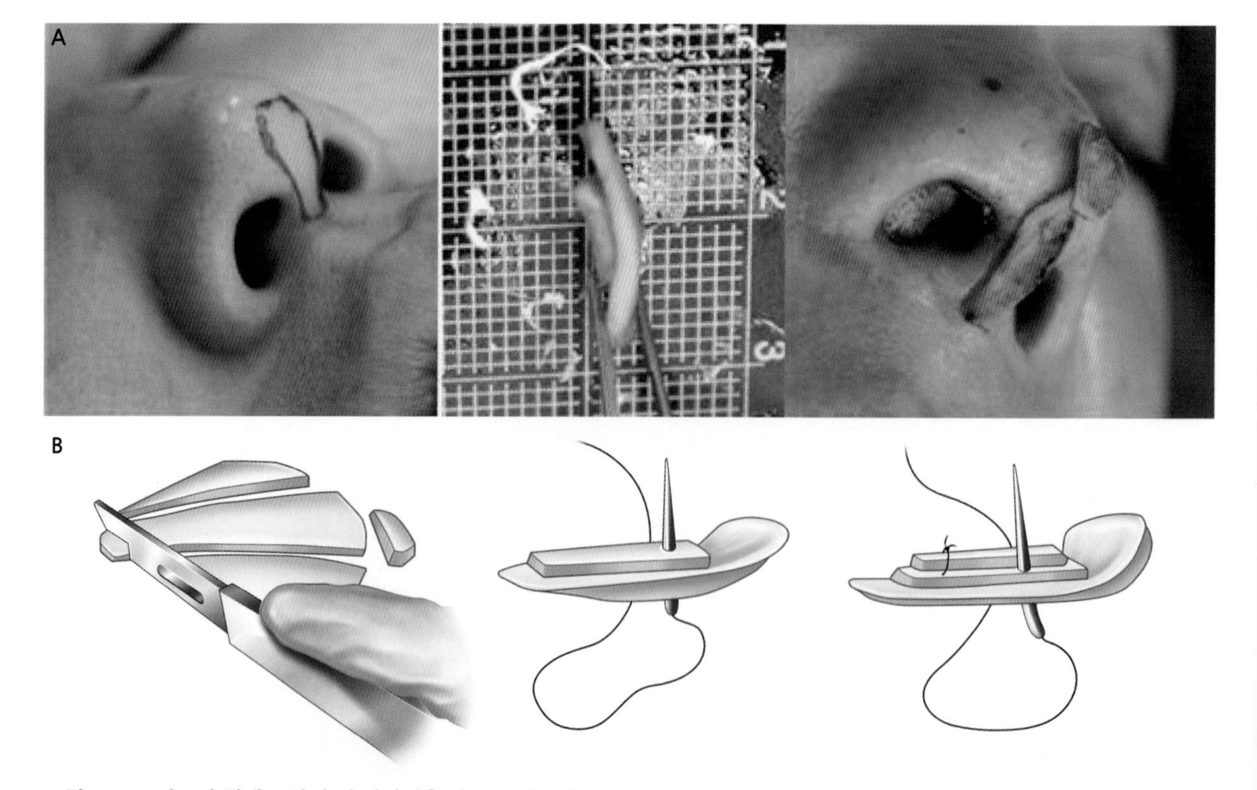

그림 18-8. 터보건 썰매 모양의 긴 이식편을 다듬고 안쪽에 2~3겹의 연골편을 덧대어주어 그 두께를 두껍게 연골편을 만든다.

A. 콧망울 테두리절개를 코끝과 코기둥까지 연결시키고 콧망울연골의 중간다리 및 안쪽다리부분과 코기둥의 피부를 박리하고 미리 만든 연골편을 덧대어 준다. B. 코중격연골로 이식편을 만드는 모습.

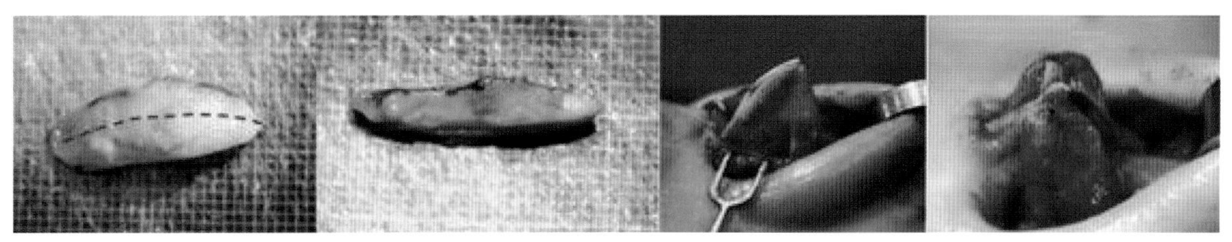

그림 18-9. 귀연골을 반으로 접어서 볼록한 부분이 앞으로 나오게 위치시키고(화살표) 양쪽 안쪽다리(medial crus)와 수평봉합 한다.

type), (3) 단단봉합 방법(butt junction type)이 있는데 (**그림 18-7**), cartilaginous septum의 caudal portion의 상태에 따라 적당한 방법을 선택하는 것이 좋으나, 아시아인의 경우 끼우는 방법은 연골이 얇아 수술하기가 어렵다. 단단봉합 방법에서 한기환 등은 horizontal mattress suture보다 vertical figure of eight suture 방법이 더 강력한 지지력을 준다고 하였다.

연골이식편을 덧대어줄 때 연골이식편이 anterior nasal spine 밑까지 내려갈 수 있도록 충분히 길게 하여 columella를 내려가게 봉합한다. 또한 columello-labial angle이 작은 경우에는 귀연골을 이용하여 columella 밑에 추가로 중첩이식해 주어 각도가 커지도록 한다.

(2) Toboggan graft(터보건 썰매 모양의 중첩이식술)와 columellar strut graft

비교적 retraction이 경한 경우이면서 columella의 연조직에 여유가 있을 때 가능하다. septal cartilage나 conchal cartilage(귀연골)을 이용하여 toboggan graft, 즉 터보건 썰매 모양의 긴 이식편을 다듬고 안쪽에 2~3겹의 연골편을 덧대어주어 그 두께를 두껍게 연골편을 만든다. Alar rim incision을 nasal tip과 columella까지 연결시키고 lower lateral cartilage의 middle crus 및 medial crus 부분과 columella의 피부를 박리하고 미리 만든 연골편을 덧대어 준다(**그림 18-8**).

Columellar strut graft도 retraction이 비교적 경한 경우에 사용할 수 있는데 귀연골의 cymba conchae 부분을 충분히 채취하여 반으로 접게 되면 비교적 튼튼한 볼록한 모양의 연골이식편을 만들 수 있다. 이 연골이식편을 lower lateral cartilage의 medial crus 사이에 넣고 양쪽 다리가 아래쪽으로 내려오도록 columellar strut에 horizontal mattress suture를 해준다(**그림 18-9**).

(3) 보형물을 이용한 anterior nasal spine 올리기

Columella의 아래쪽 부분이 주로 꺼져 있고 columello- labial angle이 작아 columella 아래쪽이 당겨져 보이는 경우에 적합하다. 입안 절개를 통해 depressor septi nasi muscle을 절제하고 골막하 박리로 anterior nasal spine과 caudal septum을 박리하여 실리콘이나 Medpore와 같은 보형물을 삽입하면 아랫부분 columellar retraction과 columello-labial angle을 동시에 좋게 할 수 있다(**그림 18-10**).

3. Columella가 삐뚤어진 경우(Vertical array deformity)

1) 원인

(1) Caudal septum이 휜 경우, (2) anterior nasal spine의 위치가 삐뚤어진 경우, (3) 양측 lower lateral cartilage의 모양과 크기가 다른 경우 또는 위의 원인들이 복합된 경우이다.

2) 교정방법

Columellar base incision 또는 transcolumellar incision

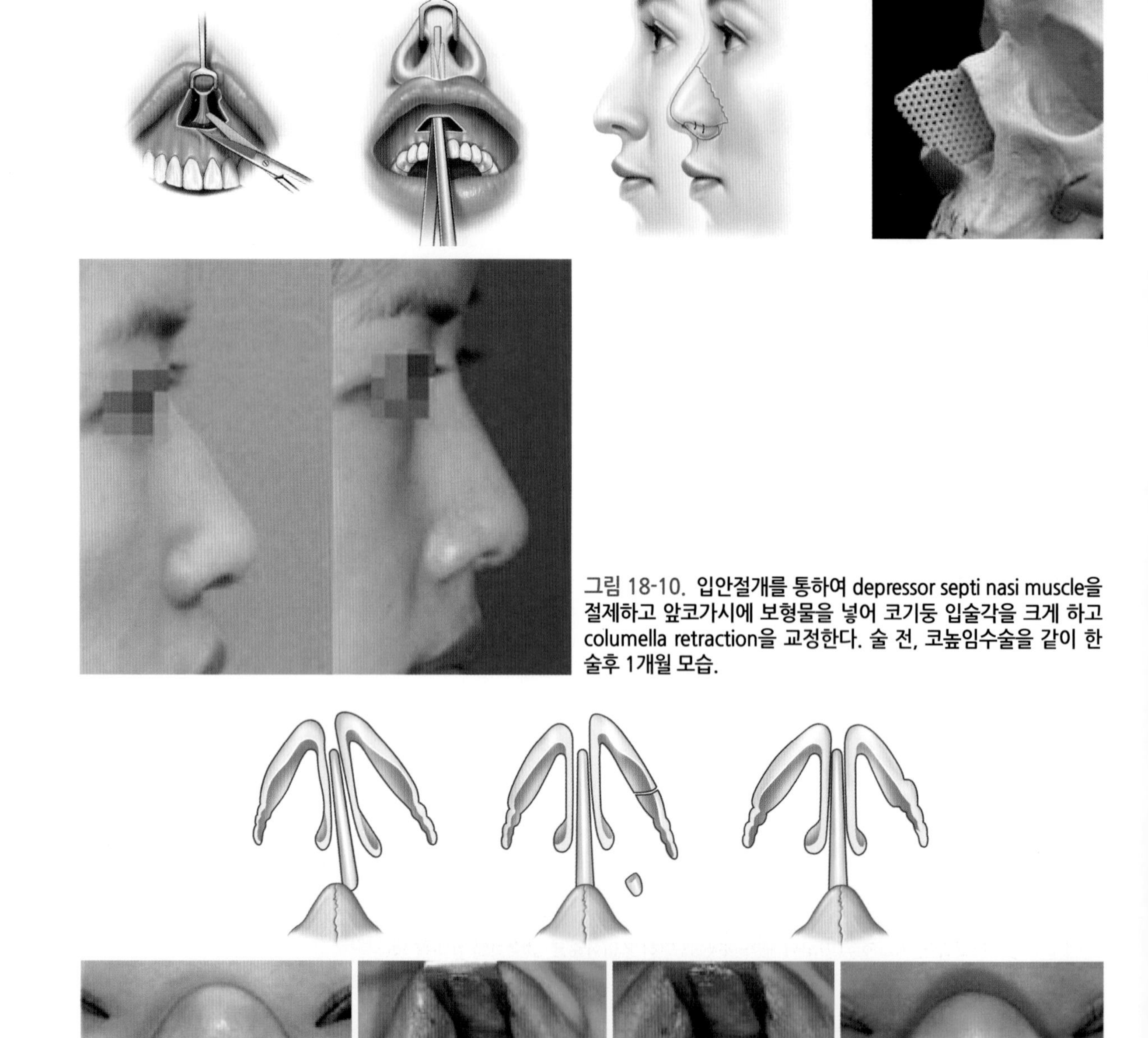

그림 18-10. 입안절개를 통하여 depressor septi nasi muscle을 절제하고 앞코가시에 보형물을 넣어 코기둥 입술각을 크게 하고 columella retraction을 교정한다. 술 전, 코높임수술을 같이 한 술후 1개월 모습.

그림 18-11. 입안절개를 통해 삐뚤어진 코중격연골 꼬리부분을 노출시키고 아래쪽 anterior nasal spine 부위의 변위된 연골을 제 위치로 옮겨 고정시킨다.

을 통하여 양쪽 lower lateral cartilage를 노출시키고 medial crus사이를 박리하여 anterior septal angle과 anterior nasal spine 부분을 연골막하 박리하여 충분히 노출시키고, 휘거나 잘못 위치한 연골 아래쪽 부분을 중앙으로 이동시킨다. 필요하면 변위된 anterior nasal spine을 절골하여 중앙에 위치시키고 비흡수성 봉합사로 고정시킨다(**그림 18-11**). 귀연골 또는 septal cartilage로 columellar strut를 덧대어준다.

4. 양측 columella의 높이가 다른 경우 (양측 nostril의 높이 차이가 있는 경우: Horizotal array deformity)

1) 원인

Soft triangle의 양에 차이가 있거나 lower lateral cartilage의 모양이 서로 다른 경우이다.

2) 교정방법

한쪽 soft triangle이 과도한 경우에는 그 부분을 절제하거나 또는 Z-plasty 등으로 높이를 맞추어 준다. 양쪽 lower lateral cartilage의 모양과 크기에 차이가 있는 경우는 nasal tip모양의 차이가 동반된다. 이런 경우는 open approach를 통하여 양쪽 lower lateral cartilage를 노출시켜서 lateral crus 또는 medial crus의 양쪽 차이를 관찰하여 양쪽 medial crus 길이 및 medial crus와 lateral crus의 각도가 같도록 연골을 절제, 봉합하여 교정해준다(**그림 18-12**).

5. Wide columellar base

1) 원인

Lower lateral cartilage의 medial crus의 아래쪽 footplate 부분이 과도하게 벌어져 있고 그 사이에 areolar connective tissue가 많아서 생긴다.

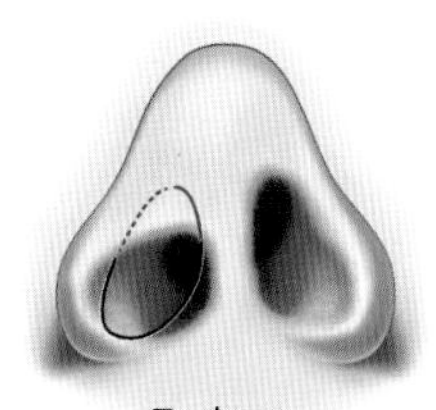

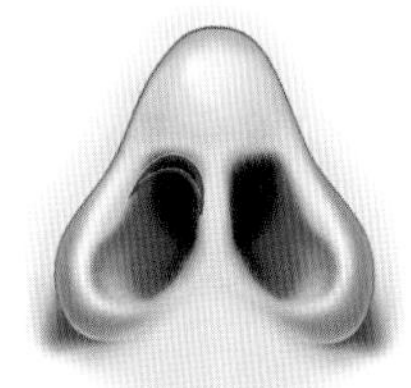

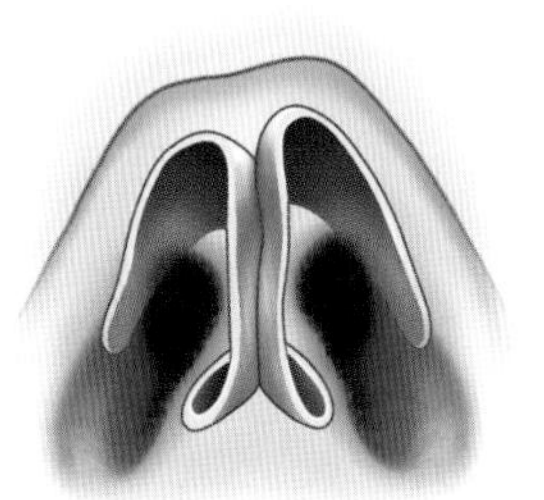
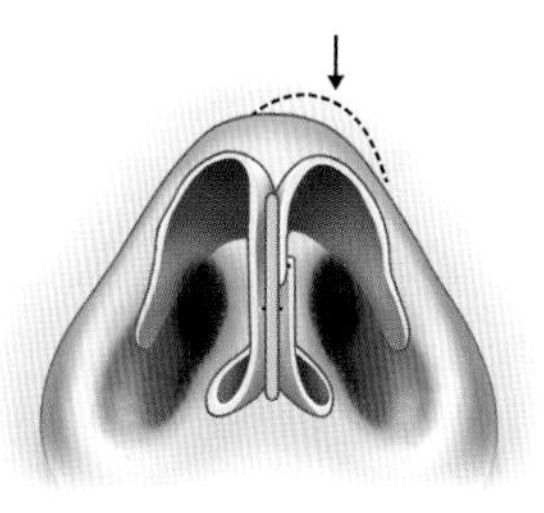

그림 18-12. 연삼각조직이 많은 경우는 절제 또는 다양한 Z 피판술로 코구멍의 높이를 맞춘다.
alar cartilage의 medial crus 및 lateral crus의 차이로 인한 경우는 연골을 노출시킨 후 연골 높이 차이를 조절하여 교정해준다.

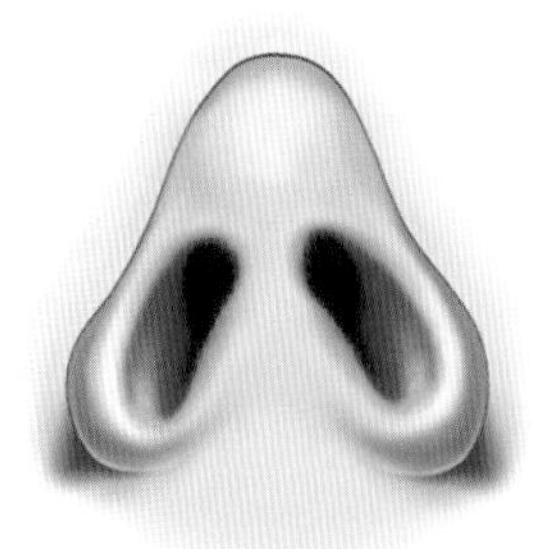
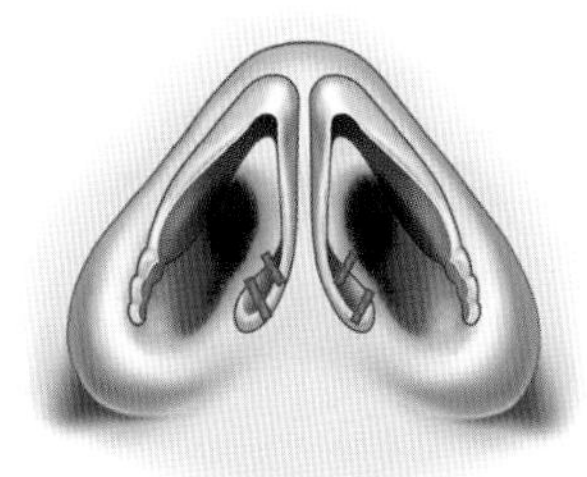
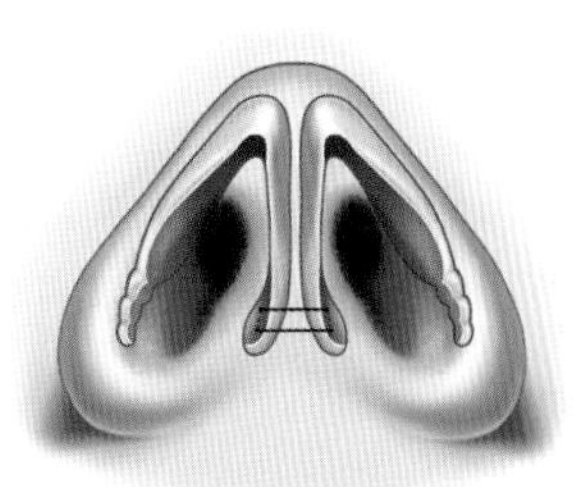

그림 18-13. Transcolumella incision(코기둥관통절개)를 통해 medial crus footplate사이의 그물눈모양결체조직을 제거하고. medial crus 아랫부분을 횡으로 칼금(scoring incision)을 넣어서 연골이 쉽게 휘어지게 한 후 두 연골을 서로 모아준다.

2) 교정방법

Columellar rim incision과 transcolumellar incision를 통하여 양쪽 lower lateral cartilage의 medial crus를 columella 밑까지 충분히 박리하고 medial crus footplate 사이의 areolar connective tissue를 제거한다. Medial crus 아랫부분에 횡으로 scoring incision을 넣어서 연골이 쉽게 휘어지게 한 후 두 연골을 서로 vertical mattress suture하여 벌어진 medial crus 아랫부분을 모아준다. Medial crus의 footplate 쪽을 서로 모아주면 columella base의 넓이가 좁아지고 columella의 길이가 연장된다(**그림 18-13**).

6. Short columella

1) 원인

병리 해부학적 원인으로는 (1) lower lateral cartilage의 medial crus가 작거나 매우 얇고 때로는 lateral crus와 medial crus의 연속성이 떨어져 columella의 발육이 적게 된 경우, (2) 흑인 코처럼 medial crus가 옆으로 누운 경우, (3) 외상, 감염, 종양수술 및 잘못된 수술로 인해 피부가 손실된 경우, (4) 드문 경우이나 depressor septi nasi muscle이 비대하게 발달되어 윗입술이 위로 당겨져 columella가 짧게 보이는 경우이다.

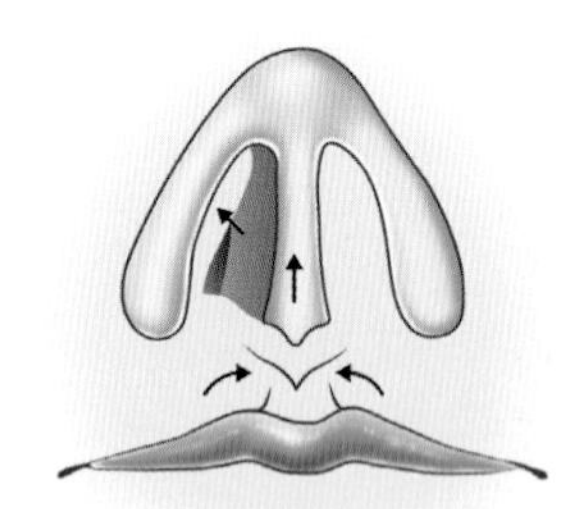
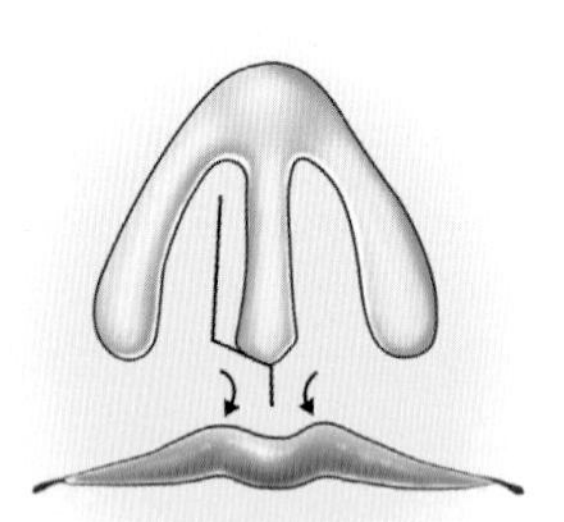
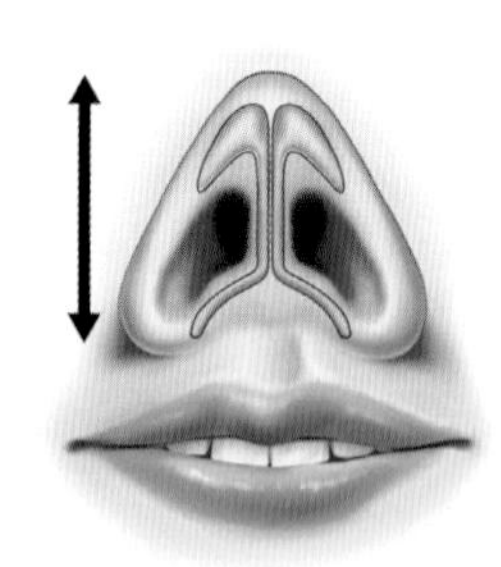
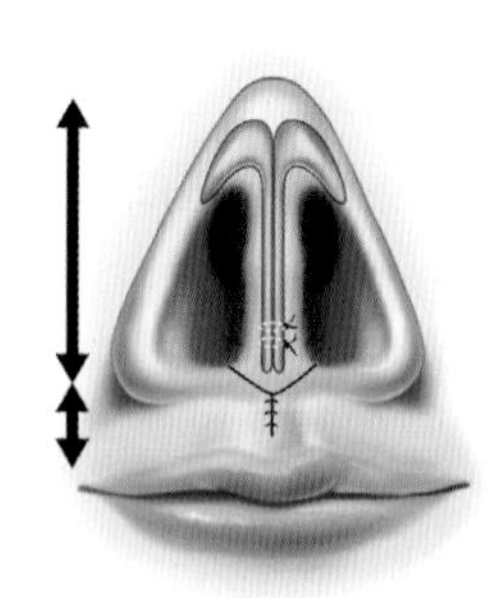

그림 18-14. 피부와 medial crus를 포함하는 VY 복합피판을 일으키고 벌어진 medial crus footplate를 좁혀주므로 코기둥이 길어지게 한다.

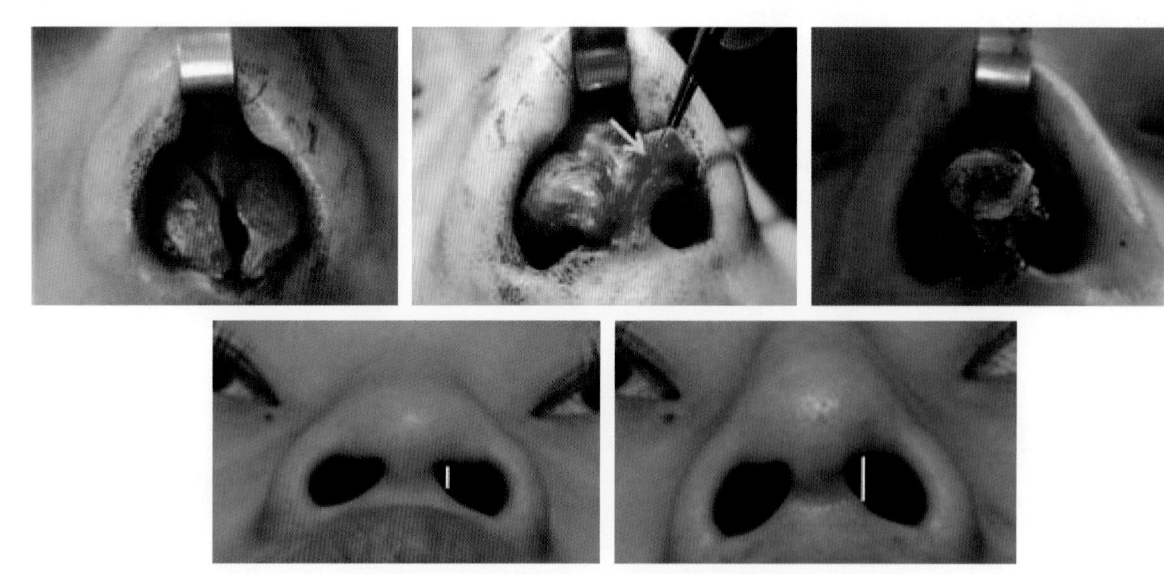

그림 18-15. middle crus와 foot plate 사이의 medial crus가 결손된 경우(화살표) 귀연골 또는 코중격연골을 이용하여 columella strut을 만들어 준다. 술 전 및 술 후 3개월. (아래) 코기둥이 연장되어 있다.

2) 교정방법

다양한 크기의 V-Y advancement flap과 nostril 바닥에서 transposition flap을 이용하여 columella를 보충해 줄 수 있다. 심한 경우는 귓바퀴에서 채취한 쐐기 모양의 composite graft를 columella 아래쪽에 이식하여 기둥을 연장한다.

Medial crus의 발달이 미숙한 경우 절개선을 columella 아래쪽에 인중을 포함하여 V-Y로 연장한다. Medial crus 연골 사이를 박리하여 아래쪽의 depressor septi nasi muscle을 절제한다. 약하거나 잘려진 medial crus(**그림 18-15 화살표**)를 보강하기 위하여 귀연골의 cymba conchae 부분을 반으로 접은 기둥연골이식편이나 septal cartilage를 이용하여 columellar strut을 대어주어 medial crus를 보강하고 V-Y 전진 피판으로 피부를 덮어준다(**그림 18-15**). Medial crus의 발달이 좋은 경우는 피부와 medial crus를 포함하는 V-Y composite flap를 일으키고 벌어진 medial crus footplate쪽을 좁혀주어 columella가 길어지게 한다(**그림 18-14**).

V-Y advancement flap, nostril sill의 transposition flap, composite graft는 모두 columella의 아래쪽에 눈에 보이는 반흔이 남게 되므로 수술 전 환자에게 충분한 설명이 필요하다. 짧게 보이는 columella를 위로 당겨보아 피부의 여유가 있는 경우에는 columellar strut을 잘 세워주는 것만으로도 columella의 길이를 늘일 수 있다.

참고문헌

1. Gunter JP, Rohrich RJ, Friedman RM : Classification and correction of alar columella discrepancies in rhinoplasty, Plast. Reconstr. Surg. 1996 ; 97(3);643
2. Guyuron B., Ghavami A, Wishnek SM : Component of the short nostril, Plast. Reconstr. Surg. 2005 ; 116(5);1517
3. Daniel RK. Rhinoplasty : Large nostril/small tipdisproportion Plast. Reconstr. Surg. 2001 ; 107: 1874
4. 성형외과학: 강진성 제3판, 군자출판사 2004 ; 1311-1316
5. MotturaAA ; short columella nasolabial complex in Aesthetic Rhinoplasty. Aesthetic Plastic Surgery 2001; 25 :266
6. Tebbetts JB. Primary Rhinoplasty: A New Approach to the Logic and the Techniques. 1st ed. St. Louis, Mosby: 458, 1998
7. Guyuron B, Varghai A. Lengthening the Nose with a Tongue-and-groove Technique. Plast Reconstr Surg 2003; 111: 1533-9
8. Kihwan Han. A Biomechanical Comparison of Vertical Figure-of-eight Locking Suture for Septal Extension Graft. J of Plast and Reconstr Surg.2008; 1-5,
9. Richard E. Greg B. Nostriloplasty: Raising, lowering, widening, and symmetry correction of the alar rim. Aesthetic Surg J. 2002; 22:227
10. Rhinoplasty symposium Seoul 2010: Challenge and Creation. Korean Society of Rhinoplastic Surgeons: 2010: 131-134

CHAPTER 19

봉합, 스플린트 및 수술 후 관리 | Closure, Splinting and Postoperative

Chapter Author | 김효헌, 정재호

1. Closure

Columellar incision의 suture는 6-0 nylon 등의 비흡수성 봉합사를 사용하여 closure하고 Intranasal incision은 5-0 nylon 등의 비흡수성 봉합사 혹은 4-0 catgut이나 vicryl 등의 흡수성 봉합사를 사용하여 봉합한다.

2. Splinting

Splinting은 코의 dressing에서 매우 중요한 부분인데 수술 후 혈종이 생기는 것을 방지하기 위하여 사용하며, 보통 dressing 해 놓은 반창고를 제거하는 시점까지 유지하도록 한다.

Metal splint와 aqua splint 두 종류를 많이 사용하는데, 보통 약 5~7일 정도 유지해주는 것이 좋다. splint를 너무 압박하였거나 부종이 심할 경우에는 피부괴사를 일으킬 수 있으므로 주의 깊게 관찰하는 것이 중요하다. Corrective rhinoplasty를 시행한 경우에는 절골술을 시행하였으므로 dressing을 모두 제거한 이후에도 splint를 계속 유지시켜야 하는데, 7~10일 간격으로 follow up 하면서 부종이 빠지는 코 모양에 맞추어 splint를 다시 remolding 해주어야 한다. 이처럼 절골술을 시행한 경우에는 splint를 약 두 달 정도 유지해 주는 것이 좋으며, 특히 잘 때는 반드시 착용하도록 주의를 준다.

3. Post-op Management

수술 후 48시간까지는 깨어 있는 동안에는 얼음찜질을 지속적으로 해주는 것이 출혈을 막고 부종을 감소시키는 데 도움이 된다. 수술 후 환자 position은 머리가 심장보다 약 20 cm 정도 높게 유지하는 자세, 즉 비스듬히 앉은 자세를 유지하게 하는 것이 좋다.

비중격 수술 후에 비강 내에 막아놓은 패킹은 약 5~7일 정도 유지한 후에 제거해 준다. 또, 붙여둔 dressing 반창고와 거즈 등은 5~7일간 유지하는 것이 좋다. 보통 Splint 는 dressing 해 놓은 반창고를 제거하는 시점까지 유지해서 혈종이 생기는 것을 방지해야 하는데, 절골술을 시행한 경우에는 splint를 조절하면서 약 두 달간 유지해 주는 것이 좋다.

절개봉합 부위의 dressing은 2~3일에 한 번씩 소독을 해 주고, 봉합사는 술 후 5일째 절반을 제거하고 7일째 모두 제거하는 것이 좋다.

혈관손상 등으로 수술 후에 부분적인 피부괴사가 진행되거나 이미 발생한 경우에는 가능하면 빨리 성체줄기세포 또는 SVF (stromal vascular fraction, 지방조직을 collagenase로 조직분해해서 얻은 세포부유액을 원심분리할 때 가라앉는 세포군. 다양한 종류의 세포를 포함하며, 10% 내외의 지방유래줄기세포(adipose stem cells)를 함유하고 있다) 세포를 해당부위의 피하조직에 주입하는 세포치료로 혈관신생을 촉진시켜 피부괴사를 최소화할 수 있다.

참고문헌

1. Jeong JH. Adipose Stem Cells and Skin Repair. Curr Stem Cell Res Ther 2010; 5: 137-40.

구순비 변형의 교정 | Secondary CLN Deformity

Chapter Author 엄기일, 김지남

1. 수술시기

구순비 교정(cleft lip nose correction)의 수술시기는 다음 3시기로 나눌 수 있다.

① 입술성형술과 동시에 시행하는 일차 구순비 교정
② 새로운 친구를 만나는 학동기 전 시행하는 구순비 교정
③ 성장이 완료된 육체적 성년 이후 시행하는 근본적 구순비 교정술(definitive cleft lip nose correction)

1) 일차 구순비 교정

교과서 plastic surgery, Neligan (2017)에 나오는 구순비 교정을 일차 입술성형술과 동시에 semi-open rhinoplasty 방식으로 시행하는 Samuel Noordhoff의 술식을 저자는 동의하지 못한다. 그 이유는 Noordhoff의 술식으로 수술하게 되면 C-flap이 columella의 길이를 연장시키는데 이용됨으로써 기존의 정상측보다 긴 환측 콧구멍의 둘레가 더 길어지는 결과를 가져오며, Noordhoff의 back cut은 Millard의 back cut과는 다르게 columella를 침범하는 형태로 되어 있는 데다 dissection을 과도하게 하여 추후 좋지 않은 scar를 남기고 성장에도 악영향을 미친다. 사춘기 이후 근본적 구순비 교정 시에도 어린 나이에 반흔 조직이 형성되어 추후에 수술이 용이하지 않게 되는 것이다. 또한 아기 때 수술여부와 상관 없이 추후 발생하는 deformity는 비슷하기 때문에 primary cheiloplasty 시 open rhinopalasty를 시행하는 것은 바람직하지 않다고 저자는 생각한다.

2) 만 5세 가량에 시행하는 suture suspension technique은 코에 성장장애를 주지 않기 위해 minimal dissection이 요구되며, marginal incision 을 통해 flared alar cartilage를 반대쪽 alar cartilage에 prolene #5-0 혹은 #6-0로 suture suspension 하여 symmetry를 교정한다. 이 시기에는 definite correction은 불가능하다. 수술 이후 nostril retainer를 6개월산 사용하여 콧구멍 모양을 대칭되게(symmetric하게) 유지시킨다.

3) 청소년기 이후에 골격의 성장이 완료된 후 시행하는 definite correction은 환자에 대한 철저한 진단을 토대로 수술을 계획하고 시행하게 된다. Cleft lip nose (CLN)는 일반 코 성형술보다도 해부학적 구조물의 형태가 복잡하고 환자 개개인마다 가지고 있는 특성이 모두 다르

기 때문에, 술 전 상담 시 환자의 상태를 더욱 세밀히 관찰하여 정확한 분석이 필요하고 술 후 예상되는 결과에 대해서 환자와 충분한 논의를 거쳐야 한다.

2. 진단

구순비변형 환자는 구순비환자만이 가지고 있는 전형적인 변형(deformity)과 그렇지 않은 비전형적인 변형을 동시에 보일 수 있고, 그 내용은 다음과 같다.

1) 일측성 구순비변형 환자의 전형적인 deformity (그림 20-1)

- Non-cleft side deviation of nasal bony dorsum
- Non-cleft side deviation of nasal septum & ANS
- Non-cleft side deviation of columella
- Slanted columella
- Non-cleft side positioning of nasal tip highlight
- Widened or narrow cleft side alar base
- Depressed cleft side nostril sill (groove)
- Prominent non-cleft side foot plate & weakened cleft side foot plate
- Cleft side alar flaring and drooping down
- Weakened cleft side alar crease

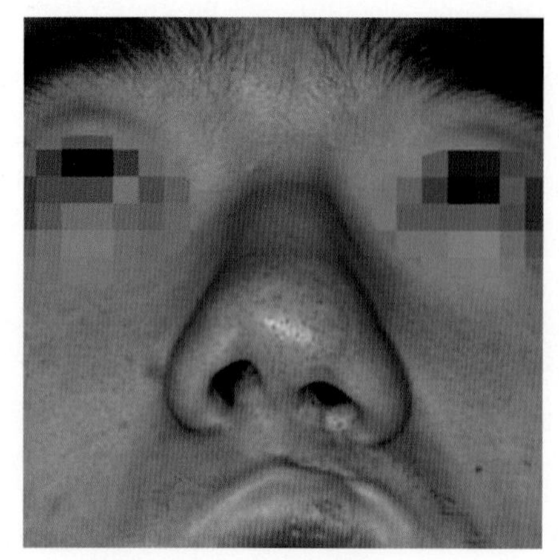

그림 20-1. 일측성 구순비 환자의 사진

2) 양측성 구순비변형 환자의 전형적인 deformity

- Bulbous nasal tip
- Supratip deformity
- Bilateral alar flaring
- Widening of interalar distance
- Increased nasolabial angle

3) 일측성 구순비변형 환자의 비전형적인 deformity

- Retracted ala
- Hanging columella
- Increased nasolabial angle (upturned nose)
- Flat nose

4) 양측성 구순비변형 환자의 비전형적인 deformity

- Hump nose
- Broad nasal dorsum

환자가 위와 같은 deformity 중 어떤 것을 가지고 있는지 파악하고 그것을 토대로 진단을 내린다. 특히 일측성 구순비 환자에서 Key point는 alar rearrangement를 통해 symmetry를 맞추는 것이라 할 수 있지만, 공존하는 다른 deformity를 조화롭게 해결하지 않고서는 좋은 결과를 가져올 수 없다는 것을 유념해야 한다.

3. 치료

구순비의 교정을 위해서는 intra-nasal work뿐 아니라 extra-nasal work가 함께 시행되어야 정확한 교정이 가능하다. 진단에 따른 각각의 치료법은 다음과 같다.

먼저, 일측성 구순비 교정에 있어서 intra-nasal work로는 deviated nasal dorsum과 septum, alar flaring, highlight of nasal tip을 교정할 수 있으며, Extra-nasal work로는 depression된 cleft side의 nostril sill과 slanted columella, widened alar base, foot plate의 prominence와 weakening을 교정할 수 있다.

Nasal Bony deviation이 있을 때는 lateral osteotomy 등으로 corrective rhinoplasty를 하거나 튀어나와 있는 부위를 rasping으로 깎아주어 해결할 수 있다. Septal deviation은 open rhinoplasty로 approach하여 submu-cosal resection (SMR)으로 septal cartilage를 채취하고, 채취한 septal cartilage를 이용하여 septal extension graft를 시행한다. 구순비에서는 junction of crus의 각도가 넓게 펼쳐진 양상이기 때문에, alar approximation 시에 junction of crura를 strut에 suture하게 되면, 오히려 더 휘어질 수 있다. 따라서 좀 더 바깥쪽에 suture함으로써 양쪽에서 펼쳐지려는 힘을 받게 하여 columella가 좀 더 똑바로 서게 되고, 부수적으로 tip projection의 효과도 가져온다(**그림 20-2**).

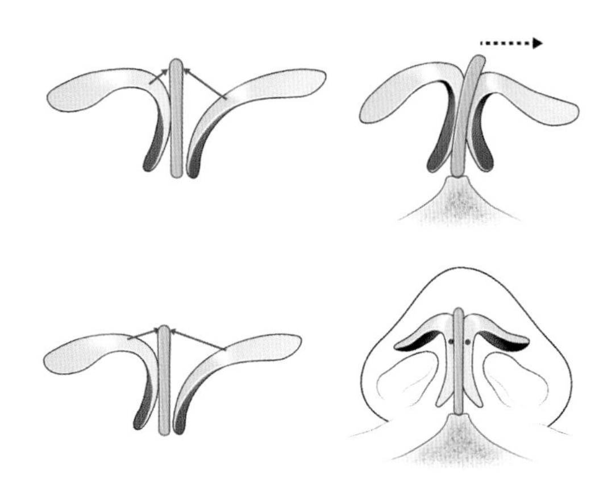

그림 20-2. alar approximation 시 suture 지점

정상측으로 편위되어 있는 비주, 정상측의 강화된 foot plate와 환측의 약화된 foot plate, 비공을 대칭으로 만드는 방법은 septum을 anterior nasal spine (ANS)으로부터 분리해서 pyriform margin에 드릴로 구멍을 뚫고 prolene #1-0으로 suspension suture하여 septum이 midline으로 이동하도록 교정한다(septal cartilage cinching). 그 결과 정상측으로 치우친 slanted columella와 prominent했던 정상측의 foot plate of medial crura, 환측의 약화된 foot plate도 교정된다(**그림 20-3**).

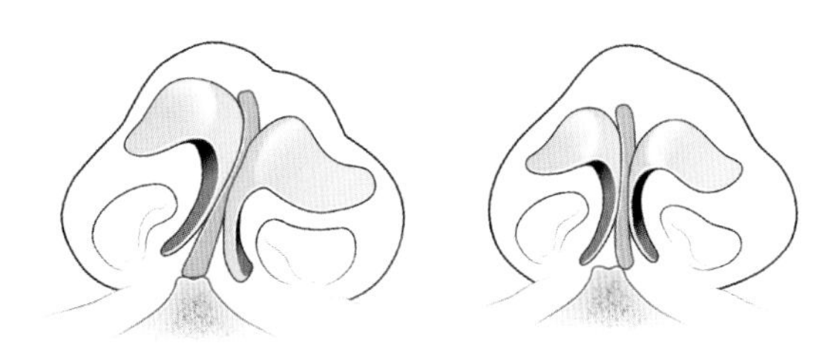

그림 20-3. suspension suture 전후 모식도

이처럼 정상측으로 치우친 slanted columella와 widened alar base, foot plate의 prominence와 weakening을 교정하는 것은 우리가 흔히 alar cartilage의 suspension suture나 어떤 직접적인 조작을 통해 교정할 수 있다고 생각하지만, 실제로는 B-flap과 C-flap의 interdigitation으로도 교정이 가능하며, septal cartilage의 cinching으로 교정할 수 있다.

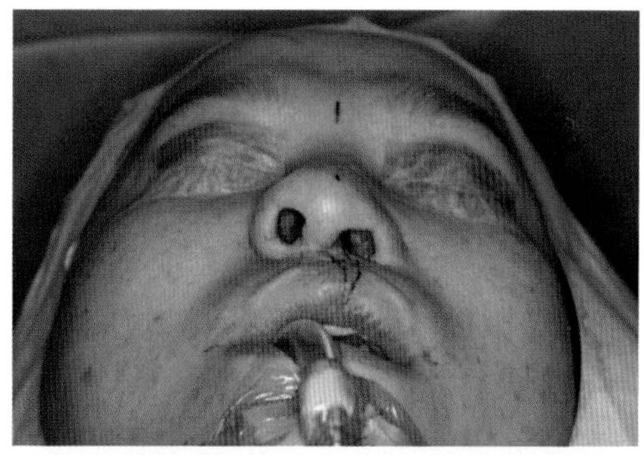

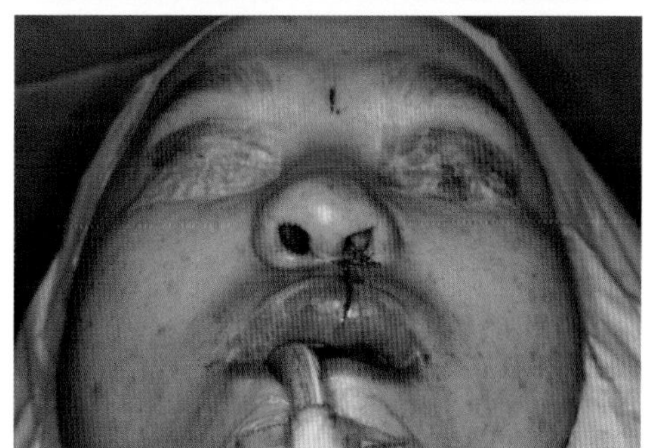

그림 20-4. unilateral CLN 환자의 수술 전후 사진

예로써, **그림 20-4**의 환자는 코 밑이 낮아져 있으며, slanted columella를 가지고 있다. 이것을 intra-nasal work

로 교정할 수 있다고 생각하기 쉽지만, 이 환자는 b-flap과 c-flap의 interdigitation 및 septal cartilage의 cinching으로 교정된 것이며, 코 안에 다른 작업은 시행하지 않았다.

Tip의 highlight는 alar cartilage를 rearrangement해서 approximation하여 midline으로 이동하도록 교정한다. 이 방법은 부수적으로 tip projection 효과도 가져올 수 있다.

환측의 콧구멍 너비가 넓으면 좁혀주고, 좁으면 columella 혹은 nostril sill에 composite graft 등이 필요하다. 콧구멍의 높이가 낮은 것은 Bone graft 혹은 dermal graft, suture suspension, muscle approximation, B-flap과 C-flap의 interdigitation으로 교정할 수 있다. 이 때 C-flap을 이용하여 nostril sill에서 입술로 이어지는 수직 길이가 정상측 보다 짧은 상황이기 때문에, 이를 길게 하여야 한다(**그림 20-5**).

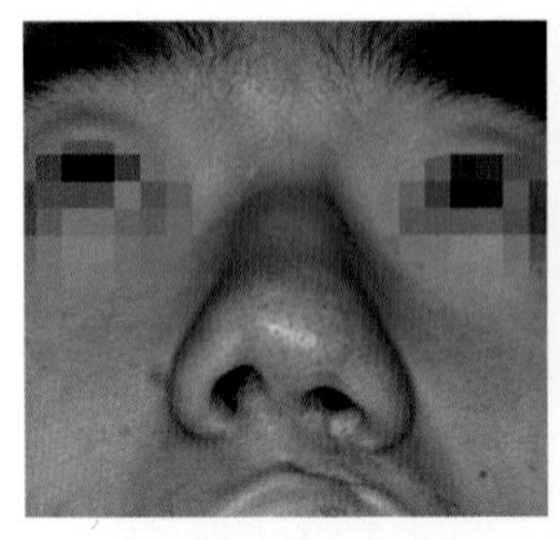
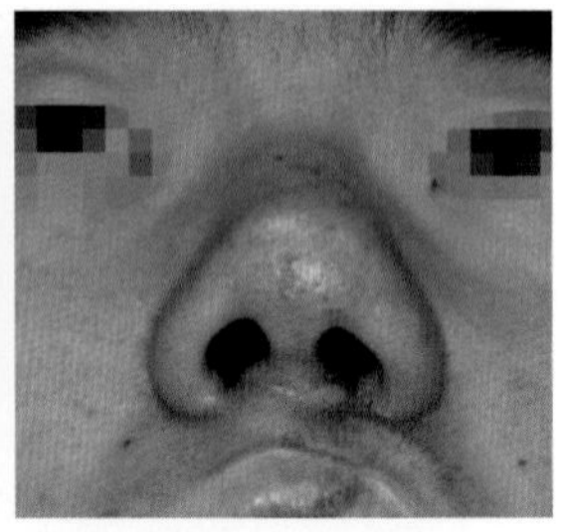

그림 20-5. unilateral CLN 환자의 수술 전후 사진

Alar flaring은 alar approximation 시 dome을 더욱 더 구부려 말아서 suture함으로써 교정하고, Alar crease의 folding B-C flap 의 interdigitation을 통해서 ala를 inversion시켜 crease를 증가시킨다(**그림 20-6**). 조금 더 강화

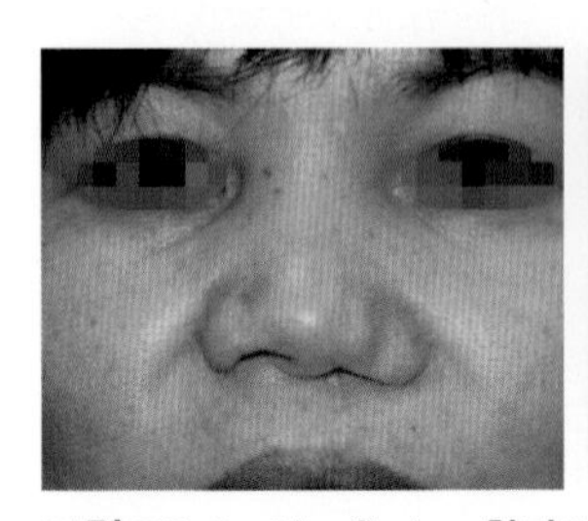
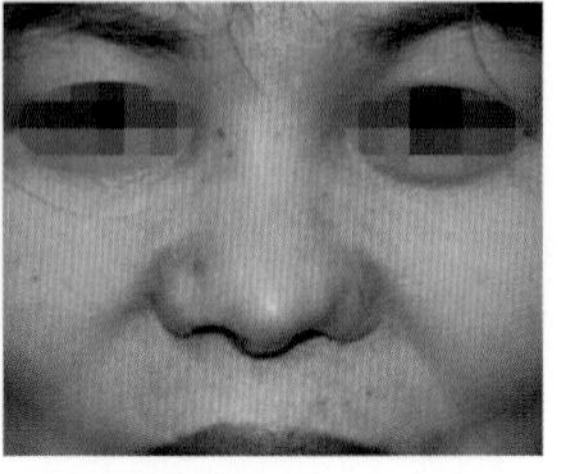

그림 20-6. Alar flaring 환자의 수술 전후 사진

시키기 위해서는 alar crease와 nostril mucosa에 각각 11번 blade 로 pin point dermal incision을 가하고 vicryl #4-0 를 through and through suture하여 추가적으로 교정할 수 있다.

양측성 구순비의 경우에는 columella가 짧고 tip이 낮은 경우가 많아 nasal lengthening이 필요하다. Nasal lengthening은 outer lining(피부), skeletal framework, inner lining(콧구멍 점막)을 통해 조절한다. 먼저 outer lining은 Wide dissection과 re-draping 혹은 columella의 full thickness skin graft로 조절할 수 있고, skeletal framework은 rib cartilage cantilever graft 또는 rib septal extension graft, septal extension graft 등으로 조절한다. Septal extension graft와 alar approximation을 통해 bulbous nasal tip과 supratip deformity, increased nasolabial angle, alar flaring을 교정할 수 있다. 경우에 따라 abundant soft tissue를 제거 함으로써 bulbous nasal tip을 추가로 교정할 수 있다.

Inner lining은 upper lateral cartilage와 alar cartilage 사이의 fibrous connection, lateral crus와 sesamoid cartilage 사이를 complete dissection 함으로써 조절한다. 콧볼간의 간격이 넓은 코(wide interalar distance)는 cinching suture로 교정한다.

4. 최근 경향

1) septal extension graft

(1) Septal extension graft의 재료

Septal extension graft는 septal cartilage, rib cartilage, irradiated homograft costal cartilage, absorbable mesh (PDLLA, poly lactic acid)등이 쓰인다.

(2) Septal extension graft 술식(그림 20-7)

Septal extension graft는 다음과 같은 순서로 시행한다.

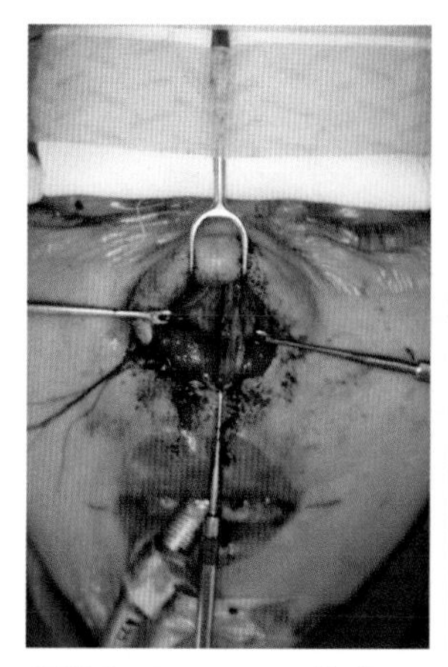
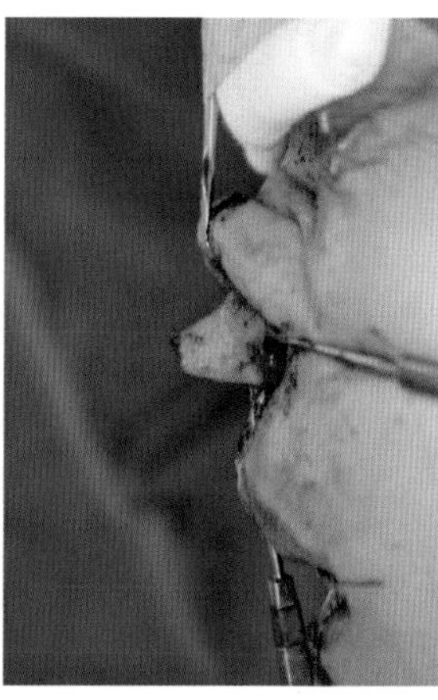

그림 20-7. septum을 dissection하는 모습

① Open rhinoplasty

② Supracartilaginous dissection

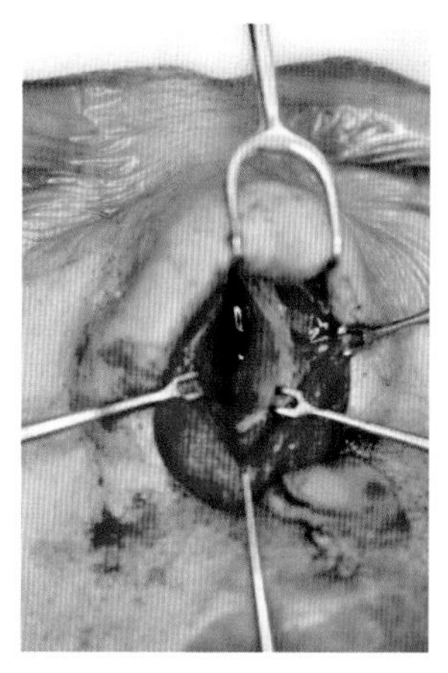

그림 20-8. septum을 dissection하는 모습

③ Subperichondrial dissection

Septum dissection 시에는 perichondrium을 완벽히 벗겨내 흰색의 septum이 드러나야 한다(**그림 20-8**).

④ Septal cartilage harvest

⑤ Septal extension graft

⑥ Alar approximation

(3) Septal extension graft with rib cartilage

저자는 이전에 rib cartilage를 cantilever graft와 septal extension graft로 사용하였다(**그림 20-9**). 하지만 환자가 hanging columella, thick columella, too prominent & high augmentation at the root, bulbous tip 등을 불평하는 경우가 있고, 다음과 같은 단점으로 인해 거의 사용하지 않고 있다.

① Rib cartilage graft의 단점

i. Difficulty of thin carving
ii. Time consuming
iii. ossification

그리하여 요즘은 absorbable mesh를 사용하여 septal extension graft를 시행하고 있다.

(4) Absorbable mesh

① Ingredient of absorbable mesh

Absorbable mesh는 구성성분으로 mesh의 종류가 나뉜다. 먼저 PDLLA (poly lactic acid) 투명하고 견고하며 흡수기간은 6개월에서 30개월 사이로 알려져 있다(**그림 20-10**). PLGA (poly lactic glycolic acid)도 PDLLA와 유사한 제품이다. PCL (poly capro lactone)은 불투명한 흰색으로, PDLLA보다 유연하며 휘어지는 성질이 있다. 50개월 이후에도 거의 흡수되지 않는 성질을 가진다. PDS는 flexible plate로 25주 이내에 완전 흡수된다고 알려져 있다.

Absorbable mesh가 flexible, floating하여 mobile하면 골격 유지가 되지 않기 때문에, non-flexible한 제품을 사용하여 ANS에 견고하게 고정하는 것이 좋다. 새로운 skeletal framework이 scar maturation

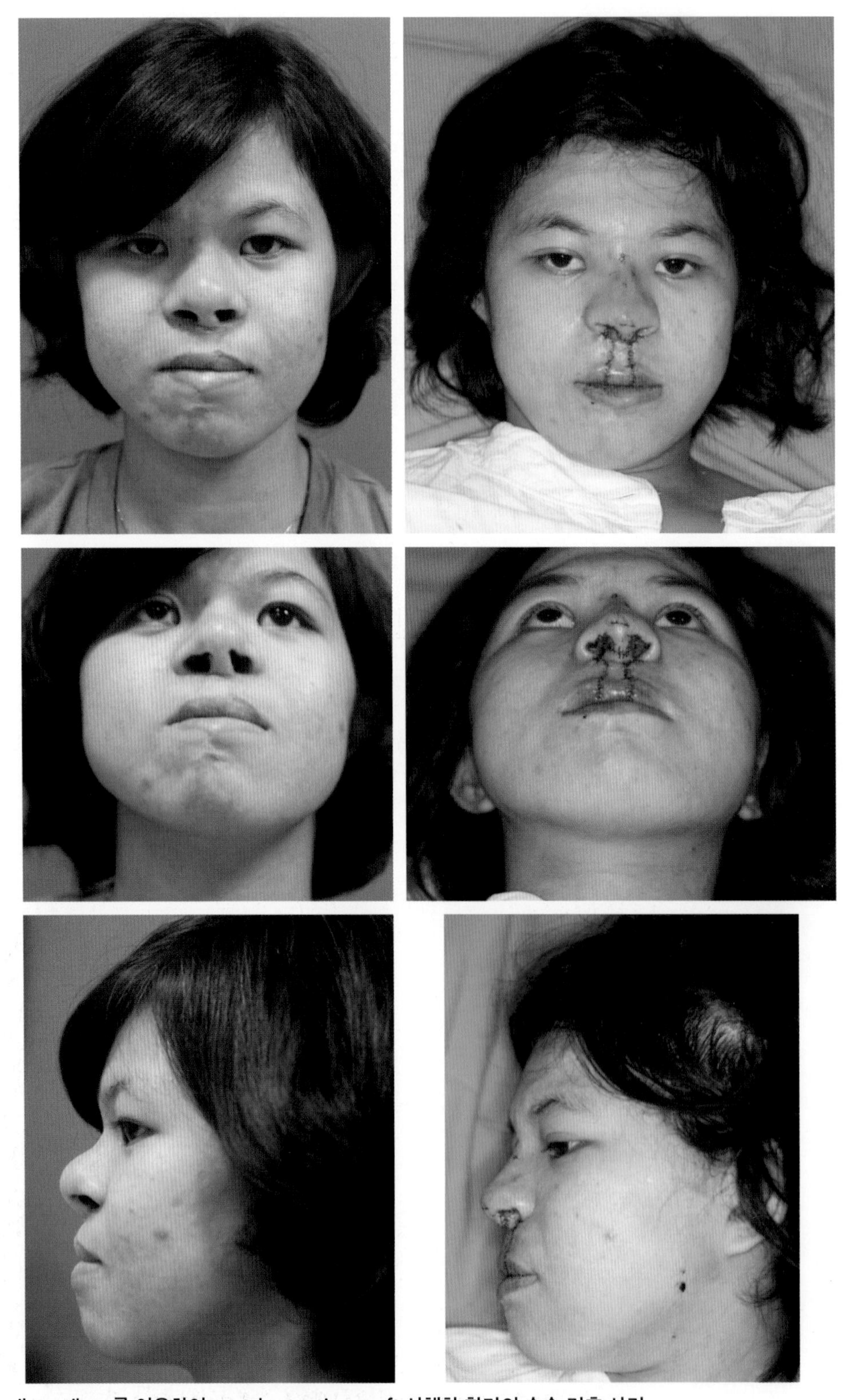

그림 20-9. rib cartilage를 이용하여 septal extension graft 시행한 환자의 수술 전후 사진

그림 20-10. absorbable mesh (PDLLA)

기간 동안 framework을 유지시킬 수 있도록 견뎌내야 하기 때문에 그만큼 단단해야 한다. scar contraction의 peak는 수술 후 1개월에서 2개월 사이이며, Scar maturation 기간은 6개월에서 1년 사이로, 때로는 2년까지 소요되기도 한다.

② Absorbable mesh의 적응증

i. Small or thin harvested septal cartilage
ii. Thick tip skin or supratip deformity which need strong support
iii. No more usable autograft

그림 20-11과 같이 usable한 septal cartilage가 적을 때에는 absorbable mesh가 필요하다.

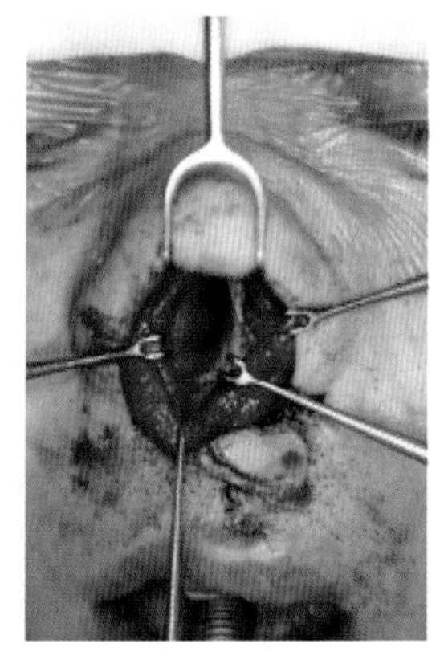

그림 20-11. 작은 크기의 채취된 septum

③ absorbable mesh를 이용한 septal extension graft 술식

앞서 설명한 septal extension graft와 전반적인 내용은 같으며, 채취한 septal cartilage를 작더라도 mesh에 suture하여 nasal bone과 ANS에 움직이지 않도록 단단히 고정시킨다. 추후 Mesh가 흡수되고 나더라도 septum은 그 자리에 남아 버팀목 역할을 하여 모양을 유지시킨다. 이후에 absorbable mesh와 septum에 alar cartilage를 suture하여 approximation한다. 이때, ala를 molding하여 flared ala를 교정하여 대칭이 되게 만든다. 이 술식으로 tip의 위치 및 projection도 교정되는 효과를 볼 수

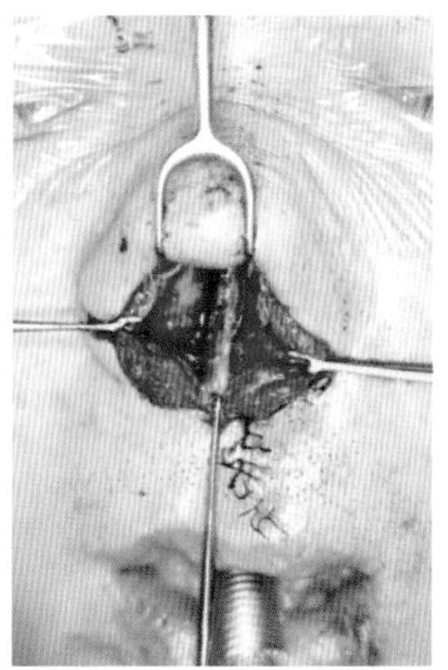

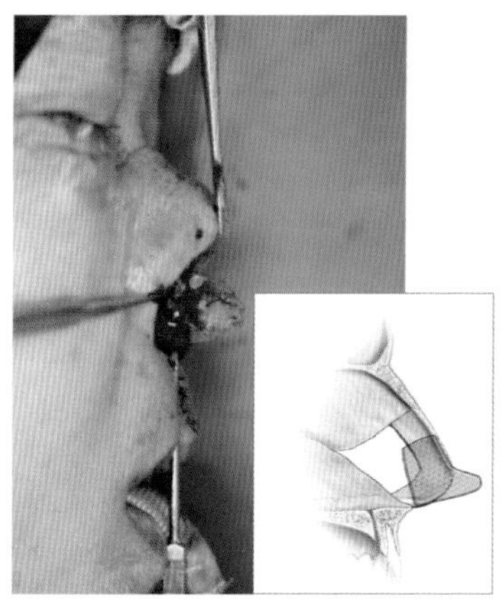

그림 20-12. Absorbable mesh를 이용하여 septal extension graft 시행한 모습

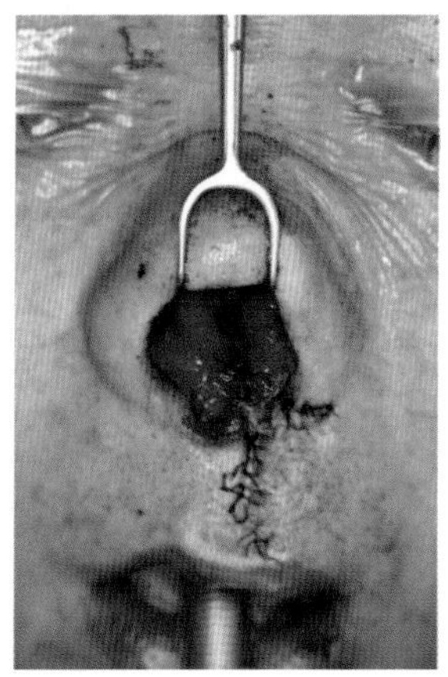

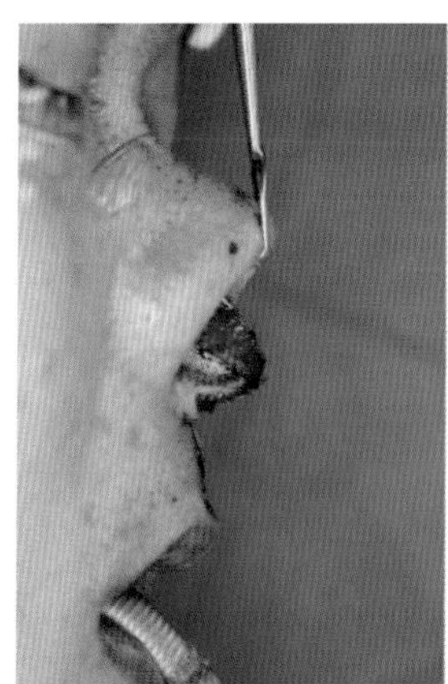

그림 20-13. Alar cartilage를 approximation하여 suture한 모습

있으며, Supratip deformity도 해결된다(**그림 20-12,13**).

④ Absorbable mesh의 합병증

i. Infection

ii. Skin perforation on tip

iii. Membraneous septum perforation

Absorbable mesh의 합병증으로는 위와 같은 것들이 발생하였으나, 변형 등의 문제없이 모든 case에서 다 healing되었다(**그림 20-14**).

그림 20-14. **추후 exposure 됐을때 발견된 mesh의 모식도**

⑤ Fate of absorbable mesh

Poly lactic acid가 흡수되기까지는 6개월에서 30개월의 기간이 소요된다고 하지만 흡수에는 개인차가 있다. 흡수여부를 알아보려면 면봉으로 환자의 콧구멍 안쪽에서 septum을 반대쪽으로 밀어보면 된다. 이 때 septum이 휘어 구부러진다면 mesh가 흡수되었다는 것을 뜻한다. 또한 흡수되었더라도 형태는 변형 없이 수술직후와 같이 유지된다.

⑥ 수술 후 처치

비중격 혈종을 방지하기 위해 merocel이나 Vaseline거즈 등을 이용하여 4일간 비강 packing을 시행한다. 외부목은 Denver splint 혹은 aqua splint를 사용하고 2-3주간 유지한다.

2) Augmentation rhinoplasty

Cleft lip nose 환자에서의 augmentation rhinoplasty는 조심스럽게 시행하여야 한다. 피부가 두껍고 upturned nose인 경우가 많아서 환자가 원하는 만큼의 augmentation이 불가한 경우가 있을 수 있다. Augmen-tation rhinoplasty 시 그 길이는 nasofrontal suture line에서부터 upper lateral cartilage의 lower part로 잡는다. 최근에는 dermal graft가 널리 사용되고 있으며, 실리콘도 큰 문제는 없으나 저자는 dermal graft를 선호한다.

Cleft환자에서 augmentation rhinoplasty를 시행할 때에는 그림과 같이 코의 높이도 높아져야 하지만 길이도 늘어나야 한다(**그림 20-15**). 즉, Columella의 길이도 길어져야 하고 outer lining도 늘어나야 한다. 술자에 따른 차이가 있겠지만, 저자는 코를 높이는 것 보다 길이를 연장시키는 것을 더 중요하게 생각한다. 그리하여 이 때에도 앞서 언급한 inner lining, skeletal framework, outer lining 모두 조절하여 최선의 결과를 얻어야 한다.

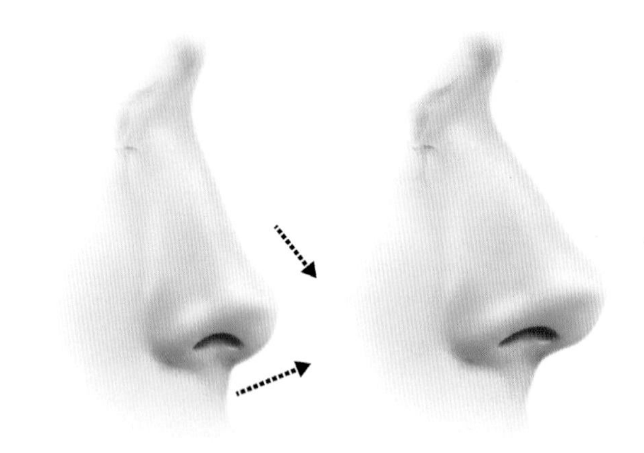

그림 20-15. **이상적인 융비술의 모식도**

참고문헌

1. Neligan P. Plastic Surgery 4thed,Elsevier,2017
2. 2. Gunter, Jack, Rohrich, Rod J., Adams, William P.

Dallas Rhinoplasty, Taylor & Francis, 2014

3. A Novel Technique for Short Nose Correction: Hybrid Septal Extension Graft. Woo JS, Dung NP, Suh MK. J Craniofac Surg. 2016 Jan;27(1):e44-8.
4. Complications of septal extension grafts in Asian patients. Choi JY, Kang IG, Javidnia H, Sykes JM. JAMA Facial Plast Surg. 2014 May-Jun;16(3):169-75
5. Septal Extension Graft in Asian Rhinoplasty. Hwang NH, Dhong ES. Facial Plast Surg Clin North Am. 2018 Aug;26(3):331-341.

PART 2

안면윤곽
Facial Bone Surgery

Part Editor 최강영

CHAPTER 21

수술 전 평가 | Cephalometry

Chapter Author | 최강영

안면윤곽을 주소로 내원한 환자의 경우 다른 여타의 질병과는 달리 환자와 의사 사이에 전반적인 치료에 대한 명확하고 효과적인 커뮤니케이션이 중요하고 이것이 정확히 이루어졌을 때 수술이 최상의 결과를 가져올 수 있다. 그 이유는 수술에 대한 절대적인 기준이 없으며 상대적이고 개인적인 이유에 의해서 수술이 진행되는 경우가 많기 때문이다. 그러므로 방사선 사진이나 외형의 사진을 보고 진단기준을 만드는 것은 잘못된 결과를 초래할 가능성이 있으므로 이 장에서는 절대적인 기준을 제시하기보다는 진단에 도움이 되는 요소들을 설명하고자 한다.

체계적인 검사는 악안면윤곽의 문제를 주소로 내원한 환자를 적절히 평가하고 치료계획을 세우기 위해서 필수적이다. 대부분의 경우 다음의 것들을 포함한다:

- 외형에 대한 얼굴 평가
- 방사선학적 평가
- 교합(occlusion)과 석고모형 평가
- 턱관절 평가

1. 외형에 대한 얼굴 평가

대인관계 중에는 환자의 내부의 뼈나 교합 같은 것이 보이는 것이 아니고 외형의 연조직의 형태와 움직임만이 보이므로 얼굴에 대한 상대적인 평가인 이 단계가 가장 중요하다고 하겠다. 평가는 평소의 모습대로 편안하게 서 있거나 앉아 있는 상태에서 체계적으로 수행되어야 하며 자연스런 두상위치에서 중심교합(centric occlusion) 상태의 치아를 가지고 입술을 자연스럽게 한 상태로 평가한다. 자연스런 두상위치란 환자가 느끼기에 그들의 머리가 가장 자연스럽다고 느끼는 위치이다. 적절한 연조직 변화를 확인하기 위해서는 입술에 힘을 빼고 자연스럽게 있어야 한다. 예를 들어 수직적 상악 부족과 심각하게 부정교합을 가진 환자들의 경우는 부적절한 상악 높이 때문에 deep bite 상태를 보이게 되므로 입술이 심하게 뒤틀리게 된다. 그러므로 환자들의 lip과 maxillary incisor-labial relationship을 제대로 평가하기 위해서는 안정위(resting position)에서 환자를 평가하여야 한다. 이런 경우 입술이 닿을 때까지 vertical dimension을 높이기 위해서 상하악 치아 사이에 왁스를 물게 할 수도 있다. 치아노출의 부족, 입술의 형태와 두께, 턱의 앞뒤 관계, labiomental fold, 윗입술의 길이, nasolabial angle,

연조직의 두께들이 보다 의미 있게 평가되어야 한다.

S-N (Sella-Nasion) plane과 F-H (Frankfort Horizontal) plane은 전통적으로 다양한 두부 측정법과 임상적 평가 시에 수평적 참고점으로 사용되어 왔다. 그러나 대개의 환자들은 두부의 이 두 평면과 바닥을 평행하게 유지하는 데 어려움을 겪으므로, 두부 측정 계측점을 기준으로 하는 얼굴의 위치가 무조건적으로 옳은 것은 아님을 알아야 한다. 그러므로 임상적 평가는 자연스런 자세에서의 머리 위치에서 수행되는 것이 좋다.

1) 정면 분석

전반적인 얼굴의 형태, 얼굴의 대칭성, 상중하안면의 관계, 입술, 코 등을 평가하는 것이 중요하다.

(1) 전반적인 얼굴 형태

얼굴의 가로 세로 길이의 관계는 얼굴의 조화에 큰 영향을 미친다. 또한 개인의 전반적인 모습 및 전신의 모습과도 잘 어울려야 하며 최근 들어서는 얼굴의 형태가 단독으로도 중요하게 생각되고 있다. 기본적인 얼굴의 길이-폭 비율은 여자는 1.3:1, 남자는 1.35:1이다. 양 턱간의 넓이는 양쪽 관골 사이 넓이보다 30%는 적은 것이 적절하다(**그림 21-1**).

(2) 얼굴의 대칭성 평가

얼굴 대칭성을 평가하기 위해서 glabella (G'), Pronasale (Pn), 인중과 위, 아래 입술의 중앙, 연조직에 있어서 pogonion (pg)을 잇는 가상의 선을 긋는다(**그림 21-2**). 보다 정확한 평가를 위해서 이러한 포인트들을 동시에 환자의 얼굴에 마킹하고 얼굴의 다른 부분들은 제외시킨다.

대개 환자의 얼굴은 완벽하게 대칭이 아니지만, 확실한 비대칭이 없다는 것은 좋은 얼굴을 의미한다. 임상적으로 확연한 비대칭이 있을 경우 전후 cephalometric x-ray를 이용하면 평가에 유용하다. cephalometric x-ray를 통해 임상의는 비대칭의 원인이 골격적인 것인지 연

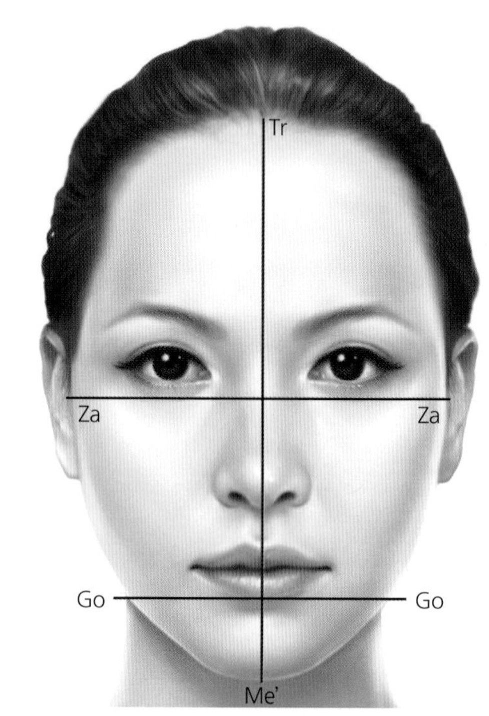

그림 21-1. 전반적인 얼굴의 형태(정면)

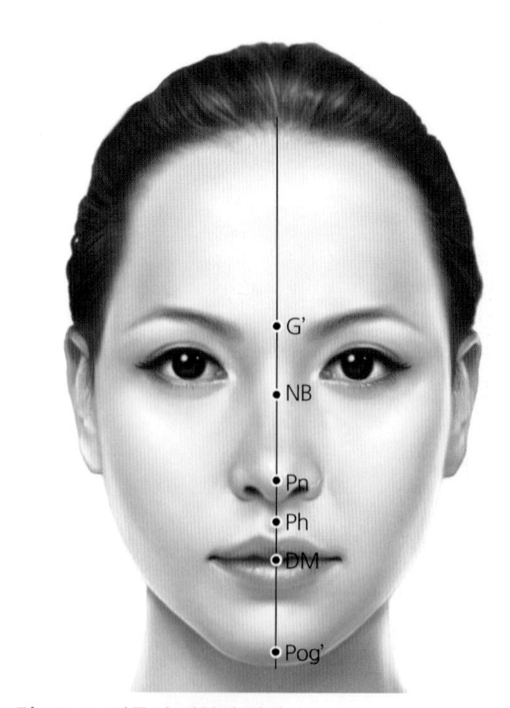

그림 21-2. 얼굴의 대칭성 평가

조직적인 것인지 아니면 두 가지 다 문제인지를 구분할 수 있다. 평안한 상태에서의 머리의 상태에서의 위치가 중요한데, 수술로 얼굴의 대칭성을 확보하더라도 목과 머리의 자세에서 오는 비대칭은 교정하기 어렵기 때문이며, 과도한 자세의 비대칭여부를 수술계획 전에 반드시 확인해야 한다.

(3) 얼굴 정면의 비율

얼굴은 transverse하게 5개의 부분으로 나눌 수 있는데 그 각각의 넓이는 눈의 가로 길이와 같고 전체적으로는 양쪽 귓바퀴까지다(**그림 21-3**).

가장 외측은 귀 중앙에서부터 바깥쪽 눈꼬리까지이다. 이때 만약 두드러진 귀가 있다면 외측은 얼굴의 비율에 영향을 미치는데 이것은 otoplasty로 교정가능하다. masseter 비대로 mandibular angle 비대가 있는 경우 얼굴이 각져 보이고 gonial angle이 바깥 눈꼬리를 벗어남을 확인할 수 있다. 보다 조화로운 얼굴 형태는 이러한 환자들이 양쪽 저작근을 줄이고 하악각절제술(mandibular angulaectomy)이 도움이 된다.

가운데 얼굴의 3/5 부분은 바깥쪽과 안쪽 눈꼬리 사이이다. 바깥쪽 경계는 mandibular angle과 일치해야 한다. masseter의 hypertrophy를 가진 환자들은 mandibular angle이 이 선보다 바깥쪽에 위치한다. 안쪽 선 안에서는 입의 넓이가 양쪽 눈의 홍채(iris) 사이 거리와 비슷하다.

5등분 중 가운데 부분은 양쪽의 안쪽 눈꼬리 사이이다. 눈 사이가 먼 환자들의 경우 이 부분이 다른 네 부분에 비해서 넓은 비율을 차지하게 된다. Alar width가 양쪽 안쪽 눈꼬리 사이 간격과 일치해야 한다.

얼굴은 vertical하게는 세 부분으로 나뉘어질 수 있다(**그림 21-3**). 위쪽 1/3은 hairline (trichion)에서 glabella까지, 중간 1/3은 glabella에서 subnasale까지, 아래쪽 1/3은 subnasale에서 menton까지로 정한다.

위쪽 1/3의 길이나 형태의 조절은 다소 어려운 점이 많은데 그것은 이 부분이 frontal bone으로 이루어져 있기 때문이다. 현실적으로 미용적인 목적으로 두개골 수술을 결정하는 것은 쉬운 일이 아니므로 대부분 hair line

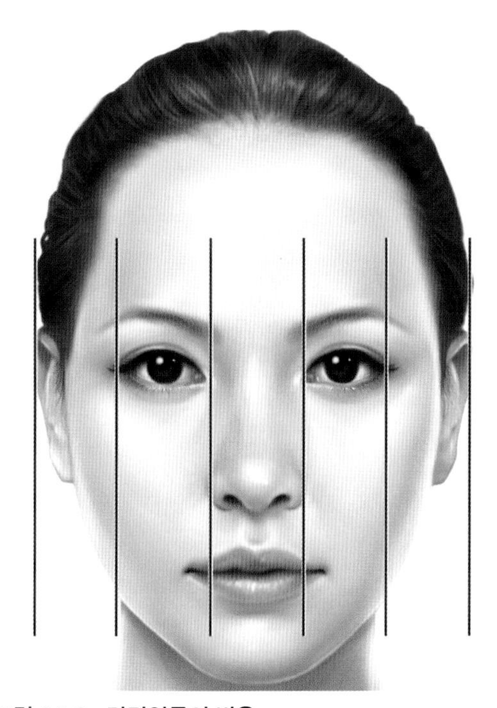

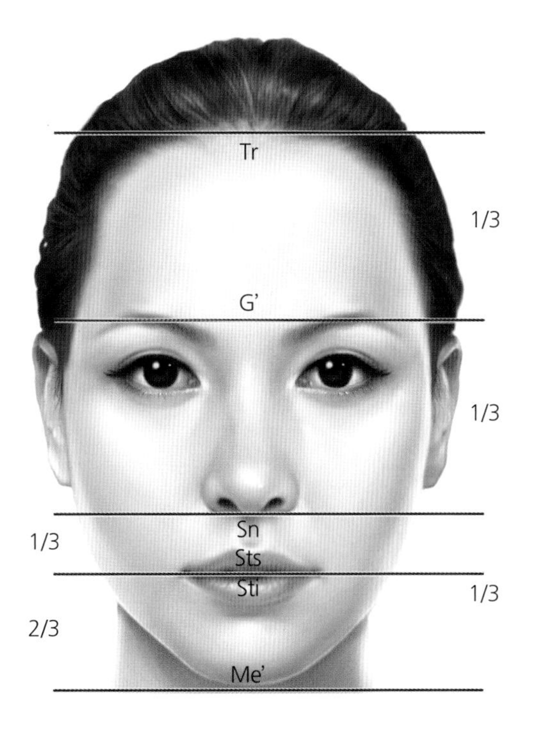

그림 21-3. 정면얼굴의 비율

을 변형시키거나 이마보형물, 지방이식 등의 방법을 이용하는 경우가 많다.

중간 1/3(중안면)은 눈, 코 뺨 등의 부분이 포함되는 얼굴의 표현에 중요한 부분이다. 전반적으로 환자가 자연스런 자세에서 자연스럽게 눈을 떴을 때 홍채 위, 아래로 sclera은 보이지 않으나, 가운데 얼굴이 부족한 사람에게서는 홍채 아래 부분에서 sclera가 보이는 경향이 있다.

중안면평가 시 중안면이 가지는 전후상하적인 문제도 중요하지만, 조화로운 중안면을 가지기 위해서는 zygoma-cheek-perinasal area-lip을 연결하는 선이 부드럽게 이어지는 커브를 가지는 것이 매우 중요하며, 이선은 얼굴 중앙 부분(zygoma, maxilla, nose)의 조화를 평가하는 유용한 기준이 된다. 이 선은 귀의 바로 앞쪽에서 시작하여 cheek bone을 통과하여 앞쪽으로 확장되고 상악의 앞-아래쪽으로 흘러 nasal base에 가까워지다가 양쪽 입꼬리에서 끝난다(**그림 21-4**). **그림 21-5**는 maxilla에서 이 선이 조화롭지 못한 경우를 보여주는 예시이다.

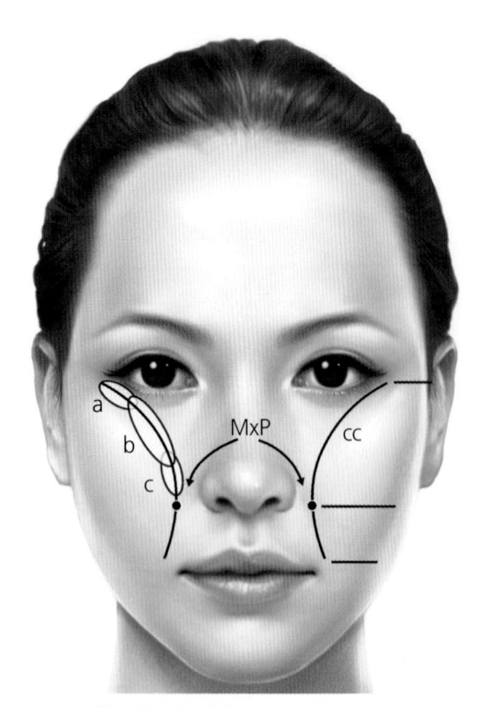

그림 21-4. 조화로운 Cheek line

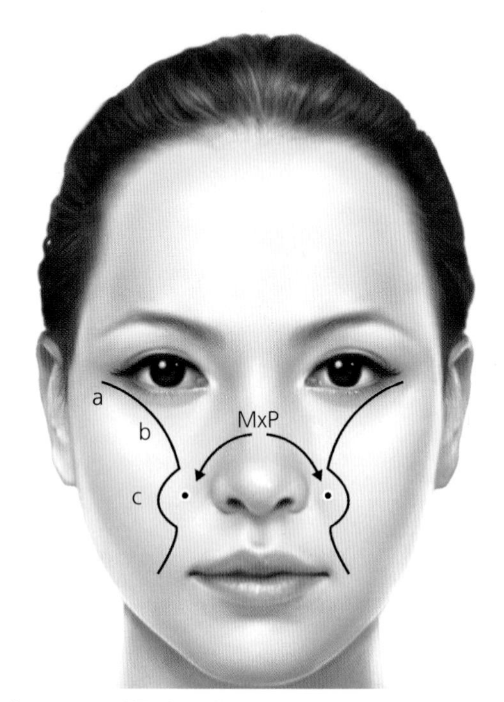

그림 21-5. 조화롭지 못한 Cheek line

이러한 부조화는 대부분 상악의 전후부족이나 하악의 prognathism에서 보인다. 얼굴을 수직으로 나누었을 때 중앙 1/3과 아래 1/3의 비율은 1:0.8이 이상적이며, 아래 1/3이 조금 작은 경우가 그렇지 않은 경우에 비해 더 동안으로 보이는 경향이 있다. 또한 아래 1/3부위에서 윗입술 길이(subnasalestomion superius)는 아래얼굴 길이의 1/3을, stomion inferius (Sti)로부터 menton (Me')까지 길이는 아래 얼굴 길이의 2/3를 구성한다. 하안면의 분석에서 정상 성인의 윗입술 길이의 평균치는 치아와의 조화로움을 평가하는 데 중요한데, 특히 상악의 수직이동에 중요한 참고점이 되며, 일반적으로 여자는 20±2 mm, 남자는 22±2 mm이다. 만약에 윗입술이 해부학적으로 짧다면 두 입술 간 간격이 정상보다 크고 정상적인 아래쪽 얼굴길이에서도 상악 치아 노출이 증가될 것인데, 이 상태는 골격적 상악의 수직 과성장과 혼동되지 말아야 할 것이다. 아랫입술 길이는 stomion inferius (Sti)에서부터 menton (Me')까지 측정했을 때 여자는 40±2 mm, 남자는 44±2 mm이다.

안징위에서 상악치아가 2 mm 정도, 웃을 때는 상악 치아 전체와 잇몸이 1~2 mm 내로 보이는 것이 이상적인 치아의 노출 정도이다. 만약 치아가 안정위에서 전혀 보이지 않거나 웃을 때 보이는 양이 적으면 합죽해 보이게 되어 늙어 보이고, 과도하게 보이면 잇몸 노출이 과한 gummy smile을 보여 심미적으로 좋지 않다. 전반적으로 아랫입술이 윗입술보다 25% 정도 더 넓으며 이 두 입술 사이는 정상적으로 0~3 mm 정도 떨어져 있는 것이 이상적이다.

2) 측면 분석(Profile analysis)

(1) 전반적인 얼굴 형태

전반적인 얼굴 형태를 측면에서 분석 시 가장 중요한 것은 부분 간의 길이 차이나 전후 위치차이보다는 외형의 선들이다. 대표적으로는 3개의 S-line, 2개의 C-line과 부드러운 긴 커브의 턱선이 있다. 3개의 S-line은 ① 이마에서 코 ② 코와 윗입술 ③ 아랫입술과 턱을 연결하는 선들을 말하며 기본적인 형태가 잘 유지된다면 국소적인 전후관계는 얼굴 형태에 큰 문제가 되지는 않는다. 실제로도 아름다운 얼굴 생김새를 가졌다고 평가되는 사람에게서 약간 볼록한 아랫입술-턱 선의 S라인과 적당히 볼록한 이마-코 S라인을 볼 수 있으며, 뺨의 형태가 부드러운 C라인의 곡선과 부드럽고 긴 커브의 아래턱선 역시 관찰할 수 있다(**그림 21-6**).

(2) 위쪽 1/3

Supraorbital rims은 안구 전방 5~10 mm 정도에 위치하며 인종에 따라서 다양한 차이가 있다. 이곳의 문제로는 frontal bossing, supraorbital hypoplasia, exophthalmos, 또는 enophthalmos 등이 있을 수 있다.

(3) 중간 1/3

얼굴의 중간 1/3의 형태를 정확히 평가하기 위해서는 일반적으로 아래쪽 1/3을 함께 분석, 평가하는 것이 도움이 된다.

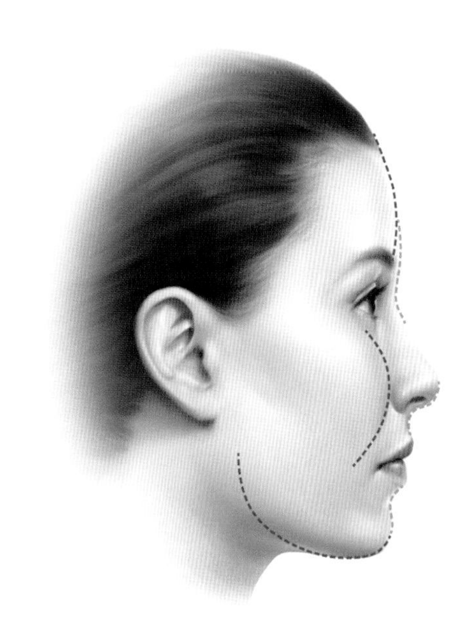

그림 21-6. 측면에서의 조화로운 선들

안구의 가장 돌출된 부분은 일반적으로 infraorbital rim의 전방 0~2 mm에 위치하는 반면, lateral orbital rim은 안구의 가장 돌출된 부분에서 8~12 mm 뒤에 놓여 있다(**그림 21-7**). 뺨은 일반적으로 zygoma의 정점에서 oral commissure까지 볼록하다. 정면에서 설명했듯이 zygoma-cheek-perinasal area-lip을 연결하는 선은 정면 및 측면에서 모두 평가되어야 한다. 이 선은 귀 바로 앞쪽에 시작하여 zygoma 앞으로 확장하여, alar base에 인접한 maxilla의 전하방에 이르러 oral commissure의 끝에 이른다(**그림 21-7**). 이상적인 cheek line은 유선형이고, 중단 없이 이어져야 하며. 곡선의 중단은 명백한 골격의 기형을 의미한다. **그림 21-7**의 좌측 그림은 maxilla에서 cheek line의 명백한 끊김을 보여주며, 이는 maxilla의 전후 결손을 의미한다. 우측 그림과 같은 cheek line의 중단은 상악 전후 결손 및 하악의 prognathism의 경우에 볼 수 있다.

(4) 아래 1/3

이 부분은 nasolabial angle, 입술의 형태, labiomental fold, chin의 형태, chin-throat area의 평가를 포함한다.

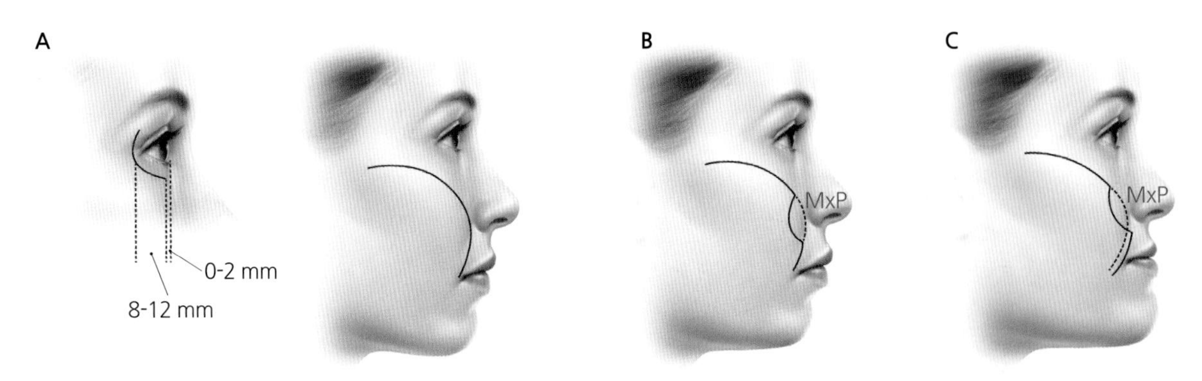

그림 21-7. 정면얼굴의 비율
A. 조화로운 중간 1/3 B. 조화롭지 못한 cheek line

Nasolabial angle은 columella와 upper lip 사이에서 측정하고 일반적인 각도는 85~105°이다. 하악 전후 결손(mandibular anteroposterior deficiency) 환자에게서 nasolabial angle이 증가하고, 이 각도는 (Class III malocclusion)을 가진 환자에게서 심각하게 크게 나타난다. maxillary incisor의 수술 또는 후방 교정은 nasolabial angle이 큰 환자에게서는 피해야 한다. Crowding(덧니)의 발치, 혹은 제1, 2 premolar를 발치하는 경우 nasolabial angle에 영향을 줄 수 있음을 고려하여 발치 결정을 해야 하며, 상악의 수술적 재배치 역시 이 각도에 영향을 미친다.

입술 연조직 두께는 휴식 시의 입술로 평가된다. 입술의 위치는 상악 치아의 돌출이나 상부 입술의 결손 같이 치아의 위치와 관련이 있으며, 윗입술은 일반적으로 아래 입술의 약간 앞쪽으로 나와 있다. Ricketts의 심미적 선(E-line) 또는 Steiner의 심미적인 면(S-line)의 도움을 받아 전후방 입술 위치를 평가할 수 있다. 얼굴 하부면(lower facial plane)이라고 불리는 subnasale (Sn)-pogonion (Pog') line은 입술과 턱의 위치뿐만 아니라, incisor의 교정 및 수술 위치를 사정하는 데 중요한 지침으로 작용하여 매우 중요하다. 윗입술은 이 선의 전방 3±1 mm에

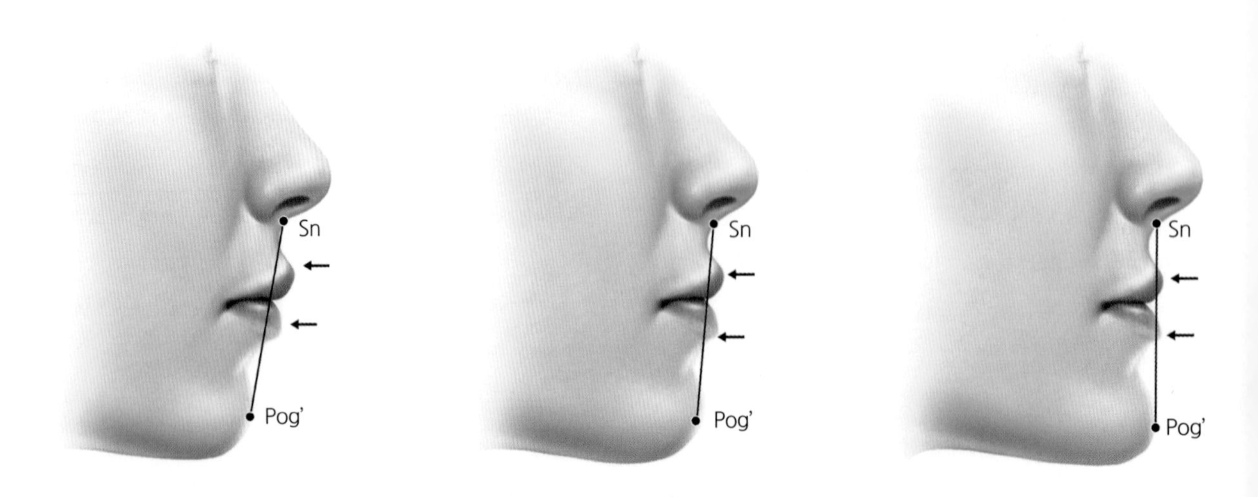

그림 21-8. 입술의 전 · 후 위치

위치하고, 아랫입술은 이선의 진방 2±1 mm에 위지하여야 한다(**그림 21-8**).

아래 입술 턱의 윤곽은 아래 입술 턱의 각도와 부드러운 S-곡선으로 적어도 130°의 각도를 형성해야 한다. 이 각도는 class II malocclusion (retrognathia)에서는 mandibular insisor가 아랫입술을 침범하여, 또는 macrogenia으로 인해 acute하게 보이며 microgenia이나 class III malocclusion에 기인한 아랫입술의 긴장(lower lip tension)이 있는 사람들에게서는 obtuse하게 된다. 앞에서도 서술했듯이 적절한 커브의 부드러운 곡선이 턱의 약간의 전후 부조화보다 더욱 중요하다.

해부학적으로 턱은 labiomental fold 아래의 연부 조직 구조로 간주된다. Chin projection은 전체얼굴 윤곽과 균형을 이루어야 한다. 그러나, pogonion (Pog')의 전후 위치가 턱이 심미성을 결정하는 유일한 요인은 아니다. 턱을 검사할 때, 임상의는 subnasale (Sn)에서 menton (Me')에 이르기까지의 얼굴의 하부 1/3을 형성하는 전체적인 구조적 복합성을 고려해야 한다. 턱 수술이 계획되어 있는 경우, 턱 폭의 확대를 고려해야 한다. 입술턱 주름, 턱 모양, dental midline의 관계, 대칭성, 그리고 하연의 기울어짐 등도 고려되어야한다.

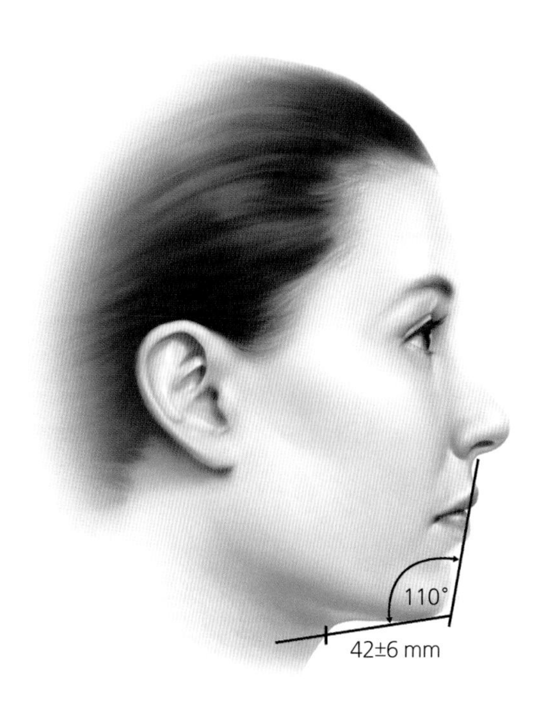

그림 21-9. 이상적인 입술-턱-목 각도 및 submandibular length(턱밑 길이)

이중턱과 지방 조직은 하부 1/3에서 조화로운 턱선을 만드는 데 또 하나의 요소가 된다. 일반적으로 아래 입술-턱-목의 각도는 110°neck-throat angle에서 pogonion (Pog')까지의 거리(submandibulor length, 턱밑 길이)가 약 42 mm 이상이 좋다. Mandibular setback 또는 advancement procedures, genioplasty, submental liposuction을 고려할 때, 이러한 관찰이 적절히 수행되어야 한다(**그림 21-9**).

2. 방사선학적 평가

1) Lateral cephalometric radiographic evaluation

두부의 cephalometric radiographic evaluation은 1931년 Broadnet에 의해서 정립되어 그 이후 많은 학자들에 의해 여러 가지 다양한 방법이 제시되었다. cephalometry는 주로 평면 X-ray를 이용하여 인간의 머리를 촬영하는 것을 이야기하고 이를 통해서 분석하는 것은 Cephalometric Analysis라고 한다. 이때 사용되는 방사선 필름을 cephalometric Radiographs라고 한다.

처방에 의해서 촬영된 방사선 사진은 항상 상의 번짐, 확대축소, 왜곡 등의 문제가 생길 수 있어 본격적인 분석 전에 촬영이 적절하였는지를 판단하는 게 가장 중요하다. 적절한 촬영에는 측정자세가 중요한데 일반적으로 두경부 방사선 사진 계측 시 환자의 머리는 자연스러운 자세에서 치아는 중심교합 상태로 입술은 자연스럽게 다문 채로 촬영되어야 한다. 하지만 몇 가지 예외로 중심교합위와 중심위가 상당히 차이가 있는 경우, deep bite가 있거나 심한 calss Ⅲ malocclusion으로 입술의 형태 및 상하악관계가 달라질 때는 중심교합위에서의 방사선 사진 채득과 안정위 중심위 교합에서 촬영을 추가로 시행하여 정확한 분석에 도움이 되게 한다.

진단에 있어서는 촬영된 방사선 사진에 따른 분석이 환자 치료에 절대적인 기준을 주는 것이 아니고 상대적인 참고치임을 잘 이해하여야 한다. 또한 미미한 거리나 각도의 차이에 의미를 부여할 수는 없으며 항상 시간에 따른 사진의 비교만이 훌륭한 분석을 이끈다는 것을 이해하여야 한다.

(1) 연조직 분석(Soft tissue analysis)(그림 21-10)

① 연조직 분석 계측점(soft tissue landmarks)

측면의 연조직 계측점은 **그림 21-10**에 나와 있으며 아래를 포함한다.

- 연조직 glabella (G'): 이마의 가장 앞으로 돌출된 지점
- 연조직 nasion (N'): 이마와 코 사이에 정중선에서 가장 깊숙이 오목하게 들어간 지점
- Pronasale (Pn): 코의 가장 앞으로 돌출된 지점
- Subnasale (Sn): 정중시상면(midsagittal plane)에서 윗입술과 코가 합쳐지는 지점
- Labrale superior (Ls): 붉은 위 입술의 점막 변연
- Stomion superius (Sts): 붉은 위 입술의 가장 아래 지점
- Stomion inferius (Sti): 붉은 아래 입술의 가장 아래 지점
- Labrale inferior (Li): 아래 입술의 점막 번연
- 연조직 pogonion (Pog'): 정중시상면에서 턱의 가장 앞으로 돌출된 지점
- 연조직 menton (Me'): 연조직의 턱에서 가장 아래의 지점 뼈의 menton에서 수평선을 수직으로 그어서 알 수 있다.

② 연조직의 계측면(soft tissue planes)

연조직의 계측면은 아래 **그림 21-10**에 쓰여 있으며 아래의 내용을 포함한다.

- Facial plane: N'에서 Pog'까지를 연결한 선
- Upper facial plane: G'에서 Sn 까지를 연결한 선
- Lower facial plane: Sn에서 Pog'까지를 연결한 선
- S-line: Pog'에서 Pn과 Sn 사이 중간점을 연결한 선
- E- line: Pn에서 Pog'까지를 연결한 선

③ 연조직 수직 측정(soft tissue vertical evaluation)

안면의 높이를 삼등분했을 때 중간과 아래의 얼굴의 연관성을 나타내는 측정치들이다.

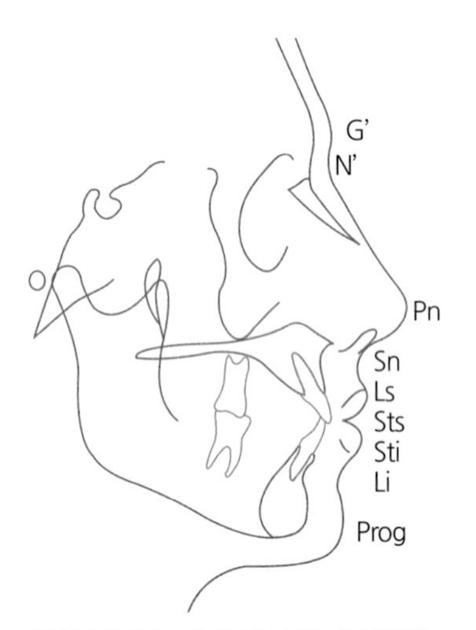

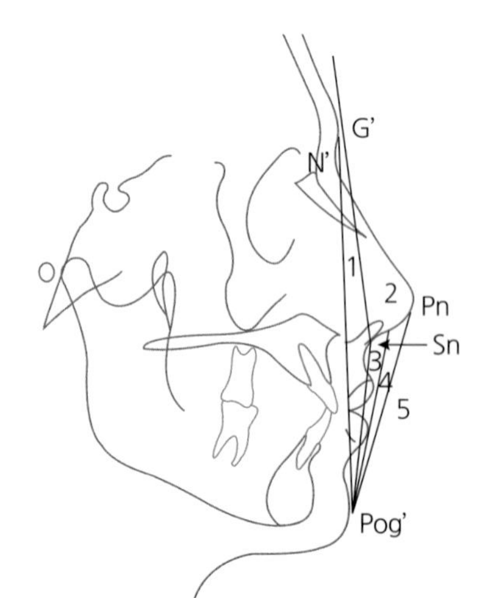

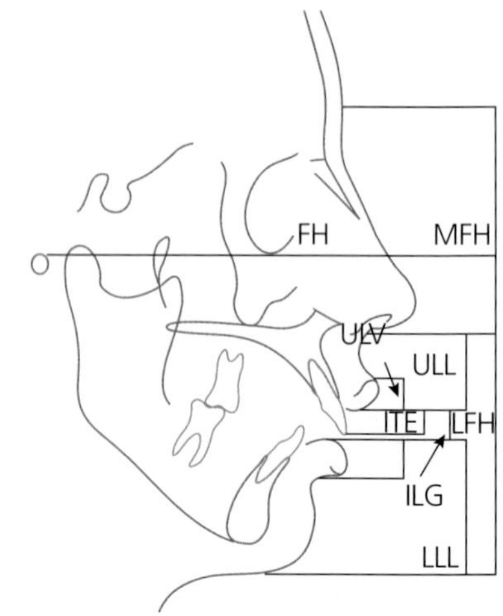

그림 21-10. 연조 직분석, 수직방향

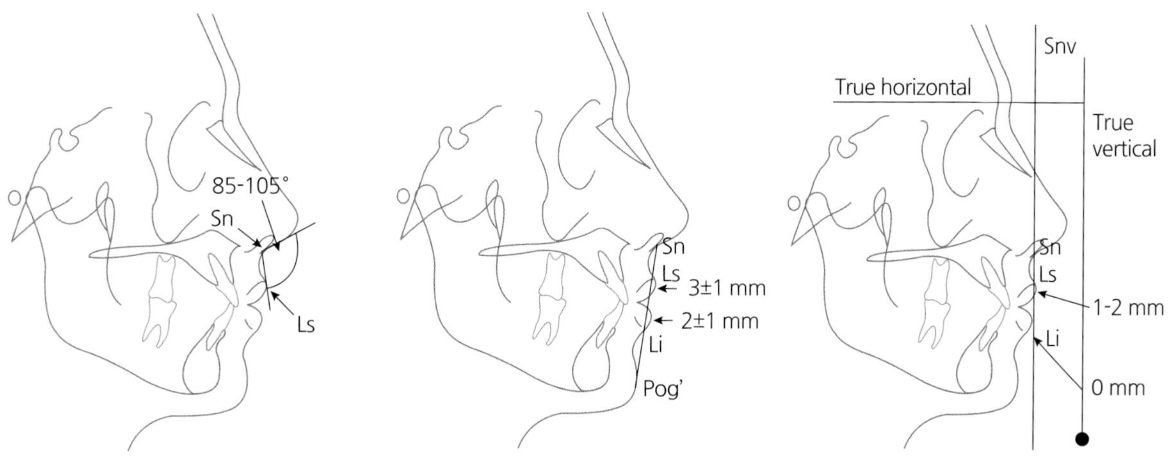

그림 21-11. 연조직 분석, 수평방향

G'에서 Sn까지와 Sn에서 Me'까지의 거리를 측정한다. 이 비율은 대략적으로 1:1이다. 윗입술 길이는 Sn에서 Sts까지 측정되며 남성에서는 22±2 mm, 여성에서 20±2 mm이다. 비교적 긴 윗입술 길이의 환자는 maxillary incisor의 노출이 적은 경향이 있고, 짧은 윗입술 길이를 가진 사람은 maxillary incisor의 노출이 증가되어 있고 입술사이의 틈이 증가된 경향이 있으므로 상대적인 윗입술의 길이를 확인하여야 한다. 결국 이 길이는 incisal Show(상악절치가 보이는 정도)를 적절히 만들어 내는 데 중요한 측정치가 된다. 즉, 정상적인 maxilla의 위치라도 윗입술의 길이가 과도하게 길거나 짧을 경우에는 maxilla의 수직이동량을 얼굴과 윗입술이 길이와 조화롭게 이동하여야 한다. 대략적으로 incisal Show는 2 mm 정도가 적당하다.

아랫입술/턱 길이는 Sts에서 Me'까지 측정되며 남성에서는 44±2 mm, 여성에서는 40±2 mm이다. 수직적 치수의 증가는 하악골의 수직적 길이 증가를 보여줄 것이다. 그에 반하여 수직적 치수의 감소는 하악골의 수직적 길이 감소를 보여줄 것이다. 이 수치는 또한 각 개인에서 과교합과 튀어나온 아래 입술로 인해 짧아질 수도 있다.

입술을 이완하였을 때 입술은 약하게 서로 닿아 있어야 하며 입술 사이 간격은 정상적일 때 0~3 mm이다. 위 붉은 입술의 높이는 아래 붉은 입술의 높이보다 25% 짧은 게 좋다. 즉 Ls-Sts : Sti-Li = 3:4의 비율이 이상적이다. 붉은 입술의 높이는 인종에 따라 특이적이며 측정 시에는 이를 명심해야 한다. 아래 붉은 입술의 노출 증가는 상악의 수직적 길이 증가로 인한 아래 입술의 외전으로 인한다. 아래 입술은 또한 종종 class II malocclusion의 deep bite가 있는 경우나 아래 입술이 upper incisor로 인해서 바깥쪽으로 뒤집어진 class II division 1의 경우에 자주 외전된다.

④ 연조직의 전후 방향 계측(soft tissue anteroposterior evaluation)(그림 21-11)

nasolabial angle은 85~105°로 여성에서는 둔각이, 남성에서는 그보다 뾰족한 각이 매력적이라고 간주된다. 이것은 maxillary incisor에 의해서 지지 받는 윗입술의 위치와 columella의 경사에 영향을 받으므로, 과도하게 maxillary incisor를 후방 이동시키면 입술지지가 약해져서 nasolabial angle이 증가하게 될 것이다. class Ⅲ의 경우 각도가 더 예리하고 class II의 경우는 각도가 둔하다. nasolabial angle은 단일 인자로 얼굴중심에서 중요하므로 여러 가지 영향을 미치는 아래의 사항들을 잘 알고 있어야 한다.

i. 입술 지지(lip support): maxillary incisor와 윗입술 간의 위치 관계가 측정되어야 한다.

ii. 입술의 긴장도(lip strain): 긴장된 입술은 일단 긴장이 풀리면 후방으로 이동하는 경향이 있고, 입술은 치아와 뼈의 이동에 대하여 덜 전방으로 이동한다. 특히 cleft lip 수술의 경험이 있는 경우 윗입술의 이동은 일반적인 경우와 다르므로 유의하여야 한다.

iii. 입술의 두께(lip thickness): 얇은 입술은 두꺼운 입술에 비해서 치아의 이동에 즉각적으로 반응한다.

아랫입술의 돌출 정도를 가장 잘 나타내는 것은 Eline (esthetic line)인데 아래 입술은 이보다 2±2 mm 아래에 위치한다. 그리고 입술의 돌출은 Sn에서 Pog'를 이은선(lower facial plane)으로 계측할 수 있다. Sn-Pog'라인과 Ls까지의 수직적 거리는 3±1 mm, Sn-Pog'라인과 Li까지의 수직적 거리는 2±1 mm정도 이다.

또 한 가지는 Sn에 수직으로 관통하는 진정 수평이라 불리는 수직선은 subnasale vertical (SnV)이라 불리며, 윗입술은 이보다 1~2 mm 앞에 위치한다. 아랫입술은 SnV와 일치하거나 약간 뒤에 위치한다. 하악 전후방 결핍인 경우 아랫입술은 SnV보다 1 mm 이상 후방에 위치한다. 이것은 코의 projectoin에 따라서 영향을 받을 수가 있어서 Sn과 Pn 사이의 midpoint에서 Pog까지를 이은 선인 S-line (steiner line)을 사용하여 입술의 돌출을 분석하기도 하는데, 이 경우엔 위아래 입술은 S-line에 닿아 있어야 한다. 이 선의 뒤에 있는 입술은 입술 지지의 부족이나 턱의 돌출을 의미할 수 있으며 이 선의 앞에 있는 입술은 턱의 결핍이나 치아의 돌출을 의미할 수 있다.

입술의 두께(lip thickness)와 긴장도는 흔히 간과할 수 있는 계측치인데 입술은 실제로 외형적으로 드러나 보이고 많은 역동적인 움직임이 있는 부위이므로 또 하나의 중요한 요소이다. 윗입술의 두께는 수평적으로 뼈의 앞면에서 A 점의 2 mm 아래에서 위 입술 전방의 변연 사이로 측정된다. 윗입술의 긴장은 붉은 입술의 변연에서부터 maxillary central incisor의 labial surface까지로 측정되고 이 점 위의 두께와 비교된다. 이들의 차이는 1 mm 이내가 적당한데 긴장으로 인하여 붉은 입술의 변연에서 maxillary central incisor의 labial surface까지의 거리가 1 mm보다 더 작다면 이것은 위 입술의 긴장 상태를 반영하므로 방사선 촬영의 오차나 선행한 수술 여부 혹은 현재의 입술의 상태를 면밀히 조사하여야 한다.

상악과 하악의 전후방 위치에 대한 판단 시, F-H plane에 G'를 통과하는 수직선을 그렸을 때 Sn은 이 수직선보다 6±3 mm 전방에, Pog'은 이 선보다 1~4 mm 후방에 위치하는 것이 이상적이다. 예를 들면 상악의 전후방향 결핍인 환자는 Sn이 이 선보다 3 mm 정도만 전방에 위치하며 심한 경우 이 선에 후방에 위치한다. 이 선보다 앞에 있는 Pog'은 하악의 전후방 과도(anterior-posterior excess)를 나타낸다.

턱부위의 연조직 돌출은 F-H plan에 수직이고 N'을 지나는 선(N'Vertical)에서의 거리를 측정함으로써 평가할 수 있다. Pog'는 이 선보다 0±2 mm 전방에 위치한다(**그림 21-12**).

Facial contour angle은 G'에서 Sn까지의 선(upper facial plane)과 Sn에서 Pog'을 통과하는 선(lower facial plane)이 만드는 각도이다. 평균 각도는 -12° 로 측정된다. 시계방향의 각은 +로 특정되고, 반시계 방향의 각은 -로 측정된다. 남성은 (-11±4°)의 직선적인 옆모습을 갖는 경향이 있으며 여성들에게는 미약하게 볼록한 옆모습이 심미적으로 선

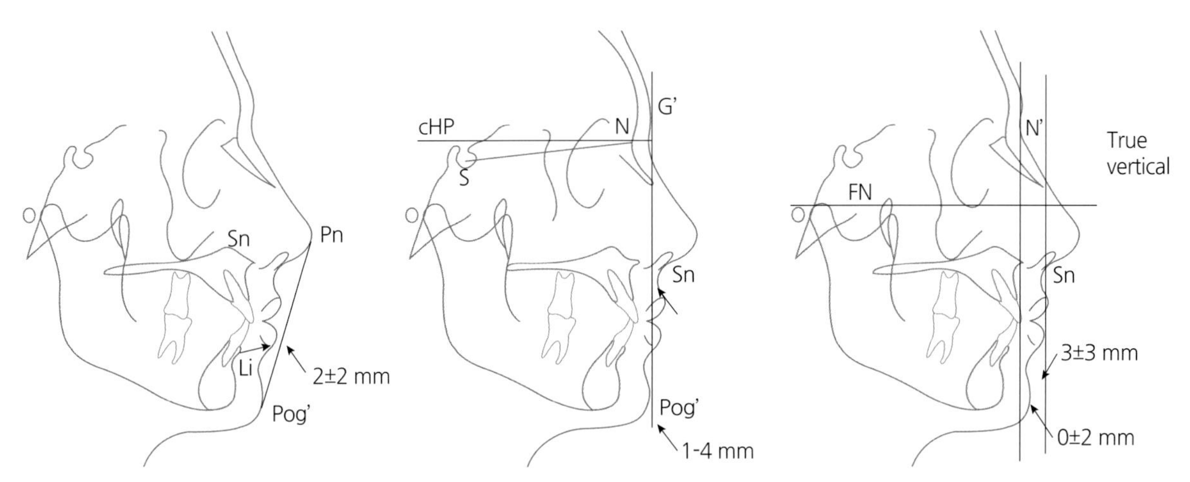

그림 21-12. E(esthetic)-line, 상하악의 전 · 후방 위치판단

호된다(-13±4°). 하지만 이러한 얼굴윤곽의 각도를 보일 수 있는 다양한 얼굴 기형과는 구분해야 하므로 분석 시의 참고 자료만으로 생각해야 한다.

⑤ 연조직의 경조직에 대한 수술 후 변화량(hard-Soft tissue evaluation)

상악의 전방이동과 하악의 후방이동에서의 연조직의 이동 정도는 부위에 따라서 다양하게 나타나므로 각각의 변이 정도에 따라서 술 후 연조직의 형태를 예측하여 수술 계획에 차질이 없게 하여야 한다. cleft lip의 경우는 일반적인 경우와는 다소 다르고 결과도 매우 다양하므로 수술 전에 윗입술의 상태에 따라서 잘 대처해야 한다(**그림 21-13**). 계획 및 결과는 술자에 따라서도 다소 차이가 날 수 있는데 요즘은 이런 오차를 개별로 입력하면

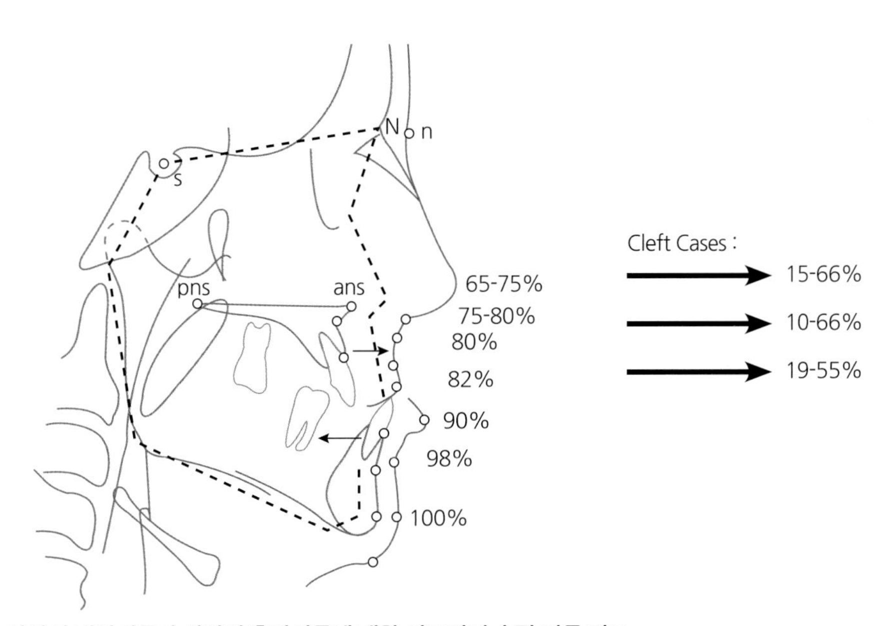

그림 21-13. 상악의 전방이동과 하악의 후방이동에 대한 연조직의 수평 이동 정도

그 결과를 예측할 수 있게 하는 프로그램들이 많이 있으므로 수술 계획 단계에서 많은 도움이 된다(**그림 21-14**). 또한 1년 이상의 추적관찰 결과를 이용하면 더 정확한 결과를 유추할 수 있다(**그림 21-15**).

(2) 경조직 분석(Skeletal analysis)

① 경조직의 계측점(hard tissue landmarks)

- Glabella (G): 전두골(frontal bone)의 가장 앞으로 나온 지점
- Nasion (N, 비근점): Midsagittal plane에서 nasofrontal suture의 가장 앞으로 나온 지점
- Orbitale (Or, 눈확): Infraorbital rim의 가장 아래 지점
- Sella(S, 안장): 안장의 중앙 지점. cephalometric x-ray에서 이 점은 투사되어 나타남
- Pterygomaxillare (Ptm, 익상악): 눈물방울모양의 pterygomaxillary fissure의 꼭대기(입구의 가

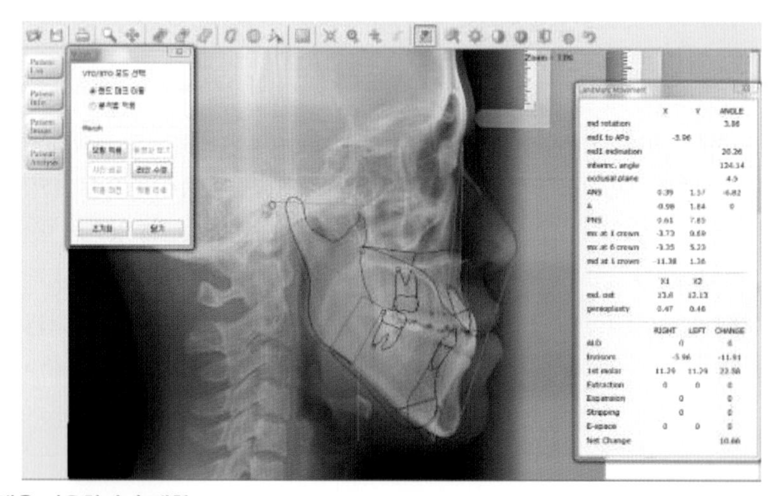

그림 21-14. 프로그램을 이용한 수술계획

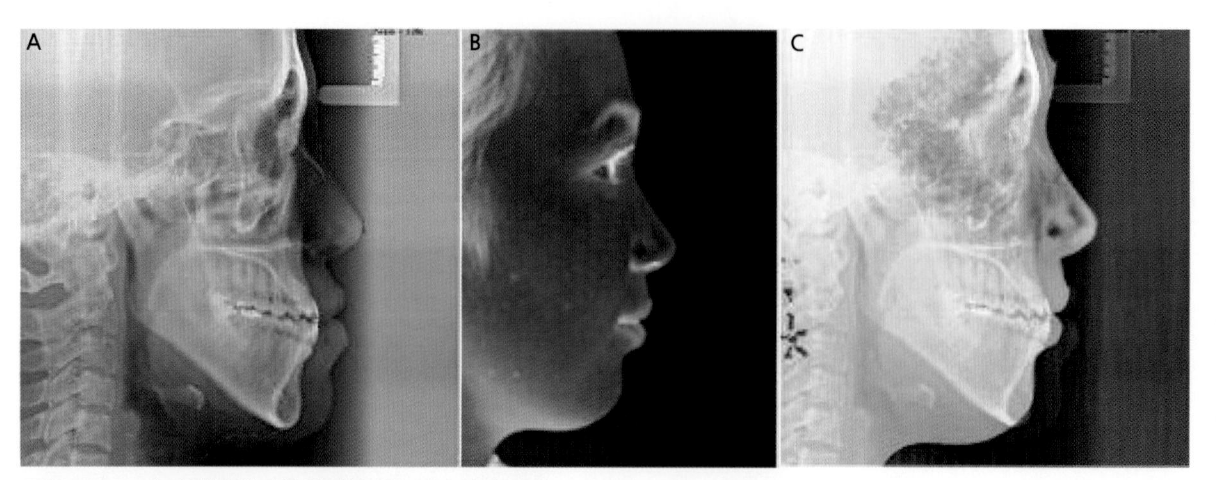

그림 21-15. 술자 개인에 따른 결과를 예측하기 위한 단계

수술 전 계획(A), 장기 경과 관찰 후에 촬영한 연조직사진(B), 수술 전 예측된 연조직과 경과관찰 사진의 중첩으로 수술 전 계획의 정확성 및 연조직 이동 비율 연구(C)

장 아래 지점)

- Basion (Ba, 큰구멍앞점): skull의 midsagittal plane에서 foramen magnum의 anterior border에서 가장 아래 지점과 만나는 지점.
- Anterior nasal spine (ANS, 전비극): nasal spine의 최전방
- Posterior nasal spine (PNS, 후비극): palatine bone의 최후방 지점
- A point, or subsupinale: ANS의 아래 앞 모서리와 maxillary incisor가 놓인 이틀 뼈가 만나는 오목한 곳의 최후방에 위치한 중간 지점
- B point, or supramentale: mandibular incisor가 놓인 alveolar bone과 pogonion사이의 mandible의 오목한 곳의 최후방의 중간 지점
- Pogonion (Pog, 아래턱점): 아래턱의 가장 앞 지점
- Gonion (Go, 악각점): 두 개의 선의 관계를 통해 정의되는 지점으로 하나의 선은 mandible lower border이고 다른 한 선은 mandible ramus의 뒤 모서리로서 mandible angle에 이등분기를 위치시켜서 이 두 개의 선이 만든 각을 이등분했을 때, 그 이등분선이 mandible border와 만나는 점
- Gnathion (Gn, 턱끝융기점): 턱의 최하방, 최전방 및 하악 결합의 중앙에 위치한 지점
- Menton (Me): 하악 결합에 정중선상에 최하방의 지점
- Porion (Po): 외이공의 최상방의 지점
- condylion(턱뼈머리맨바깥점): 과두에 최후방 상부의 지점

② 경조직 면(hard tissue planes)

i. Horizontal plane (HP, 진수평면): 방사선 사진에 수직 라인에 수직인 선이다

ii. 구조화된 수평면 (cHP, constructed HP): S-N plane에서 7°각도로 N을 통해 그린 수평면 (cHP) 이것은 진정한 수평에 가까운 경향이 있

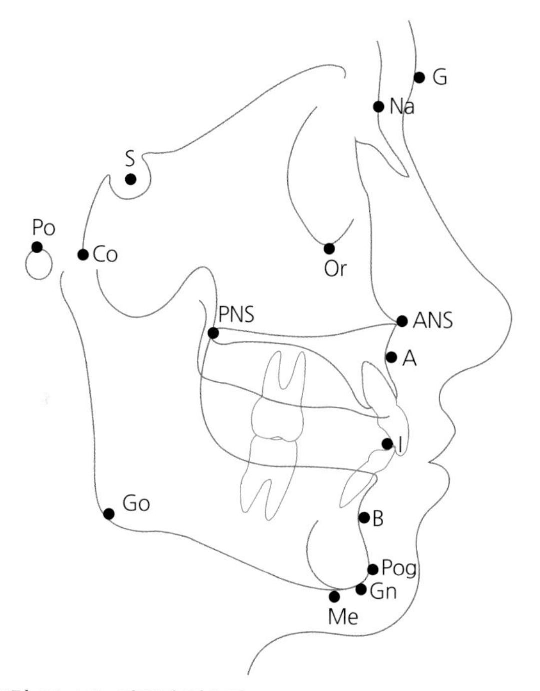

그림 21-16. 경조직 계측점

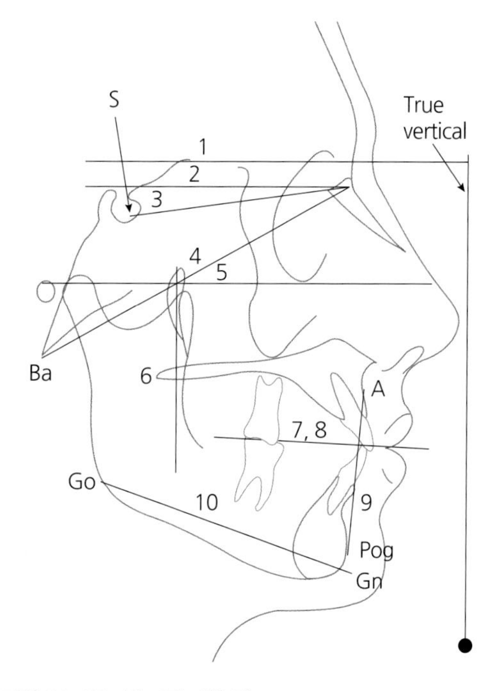

그림 21-17. 경조직 계측면

고 그리기 어려운 FH plane을 보완하여 사용한다.

iii. sella-nasion plane (S-N plane, 전방두개골베이스): S에서 N으로 그려진 선
iv. Basion-nasion (Ba-N) plane: Ba와 N 사이의 선으로 얼굴과 두개골을 분할한다.
v. Frankfort horizontal (FH) plane: Po에서 Or 사이의 선
vi. Pterygoid vertical (Ptv) plane: FH plane에 수직선과 Ptm fissure의 원위부 경계로 그린 선.
vii. Functional occlusal plane(기능 교합 면): Molar와 premolar가 접촉하면서 발생한 선
viii. Occlusal plane(교합 면): Molar의 mesial cusp contacter와 전치 overbite의 중간선을 통해 그려진 선
ix. Dental plane(치구): A-point와 Pog 사이의 선
x. Mandibular plane(하악 평면): Go에서 Gn의 사이의 선

③ ANB 각도(ANB angle, Steiner analysis)

ANB 각은 A-N과 N-B 사이의 선에 의해 형성된다. 정상적인 각도는 2°이다. 하지만 이 각도는 상악과 하악 사이의 전후 차이에 대한 상대적인 값일 뿐 얼굴 형태의 전체적인 것을 나타내지는 못한다. 그러므로 이것은 SN plane(전방 두개골 베이스)을 기준으로 상대적인 수직 및 회전 턱의 형태의 측정에 큰 영향을 주기 때문에 시상 골격 부조화의 완벽한 진단을 위해 사용해서는 안 된다. 이러한 단점에도 불구하고, Steiner analysis은 상악과 하악의 전후 관계를 평가하는 일반화된 방법인데 그 이유는 가장 간단하게 측정이 가능하며 많이 알려져 있기 때문이다.

④ Maxillary depth(상악깊이, Mcnamara analysis)

N을 통과하는 선과 FH plane이 수직으로 만나는 점과 A사이의 직선거리이다. 정상은 0 mm이다. 선 앞쪽의 A-point는 +의 값으로 나타나고, 선 뒤쪽에 있으면 –의 값으로 된다. 이것은 ANB각과는 달리 두개골에 대한 상악의 위치에 대한 측정치로 상악의 절대적인 위치를 나타내며 대략의 상악의 위치에 대한 정보를 간단히 보여준다. 하지만 중안면의 함몰을 모두 나타내주지는 못하고 단

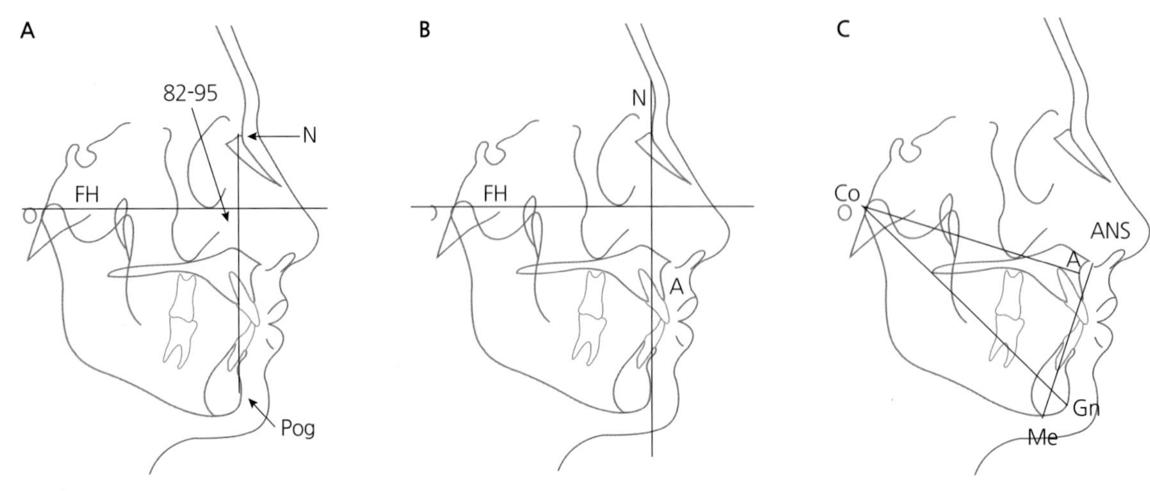

그림 21-18.
A Facial angle, B maxillary depth, C mandibular plan angle

지 dental base로서 상악의 위치를 나타낸다(**그림 21-18**).

⑤ Facial angle, Downs(안면각, Downs analysis)

안면각은 FH plane과 교차하는 안면선(N- Pog')에 위치한 하부내부각(inferior inside angle)이다. 이 각도는 82~95°이다. 이것은 ANB각과는 달리 두개골에 대한 하악의 절대적 전후 위치를 나타낸다. 즉 절대적인 값으로 사용할 수 있으며 상하악의 모양에 따른 수치의 왜곡 없이 하악의 위치를 평가할 수 있기 때문이다(**그림 21-18**).

⑥ Mandibular plane angle(하악평면각, Steiner)

Mandibular plane은 Go와 Gn에 사이에 그려진다. Mandibular plane angle은 mandibulor plane과 S-N plane (anterior cranial base, 전방두개골 베이스) 사이에 형성된다. 평균 32° 정도이다. 이 값은 전방 및 후방 얼굴 높이의 차이를 나타내며, 높은 각도를 가진 사람들은 Class II malocciusion, 상악의 과도한 수직 상승, 그리고 전방의 open bite를 가진 경향이 있다. 낮은 각도를 가진 환자들은 deep bite가 있고 수직방향으로 부족한 경향이 있다(**그림 21-18**).

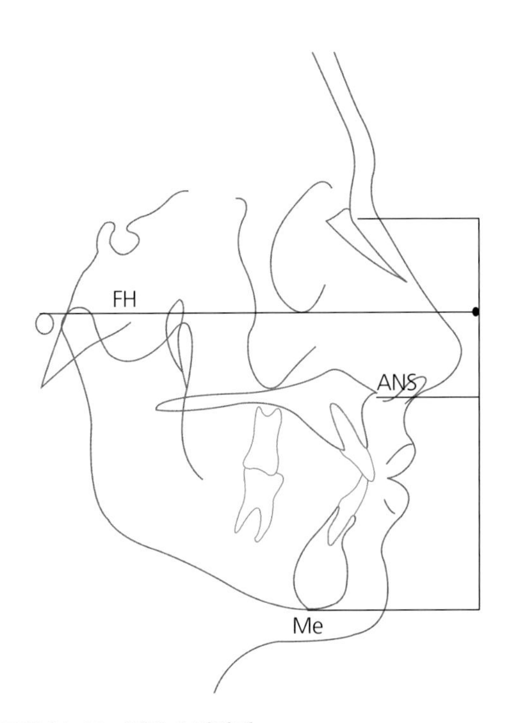

그림 21-19. 골격 수직관계

⑦ 골격 수직 관계(skeletal vertical relationships)

골격 수직 관계는 N에서 ANS까지 그리고 ANS에서 Me까지 수직 거리로 측정한다. 수직선은 F-H plane에로 수직으로 그린다. 결과적으로, 수직으로 떨어지는 선은 N, ANS, 그리고 Me에서 FH plane에 수직선으로 그린 것이고, N에서 ANS까지의 거리와 ANS에서 Me까지 수직 거리의 비율은 일반적 5:6이 정상이며, N에서 ANS까지의 거리는 53 mm이고, ANS 에서 Me까지 거리는 65 mm 정도이다. 수직 높이 사이의 relationship(관계)이 절대적 측정값보다 더 중요하다.

⑧ 치아상태에 따른 분석(analysis of dental relationships)

Steiner analysis에 따르면, maxillary incisor의 상대적 위치는 N-A선에 기울어진 전치 만곡과 관련되어 결정된다. maxillary incisor의 가장 앞쪽에 지점은 N-A 선 전방 4 mm 이상이어야 하고, 이 선으로 22° 정도 기울어져야 한다. 또한 N-B선에서 mandibulor incisor angulation은 25°가 되어야 하는 반면, tooth crown의 가장 아래 입술 부분은 이 선 전방의 4 mm에 있어야 한다.

Downs analysis에 따르면, mandibular plane에 대한 mandibular incisor의 long axis가 이루는 각도(incisor mandibular plane angle. IMPA)는 90±7°이다. Class III의 malocclusion과 보상된 mandibular plane를 가진 환자들에는 이 각도가 작은 경향이 있으며, mandibular plane이 돌출 되었을때, 각도가 더 큰 경향이 있다(예를 들면, 양쪽 또는

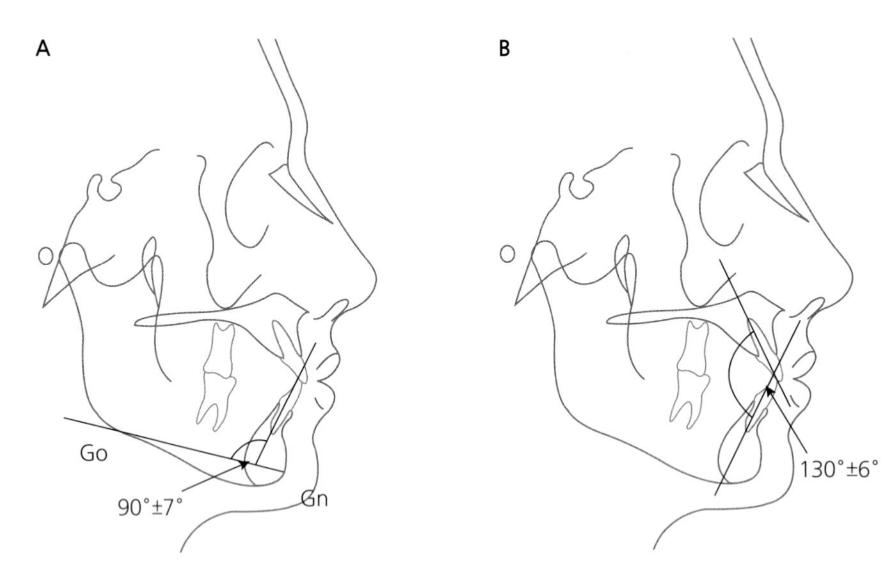

그림 21-20.
A. Incisor mandibular plane angle(IMPA, 하악평면에 대 한하악절치장축각) B. Interincisional angle(절치각)

Class II, division 1 부정교합). 절치각은 incisor의 tip을 지나는 maxilla와 mandible incisor의 vertical axis들로 형성되는 각이며 정상적으로 130±6°의 범위값을 가진다(**그림 21-20**).

⑨ Occlusal plane angle(교합 평면 각도)

Steiner analysis에 따르면, occlusal plane angle은 S-N plane과 occlusal plane사이의 각이며 평균 14°의 값을 가진다. Down analysis에 occlusal plane angle은 F-H plane과 occlusal Plan이 이루는 각도로 평균 9°를 가지게 된다. 환자의 occlusal, palatal 및 mandibular plane angle을 표현할 때 종종 "높은 각도" 또는 "낮은 각도"라는 표현으로 사용되고. 높은 각도를 가진 환자들은 비교적 vertical하게 long anterior facial heights를 가진 반면, 낮은 각도를 가진 환자들은 얼굴이 수직으로 짧은 short anterior facial height 짧은 전방 얼굴 높이를 가지는 경향이 있다.

(3) KNU Quick Protocol

저자는 이상의 여러 가지 계측 및 분석법을 토대로 실제로 중요하면서도 간략하게 전체적인 내용을 파악하고 술 전후 진단 계획 예측에 도움이 되는 프로토콜을 이용하고 있다(**표 21-1**).

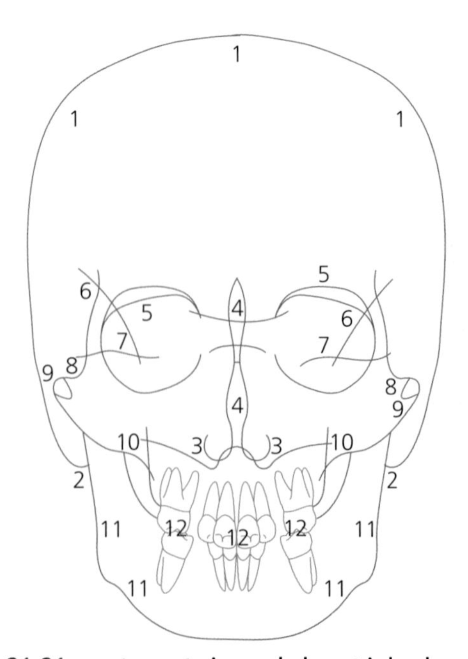

그림 21-21. posteroanterior cephalometric landmarks

표 21-1. KNU Quick Protocol for STO(Surgical Treatment Objectives)

Soft tissue relations	Pre-OP	Post-OP	FollowUp
- G'-Sn': Sn'- Me'(1 : 1)			
- Sn'- St'(20±2mm)			
- Sn'- St': St - Me'(1:2)			
- Interlabial distance (0-3mm)			
- Gummy Smile			
Skeletal and Dental relations			
Maxilla			
- SNA (82.5±3.2, 81.6±3.2)			
- FH to NA (89.1±2.8)(maxillary depth)			
- FH to Occlusal plane (7.7±3.8, 8.8±3.3)			
- FH to U1 (115.3±6.3)			
Mandible			
- SNB (80.4±3.1, 79.2±3.0)			
- FH to NB (86.9±2.9)			
- Gonial angle (122.5±5.8)			
- FH to Mn plane (22.7±5.3, 24.3±4.6)			
- Mn Plane to L1 (90.4±4.9)			
Mx vs Mn			
- ANB (2.1±1.8, 2.5±1.82)			
- Interincisal angle (124.4±7.9, 123.8±8.3)			
- overjet (3.6±1.0, 3.5±1.0)			
- overbite (1.9±1.1, 1.8±1.1)			
Chin evaluations			
Horizontal			
- NB line to L1 & pog (8.0±2.4, 7.9±2.4)			
- FH to N'vertical to Po'(0±2mm)			
- E - line(상순2~3mm, 하순1~2mm)			
Vertical			
- Lower ant. Dental Ht (M:44±2mm, F:40±2mm)			
- Lower ant. Soft tissue Ht (M:51, F: 8±3mm)			

2) Posteroanterior cephalometric radiographic evaluation(두부 후전방 계측을 위한 방사선 검사, Rickettts, Grummons)

posteroanterior cephalometric radiographic Evaluation은 비대칭의 진단과 치료계획 수립에 중요하다.

(1) 두부 후전방 경조직 계측점(hard tissue cephalometric landmarks)

① External peripheral cranial bone surface

② Mastoid process.

③ Occipital condyle

④ Nasal septum, crista galli, floor of nose

⑤ Orbital outline, inferior surface of the orbital plate of the frontal bone

⑥ Oblique outline, innominate line

⑦ Superior surface of the petrous portion

⑧ Lateral surface of the frontosphenoid process of zygoma and zygomatic arch (ZA)

⑨ Cross section of zygomatic arch

⑩ Infratemporal surface of maxilla.

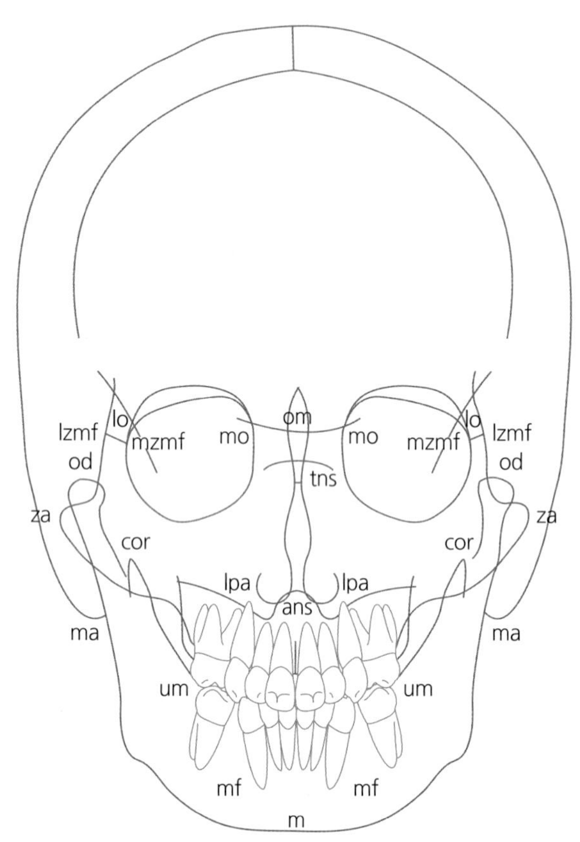

그림 21-22. posteroanterior cephalometric landmarks for analysis(두부후전방계측 분석을 위한 가상의 점들)

⑪ Mandible (body, rami, coronoid process, condyles)

⑫ Dental unit

- om: orbital midpoint, crista galli의 기저에서 좌우 lo (lateral orbitale)를 연결하는 선상의 점으로 비중격 최상방점의 연장선상의 점, sagittal plan의 기준점이 된다
- mo: medial orbitale, median plan에 가장 가까운 medial orbital margin상의 점
- tns: tip of nasal spine
- ans: anterior nasal spine, 코의 기저(base of the nose)에서 중심점
- iif: incision inferior frontale, mandibular central incisor(하악 중절치) 끝의 중앙점
- isf: incision superior frontale, maxillary central incisor(상악 중절치) 끝의 중앙점
- m: mandibular midpoint, 하악의 중앙점
- lo: lateral orbitale, lateral orbital margin과 innominate line이 만나는 점
- lzmf: lateral zygomatic frontal suture
- mzmf: medial zygomatic frontal suture
- cd: condylion, condyle(하악 과두)의 최상방점
- za: most lateral point of zygomatic arch, 관골궁의 가장 외측 점.
- ma: lowest point of mastoid process, 유양돌기의 최하방점
- ag: antegonion, antegonial notch의 가장 상방점
- mx: maxillare, maxillary alueolar process(상악치조돌기)의 외형과 zygomatic buttress의 하방점이 만나는 선, J point와 유사

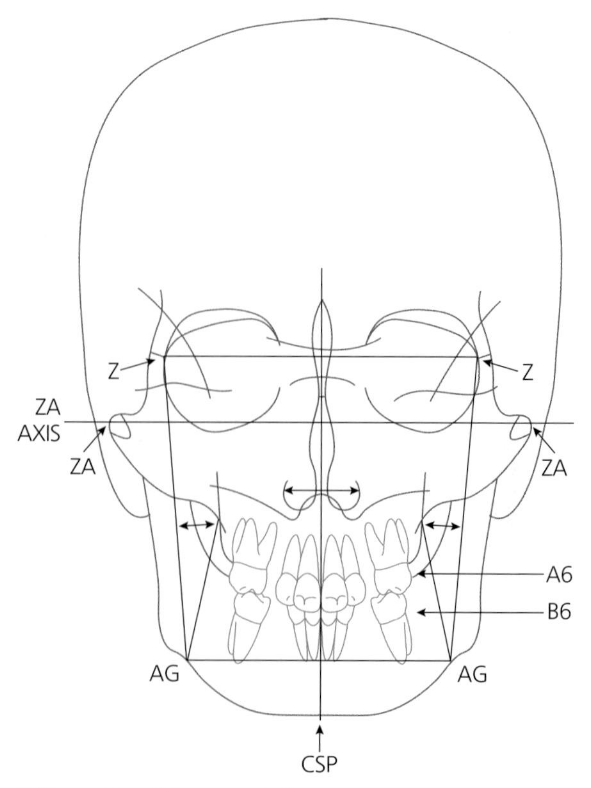

그림 21-23. Ricketts analysis

CSP를 기준으로 각각의 계측점의 상대적인 거리나 각도를 측정하여 분석한다.

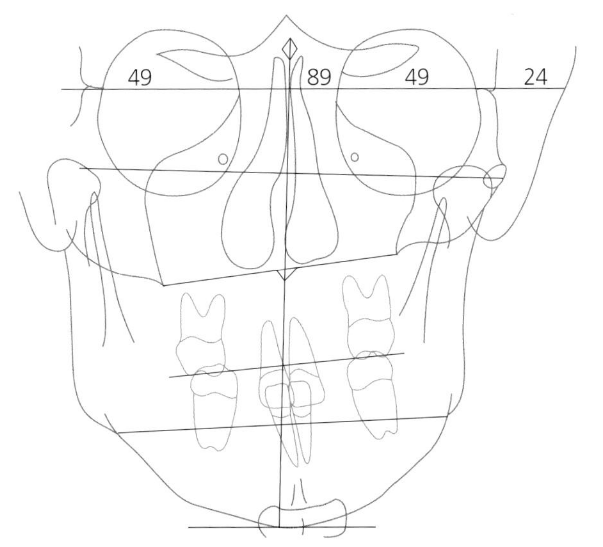

그림 21-24. Grummons 분석법에 따른 계측 평면

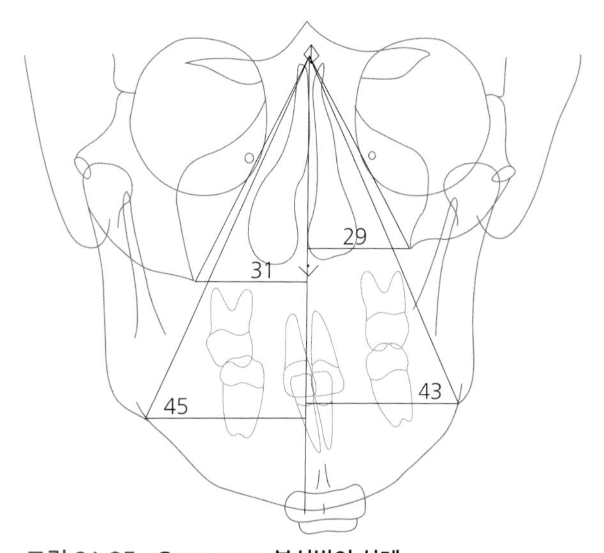

그림 21-25. Grummons 분석법의 실제
각각의 점들과 선들을 이용하여 비대칭성과 그 양을 측정할 수 있다.

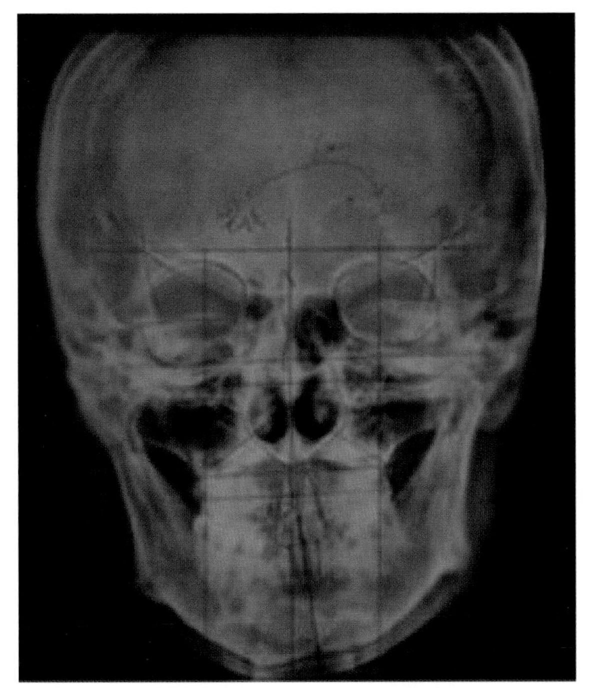

그림 21-26. KNU quick protocol for PA analysis

- J jugulare (J): zygomatic buttress의 curve의 가장 superior and medial point, 즉 most concave point
- um: maxillary molar, maxillary first molar의 가장 외측면
- lm: mandibular molar, mandibular first molar의 가장 외측면
- mf: mental foramen,
- CSP: cental sagittal plan. 여러 가지 방식으로 작도하는데 대표적인 것으로 lo-lo line에 대한 수직선이 om을 지나게 작도, 양측 lzmf나 zmmf 를 연결하는 선에 대한 수직선이 om을 지나게 작도한다.

(2) Ricketts 분석법(그림 21-23)

① Nasal cavity width(비강폭): NC-NC nasal cavity의 가장 외측 점사이의 거리

② Mn. Width: AG-AG Antegonial notch 사이의 거리

③ Mx. Width: Z-AG과 J 사이의 거리

④ Symmetry: CSG에서 좌우 ZA, AG 사이의 거리, CSG와 m 사이의 관계, CSG에서 좌우 J 사이의 거리와 각도

⑤ Intermolar width: CSG에서 um, lm 사이 거리 각도

⑥ Intercuspid width: 하악견치의 끝과 CSG와의 거리 각도

(3) Grummons 분석법(그림 21-24~26)

① Z plan: 좌우 mzmf를 연결하는 선

② ZA plan: 좌우 za를 연결하는 선

③ J plan: 좌우 J point를 연결하는 선

④ Occlusal plan: 좌우측 fist molar의 교합점을 연결

⑤ AG plan: 좌우측 ag를 연결하는 선

⑥ Menton line: Menton을 통과하는 z plan과 평행한 선

저자는 두부 정면 방사선 사진을 이용하여 간단하게 진단과 수술의 방향을 결정하기 위하여 다음과 같은 순서로 시행한다.

i. Lo (lateral orbitale)를 찾아서 양측을 연결하고 이 선의 수직선이 om을 지나게 작도하여 CSP (central sagittal plane)를 작도한다.

ii. zygoma의 비대칭성을 보기 위해서 이 CSP에서 다시 수직으로, 좌우의 ZA까지 작도하여 상하와 좌우의 비대칭의 정도를 파악한다. 이것으로 zygoma reduction의 양을 결정하는 데 이용한다.

iii. maxilla의 비대칭성을 보기 위해서 양측의 J point를 연결한 선과 CSP와의 거리와 각도를 측정하여 상악의 상하좌우 비대칭 정도를 파악한다.

iv. mandibular centrral incisor의 중간선 또는mental spine과 menton을 연결한 선과 CSP와의 거리와 각도를 측정하여 mandible의 정중심에서 비대칭 정도를 파악한다.

3) 파노라마 방사선 검사(Panoramic Radiographic valuation)

파노라마 방사선 촬영은 삼차원적인 안면골 특히 상하악을 2차원 평명으로 펼쳐 놓은 상태의 촬영 형태로 좌우측 상하악의 여러 가지 상태를 한 번에 파악할 수 있는 좋은 방법이며 안면골 수술에서 중요한 합병증 중의 하나인 inferior alveolar nerve 손상을 피하기 위한 형태를 비교적 자세히 관찰할 수 있는 등 많은 장점이 있어서 전산화 단층촬영과 형태의 3D재구성을 쉽게 행하는 현재에도 많이 사용되고 있다.

또한, 파노라마 방사선 검사는 의도된 치간 절골술, 미맹출된 또는 매복된 치아(impacted tooth), 이전에 발견되지 않은 병적 상태에서 발생한 편차를 근본적으로 찾을 수 있다. 얻은 정보는 치료 전의 사정에서 뿐만 아니라, 또한 해부학적 구조의 상대적 위치의 결정에서 가치가 있고, 이는 실제 수술과정에서 중요하다. 또한, 파

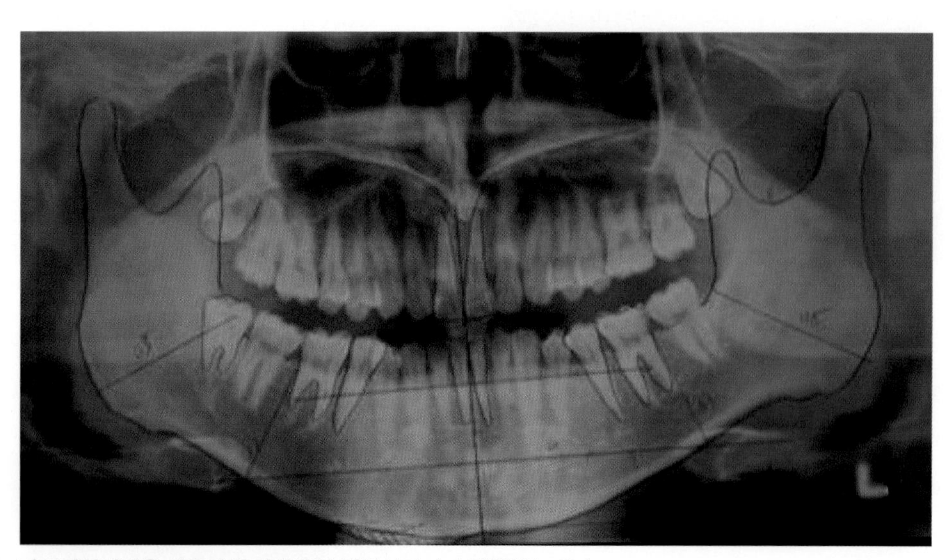

그림 21-27. 파노라마사진을 이용하여 하악골의 대칭성과 수술계획하는 모습

노라마는 특성상 상하의 비율이 상의 왜곡이 없이 일정하여 정확한 골절제량을 계산하고 실제 수술에서 적용하기에 편리하다.

3. 교합과 악관절의 평가

악안면골의 수술은 다분히 교합과 악관절이 변화를 초래할 수 있으므로 술 전에 이들에 대한 정확한 평가가 반드시 시행되어야 한다. 특히 양악수술은 단시간에 교합에 많은 변화가 있으므로 수술 후에 환자가 잘 적응하기 위해서는 현재 정확한 기능을 평가하여 수술로 인하여 교합이나 악관절에 방해를 하는 요인을 만들어서 안된다.

1) 교합 기능 평가(Occlusal functional evaluation)

교합 기능 평가의 기본 목적은 정적교합에서 중심 교합(centric occlusion, CO) 및 중심 위(centric relation, CR)사이의 관계를 확인하는 것이다. 즉 수술 전에 이들의 차이는 개인적응 범위 내에 있거나 현재까지 적응된 상태로 있으므로 문제가 되지 않지만 수술로 인하여 이들을 변화시켜 CO를 CR에 맞추는 경우 그 정확성에 문제가 되거나 혹은 수술 전 파악하지 못한 문제로 인해 수술 후에 불편감, 재발, 골의 부정유합, 부정교합의 발생 등의 결과가 생기므로 수술 전에 반드시 이들의 관계를 확인하여야 한다.

또한 기능적인 교합에서 교합 간섭에 대한 사항도 파악하여야 하는데 기능하는 쪽의 치아 이외에 반대측의 비기능쪽에서 치아의 교합이 일어나면 치아뿐만 아니라 악관절에도 나쁜 영향을 미치게 되므로 수술 계획에 반드시 고려해야 하며 혹시 수술 직후에 이런 상태가 보여지면 반드시 보호하는 장치물이나 초기 교합조정을 통하여 추후에 발생하는 치아치주조직의 탈락, 악관절 장애, 저작 장애 등의 문제점들을 막아야 한다.

2) 측두하악관절 평가(Temporomandibular joint, TMJ evaluation)

TMJ는 안면골 수술 특히 악교정수술에 중요한 구성 요소이므로 주의 깊게 검사해야 한다. 기존 질환이 있거나, 치료 기간 혹은 치료 후에도 문제가 발병할 수 있음을 잘 이해해야 하며 교정 수술 치료를 시작하기 전에, 임상 진단을 시행하고 예후를 평가해야 한다. 기본적인 측두상악 temporomaxillary joint의 평가는 temporomandibular joint의 증상 및 징후, 하악운동에서 개구와 편향(deviations)이 중요하다. TMJ 증상으로는 소리와 통증이 있는데 소리만 있는 경우는 특별한 제한을 받지는 않지만 질환의 초기단계에 생기는 소리는 관심을 기울이고 그 이유를 파악하여 적절한 치료가 선행되어야 한다. 하악운동에서 중요한 점은 충분한 개구가 되는 경우 특별한 제한점이 없으나 과도한 측방이동이 있는 경우는 술 후에 안정성이 떨어지므로 충분히 사전 조사를 하여야 하며 특히 반안면왜소증의 경우는 강력한 교합의 안정성을 위하여 선수술보다는 충분한 교정기간을 가지는 것이 좋다. 개구 시에는 처음과 마지막이 같은 선상에 있는 편위(deflection)의 경우와 이것이 다른 선상에 놓이게 되는 편향(deviation)은 다른 상황으로 면밀히 관찰되어야 한다. 통상적으로 편위는 수술 전에 치료의 대상이 되지는 않지만 수술 후에 변화된 상하악관계에서는 하악운동의 변화로 수술 전에도 치료의 대상이 되는 편향으로 변형되면 조기에 그 원인을 밝혀서 적절히 치료해 주어야 한다.

간혹 수술 후에 생기는 통증 없는 관절소리는 대부분 적응할 수 있게 되지만 경과관찰 중에 그 상태의 변화가 생기는지 계속 확인하여야 한다.

참고문헌

1. 두부규격방사선계측학 : 알렉산더제곱슨(저), 강승구 김수정 이기수 박영국(역), 지성출판사 2007.
2. Essentials of Orthognathic Surgery, 2nd.: Johan P. Reyneke. : Quintessence Publishing Co, Inc.2010
3. Functional Occlusion, From to Smile Design : Peter E. Dawson ;Mosby 2007.
4. Modern Practice in Orthognathic and Reconstructive surgery, 2nd. : Willian H, Bell. : WB Saunder Co, Philadelphia. 1992
5. Orthognathic Surgery, Clinics In Plastic Surgery, V34-3, July 2007.
6. Principles and Practice of Orthognathic Surgery, Jeffrey C. Posnick : Elsevier Saunders. 2013

CHAPTER 22

하악골 축소술 | Mandible Reduction

Chapter Author 석윤, 홍성범

하안면부의 폭을 갸름하게 하고 각진 턱선을 부드럽게 만들기 위해서 mandible을 다듬는 수술을 mandible reduction이라고 하는데, 예전에는 각진 턱의 모양을 다듬는다고 하여 흔히 '사각턱수술'이라고 부르기도 하였다. 그러나, 이 수술이 단지 mandibular angle만을 다듬는 수술은 아니기 때문에 '사각턱수술'이라는 명칭보다는'mandible reduction'이라는 명칭이 더 적절하다. 한편, mandible reduction으로 mandibular angle과 body의 모양을 다듬을 수는 있으나 앞턱의 폭까지 줄일 수는 없기 때문에 요즘에는 mandible reduction과 앞턱의 폭을 줄이는 수술을 병행하는 경우가 많다. 이렇게 두 가지 수술을 하게 되면 하안면부의 모습이 마치 알파벳의 V자 모양처럼 갸름해진다고 하여 흔히 'V라인 수술'이라고 부르기도 한다.

한국, 중국, 일본 등의 아시아인에서는 하안면부와 앞턱의 폭이 넓고 옆에서 볼 때 턱이 각져 있으며 턱선이 평평한 특징을 가진 얼굴이 흔히 관찰되는데, 이러한 형태의 얼굴을 갸름하고 부드럽게 만들면 좀 더 여성스러운 이미지를 얻을 수 있어서 주로 동북아시아 국가들에서 mandible reduction이 발전하게 되었다.

Mandible reduction을 통해 미용적으로 만족스러운 결과를 얻기 위해서 수술의 기술적 완성도는 필수 조건이며, 적합한 적응증을 확립하는 것 또한 간과해서는 안된다. 아무리 수술을 잘 한다고 하더라도 적절하지 않은 대상에게 그 수술이 시행된다면 미용적인 만족도는 떨어질 수밖에 없기 때문에 단지 수술기법 자체에 국한되기보다는 얼굴을 전체적으로 분석하고 이 수술이 적절할지를 판단해서 얼굴에 맞는 수술계획을 세우는 것이 중요하다.

이 단원에서는 mandible reduction의 개념이 어떻게 변화되어 왔는지 그 진화의 역사를 먼저 살펴보고 어떤 얼굴의 형태에서 이 수술을 시행하면 되는지 분석하고 판단하는 방법을 소개한 후, 수술 전 필요한 검사와 수술 준비 방법에 대하여 기술하고자 한다. 수술기법에서는 mandible reduction의 종류와 각각의 구체적인 방법을 살펴보게 될 것이고, 수술 후에 어떻게 환자를 치료하여야 하는지를 소개하게 될 것이다.

마지막으로 수술에서 수반될 수 있는 합병증에는 어떤 것들이 있으며 어떻게 합병증을 예방하고 치료할 수 있는지를 소개하게 될 것이다. mandible reduction과 관련한 이런 원칙들을 충실하게 지킴으로써 독자들은 수술의 위험성을 최소화하면서 미용적으로 만족도 높은 결과를 얻을 수 있는 방법을 터득하게 될 것이다.

1. Mandible reduction의 역사

넓은 얼굴을 갸름하게 만드는 수술의 기법은 세월이 흐르면서 많은 변화를 거치면서 발전해왔는데, 기술이 한 단계씩 의미 있게 발전할 때마다, 얼굴이 넓어 보이는 원인에 대한 개념이 먼저 바뀌었다는 사실을 발견할 수 있다. 즉, 개념의 진화가 기술의 진화를 이끌어 왔다고 볼 수 있다.

1980년대까지는 masseter m.의 발달이 턱이 넓어 보이는 원인이라 생각하여 masseter m. hypertrophy의 개선을 위해 masseter m.을 부분적으로 잘라내는 방법을 주로 사용하였다. 하지만, Yang과 Park은 수술적으로 저작근을 절제하는 방법이 출혈과 신경손상의 위험을 동반한다고 지적했다. 2000년대에 와서는 보톡스를 사용한 masseter m. reduction과 그 효과들이 소개되었다. 또한, masseter m.의 운동신경을 절제하는 방법과 고주파를 사용해서 masseter m.을 파괴하는 방법들도 소개되었다.

1989년 Baek 등은 아시아인에서 하안면부가 발달된 원인이 하악골 때문이라고 보고 mandibular angle reduction을 소개하였다. Baek 등의 방법은 아시아인에서 하안면부가 넓어보이는 원인을 단지 근육이 아닌 뼈의 관점으로 보기 시작했다는 점에서 의미가 있다. 1991년 Yang과 Park은 하악각뿐만 아니라 얼굴의 형태에 따라 mandibular body와 symphysis의 모양을 함께 다듬는 수술기법을 소개하였는데, 그들의 연구는 하악골 전체의 모양을 고려해서 뼈를 다듬는 개념을 도입했다는 점에서 의미가 있다. 그들의 논문에서는 뼈를 여러 조각으로 잘라내는 방법이 소개되었으나, 그 이후 수술 기법이 발달하면서 1990년대 후반부터는 한 조각의 부드럽고 긴 곡선으로 하악골의 모양을 다듬는 수술법이 많이 사용되었다(**그림 22-1**). 이러한 one-stage long curved ostectomy 기법은 2005년에 Gui 등에 의해 문헌에 소개되었다.

Mandibular angle, body, lower border를 잘라내는 기법과는 다소 다른 개념의 수술 기법도 비슷한 시기를 거치면서 함께 발달해 왔는데, 그것은 정면에서 보았을 때의 얼굴 폭을 줄이기 위해서 하악의 lateral cortex를 축소시키는 수술 방법이다(**그림 22-2**). 1989년 Whitaker는 Baek 등의 논문에 대한 discussion에서 하악각을 다듬을 필요가 없는 형태의 얼굴에서는 하악의 lateral cortex를 다듬고 masseter m.을 절제해서 한 쪽에 5~6 mm씩

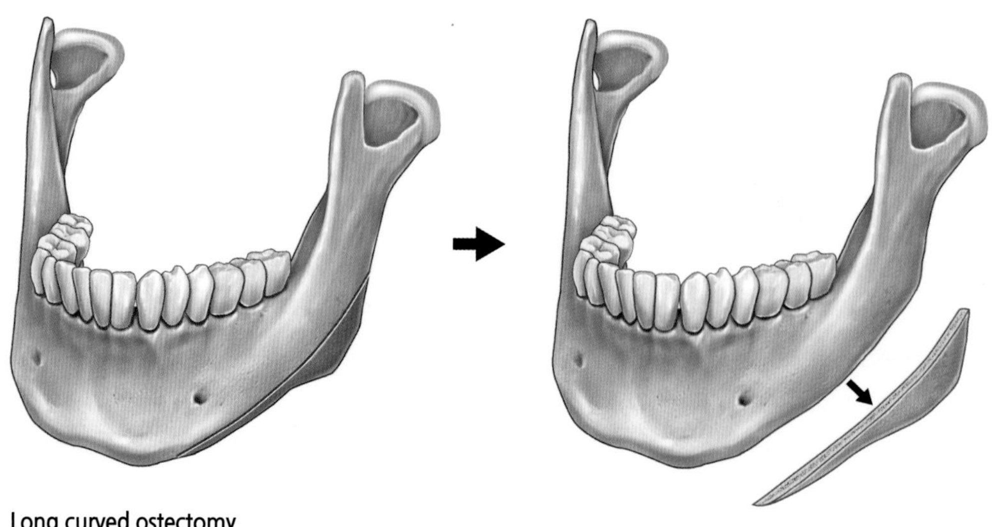

그림 22-1. Long curved ostectomy
mandibular angle과 body를 부드럽고 긴곡선으로 절제하는 방법이다.

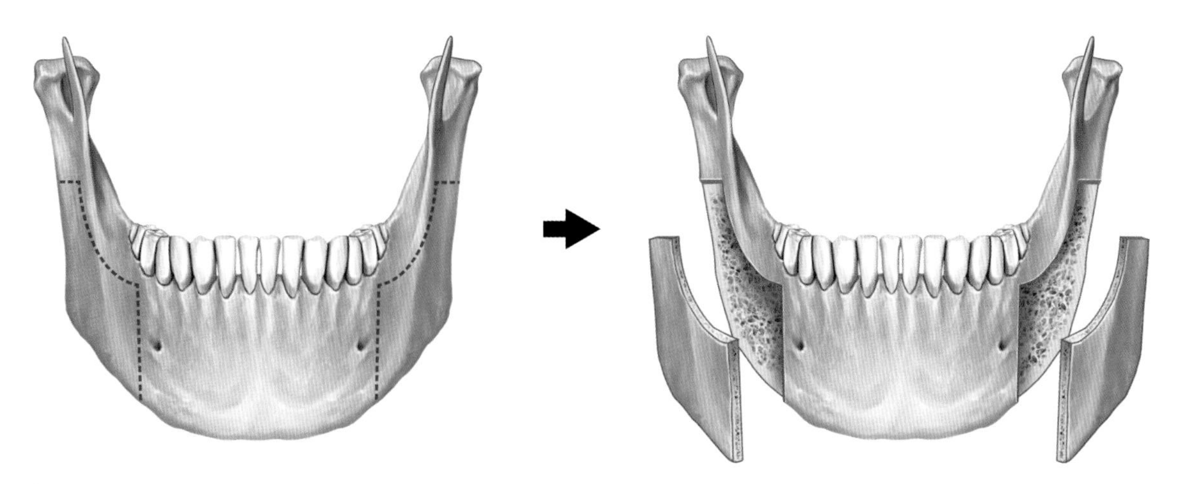

그림 22-2. Osteotomy of the lateral cortex
정면에서 보이는 얼굴의 폭을 줄이기 위해 하악의 lateral cortex를 제거하는 절골법이다.

얼굴폭을 줄일 수 있다고 하였고, 1997년에 Deguchi 등은 inferior alveolar nerve의 앞쪽에서 lateral cortex를 갈아내고 뒤쪽에서는 mandibular angle을 세로로 쪼개는 angle-splitting 기법을 통해 하안면부의 폭을 줄일 수 있다고 하였다. 2001년에 Han과 Kim은 lateral cortex의 ostectomy 통해 sigmoid notch의 10mm 아래에서부터 mental foramen의 10 mm 외측까지 이르는 광범위한 부위에서 하악골의 축소가 가능하고, mandibular angle reduction을 병행하지 않고 lateral cortex의 osteotomy만 시행한 경우에도 bigonial width(양측 gonion 사이의 거리)가 효과적으로 줄어들었다고 보고했다.

하악각과 체부의 하연을 절제하는 개념의 방법과 lateral cortex를 절제하는 개념의 방법을 두고 한동안 그 효과에 대한 논쟁이 있었던 시기도 있었는데, 2004년 Hwang 등은 두 가지 기법을 함께 병행하는 수술 방법을 소개했다. 이 논문에서 그들은 mandibular angle reduction 하나만으로는 두꺼운 하악 체부의 폭을 효과적으로 줄이기 어렵고, lateral cortex의 osteotomy만으로는 하악각을 자르는 양을 결정하기 어렵다고 했다. 저자들 역시 환자마다 다르게 가지고 있는 하안면부의 특징에 따라 long curved ostectomy와 lateral cortex의 osteotomy를 적절한 정도로 조합해서 사용하고 있는데, long curved ostectomy는 각진 턱선을 부드럽고 자연스럽게 다듬거나 턱선의 경사도를 조절하는 목적으로 사용하고 lateral cortex osteotomy는 정면에서 볼 때 하안면부의 폭을 줄이는 목적으로 사용하고 있다.

Mandible reduction에서 앞턱의 모습을 함께 고려해야 한다는 점은 1991년 Yang 등이 언급한 바 있고, 1998년 Satoh 역시 mandible reduction을 할 때 앞턱의 모습을 함께 고려해야 미용적으로 우수한 결과를 얻을 수 있다고 보고했다. 2008년 Park과 Noh도 하안면부의 모습에서 앞턱의 중요성을 강조하면서 앞턱 중앙부의 뼈를 제거해서 앞턱의 폭을 줄이는 기법을 미용적으로 활용했다(**그림 22-3**).

2010년 Uckan 등은 Park과 Noh에 의해 발표된 방법에서 앞턱 중앙부의 뒷면에 붙어있던 근육이 뼈에서 분리된 후에 처짐으로 인해 submental sagging이 일어날 가능성을 언급하면서 이러한 현상을 방지하기 위해 떨어져 나온 근육을 고정판에 실로 묶어주는 방법을 소개했다. 그러나, 분리된 근육으로 인한 submental sagging의 가능성 및 실로 묶어주는 방법의 효과에 대한 정량적인 데이터를 제시하지는 못했다. 2000년대 후반부터

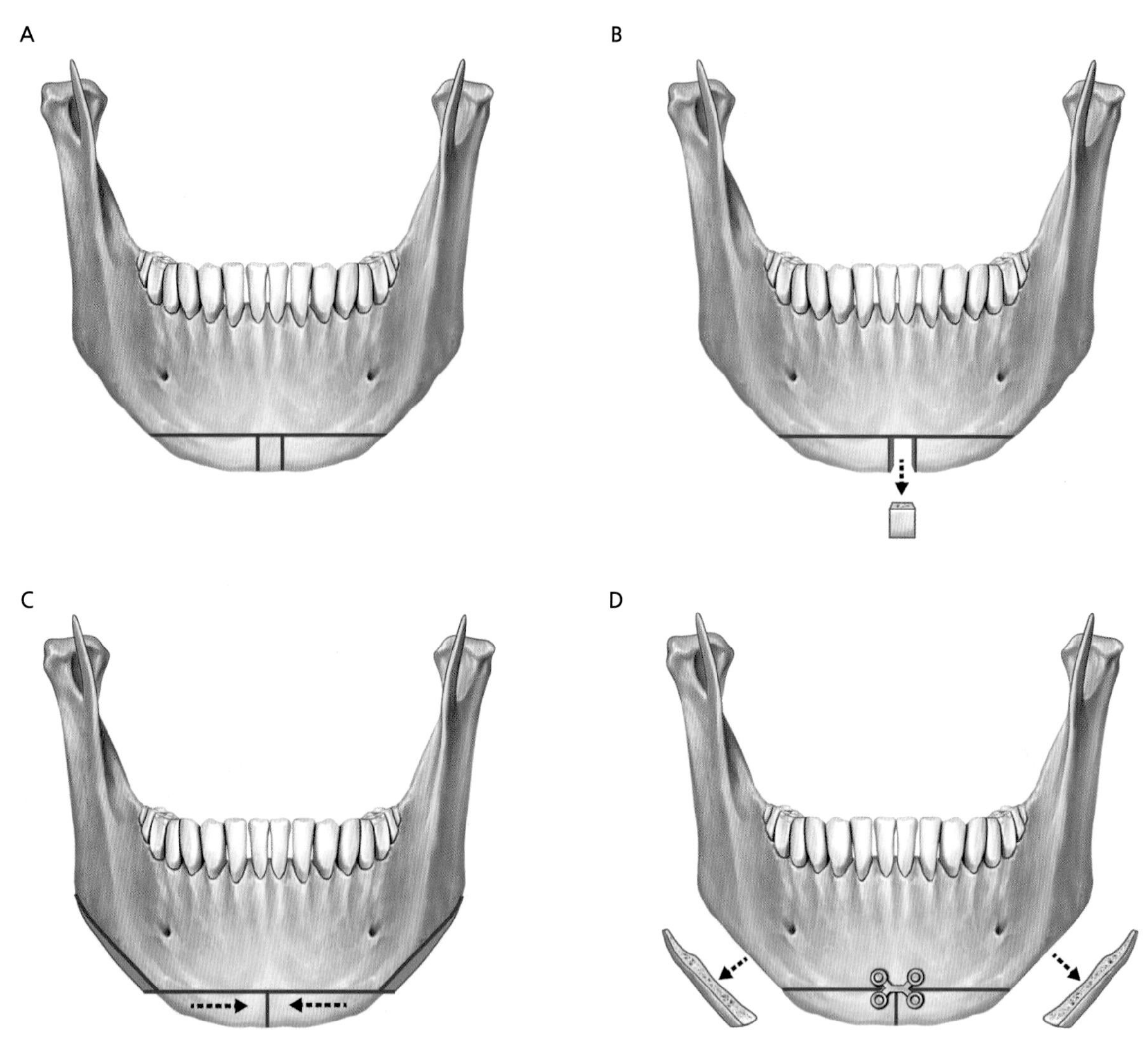

그림 22-3. T-osteotomy을 이용한 V-line 수술

A. 앞턱에 1개의 수평절골선과 2개의 수직절골선을 디자인한다. B. 절골을 하고 나면 앞턱에서 3개의 bone segment가 떨어져 나오는데, 그 중에서 가운데 골편을 제거한다. C. 남은 2개의 골편을 중앙으로 모아주면 앞턱과 옆턱 사이에 계단 현상이 생긴다. D. 앞턱과 옆턱 사이에 생긴 뼈의 계단에서 시작하여 mandibular body와 angle을 절제하고, 앞턱의 골편은 고정판으로 고정한다.

mandible reduction과 앞턱의 폭을 축소하는 수술을 병행하는 빈도가 증가하면서 이런 방법을 V-line 수술이라고 부르기 시작했는데, 2010년대에 들어서서는 V-line이라는 용어가 학술문헌에도 사용되기 시작했다.

2000년대 중반부터 단지 하안면부의 넓이뿐만 아니라 수직적 길이와 전후방적 길이까지 함께 고려하는 3차원적인 mandible reduction을 시행해야 한다는 점을 인식하기 시작하면서 mandible reduction에 two jaw surgery 기법이 도입되기 시작했다(**그림 22-4**). 2006년 Jin 등은 구치부의 교합은 정상적인데도 하악골이 수직방향 또는 전후방적으로 발달된 skeletal class III facial form을 가져서 하안면부가 커 보이는 경우가 동양인에 많다는 점을 지적하면서 이런 경우에는 two jaw surgery를 통해 악골의 위치를 이동시켜야 하안면부를 효과적으로 축소할 수 있다고 보고했다. 그들의 주장은 얼굴을 3차원적으로 고려해서 mandible reduction만 시행해도

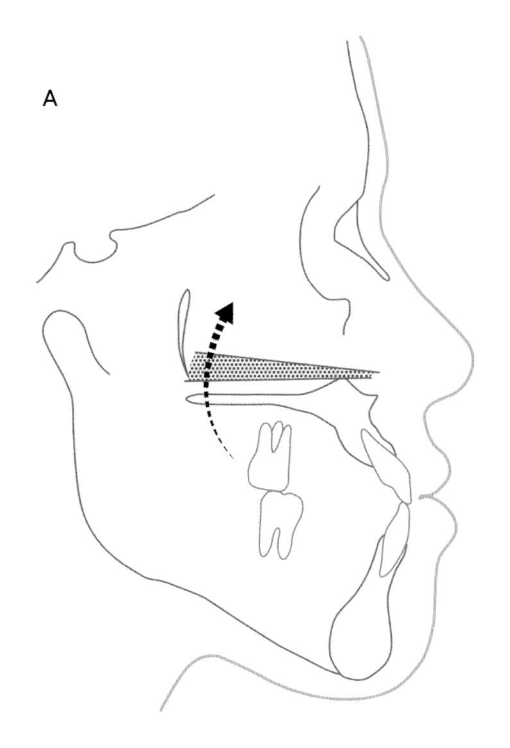

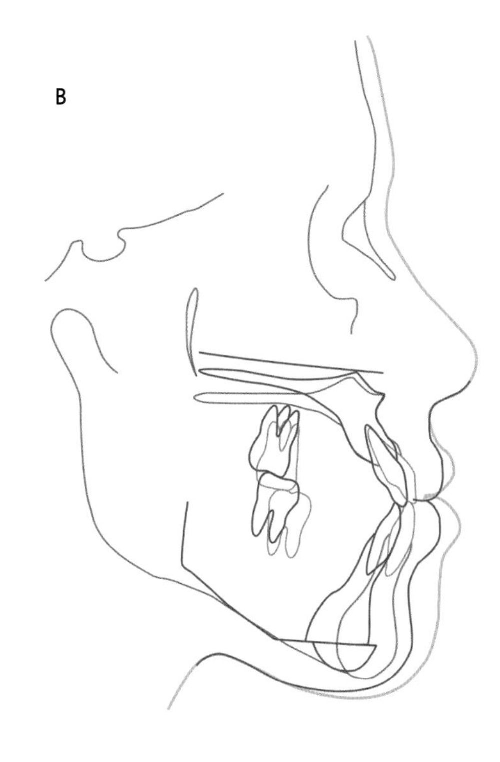

그림 22-4. Skeletal class III facial form에서의 two jaw surgery

얼굴을 오른쪽에서 바라볼 때 시계방향으로 골격을 회전시키면 턱이 들어가 보이는 효과를 얻을 수 있다. A. 악골을 시계방향으로 회전시키기 위해 상악의 앞부분보다 뒷부분을 더 많이 제거하는 수술 계획. B. clockwise rotation two jaw surgery와 advancement genioplasty를 시행한 결과와 수술 전 모습의 superimposition. 악골을 clockwise rotation시킨 후 앞턱의 위치를 보고, 필요하면 advancement genioplasty를 병행하기도 한다.

될 경우와 two jaw surgery를 병행해야 할 경우를 구분해야 미용적으로 우수한 결과를 얻을 수 있다는 것을 인식했다는 점과 교합의 개선을 위해서 뿐만 아니라 순수하게 미용적인 목적으로도 two jaw surgery를 활용할 수 있다는 점을 인식했다는 점에서 의미가 있다. Kim 등은 하악의 sagittal split ramus osteotomy (SSRO)와 mandible angle reduction을 함께 시행할 경우 미용적인 개선 효과가 향상될 뿐만 아니라 masseter m.의 긴장도를 감소시켜 술 후 안정성에도 도움이 되기 때문에 이러한 방법이 sagittal split ramus osteotomy의 유용한 변형이 될 수 있다고 보고하였다.

2. 상담 및 검사

상담을 시작하면 환자가 무엇을 원하는지를 우선 들어 보아야 한다. Mandible reduction을 원하는 환자들은 대부분 작고 갸름한 얼굴과 부드러운 턱선을 갖기를 원하지만, 자연스럽게 갸름한 턱선을 원하는지 아니면 인위적으로 보이더라도 아주 뾰족한 턱선을 원하는지, 귀밑의 각을 약간 남기기 원하는지 아니면 가파르게 보이더라도 최대한 많이 깎기를 원하는지, 옆에서 볼 때의 턱선을 다듬기를 원하는지 정면에서 볼 때 얼굴의 폭을 줄이기를 원하는지 또는 두 가지 효과를 동시에 원하는지 등을 상담을 통해 파악해야 한다.

그리고 전신질환의 과거력 및 과거 수술력, 현재 복용 중인 있는 약이 있는지 등의 전체적인 의학적 과거력을 파악해야 한다.

이학적인 진찰을 할 때는 3차원적인 관점에서 얼굴의 전체적인 특징을 살펴본다. 즉, 턱이 앞으로 나오거나 뒤로 들어가 보이는지, 과도하게 길거나 짧지는 않은지, 좌우 턱이 대칭적으로 보이는지 등을 확인한다. 그 다음 얼굴의 soft tissue 상태를 확인한다. 시진과 촉진을 통해 얼굴 피부의 두께가 두껍거나 피하지방이 많은 타입인지 확인하고, 볼살에 손을 대고 위로 당겨 올려서 피부가 탄력이 있는지, 늘어지거나 처지지는 않았는지를 살펴본다. 또, 저작근에 손가락을 댄 상태에서 이를 꽉 깨물게 하여 턱 근육은 얼마나 발달되었는지를 파악한다.

치아의 상태도 함께 확인해두는 것이 좋다. 충치로 인해 치료를 받은 적이 있거나 현재 충치 치료가 필요한 상태인지를 확인하고 치은의 상태가 건강한지를 확인한다. mandible reduction 후 한동안 입을 크게 벌리기 어렵고 양치를 원활하게 하기 어렵기 때문에 기존에 가지고 있는 치아나 치주질환이 악화되는 경우가 생길 수 있다. 또한, 정상적인 occlusion을 가지고 있는지도 확인한다. 특히 주걱턱을 가진 경우에 mandible incisor가 maxilla incisor보다 앞으로 나와 있거나(**그림 22-5B**), maxilla와 mandible의 incisor 끝부분이 딱 맞물리거나(**그림 22-5C**), 또는 mandible incisor가 뒤로 심하게 기울어져 있다면 교합 관계의 개선을 위해 치아교정이나 orthognathic surgery도 함께 고려해야 한다. 비대칭 얼굴에서 한쪽 어금니에 crossbite가 있거나(**그림 22-6B**) 얼굴이 긴 환자에서 maxilla incisor의 노출량이 많고 웃을 때 gingiva가 많이 노출되는 경우(**그림 22-7**) 역시 단순히 mandible reduction보다 orthognathic surgery가 필요한 경우에 해당한다.

상담과 이학적인 검사가 끝난 후에는 얼굴 사진 및 얼굴뼈 X-ray를 통해 수술 전 상태를 기록해둔다. 얼굴뼈 CT를 찍을 수 있다면 얼굴의 상태를 파악하는 데 더 많은 정보를 얻을 수 있으나, 여건이 허락되지 않는다면 X-ray까지만 검사해도 수술을 진행하는 데 별다른 문제가 되지는 않는다.

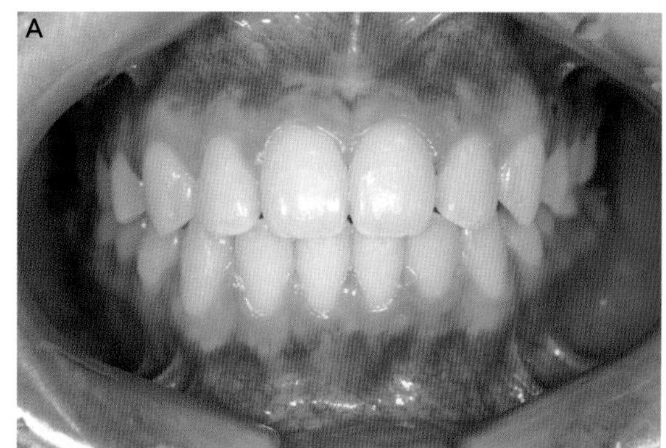

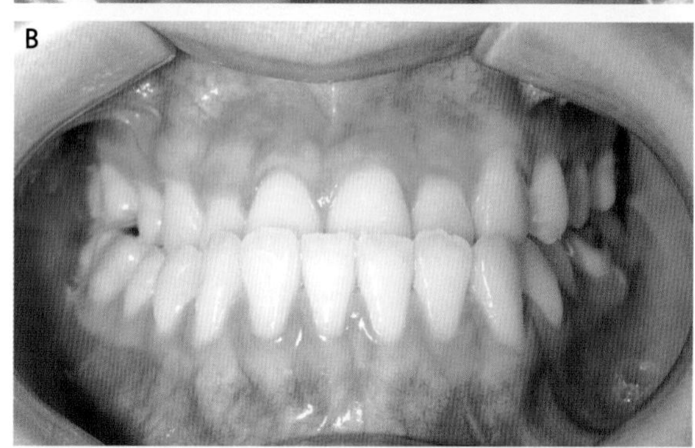

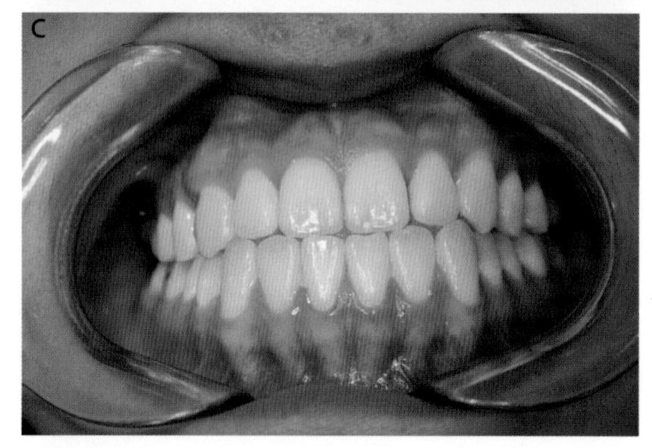

그림 22-5.
A. 정상적인 교합에서는 상악의 maxilla incisor가 mandible incisor를 살짝 덮고 있다. B. incisor crossbite. mandible이 maxilla보다 전방으로 돌출되어 mandible incisor가 maxilla incisor보다 앞으로 나와 있다. C. Edge bite. maxilla incisor와 mandible incisor가 서로 맞닿아 있다.

얼굴 사진과 엑스레이는 고개를 억지로 들거나 숙이지 않은 natural head position에서 입술에 힘을 빼고 lip resting position으로 찍어서 수술 전, 후에 동일한 자세로 재현될 수 있도록 한다. 얼굴 사진은 정면, 좌우 측면, 좌

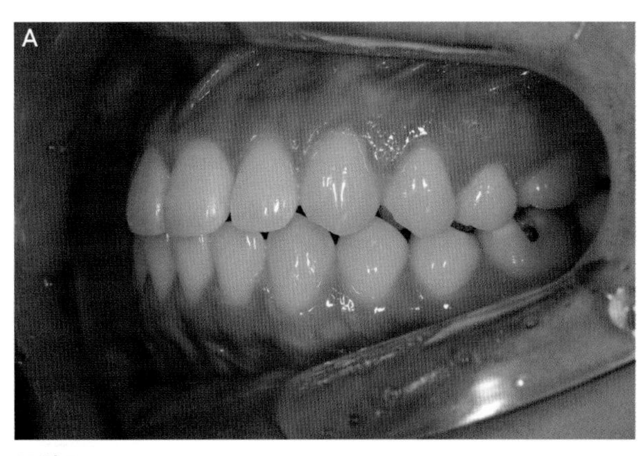

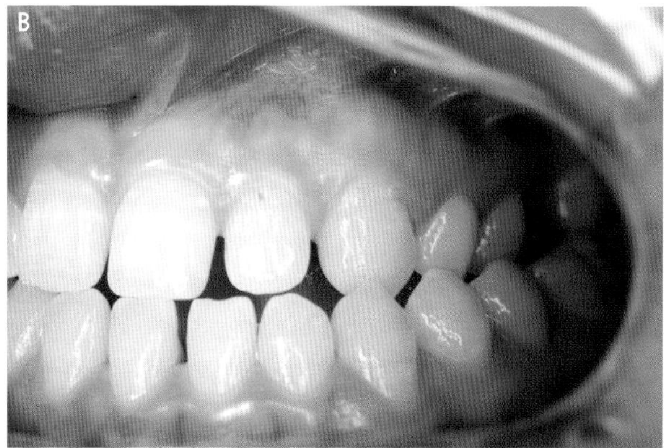

그림 22-6.

A. Molar normal occlusion. maxilla molar가 mandible molar를 덮고 있다. B) Molar crossbite. maxilla molar가 mandible molar를 덮지 못하고 있다.

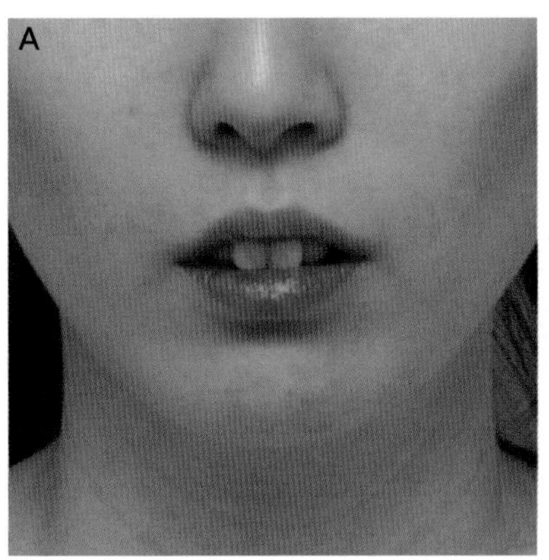

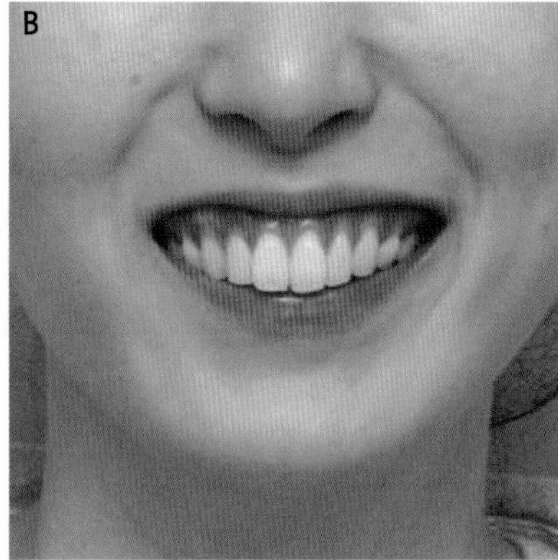

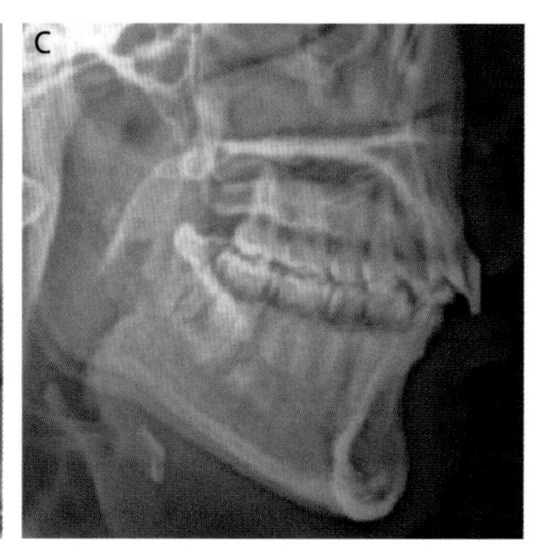

그림 22-7. Maxilla의 길이가 긴 경우의 특징들

A. incisor가 많이 보이고 B. 웃을 때 gingiva가 과도하게 노출된다면 two jaw surgery로 상악의 길이를 줄여야 하는 적응증에 해당한다. C. 윗입술 밑으로 maxilla incisor의 노출량이 많은 특징을 측면 X-ray를 통해서도 알 수 있다.

우 45도 방향에서 촬영하고 정면에서는 full smile 상태에서도 촬영을 한다. Forced smile 상태에서는 눈은 웃지 않고 입만 웃는 것처럼 보이지만 full smile에서는 눈도 함께 웃는 표정이 나타나고 이 상태에서 gingiva의 노출량을 파악하는 것이 정확하다.

Mandible reduction을 위해 기본적으로 필요한 X-ray로는 PA (posteroanterior) 및 lateral cephalometry와 panoramic view가 있다. PA cephalometry에서는 mandibular angle이 밖으로 펼쳐져 있는지 안으로 말려 있는지를 볼 수 있고, 비대칭이 있는 경우에 그 양상을 살펴볼 수 있다. Lateral cephalometry에서는 턱선의 경사도와 mandibular angle의 발달 정도를 보아야 하고, inferior alveolar nerve를 손상시키지 않으면서 자연스러운 턱선을 만들 수 있게 long curved ostectomy의 절골선을 미리 디자인하도록 한다. 또한, 턱뼈의 전후방적인 위치 관계와 수직적인 길이 비, maxilla incisor의 노출 정도 등 얼굴뼈 수술에 필요한 기본적인 정보들을 파악하도록 한다. Panoramic view에서는 inferior alveolar nerve가 mandible lower border와 어느 정도의 거리를 두고 지나고 있는지를 파악하는 것이 가장 중요하고(**그림 22-8**), dental root 주변에 염증 소견이 있는지, 치아의 개수는 정상적인지, 사랑니는 어떤 양상으로 배열되어 있는지, 턱관절을 이

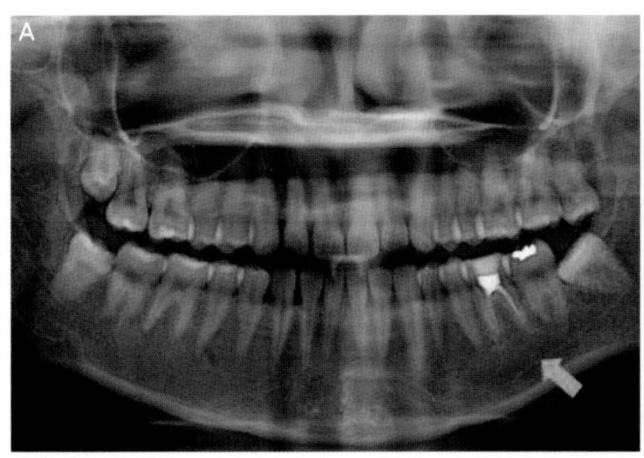

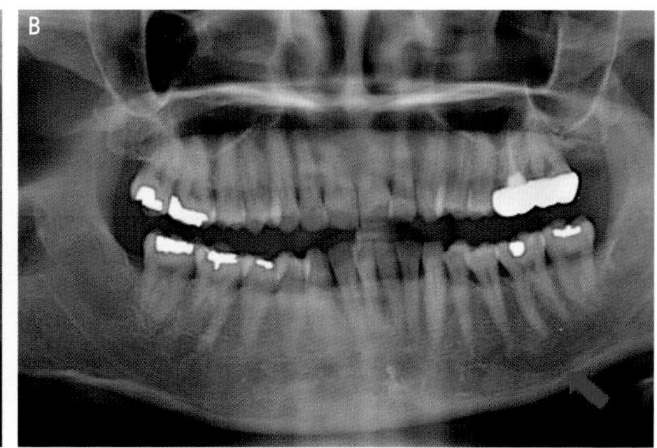

그림 22-8.
A. 정상적인 경로의 inferior alveolar nerve B. inferior alveolar nerve가 낮게 주행하는 경우에는 mandible reduction(특히 long curved ostectomy)에서 절제할 수 있는 뼈의 양이 줄어든다.

루는 condylar process의 모양은 정상적인지 등도 확인하는 것이 좋다.

디지털 카메라나 3D 카메라로 촬영한 영상을 이용해서 수술 후에 예상되는 결과를 미리 보여주는 것이 환자와의 상담에서 도움이 되는 측면도 있으나, 환자가 수술에 대한 비현실적인 기대를 하게 되거나 의사가 가상으로 보여준 영상의 결과를 실제 수술에서 보증한다는 오해가 생길 수도 있기 때문에 이런 가상성형을 사용할 경우에는 실제 수술의 결과와 다를 수 있다는 점을 환자에게 명확히 주지시키도록 한다.

3. 적응증 및 수술계획

Mandible reduction은 기본적으로 maxilla와 mandible의 위치가 정상적인 얼굴에서 가장 좋은 효과를 낼 수 있는 수술이다. 하지만 모든 환자가 정상적인 골격의 위치를 가지고 있는 것은 아니기 때문에 수술을 계획하기 전에 전체적인 얼굴의 특징을 분석해서 그에 맞는 수술을 선택해야 한다. 수술을 아무리 잘 한다고 하더라도 올바른 적응증에 따르지 않고 수술을 하게 된다면 수술 결과에 대한 만족도는 떨어지게 된다.

Maxilla와 mandible의 전후방적 위치 관계는 측면에서 보이는 얼굴의 형태에 영향을 준다. 상악과 하악이 전후방적으로 정상적인 위치 관계에 있는 안모를 skeletal Class I profile이라고 하고(**그림 22-9A**), mandible이 앞으로 많이 나와있거나 maxilla hypoplasia로 인해 중안면부가 오목해보이는 안모를 skeletal class III profile이라 한다(**그림 22-9C**). 반대로 mandible이 maxilla에 비해 후방에 위치해서 중안면부가 볼록해 보인다면 이것은 skeletal class II profile에 해당한다(**그림 22-9B**). 이러한 골격 패턴의 분류가 정량적인 경계에 의해 엄격하게 구분되는 개념은 아니며, 여러 가지 종류의 cephalometric analysis들에서 maxilla와 mandible의 전후방적인 관계를 분석하는 방법을 제시하고 있고 그 방법들에 따라 측정한 정상치는 인종이나 민족에 따라 차이가 있다.

얼굴 형태에 영향을 주는 골격 패턴의 분류는 개념적으로는 malocclusion의 분류법인 Angle's Classification에 기반을 둔다. Angle이 제시한 부정교합의 분류는maxilla 및 mandible first molar의 전후방적 위치관계를 기준으로 하는데, maxilla first molar의 mesiobuccal cusp이 mandible first molar의 buccal groove와 일치하는 양상의 교합을 Class I malocclusion이라고 한다. mandible first molar가 maxilla first molar보다 전방에 위치하면 Class

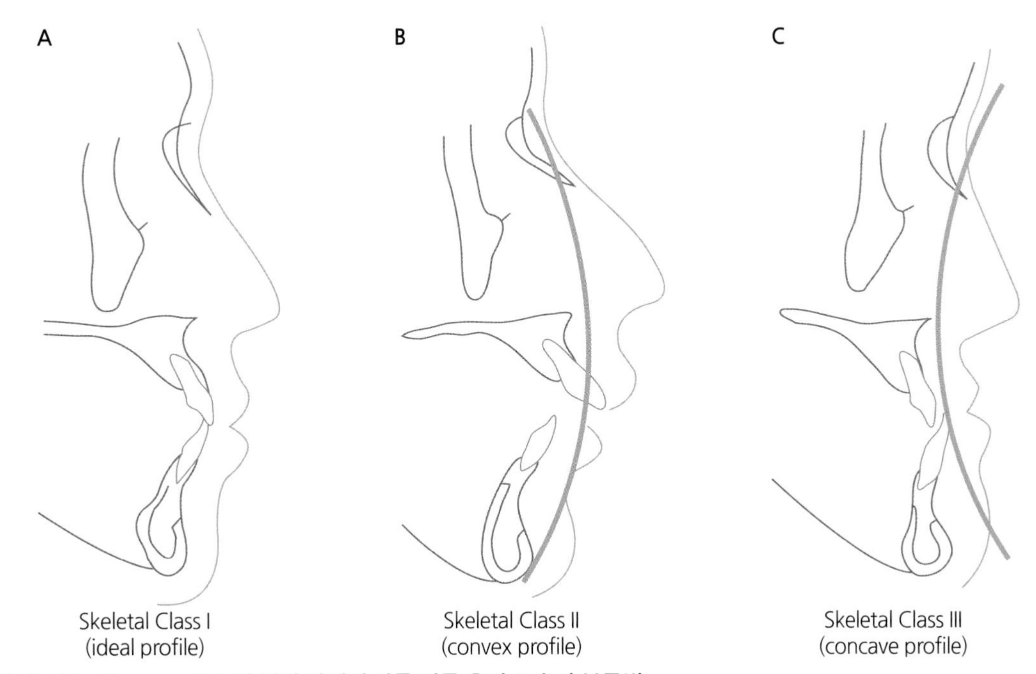

그림 22-9. Maxilla, mandible의 위치 관계에 따른 얼굴 측면 모습의 분류법
A. 이상적인 skeletal class I profile B. 볼록한 형태의 skeletal class II profile C. 오목한 형태의 skeletal class III profile

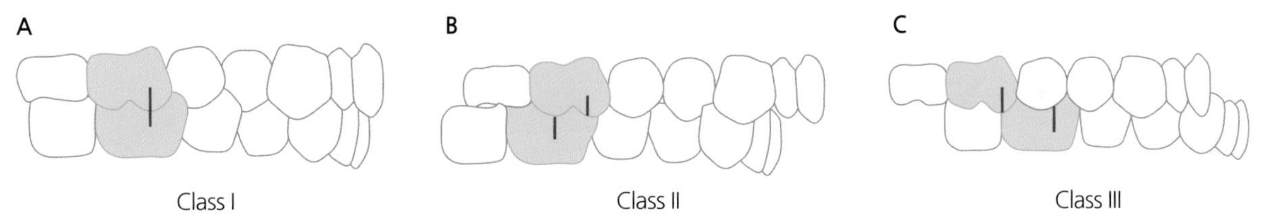

그림 22-10. Angle's classification. Angle은 maxilla와 mandible first molar간의 위치관계를 기준으로 교합을 3가지로 분류했다.
A. Class I malocclusion B. Class II malocclusion C. Class III malocclusion

III malocclusion, 후방에 위치하면 Class II malocclusion으로 분류된다(**그림 22-10**). 대개의 경우 부정교합의 분류와 골격의 분류는 일치하는 경우가 많기는 하지만, 모든 경우에 교합과 골격의 패턴이 일치하는 것은 아니다.

Jin 등은 Class I malocclusion이라고 하더라도 얼굴의 형태는 skeletal class III profile인 경우에는 단순히 mandible reduction만을 계획할 것이 아니라 two jaw surgery을 통해 골격의 위치를 이동함으로써 얼굴의 크기를 입체적으로 축소해야 미용적으로 우수한 결과를 얻을 수 있다고 주장했다.

실제로 동양인에서 임상적으로 이런 경우를 종종 관찰할 수 있는데, mandible이 과성장하여 주걱턱의 양상을 가졌더라도 환자가 본인의 교합에 크게 불편함을 느끼지 않는 경우에 환자는 턱이 커보이는 증상만을 개선하기 원하는 경우가 있다. 하지만 이러한 경우에 two jaw surgery를 통해 골격을 바른 위치로 개선하지 않고 mandible reduction만을 시행하게 되면 비록 얼굴은 갸름해진다고 하더라도 긴 턱선이 더욱 강조되어 보여 미용적인 만족도가 떨어지는 것을 저자들은 경험했다. 또한, 이런 패턴을 가진 얼굴에서 턱이 앞으로 나와 보이는 증상을 개선하기 위해 setback genioplasty를 시행하는 것도 미용적인 만족도가 떨어지는 수술 계획이므로 주의해야 한다. Mandible이 전체적으로 뒤로 이동하지 않고 chin만 뒤로 이동하게 되면, 턱이 나와 보이는 느낌이 효과적으로 개선되지 않을 뿐만 아니라 labiomental fold가 너무 얕아지게 되어 얼굴이 어색해보일 위험이 있기 때문에 이런 경우에는 maxilla와 mandible의 위치를 clockwise rotation시켜서(**그림 22-4**) 턱을 정상적인 위치로 들어가게 하기 위한 two jaw surgery와 턱선의 모습을 개선시키는 mandible reduction을 함께 시행해야 미용적인 만족도를 높일 수 있다.

이와 같이 mandible reduction을 시행하기에 앞서 maxilla와 mandible의 전후방적인 위치관계가 정상적인지 확인해보는 것이 중요하며, mandible reduction만으로 좋은 결과를 얻을 수 있는 경우와 그렇지 않은 경우를 구별해서 수술을 계획해야 한다.

Mandible 자체의 길이가 길어서 얼굴이 길어 보이는 경우에 V라인 수술을 시행하면 앞턱의 길이도 줄일 수 있고 하악 체부의 수직 길이도 줄일 수 있기 때문에 얼굴이 짧아 보이게 하는 효과를 얻을 수 있다(**그림 22-**

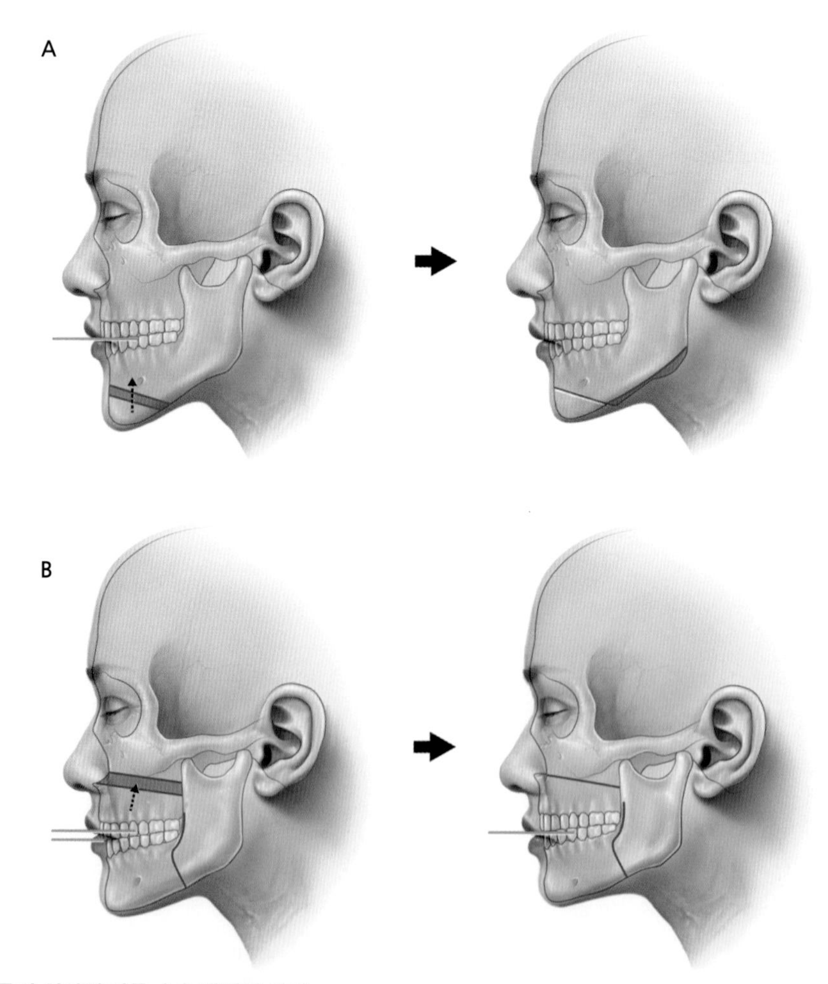

그림 22-11. 긴 얼굴의 원인에 따른 수술 방법의 선택

A. Mandible의 길이가 긴 경우에는 V-line 수술기법을 응용하여 reduction genioplasty와 mandible lower border의 ostectomy로 길이를 줄인다. B. Maxilla의 길이가 길어 maxilla incisor의 노출량이 많거나 웃을 때 gingiva가 많이 보인다면 two jaw surgery를 통해 maxilla의 길이를 줄인다.

11A). 하지만 얼굴이 길어 보이는 원인에 따라 V라인 수술이 아닌 양악수술이 필요할 수도 있고(**그림 22-11B**) 경우에 따라 two jaw surgery와 V라인 수술이 동시에 필요할 수도 있다. Maxilla의 수직 길이가 긴 경우에는 얼굴이 길어 보일 뿐만 아니라 입술 주변의 연부조직이 골격을 충분히 덮지 못하기 때문에 윗입술 밑으로 보이는 maxilla incisor의 노출량이 많아 보이고, 웃을 때 gingiva가 과하게 노출되어 보인다(**그림 22-7**). 또한, 입술에 힘을 주어야 입이 다물어지기 때문에 입을 다문 모습이 부자연스럽고 앞턱의 근육이 수축되어 앞턱의 피부에 골프공의 표면과 같은 울퉁불퉁한 주름이 잡히는 경우도 있다. 따라서 입술에 힘을 뺀 상태에서 촬영한 측면 얼굴뼈 엑스레이에서 maxilla incisor의 노출량이 과도하다면 maxilla의 수직적 길이가 얼굴을 길어 보이게 하는 원인이라 생각하고 two jaw surgery를 통해 maxilla의 길이를 줄여야 미용적으로 좋은 결과를 얻을 수 있다. 미용적으로 적절한 상악 전치부의 노출량은 인종마다 다를 수 있는데, Choi 등이 한국인을 대상으로 조사한 평균치는 대략 2.74 mm 내외였다.

Facial asymmetry가 있는 경우에도 원인에 따라 어떤 수술이 적절한지를 판단해야 하는데, maxilla의 양쪽 길이가 달라서 교합평면의 canting이 있는 경우라든지(**그림 22-12C**) maxilla의 치아중심선이 얼굴의 중심선과 일치하지 않고 치아교정으로 개선할 수 있는 정도를 넘어선 경우는 two jaw surgery를 통해 maxilla의 위치를 개선해야 하는 적응증에 해당한다. 교합면이 기울어진 증상이 있는 경우에는 입술이 기울어져서 양쪽 입꼬리의 높이가 달라보이는 증상이 동반되는 경우가 많다. Maxilla의 위치는 정상적이지만 mandible의 중심선이 한쪽으로 치우쳐서 facial asymmetry가 나타났다면 mandible의 위치만 이동시키는 one jaw surgery만 시행해도 되는 경우에 해당한다(**그림 22-12B**). maxilla나 mandible의 위치는 정상적이지만 턱뼈의 좌우 모양이 달라서 facial asymmetry가 나타난 경우는 mandible reduction으로 좋은 결과를 얻을 수 있는 적응증에 해당한다. 이런 경우에는 mandible을 잘라내는 좌우 모양에 의도적으로 차이를 두어서 턱뼈의 모양을 대칭적으로 개선할 수 있다(**그림 22-12A**).

물론, facial asymmetry의 경우에는 골격의 위치나 형태뿐만 아니라 얼굴의 연부조직에 의해서도 많은 영향

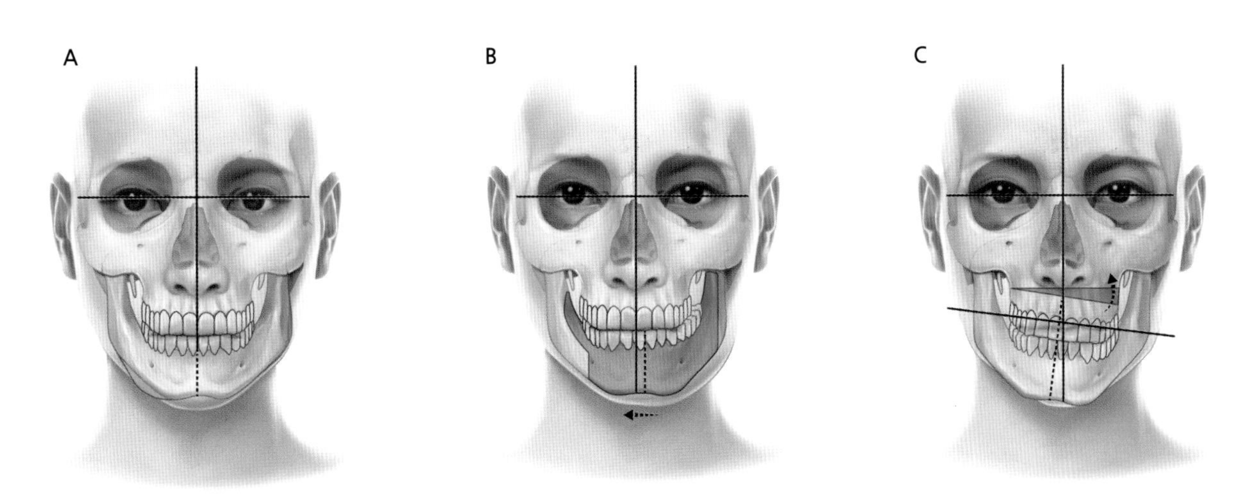

그림 22-12. 비대칭의 원인에 따른 수술 방법의 선택

A. Maxilla, mandible의 위치는 정상적이지만 뼈의 크기와 모양이 다른 경우에는 mandible reduction의 적응증에 해당한다. B. Maxilla의 위치는 정상적이지만 mandible이 치우쳐 있는 경우에는 one jaw surgery의 적응증에 해당한다. C. 교합면이 기울어 있거나 maxilla incisor의 위치가 얼굴 중심선에서 현저히 벗어난 경우는 two jaw surgery로 maxilla의 위치를 바로잡아야 한다.

을 받기 때문에 수술을 계획할 때 반드시 연부조직의 대칭에 대해서도 함께 고려해야 하며, 수술을 통해서 비대칭을 개선할 수는 있지만 완벽한 대칭을 만들기에는 한계가 있을 수 있다는 점을 미리 환자에게 알려주어야 한다.

4. 수술 전 준비

수술을 하기로 결정된 후에는 전신마취를 위한 검사들을 시행하게 된다. 혈액을 채취하여 complete blood cell count와 blood chemistry를 시행하고, electrocardiography (EKG)와 chest X-ray를 시행한다. 입을 크게 벌리는 데 문제가 있거나 airway에 문제가 있는 경우에는 기도 삽관을 하는 데 어려움이 생길 수 있으므로 미리 마취과 의사의 확인을 받아두는 것이 좋다. 정신 질환을 가지고 있거나 심혈관계, 뇌신경계의 질환 등 수술의 안전성에 영향을 줄만한 특이한 병력을 가지고 있는 경우에는 해당 분야의 전문의로부터 수술을 진행해도 되는지 소견서를 받도록 해서 전신마취와 관련한 위험성을 확인한다.

환자가 수술을 받기 전에 수술의 목적과 내용, 기대되는 효과와 한계, 그리고 발생 가능성이 있는 합병증 및 전신마취와 관련한 부작용에 대해 충분히 알 수 있도록 설명하여야 하고 이러한 내용을 기록한 서면 동의서를 받아두어야 한다. 특히, 수술 후에 이상감각이 발생할 경우 대부분은 시간이 지나면서 호전되지만 아주 드물게 오래 지속되는 경우도 있다는 사실을 수술 전에 환자에게 미리 알려주어야 수술 후에 이상감각이 생겼을 경우 의사와 환자 간의 신뢰가 무너지는 일을 예방할 수 있다.

Aspirin이나 warfarin 등 출혈 경향이 있는 약물들은 수술 전 1주일 정도는 복용을 중지하는 것이 수술 중 정상적인 지혈 과정에 도움이 되지만, 약물 복용을 중단할 수 없는 의학적인 사유가 있는 경우에는 해당 질환에 대한 치료를 담당하는 의사와 상의하여 약물 복용에 대한 안내를 해주도록 한다.

전신마취를 시작하기 8시간 전부터는 금식 하도록 안내하고, 수술 전 혈압과 맥박수 등 vital sign을 확인하여 수술 후 관리 시 참고할 수 있도록 한다. 수술실의 낯선 환경을 처음 접한 환자들은 상담 시에 보지 못했던 수술실 직원들을 보고 낯설게 느낄 수 있기 때문에 여건이 허락한다면 상담을 진행했던 의사나 스태프가 수술실에서 환자를 맞이하는 것이 도움이 될 수 있다.

전신마취가 시작되면 얼굴을 소독하고 수술기구를 준비하는 시간 동안 에피네프린의 혈관 수축 효과가 나타날 수 있도록 1% lidocaine과 1:100,000 epinephrine 혼합액을 구강점막의 절개부위에 미리 주사한다.

5. 수술방법

V라인 수술은 mandibular angle과 body 모양을 다듬는 mandible reduction과 앞턱의 폭을 줄이는 reduction genioplasty로 이루어진다. mandible reduction의 대표적인 방법에는 long curved ostectomy와 lateral cortex osteotomy가 있는데, 얼굴의 형태와 축소하려는 목적에 따라 두 가지 방법 중 한 가지를 택하거나 두 가지 모두를 적절히 병행해서 수술하게 된다. Reduction genioplasty의 방법에는 앞턱을 원하는 모양으로 직접 잘라내는 방법인 chin lower border ostectomy(**그림 22-13**)와 알파벳의 T자와 유사한 절골을 한 후에 mandibular symphysis의 뼈를 제거하는 T-osteotomy(**그림 22-3**)가 있는데, 두 가지 방법 모두 많이 사용되고 있는 방법이고 술자의 선호도에 따라 선택하여 사용하면 된다.

1) Mandibular angle과 body 부위의 수술

(1) Mandible reduction을 위한 절개 및 박리

Army-Navy retractor로 구강점막을 팽팽하게 당긴 상태에서 10번 blade로 second molar부터 second premolar

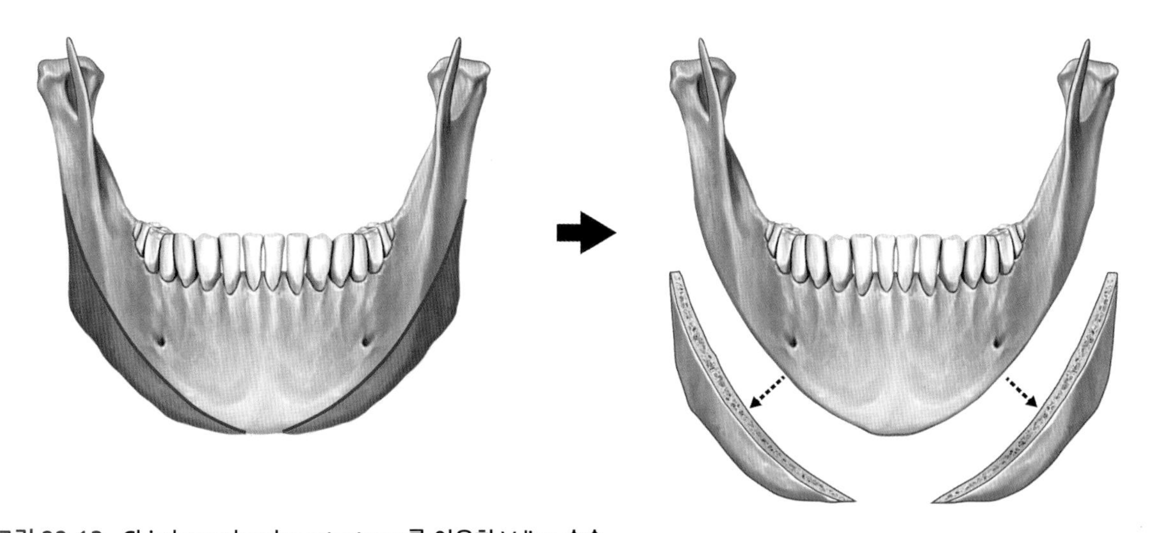

그림 22-13. Chin lower border ostectomy를 이용한 V-line 수술
앞턱을 원하는 모양으로 직접 절제하여 앞턱의 폭을 줄이는 방법으로서, long curved ostectomy를 앞턱까지 연장한 개념의 수술방법이다.

까지의 위치에 해당하는 buccal mucosa에 절개를 가한다. 이 때 buccal mucosa와 gingival mucosa가 만나는 buccal sulcus로부터 buccal mucosa쪽으로 약 7~8 mm 정도 거리를 두고 절개하여 수술 후 봉합이 용이하도록 하고, 칼날의 방향은 혈관이 풍부한 외측으로 향하지 않도록 하여 절개 시의 출혈을 최소화한다. Blade 대신 electric knife를 사용하는 것도 절개 시의 출혈을 줄일 수 있는 방법이다. 점막을 절개한 후에는 칼 끝이 뼈에 닿는 것을 느끼면서 periosteum을 절개한다. Periosteum이 절개되고 나면 periosteal elevator를 이용하여 연부조직을 박리하는데, 이때 subperiosteal dissection을 해야 근육에서 출혈이 되는 것을 막을 수 있다. 박리를 할 때는 mental nerve, retromandibular vein, marginal mandibular branch of the facial nerve, facial artery 등 mandible 주변에 위치한 혈관이나 신경들이 손상되지 않도록 너무 날카롭지 않은 elevator로 부드럽게 박리를 하는 것이 좋고, 수술이 진행되는 동안에도 연부조직이 톱날에 의해 손상을 받지 않도록 retractor로 적절히 보호하도록 한다. Periosteal elevator로 박리를 하고 난 후에는 pterygomasseteric sling stripper로 mandibular body의 lower border에서부터 mandibular angle의 posterior border까지 부착되어 있는 근육조직을 분리하여 시야가 충분히 확보될 수 있도록 한다. mandible의 수술 시에는 수술부위가 깊고 좁기 때문에 수술실의 일반 조명등으로는 구석구석 밝게 보기가 쉽지 않다. 따라서, head light를 사용하거나 retractor에 illuminator cable을 달아서 사용하면 좀 더 좋은 시야를 확보할 수 있다.

(2) Long curved ostectomy

Long curved ostectomy(**그림 22-1**)는 mandibular angle을 부드럽게 다듬고 mandibular body의 lower border의 경사도를 조절하여 측면에서 보았을 때 갸름하고 부드러운 턱선을 만들기 위한 목적으로 주로 사용되는 방법이다.

절개와 박리가 끝나고 나면 짧은 길이의 oscillating saw나 burr 등을 이용하여 절골할 선을 뼈의 표면에 미리 디자인한다. 절골을 할 때 mandibular angle만 직선으로 자르게 되면 수술한 부위와 그 앞부분 사이의 경사 차이로 인해 secondary angle이 만져지거나 겉으로 보일 수 있고, mandibular body에서 턱선의 경사도를 적절히 개선하기에도 어려움이 있다(**그림 22-14**). 따라서 posterior border에서 가장 오목한 부분보다 약간 아래쪽에서 시작해서 부드럽고 긴 곡선을 이루면서 하악체부의 앞부분으로 갈수록 골편이 점진적으로 얇게 잘라지도록 디자인하여 secondary angle이 없는 부드러운 턱선이 생길 수 있도록 수술하는 것이 바람직하다(**그림 22-15, 16**).

손가락으로 만져보거나 dental mirror로 비춰보면서 정확한 디자인이 되었는지 확인한 후, 좀 더 긴 길이의 oscillating saw를 디자인된 선을 따라 움직이면서

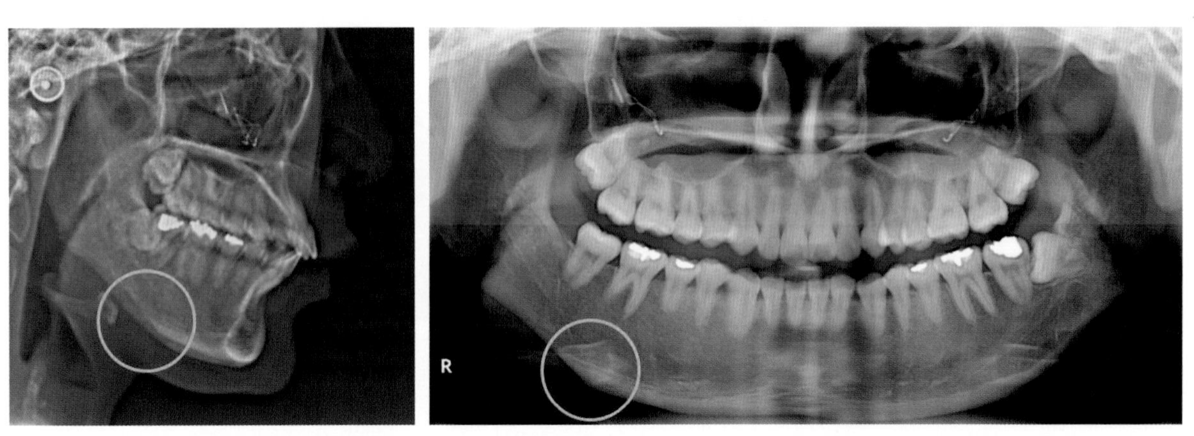

그림 22-14. 긴곡선으로 자르지 않고 mandibular angle 주위만 직선으로 자르고 난 후에 남은 secondary angle

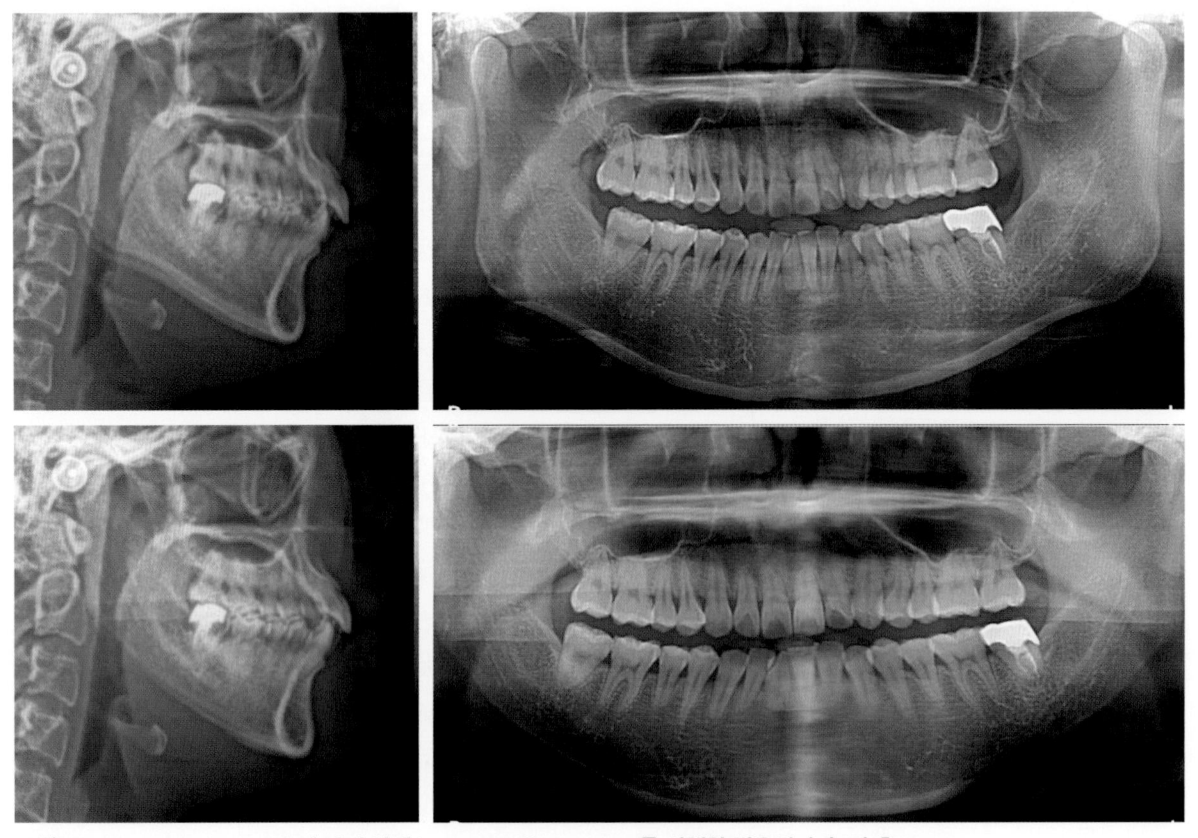

그림 22-15. secondary angle이 남지 않게 long curved ostectomy를 시행한 경우의 수술 전,후 X-ray

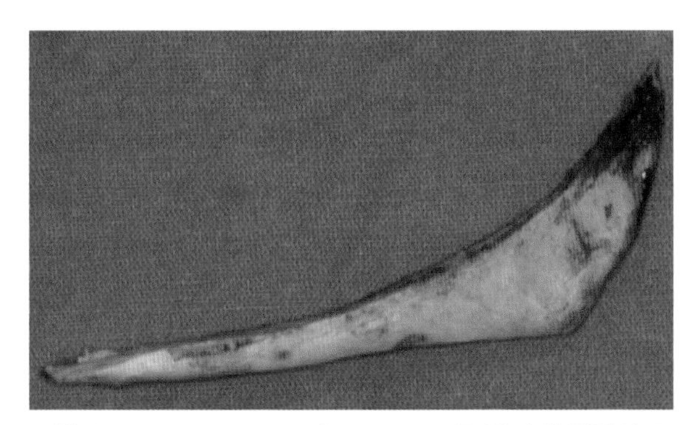

그림 22-16. Long curved ostectomy로 잘라낸 골편의 모양
앞쪽으로 갈수록 골편이 점진적으로 얇아진다.

full thickness로 절골을 시행한다. 뒤쪽에서 시작해서 앞쪽 방향으로 절골을 진행하면 절골선이 원하지 않게 mandibular condyle쪽으로 올라가는 실수를 줄이는 데 도움이 되고, 손과 팔목이 경직되지 않게 부드럽게 hand piece를 잡으면서 높은 rpm으로 톱을 진동시키면 좀 더 부드러운 곡선을 만드는 데 도움이 된다. 절골이 제대로 끝나면 떨어진 골편이 자유롭게 움직이는 것을 볼 수 있는데, 만약 그렇지 않다면 절골선의 앞쪽 끝과 뒤쪽 끝이 정확히 절골되었는지 다시 한 번 확인하여야 하고 중간에 톱날이 너무 짧아서 하악골의 내측 피질골이 덜 떨어진 부분이 있는지도 확인해 보아야 한다.

뼈가 절골되고 나서도 mandibular angle의 내측에 근섬유가 붙어 있는 경우가 많기 때문에 골편의 앞쪽 끝을 기구로 잡고 elevator로 하악각 내측에 붙은 근육을 떼어내야 잘라낸 골편을 꺼낼 수 있다.

(3) Lateral cortex osteotomy

Lateral cortex osteotomy는 정면에서 보았을 때 얼굴의 폭을 줄이기 위해서 mandibular body와 ramus의 lateral cortex를 제거하는 방법이다(**그림 22-2**). 외측 피질을 줄여야 하는 양에 따라서 burr로 lateral cortex를 갈아내기만 하는 경우도 있고, partial thickness로 절제해서 제거할 수도 있으며, full thickness로 절골해서 제거할 수도 있다.

Full thickness로 lateral cortex를 절제하고자 할 때는 burr나 연필을 이용해서 mandibular ramus 표면에 하악 교합면 정도의 높이에서 수평절골선을 디자인하고 mandibular body의 외측 표면에 수직 절골선을 디자인한 후, 이 두 선을 잇는 곡선을 mandible의 external oblique line보다 약간 외측에 디자인한다. 이 디자인 라인을 따라 reciprocating saw의 끝 3~4 mm 정도를 이용하여 mandible의 lateral cortex만 절골한다. 톱날이 lateral cortex를 지나 medulla까지 너무 깊이 들어가면 inferior alveolar nerve를 손상시킬 위험이 있으므로 주의한다.

Lateral cortex의 표면을 절골하고 난 후에는 osteotome을 lateral cortex와 medulla 사이의 공간에 삽입하고 절골을 진행하여 lateral cortex를 조심스럽게 떼어낸다. 저자들은 폭 8 mm 정도의 slightly curved Dunn-Dautry spatula osteotome을 사용하는데, 이때 osteotome의 휘어 있는 끝부분이 외측 방향을 향하게 한 상태에서 lateral cortex의 inner surface를 조심스럽게 긁어내는 듯한 느낌으로 절골을 진행하고, 절골되는 중간 중간에 lateral cortex의 inner surface를 직접 보면서 inferior alveolar nerve가 노출되지 않았는지 확인하면 신경의 손상 위험을 줄이는 데 도움이 된다. Inferior alveolar nerve는 많은 경우에 있어 medulla 속에 위치하지만, 간혹 lateral cortex와 아주 가깝게 붙어서 주행하는 경우도 있으므로 주의를 요한다(**그림 22-17**).

Long curved ostectomy를 먼저 시행하고 난 후에 lateral cortex osteotomy를 시행하면 lateral cortex의 lower border가 쉽게 분리되므로 수술이 좀 더 수월하게 진행된다.

Long curved ostectomy와 lateral cortex osteotomy를 마치고 나면 식염수로 상처를 세척하고 wet gauze를 박리된 공간에 packing해 둔다.

2) Chin의 수술

(1) Genioplasty를 위한 절개 및 박리

앞턱의 점막에 mandible reduction에서와 마찬가지로

1% lidocaine과 1:100,000 epinephrine 혼합액을 주사하고 10~15분 정도 경과한 뒤에 15번 blade나 electricknife로 앞턱의 점막을 절개한다. 절개는 labial sulcus로부터 입술쪽으로 5 mm 가량 떨어진 곳에서 길이는 우측의 lateral incisor와 canine teeth가 만나는 지점부터 좌측의 같은 지점까지 절개하면 된다. 앞턱의 점막을 절개하기 전에 칼등이나 gentian violet solution을 묻힌 바늘로 미리 정중선을 표시해두면 봉합할 때 참고할 수 있다. 점막을 절개하고 난 후에는 mentalis m.과 periosteum을 단번에 절개하여 mentalis m.이 지저분하게 손상되지 않도록 하고, periosteal elevator로 subperiosteal dissection을 조심스럽게 진행하여 mandible reduction에서 박리된 공간과 만나도록 한다. 박리를 하는 동안 mental nerve가 손상되지 않도록 각별히 주의하여야 하며, genioplasty가 진행되는 동안에도 retractor를 이용하여 mental nerve를 보호하도록 한다. retractor를 과도한 힘으로 당기면 mental nerve가 많이 당겨지거나 mandible reduction의 절개부와 genioplasty의 절개부 사이의 구강점막이 찢어질 수 있으므로 가급적 이런 일이 생기지 않도록 주의한다.

(2) Chin lower border ostectomy

이 방법은 parasymphysis 부위에서 앞턱의 lower border를 ostectomy하여 앞턱을 의도하는 모양으로 직접 다듬어주는 방법으로, long curved ostectomy를 앞턱의 중앙부 근처까지 연장한 개념으로 생각할 수 있다(**그림 22-13**). T-osteotomy와 비교할 때, 뼈를 여러 조각으로 osteotomy하지 않아 수술 조작이 간결하고 plate를 사용

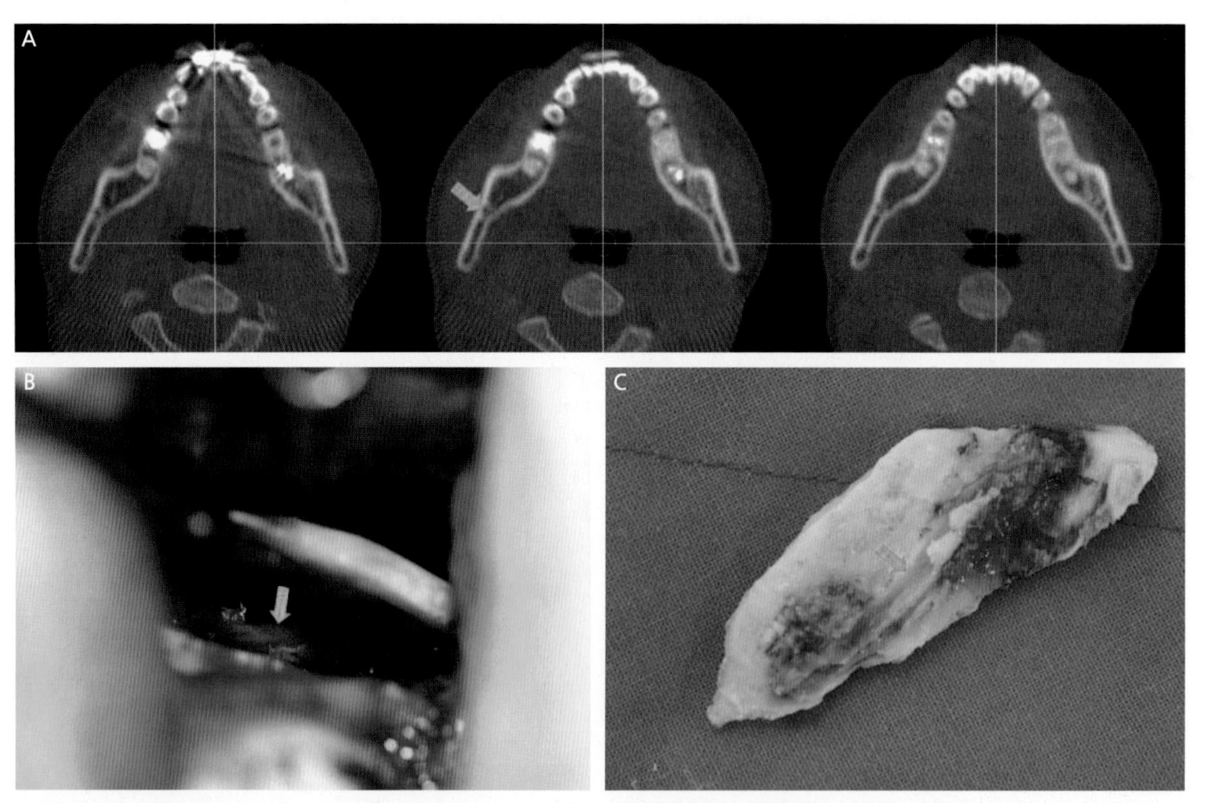

그림 22-17. Inferior alveolar nerve가 lateral cortex와 매우 가깝게 붙어서 주행하는 경우가 간혹 있으므로, lateral cortex osteotomy을 할 때 주의해야 한다.

A. Inferior alveolar nerve의 위치를 보여주는 수술 전 CT B. Lateral cortex를 떼어내는 과정에서 노출된 inferior alveolar nerve의 모습 C. Inferior alveolar canal이 lateral cortex까지 근접해서 위치한 것을 보여주는 골편의 모습

하지 않아도 된다는 장점이 있다. 하지만, 이 방법을 능숙하게 시행하기 위해서는 T-osteotomy에 비해 좀 더 높은 숙련도가 요구된다.

앞턱의 박리가 끝나고 나면 연필로 앞턱의 정중선과 절골선을 디자인하고 앞턱의 절골선의 경사가 옆턱의 long curved ostectomy의 경사와 자연스럽게 연결되게 디자인되었는지 확인한 후, reciprocating saw로 앞턱의 하연을 절제한다.

앞턱의 좌우측 절골 부위를 정중선에서 서로 만나게 하면 앞턱의 모양이 어색하게 뾰족한 모양이 되기 때문에 앞턱의 중앙부에 약 5~7 mm 정도의 평평한 부분은 자르지 않고 남겨두어야 좀 더 자연스럽고 갸름한 앞턱의 모습을 만들 수 있다(**그림 22-18**).

Long curved ostectomy로 mandibular angle과 body에서 뼈를 우선 한 조각으로 제거하고 난 후 앞턱의 연조직을 절개해서 앞턱을 추가로 ostectomy하여 두 개의 뼈조각으로 잘라낼 수도 있고 mandibular body에서 긴 곡선으로 절제한 라인과 앞턱의 골 절제 라인을 연결하여 한 개의 뼈조각으로 잘라낼 수도 있는데, 후자의 방법은 잘라낸 뼈를 꺼낼 때 mental nerve가 많이 당겨질 수 있으므로 가급적 전자의 방법을 권한다.

(3) T-osteotomy

이 방법은 앞턱의 뼈를 3개의 bone segment로 나누어 절골한 후, 가운데 조각은 제거하고 좌,우측의 골편을 가운데로 당겨줌으로써 앞턱의 폭을 줄이는 방법이다(**그림 22-3, 19**).

앞턱의 표면에 2개의 수직절골선과 1개의 수평절골

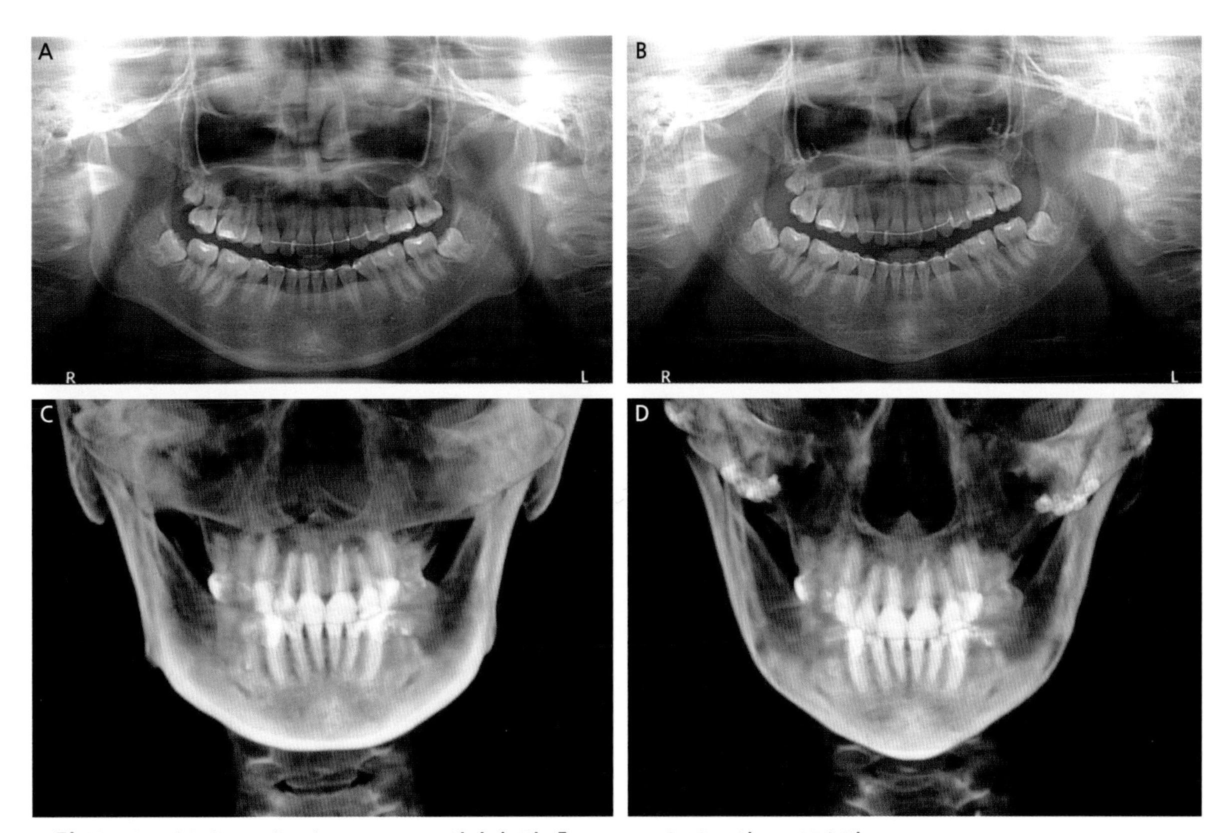

그림 22-18. Chin lower border ostectomy의 수술 전, 후 panoramic view와 3D CT소견
앞턱이 어색해보이지 않기 위해서는 중앙부에 약 5~7 mm 정도의 평평한 부분은 자르지 않고 남겨두는 것이 좋다.

선을 연필로 디자인한다. 이때 수직절골선의 위치는 하악의 중심선을 기준으로 서로 대칭을 이루도록 하고, 두 선 사이의 거리는 앞턱의 넓이를 줄여야 하는 정도에 따라 조절할 수 있다. 저자들의 경우 두 수직절골선 사이의 간격을 8~12 mm 정도로 디자인하고 있다.

수직절골을 먼저 시행하고 수평절골을 나중에 시행해야 절골이 용이하다. 이렇게 절골을 마치고 나면 3개의 골편이 떨어져 나온다. 그 중에서 가운데 골편을 제거하게 되는데, 가운데 골편의 뒷면에 강하게 부착되어 있는 Geniohyoid m.이나 Genioglossus m.과 같은 근육들을 떼어내야 골편의 제거가 가능하다.

남아있는 좌, 우의 골편들은 가운데로 모아서 하악의 정중선과 일치하게 배열하여 plate로 고정한다. 절골이 정확히 진행되었다면 앞턱의 중앙부에 X자 모양의 4-hole miniplate 한 개만 사용해도 고정이 안정적으로 된다. 만약 중앙부의 고정 후에도 골편의 외측이 mandible과 안정적으로 접촉하지 않는다면 bony gap이 있는 외측에 추가로 plate나 wire를 보강하여 골 접촉이 안정적으로 되도록 한다.

좌, 우 골편이 가운데로 이동하게 되면 앞턱과 옆턱 사이에 stepping(층)이 생기게 되는데, stepping이 남지 않도록 mandibular body의 lower border와 mandibular angle에 절골선을 디자인하고 잘라낸다. Mandibular body와 angle의 절골 방법은 long curved ostectomy에서 소개한 방법과 동일하다.

Chin lower border ostectomy에서와는 달리 Tosteotomy에서는 앞턱의 수술을 마친 후에 mandible reduction을 진행하게 되는 경우가 많은데 앞턱이 이미 박리된 상태에서 mandibular body와 angle 부분을 추가로 박리하거나 mandible reduction을 시행하게 되면 앞턱과 옆턱

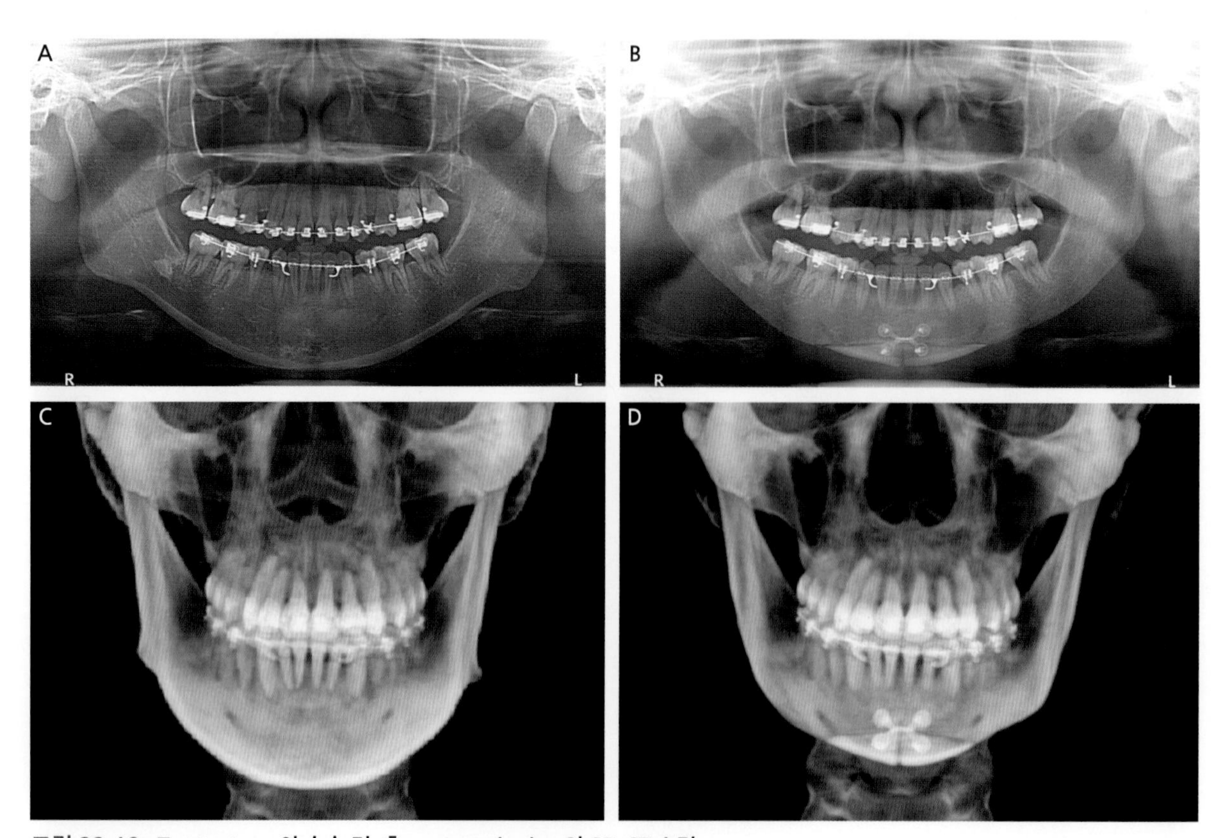

그림 22-19. T-osteotomy의 수술 전, 후 panoramic view와 3D CT 소견

의 절개부 사이에 있는 연부조직을 지지해주는 힘이 약하기 때문에 이 부분에 남아 있는 점막이나 신경이 많이 당겨지거나 손상을 받을 위험이 있으므로 주의한다. mandibular body의 박리를 먼저 해서 long curved ostectomy로 mandibular angle과 body의 중간 정도까지만 절골한 다음에 앞턱의 절개와 T절골술을 진행하고 마지막으로 body와 앞턱 사이의 뼈를 절골해서 마무리하는 순서로 수술을 진행하면 이런 위험을 줄이는 데 도움이 된다.

3) Buccal fat 제거술

볼살이 많아 보이는 환자들의 경우, 상처를 봉합하기 전에 masseter m.의 anterior border 주변에 위치한 buccal fat을 제거하는 술기를 병행하면 얼굴 살을 줄이는 데 도움이 된다. 끝이 뭉툭한 Metzenbaum scissors의 끝을 mandibular body의 절개부의 cephalic end에서 cephalic 방향으로 향하게 하고 박리를 하면 buccal fat pad를 만나게 된다. 이 주머니를 터뜨리고 흘러나오는 지방을 제거한다. 지방을 주위 조직으로부터 떼어낼 때 잘라내는 방식보다는 벌리는(spreading) 방식으로 박리를 해야 주변의 혈관 손상을 줄일 수 있다. 저자들은 이 방법을 모든 환자들에게 적용하지 않고 볼살을 줄여야 할 필요가 있는 환자들에서만 선택적으로 시행하고 있다.

4) 상처 봉합과 드레싱

수술을 마치고 나면 패킹한 거즈를 모두 제거하고 식염수로 상처를 한 번 더 세척한 후에 점막이 절개된 부위의 주변에서 출혈이 되는 곳이 없는지 다시 한 번 확인한다. 앞턱의 절개부위는 #4-0, 체부의 절개부위는 #3-0 정도 굵기의 absorbable suture로 봉합하면 되고, 골막층을 먼저 봉합하고 점막층을 봉합하여 조직이 원래의 해부학적인 위치에 자리잡을 수 있도록 한다. 수술부위에 suction drain tube를 삽입하여 수술 후 상처 내부에 남아 있는 혈액을 제거할 수 있도록 하며, 1~2일 후에 suction drain tube는 제거한다.

수술한 부위를 적절히 압박하고 박리되었던 연부조직을 중력에 대항하여 지지해주기 위해 skin taping과 moderately compressive dressing을 한다.

6. 수술 후 치료와 경과

수술이 모두 끝나고 환자가 마취에서 깨어나 회복실로 옮기고 난 후에는 전신마취 후의 일반적인 모니터링 방법에 준해서 혈압, 맥박, 체온 등의 생체 vital sign을 관찰하면서 안정을 취하게 한다. 수술 후 4~6시간이 지나면 나면 물을 마실 수 있도록 하고, 안정적이라고 판단되면 그 이후에는 미음과 같은 liquid diet를 시작한다. 침대는 머리 부분을 60도 정도로 세워서 붓기와 출혈의 위험성을 줄이도록 하고, 입이 마르지 않도록 가습기를 틀어준다.

수술 직후 nausea가 심할 경우에는 antiemetic drug을 투여하고 통증을 호소할 경우에는 진통제를 투여하여 환자의 상태가 안정되도록 한다. 수술 후의 불안감으로 인해 얕고 빠른 호흡을 하게 되면 hyperventilation을 유발하여 손발이 저리거나 쥐가 날 수 있으므로 호흡은 깊고 천천히 할 수 있도록 안내한다.

수술 당일에는 병원에 입원한 상태로 환자의 상태를 면밀히 관찰하여 혹시라도 발생할 수 있는 위급상황에 대비하도록 한다. 수술 부위의 출혈로 인해 볼이나 목이 과도하게 붓지 않는지, 상처에서 출혈이 일어나 입으로 계속 피가 나지는 않는지, suction drain tube가 막히지 않고 잘 기능하는지 등을 유심히 관찰한다.

수술 다음 날이나 이틀 후에 suction drain tube를 제거하면서 구강점막의 절개부위를 식염수로 세척해주고 얼굴의 compressive dressing을 가벼운 facial band로 교체한다. 특별한 이상이 없으면 퇴원시키고 수술 후 5일째 외래를 방문하게 하여 입안 상처에 이상이 없는지 확인하고 피부에 붙인 taping을 제거한다.

수술 후 초기에 endotracheal intubation 시의 자극으

로 인해 목이 아프다거나 수술 부위 주변 근육의 통증으로 인해 귀가 아프다고 호소하는 환자들이 종종 있는데 이런 증상들은 1주일 정도가 지나면 저절로 호전되는 경우가 많다.

수술 후 10일간은 칫솔을 사용해서 양치질을 하기 어렵기 때문에 hexamedine solution으로 가글해서 구강의 청결을 유지하고, 음식을 섭취한 후에는 깨끗한 물로 가글하여 상처에 음식물 찌꺼기가 끼지 않도록 안내한다. 식사를 할 때는 죽과 같은 soft diet를 씹지 않고 먹도록 하고 입을 과도하게 벌리거나 크게 웃거나 얼굴에 힘을 주지 않도록 주의시킨다.

수술 후 10일째 외래에 방문하면 그동안 특별한 불편함이 없었는지, 입안 상처에 이상이 없는지를 확인하고 이상이 없다면 hexamedine solution의 사용을 중지하고 양치질을 시작하도록 한다. 식사는 점진적으로 부드러운 음식을 씹어먹을 수 있도록 안내한다.

수술 후 20일째 외래에 방문하여 특별한 이상이 없다면 정상적인 식사를 시작할 수 있도록 하고 mouth opening exercise를 시작하도록 안내한다.

수술 후 1달 정도가 되면 붓기가 많이 빠진 상태로 오게 되지만 아직 잔붓기가 남아 있어 수술의 효과를 크게 느끼지 못하는 경우가 많다. 시간이 지나면 붓기가 가라앉는다고 설명하고 수술 후 3개월째와 6개월째에 장기 결과를 관찰한다.

수술 다음날부터 가볍게 걷도록 하면 붓기가 빨리 가라앉는 데 도움이 되고, 과격한 운동은 수술 후 1달 정도가 지난 이후에 할 수 있도록 안내한다. 수술 후 3개월째가 되면 얼굴이 축소된 효과를 느끼는 환자가 대부분이고, 대략 6개월 정도가 되면 최종적인 결과가 나타난다.

7. 합병증

1) Bleeding 및 hematoma

Mandibular angle 뒤쪽으로 주행하는 retromandibular vein이나 mandibular body의 앞쪽으로 지나가는 facial artery가 손상되면 갑자기 대량의 출혈이 생기면서 수술 시야를 가리게 되는데, 이런 응급상황이 생기면 우선 박리된 공간을 통해 bleeding 부위를 거즈로 신속히 packing하고 외부에서 턱을 손으로 압박해서 bleeding이 되는 것을 막아 시간을 벌고 난 후 그 다음의 대처 방안을 차분히 생각해야 한다.

Facial artery는 손으로 누르고 나서 직접 결찰하여 bleeding을 중단시킬 수도 있겠으나, retromandibular vein은 혈관의 직경은 크지만 혈관 벽은 얇기 때문에 직접 찾아서 손상 부위를 봉합하여 출혈을 멈추게 하기가 쉽지 않다. 따라서, 압박을 30분 정도 유지한 후 bleeding이 멈추면 가능한 신속하게 수술을 마무리한 후 compressive dressing을 하도록 하고, 30분 이상 압박한 후에도 bleeding이 계속된다면 거즈 패킹과 compressive dressing을 한 상태에서 수술을 중단한 후 1~2일 정도 기다렸다가 수술을 마무리하도록 한다.

최악의 경우 angiography와 selective embolization을 이용하여 계속되는 bleeding을 치료할 수도 있겠으나, 실제로는 매우 드문 경우에 해당한다.

간혹 lateral cortex osteotomy를 하거나 long curved ostectomy를 할 때 inferior alveolar nerve에 가깝게 절골을 하게 되면 inferior alveolar vessel에 손상을 주어 뼈에서 bleeding이 나오는 것처럼 보일 수 있는데, long curved ostectomy를 할 때 inferior alveolar nerve에서 일정한 거리를 두고 디자인하고 lateral cortex osteotomy 시에도 lateral cortex의 inner surface를 직접 보면서 조심스럽게 절골하여야 이런 bleeding의 위험을 줄일 수 있다. 뼈에서 bleeding이 생기면 거즈로 packing하고 압박하여 일단 피가 더이상 나지 않도록 한 상태에서 나머지 부위의 수술을 마치고, 봉합하기 직전에 Surgicel과 같은 지혈재료로 뼈에 bleeding이 있는 부분을 덮고 compressive dressing을 하면 대부분 지혈이 가능하다.

수술 부위의 입구, 즉 구강 점막 절개부 주변에서 bleeding이 있는 경우 수술 중에는 잘 발견되지 않다가 봉합 후에 상처를 통해 계속 bleeding되어 나오는 경우가 있다. 절개 시에 칼날의 방향이 너무 바깥쪽을 향하지 않도록 하고 출혈이 발견되면 electrocauterization하여 점막 주변에서 bleeding이 되는 위험을 줄일 수 있지만, 실제로 bleeding이 생긴 것을 수술 후에 발견하게 된다면 수술 전에 국소마취를 할 때와 같이 1% lidocaine과 1:100,000 epinephrine 혼합액을 10 cc 정도를 절개부위 주변에 국소주사하고 compressive dressing을 한 상태로 기다려본다. 1-2시간이 지난 후에 더 이상 bleeding이 진행되는 것 같지 않으면 1-2시간 단위로 환자를 면밀히 관찰하면서 안정화될 때까지 기다린다. 만약 bleeding이 조절되지 않고 계속 진행된다고 판단되면 상처를 다시 열어서 bleeding 부위를 확인하고 지혈한다.

수술 직후에 볼이나 목의 연조직이 hematoma로 인해 단단하게 붓는 현상이 관찰되면 긴장을 늦추지 말고 상태의 변화를 수시로 관찰해야 한다. 적절하게 compressive dressing을 할 경우 수술 부위를 다시 열어야 할 정도로 bleeding이 계속 진행되는 경우는 많지 않지만, bleeding이 계속되어 목 부분에 hematoma의 크기가 계속 증가하게 되면 기도를 압박해서 치명적인 결과를 초래할 수 있으므로 bleeding이 멈추지 않고 hematoma가 계속 커진다고 판단되면 상처를 다시 열어서 지혈 또는 거즈 packing을 하여 적절히 조치를 하도록 한다.

2) 신경 손상과 paresthesia

Long curved ostectomy를 시행할 때는 수술 전에 panorama X-ray를 통해 inferior alveolar nerve가 지나가는 inferior alveolar canal의 높이를 미리 확인하여 수술 시에 inferior alveolar canal로부터 적어도 3 mm 이상의 안전거리를 확보하고 수술을 진행해야 inferior alveolar nerve의 직접적인 손상을 막을 수 있다. Lateral cortex osteotomy를 시행할 때는 수술 전에 facial bone CT를 찍어서 coronal cut에서 inferior alveolar nerve와 lateral cortex 사이의 거리를 확인해두면 inferior alveolar nerve의 손상을 막는 데 도움이 되지만, 만약 CT를 촬영할 수 없는 상황이라면 inferior alveolar nerve가 lateral cortex와 매우 근접해서 주행할 것으로 가정하여 매우 조심스럽게 lateral cortex osteotomy를 시행해야 한다. 만약 lateral cortex osteotomy를 시행한 단면에서 inferior alveolar nerve가 절단된 소견이 발견되면 #7-0 정도 굵기의 가는 나일론을 이용하여 neurorrhaphy를 시행하도록 최대한 노력해야 한다. 수술장의 여건을 고려할 때 현미경하에서의 이상적인 신경봉합술을 시행하기 어렵다고 하더라도 육안으로 보면서 신경을 봉합하면 시간이 지나면서 감각기능이 어느 정도 회복될 수 있다.

Inferior alveolar nerve가 mandible에서 나와서 형성된 mental nerve는 박리 과정과 수술 과정 중에 손상되거나 많이 당겨지지 않도록 항상 주의하여야 하며, 만약 절단되었을 경우에는 신경 기능의 회복 확률을 높이기위해 neurorrhaphy를 시행해야 한다. Mental foramen에서 너무 가깝게 절단되어 neurorrhaphy를 시행하기 어려운 경우, 얇은 elevator로 신경을 보호하면서 1-2 mm 직경의 burr로 앞턱 구멍 주변의 뼈를 갈아내서 신경의 말단을 일부 노출하면 신경봉합술을 시행하는 데 도움이 된다.

신경이 직접적으로 손상되지 않고 정상적으로 진행된 경우라고 하더라도 적지 않은 환자들이 수술 후 초기에 아랫입술과 앞턱의 피부, mandible incisor 부위의 teeth나 gingiva의 감각이 둔해지거나 얼얼하게 느껴지는 hypoesthesia를 호소한다. 또한, tingling sensation, electrical shock sensation, 화끈거리는 느낌, paresthesia을 호소하는 환자들도 종종 볼 수 있다.

이러한 hypoesthesia나 paresthesia가 생길 경우 1년 이내에 점진적인 호전을 보이면서 나중에는 별다른 문제가 되지 않는 경우가 대부분이지만, 입술 주변에 불편한 감각이 오랜 기간에 걸쳐 더 이상 회복되지 않는 경우도 드물게 존재한다.

어떤 사람이 장기간 지속되는 paresthesia를 겪게 될지 정확히 예측할 수 없고 이런 증상이 장기간 지속될 때 언제 어느 정도로 호전될지 예측할 수 없다는 점은 아직까지 얼굴뼈 수술을 하는 의사들이 해결하지 못한 한계에 해당한다. 물론 이런 증상이 일상적인 생활에 지장을 초래할 정도의 심각한 장애는 아니지만 환자의 입장에서는 분명히 불편함을 느낄 수 있는 증상이기 때문에, 수술 전 상담을 통해 환자에게 이 한계에 대해 분명하게 알려주고 환자가 그 사실을 충분히 인지한 상태에서 수술을 결정하도록 하는 것이 바람직하다.

3) 절골과 관련된 합병증

절골과 관련해서 생길 수 있는 합병증으로는 턱관절의 손상, overcorrection, secondary angle 등이 있다.

Mandible의 앞부분에 비해 뒷부분은 직접 시야를 확보하기가 어렵기 때문에 절골선이 너무 위로 올라갈 경우가 있는데 이 절골선이 mandibular condyle 쪽으로 연장되면 턱관절을 손상시킬 위험이 있다. Long curved ostectomy를 시행할 때 앞에서 뒤쪽으로 절골을 진행하는 것보다는 뒤에서 앞쪽을 향해 절골을 진행하면 이런 위험을 줄일 수 있다. 또한, mandible의 뒤쪽이 확실하게 절골되지 않은 경우에 골편이 떨어져 나오지 않는다고 해서 힘을 주어 부러뜨리게 되면 절골선이 원하지 않게 mandular condyle 쪽으로 연장될 수 있으므로 골편을 억지로 부러뜨리지 않도록 주의해야 한다.

뼈를 필요한 양보다 너무 많이 잘라내어 overcorrection시키게 되면 턱선이 가파르게 보이거나 뺨이 패어 보일 수 있으므로, 적절한 양과 모양으로 절골이 진행될 수 있도록 절골선을 디자인하여야 하고, 절골을 시행할 때는 미리 디자인된 선을 벗어나지 않도록 주의해야 한다. 이미 overcorrection이 생겨서 뺨이 패어 보이는 증상을 개선하려고 할 때는 이물질 삽입이나 뼈이식을 시도하는 것보다는 autologous fat graft를 시행하는 것이 좀 더 예측 가능한 결과를 얻기에 유리하다.

Mandibular angle과 body를 절골할 때 절골선의 방향에 갑자기 변화를 주거나 골편의 앞부분에서 절골되지 않은 부분의 경사와 다른 경사 방향으로 절골을 마치게 되면 secondary angle이 겉에서 보이거나 만져지게 된다. 따라서, 앞으로 갈수록 점진적으로 얇아질 수 있도록 부드럽고 긴 곡선으로 절골선을 디자인하고 절골하도록 한다. 수술 중에 secondary angle이 생긴 것을 발견하면 연부조직을 retractor로 적절히 보호한 상태에서 rasp이나 oscillating saw로 다듬어서 뼈를 부드럽게 다듬는다.

4) 염증과 상처감염

수술 후에 상처 감염이 생기는 경우는 실제로 흔하지 않으나, 그 원인으로는 수술 후의 구강 위생이 불량한 경우, 제대로 봉합되지 않은 점막의 틈으로 음식물이 끼는 경우, 충분한 세척을 하지 않아 남아 있는 뼈 가루나 뼈 조각이 괴사된 경우, 실수로 거즈를 빼지 않고 봉합한 경우, 손상된 침샘에서 나온 타액으로 인해 녹은 조직이 염증을 일으키는 경우, 수술 전부터 있던 충치에서 비롯된 periapical lesion이나 치주질환으로 인해 염증이 유발된 경우 등을 생각할 수 있다.

수술 후에 감염이 생기지 않도록 수술 직전부터 퇴원 시까지 예방적 항생제를 정맥투여하고 퇴원 시 항생제를 경구약으로 처방한다. 또한 수술 후 초기 10일 정도 양치를 하지 못하는 기간 동안은 hexamedine으로 가글을 하도록 하고, 수술 후에 충분한 수면과 영양섭취를 통해 전신상태가 나빠지지 않도록 한다.

상처 감염이 발견된 경우에는 우선 확인 가능한 감염의 원인들을 최대한 제거하고 2~3일간 항생제를 투여하면서 경과를 추적관찰한다. 특히 별다른 원인들을 발견할 수 없을 경우 panorama X-ray를 다시 한 번 확인해서 미처 발견하지 못했던 periapical infection이 있지는 않은지 살펴보아야 하고, 만약 그렇다면 치과에 치료를 의뢰해야 한다.

그럼에도 불구하고 상처 감염이 호전되지 않거나 더 이상 감염의 원인을 확인할 수 없는 경우에는 수술 부위를 다시 열어서 남아 있는 거즈나 이물질이 없는지 확인하고 배농 및 세척을 시행한다.

T-osteotomy를 해서 앞턱에 plate가 남아 있는 상태에서 앞턱에 상처 감염이 생겼다면 plate와 screw 등의 이

물질로 인해 chin lower border ostectomy를 한 경우보다 상처 감염의 치료가 어려운 경우가 있다. 상처 감염에대한 통상적인 치료를 했는데도 상태가 잘 호전되지 않는다면 plate과 screw를 모두 제거해야 감염이 좀 더 원활하게 치료된다.

참고문헌

1. Hankey GT. Surgical reduction of bilateral hypertrophy of the masseter muscles. Case report. Br J Oral Surg. 1968 Nov;6(2):123-4.
2. Honee GL, Bloem JJ. On the differential diagnosis of masseter muscle hypertrophy. Case report. Br J Maxillofac Surg. 1974 Dec;2(4):246-9.
3. Riefkohl R, Georgiade GS, Georgiade NG. Masseter muscle hypertrophy. Ann Plast Surg. 1984 Jun;12(6):528-32.
4. Roncevi; R. Masseter muscle hypertrophy. Aetiology and therapy. J Maxillofac Surg. 1986 Dec;14(6):344-8.
5. Loh FC, Yeo JF. Surgical correction of masseter muscle hypertrophy by an intraoral approach. J Oral Maxillofac Surg. 1989 Aug;47(8):883-5.
6. Yang DB, Park CG. Mandibular contouring surgery for purely aesthetic reasons. Aesthetic Plast Surg. 1991 Winter;15(1):53-60.
7. Mandel L, Tharakan M. Treatment of unilateral masseteric hypertrophy with botulinum toxin: case report. J Oral Maxillofac Surg. 1999 Aug;57(8):1017-9.
8. To EW, Ahuja AT, Ho WS, King WW, Wong WK, Pang PC, Hui AC. A prospective study of the effect of botulinum toxin A on masseteric muscle hypertrophy with ultrasonographic and electromyographic measurement. Br J Plast Surg. 2001 Apr;54(3):197-200.
9. Kim HJ, Yum KW, Lee SS, Heo MS, Seo K. Effects of botulinum toxin type A on bilateral masseteric hypertrophy evaluated with computed tomographic measurement. Dermatol Surg. 2003 May;29(5):484-9.
10. Kim JH, Shin JH, Kim ST, Kim CY. Effects of two different units of botulinum toxin type A evaluated by computed tomography and electromyographic measurements of human masseter muscle. Plast Reconstr Surg. 2007 Feb;119(2):711-7.
11. Hwang K, Kim YJ, Park H, Chung IH. Selective neurectomy of the masseteric nerve in masseter hypertrophy. J Craniofac Surg. 2004 Sep;15(5):780-4.
12. Jin Park Y, Woo Jo Y, Bang SI, Kim HJ, Lim SY, Mun GH, Hyon WS, Oh KS. Radiofrequency volumetric reduction for masseteric hypertrophy. Aesthetic Plast Surg. 2007 Jan-Feb;31(1):42-52.
13. Baek SM, Kim SS, Bindiger A. The prominent mandibular angle: preoperative management, operative technique, and results in 42 patients. Plast Reconstr Surg. 1989 Feb;83(2):272-80.
14. Gui L, Yu D, Zhang Z, Changsheng LV, Tang X, Zheng Z. Intraoral one-stage curved osteotomy for the prominent mandibular angle: a clinical study of 407 cases. Aesthetic Plast Surg. 2005 Nov-Dec;29(6):552-7.
15. Deguchi M, Iio Y, Kobayashi K, Shirakabe T. Angle-splitting ostectomy for reducing the width of the lower face. Plast Reconstr Surg. 1997 Jun;99(7):1831-9.
16. Han K, Kim J. Reduction mandibuloplasty: ostectomy of the lateral cortex around the mandibular angle. J Craniofac Surg. 2001 Jul;12(4):314-25.
17. Hwang K, Lee DK, Lee WJ, Chung IH, Lee SI. A split ostectomy of mandibular body and angle reduction. J Craniofac Surg. 2004 Mar;15(2):341-6.
18. Satoh K. Mandibular contouring surgery by angular contouring combined with genioplasty in orientals. Plast Reconstr Surg. 1998 Feb;101(2):461-72.
19. Park S, Noh JH. Importance of the chin in lower facial contour: narrowing genioplasty to achieve a feminine and slim lower face. Plast Reconstr Surg. 2008 Jul;122(1):261-8.
20. Uckan S, Soydan S, Veziroglu F, Ozcirpici AA. Transverse reduction genioplasty to reduce width of the chin: indications, technique, and results. J Oral Maxillofac Surg. 2010 Jun;68(6):1432-7.
21. Hsu YC, Li J, Hu J, Luo E, Hsu MS, Zhu S. Correction of square jaw with low angles using mandibular "V-line"ostectomy combined with outer cortex ostectomy. Oral Surg Oral Med Oral Pathol Oral Radiol Endod. 2010 Feb;109(2):197-202.
22. Jin H, Kim BH, Woo YJ. Three-dimensional

mandible reduction: correction of occlusal class I in skeletal class III cases. Aesthetic Plast Surg. 2006 Sep-Oct;30(5):553-9.

23. Kim CH, Lee JH, Cho JY, Lee JH, Kim KW. Skeletal stability after simultaneous mandibular angle resection and sagittal split ramus osteotomy for correction of mandible prognathism. J Oral Maxillofac Surg. 2007 Feb;65(2):192-7.

24. Choi B, Baek SH, Yang WS, Kim S. Assessment of the relationship among posture, maxillomandibular denture complex, and soft-tissue profile of aesthetic adult Korean women. J Craniofac Surg 11: 586-594, 2000.

광대성형술 | Malarplasty

Chapter Author | 안승현, 이상우

아시아인의 얼굴은 서양인에 비해 길이가 짧고 폭이 넓으면서 광대뼈 부위가 발달되어 있다. 광대가 가장 도드라져 보이는 malar highlight의 위치에 따라 얼굴의 인상이 달라지므로 중안면부의 윤곽을 갸름하고 부드럽게 만들기 위한 malarplasty는 흔하게 시행되는 안면윤곽수술이다(**그림 23-1**).

그림 23-1.

A. 광대가 가장 도드라져 보이는 부위가 상내방에 위치하고 있어 젊고 매력적인 얼굴로 보인다. B. 광대뼈가 상대적으로 하외방에 위치하는 경우 늙고 피곤한 인상으로 보인다. C. 좌측에 비해 우측에서 광대가 가장 도드라져 보이는 부위가 상방으로 위치하도록 하여 여성적이고 젊은 인상으로 보인다.

1. Anatomy

중안면부의 윤곽을 형성하고 있는 zygomatic complex는 광대뼈부위의 앞쪽 윤곽을 이루고 있는 zygomatic body와 옆쪽 윤곽을 이루고 있는 zygomatic arch로 구성되어 있다. Zygoma는 quadrilateral shape(장사방형)인데, 전방에서 위쪽으로 frontal bone, 아래쪽으로 maxilla와, 안와외벽에서 sphenoid bone과 붙어 있고, 후방에서는 temporal bone과 붙어 zygomatic arch를 이루고 있다. zygoma의 내면은 maxillary sinus의 lateral and superior wall을 형성하고 있다(**그림 23-2**).

2. Preoperative evaluation/Analysis

안면윤곽수술은 연부조직 안의 뼈대를 수술하여 얼굴 윤곽을 개선하는 수술이기 때문에 수술의 결과가 외모에 반영되는 정도에 개인차가 있다. 얼굴의 연부조직이 얇고 윤곽의 돌출과 굴곡이 심하면 수술 효과가 잘 드러나지만, 연부조직이 두껍거나 둥그스름한 얼굴에는 수술로 인한 변화가 크지 않아서 기대하는 만큼의 효과를 얻기 어려울 수 있다. 따라서 상담과 수술 계획 시 얼굴 전체를 보고 x-ray나 3D CT 등의 이미지를 참고하면서 연부조직과 뼈대의 상관관계를 고려하여 이들의 관계가 미적으로 조화를 이루도록 수술을 계획해야 한다. 그리고 수술로 개선 가능한 부분과 한계에 대하여 충분한 설명이 이루어지지 않으면 수술의 만족도가 떨어질 수 있기 때문에 수술 전에 충분한 의견 교환을 할 필요가 있다.

Zygomatic body는 앞쪽 광대뼈부위의 윤곽을 결정하고 zygomatic body가 돌출된 정도에 따라 중안면부가 입체적이거나 평면적으로 보인다. 환자와 상담 시에는 이를 45도 광대라고 이야기하는 경우가 많다. Zygomatic arch는 옆쪽 광대뼈부위의 윤곽을 결정짓고 zygomatic arch의 벌어진 정도에 따라 중안면부 폭이 결정되며 이를 주로 옆광대라고 부르기도 한다.

수술 전에 frontal view, oblique view, lateral view 및 submental view로 임상사진을 찍어서 zygomatic com-

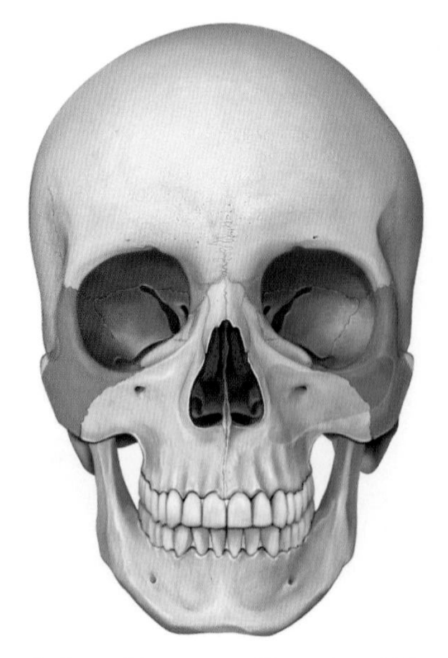

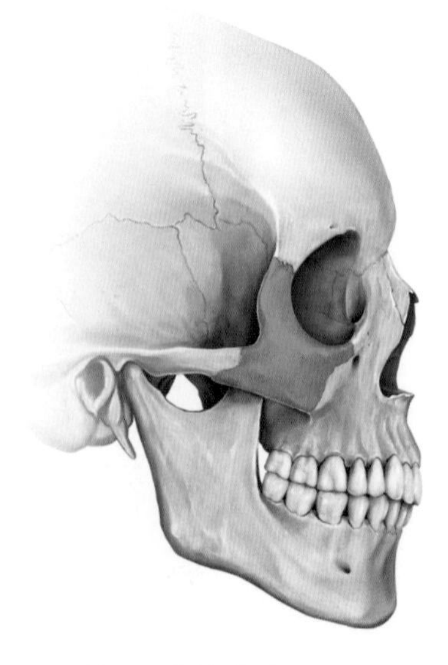

그림 23-2. Zygoma는 frontal bone, maxilla, sphenoid bone, temporal bone과 붙어 있으며, maxillary sinus의 lateral and superior wall을 형성하고 있다.

plex의 대칭성과 돌출 정도를 평가한다. 앞광대의 돌출 정도는 oblique view에서 평가하기 좋다. Basal skull Xray view나 3D CT를 촬영하면 zygomatic body와 zygomatic arch 각각의 너비를 정확하게 평가할 수 있으며 절골의 위치나 뼈의 이동량을 결정하는 데 도움이 된다.

Temporal fossa, malar eminence, zygomatic arch와 mandible의 상관관계가 얼굴 전체의 윤곽을 결정하는 데 중요한 역할을 한다. 갸름하고 매력적인 얼굴로 교정하기 위해서는 얼굴을 전체적으로 평가하여 필요한 경우 malarplasty와 더불어 mandibular contouring surgery 또는 temporal augmentation을 함께 시행하는 것이 중요하다.

광대 융기의 돌출 정도나 광대가 가장 도드라져 보이는 malar highlight의 위치를 평가하는 방법으로는 다음과 같은 방법들이 있다(**그림 23-3**).

1) Hinderer analysis

광대의 가장 돌출된 지점은 lateral canthus와 oral commissure를 잇는 선과 nasal alar base와 tragus를 잇는 선이 만나는 지점 또는 이보다 약간 상외측에 위치하는 것이 이상적이다.

2) Wilkinson analysis

광대가 가장 도드라져 보이는 부위는 lateral canthus와 mandibular angle 부위를 연결하는 선들의 위쪽 1/3 지점들을 연결하는 선상에 위치하는 것이 좋다.

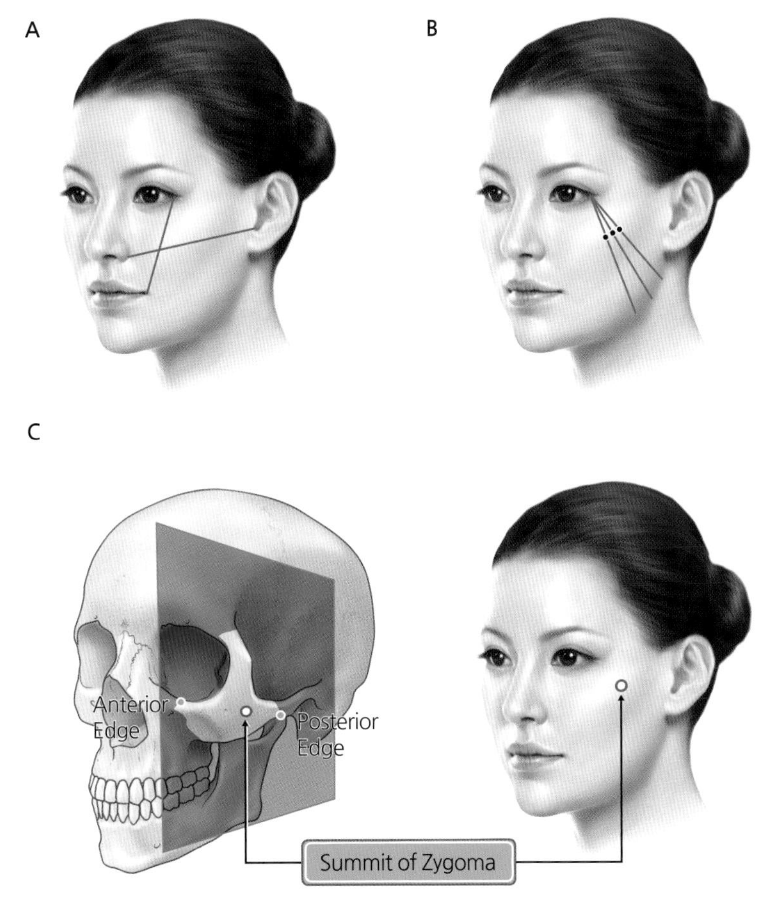

그림 23-3.
A. Hinderer analysis B. Wilkinson analysis C. Summit of zygoma

3) Summit of zygoma

Zygoma의 가장 앞쪽 부분과 뒤쪽 부분을 통과하는 수직면에서 가장 먼 지점의 outer surface를 summit of zygoma라고 할 때, 이는 lateral orbital rim의 외측, frontal process와 zygomatic arch가 접하는 지점의 내측에 위치하며, 여자보다 남자에서 더 높다.

3. Reduction malarplasty

1983년 Onizuka 등이 구강 내 접근을 통해 광대뼈를 shaving하는 방법을 소개한 이후 수술부위에 접근하는 방법, 뼈를 절제하는 방법, 절제하는 뼈의 양, 뼈를 고정하는 방법 등에 다양한 방법들이 소개되었다. 백세민 등은 관상절개를 통하여 zygomatic body와 zygomatic arch를 절골하여 zygoma를 내측으로 재배치하고 고정하는 방식을 소개하였다. 양두병 등은 구강 내 접근을 통해 관골체부를 갈아서 깎아내고, 귀앞 구레나룻부위의 짧은 피부절개를 통해 zygomatic arch에 다수의 greenstick fracture를 가하고 infracture시키는 방법을 발표하였다. Sumiya 등은 zygomatic body의 뼈를 절제하여 광대뼈를 줄이는 방법을 발표하였고, 그 후 이를 수정하여 안면의 폭이 넓은 경우 zygomatic arch을 greenstick fracture 시킨 뒤 내측으로 이동시키는 방법을 소개하였다. 이후 내고정을 하지 않는 구강 내 malarplasty, 내시경을 이용한 malarplasty 등 여러 가지 수술방법이 소개되어 왔다.

Reduction malarplasty는 reduction보다는 malar complex를 이상적인 위치로 재배치하여 malar complex의 모양과 위치를 바꿔 얼굴이 갸름하고 부드러워 보이도록 하는 수술이다. 따라서 수술 시 뼈 자체의 reduction보다는 정확한 재배치를 계획하여야 하며 이동시킨 뼈를 가급적 견고하게 고정해야 한다. 이 때의 재배치 방향은 주로 내상방이 되며 고정 시에는 뼈 절단면 간의 접촉이 확실해야 한다. 또한 연부조직에 대한 고려가 필수적이며 좋은 적응증의 환자를 선택하여 충분한 상의 후에 수술하는 것이 중요하다.

광대뼈를 갈고 깎는 것만으로는 광대 융기를 충분히 낮춰주는 데 한계가 있으며, 절골없이 광대가 가장 도드라져 보이는 부위를 더 미적인 부위로 재배치하기는 어렵다. 또한 바깥쪽으로 휘어진 zygomatic arch를 내측으로 정확하게 이동하지 않고 zygomatic body 부위만 줄일 경우 오히려 bizygomatic distance는 더 넓어 보일 수 있다. 광대뼈를 greenstick fracture만으로 이동시키는 방법은 숙련된 술자를 제외하고는 광대뼈부위의 절골이 어떻게 이루어질지 불확실하며, greenstick fracture보다 완전 골절이 일어날 가능성이 높고, 고정을 하지 않는 경우 zygomatic complex의 외하방 변위나 뼈의 불유합이 생길 가능성이 있다. 따라서 구강 내 접근법과 구레나룻 절개나 귓바퀴앞 절개를 통하여 수술하는 방법이 가장 보편적으로 시행되고 있다. 양쪽 광대뼈부위의 비대칭이 심하거나, 이전에 구강 내 접근법과 구레나룻 절개나 귓바퀴앞 절개를 통해서 수술한 후 문제가 발생하여 재수술을 할 때나, 중안면부 연부조직이 처진 사람들에게는 관상절개 접근법이 필요할 수 있다.

1) 구강 내 접근법

구강 내 접근법은 관상절개 접근법에 비하여 수술 시간이 짧고 절개선이 짧으며 회복이 빠르기 때문에 대부분의 primary case에서 사용된다.

마취: Orthognathic surgery를 동시에 시행하는 경우 nasotracheal intubation을 통한 전신마취 하에서 수술하고, 그 외에는 orotracheal intubation을 해도 무방하다. 1:100,000으로 epinephrine이 희석된 2% lidocaine 용액을 절개할 upper labiobuccal sulcus에 점막하 주사를, 구레나룻 절개나 귓바퀴앞 절개 부위에 피하 주사를 시행한다.

절개 및 박리: Zygomatic body 부위의 접근은 구강 내 절개를 통하고 zygomatic arch 부위의 접근을 위해서 구레나룻이나 귓바퀴앞 절개를 별도로 넣는다(**그림 23-4**). Zygomatic arch의 절골을 구강 내 경로로 같이 하거나

temporal hair 속으로 하는 경우도 있지만 이 경우 zygomatic arch 부위의 고정은 불가능하다.

구강 내 접근은 canine tooth에서 second premolar tooth까지 뼈막하 절개를 시행한 다음, 뼈막하층에서 상외방으로 박리하면서 올라가 광대뼈의 이마돌기 및 관자돌기에 이르기까지 박리한다. Zygomatic body를 상당한 fibrofatty tissue가 덮고 있는데 가능한 한 이 조직과 뼈막에 손상을 주지 않도록 조심하면서 박리한다. zygomatic body에서 zygomatic arch으로 갈수록 뼈막이 단단히 붙어있다. Zygomatic body에서 zygomatic arch로 이행하는 부위에 이르면 masseter m.의 insertion을 만나게 되는데 보통 여기까지 박리를 시행한다. 박리는 가급적 절골선이 지나갈 부위만 해야 zygomatic complex가 내상방으로 이동하면서 붙어 있는 연부조직도 같이 상방으로 이동하여 중안면부 연부조직의 처짐을 방지할 수 있다.

구레나룻 또는 귓바퀴앞 부위에서 zygomatic arch가 만져지는 articular tubercle 부위에 1~1.5cm 정도의 절개를 가한다. 이때 절개선이 안면신경의 temporal branch를 손상시키지 않는 위치인지 확인해야 한다. 절개는 피하 깊이까지만 시행한 후 뼈막까지는 mosquito 등을 이용하여 전후방향으로 조직을 벌리면서 blunt dissection 하는 것이 안전하다. Articular tubercle의 앞쪽부분에서 뼈막을 절개하여 절골과 고정할 부위의 뼈가 노출되도록 뼈막하 박리를 시행한다.

절골: Zygomatic body 부위의 절골선은 L자 모양이 되도록 디자인하며 L자의 위치는 위쪽으로 lateral orbital rim의 5~10 mm 정도 외방에 위치시키도록 한다. L자 절골선은 고정할 수 있는 부위가 I자에 비해 넓고 수평의 절골선이 zygomatic complex의 inferior displacement를 막아주며 골절제술 후 수평 절골선의 각도를 조절하여 광대 복합체의 상방 또는 하방 이동도 가능하다는 장점이 있다. 이 때 수평 절골선은 대개 외하방에서 내상방으로 진행하여 광대 복합체를 상방으로도 올려주는 효과를 얻는다. 절골을 시행하기 전에 고정해야 될 부위를 미리 표시해놓는 것이 편리하다. 45도 광대의 돌출 정도나 환자의 요구에 따라서 수직의 절골선 부위에 ostectomy를 시행할 수도 있다(**그림 23-5**). Ostectomy를 시행하게 되면 zygomatic complex가 더 내방으로 이동하게 된다. Zygomatic arch 부위의 폭만 넓은 환자의 경우는 ostectomy가 필요 없고 절골 후에 zygomatic arch 부위만 내측으로 이동하여 고정하면 된다.

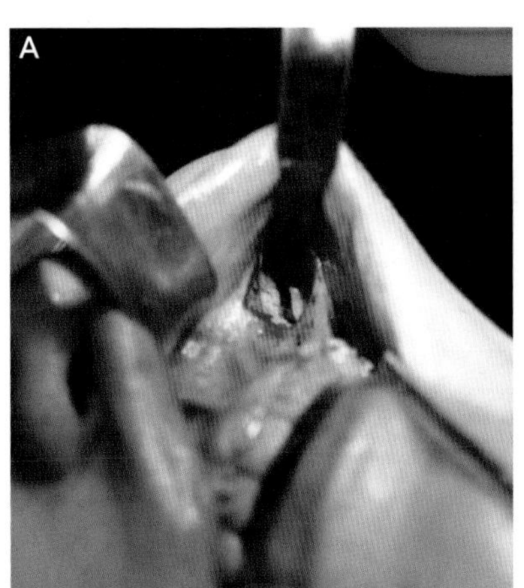

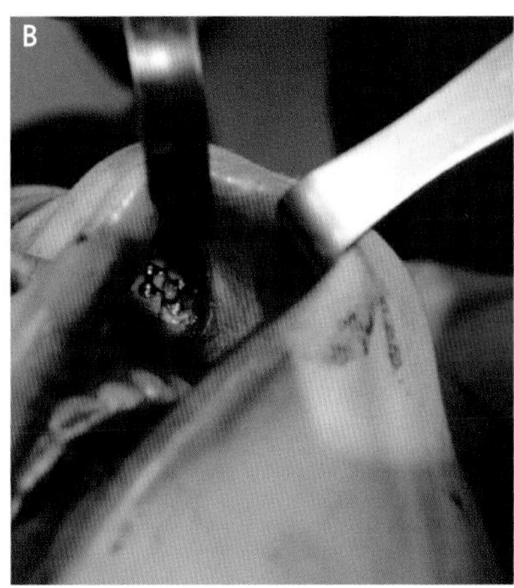

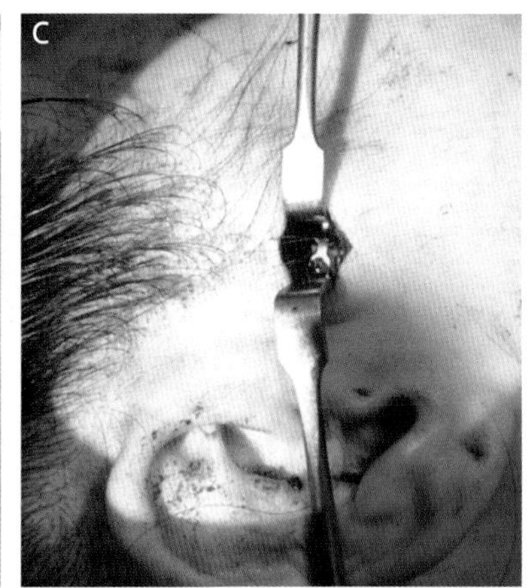

그림 23-4.
A. 구강내 접근법을 통한 체부 부위 L자형 절골선의 디자인. 아래쪽 절골을 나중에 하는 것이 더 편하다. B. Zygomatic body 부위 절골 후 zygomatic complex를 내상후방으로 이동시킨 뒤 plate을 사용하여 견고하게 고정하였다. C. Zygomatic arch 부위 절골 후 내방으로 이동시킨 뒤 plate을 사용하여 고정하였다.

절골은 zygomatic body 부위에서 먼저 시행한다. Reciprocating saw를 사용하며 ostectomy 시에는 외방의절골을 먼저 시행한다. 골절제술 시 2개의 날이 평행하게 붙어 있는 double blade reciprocating saw를 사용하면 더 편하게 절골을 시행할 수 있다. 절골이 정확하게 이루어진 경우 떨어진 뼈를 제거하여 확인할 수 있다. 상방의 lateral orbital rim 외방에서 절골이 불완전하게 되는 경우가 있을 수 있으므로 zygomatic complex가 잘 움직이지 않으면 이 부위의 절골이 완전하게 이루어졌는지 확인해야 한다.

Zygomatic arch 부위의 절골은 reiprocating saw를 사용하여 articular tubercle 앞부분에서 외후방에서 내전방으로 기울여서 비스듬하게 완전히 절단하여 bone Zplasty가 되게 한다(**그림 23-6**). 너무 뒤에서 절골할 경우 절골선 앞쪽의 뼈가 내후방으로 잘 들어가지 않을 수 있고, 너무 앞에서 절골할 경우 수술의 효과가 떨어질 수 있으므로 절골 부위를 잘 선택해야 한다. Zygomatic arch 부위의 bone Z-plasty이 확실히 이루어졌는지를 확인하기 위해서는 이 부위를 눌러보아 잘 들어가는지를 확인해보면 된다.

고정: Reposition malarplasty에서 고정을 견고하게 하는 것이 중요하다. 광대뼈는 얼굴의 풍부한 혈류로 인하여 감염이나 nonunion이 일어나는 경우는 많지 않다. 하지만 고정이 정확하게 이루어지지 않으면 masseter m.의 작용으로 zygomatic complex의 외하방 변위 후 골유합이 되어, 이는 볼처짐이나 비대칭, 뺨부위의 꺼짐 등의 부작용을 야기한다.

절골한 뼈의 고정은 plate와 screw 또는 wire를 사용한다. 고정 시에는 뼈절단면의 접촉이 정확하게 이루어지도록 고정하는 것이 중요하다. 뼈절단면의 접촉이 부족한 경우 zygomatic arch 부위가 내방으로 이동하면서 체부 부위의 앞부분이 벌어지거나 body 부위 절골이 고르지 못하게 된 경우가 많으므로 lateral orbital rim의 뒤쪽이나 뼈가 고르지 못한 부분을 rasp이나 burr로 약간 갈아주면 뼈 사이의 접촉을 맞출 수 있다. 대칭을 위해서 디자인, 절골 및 고정이 최대한 똑같이 이루어지도록 신경을 써야한다.

Zygomatic arch 부위를 plate로 고정할 경우 절골 뒤쪽

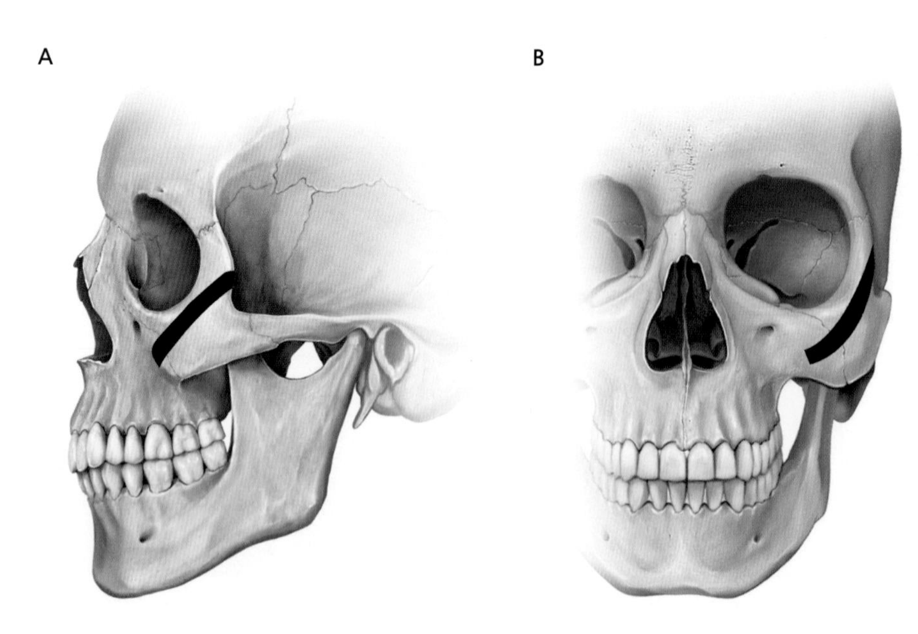

그림 23-5.
A. Reduction malarplasty를 위한 zygomatic body와 zygomatic arch의 절골선 B. 검은 부분이 절골 후 잘려져 나갈 부분으로, 이는 zygomatic complex의 내상방 재배치를 가능하도록 한다.

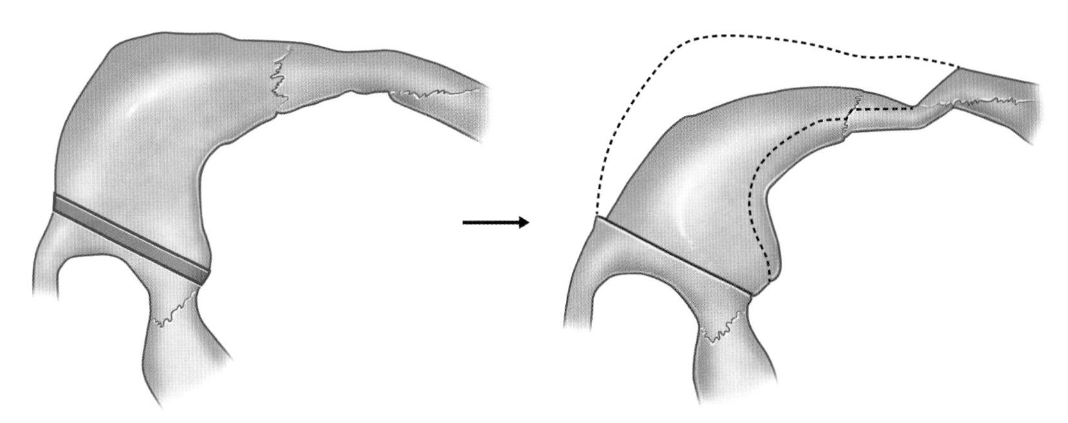

그림 23-6. Zygomatic arch 부위 절골은 외후방에서 내전방으로 비스듬하게 절단하여 앞쪽의 뼈를 내방으로 밀어넣어 bone Z-plasty가 되게 한다.

부분의 plate가 만져질 수 있으므로 이 부위의 cortex를 burr로 갈아 plate가 뼈보다 돌출되지 않도록 하면 plate가 만져지는 것을 예방할 수 있다.

양쪽의 술기가 모두 끝나게 되면 양쪽의 대칭을 확인한 뒤에 생리식염수로 세척을 시행한 뒤 봉합한다.

2) Coronal approach

Coronal approach는 zygomatic complex 전체를 직접 볼 수 있기 때문에 정확한 reposition이 가능하다. 또한 zygomatic body의 고정 위치가 위쪽에 위치하기 때문에 masseter m.의 rotation force를 잘 견딜 수 있어 더 안정적인 고정이 가능하다. 하지만 수술 시간이 상대적으로 길고 안면신경 frontal branch의 손상과 temporal depression의 가능성이 존재한다. 이러한 수술의 부담으로 인해 coronal approach는 revision의 경우나 나이가 있는 환자에서 lifting을 동시에 고려하는 경우에서 쓰이고 있다. Revision의 경우 malunion 또는 nonunion 되어 있는 부분에 대한 접근이 구강 내 접근이나 구레나룻, 귓바퀴앞 절개로 어려운 경우 쓰인다. 또한 revision 시에 bony gap이 커서 bone graft를 고려하는 경우에도 calvarial bone을 쉽게 얻을 수 있으므로 coronal approach가 적절하다.

마취: Orotracheal intubation을 통한 전신마취하에서 수술한다. 1:100,000으로 epinephrine이 희석된 2% lidocaine 용액을 절개할 두피부위에 피하주사한다.

절개 및 박리: Bicoronal incision을 frontal hairline 후방 8~10 cm 수준에서 M자 모양으로 galea aponeurotica 아래, pericranium 위쪽 평면까지 가한다. 귀 앞의 절개선은 따로 필요하지 않고 귀 위쪽에 작은 삼각형 피판을 절개하면, zygomatic body와 zygomatic arch까지 모두 접근이 가능하다. 박리 시에는 subgaleal plane 및 subsuperficial temporal fascia plane을 따라 temporal fat pad를 노출시키지 않고 박리해 내려간다. 관자부위에서 superficial temporal fascia 아래, deep temporal fascia의 얇은 층 위로 박리를 하는 이유는 temporal fat pad의 손상을 피하기 위함이며, 이는 bicororal incision를 통한 접근법 후 발생할 수 있는 합병증인 temporal depression을 예방하기 위함이다(**그림 23-7**). 이와 같은 평면으로 박리를 진행하여도 안면신경 frontal branch를 손상시킬 가능성은 거의 없으며, 수술 직후 마비가 있더라도 대부분 traction injury가 원인으로 수 주에서 수개월 안에 회복된다. Superior orbital rim 상방 2 cm에서부터는 뼈막 밑으로 박리하면서 내려가 zygomatic body와 zygomatic arch을 전체적으로 노출시킨다.

절골: Zygomatic body 부위의 절골은 L자 또는 I자 형태로 위쪽으로 lateral orbital rim의 5~10 mm 정도 외방에 위치시키도록 하고, revision의 경우 대개 이전의 절골

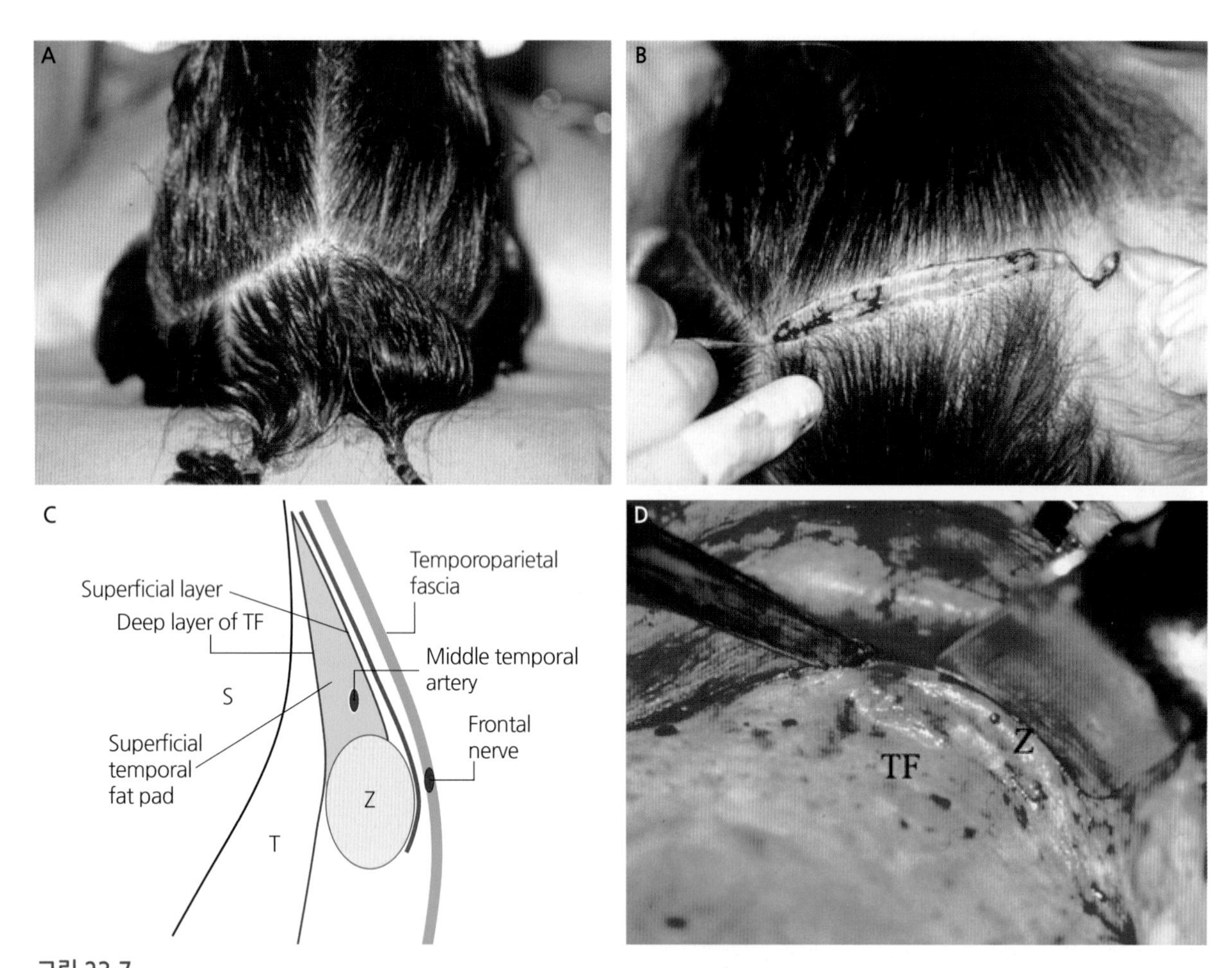

그림 23-7.

A. frontal hairline에서 8~10 cm 가량 뒤에서 M자 모양의 절개선을 그린다. B. 귀앞절개는 필요없고 귀 위쪽에 작은 삼각형의 피판이면 광대뼈를 모두 노출시킬 수 있다. C. 박리평면의 단면 모습. 관자부위에서 deep temporal fascia의 superficial layer 위쪽으로 zygomatic arch까지 진행한다. D. zygomatic arch 부위까지 박리를 진행한 뒤 뼈막을 노출한 모습. S: skull, T: temporalis, Z: zygomatic arch, TF: temporalis fascia.

선을 따라 절골한다. Reciprocating saw를 사용하며 45도 광대의 돌출 정도나 환자의 요구에 따라서 수직의 절골선 부위에 골절제술을 시행할 수 있다. Zygomatic arch 부위의 절골은 reiprocating saw를 사용하여 articular tubercle 앞부분에서 외후방에서 내전방으로 기울여서 비스듬하게 완전히 절단하여 bone Z-plasty이 되게 한다(**그림 23-8**).

고정: Zygomatic complex가 자유롭게 되게 되면 이를 원하는 위치로 이동하여 고정한다. 고정은 zygomatic body와 zygomatic arch에 모두 고정하는 것이 안전하며, plate 혹은 wire를 사용한다. Masseter m.의 작용에 의한 힘이 zygomatic body의 아래쪽에는 주로 compression으로 작용하고 위쪽에는 tension으로 작용하게 되므로, 위쪽에 고정하는 것이 이론적으로 더 안정적인 고정을 얻을 수 있다. Coronal approach는 구강 내 접근법보다 zygomatic body 위쪽에 고정하기에 용이하다.

뼈이식: Revision 시 이전 절골 부위의 bony gap이 커서 뼈 절단면의 접촉이 어려운 경우 뼈이식을 고려해야 한다. Masseter m.의 힘에 의해 zygomatic complex가 하외방 이동하면서 bone gap이 생기게 되며 부위는 주로 body 부위 절골선의 위쪽이다. Coronal approach에서는 뼈이식을 위한 재료로 calvarial bone을 추가 절개 없이

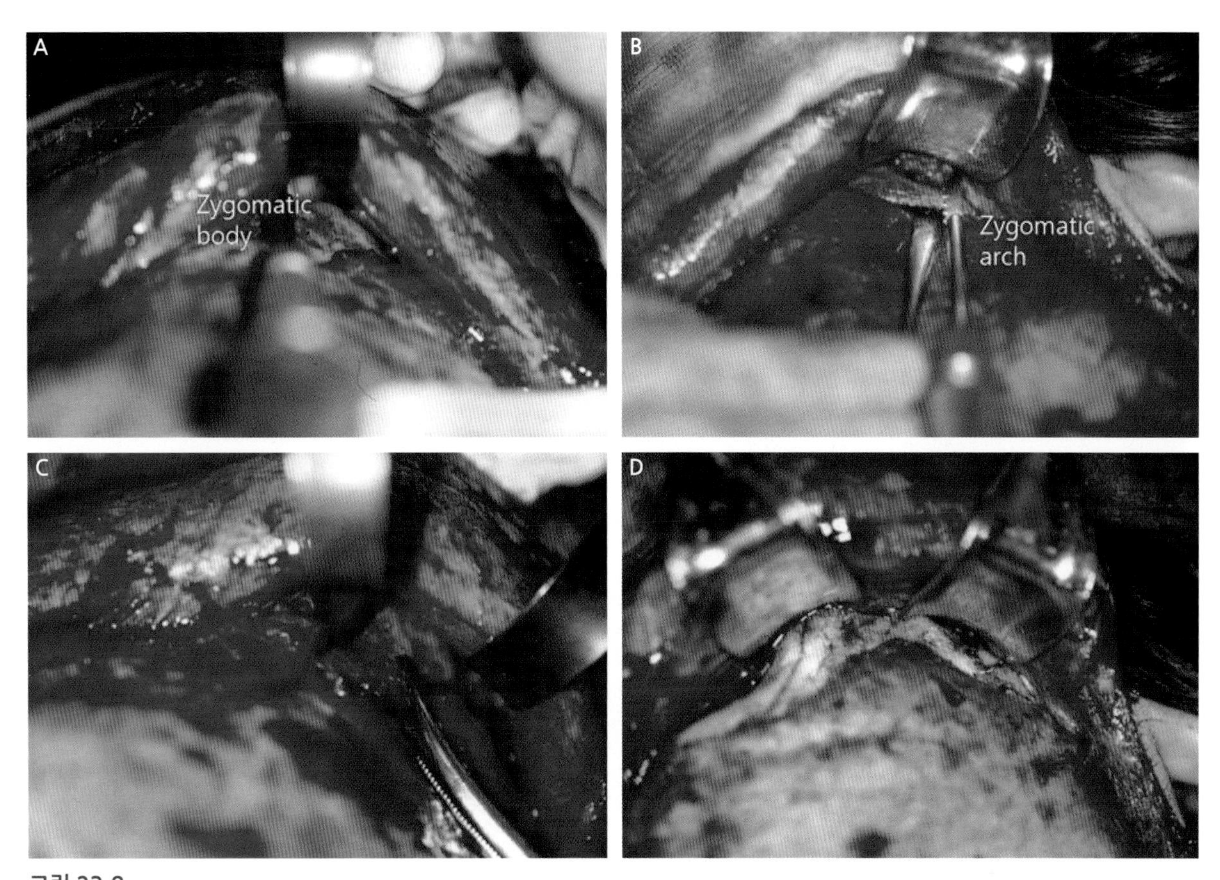

그림 23-8.

A. Zygomatic body에 reiprocating saw로 절골을 시행한다. B. Zygomatic arch에 후외방에서 내전방 방향으로 절골을 시행하여 bone Z-plasty가 되도록 한다. C. Zygomatic complex를 내상방으로 이동시킨다. D. Wire나 plate를 사용하여 zygomatic body와 zygomatic arch에 모두 고정을 시행한다.

채취할 수 있다. 뼈이식 시에는 뼈 사이 간 접촉을 확실하게 하면서 견고하게 고정하는 것이 중요하다.

Lifting: Coronal approach시에는 midface lift나 forehead lift가 동시에 가능하다. Revision의 경우 이전 수술로 인해 cheek drooping이 동반되어 있을 가능성이 있기 때문에 subperiosteal midface lift를 동시에 고려할 수 있다. Zygoma 부위의 뼈막을 당겨 deep temporal fascia에 봉합함으로써 malar fat pad를 위쪽으로 재배치시키는 효과를 얻을 수 있다.

양쪽의 술기가 모두 끝나게 되면 양쪽의 대칭을 확인한 뒤에 생리식염수로 세척을 시행한 뒤 봉합한다.

3) 두 방법의 장단점

(1) 구강 내 접근법의 장점

① 수술시간이 coronal approach로 수술하는 시간보다 짧다.

② 구레나룻 부위에 1~2 cm 정도의 절개흉터를 남기긴 해도 두피에 눈에 띄는 절개흉터를 남기지 않는다. 6개월 정도 경과하면 거의 눈에 띄지 않을 정도의 흉터가 남는다.

③ Zygomatic body 부위의 재배치가 상대적으로 쉽고 정확하다.

(2) 구강 내 접근법의 단점

① 수술시야가 좁다.
② 양쪽이 정확히 대칭되게 하기가 어렵다.
③ 절골한 곳을 고정하기가 쉽지 않다.
④ Cheek drooping이 생길 가능성이 있다.

(3) Coronal approach의 장점

① 수술시야가 넓어서 수술을 정확히 시행할 수 있다.
② 양쪽 편이 대칭되게 하기가 용이하다.
③ 돌출된 zygomatic complex를 단순히 내후방으로 밀어 넣는 것만이 아닌, 연부조직 처짐이 있는 경우에는 좀 더 매력적인 위치로 이동시킬 수 있다.
④ Forehead lift 및 subperiosteal midface lift를 동시에 시행할 수 있다.

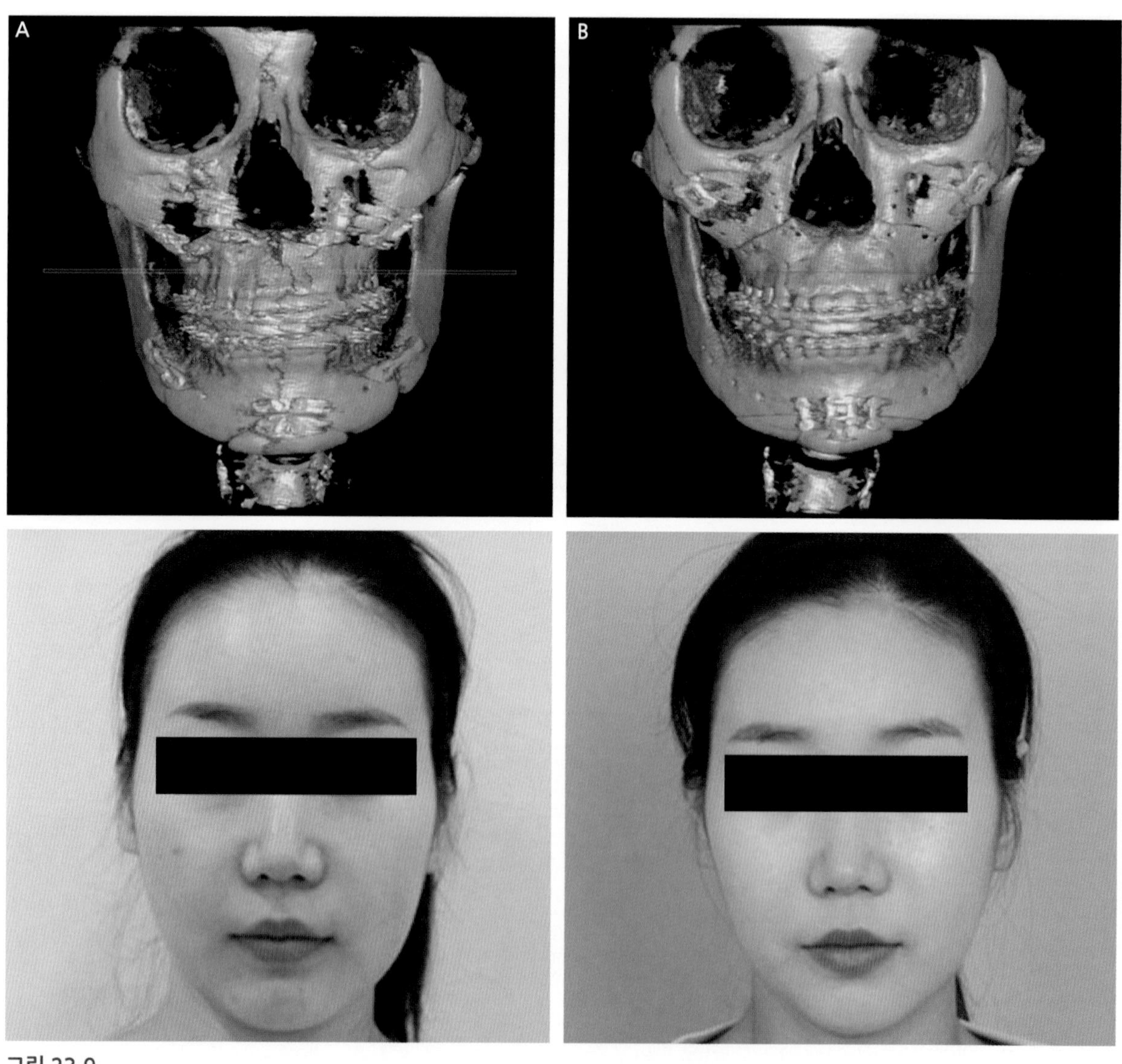

그림 23-9.
A. 이전 수술 후 zygomatic arch 부위는 잘 들어갔으나 body 부위의 변화가 없었다. B. Zygomatic body를 내측, 후방 방향으로 reposition하여 body 부위의 윤곽도 개선되었다.

(4) Cornal apporach의 단점

① 수술시간이 길다.

② 안면신경이 손상될 가능성이 있다.

③ 두피에 긴 절개선 흉터를 남기게 된다.

④ 절개선 후방의 두피 감각이 저하될 수 있다.

4) 고찰

(1) Reduction 혹은 reposition

Reduction malarplasty의 reposition은 골 자체의 reduction을 의미하지 않는다. 이때 reduction은 광대의 가장 돌출된 부위가 적게 보이도록 하는 것이다. Mandibular prognathism에서 뼈 자체의 reduction이 아닌 후방이동으로 위치변화를 주어 턱이 작아지도록 하는 것과 비슷하다. 따라서 reduction malarplasty 보다는 reposition malarplasty가 더 정확한 표현이다(**그림 23-9**).

광대가 돌출되어 보이는 것은 zygomatic bone 자체가 큰 것이 아니라 zygomatic arch 부위의 뼈 모양이 벌어져 있거나, body 부위의 malar highlight가 돌출되어 보이는 위치에 뼈가 위치하기 때문이다. 관골을 작게 줄이겠다고 rasping이나 ostectomy를 많이 하게 되면 돌출된 광대를 효과적으로 줄이지 못할 뿐 아니라 뼈의 위치변화나 결손으로 인한 문제나 연부조직의 문제를 야기하게 된다(**그림 23-10**).

(2) Zygomatic arch의 절골과 이동

옆광대가 주로 돌출된 경우 zygomatic arch을 적절하게 재배치시키는 것이 중요하다(**그림 23-11**). Zygomatic arch의 재배치는 bone Z-plasty를 이용하여 절골된 zygomatic complex의 바깥면과 두개골에 붙어 있는 zygomatic arch의 뒤쪽면이 붙게 한다. 이 때 zygomatic arch의 절골 부위가 뒤쪽으로 갈수록 zygomatic arch이 안으로 들어가는 양이 많아진다. 너무 앞쪽에서 절골이 되면 정면 효과가 떨어질 수 있고, 너무 뒤쪽에서 절골이 이루어지면 절골된 zygomatic arch이 안쪽으로 들어가지 않거나 그 위치에서 고정이 어려워지는 경우가 있다. Zygomatic arch가 과하게 들어가면 환자에 따라 zygomatic arch 아래쪽이 함몰되어 보이기도 하고 body에 비해 zygomatic arch만 과하게 들어간 경우 얼굴이 정면에서 도시락 모양으로 boxy해 보일 수 있으므로 zygomatic arch의 절골 부위도 잘 고려해야 한다.

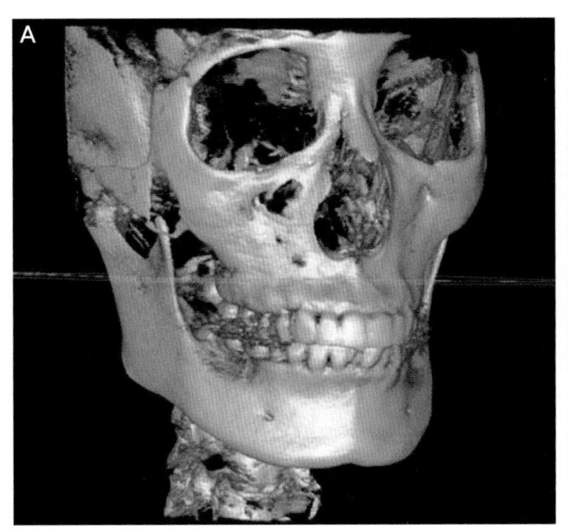

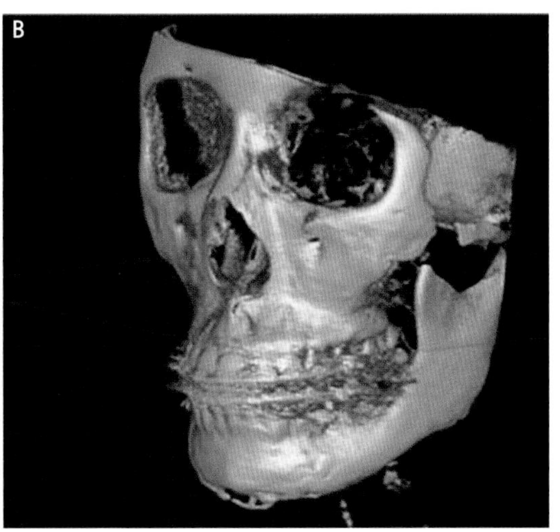

그림 23-10.
과도한 rasping으로 malar body (A), zygomatic arch (B)에 뼈결손이 생겼다.

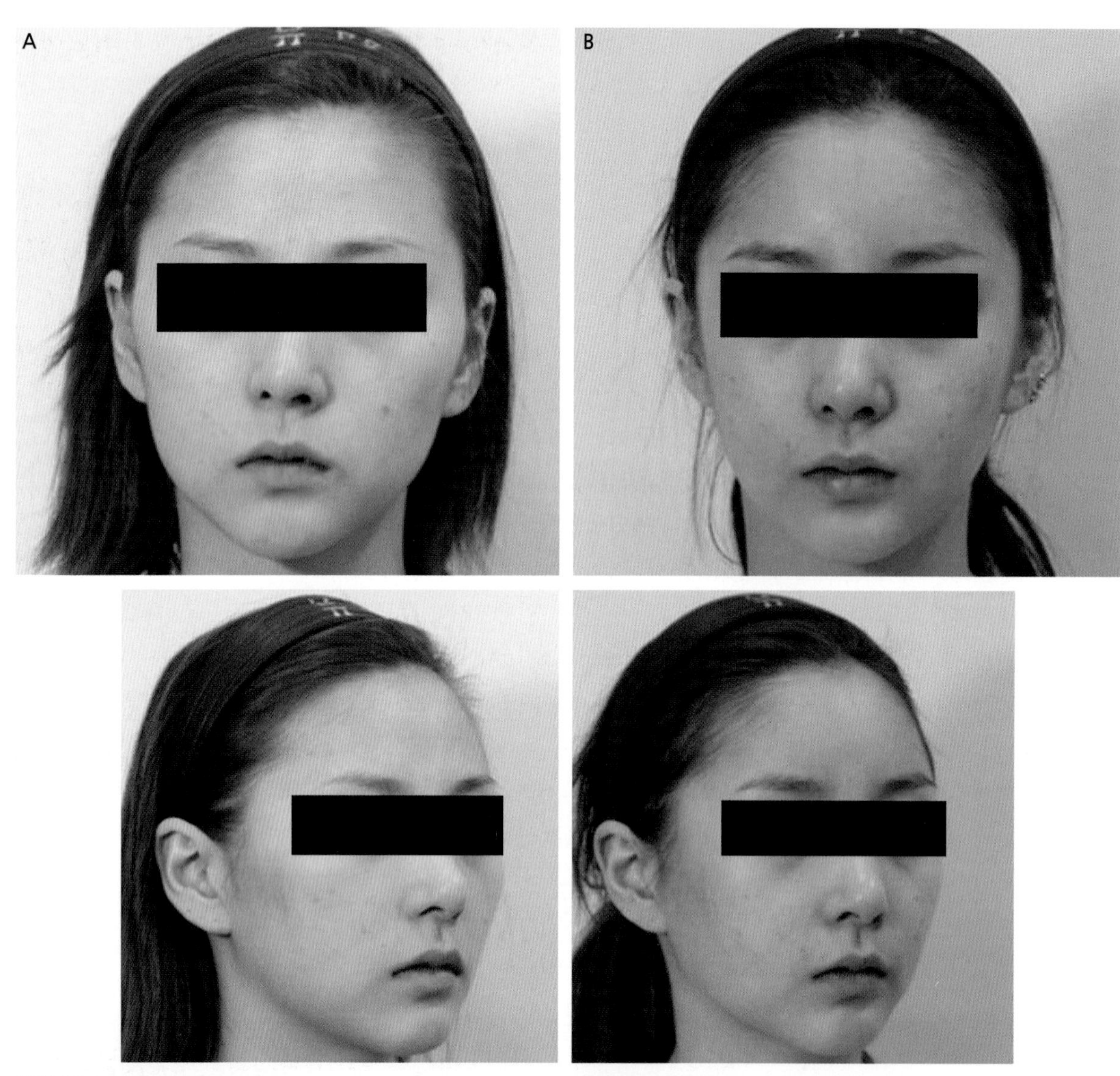

그림 23-11.
A. Zygomatic arch가 발달하여 얼굴이 넓어 보인다. B. Zygomatic arch 부위가 좁아지면 얼굴이 갸름해 보인다.

(3) Zygomatic body의 절골과 이동

Zygomatic body의 돌출 정도는 zygoma가 가장 도드라져 보이는 부위가 바깥쪽, 앞쪽 위쪽에 위치할수록 두드러져 보이고, 안쪽, 뒤쪽, 아랫쪽에 위치할수록 작아 보인다. 생기 있고 어려 보이는 얼굴을 위해서는 이 광대가 가장 도드라져 보이는 부위를 적절하게 위치시키는 것이 중요하다. 대부분의 reposition malarplasty에서는 이 부위를 안쪽이나 뒤쪽으로 이동시킨다. 아래 방향의 이동은 연부조직의 처짐을 유발할 수 있으므로 잘 시행하지 않는다. 안쪽으로 재배치하기 위해서는 body의 ostectomy가 필요하다. 이때 ostectomy는 광대뼈 자체의 부피를 줄이기 위함이 아닌 body의 medialization을 위함이다. 뼈를 절제하는 양에 비례하여 체부의 돌출 정도가 줄어드는 것은 아니며, bone resection 양이 과하면 zygomatic complex의 reposition 후 정확한 뼈 사이 간 접촉이 어려울 수 있다.

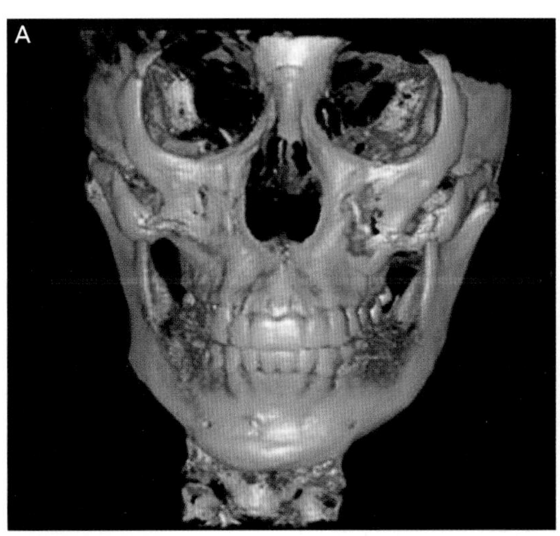

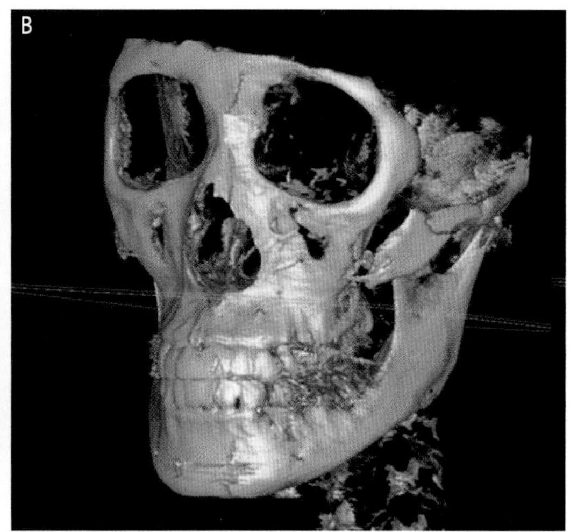

그림 23-12.
A. Zygomatic body에 ostectomy 양이 과도하여 골결손이 생겼다. B. 절골선 아래쪽에 1 point 고정 시 orbital rim 위쪽으로 갈수록 bone gap 이 증가할 수 있다.

수술 후 경과 관찰 시 bony union이 덜 되는 주된 부위는 위쪽 orbital rim 부위이다. 이는 이 부위가 구강 내 접근을 통한 수술 시 고정이 zygomatic body 절골선의 아래쪽에서 이루어지기 때문에 masseter m.의 견인력에 가장 취약한 부분이기 때문이다. 이 부위의 gap이 큰 경우 함몰이 생기거나 gap이 만져질 수 있고 임상적으로 특별한 문제가 없어도 예민한 일부의 환자는 CT상 bony gap에 대하여 불평하는 경우도 있다(**그림 23-12**). 이 부위의 ostectomy는 광대의 돌출을 줄이는 데 큰 역할을 하지 않으므로 ostectomy line을 위쪽으로 갈수록 좁아지게 하고 가급적 수직에 가깝도록 하는 것이 뼈 사이 간 접촉을 용이하게 하고 안전한 bony union에 도움이 된다.

Zygomatic body의 후퇴는 zygoma가 가장 도드라져 보이는 부위를 뒤쪽으로 이동시켜 zygoma 돌출 정도를 효과적으로 줄일 수 있는 방법이다. 이는 ostectomy를 통한 medialization처럼 bony gap을 만들 가능성은 없으므로 그에 대한 우려 없이 시행할 수 있다. 하지만 연부조직이 그대로인 상태에서 skeletal framework의 과도한 축소는 연부조직의 처짐을 유발할 수 있고, reposition malarplasty에서는 체부의 지나친 medialization이나 후방이동이 이에 해당되므로 항상 연부조직에 대한 고려가 필요하다. 연부조직 처짐을 최소화하기 위하여 절골된 body를 위쪽 방향으로 이동시키거나 anterior cheek의 volume을 주고자 zygomatic complex를 앞쪽으로 이동시켜 고정하는 경우도 있는데 이 때는 body의 돌출 정도가 증가할 수 있으므로 주의를 요한다.

(4) 고정

Reposition malarplasty에서 고정은 반드시 시행해야 한다(**그림 23-13**). 고정은 wire나 plate와 screw로 하게 되며, 최근에는 absorbable plate와 screw도 사용하고 있다. 고정을 할 때는 가급적이면 zygomatic body와 zygomatic arch 모두에 하는 것이 좋으며 이것이 정확한 reposition을 보장한다. 하지만 고정을 한다고 반드시 문제가 발생하지 않는 것은 아니다. Reposition이 아닌 reduction 위주로 수술을 하여 ostectomy 양이 과도하거나 고정이 너무 아래쪽에 1-point에만 된 경우에도 zygomatic complex의 하방 이동이나 body 절골선 위쪽의 bony gap을 만들 수 있다. 따라서 body의 고정은 가급적 위쪽으로 절골된 bone 사이에 적어도 두 개의 bridge를 갖게 하는

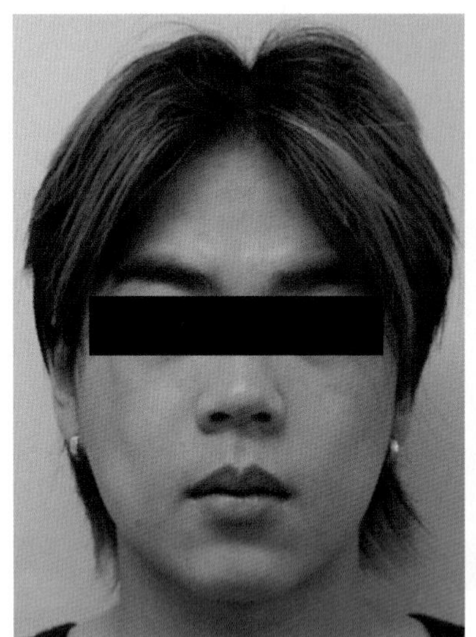
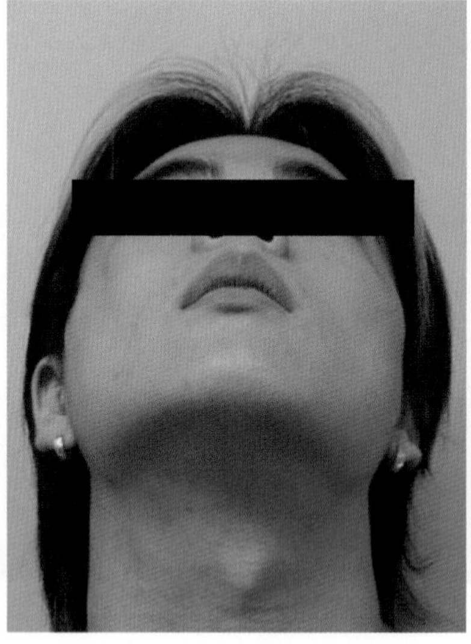
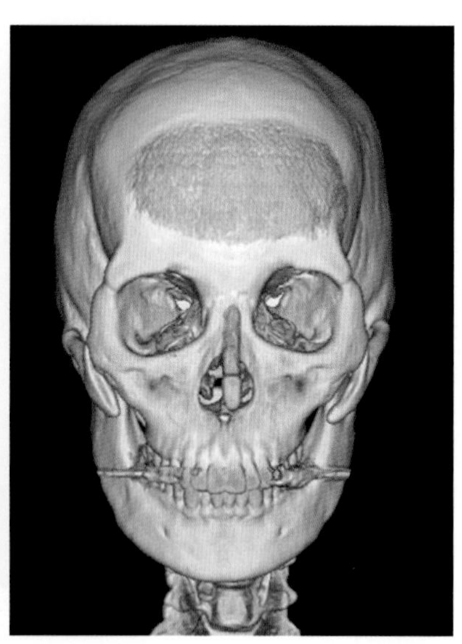

그림 23-13. 고정이 견고하게 이루어지지 않거나 뼈사이 접촉이 불충분하면 zygomatic complex의 nonunion이나 하방 변위된 malunion이 일어나고 광대부위의 함몰, cheek drooping 등의 합병증이 발생할 수 있다.

것이 좋다. Zygomatic arch 쪽의 고정이 안 된 경우 수술 후 뼈가 완전히 union이 되기 전에 저작 시 소리가 날 수 있고 환자들이 불안해하거나 불평할 수 있으므로 이에 대한 설명이 필요하다. 고정이 되지 않은 zygomatic arch의 바깥쪽으로 다시 밀려나와 재수술을 요하는 경우도 생길 수 있으므로 가능하면 고정을 하는 것이 좋다(**그림 23-14**).

Greenstick fracture 후 고정을 하지 않는다고 반드시 문제가 생기는 것은 아니다. 이때는 수술이 주로 zygomatic arch 부위에 국한되기 때문에 body의 reposition이 없어 문제가 생기지 않을 수 있다. 하지만 이 방법은 적응증이 좁기 때문에 환자 선별에 주의를 요한다. Body의 reposition을 고려한다면 고정은 필수적이다(**그림 23-15**).

(5) Cheek drooping

Reposition malarplasty 시에 환자들이 가장 궁금해하고 걱정하는 부분이 수술 후의 연부조직 처짐이다. Reposition malarplasty 시 연부조직 처짐이 문제가 되는 부분은 주로 body 부위이기 때문에 body의 reposition 시에는 연부조직 처짐에 대해서 고려해야 한다. Cheek drooping을 야기하는 원인으로 박리 범위, body 부위의 남는 연부조직, zygomatic complex 자체의 처짐, 그리고 zygomatic body 돌출 정도의 변화 등이 있다.

박리 범위가 넓을수록 뼈에서 연부조직으로 올라오는 인대를 더 많이 끊기 때문에 연부조직 처짐이 더 많이 발생할 수 있다. 박리 범위는 절골과 고정을 정확히 보면서 진행할 수 있을 정도의 시야를 확보하는 정도면 충분하다. Zygomatic body에서 절골이 이루어지는 부위보다 더 내측과 외측 부위는 뼈막이나 근육이 매우 단단하게 뼈에 붙어 있고, 박리가 잘 되지 않는 부위를 억지로 박리할 필요는 없다.

Zygomatic body의 reposition 후 남는 연부조직은 피부 탄력이 떨어질수록, 원래 연부조직이 많을수록, 나이가 많을수록 문제가 될 가능성이 있다(**그림 23-16**). 수술 전에 이러한 요소가 많거나 nasolabial fold가 깊은 경우 cheek drooping에 대하여 충분히 설명을 하는 것이 필요하다. 수술 중 midface lift를 동시에 시행하는 것도 cheek drooping을 예방하는 데 도움이 될 수 있으며, buccal fat 제거나 paranasal augmentation이 도움이 되는 경우도 있다.

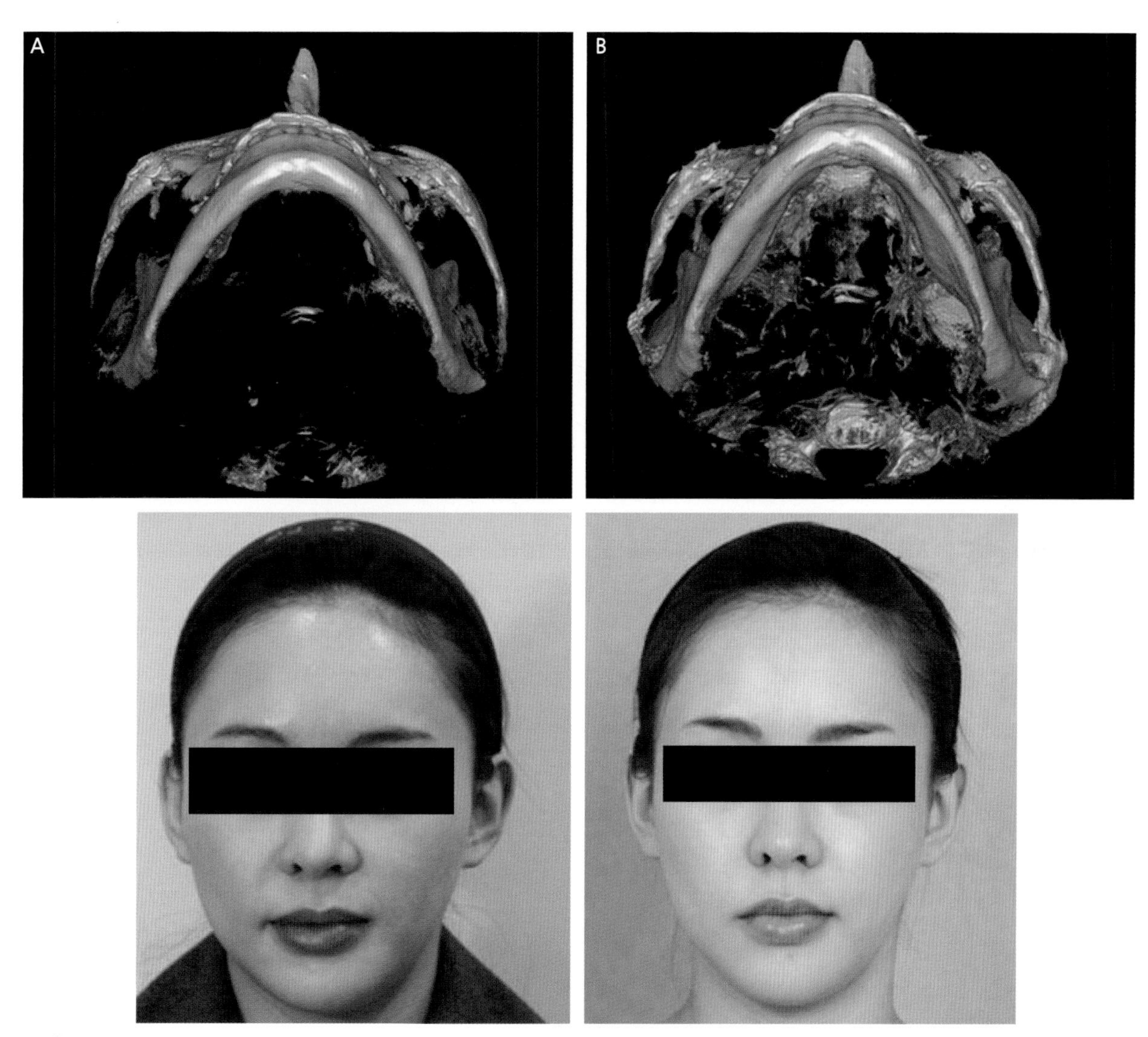

그림 23-14.
A. 이전 수술에서 zygomatic body는 효과적으로 줄었으나 zygomatic arch 부위의 변화가 없다. zygomatic arch 부위를 고정하지 않아 다시 밀려나온 것으로 생각된다. B. 재수술하여 zygomatic arch 을 다시 넣고 고정하였다.

Zygomatic body 부위의 reposition이나 고정이 제대로 되지 않아 zygomatic complex 자체가 하방 이동되어 생긴 연부조직 처짐은 재수술을 고려해야 한다. Bony gap이 작거나 구강 내 접근으로 재수술이 가능한 경우는 다시 구강 내 접근법을 사용할 수 있다. 하지만 gap이 커서 뼈이식이 필요하거나 절골 부위의 고정이 구강 내 접근으로 힘든 경우는 coronal approach를 고려할 수 있다(**그림 23-17**).

5) 합병증

(1) 비대칭

대부분 수술 전부터 비대칭이 동반된 경우가 많고 이에 대하여 수술 전에 설명해야 한다. 수술로 인한 비대칭을 예방하기 위해서는 수술 전에 면밀하게 수술 계획을 세우고 수술 중에 절골선 디자인과 절골 시행을 정확히 하는 것이 중요하다.

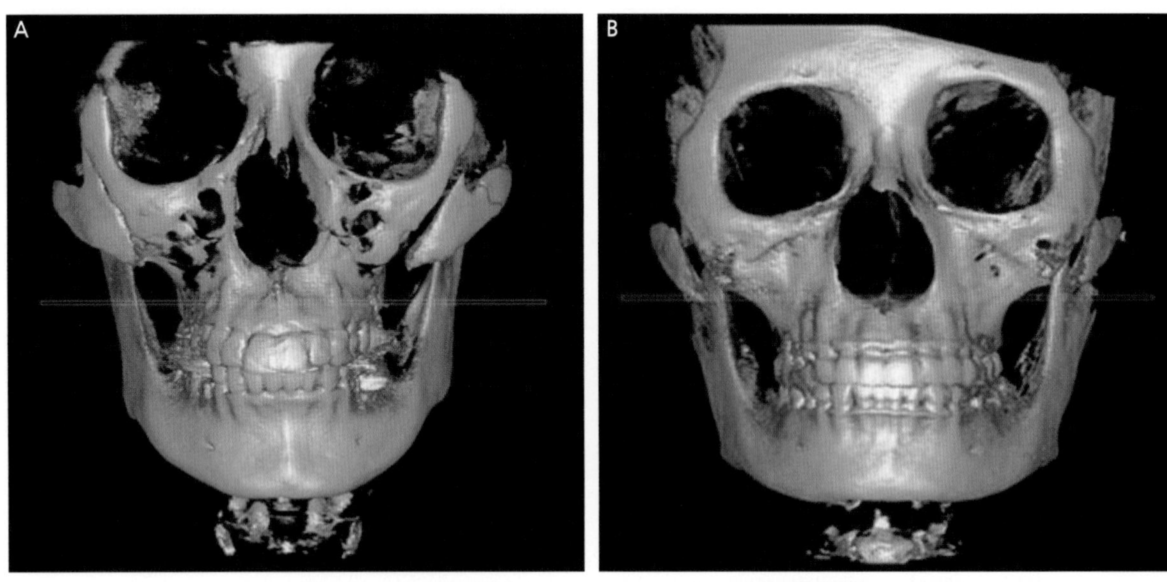

그림 23-15. Zygomatic body의 reposition 후 고정을 하지 않으면 masseter m.의 작용으로 zygomatic complex의 외방, 하방 변위가 일어난다.

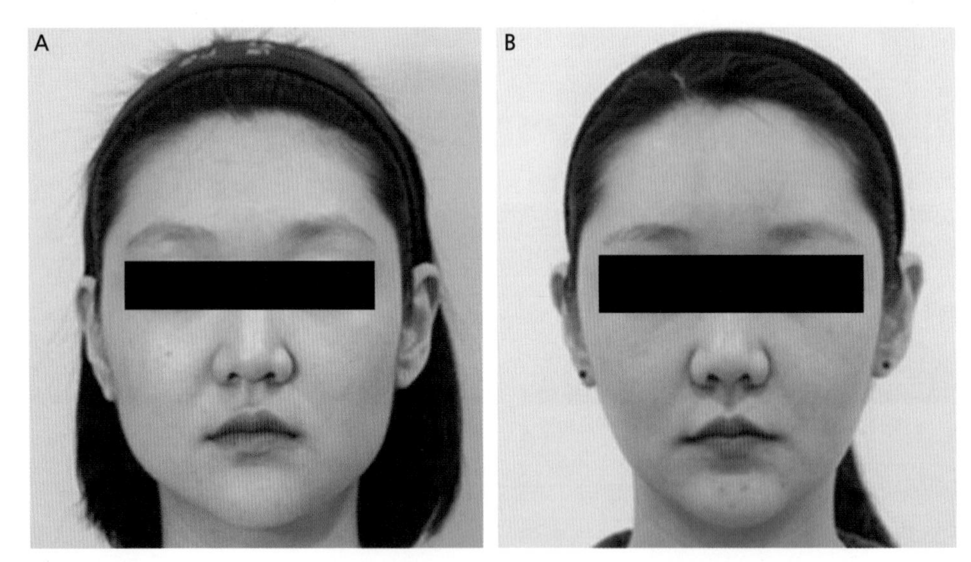

그림 23-16.

A. 수술 전 zygomatic body 부위에 연부 조직 양이 많고 피부 탄력성이 떨어지는 경우 cheek drooping에 대한 충분한 설명이 필요하다. B. 수술 후 남는 연부조직으로 인해 masolabial fold가 더 깊어보일 수 있다.

(2) Cheek drooping

앞서 언급한 바와 같이 Cheek drooping의 발생에는 여러 가지 요소들이 관여한다. 수술 전 환자의 연부조직 상태에 대하여 진찰하여 cheek drooping 가능성이 큰 환자에서는 그에 대하여 설명해야 한다. 예방을 위해서는 정확한 뼈 사이 간 접촉과 견고한 고정이 중요하다.

(3) 통증

뼈 사이 간 접촉이 부족하여 malunion 또는 nonunion 이 일어나면 통증의 원인이 될 수 있다. Zygomatic body

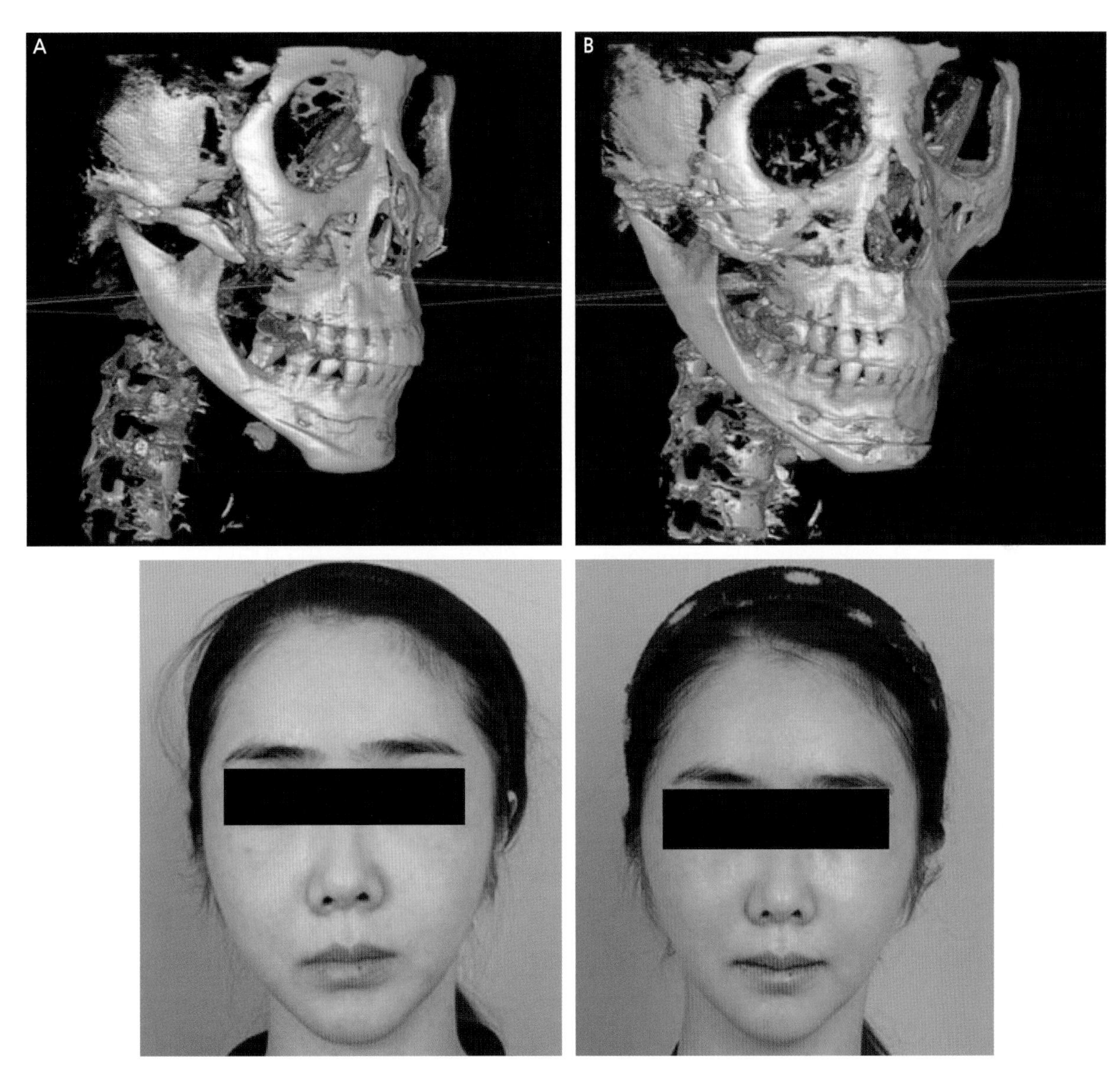

그림 23-17.
A. Zygomatic complex의 nonunion과 하방 변위로 cheek drooping이 발생하였다. B. Coronal approach로 zygomatic complex를 다시 reposition한 뒤 calvarial bone graft를 시행하였다.

부위의 고정이 불완전한 경우 zygomatic complex가 하외방으로 회전하면서 orbital rim 위쪽에 선상 함몰이 생기고 통증이 발생할 수 있다.

(4) Trismus

대부분 zygomatic arch가 내방으로 이동하면서 temporalis m.을 압박하여 생기는 증상으로 1~2개월 정도 경과하면 호전되며 개구 연습이 증상 호전에 도움이 될 수 있다.

(5) 모양의 불만족

Zygomatic body 융기부를 너무 많이 낮추거나 Zygomatic arch를 너무 작게 내방으로 reposition하면 얼굴이 부자연스럽게 보이게 된다. 그리고 구강 내 접근법으로 zygomatic body를 자를 때 lateral orbital rim에서 너무 먼 곳을 자르면 광대뼈 융기부는 낮아지지 않고 zygomatic arch만 내방으로 이동하여 부자연스런 얼굴 모양이 된다.

4. Augmentation malarplasty

아시아인에서는 대부분 돌출된 광대뼈를 낮춰주는 reposition malarplasty가 요구되는 경우가 많으나, 서양인은 밋밋한 광대뼈를 돋우어주는 augmentation malarplasty를 원하는 경우가 많다. 동양에서도 zygoma가 밋밋한 경우 augmentation malarplasty로 개선될 수 있으며 이 때 주로 돋우어주는 부위는 45도 광대나 옆광대가 아닌 앞광대 부위가 된다.

1) 재료

지방 이식이나 자가 골이식과 같은 자가조직을 사용할 수도 있고, Goretex, Silicone, Medpor와 같은 alloplastic implant를 사용할 수도 있다. Alloplastic implant는 zygoma 부위에 삽입할 수 있도록 다양한 모양, 크기, 두께의 보형물이 상품화되어 있다.

2) 수술 방법

Alloplastic implant를 사용하여 앞광대 부위를 돋우어 주고자 할 경우 주로 구강 내 접근을 통한 방법을 사용한다.

마취: 국소마취하에서 진행할 수 있다. Infraorbital nerve block 후 1:100,000으로 epinephrine이 희석된 2% lidocaine 용액을 절개할 upper labiobuccal sulcus에 점막하 주사를 시행한다.

절개 및 박리: Lateral incisor에서 canine tooth까지 peroisteum을 포함해 절개한 다음 subperiosteal layer를 따라 상방으로 박리해 올라간다. Infraorbital foramen 주위로 보형물이 삽입될 부분을 충분히 박리하고, 이 때 infraorbital nerve가 손상되지 않도록 주의한다.

보형물의 삽입: 돋우어 주고자 하는 부분에 적절한 크기와 두께의 보형물을 선택하여 삽입한다. 앞광대 보형물은 infraorbital nerve 주위로 보형물이 위치하므로 보형물이 infraorbital nerve를 압박하지 않도록 적절히 다듬는 것이 중요하다. 보형물의 고정은 screw를 사용하여 뼈에 직접 고정하여도 되고 주변 periosteum에 봉합사를 이용하여 고정할 수도 있다. 구강 내 접근 시에는 박리가 아래에서부터 위로 진행되므로 고정하지 않을 경우 보형물이 아래쪽으로 이동하기 때문에 고정하는 것이 좋다.

양쪽의 술기가 모두 끝나게 되면 양쪽의 대칭을 확인한 뒤에 생리식염수로 세척을 시행한 뒤 봉합한다.

참고문헌

1. 박철규, 이의태, 이재승. 젊은 한국 여성의 중하안면 형태분석. 대한성형외과학회지 1998; 25: 7-13.
2. 양두병. 구강내 경로 및 짧은 이개 앞 절개를 통한 내골절술을 이용한 관골축소술. 대한성형외과학회지 2002; 29: 157-61.
3. Baek RM, Heo CY, Lee SW. Temporal dissection technique that prevents temporal hollowing in coronal approach. J Craniofac Surg 2009; 20: 748-51.
4. Baek RM, Kim J, Kim B. Three-dimensional assessment of zygomatic malunion using computed tomography in patients with cheek ptosis caused by reduction malarplasty. J Plast Recon Aesthet Surg 2012; 65: 448-55.
5. Baek RM, Kim J, Lee SW. Revision reduction malarplasty with coronal approach. J Plast Reconstr Aesthet Surg 2010; 63: 2018-24.
6. Baek RM, Lee SW. Face lift with reposition malarplasty. Plast Reconstr Surg 2009; 123: 701-8.
7. Baek SM, Chung YD, Kim SS. Reduction malarplasty. Plast Reconstr Surg 1991; 88: 53-61.

8. Cho BC. Reduction malarplasty using osteotomy and repositioning of the malar complex: clinical review and comparison of two techniques. J Craniofac Surg 2003; 14: 383-92.
9. Frodel JL, Marentette LJ. The coronal approach. Anatomic and technical considerations and morbidity. Arch Otolaryngol Head Neck Surg 1993; 119: 201-7.
10. Gao ZW, Wang WG, Zeng G, Lu H, Ma HH. A modified reduction malarplasty utilizing 2 oblique osteotomies for prominent zygomatic body and arch. J Craniofac Surg. 2013; 24: 812-7.
11. Hinderer UT. Malar implants for improvement of the facial appearance.?Plast Reconstr Surg. 1975; 56: 157-65.
12. Hwang YJ, Jeon JY, Lee MS. A simple method of reduction malarplasty. Plast Reconstr Surg 1997; 99: 348-55.
13. Hwang SM, Song JK, Back SM, Baek RM. Modified approach in reduction malarplasty for repositioning and fixation. J Korean Soc Plast Reconstr Surg. 2011; 38: 273-8.
14. Jin H. Reduction malarplasty using an L-shaped osteotomy through intraoral and sideburns incisions. Aesthet Plast Surg. 2011; 35: 242- 4.Discussion.
15. Kazanjian VH, Converse J. Surgical Treatment of Facial Injuries, 3rd ed. Baltimore MD: Williams & Wilkins, 1974.
16. Lee HY, Yang HJ, Cho YN. Minimally invasive zygoma reduction. Plast Reconstr Surg 2006; 117: 1972-9.
17. Lee JG, Park YW. Intraoral approach for reduction malarplasty: a simple method. Plast Reconstr Surg 2003; 111: 453-60.
18. Lee JH, You YJ. Intraoral reduction malarplasty without internal fixation. J Korean Cleft Palate-Craniofac Assoc 2005; 6: 113-8.
19. Lee JS, Kang SR, Kim YW. Endoscopically assisted malarplasty; one incision and two dissection planes. Plast Reconstr Surg 2003; 111: 461-7.
20. Lee YH, Lee SW. Zygomatic nonunion after reduction malarplasty. J Craniofac Surg 2009; 20: 849-52.
21. Lee SW. Concept of reduction malarplasty. Arch Aesthetic Plast Surg 2013; 19: 89-94.
22. Kim YH, Seul JH. Reduction malarplasty through an intraoral incision: a new method. Plast Reconstr Surg 2000; 106: 1514-9.
23. Ma YQ, Zhu SS, Li JH, Luo E, Feng G, Liu Y, Hu J. Reduction malarplasty using an L-shaped osteotomy through intraoral and sideburns incisions. Aesthetic Plast Surg. 2011; 35: 237-41.
24. Nagasao T, Nakanishi Y, Shimizu Y, Hatano A, Miyamoto J, Fukuta K, Kishi K. An anatomical study on the position of the summit of the zygoma: theoretical bases for reduction malarplasty. Plast Reconstr Surg 2011; 128: 1127-38.
25. Neligan PC. Plastic surgery, 3rd ed. Saunders, Elsevier, 2013.
26. Onizuka T, Watanabe K, Takasu K, Keyama A. Reduction malarplasty. Aesthetic Plast Surg 1983; 7: 121-5.
27. Sumiya N, Kondo S, Ito Y, Ozumi K, Otani K, Wako M. Reduction malarplasty. Plast Reconstr Surg. 1997; 100: 461-7.
28. Sumiya N, Ito Y, Ozumi K. Reduction malarplasty. Plast Reconstr Surg 2004; 113: 1497-9.
29. Tan W, Niu F, Yu B, Gui L. Feasibility of absorbable plates and screws for fixation in reduction malarplasty with L-shaped osteotomy. J Craniofac Surg 2011; 22: 546-50.
30. Ward Booth P, Schendel SA, Hausamen JE. Maxillofacial surgery, 2nd ed. Churchill livingstone, Elsevier, 2007.
31. Whitaker LA. Temporal and malar-zygomatic reduction and augmentation. Clin Plast Surg.1991; 18: 55-64.
32. Yang DB, Park CG. Infracture technique for the zygomatic body and arch reduction. Aesth Plast Surg 1992; 16: 355-63.
33. Yang DB, Park HS, Park CG. Technical refinements of infracture for the zygomatic body and arch reduction. Aesth Plast Surg 1998; 22: 380-90.
34. Zhang Y, Tang M, Jin R, Zhang Y, Zhang Y, Wei M, Qi Z. Comparison of three techniques of reduction malarplasty in zygomaticus and masseter's biomechanical changes and relevant complications. Ann Plast Surg 2013 [Epub ahead of print]__

CHAPTER 24

안면윤곽 재수술
Secondary Facial Contouring

Chapter Author 정재영

1. 안면윤곽 수술의 합병증 예방과 불만족스러운 경우에 관한 재수술

서양에서는 일반적으로 두드러진 광대와 하악각은 젊음과 미를 상징하기 때문에 선호되지만, 전통적으로 아시아 지역에서는 두드러진 하악각은 사각턱으로 불리고 거칠고 근육적인 모습으로 비춰지기 때문에 매력적으로 보이지 않는다고 생각되어져 왔다. 이는 백인과 아시아인의 머리와 얼굴 모양이 인종적으로 다르기 때문으로 아시아인이 좀 더 넓은 얼굴형을 가지고 머리 모양도 좀 더 넓은 단두형을 보이기 때문이라 생각되어진다. 그래서 아시안 인들은 여성뿐만 아니라 남성들까지도 달걀형의 얼굴을 가지기를 원하고 있으며 심지어 최근에는 사각턱을 가지지 않은 사람들도 좀 더 매력적으로 보이기 위해 다양한 수술을 통해서 더욱 갸름한 얼굴형을 가지기를 원하고 있다.

안면윤곽 수술은 얼굴의 윤곽을 바꾸어 주기 위한 수술로써, 광범위한 의미에서는 얼굴 윤곽을 형성하는 연부조직 성형술을 포함하고 있지만, 국소적인 의미에서는 얼굴윤곽의 근간을 이루는 얼굴뼈의 형태를 바꾸어 주는 안면골 윤곽 성형술을 의미하고, 크게 하안면부의 윤곽을 담당하는 하악골 윤곽 성형술과 중안면부의 윤곽을 담당하는 관골복합체의 윤곽 성형술로 나누어 볼 수 있다. 그리하여 얼굴뼈를 수술하여 안면윤곽을 개선하는 수술이기 때문에 수술의 결과가 개인의 외모에 반영되는 차이가 나타날 수 있다. 얼굴의 연부조직이 얇으면서 얼굴뼈의 돌출과 굴곡이 심한 경우에는 수술효과에 따른 이득을 쉽게 볼 수 있지만, 얼굴의 연부조직이 두껍거나 넓은 얼굴에는 수술에 따른 변화가 크지 않아서 기대하는 만큼의 효과를 얻기 어려울 수 있으므로 술전 환자에게 적절한 설명과 추가적인 수술이 필요할 수 있음을 인지시키고 충분한 의견교환이 이루어져야 하겠다. 따라서 환자에 따라 안면부위의 뼈와 연부조직의 특성에 맞추어 x-ray와 CT 등의 이미지를 분석하면서 서로의 상관관계를 고려하여 상담을 통해 환자와 수술자의 의견을 맞추어 수술 계획을 하고 진행할 필요가 있다.

안면골 윤곽 성형술은 연부조직으로 둘러싸여 있는 얼굴뼈의 형태를 제한된 시야에서 다듬어 주어야 하므로, 충분한 해부학적 지식이 없거나 수술적 경험이 많지 않은 경우에는 그에 따른 합병증과 부작용이 생길 가능성이 높고, 술 중 이러한 일이 발생할 경우에도 대처하기에 어려울 수 있으므로 많은 경험과 각별한 주의를 요한다.

2. 하악골 윤곽 성형술과 연관된 합병증

1) 출혈

보편적으로 아랫턱의 윤곽을 다듬어주는 수술의 경우, 구강 내 접근을 통하여 제한된 시야 내에서 수술이 이루어지므로, 수술과 연관하여 출혈의 원인이 될 수 있는 요인들을 숙지하고 각별한 주의를 기울이는 것이 필요하다.

아랫턱 윤곽을 다듬는 수술에서 다량 출혈을 야기할 수 있는 원인은 다음과 같다.

(1) Retromandibular Vein and Artery 손상

Retromandibular Vessels은 하악각부위의 뒤쪽에 위치하고 있으며(**그림 24-1**), 하악각부위의 masseter와 medial pterygoid muscle을 박리할 때 손상의 가능성이 있으며, 진동톱을 사용하여 각부위를 절제할 때에도 손상의 가능성이 있다. 따라서, 박리를 시작할 때, stripper를 부드럽고 주의깊게 사용하는 것이 필요하며, 진동톱을 사용하여 각진부위의 뼈를 절제해 낼 때에는 Retractor를 사용하여 연부조직을 철저히 보호하면서 수술을 진행하는 것이 필요하다.

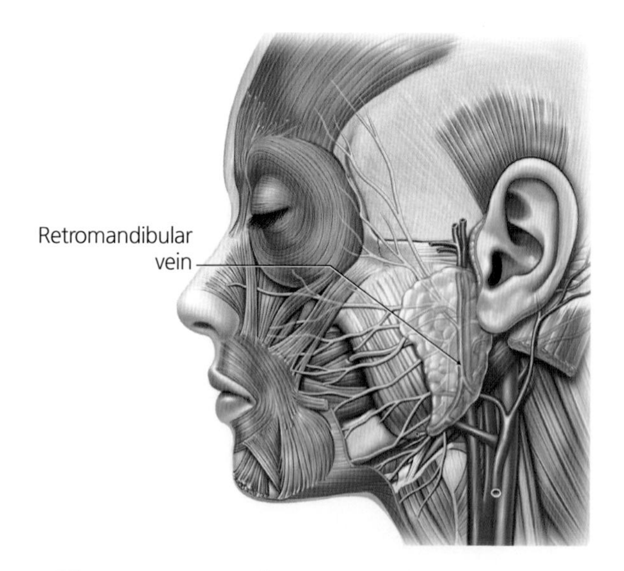

그림 24-1. Anatomy of Retromandibular vessels

만약 혈관이 손상되었을 경우에는 박리된 공간을 통해 출혈 부위를 거즈를 이용하여 packing하고 외부에서도 손으로 compression하여 출혈이 되는 것을 막아주어야 한다. 30분 이상의 시간이 지난 후에도 출혈이 계속될 경우 거즈 packing과 압박드레싱을 한 상태에서 수술을 중단한 후 기다렸다가 수술을 마무리하여야 한다. 상황이 응급한 경우 혈관조영술을 이용하여 출혈부위를 막아줄 수 있겠으나, 실제로는 매우 드문 경우일 것이다.

(2) Facial Artery and Vein 손상

Facial Vessels는 madible의 angle과 body를 구별짓는 facial notch아랫쪽에 위치하고 있다(**그림 24-2**). 따라서, stripper를 사용하여 periosteum과 mandibular ligament 부위를 박리할 때에 facial notch부위를 조심스럽게 박리하는 것이 필요하다.

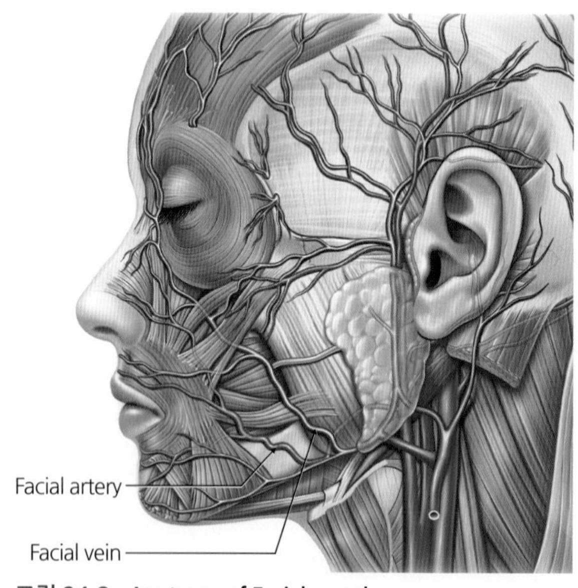

그림 24-2. Anatomy of Facial vessels

Facial vessel손상의 경우는 우선 박리된 공간을 통해 출혈부위를 거즈로 packing하고 손으로 압박하여 출혈이 되는 것을 막아주어야 한다. 그러나 prolonged bleeding을 초래하는 경우는 드물며, 수술이 진행되는 동안 어느 정도 출혈이 멎게 된다.

(3) Branch of Internal maxillary Artery 손상

아주 드물게 발생할 수 있는 경우이지만, Internal maxillary artery branch(**그림 24-3**)의 손상은 수술 중 대량출혈과 자발적인 지혈을 기대할 수 없으므로, 즉시 External approach를 통한 혈관결찰술이 요구된다.

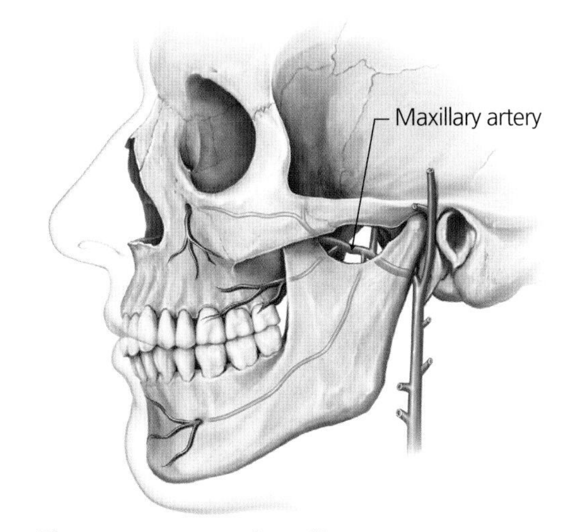

그림 24-3. Anatomy of Maxillary Artery

(4) Inferior Alveolar vessel 손상 또는 bone bleeding

때로 ostectomy를 시행할 때 inferior alveolar vessel에 가깝게 절골을 하거나 cortical bone이 잘리고 cancellous bone이 노출되면 출혈이 일어날 수 있다. Bone bleeding이 생기면 거즈로 packing하고 압박하여 일단 지혈한 상태에서 나머지 부위의 수술을 마치고, 봉합하기 직전에 surgicel이나 다른 지혈재료 등을 이용하면 대부분 지혈이 가능하다.

2) 턱관절 손상

구강내 접근을 통하여, 아랫턱의 각진 부위를 절제하는 경우, 진동톱이 하악골의 Ramus를 수직 방향으로 따라 올라가서, 하악과두돌기를 절단하는 경우 턱관절의 손상을 초래할 수 있다(**그림 24-4,5**).

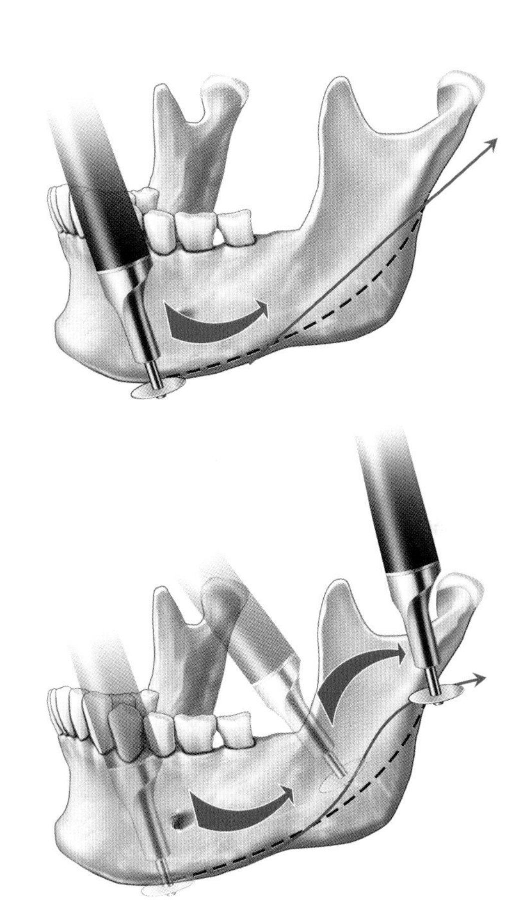

그림 24-4. 사각턱 수술 시 진동톱의 사용에 있어서 범하기 쉬운 오류

이러한 상황은, 아랫턱의 각진부위가 아주 크고 깊숙하게 형성된 경우(ramus의 dimesion이 넓고 두꺼운 경우)와 아랫턱의 각진부위가 내변위되어 있는 경우(안쪽으로 말려들어간 경우)에 발생할 위험이 크다. 따라서, 진동톱을 사용하는 방법에 있어서, 진동톱의 한쪽 날을 사용하여, 비스듬히 빗겨 치도록 노력을 하는 것이 필요하다. 또한, end point를 가능하면 목표지점보다 낮게 설정하여, 각부위를 절제하는 것이 중요하다. 술중, 불가피하게 하악골의 과두돌기 손상이 의심되는 경우는, 절제한 각부위의 뼈를 무리하게 제거하지 말고, IMF를 시행하는 것이 적절하다.

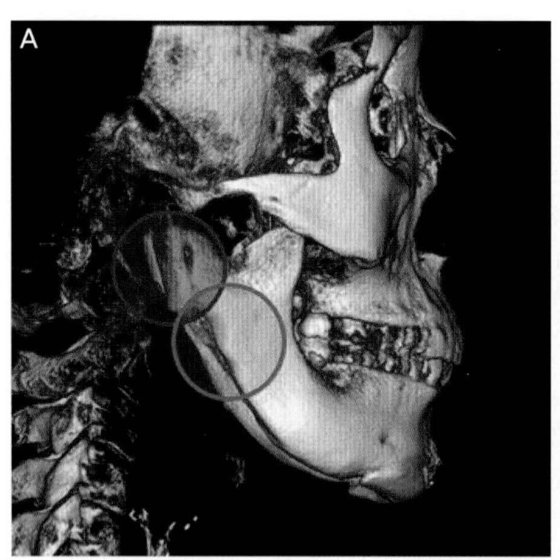

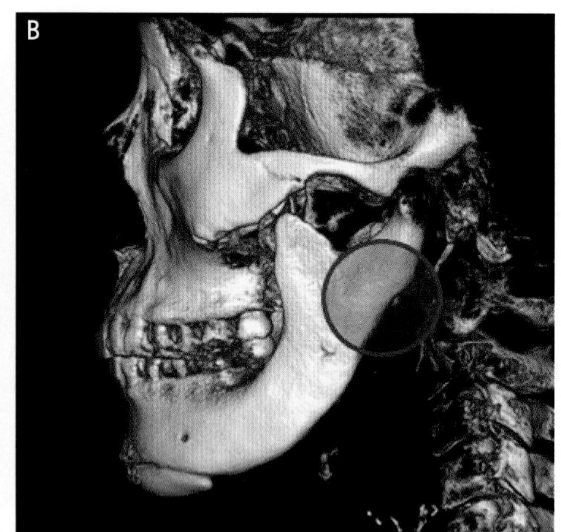

그림 24-5. 하악각 절제술 시 하악 과두돌기가 손상되었던 흔적(A)과 하악각의 과교정(B)

3) 감각 신경손상

하악골 절제술을 시행할 때는 수술 전에 panorama x-ray나 CT 등을 통하여 하치조신경이 지나가는 route를 미리 확인하여 수술 시에 안전거리를 확보하고 수술을 시행하여 하치조신경의 직접적인 손상을 막을 수 있으므로 이에 따른 적절한 해부학적 지식과 주의가 필요하다.

하악골 절제술에 있어서, 턱끝부위 윤곽성형을 겸하여 시행하는 경우, 술 중 하치조 신경이 손상되지 않더라도 노출만으로도 아랫입술을 포함하여 아랫쪽 부위의 감각이 저하되는 현상이 술 후 초기에 필연적으로 동반될 수 있다. 따라서 박리하거나 시야확보를 위한 retraction시 많이 당겨지지 않도록 항상 주의하여야 하며, 만약 절단되었을 경우에는 반드시 신경봉합술을 시행하여야 한다. 이러한 일시적 감각저하 현상은, 개개인에 따라서 차이가 있지만, 보편적으로 술 후 3개월에 수술전 정상 감각의 60%, 술 후 6개월 정도에 90% 정도의 회복이 가능하다. 하지만, 하악치조골 신경을 손상시킨 경우에는 영구적 감각소실의 부작용이 동반될 수 있다.

감각이상은 정확히 예측할 수 없고 환자에 따라 장기간 지속되는 이상감각을 호소할 수 있고 대부분의 환자에서 이상감각을 호소하므로 이는 술 전 상담을 통해 환자에게 분명히 고지하고 이를 설명을 통해 환자가 충분히 이해를 한 상태에서 수술을 결정하도록 하는 것이 필요하다.

4) 운동 신경손상

구강 내 접근을 통하여 하악 윤곽 성형술을 시행할 경우에는 안면신경 손상의 가능성이 아주 낮지만, 귀밑 절개를 통한 하악각 절제술의 경우에는 안면신경 손상의 위험성에 관해서 항상 각별한 주의를 요한다.

5) 감염

하악 성형술에 있어서, 술 후 감염의 가능성은 아주 낮게 발생할 수 있는 합병증의 하나이지만, 구강의 위생이 불량하거나 수술부위의 봉합이 제대로 되지 않거나 벌어진 경우, 점막의 틈으로 음식물이 들어가는 경우, 충분한 세척을 하지 않은 경우, 뼈조각이 괴사된 경우, 술중 실수로 빼지 않은 거즈가 남아 있는 경우, 수술 전부터 있던 치주질환 등 생길 수 있다. 따라서 수술 후에 감염이 생기지 않도록 수술 직전부터 퇴원 후 일주일 정도까지 항생제를 처방한다. 또 항상 구강청결을 유지하도록 양치나 가글을 시행하도록 하고, 충분한 수면과 영양섭취를 권장하여 전신상태가 양호할 수 있도록 한다. 상처 감염이 발생된 경우에는 위에서 언급한 우선 확인 가능한 감염의 원인들을 최대한 제거하고 정주항생제를 투여하면서 경과를 추적관찰한다. 그럼에도 불구하고 상처감염이 호전되지 않거나 지속되는 경우 즉시 입안 절개를 통하여 감염의 원인이 되는 이물질 및 플레이트 와 스크류 등을 제거하고 철저히 충분히 세척한 다음, 적절한 항생제를 일정기간 주사하는 것이 필요하다.

3. 광대뼈 윤곽 성형술과 연관된 합병증

1) 불유합 또는 하방변위된 이상유합

광대뼈 축소성형술은 단순히 뼈의 볼륨자체를 줄이는 수술이 아니고, 관골복합체의 위치를 안쪽으로 이동시켜서 적절한 위치에서 유합이 발생할 수 있도록 하는 것이 중요하다. 따라서, 절골한 관골복합체를 반드시 고정을 해 주거나, 안정된 위치에서 유합이 일어날 때가지 저작근의 작용에 의해 위치 변형이 일어나지 않도록 유지시켜주는 것이 반드시 필요하다. 이러한 광대뼈 수술 부위의 불유합은 비고정으로 광대뼈 윤곽을 줄이는 간단한 수술방법을 사용하였을때, 발생의 가능성의 높다 (그림 24-6, 7).

불유합이 발생한 경우는 가능한 빠른 시일 내에 재수

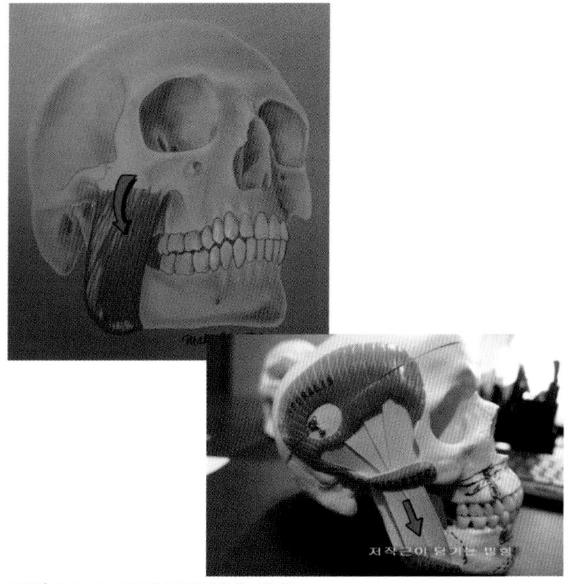

그림 24-6. 저작근의 작용 방향

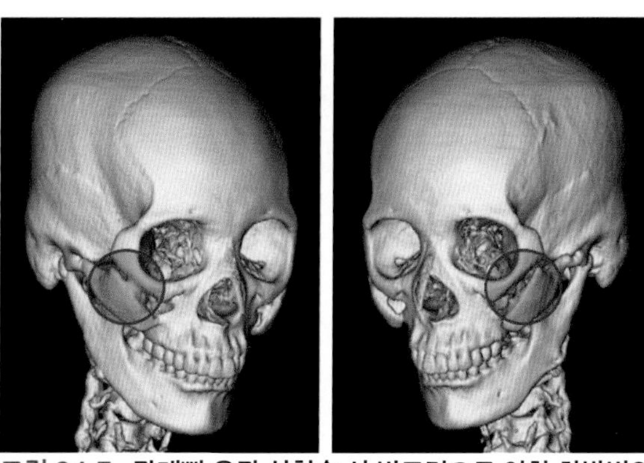

그림 24-7. 광대뼈 윤곽 성형술 시 비고정으로 인한 하방변위

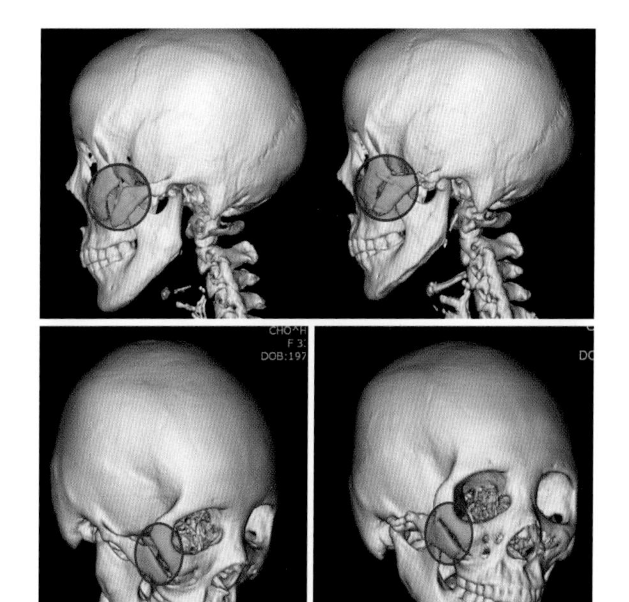

그림 24-8. 비고정으로 인해 관골체부의 하방병위를 교정하기 위한 관골체부의 강선 고정

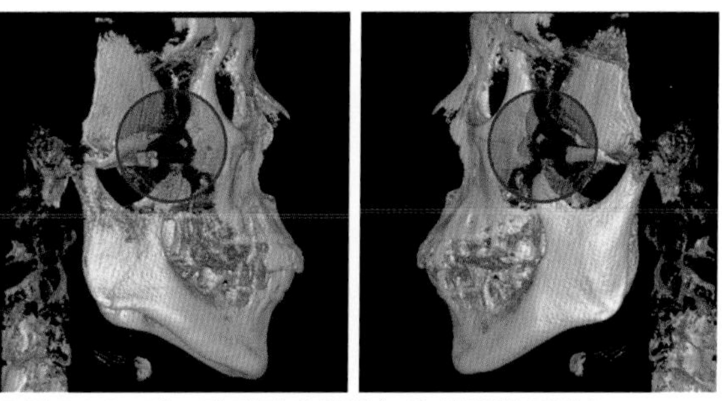

그림 24-9. 비고정 퀵광대 성형술 후 발생한 골결손

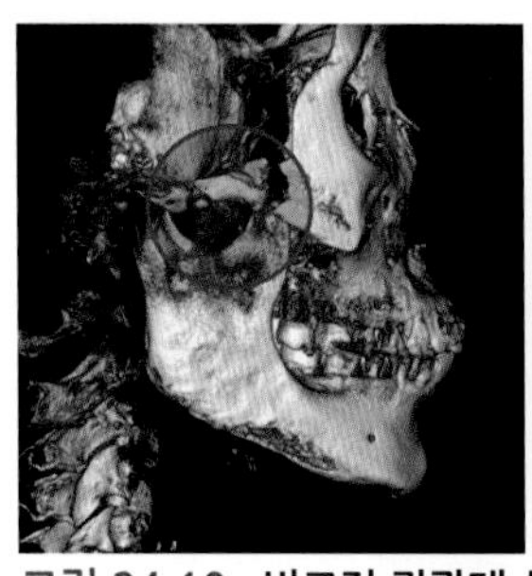
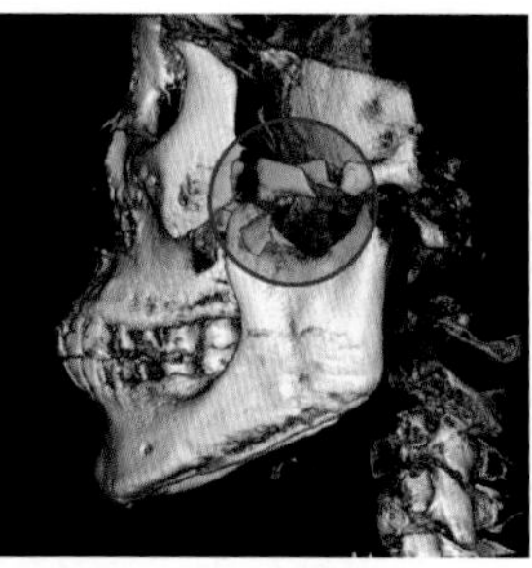

그림 24-10. 비고정 퀵광대 성형술후 발생한 복합골절 및 불유합

술을 시행하여, 적절한 위치에서 안정된 상태로 고정하여 주는 것이 필요하다(**그림 24-8**). 불유합이 발생된 상태에서 시간이 경과하게 되면, 관골복합체의 하방변위와 더불어 골흡수가 진행되어서, 골간극이 넓어지는 결과를 초래할 수 있으며, 이를 교정하기 위한 수술은 더 어려워질 수 있다. 골간극이 넓은 경우에는 뼈이식이 필요한 경우도 있을 수 있으며, 제대로 된 재건을 기대할 수 없는 경우가 발생할 수도 있다(**그림 24-9**).

2) 개구장애

광대뼈 축소성형술과 연관해서 발생하는 개구장애의 원인은 다음과 같은 것들을 생각해 볼 수 있다.

(1) 술 후, 턱관절 운동의 지연으로 인한 관절강직현상

술 후, 2주 정도부터는 어느 정도의 Active Exercise가 필요하며, 술 후 4주에도 mouth opening이 2finger breath이내일 경우에는 적극적인 Passive Exercise가 필요하다. 술 후, 3개월 이내에 최소한 3Finger Breath의 mouth opening이 가능하도록 턱관절 운동을 시행하여 주는 것이 필요하다.

(2) 내측으로 이동된 관골궁의 후방부위가 측두근을 누르는 현상(impingement of temporalis muscle)

광대뼈 축소성형술 시 내측으로 이동된 관골궁에 의해 눌리는 Temoralis Muscle의 일부를 수술시야에서 절제하여 주면, 측두근의 운동방해로 인한 개구장애를 예방할 수 있다.

3) 운동신경 손상

광대뼈 축소성형술과 연관되어 발생할 수 있는 안면신경의 운동분지 손상은 Frontal Branch의 손상이다(**그림 24-11**)

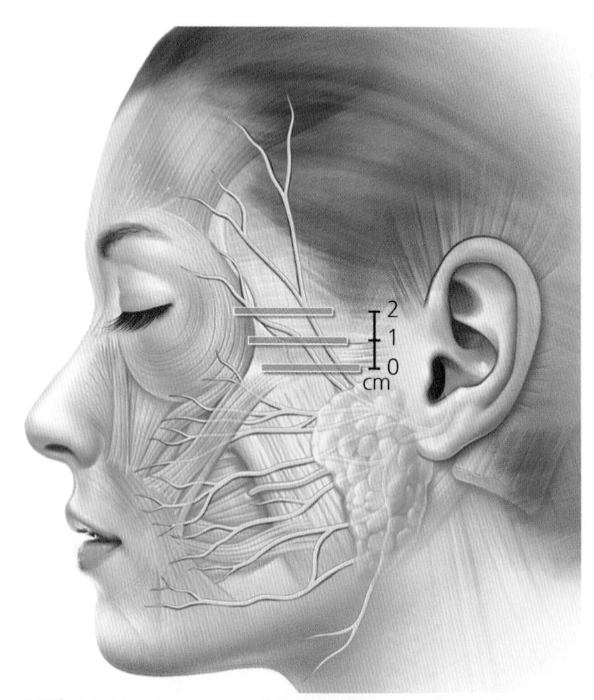

그림 24-11. Anatomy of Frontal Branch of Facial Nerve

Facial nerve의 Frontal Brach가 손상된 경우는, 눈썹을 들어올리는 작용이 마비되며, 일시적인 손상의 경우, 2주 이내에 회복이 가능하지만, 신경의 일부가 손상된 경우는 술 후 3~4개월이 지나야 회복이 가능하다. 드물게는 아예 회복이 불가능할 정도로 운동신경의 분지가 완전히 손상되는 경우가 발생할 수도 있다.

4) 감각신경 손상

광대뼈 축소성형술과 연관하여 발생할 수 있는 감각신경 손상은 두 가지이다.

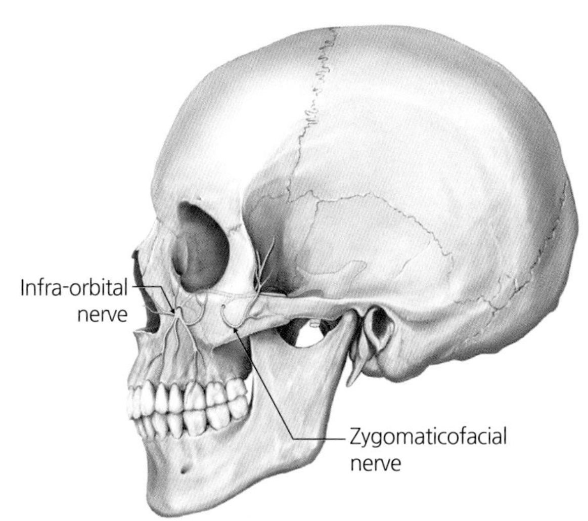

그림 24-12. Anatomy of Zygomaticofacial nerve and Infraorbital nerve

(1) Zygomaticofacial nerve

이는 광대뼈 체부의 절골을 위해서 박리할 때와 체부를 절골하거나 절제해낼 때, 필연적으로 손상되는 비교적 작은 감각신경이며, 수술 후 일정기간 감각저하가 동반되지만 시간이 지남에 따라서, 어느 정도의 감각회복이 가능해지며, 많은 불편을 호소하지는 않는다.

(2) Infraorbital nerve

광대뼈 체부를 절제하고 고정하는 경우, 고정 플레이트에 의해 하안와골 신경의 일부가 손상되거나 고정물질에 압착되는 경우가 발생할 수 있으며, 지속적인 통증이나 감각저하의 원인이 될 수 있으므로, 각별한 주의를 요한다.

5) 감염

광대뼈 축소성형술에서 발생하는 감염의 원인은 다음과 같은 것들을 생각해 볼 수 있다.

(1) 부비동의 노출

광대뼈 체부를 절제할 때, 지나치게 내측으로 절골하게 되면, maxillary sinus가 노출되는 경우가 빈번히 발생할 수 있으며, 기왕의 부비동염이 있는 경우, 광대뼈 수술부위염증의 원인이 될 수 있다.

(2) 절골된 관골복합체의 고정이 제대로 이루어지지 않아서 움직이는 경우

(3) 귀앞 구렛나루부위의 고정 플레이트 부위 염증

(4) Preauricular sinus나 fistula의 기왕력이 있는 경우

6) 통증

Bone 사이 간 접촉이 부족하여 불유합 또는 이상유합이 일어나면 통증의 원인이 될 수 있다. 광대뼈 체부부위의 고정이 불완전한 경우 관골복합체가 하외방으로 회전하면서 선상함몰이 생기고 통증이 발생할 수 있다

7) Synkinesis

광대뼈 체부의 절골을 위해서, 골막을 완전하게 박리한 후, 리트랙터를 사용하여 체부를 덮고 있는 골막을 포함하여 연부조직을 안전하게 보호하면서 수술을 진행하여야 하지만, 연부조직의 손상을 입히는 경우, zygomaticus major and minor muscle과 lavator labii superiorus muscle의 운동을 지배하는 운동신경이 isotropic innervation에 의해서 synkinesis가 발생할 수 있다.

4. 미용적인 관점에서 불만족을 초래할 수 있는 원인과 교정방법

1) 비대칭(Asymmetry)

대부분의 사람들의 얼굴은 양쪽이 정확히 대칭을 이루고 있는 경우는 거의 없으며, 크고 작은 차이들이 존재한다. 안면윤곽 수술을 통하여, 양쪽의 얼굴을 대칭으로 만들기를 기대하기는 현실적으로 불가능하다. 하지만, 수술 전의 양측의 차이 정도가 수술 후 어느 정도 줄

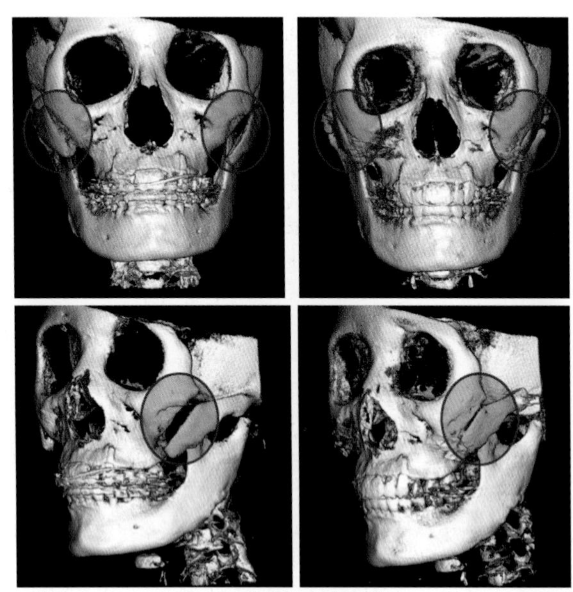

그림 24-13. 비고정식 광대뼈 윤곽 성형술 후 발생한 광대뼈 체부의 불유합과 비대칭을 교정한 경우

어드는 방향으로 수술이 이루어져야 하며, 수술 전의 차이 정도보다 수술 후 그 차이가 더 심해졌다면, 수술적인 오류에 의해서 비대칭이 발생하였다고 판단할 수 있다. 이러한 경우, 2차적 수술을 통하여 어느 정도의 교정이 가능할 수 있는지는 수술 후 변화된 뼈의 상태를 정확히 분석한 후 고려해 볼 수 있다.

2) 저교정 및 과교정

안면윤곽 수술후 저교정이 된 경우는 2차적인 수술을 통해서 개선의 여지가 분명이 있지만, 과교정되어 버린 경우는 만족할 만한 결과를 기대하기가 힘든 경우가 많다. 하악골 윤곽 교정술에서 흔히 과교정되는 부위는 아랫턱의 각진 부위가 많이 절제되어 버리는 경우이다. 광대뼈 윤곽 성형술에서는, 광대뼈 체부를 지나치게 많이 절제해 버리는 경우, 혹은 최소절개 비고정 광대뼈 축소성형술을 시행할 경우, 관골궁이 골결손을 초래할 수 있다.

특히, 광대뼈 수술과 연관해서 발생하는 저교정 및 과교정은 흔히, 시야확보가 제대로 되지 않은 상태에서 부

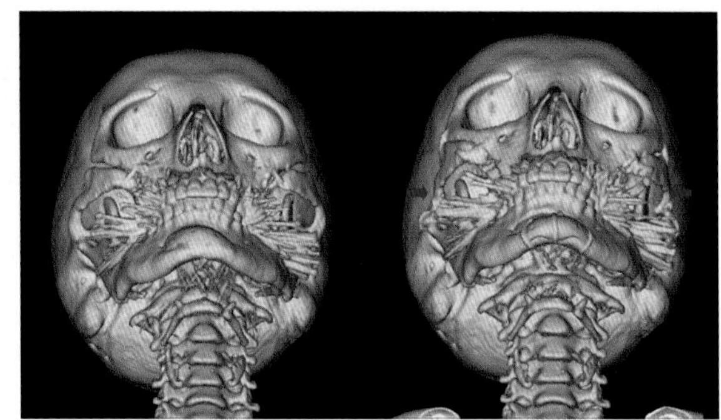

그림 24-14. 뒤로 갈수록 넓어지는 광대뼈 아치의 내측 이동 후 고정

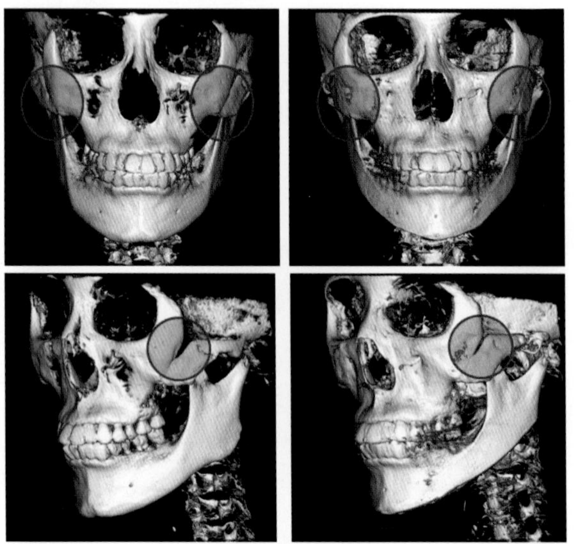

그림 24-15. 비고정 퀵광대 술후 윤곽 축소효과는 없으며, 체부 절골부위의 간극만 발생한 경우의 교정

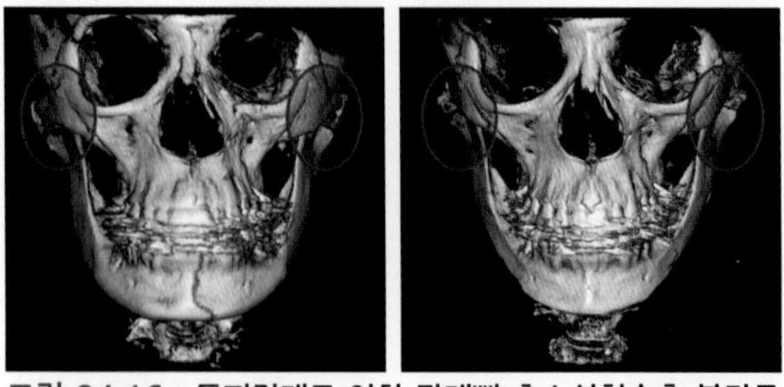

그림 24-16. 두피절개로 인한 광대뼈 축소성형술후 불만족으로 재수술한 경우

정확한 방법으로 시행된 퀵광대 성형술 후 발생의 확률이 높으며, 경우에 따라서는 최대한 빨리 교정수술을 시행해 주어야 골흡수로 인한 골결손을 방지 할수 있을 수도 있다.

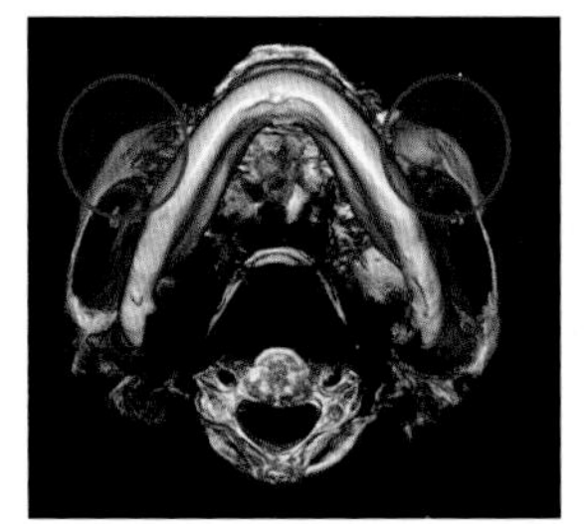
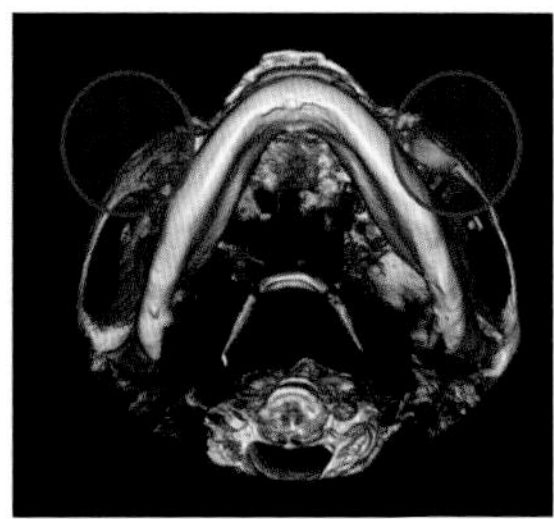

그림 24-17. 비고정 퀵광대술 후 앞광대부위의 윤곽 축소효과가 없어서 교정한 경우

3) 부적절한 윤곽선

안면윤곽 수술 후, 얼굴의 윤곽선이 부자연스럽고 매끄럽지 못한 경우이다. 하악 윤곽 성형술에 있어서, 정면모습에서 많은 개선효과를 위해서는 하악 체부의 형태를 정성스럽고 최대한 자연스럽게 다듬어주는 것이 필요하다. 아랫턱의 각진 부위를 많이 절제하고, 체부의 윤곽을 남겨두는 경우에는 아랫턱선의 윤곽이 지나치게 부자연스럽고, 도리어 얼굴이 더 나이들어 보이는 경우를 초래할 수 있다. 아랫턱뼈의 피질골을 절제해서 줄이는 경우에도, 정작 두꺼운 체부는 남겨두고, 각부 근처의 피질골 부위를 제거할 경우, 자칫 굉장히 부자연스러운 윤곽선을 초래할 수 있다. 광대뼈 윤곽 성형술에 있어서는, 광대뼈 체부와 광대뼈 아치의 전체적인 조화를 고려하면서 수술이 이루어져야 함에도 불구하고, 어느 한 부위만 집중적으로 줄일 경우, 자칫 얼굴이 더 평면적으로 되어 보이는 결과를 초래하거나, 혹은 얼굴의 윤곽선이 매끄럽지 못한 결과를 초래할 수 있다.

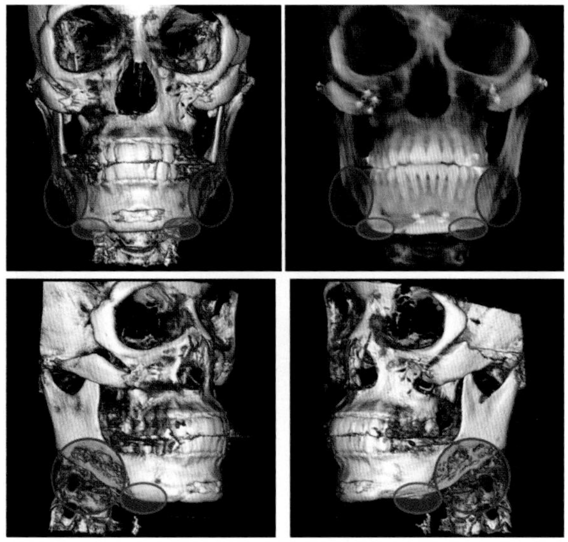

그림 24-18. 사각턱 수술 시 피질골 부위의 과도한 절제와 하악체부의 두드러진 윤곽이 불균형을 이루는 경우

그림 24-19. 광대뼈 축소성형술과 하악 윤곽 성형술 후 모습의 불만족을 개선하기 위한 재수술 전과 후

4) 볼처짐(Cheek drooping)

볼처짐의 가능성은 수술 전 상담에서 얼굴 연부조직

의 조건을 주의깊게 관찰 후, 적절한 설명이 필요하다.

수술로 인해 볼처짐이 발생하는 원인은 다음과 같은 부분을 생각해 볼 수 있다.

(1) 지나치게 광범위한 박리

제한된 시야내에서 연부조직에 싸여 있는 얼굴뼈의 형태를 다듬기는 쉬운 일이 아니지만, 과도한 박리는 술 후 연부조직의 처짐 현상을 초래할 수 있으므로, 반드시 필요한 만큼의 박리를 하여 공간을 확보하는 것이 필요하다.

(2) 유지인대 부착부위의 골결손

광대뼈 축소성형술과 연관하여, 볼처짐은 필연적이라는 인식이 보편화되어 있지만, 수술방법의 적절한 선택으로써 많은 부분에 있어서 예방이 가능하다. 대표적인 경우가, 광대뼈 축소성형술 시 광대뼈 체부의 골절제이다. 광대뼈 축소성형술에서 유지인대가 부착되는 부위를 보존하면서 뼈의 연속성을 유지하여 줌으로써, 볼처짐을 어느 정도 예방할 수 있다.

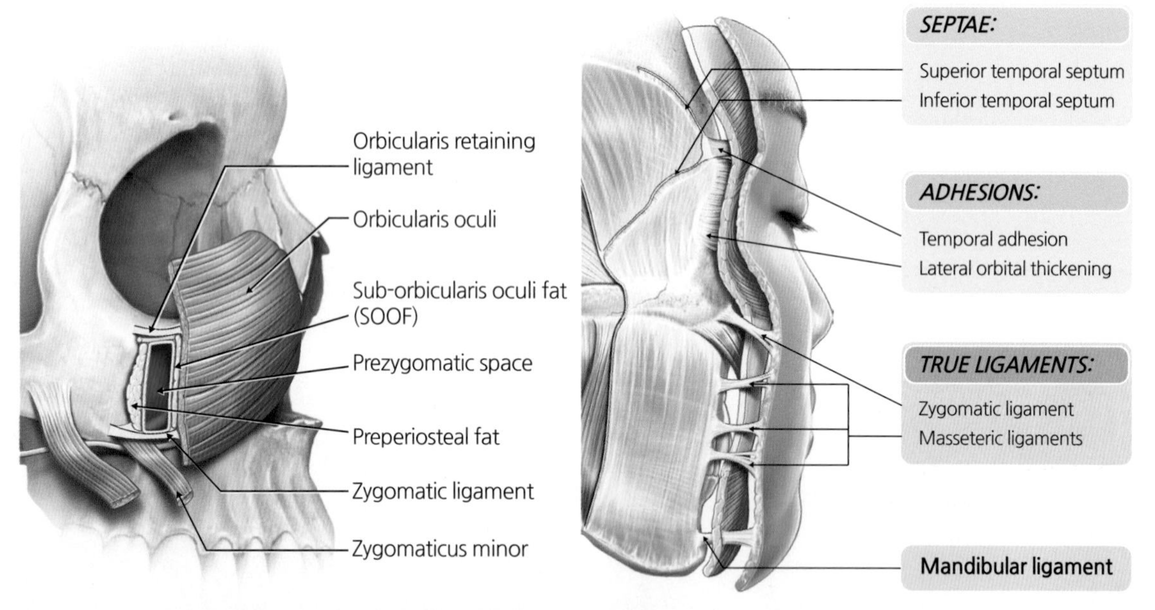

그림 24-20. 중안면부의 연부조직을 관골복합체와 연결하는 유지인대의 위치

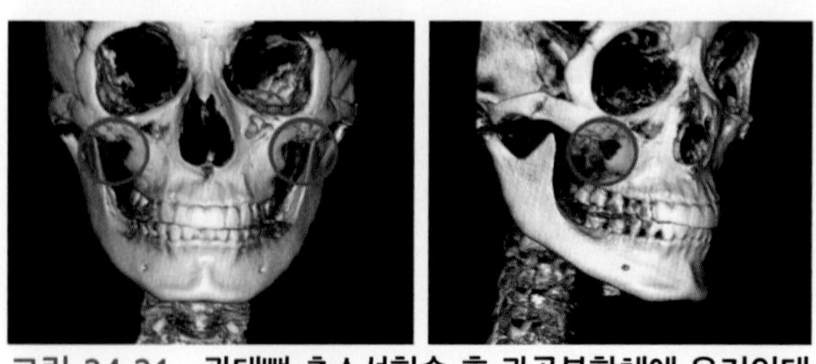

그림 24-21. 광대뼈 축소성형술 후 관골복합체에 유지인대가 기시되는 부위의 골결손

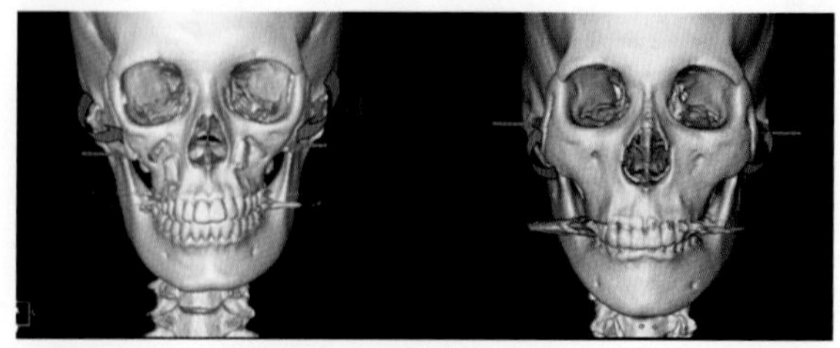

그림 24-22. 광대뼈 축소성형술에서 술 후 연부조직의 이동 방향 벡터

(3) 얼굴뼈의 하방변위가 그 원인이 되는 경우

앞에서 기술한 바와 같이, 광대뼈 축소성형술 시 절골 부위의 뼈를 고정하지 않고 그냥 둘 경우, 저작근의 작용으로 하방변위가 일어나면서 전체적인 윤곽이 처져 보이는 경우를 초래할 수 있다. 이러한 경우를 방지하기 위해서는 정확한 위치에서 절골부위가 유합될 수 있도록 고정을 하여주는 것이 필수적이다.

(4) 연부조직의 이동방향이 내측 혹은 하방변위를 발생시키는 뼈의 이동

광대뼈 축소성형술은, 광대뼈 복합체를 이루는 몸통 부위와 아치의 균형감 있는 위치이동이 필요하다. 어느 한 부위의 이동 방향이 과할 경우, 뼈를 덮고 있는 연부조직의 이동 방향이 위치가 많이 이동된 뼈의 벡터 방향으로 이동된다는 것을 인지하는 것이 필요하다.

참고문헌

1. Honn M, Goz G. [The ideal of facial beauty: a review]. J Orofac Orthop. 2007;68:6–16.
2. Gray's Anatomy for Students. Drake et al. Elsevier
3. Andrew P. Trussler et al. The Frontal Branch of the Facial Nerve across the Zygomatic Arch: Anatomical Relevance of the High-SMAS Technique. Plastic and Reconstructive Surgery. 2010;125(4):1221-1229,
4. Stuzin JM, Baker TJ, Gordon HL. The relationship of the superficial and deep facial fascias: relevance to rhytidectomy and aging. Plast Reconstr Surg. 1992;89:441–449.
5. Biglioli F. et al. Surgical treatment of synkinesis between smiling and eyelid closure. J Craniomaxillofac Surg. 2017;45(12):1996-2001..
6. Mendelson BC. Advances in the understanding of the surgical anatomy of the face. In: Eisenmann-Klein M, Neuhann-Lorenz C, eds. Innovations in Plastic and Aesthetic Surgery. New York, NY: Springer Verlag; 2007:141–145.
7. Baek SM, Kim SS and Bindiger A. The prominent mandibular angle: Pre-operative management, operative technique, and results in 42 patients. Plast. Reconstr Surg. 1989;83:272-280.
8. Yu-chun Hsu. Correction of a square jaw with low angles using mandibular "V-line" ostectomy combined with outer cortex ostectomy. Oral Surg Oral Med Oral Pathol Endod 2010;109:197-202
9. Onizuka T, Watanabe K, Takasu K, et al. Reduction malar plasty. Aesthetic Plast Surg. 1983;7:121–125.
10. Yang DB, Chung JY. Infracture technique for reduction malarplasty with a short preauricular incision. Plast Reconstr Surg. 2004 Apr 1;113(4):1253-61; discussion 1262-3.
11. Eul-Sik Yoon. Analysis of incidences and types of complications in mandibular angle ostectomy in Koreans. Ann. Plast. Surg. 2006;57: 541-544.
12. Myung Y, Kwon H, Lee SW, Baek RM. Postoperative Complications Associated With Reduction Malarplasty via Intraoral Approach: A Meta Analysis. Ann Plast Surg. 2017 Apr;78(4):371-378

CHAPTER 25

양악수술 | Two Jaw Surgery

Chapter Author | 최종우, 정우식

1. 양악수술이란?

1) 양악수술의 정의와 발전 과정

전통적으로는 악교정 수술이라 주로 부르며, 이는 상하악을 동시에 수술하는 경우와 상악 또는 하악 한쪽만을 수술하는 경우 모두를 포함한다. 악교정 수술은 1950년대 Hugo Obwegeser가 하악의 단악수술을 성공적으로 시행하고, 1960년대 초 양악수술을 성공적으로 시행하면서, 이후 70년대와 80년대를 거치며 보편화되었다. 양악수술은 상악과 하악의 위치를 변화시키는 수술로, 상악과 하악을 동시에 수술하는 경우를 일반적으로 양악수술이라 한다.

2) 양악수술의 적응증

기본적으로 상하악의 변형은 필연적으로 부정교합을 동반하므로 부정교합의 치료를 위해 개발된 악교정 수술은 이후 얼굴 비대칭, 주걱턱, 무턱 등의 상악과 하악의 변형을 고치기 위한 수술에서 발전되었으며, 점차 악교정 수술은 이러한 부정교합과 동시에 안면의 변형을 교정하기 위한 수술로 더욱 발전되었다. 상악과 하악에 발생하는 여러 변형을 교정하기 위해 시작된 악교정 수술은 현대를 거치며 얼굴 외모의 교정 측면이 더욱 강조되며, 최근 한국을 비롯한 아시아권에서는 얼굴의 미를 증대시키기 위한 미적 목적의 측면이 강조되었고, 상악과 하악을 동시에 수술하는 양악수술이라는 이름으로 더욱 대중들에게 알려지고 있다. 이는 주걱턱이나 무턱의 경우 하악이나 상악 중 변형이 있는 부분의 악골만을 수술하던 과거에 비해, 상하악을 동시에 수술할 경우 미적 교정이 좀 더 드라마틱해 지는 양악수술을 많은 술자들이 선호하게 되면서 양악수술이라는 이름으로 널리 알려지게 된다. 이는 상악이나 하악 어느 한쪽에 변형이 있는 경우, 성장과정에서 나머지 악골에도 일부 변형이 생겨 상하악을 동시에 수술하는 것이 보편화된 것과도 관련이 있다.

3) 양악수술 관련 용어 정리

(1) 제1형 교합(class I occlusion)

교합에서 대구치의 위치 관계가 정상인 상태(**그림 25-1**).

(2) 제2형 교합(class II occlusion)

상악의 제1 대구치 근심협측 끝(mesiobuccal cusp)이 하악의 제1 대구치 근심협측 홈과 나란히 위치하지 않고 상악의 제1 대구치 근심협측 끝이 더 앞쪽에 위치한

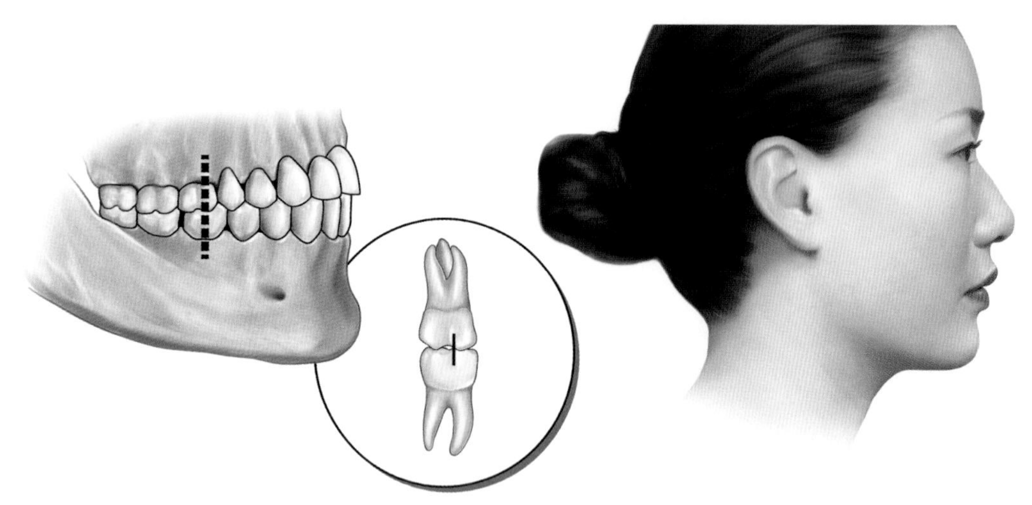

그림 25-1. Class I occlusion

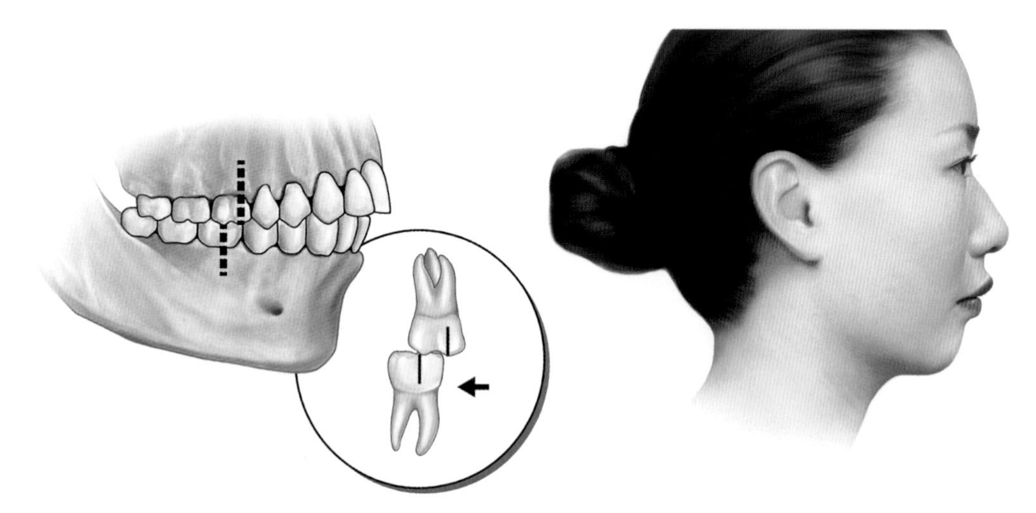

그림 25-2. Class II occlusion

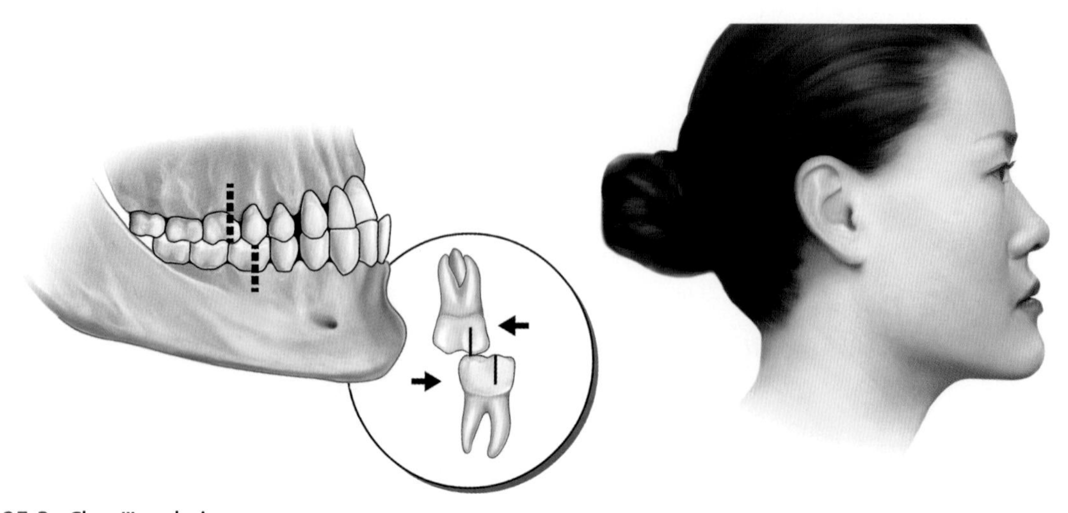

그림 25-3. Class III occlusion

상태(**그림 25-2**).

(3) 제3형 교합(class III occlusion)

상악 대구치의 근심협측 교두가 하악 대구치의 근심협측구에 위치하지 않고 일반적으로 하악의 앞쪽 치아들이 상악의 치아보다 더 앞쪽으로 두드러지게 위치하게 된다(**그림 25-3**).

(4) 중심위(centric relation, CR)

하악 과두(mandibular condyle)가 관절와(articular fossa)에서 가능한 한 가장 앞쪽과 위쪽에 위치했을 때의 하악의 위치(**그림 25-4**).

(5) 중심교합(centric occlusion, CO)

치아가 최대교두감합위(maximum intercuspation)인 상태일때 상악과 하악의 위치(**그림 25-5**).

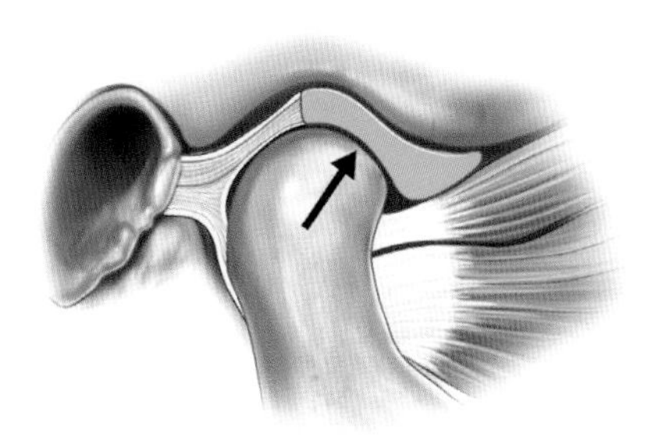

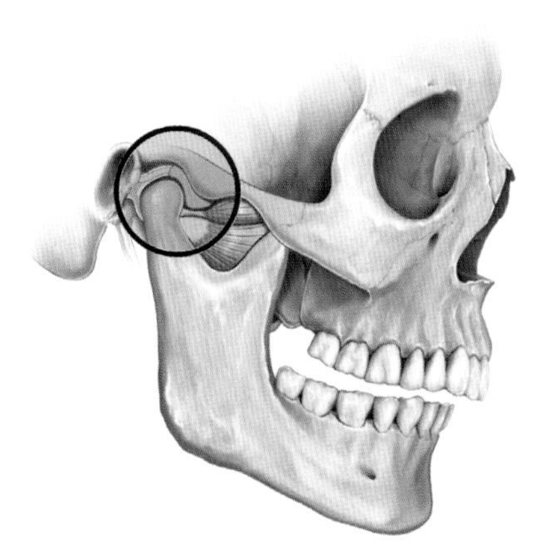

그림 25-4. **중심위(Centric relation, CR)**

(6) 교차교합(crossbite)

교합에서 치아의 위치가 정상위치보다 혀쪽 혹은 볼쪽에 위치한 부정교합. 치조궁의 측면방향으로의 어긋남(**그림 25-6**).

(7) 전방 교차교합(anterior crossbite)

상치돌출의 반대 상태(negative overjet)로 전형적인 제3형 교합에서의 치아상태(**그림 25-7**).

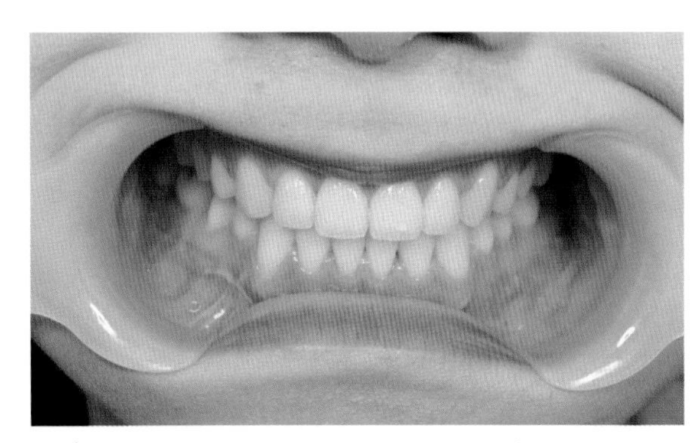

그림 25-5. **중심교합(Centric occlusion, CO)**

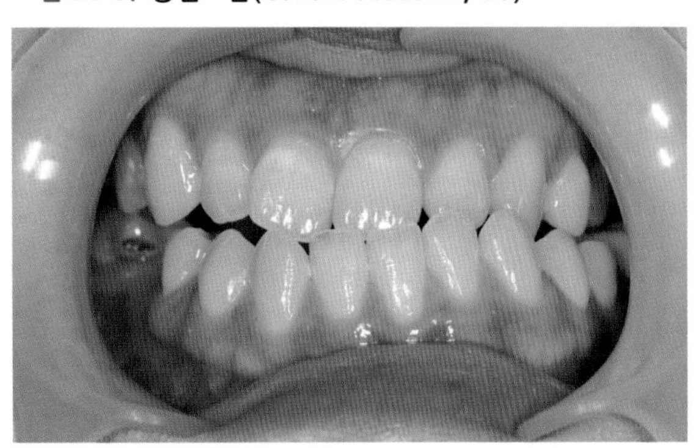

그림 25-6. **교차교합(Crossbite)**

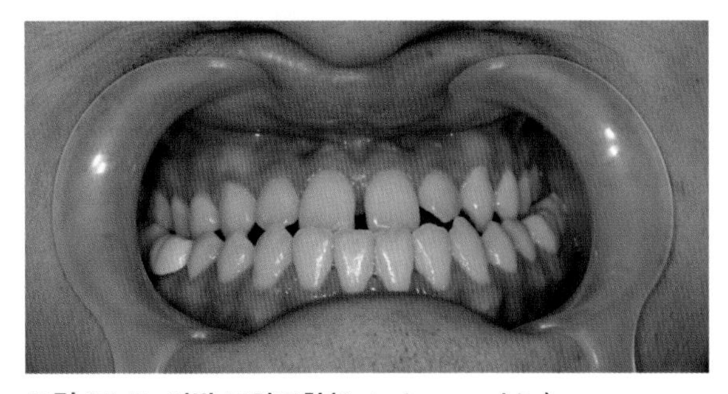

그림 25-7. **전방 교차교합(Anterior crossbite)**

(8) 상치돌출(overjet)

상악 중절치와 하악중절치의 수평방향으로의 포개짐 정도. 제2형 교합에서 상치돌출이 커지게 된다.

(9) 개방교합/과개교합(openbite/Overbite)

상악 중절치와 하악중절치의 수직방향으로의 포개짐 정도(**그림 25-8**).

(10) 스피만곡(curve of Spee, von Spee's curve or Spee's curvature)

하악의 전치의 끝부분에서 시작하여 후방 치아의 볼쪽 끝을 따라 이어지는 하악 교합평면의 만곡(**그림 25-9**).

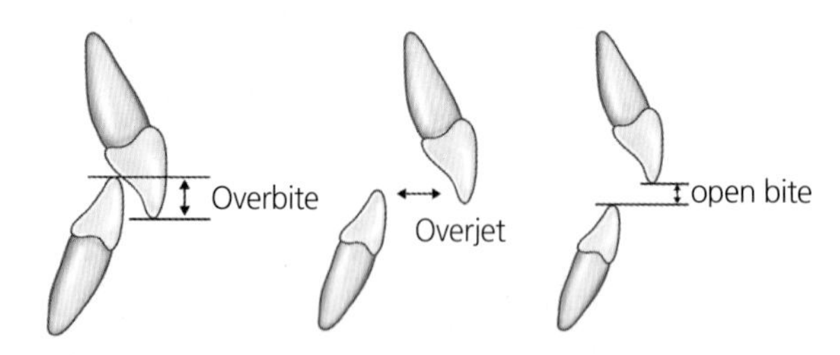

그림 25-8. 개방교합/과개교합(Openbite/Overbite)

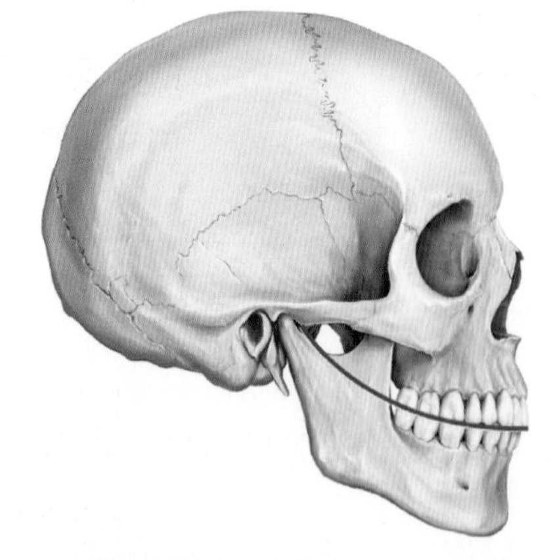

그림 25-9. 스피만곡(Curve of Spee, von Spee's curve or Spee's curvature)

4) 양악수술의 과정

양악수술이 이루어지기 위해서는 전통적으로 수술 전 약 12개월에서 18개월 정도 수술 전 교정치료를 시행하고, 이후 양악수술을 시행한 후 또다시 약 6개월에서 12개월 정도 수술 후 교정치료를 시행하는 과정을 거쳐 이루어진다.

수술 전 교정이 필요한 이유는 예를 들어 Class III 부정교합을 가진 주걱턱 환자의 경우 하악이 상악에 비해 앞으로 나와 있으므로 음식물을 씹기 위해서 자연적인 우리 몸의 적응과정으로 하악의 치아는 혀측 방향으로 기울어지게 되고 , 상악의 치아는 입술 방향으로 기울어져서, 되도록이면 치아의 교합이 이루어질 수 있게 하는 functional teeth adaptation이 발생한다. 이러한 치아의 변형은 dental compensation이라고 하는데, 우리 몸의 자연스러운 적응이라고 이해할 수 있다. 즉 정상적인 치아의 방향이 변형되어 있는 상태가 된다. 만약 이러한 상태로 양악수술이 이루어지게 된다면, 상하악의 위치는 정상화된다고 하더라도, 치아는 교합을 이루지 못하여, 상하악골의 안정성이 크게 떨어지므로 전통적으로 이를 방지하기 위하여 수술 전에 이러한 변형된 치아의 방향을 양악수술 후 정상적인 교합이 될 수 있도록 미리 교정치료를 하는 것이다. 이러한 dental compensation을 교정하는 것을 decompensation이라고 하는데, 이러한 decompensation을 술 전에 미리 시행하는 것이 양악수술 전 술 전 교정 과정이다. 이에는 arch coordination, Curve of Spee 교정 등이 포함된다. 수술 전 약 12개월에서 18개월간 술 전 교정이 끝나면 양악수술이 이루어지며, 양악수술이 끝나고 상하악의 위치가 어느 정도 확정되어 안정화되면, 수술 후 약 1개월에서 2개월 뒤부터 술 후 교정치료가 이루어지게 된다. 술 후 교정치료는 아무리 양악수술이 정교하게 이루어졌다고 하더라도 하악은 턱관절에 붙어 있는 움직이는 매우 기능적인 구조체여서 정상적인 정밀한 수준의 교합을 달성하기 위해 미세 조절하는 과정이라고 이해될 수 있다. 통상 수술 후 교정치료는 6개월에서 12개월 정도 걸리는 것이 일반적이나, 부정교합이 심했던 경우나, 수술에 오차가 있는 경우 그 이상으로 길어질 수도 있다.

5) 양악수술의 현재와 미래

과거 악교정 수술에서 주로 부정교합을 치료하기 위해 시작된 양악수술은 교합은 물론이고 현재 미적 측면이 강조되는 경향으로 발전하고 있으며, 양악수술의 특성상 경부조직을 수술하는 분야임에도 이를 통한 연부조직의 변화가 더욱 큰 관심의 초점이 되고 있다. 이에 따라 컴퓨터 시뮬레이션의 발전과 함께 얼굴의 연부조직과 경부조직의 변화와 이의 상관 관계를 미리 시뮬레이션하고 예측하여 환자의 안모를 변화시키는 부분에 많은 연구가 이루어지고 있다.

또한, 최근에는 선수술 양악수술이 많이 보편화되었다. 국내 의료진에 의해서 시작되어 이제는 세계적으로 발전되어 적용되고 있는 선수술 양악수술은 전통적으로 12개월에서 18개월 동안 이루어지던 수술 전 교정치료 과정 없이 양악수술을 먼저 시행하고 이후 수술 후 교정치료만 하는 접근 방식으로, 패러다임의 전환이라고 할 만한 접근방식이다. 앞에서 설명한 바와 같이 수술 전 교정치료를 시행하여 온 이유는 dental compensation으로 인해 상하악 변형 환자들의 경우 치아의 방향이 변형되어 있어 이 상태로 그대로 수술을 진행할 경우 술 후 교합의 안정성이 매우 떨어져서 문제가 발생하기 때문이다. 하지만, 선수술 양악수술 방식에서는 이러한 술 후 교합의 상태를 술 전에 교합기상의 시뮬레이션을 통해 미리 예측하여 양악수술을 진행함으로써 이러한 수술 후 안정성을 확보하는 방식이다. 물론 모든 환자가 선수술 양악 수술의 대상이 되지는 못하며, 주로 3급 부정교합을 가진 주걱턱 환자들이나 경도의 안면 비대칭의 경우 선수술 양악수술의 대상이 된다. 2급 부정교합을 가진 무턱환자들의 경우 턱관절 불안전성과 선수술 시 반대교합을 극복하기 어려운 점이 아직 선수술 양악수술의 도입을 어렵게 하고 있는 난제이다.

2. 양악수술의 술 전 준비

1) History & Physical examination

안모와 교합의 변형이 어떠한 원인에서 발생한 것인지를 알아보고, 이러한 부정교합과 환자의 안모의 변형이 어떠한 관계가 있는지를 파악해야 한다. 환자가 가진 습관과 성장과정에서 어떠한 교합과 안모의 변형이 있었는지 파악한다. 특히 선천적인 변형의 경우 어떠한 동반 이상이 있는지 파악해야 하며, 후천적으로 발생한 경우에는 어느 시기에 이러한 변형이 뚜렷해 졌는지 확인할 필요가 있다. 우선 환자가 호소하는 주 증상이 부정교합과 함께 안모의 어떤 부분인지를 확인한다. 특히, 환자의 저작 습관과 교합에 있어 안정성을 체크할 필요가 있다. 예를 들면, 3급 부정교합을 가진 주걱턱 환자의 경우 선천적인 것인지 아니면 성장 과정 중에 발생한 것인지 살펴볼 필요가 있다. 이러한 환자의 경우 중안면부의 함몰을 호소할 수 있는데, 이러한 중안면부의 함몰이 과연 돌출된 하악 때문인지 아니면 상악의 저성장 때문인지 파악해야 하며, 위의 두 가지가 동시에 발생된 경우도 있으니, 이를 아는 것이 중요하다. 특히 안모의 비대칭성을 파악할 경우 환자가 가진 교합과 연부조직의 비대칭이 일치하지 않는 경우도 있으므로, 이를 잘 살펴야 한다. 2급 부정교합을 가진 무턱환자의 경우 CR-CO discrepancy가 있는지 확인해야 하며, 환자가 의도적으로 무턱을 덜 보이게 하기 위해 턱을 앞으로 내미는 습관이 있을 수 있기에 여러 차례 교합을 확인하며, 과두가 glenoid fossa에 위치하는 CR (Centric relation)에서의 교합을 체크해야 한다.

2) Cephalometric analysis

수많은 연구자들에 의해 매우 다양한 cephalometric analysis가 제안되어 왔다. 모든 cephalometric analysis 방법을 다 숙지한다면 좋겠지만, 이를 한 번에 다 사용하는 의사는 없을 것이다. 이는 각각의 연구자들이 각각의 중요 요소를 제안한 것으로 각각의 cephalometric analy-

표 25-1. Cephalometric analysisd

Horizontal skeletal cephalometric landmarks	Vertical skeletal cephalometric landmarks	Dental movement cephalometric landmarks
A to N perp	Björk sum	U1 to MxOP
Pog to N perp	Saddle angle	L1 to MnOP
SNA	Articular angle	U1 to SN
SNB	Gonial angle	U1 to FH
ANB difference	Anteroposterior FHR	U1 to A-Pog
APDI	Lower Anterior FHR	U1 to Stm
Combination factor	Palatal plane angle	IMPA
Wits	AB to Mandibular plane angle	L1 to A-Pog
Faci al convexity	ODI	Interincisal Angle
Ramus height	FMA	Upper Occlusal plane to FH
Body length	SN to Mandibular Plane angle	Bisecting Occlusal plane to FH
Body to ant cranial base ratio	N-ANS	Occlusal plane to SN
FABA	ANS-Me	Occlusal plane to AB
FH to OP	N-ANS / ANS-Me Ratio	
VRP to ANS	ANS-BOP	
VRP to PNS	BOPM	
VRP to A	Bisecting Ratio	
VRP to B	FH to ANS	
	FH to PNS	
	HRP to ANS	
	HRP to PNS	
	HRP to A	
	HRP to B	

Cephalometric analysis는 cephalometry를 임상에서 적용하는 것으로, 치아와 골격 간의 관계에 대해 분석하는 방법이다. 이와 관련된 다양한 분석법이 존재하나, 술자가 중요하다고 생각하는 방법을 선택해 사용할 수 있다.

sis 의 중요 요소를 파악할 수 있으면 되고, 이를 응용해 각자의 cephalometric analysis를 일관되게 적용할 수 있으면 된다고 생각한다. 하지만, 표준적인 cephalometric analysis 방법이 존재하므로 저자가 주로 사용하는 표준적인 분석방법을 간단히 소개한다(**표 25-1, 그림 25-10**).

3) Occlusion 분석

Occlusion은 결국 교정과 의사가 교정치료 과정에서 최종 조율하는 부분이기는 하나 수술하는 의사도 기본적인 지식을 갖추고 있어야 함은 자명하다.

3. 양악수술의 수술방법

1) LeFort I osteotomy

수술의 시작은 양측 canine 정도에서 시작되는 상악 buccogingival incision에서 시작된다. 양측 buccogingival mucosa에 절개를 가하고 이 절개선이 상악 frenulum을 통해 이어져 전체 상악을 노출 시킨다(**그림 25-11**). 절개

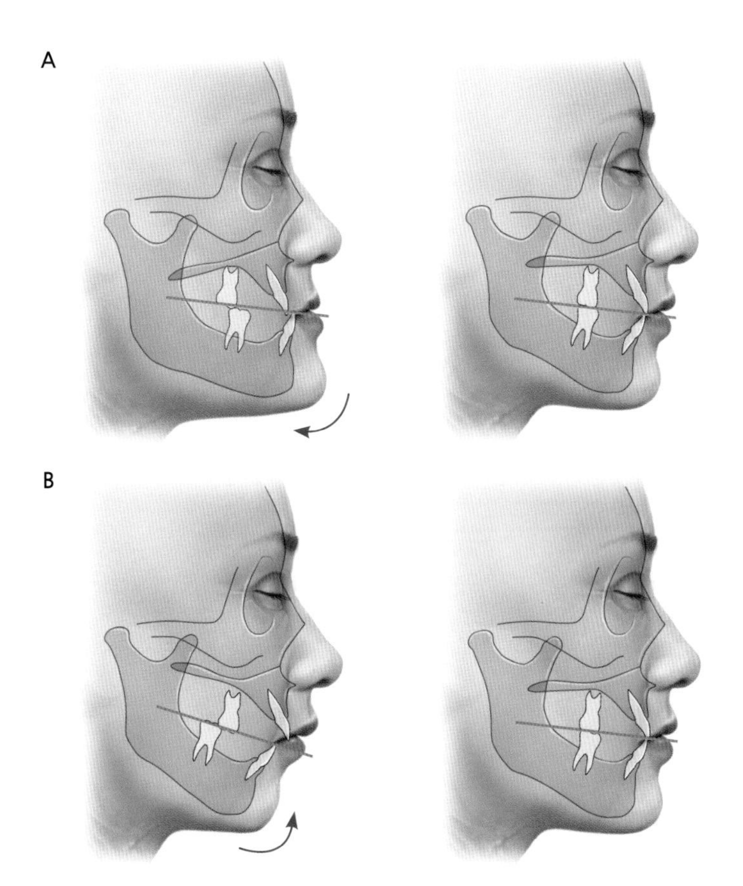

그림 25-10. Skeletal movement

수술 전 cephalometric analysis를 통해 수술 전 치아-골격 간 상태를 평가할 수 있으며 수술 후 이상적인 상태를 예측하여 이를 위해 시행해야 할 수술계획을 세울 수 있다. A. 제3형 교합 환자에서 수술 전/후 치아-골격 간 관계. B. 제2형 교합 환자에서 수술 전/후 치아-골격 간 관계

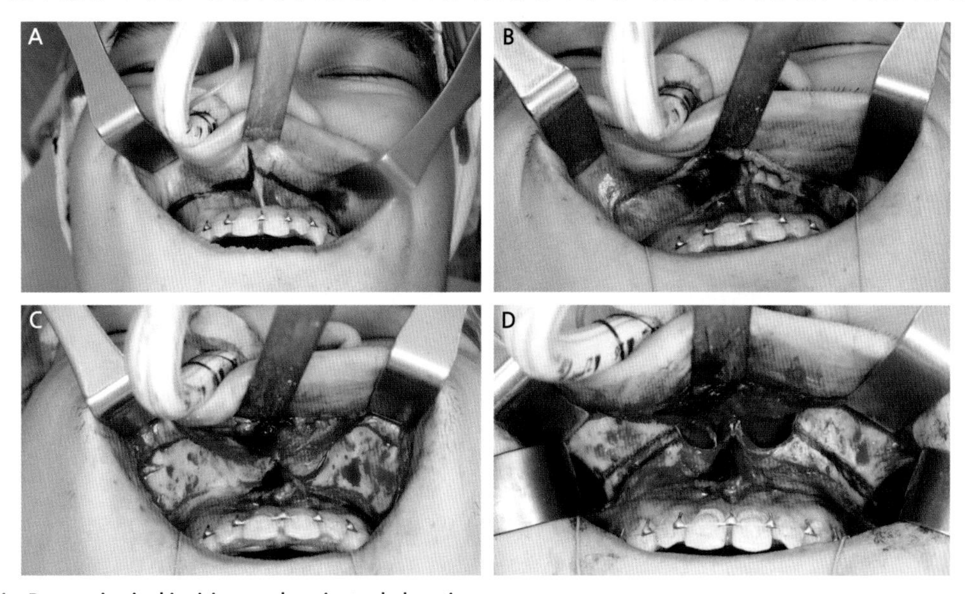

그림 25-11. Buccogingival incision and periosteal elevation

LeFort I osteotomy를 시행하기 위해서 양측 buccogingival mucosa에 절개를 가하고, 이 절개선이 frenulum을 통해 하나로 이어지게 한다. 절개 후 양측 상악 앞면을 충분히 노출시켜 osteotomy line을 그리게 된다.

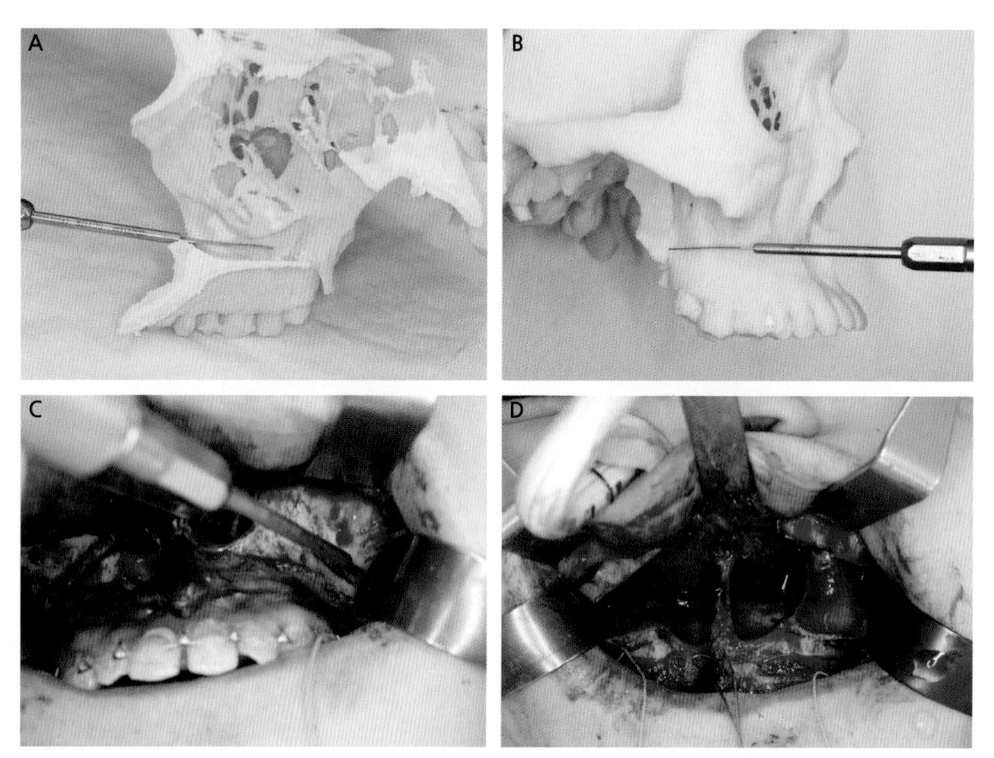

그림 25-12. LeFrot I osteotomy

LeFort I 절골술은 pterygomaxillary junction에서 상악을 분리하는 것이 기본이며, 일반적으로 pyriform aperture 가장 낮은 높이에서 5~10mm 상방에서 시작하여 pterygomaxillary junction 1cm 정도가 포함되게 하는 것이 일반적이다. 외측에서는 상악의 외측면이 모두 포함되게 절골시키지만 내측으로 가면서 상악의 전면과 내측면만 절골되도록 하여 descending palatine vessel을 보호하도록 한다.

후 periosteal elevator를 통해 양측 상악 앞면을 inferior orbital foramen 전까지 노출시키고, pyriform aperture 옆과 아래의 nasal floor 와 nasal side wall을 골 박리한다. 이후 ANS와 septum의 접합부부터 시작하여 septum의 양측면을 박리한다. 이후 양측 상악의 외측면을 따라 골 박리를 시행하며 이 박리는 pterygomaxillary junction 까지 이어 진행한다. Curbed elevator를 이용해서 pterygomaxillary junction을 확실히 느껴 주변부를 박리한다. LeFort I 절골술은 pterygomaxillary junction에서 상악을 분리하는 것이 기본이며, 환자의 경우에 따라 LeFort I 의 horizontal osteotomy line 위치는 달라질 수 있다. 하지만 일반적으로 pyriform aperture 가장 낮은 높이에서 5~10 mm 상방에서 시작하여 pteryomaxillary junction 1 cm 정도가 포함되게 절골시키는 것이 일반적이다. 이를 위해서 nasal mucosa가 다치지 않게 보호하면서, 상악 전면에 reciprocating saw로 절골을 시행한다. 외측에서는 상악의 외측면이 모두 포함되게 절골시키지만 내측으로 가면서 상악의 전면과 내측면만 절골되도록 하여야 한다(**그림 25-12**). 이는 상악골의 내후방에 진행하는 상악의 주 혈관경인 descending palatine vessel을 보호해야 하기 때문이다. 이후 pterygoid venous plexus를 보호하면서 osteotome을 이용하여 상악의 후면을 살짝 절골시켜 둔다. 이때 주 혈관경인 descending palatine vessel이 손상되지 않게 주의하여야 한다. 그리고 나서 septal osteotome을 이용하여 septum을 분리하고나서, K osteotome 등으로 pterygomaxillary junction을 dysjunction 시킨다. 특히 아래 부분이 잘 분리되었는지 확인할 필요가 있다. LeFort I segment의 분리는 manual pressure를 이용하는 것이 바람직하며, Rowe forcep 등은 LeFort I segment가 잘 떨어졌는지 확인하기 위해 사용하거나, 연부

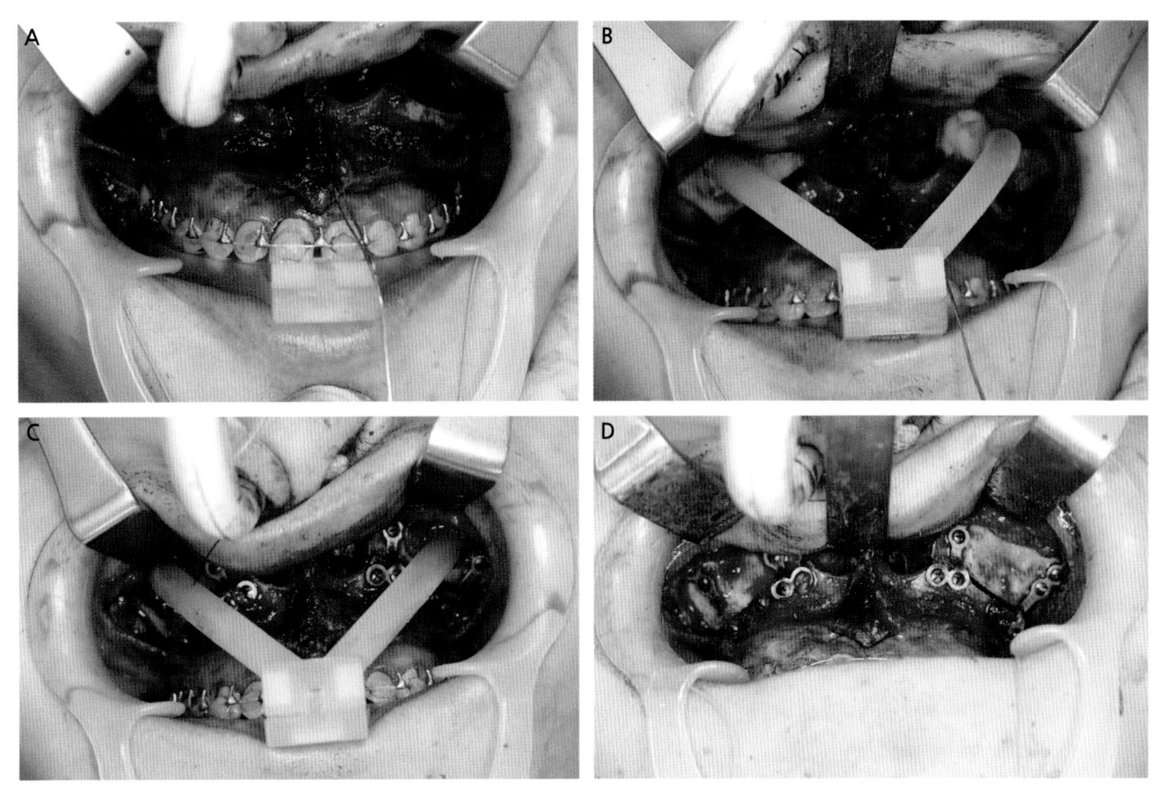

그림 25-13. Positioning guide using 3D printing
최근에는 수술 전 계획에 따라 시뮬레이션 된 3D 프린팅 수술가이드를 이용하여 수술 계획에 따라 LeFort I segment의 이동 정도 및 고정 위치를 더 정밀하게 조절할 수 있다.

조직의 release를 위해서만 사용하는 것이 안전하다. 그렇지 않고 LeFort I segment가 잘 분리되지 않은 상태에서 Rowe forcep을 이용한 무리한 dysjunction은 절골선이 pterygoid bone을 따라 뇌기저부로 확장되거나 optic nerve canal 쪽으로 확장되어 blindness 나 skull base fracture를 야기할 수 있다고 알려져 있다. 이와 관련된 여러 증례 보고가 있으니 유의하여야 한다. 절골 이후에는 수술 전 계획된 대로 상악의 impaction 부위는 제거하고, intermediate splint를 장착한후 교합을 확인한 후에, 통상 4개의 miniplate를 이용하여 2개의 medial buttress와 2개의 lateral buttress를 고정해 주면 된다. 최근에는 수술 전 계획에 따라 시뮬레이션 된 3D 프린팅 수술가이드를 이용하여LeFort I segment의 고정 위치를 정밀하게 조절할 수 있다(**그림 25-13**).

2) SSRO mandibulotomy

하악의 이동을 위해서는 주로 시상절골술이 이용된다. 과거 IVRO 기술도 많이 소개되었으나, 최근에는 매우 일부에서만 사용되는 술식이어서 여기에서는 SSRO 방식을 소개한다. 수술의 시작은 치아 교합면 높이에서 시작되어 2nd 또는 1st molar teeth 정도까지 이어지는 buccogingival incision으로 시작된다. 이후 periosteal elevator를 이용하여 하악의 외측 골막을 박리한다. 이때 골막이 되도록 찢어지지 않게 박리하는 것이 중요하며, 이는 이 바깥을 주행하는 facial vessel 및 nerve, retromandibular vein을 손상시키지 않는 중요한 방법이다. 특히, 하악각 주변에선 pterygomasseteric sling이 강하게 붙어 있으므로 이 접착부위를 충분히 박리해 주어야 한다. 이를 위해서는 curved elevator와 U shaped elevator가 유용하게 사용될 수 있다. 이후 mandibular ramus의 내

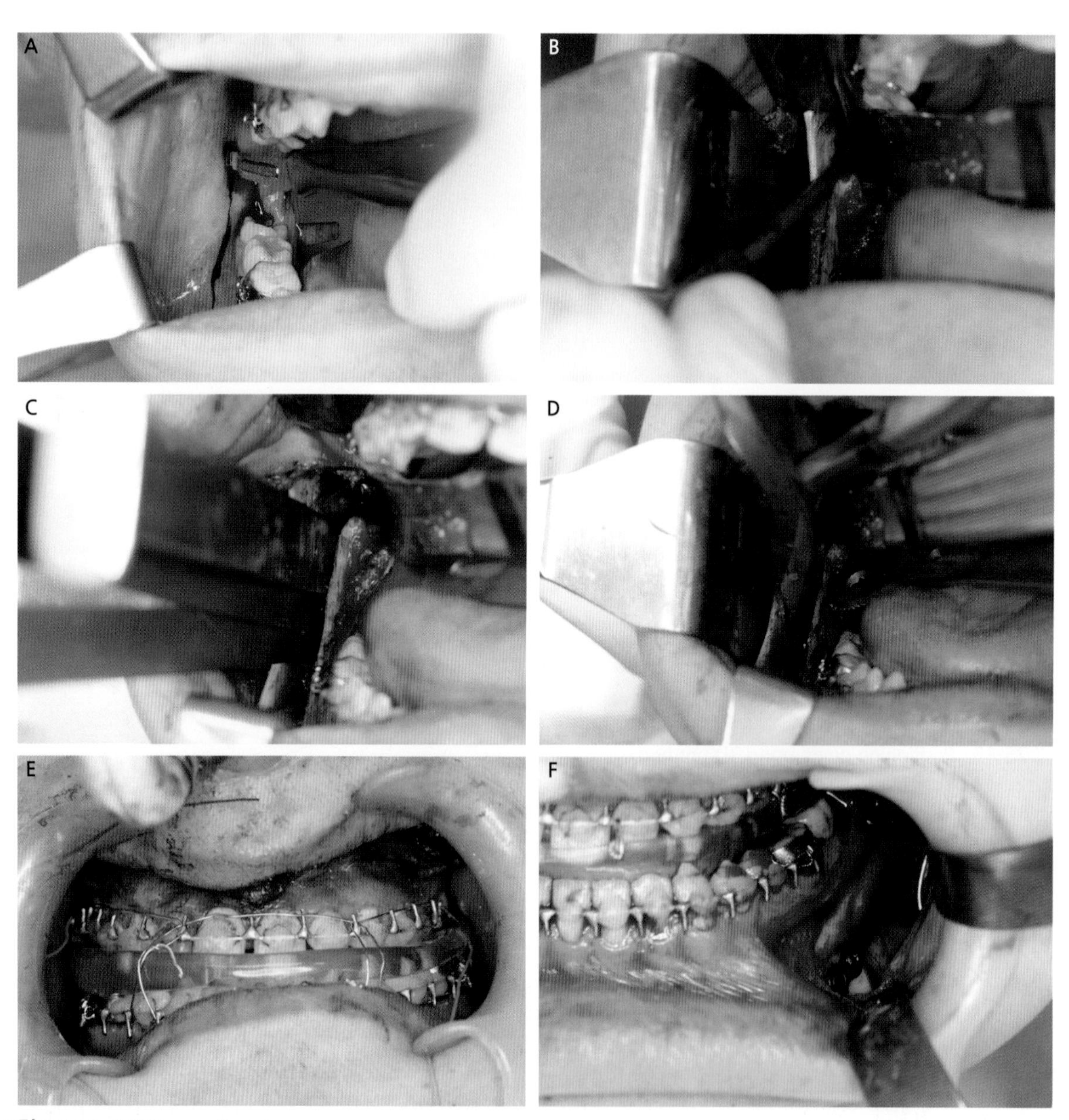

그림 25-14. SSRO mandibulotomy

A. Buccogingival incision을 통해 mandible의 외측 및 내측 골막을 박리한다. B. 내측면에 burring을 이용하여 턱을 만들어 준 뒤, reciprocating saw를 이용하여 sagittal osteotomy를 시행한다. C. 이후 oseteotome을 이용하여 splitting을 마무리한다. D. spreader를 이용하여 proximal segment와 lateral segment가 확실히 splitting되었는지 확인한다. E. final splint를 적용한 후 IMF를 적용하여 상악과 하악이 수술 전 계획에 맞게 이동한 상태로 위치하도록 한다. F. 양측에 lag screw 혹은 miniplate로 두 segment를 고정한다.

측면을 박리하는데, 술 전에 mandibular foramen의 위치를 panoramic view나 CT를 통해 확인하면 도움이 된다. Mandibular foramen 약 5~10 mm 상방에 burring을 이용하여 턱을 만들어 준다. 이러한 burring은 일반적으로 mandibular foramen 뒤 최소 1 cm은 가야 신경보다 앞에서 splitting 되는 것을 막을 수 있다고 알려져 있다. 이 때 내측면에 위치하는 maxillary artery 분지들이 손상되지 않게 medial ramus retractor 등을 사용하여 보호하

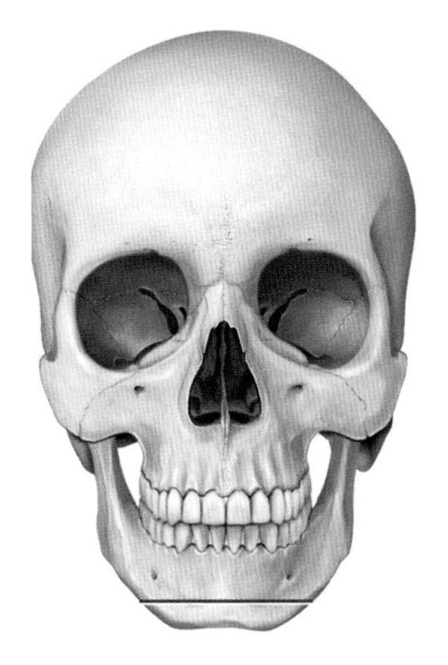

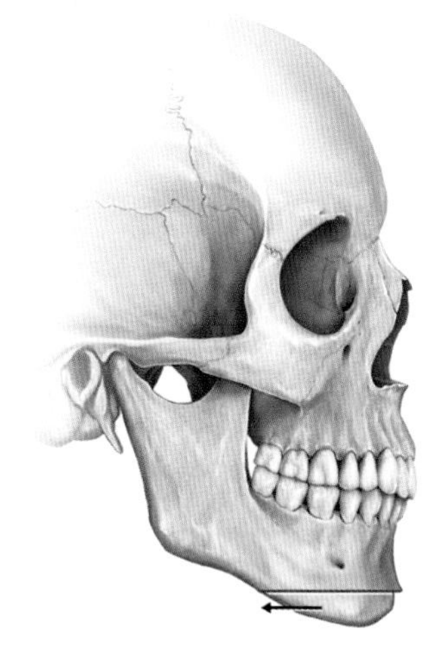

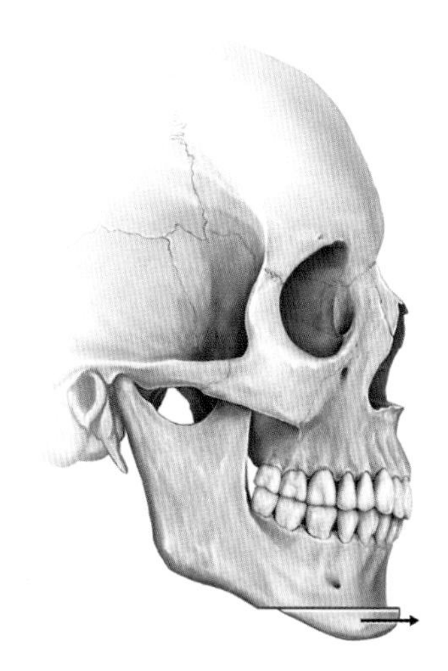

그림 25-15. Genioplasty
수술의 목적에 따라 턱의 전방/하방 이동, 길이의 연장/축소 등 턱 끝의 위치를 조절할 수 있다.

며 진행되어야 한다. 이후 reciprocating saw를 이용하여 sagittal osteotomy를 시행한다. 이 때 내측으로 주행하는 mandibular nerve가 손상되지 않도록 주의하여야 하며, 이후 1st 또는 2nd molar 주변에서 vertical osteotomy를 시행한다. 이때도 안쪽으로 주행하는 mandibular nerve가 손상되지 않게 saw가 너무 깊이 들어가지 않도록 주의하여야 한다. 이후에는 술자마다 여러방식이 있지만, 일반적으로 osteotome을 이용하여 ramus부터 distal 까지 splitting을 시행한다. 이때에도 osteotome이 facial vessel 이나 retromandibular vein을 손상시키지 않게 lateral ramus retractor 등으로 주변 연부조직을 보호하는 것이 현명하다. 전통적으로 얇은 osteotome을 바깥으로 약 15도 정도 기울여서 하악신경을 보호하는 것이 원칙으로 알려져 있고, 이에는 술자마다 다양한 방식이 적용된다. 어느 정도 splitting이 된 이후에는 spreader를 이용하여 mandible의 proximal segment 와 lateral segement를 벌리면서 bad splitting 발생하지 않게 확인하면서 splitting을 완료한다. 이 후 final splint를 적용한후 IMF를 완성한후 왼쪽과 오른쪽에 각각, 3개의 lag screw나 1개 또는 2개의 miniplate로 고정해 주면 된다(**그림 25-14**).

3) Genioplasty

Genioplasty는 통상의 방법을 따르면 되나 일반적으로 양측 canine 을 잇는 buccogingival incision으로 시작하여, periosteal elevator를 이용하여 턱골 앞면을 박리한다. 특히 양측의 mental nerve가 다치지 않게 주의하여야 한다. 절골시에는 통상 mental nerve opening 하방 5 mm 아래에서 horizontal ostoeotomy를 시행하여야 한다. 이는 mental nerve가 opening으로 나오기 직전 약 5 mm 정도 하방으로 진행하였다가 올라오면서 골 밖으로 나오는 주행경로를 피하기 위함이다. Horizontal osteotomy의 각도는 일반적으로 교합면과 평행하게 절골하나, 턱의 길이를 줄이거나 늘리고자 하는 수술의 목적에 따라 변경할 수 있다(**그림 25-15**).

4. 양악수술의 술 후 관리 및 합병증

출혈, 혈종, 부종, 감염, 상처 벌어짐 등의 일반적인 합병증이 발생할 수 있으며, 수술 후 호흡기 계통의 부종으로 일시적인 호흡곤란이 발생할 수 있어 수술 후 관리에 주의해야 한다. 특히 제3형 교합 환자 수술 시 하악골의 후방 이동량이 많은 경우 주의가 더 필요하다. 수술 후 악간교정을 유지하는 경우 오심, 구토 발생 시 구토물이 흡입되지 않도록 환자 교육을 하는 것도 필요하다.

참고문헌

1. The surgical tools: the LeFort I, bilateral sagittal split osteotomy of the mandible, and the osseous genioplasty. Patel PK1, Novia MV. Clin Plast Surg. 2007 Jul;34(3):447-475.
2. Frontal soft tissue analysis using a 3 dimensional camera following two-jaw rotational orthognathic surgery in skeletal class III patients. Choi JW, Lee JY, Oh TS, Kwon SM, Yang SJ, Koh KS. J Craniomaxillofac Surg. 2014 Apr;42(3):220-226
3. The reliability of a surgery-first orthognathic approach without presurgical orthodontic treatment for skeletal class III dentofacial deformity. Choi JW, Lee JY, Yang SJ, Koh KS. Ann Plast Surg. 2015 Mar;74(3):333-341.
4. Stability of pre-orthodontic orthognathic surgery depending on mandibular surgical techniques: SSRO vs IVRO. Choi SH, Yoo HJ, Lee JY, Jung YS, Choi JW, Lee KJ. J Craniomaxillofac Surg. 2016 Sep;44(9):1209-1215.
5. Can a surgery-first orthognathic approach reduce the total treatment time? Jeong WS, Choi JW, Kim DY, Lee JY, Kwon SM. Int J Oral Maxillofac Surg. 2017 Apr;46(4):473-482.
6. Occlusal Plane Altering 2 Jaw Surgery Based on the Clockwised Rotational Surgery-First Orthognathic Approach. Choi JW, Jeong WS. Plast Reconstr Surg Glob Open. 2017 Oct 25;5(10):e1492
7. Large-Scale Study of Long-Term Anteroposterior Stability in a Surgery-First Orthognathic Approach Without Presurgical Orthodontic Treatment. Jeong WS, Lee JY, Choi JW. J Craniofac Surg. 2017 Nov;28(8):2016-2020.
8. Large-Scale Study of Long-Term Vertical Skeletal Stability in a Surgery-First Orthognathic Approach Without Presurgical Orthodontic Treatment: Part II. Jeong WS, Lee JY, Choi JW. J Craniofac Surg. 2018 Jun;29(4):953-958.
9. Current Concepts in Orthognathic Surgery. Naran S, Steinbacher DM, Taylor JA. Plast Reconstr Surg. 2018 Jun;141(6):925e-936e

CHAPTER 26

술전 및 술후 교정 | Preoperative & Postoperative Orthodontics

Chapter Author | 이지나

1. 치과 교정치료

치과 치료에서 maxilla, mandible 치아들을 이동하여 정상교합을 이루도록 하는 치료 과정을 일반적으로 교정치료라고 말한다. 이런 교정 치료를 통해 이루기 위한 정상교합은 정적인 상태, 즉 이를 다물고 있을 때 maxilla, mandibular canine과 first molar가 Andrews가 정의한 Angle's classification의 class I 관계에 있는 상태를 말하는 것이 일반적이다(**그림 26-1**). 그런데 Angle's classification 중 class I의 occlusion 관계를 가져야 하는 이유는 말하고, 침을 삼키고, 음식을 저작하는 mandible 운동 시 치아 마모, 치아 주변 조직 퇴축, 골 소실 등 유해한 환경에서 보호되는 기능성 교합 즉, mutually protected occlusion(상호 보호 교합)을 이루기 위함이다(**그림 26-2**). mutually protected occlusion은 정적인 상태와 동적인 상태 전부를 지칭하는 것으로 mandible 운동을 하는 동안 maxillary canine의 lingual surface를 따라 mandibular canine 운동 궤적이 canine guidance를 따라 움직이고, 마지막에는 maxilla, mandible 치아들이 조기 접촉 등의 교합간섭 없이 모든 치아가 동시에 물리는 교합을 말한다. 이런 정상 기능 교합을 가진 사람은 연령이 증가해도 치아의 마모, enamel abfraction(미세 조직의 파괴), 골소실,

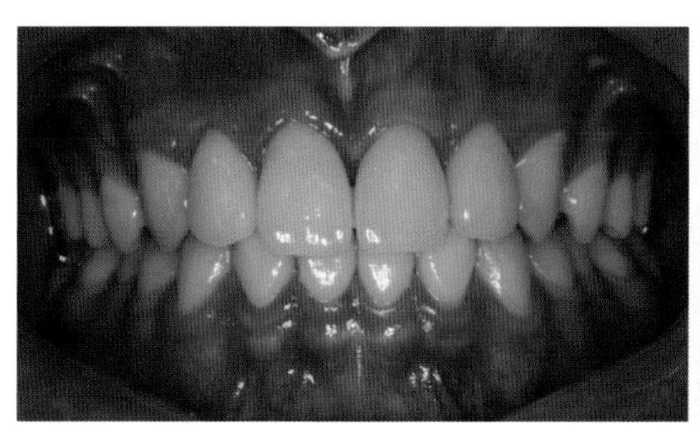

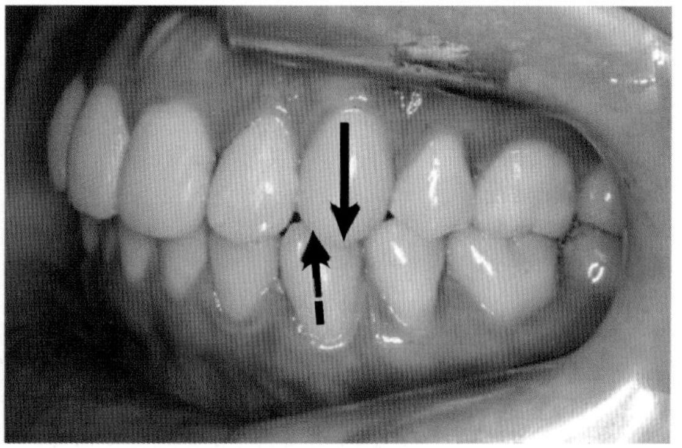

그림 26-1. 정상교합은 maxilla, mandible incisor가 3~4 mm 정도의 overbite를 이루면서 정중선이 일치하고, maxillary canine(실선 화살표)가 mandibular canine(점선 화살표)의 뒤쪽에 위치하는 class I canine relationship을 가져야 한다.

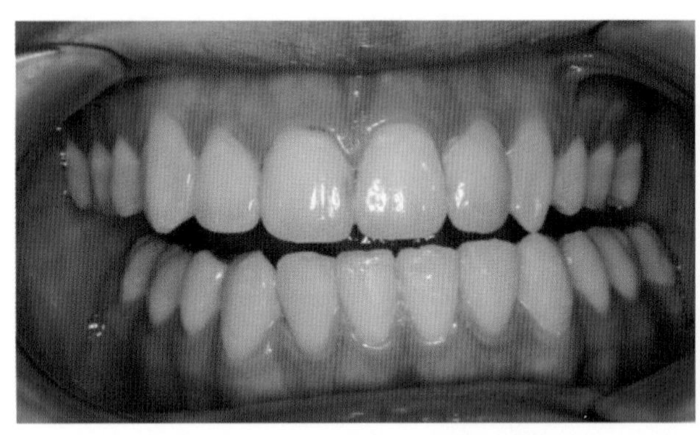
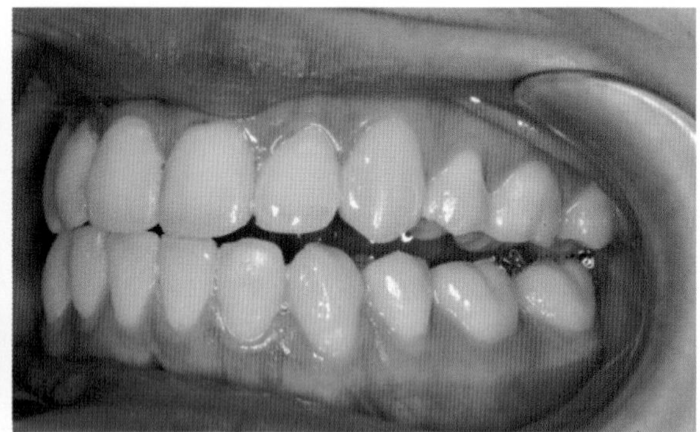

그림 26-2. Mandible이 좌측으로 운동할 때 좌측 canine를 제외한 모든 치아가 서로 닿지 않고 떨어지게 되는 canine guidance(견치 유도)와, mandible이 전방으로 운동할 때 maxilla, mandible central incisor만 닿게 되는 incisor guidance(전치 유도)가 mutually protected occlusion(상호 보호 기능교합)이다.

치은 조직의 퇴축이 거의 없는 건강한 구강상태를 유지한다는 연구 결과가 있다. 그러므로 교정 치료의 목적은 심미적으로 고른 치아 배열과 동시에 maxilla, mandible 운동을 지배하는 악안면 neuromuscular system이 상호 조화를 이루는 위치에 치아와 maxilla, mandible을 배열하여 새로운 교합을 재구성하는 데 있다.

2. Malocclusion

Crowding이나 spacing 경우처럼 maxilla나 mandible 내에서 모든 tooth width의 합과 dental arch의 길이가 차이가 나는 개별적 문제(**그림 26-3**)와, 치아와 관계없이 maxilla와 mandible 크기 그 자체가 서로 다른 문제(**그림 26-4**), 그리고 maxilla와 mandible의 위치가 맞지 않아 발생한 골격성 malocclusion 등 세 가지로 분류해 볼 수 있다. 골격성 malocclusion은 maxilla, mandible 골격의 크기와 상하, 전후방 위치에 따라 여러 가지로 분류

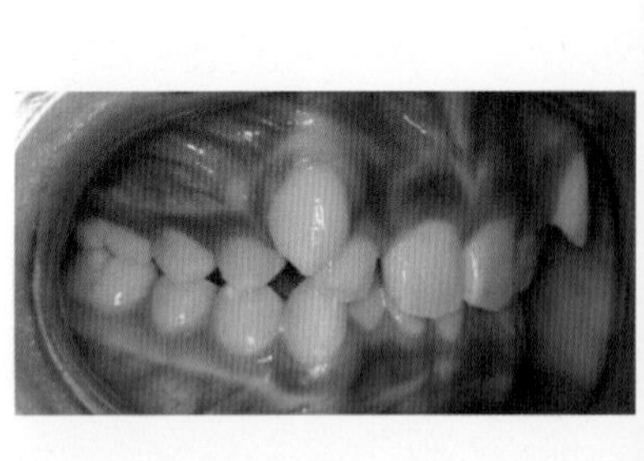
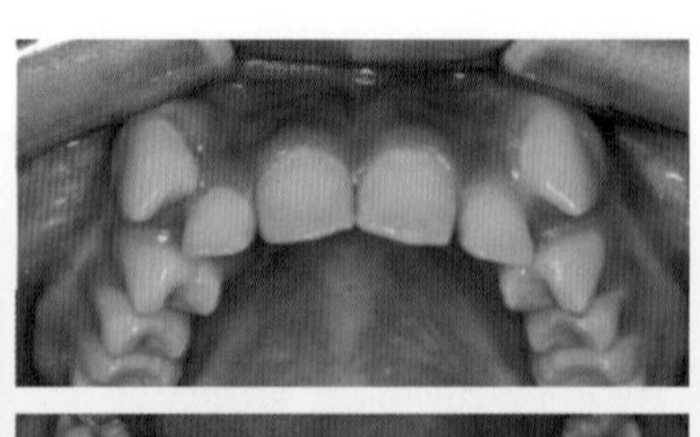
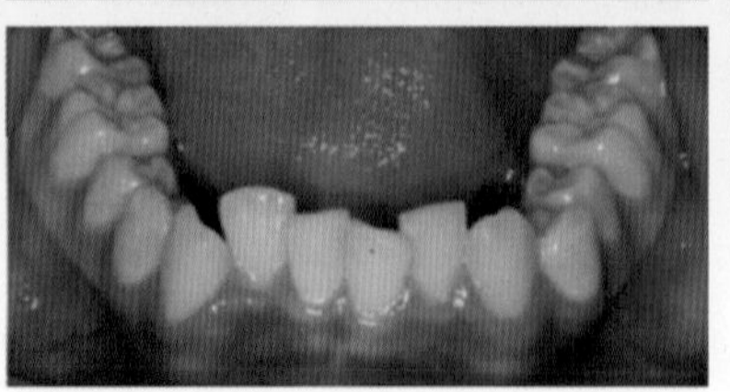
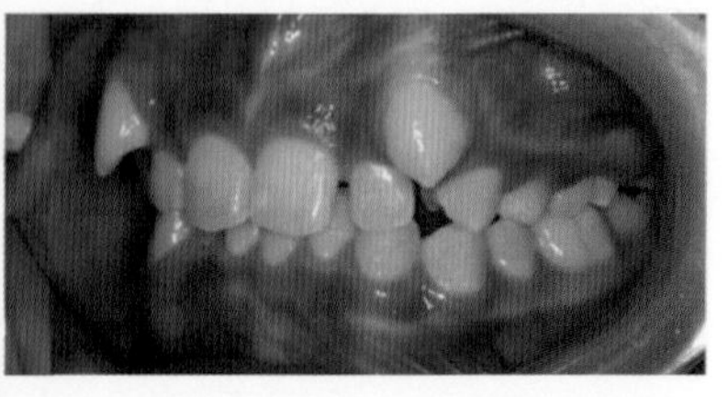

그림 26-3. Maxilla, mandible 골격은 제 I 급으로 정상관계에 있으나 모든 치아가 배열될 공간이 부족해서 발생된 malocclusion의 예

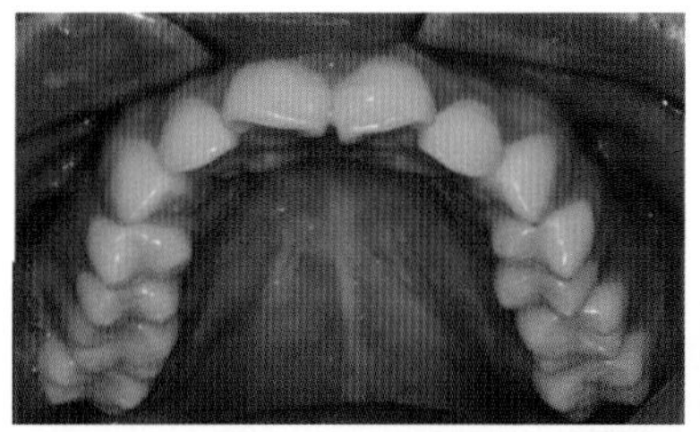
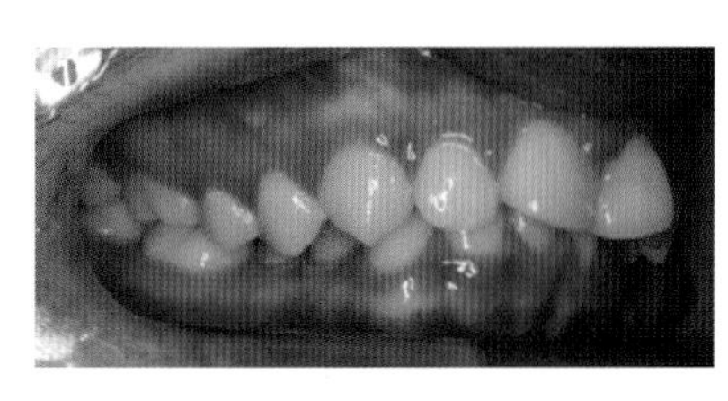
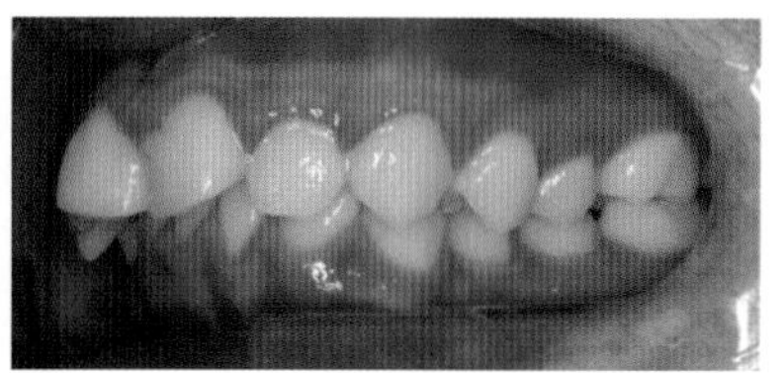
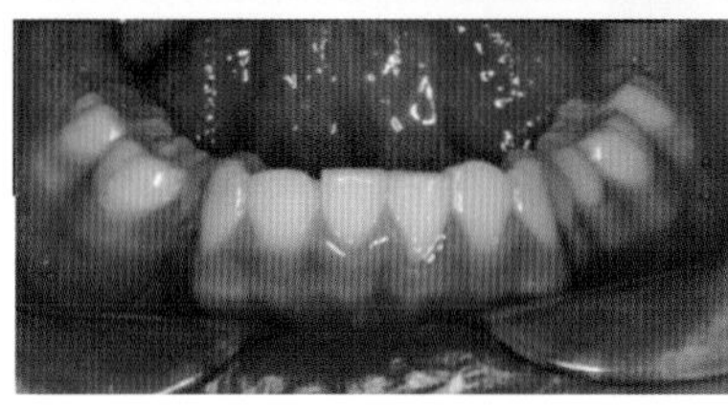

그림 26-4. Maxilla에 비해 mandible의 좌우 width가 좁고 후방으로 위치되어 발생한 malocclusion의 예

할 수 있다. maxilla, mandible 골격의 상하 관계에 따라 open bite와(**그림 26-5**) 과도한 수직 수평 over bite로(**그림 26-6**) 분류되며, 얼굴 모양으로 분류할 경우에는 긴 얼굴 또는 짧은 얼굴로 분류할 수 있다. malocclusion을 가진 사람들의 얼굴을 정상 악골과 조화로운 얼굴을 가진 사람들(**그림 26-7**)과 비교해서 분석하면, 전후방 관계에 따라서 class Ⅱ, Ⅲ malocclusion으로 분류되고, 얼굴 모습으로 분류 시에는 maxilla 돌출형과 mandible이 주걱턱을 가진 얼굴로 분류한다(**그림 26-8**). 그러나 환자를 진단할 때, 실제 malocclusion을 가진 환자를 감별 진단하기 어려운 이유는 수평, 수직적 골격의 부조화와 연조직으로 표현되는 얼굴 모습, 치아의 부조화 등 여러 가지 문제들이 복합적으로 조합되어 있으며, 여기에 더해서 좌우 비대칭이라는 또 다른 횡적 평면상 부조화가 추가되어 더욱 더 복잡하게 나타나기 때문에 진단의 어려움이 존재한다.

골격성 malocclusion은 치아의 malocclusion을 더욱 심화시킨다. 사람의 alveolar bone은 골격의 부조화를 보상해서 구강 기능을 수행하려는 잠재력을 가지고 있다. class Ⅱ 골격에서 maxillary incisor와 alveolar bone은 후방을 향하게 되고 mandibular incisor와 alveolar bone은 전방으로 향하게 되며, class Ⅲ 골격에서 maxillary incisor와 alveolar bone은 전방으로 향하고 mandibular

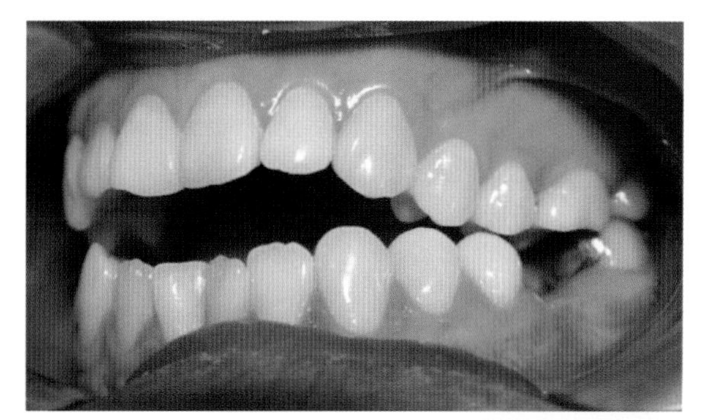
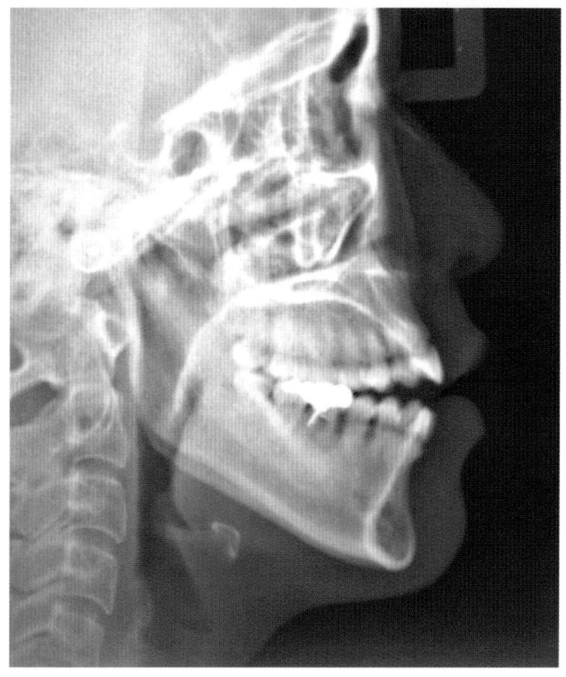

그림 26-5. Incisor가 open bite이면서 하안면의 length가 길어진 증례

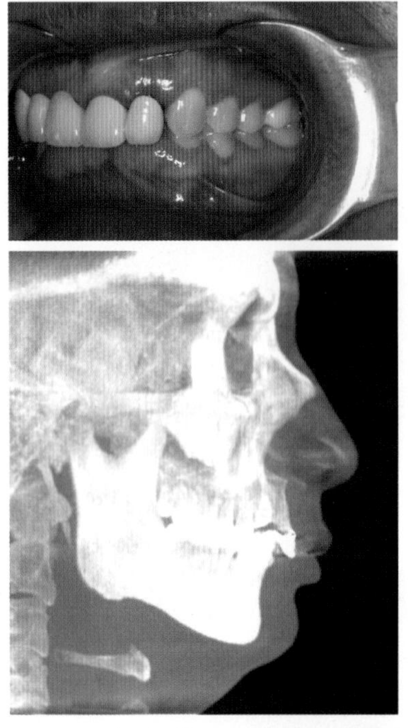

그림 26-6. Incisor가 과도한 open bite이 되면서 하안면의 length가 짧아진 증례

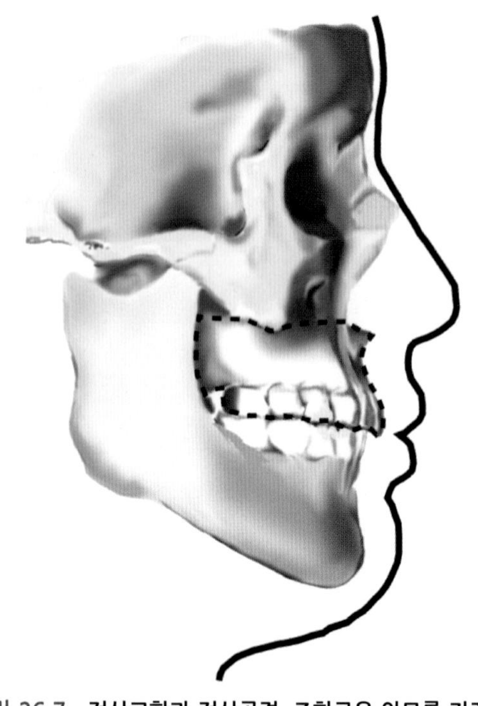

그림 26-7. 정상교합과 정상골격, 조화로운 안모를 가진 증례의 안면윤곽과 내부의 골격을 보여 주고 있다.
점선이 정상적인 maxilla의 위치를 표시한다.

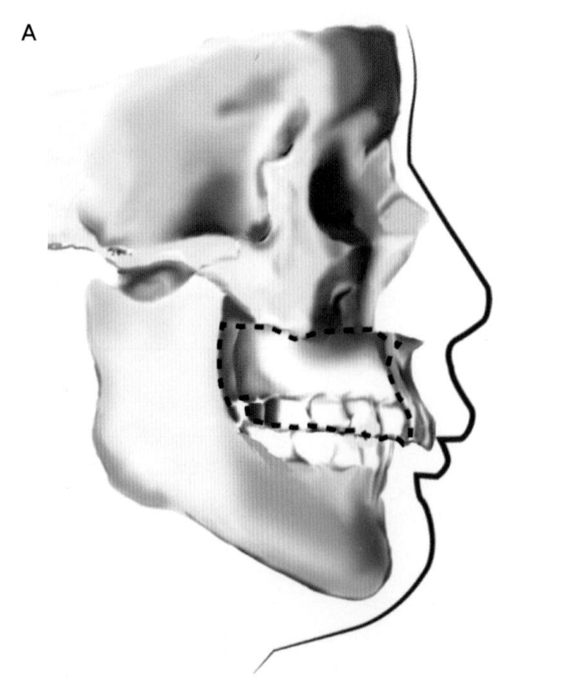

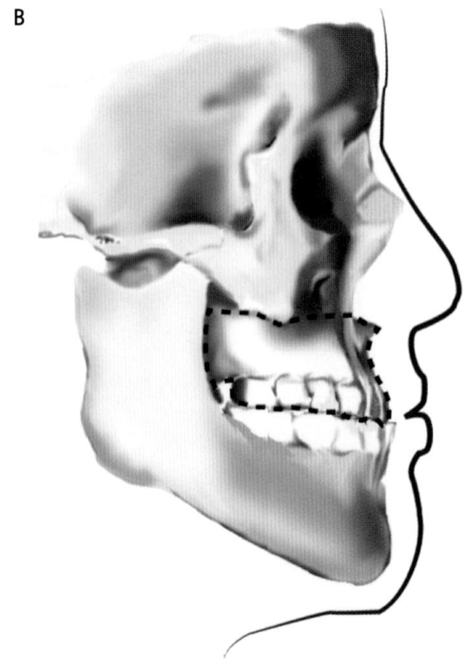

그림 26-8. Maxilla가 mandible에 비해 크거나 전방으로 돌출되어 발생한 class II malocclusion(A)과 mandible이 상대적으로 크고 돌출된 class III malocclusion(B)의 비교
점선이 정상적인 maxilla의 위치를 표시한다.

incisor와 alveolar bone은 후방으로 기울어져 maxilla, mandible의 incisor들이 서로 만나는 방향으로 향하게 되어 malocclusion을 심화시킨다(**그림 26-9**). 이런 현상들이 급격한 골격의 변화가 나타나는 시기 즉, 성장이 빠르게 일어나거나 턱관절의 변화로 인하여 mandibular condyle이 흡수되면 maxilla, mandible의 길이가 달라지게 된다. 이런 경우에 치아와 alveolar bone의 변화는 악골 변화에 비해 미미해서 치아들이 만나기 위한 보상변화가 미처 따라가지 못할 수 있다(**그림 26-10**). 이런 현상은 수술 환자를 진단하는 데 혼란을 주고 치료기간을 단축시키기 어렵게 만든다.

3. Cephalometric analysis

이런 현상을 정확히 파악하고 올바른 orthognothic surgery의 진단과 치료계획을 세우기 위한 방법으로는 주로 cephalometric X-ray 사진의 해부학적 구조물을 tracing하여 평균치와 비교 평가하는 분석법을 사용해왔다. 대표적으로 Tweed, Steiner, Down 분석법들 외에도 다양한 분석법이 있는데, 이런 분석법의 대부분은 경조직에 대한 분석에 국한되어 있다(**그림 26-11a**). 뿐만 아니라 동일한 환자를 여러 분석법으로 진단해보면 서로 상반된 결과를 보이는 경우도 있다.

환자가 교정치료나 orthognothic surgery를 받고자 할 때 제일 큰 관심사는 심미성이다. 그런데 cephalometric analysis만을 이용한 골격의 진단 결과가 연조직 즉, 얼굴에 대한 진단 결과와 반드시 일치하지 않는 경우가 많다. 골격을 바탕으로 분석해서 치료 계획을 세우고 연조직인 얼굴 모양이 어떻게 나올지 예측하는 것보다 먼저 연조직인 얼굴에 대한 분석과 치료 계획을 세우고 난 후 그 분석에 따라 골격을 얼만큼, 어느 방향으로 움직여야

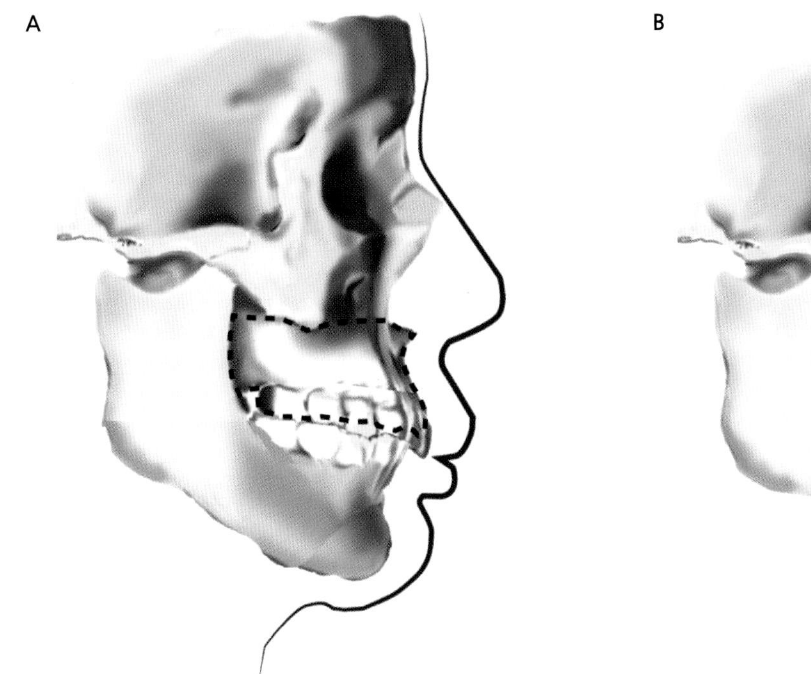

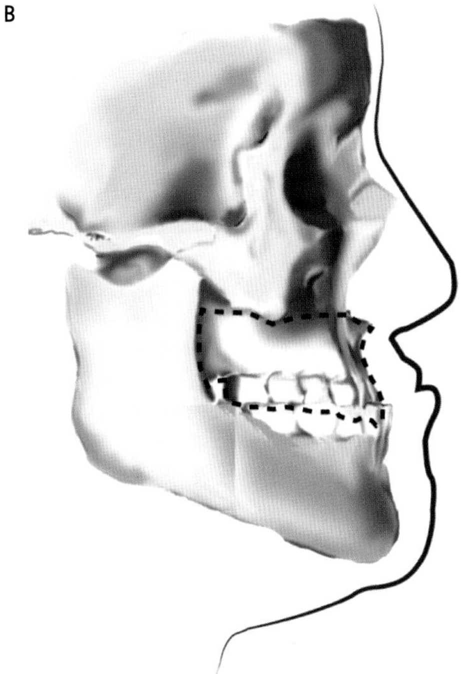

그림 26-9. Maxilla, mandible incisor의 overbite가 크고 얼굴 길이가 짧은 경우, mandible이 작거나 후방 위치된 class II malocclusion(A)과 mandible이 상대적으로 큰 class III malocclusion(B)이 있을 수 있다.
점선이 정상적인 maxilla의 위치를 표시한다.

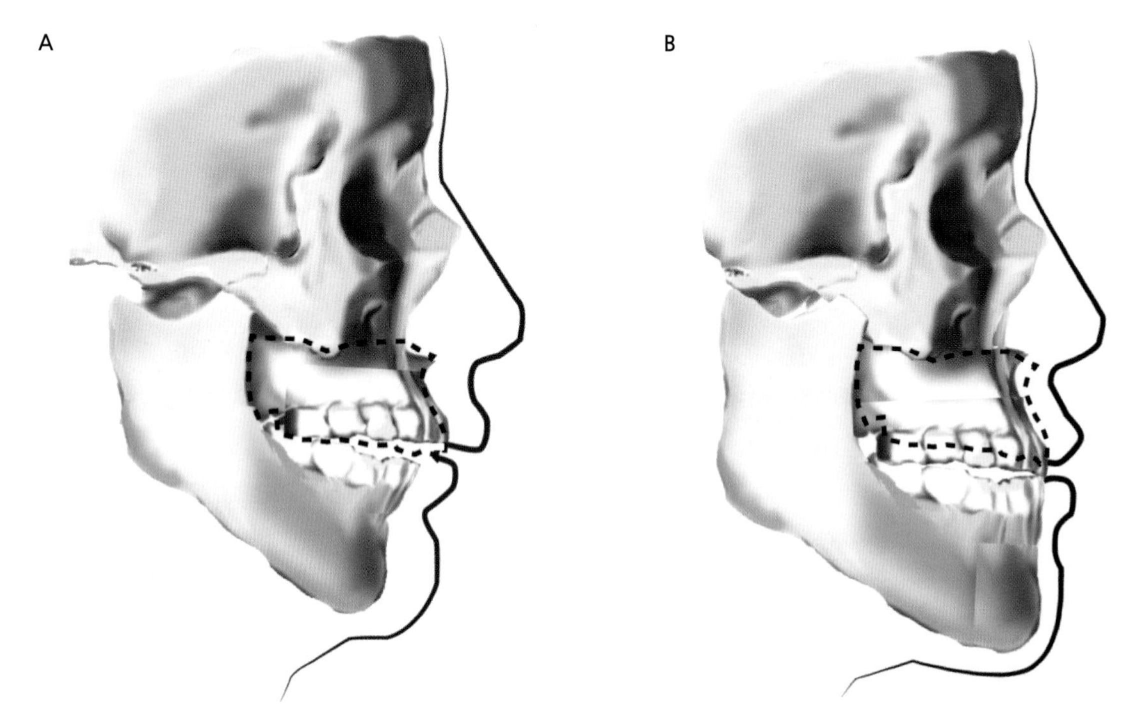

그림 26-10. Maxilla, mandible incisor에 overbite가 없고 얼굴의 길이 긴 경우, mandible이 작거나 후방 위치된 class II malocclusion(A)과 mandible이 상대적으로 큰 class III malocclusion(B)이 있을 수 있다.

점선이 정상적인 maxilla의 위치를 표시한다.

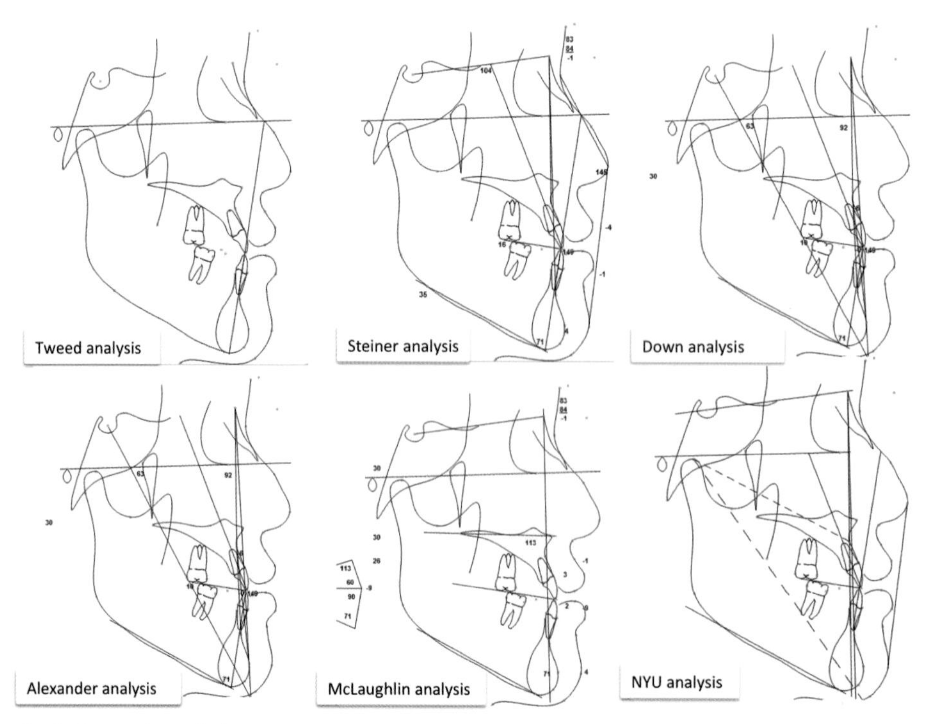

그림 26-11a. Cephalometric analysis

할지 결정하는 것이 바른 분석 순서라고 할 수 있다. 연조직을 분석할 필요성을 인식했던 선학들의 자료와 한국인을 치료하며 분석했던 임상 경험을 토대로 연조직 분석법을 제시한다.

4. 이지나 분석법

먼저 머리의 자세가 기본이 되어야 하는데 cephalometric X-ray 사진이나 사진을 중첩해서 분석을 할 때 환자의 머리 자세가 자연스러운지 살펴봐야 한다. 일부의 환자의 경우에는 머리 자세가 비대칭 모습이나, 습관에 의해 환자가 취하고 있는 자연스러운 자세가 true vertical line(진정한 수직)이 아닐 수도 있다(**그림 26-11b**). 이런 경우를 분석하고자 할 때는 술자가 인위적으로 머리 자세에 수정을 가해서 수직, 수평 기준선을 만들고 난 후에 이것을 토대로 tracing을 할 때 필요한 점들을 연조직 분석표에 표시해야 한다. 제일 먼저 얼굴의 수직적 길이를 삼등분하고, 다시 아래쪽 삼분의 일을 윗입술과 아랫입술로 나누어 길이를 비교한다(**그림 26-11c**). 두 번째는 얼굴의 돌출 정도를 정량적으로 분석한다(**그림 26-11d**). 세 번째는 연조직의 두께를 파악한다(**그림 26-11e**). 이렇게 연조직을 중심으로 분석하는 이유는 경조직을 중심으로 하는 기존 분석법의 특징인 각도를 측정하여 분석하던 방법과는 달리, 안면 연조직의 수직적 수평적 길이를 측정하여 수술 시 변화 정도를 유사하게 평가하고 예측하여 수술 계획할 수 있다는 점이다. 네 번째로 치아와 alveolar bone, 골격의 수직적 길이를 비교하고 평가한다(**그림 26-11f**). 마지막으로 경조직의 수평적 위치를 평가한다(**그림 26-11g**).

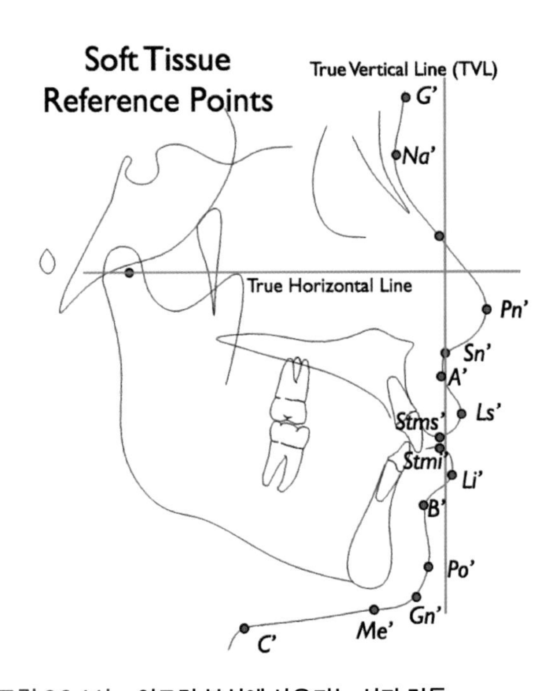

그림 26-11b. 연조직 분석에 사용되는 선과 점들

연조직을 우선으로 한 분석이 이루어지면 경조직을 중심으로 하던 분석과는 달리 심미적 차이점을 뚜렷이 볼 수 있으며, 술자와 환자가 보다 만족할 심미적 결과를 얻을 수 있다. 이런 연조직 분석을 우선으로 기본적인 수술 교정 계획을 세우게 되는데, 수술 교정이 필요한 경우에는 치아 교정만으로는 만족할 만한 결과를 얻을 수 없어 악골 수술을 동반하게 된다. 수술과 교정 치료를 병행하게 되는 과정은 단순 치아 교정과는 다르며, 수술 후 치아 맞물림 기준을 우선으로 하여 안면 연조직의 변화를 예상하고 치료하게 된다. 이런 교정을 수술 교정이라 하는데 수술 교정에는 술 전 교정과 술 후 교정 두 가지로 나눌 수 있다.

5. 술 전 교정치료의 목적

첫째, 골격성 부조화를 이루고 있어서 골격 부조화 때문에 발생하는 상황을 보상하기 위해 dental root와 alveolar bone이 기울게 되는데 이런 기울어진 dental root와 alveolar bone을 maxilla, mandible 기저골상에 직립시켜(**그림 26-12**) 기저골 위에 직립되어 있는 alveolar bone상에 개개의 치아가 안전하게 위치하도록 치아 교정을 한다. 그러나 경우에 따라 dental root를 감싸야 할 alveolar

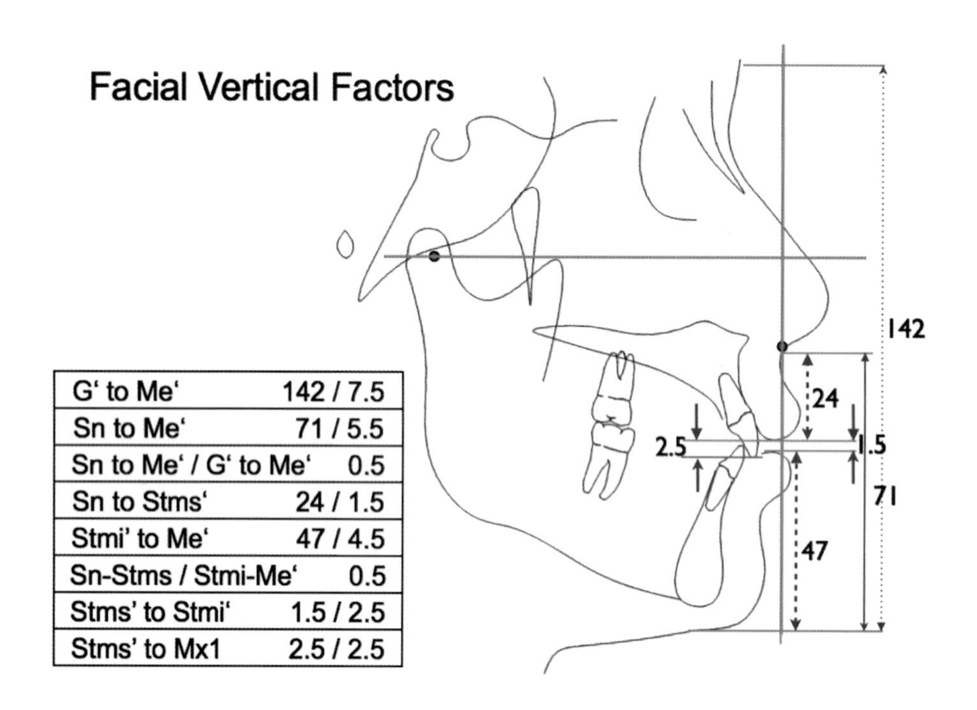

그림 26-11c. 옆얼굴의 수직적 길이 분석

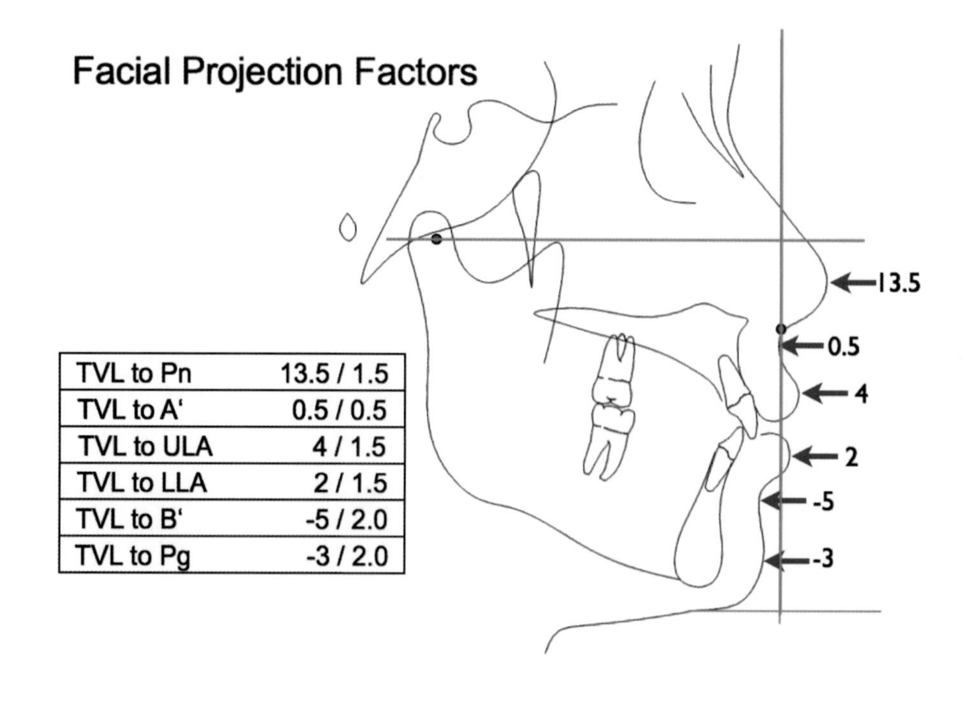

그림 26-11d. 옆얼굴의 수평적 돌출도 분석

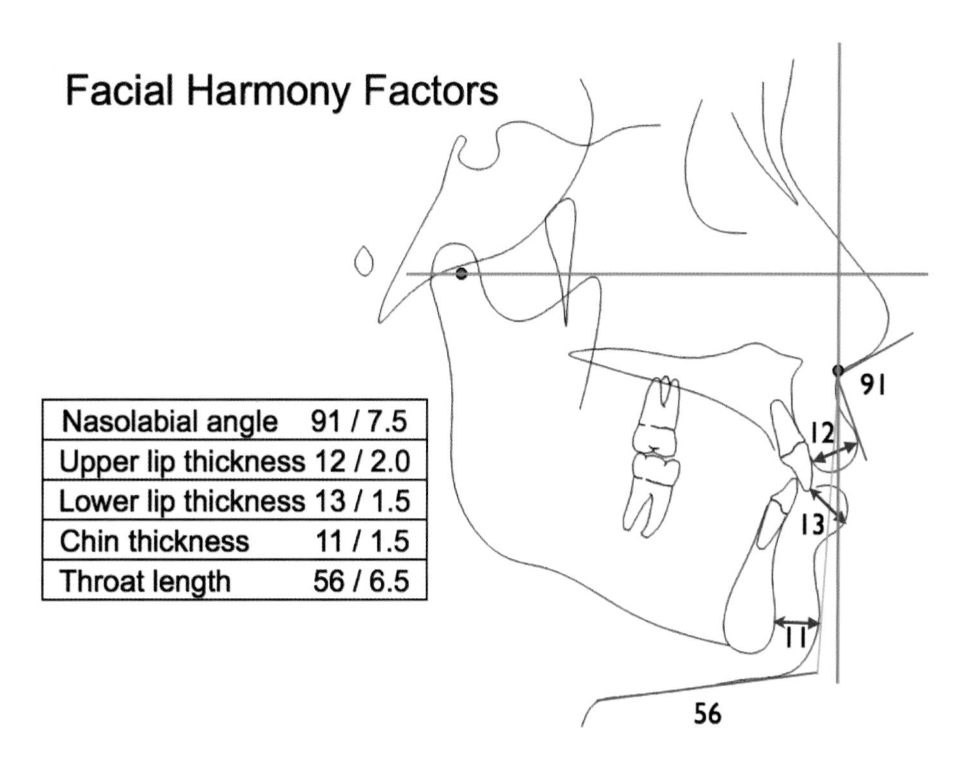

그림 26-11e. 얼굴 연조직 두께 측정

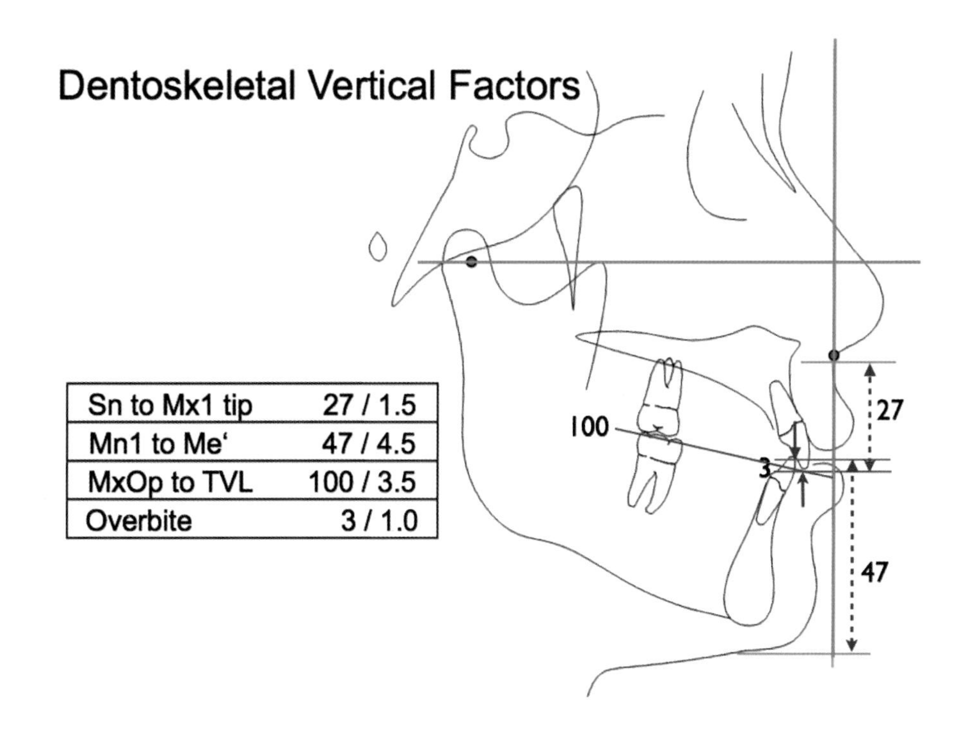

그림 26-11f. 치아를 포함한 골격의 수직 길이

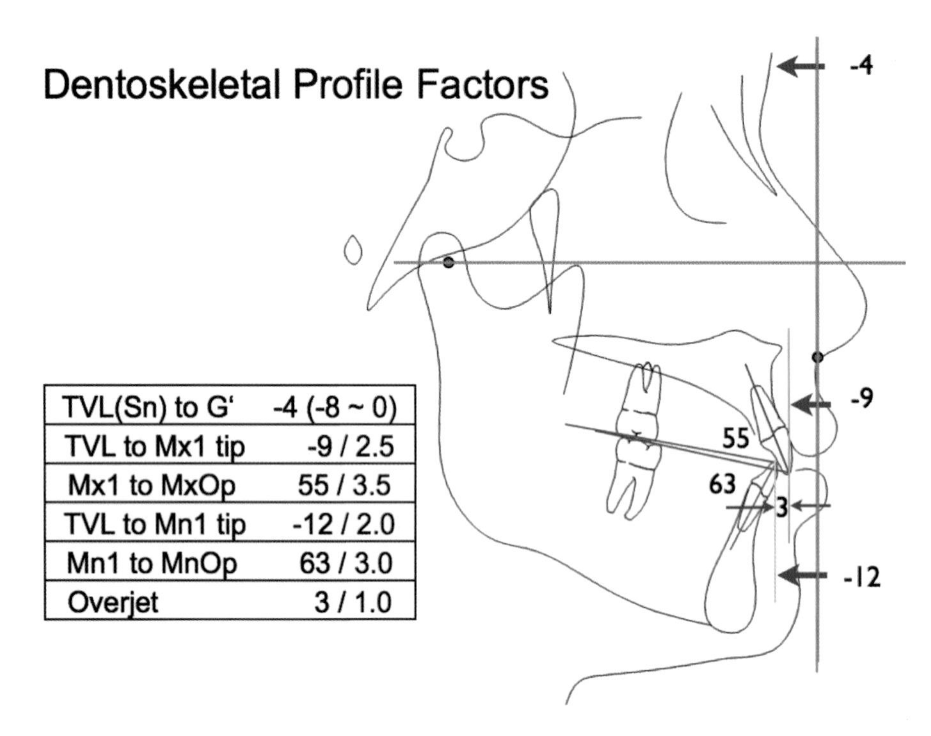

그림 26-11g. **치아와 골격의 수평적 돌출도 측정**

bone이 너무 얇거나 gingiva 퇴축을 막아 주는 attached gingiva가 없어서 alveolar bone graft나 free gingival graft를 선행해야 할 때도 있다. 골격성 class Ⅲ malocclusion을 가진 환자에게서 mandibular incisor는 대개 lingual side로 기울게 되어 dental root 부분이 labial side로 두드러진다. 이런 경우는 labial side alveolar bone이 얇아지거나 alveolar bone이 소실되어 있는 경우가 많다. lingual side로 기울어져 있는 mandibular incisor를 labial side으로 세워 정상적인 치아의 기울기를 갖도록 하는 과정에서 alveolar bone이 받쳐주지 않는 labial side gingiva가 쉽게 퇴축되고 dental root이 노출되게 된다(**그림 26-13**). Alveolar bone이 없는 상태에서는 치아 이동을 할 수 없기 때문에 alveolar bone graft과 free gingival graft를 시행하는 과정이 치아 이동 전에 필수적으로 선행되어야 한다.

둘째로는 수술로 이동해야 하는 악골의 골 이동량을 확보하기 위해서이다. 이것은 수술을 보다 안전하게 하고 확실한 치료 결과를 얻을 수 있게 한다. 예시된 환자의 경우 제Ⅱ급 골격과 하안면이 후퇴된 것 같은 얼굴을 보이고 있다(**그림 26-14a**). 골격과 교합은 제Ⅱ급으로 maxillary protrusion 양상을 보이고 있는데 이런 경우 mandible을 전방으로 이동하는 수술을 해야 한다. 하지만 maxilla, mandible의 incisor는 서로 닿고 있어 mandible을 전방으로 이동시키는 수술을 할 수 없다(**그림 26-14b**). 예시 환자의 maxilla와 mandible 치아의 위치는 적절하다. 그러므로 mandibular incisor를 후방으로 이동 시키는 수술 전 교정치료를 해준다면 orthognathic surgery를 통해 mandible을 전방으로 보다 쉽게 이동할 수 있게 된다(**그림 26-14c**). 겹쳐 있던 치아들을 고르게 배열하고 발치 후 인접 치아를 이동시켜 수술할 공간을 확보할 수 있게 된다(**그림 26-14d**). 이렇게 수술 전 교정치료를 통해서 수술 시 충분한 악골 이동량을 확보하면 수술 결과는 보다 심미적이고 자연스러운 안모(**그림 26-14e**)를 형성하게 되며 치아의 교합은 안정적이 되어

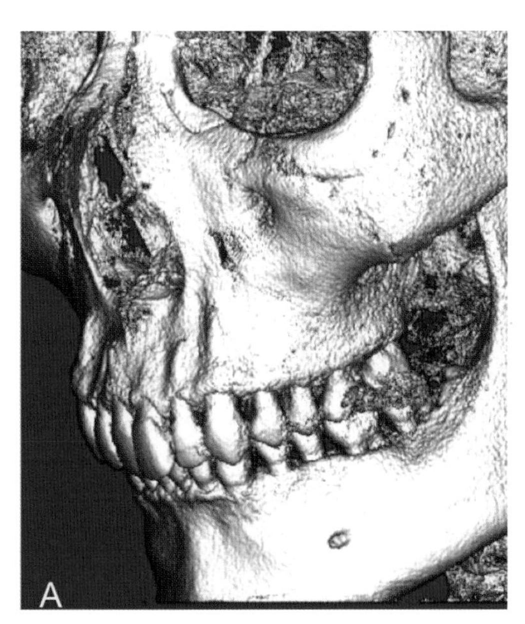

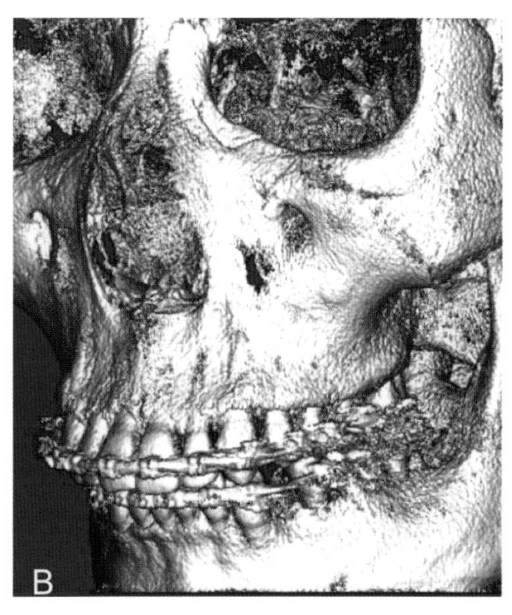

그림 26-12.

A. class II malocclusion 환자의 maxillary incisor들은 후방 위치된 mandibular incisor와 교합되기 위해 치관이 후방으로 향하게 된다. 그 결과 좌측의 치료 전 CT 영상에서 maxillary incisor와 canine의 치근이 alveolar bone 밖으로 드러나 있다. B. 수술 전 교정치료를 받은 후 촬영한 영상에는 상악치근들이 alveolar bone 외부로 드러나지 않게 되었다.

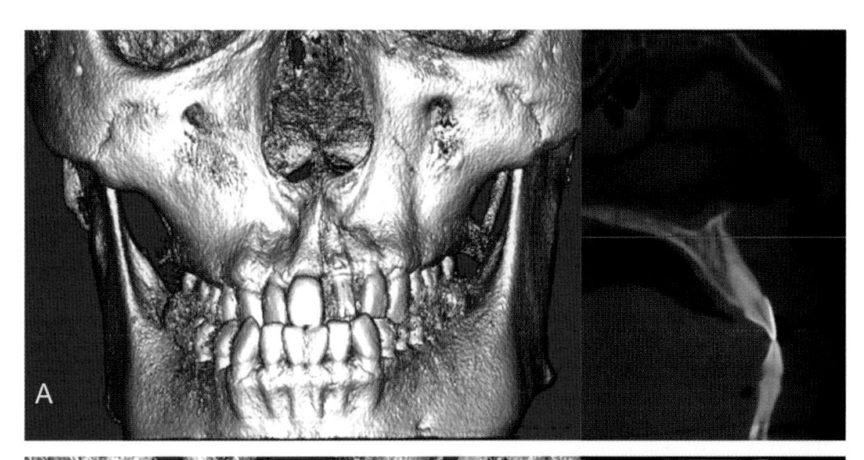

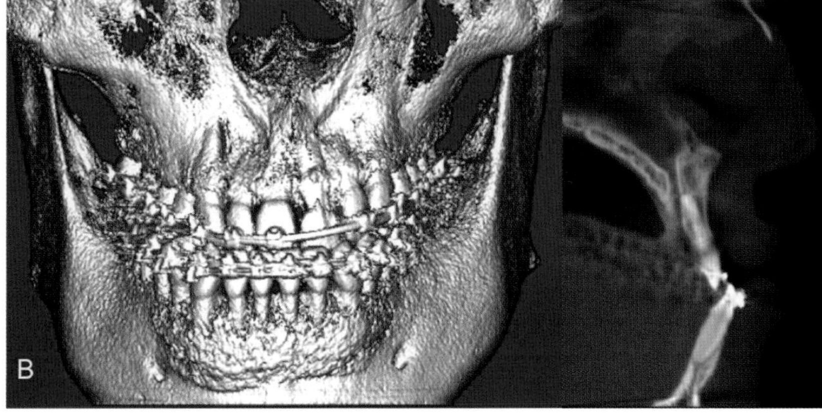

그림 26-13a.

A. Mandibular incisor는 lingual side로 기울어져 있고 labial alveolar bone이 얇아 치근의 형태가 드러나 보인다. CT 단면에서 mandibular incisor의 치근 lingual과 labial side 모두 치조골이 없다. B. 이식된 인조골이 mandibular 치근의 labial side에 보이고 있다.

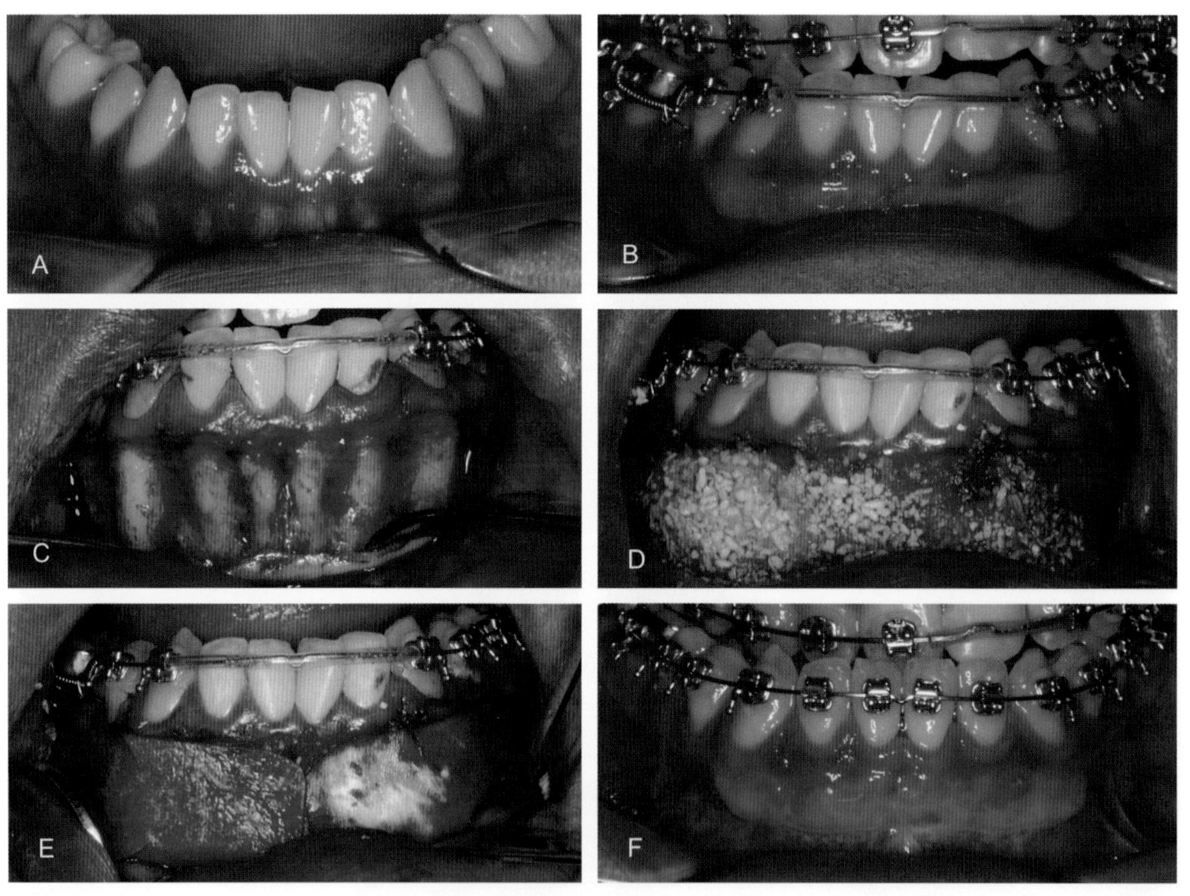

그림 26-13b.

A. 치료 전 mandibular incisor labial gingiva에 부착치은이 적고 유동성 구강 점막으로 덮여 있다. 순측 모두 alveolar bone이 없다. B. 일차 시술로 free gingival graft를 하여 입술과 주위 근육의 움직임에도 움직이지 않는 치은 띠를 만들었다. C. free gingival graft 후 3개월이 경과하고 이차 시술을 위해 피판을 열었다. maxillary incisor와 canine의 치근이 alveolar bone으로 덮여 있지 않고 노출되어 있는 것을 볼 수 있다. D. 이식된 인조골이 mandibular incisor 치근 순면을 덮었다. E. alloderm으로 이식골을 덮어서 이식골이 움직이지 않고 잘 부착되도록 하였다. F. 이차 골이식 6개월 경과 후 치아 이동을 시작하였다.

건강하고 기능성 있는 치열을 보장할 수 있게 된다(**그림 26-14f**). 이렇게 하여 얻을 수 있는 보다 중요한 부수적 효과는 mandible이 후퇴되어 있는 상황을 수정함으로써 기도를 확장할 수 있다는 것이다(**그림 26-14g**). 기도를 확장하게 되면 입으로 숨을 쉬는 것을 방지하여 코로 숨을 쉴 수 있게 할 수 있다. 기도 확장은 이차원적 방사선 사진에서도 확인되며, CT영상에서는 삼차원적 기도 공간 증가를 확인할 수 있고 공간 증가량을 측정할 수도 있다(**그림 26-14h**).

셋째, 안면 비대칭이 있는 경우 골격의 전후방으로 존재하는 문제뿐 아니라 좌우로도 비대칭 문제가 있는 복잡한 경우이다(**그림 26-15a**). 비대칭이 있는 경우는 maxilla, mandible 어느 한쪽에만 문제가 있는 경우는 극히 드물다. 또한 문제가 된 골격의 비대칭에 대해 일어나는 alveolar bone의 보상이 어느 정도 까지 일어났는지 가늠하는 것도 어렵다. 즉 어디까지가 골격의 진정한 비대칭이고 어디까지가 alveolar bone의 보상으로 인해 일어난 비대칭인지 쉽게 구분되지 않는다. 이러한 이유로 인해서 감별 진단과 보상된 alveolar bone에 의한 비대칭을 수정하기 위해 충분한 술 전 교정치료가 필요하다.

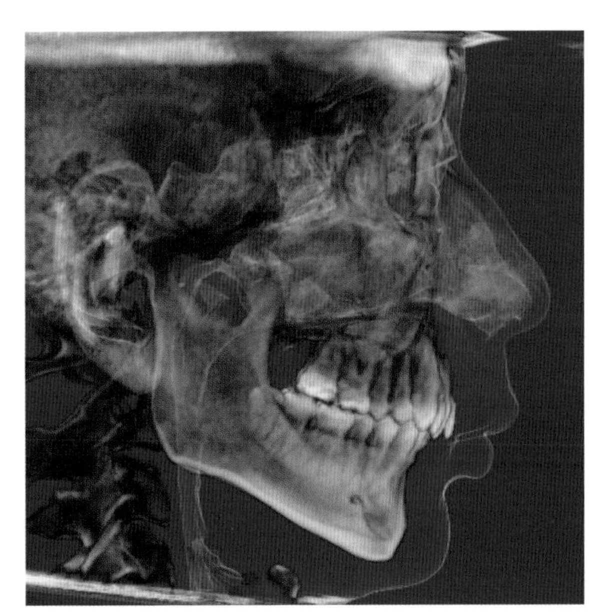

그림 26-14a. 제Ⅱ급 골격과 하안면이 후퇴된 얼굴을 보이는 증례
경조직과 상기도, 얼굴의 윤곽을 보여주는 CT 상

그림 26-15a에 예시된 환자는 골격적인 문제뿐 아니라 또 다른 문제를 생각해 봐야 하는 case이다. 예시된 환자는 제Ⅲ급 골격에 의한 골격의 전후방 문제, 악골의 좌우 비대칭 이외에 연조직의 두께가 균일하지 않다는 복잡한 문제점을 안고 있다. 윗입술의 두께는 17 mm이고 아랫입술은 13 mm였다(**그림 26-15b**). Mandible이 전방으로 돌출되었음에도 불구하고 얇은 아랫입술로 인해서 연조직의 돌출도는 정상으로 보인다. 골격의 문제와 연조직의 문제가 서로 상반되는 단적인 실예이다.

6. 2D visualize treatment objective(평면상 치료목표의 가시화)

Tracing 상에서 일련의 치료계획을 디자인 해보는 과정을 '2D visualize treatment objective'라 부른다. **그림 26-15**에 예시된 환자를 보면 class Ⅲ malocclusion을 치료 하려고 maxilla을 전방 이동시키면 두꺼운 윗입술이 더욱 앞으로 돌출되게 된다. 그 결과 마치 class Ⅱ malocclusion 환자가 갖는 얼굴 모습을 갖게 된다(**그림 26-15c**). 반면에 mandible을 후퇴시켜 정상교합을 만들려고 하면 아랫입술이 후방으로 들어가면서 class Ⅱ malocclusion 환자의 얼굴이 된다. 이런 경우의 해결책

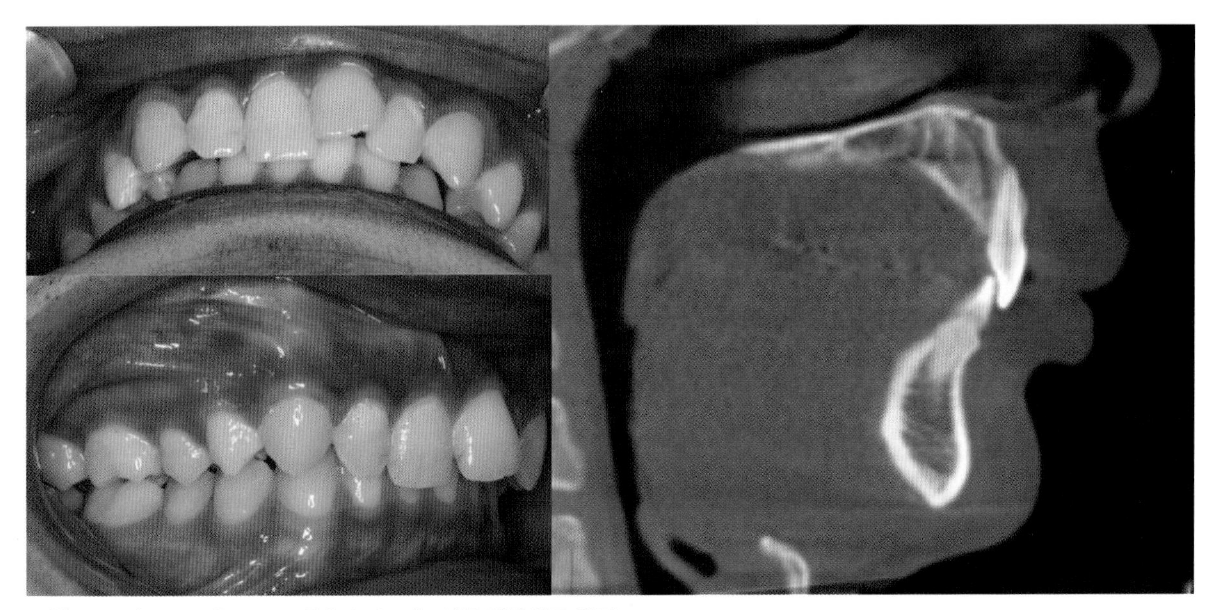

그림 26-14b. Maxillar, mandible incisor는 서로 접촉하고 있다.

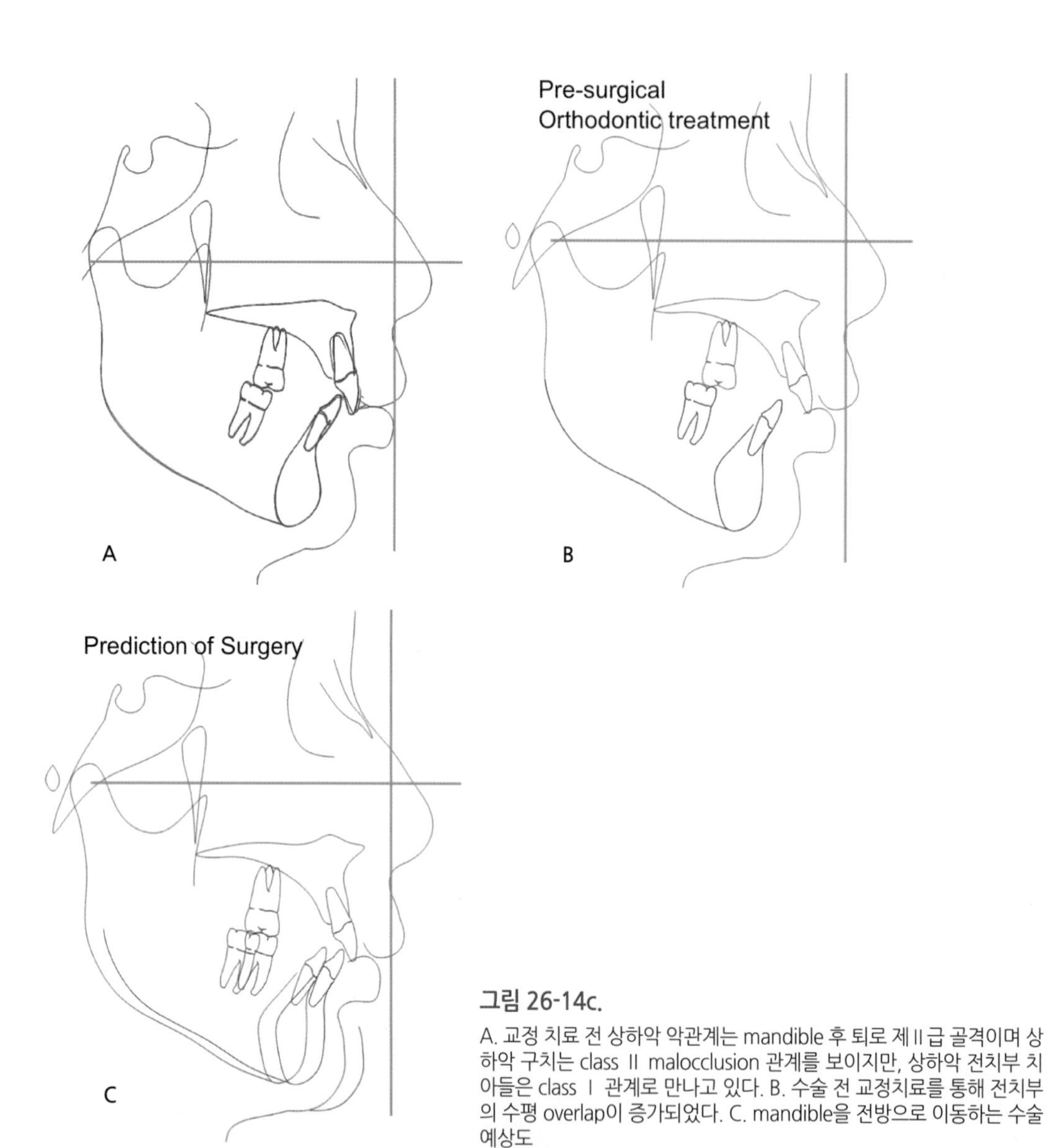

그림 26-14c.

A. 교정 치료 전 상하악 악관계는 mandible 후 퇴로 제 II 급 골격이며 상하악 구치는 class II malocclusion 관계를 보이지만, 상하악 전치부 치아들은 class I 관계로 만나고 있다. B. 수술 전 교정치료를 통해 전치부의 수평 overlap이 증가되었다. C. mandible을 전방으로 이동하는 수술 예상도

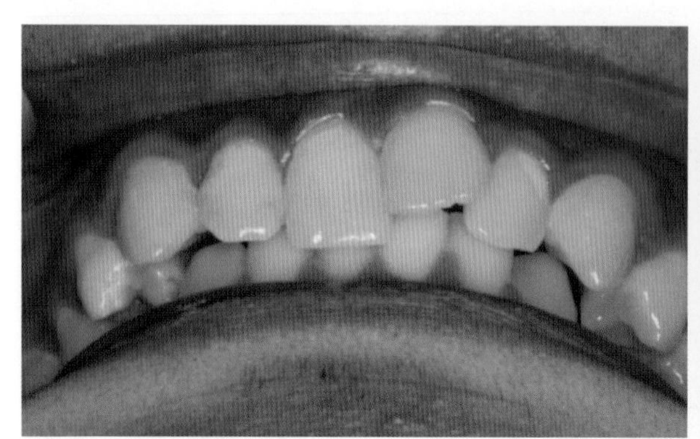

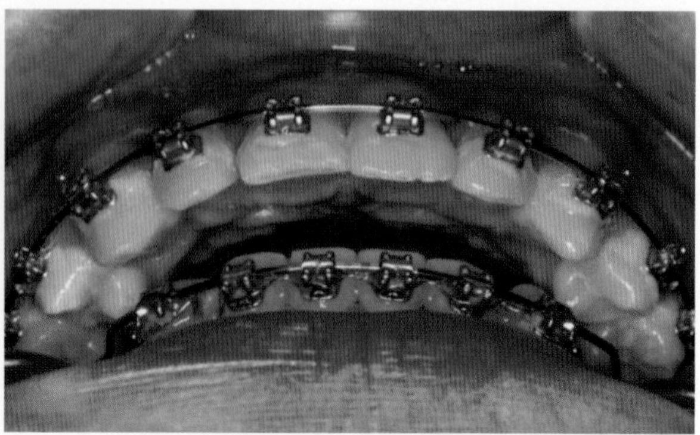

그림 26-14d. 수술 전 교정치료로 서로 닿아 있던 상하악 전치부의 수평 overlap이 증가했다.

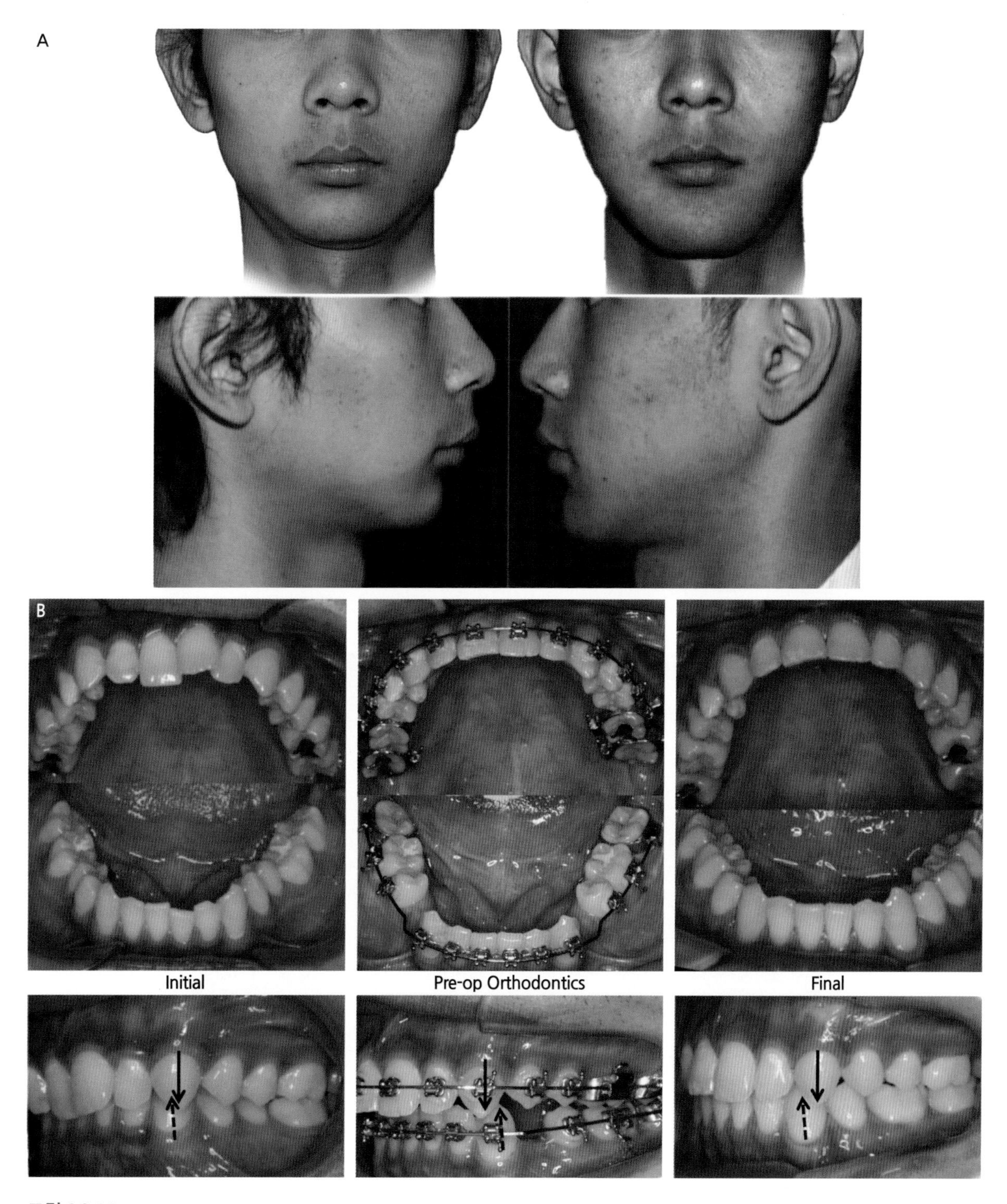

그림 26-14e.

A. mandible 악교정수술 전후의 전방, 측방 안모 비교 사진. 수술 전(좌측 상하 사진)과 비교하여 수술 후(우측 상하 사진) 사진은 하순에서 턱 끝까지의 길이가 증가되었다. B. 치료 전후의 구강 사진. 교정 치료 전(좌측의 사진들)에는 maxilla, mandible canine과 first molar가 class II malocclusion에 있었지만 수술 전 교정(가운데 사진들) 중 mandible의 first premolar가 발치 되어 확실한 제 II 급 견치 관계를 이루고 있고, 치료 후(우측의 사진들)에는 견치는 제 I 교합 관계를, first molar는 제 II 교합관계를 이루고 있다. (상악 견치는 실선 화살표 maxillary canine은 견치는 점선 화살표로 표시 됨)

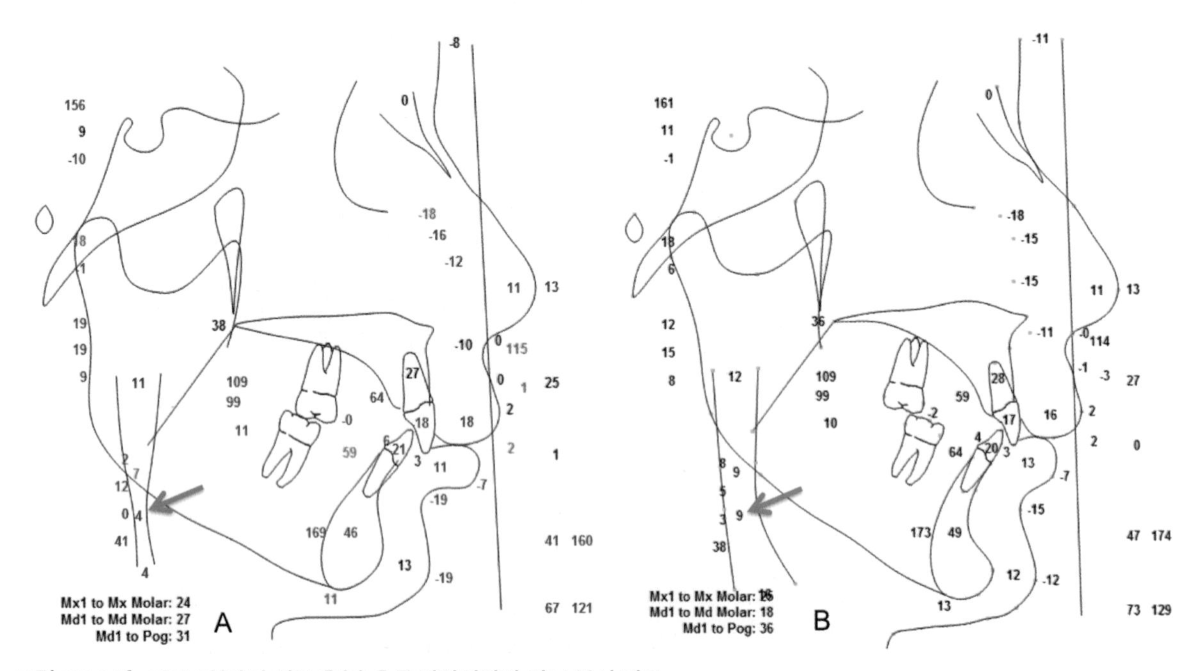

그림 26-14f. 치료 전(A)과 치료 후(B) 측두 방사선사진 기도 분석 비교

후두에서 인두로 이행되는 기도의 절단면 폭이 4 mm 에서 8 mm로 증가하였다(화살표).

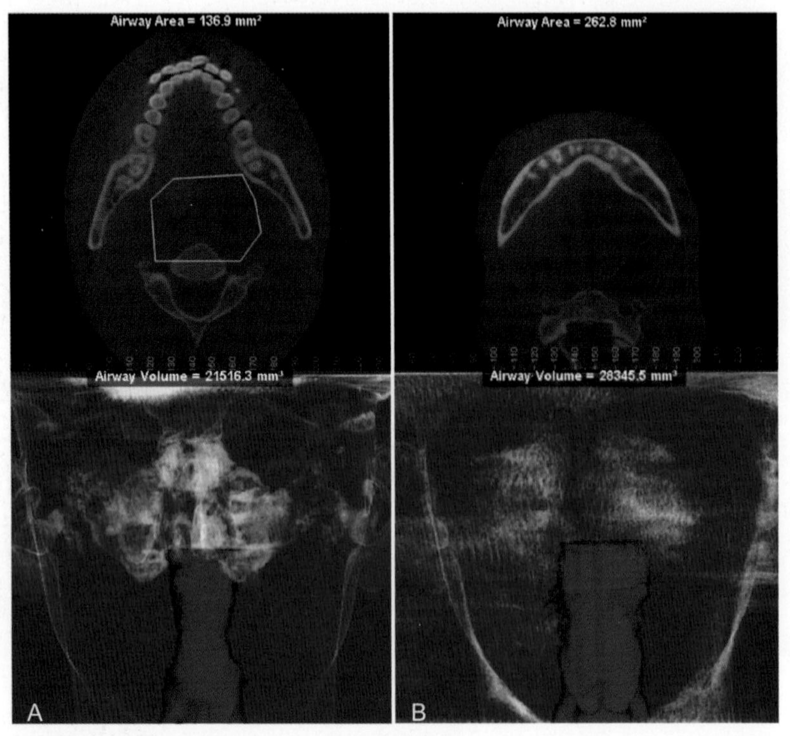

그림 26-14g. 치료 전(A)과 치료 후(B) CT airway volume 분석 비교

상단의 횡단면 영상은 기도가 가장 협착되어 있는 부위를 나타내는데 치료 전 136.9 mm^2, 치료 후 262.8 mm^2로 두 배의 증가를 보였다. 하단의 삼차원 영상에서 치료 전 21,516.3 mm^3, 치료 후 28,345.5 mm^3로 악교정 수술 후 7,000 mm^3의 기도 확장을 보였다.

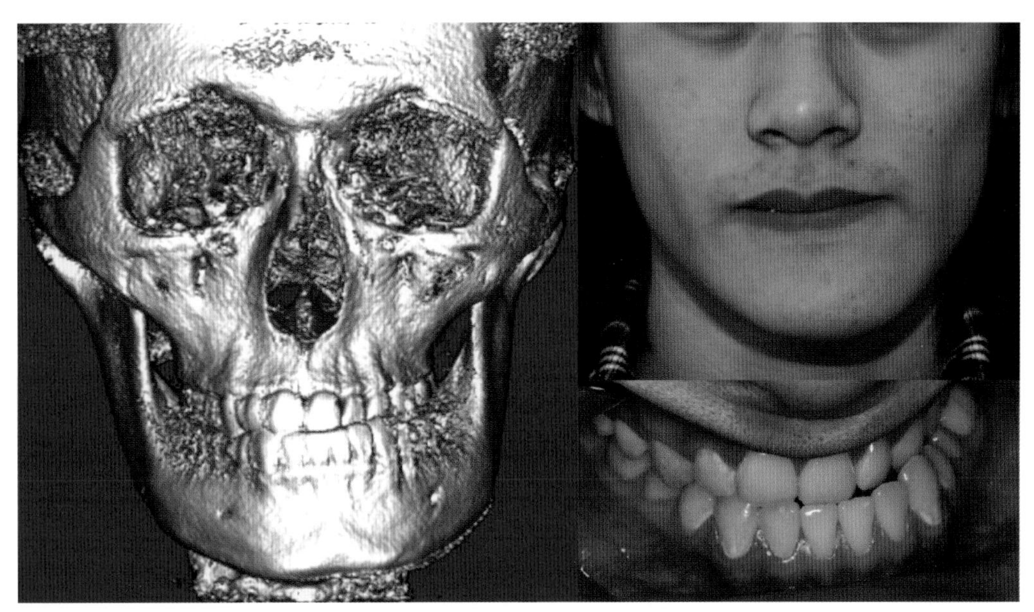

그림 26-15a. **비대칭 환자는 maxilla, mandible 모두가 비대칭인 경우가 대부분이며, 치열의 비대칭도 동반한다.**

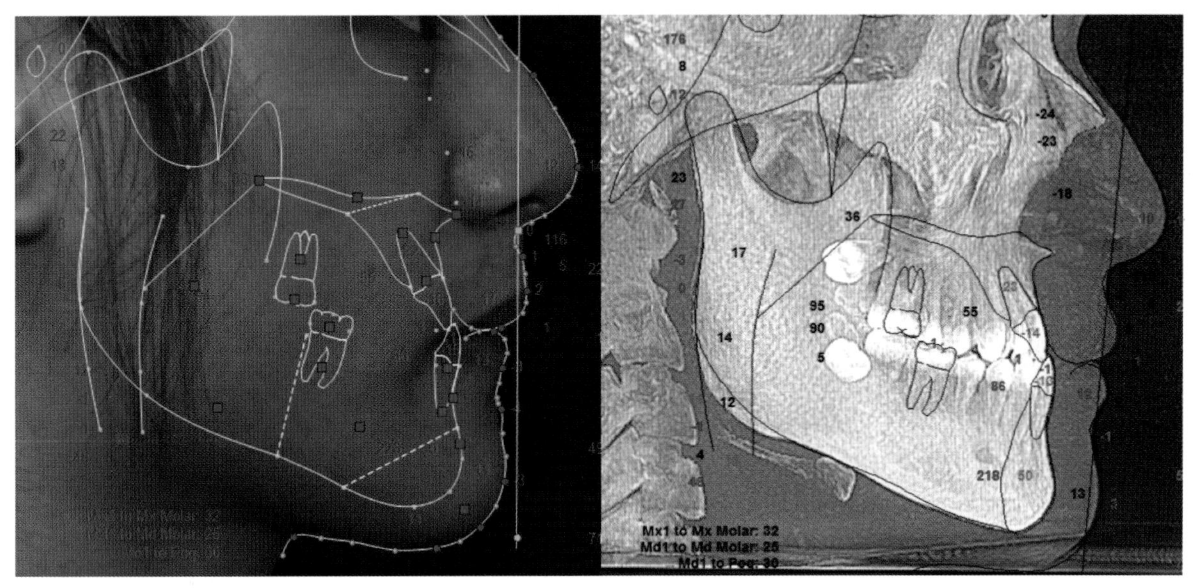

그림 26-15b. **비대칭 증례의 측두분석**
삼차원 CT 영상을 이차원의 cephalometric tracing으로, 혹은 얼굴사진에 중첩해서 평가할 수 있다.

으로 maxilla을 전방 이동시킨 후에 maxilla, mandible을 함께 clock-wise rotation 시키는 방법이 사용되는데, 이렇게 수술하면 정상교합이 되면서 입술의 모양도 정상적으로 만들 수 있음을 알게 된다(**그림 26-15d**). 이렇듯 치아 교정과 맞물려 수술을 해야 하는 경우는 단순히 치아이동이나 jaw surgery를 이차원적으로 분석하여 치료계획을 세우는 것뿐 아니라 공간적 개념으로도 생각하고 분석하여 예측해야 하는 시스템이 필요하게 된다.

이런 요구 사항에 대해 장비와 소프트웨어들이 개발되면서 삼차원적인 분석을 가능케 하는 시스템과 분석

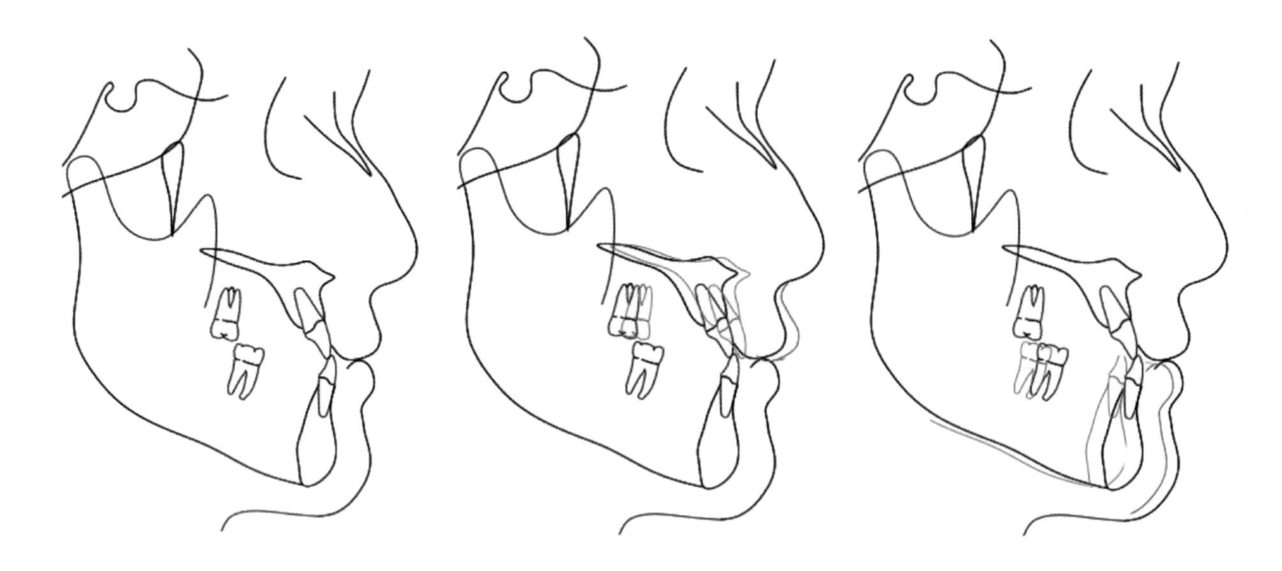

그림 26-15c. Visualized Treatment Objective(평면상 치료목표의 가시화) 과정
환자 본래의 cephalometric tracing, maxilla를 전진시키는 수술의 예상(빨간 선) tracing, mandible을 전진시키는 수술의 예상(빨간 선) tracing이 좌측부터 우측으로 배열되어 있다.

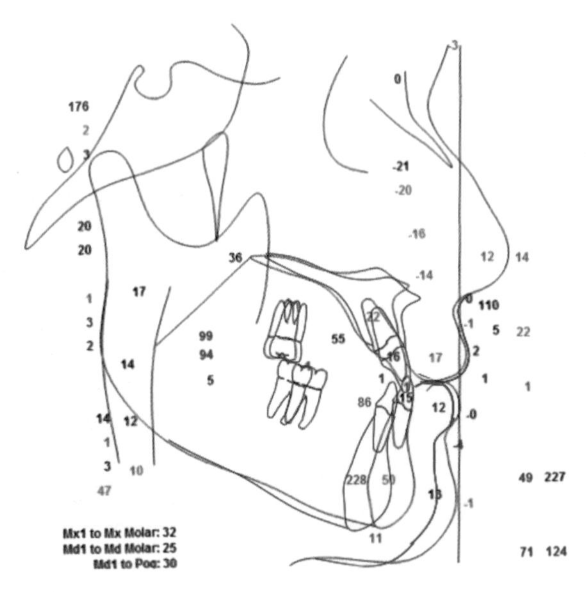

그림 26-15d. 평면상 치료목표의 가시화과정
maxilla을 전진시키면서 회전시키고 mandible은 시계방향으로 회전시키면서 후퇴시키는 수술의 예상(빨간 선) tracing

법이 만들어지게 되었다.

7. 3D virtual treatment(삼차원적 치료목표의 가시화)

3D virtual treatment라는 분석법은 3D simulation으로 CT영상을 삼차원적으로 재구성하여 볼 수 있게 하는 소프트웨어 프로그램으로 컴퓨터상에서 가상 수술을 할 수도 있고, 실제적으로 RP (Rapid Prototype) 모형을 만들어 모형상에서 수술을 해 볼 수도 있다. 그러나 실제로 환자를 수술할 때는 RP 모형처럼 경조직만 따로 분리시켜 놓은 상태에서 수술하는 것이 아니다. 악골 수술을 하기 위해 노출시켜 놓은 제한된 부분을 제외하고 나머지는 연조직으로 덮여 있어서 수술 중 기준점을 잡기가 매우 어렵다. 이런 상황에서 orthognathic surgery에 기준이 될 수 있는 구조물은 경조직인 치아들이다. 삼차원적인 악골과 치아 관계를 수술 전 미리 볼 수 있는데, maxilla, mandible 치아 모형을 만들어 그 모형을 실제 구강 상태와 똑같은 상하악 관계로 옮겨 놓을 수 있다. 이런 악구강 시스템을 외부에서 재현할 수 있는 기구가 교합기이다(**그림 26-15e**). 교합기의 상부는 cranium과

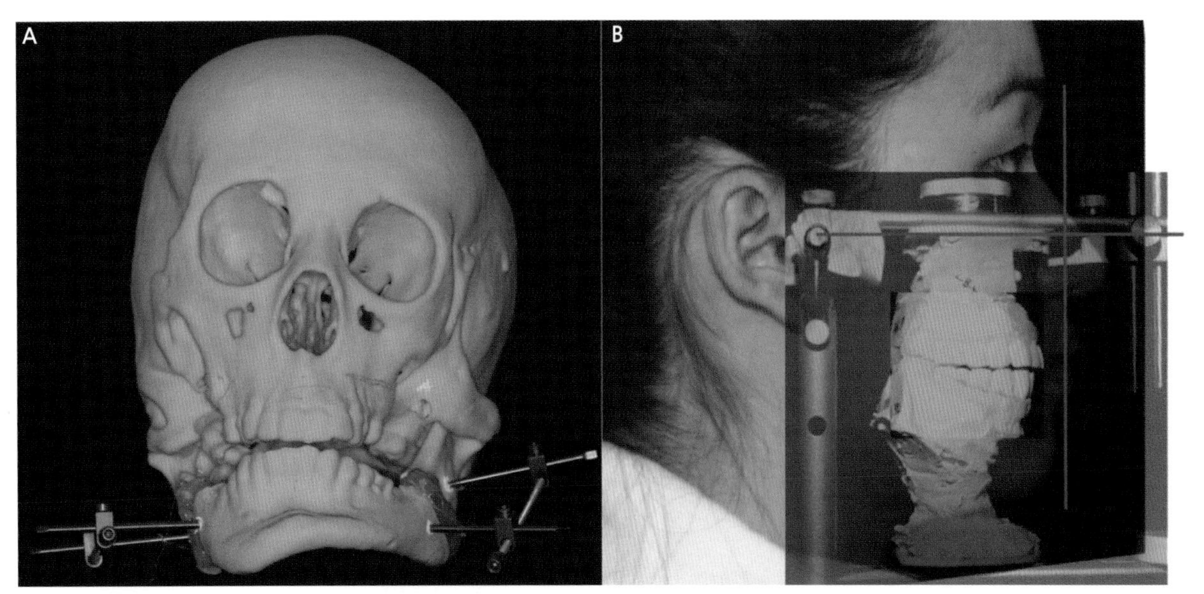

그림 26-15e. 삼차원적 치료목표의 가시화는 CT 영상을 이용해 만드는 RP (rapid prototyping) 모델에서 할 수도 있고(A) 교합기에 환자의 모형을 올려서 시행하는 방법도 있다(B).

maxillar에 해당되고 하부는 mandible에 해당된다. 교합기상에서는 cephalometric x-ray 사진을 tracing하여 여러 분석법으로 분석하여 이차원적으로 결정된 전·후·상·하 수술 이동량에 좌우 요소를 포함시켜 삼차원적으로 실제 수술을 simulation 해보는 과정이 model surgery(**그림 26-15f**)이다. Jawl surgery하여 움직이는 이동량은 ㎜ 단위로 움직이게 된다. 그러나 치아는 무수히 많은 cusp와 ridge를 가진 복잡한 미세 구조물이다. 이런 치아들이 안정적으로 서로 맞물리기 위해서 치아 맞물림의 계측 정도는 모형 이동 단위보다 더 미세한 ㎛ 단위로 측정 가능하다.

그림 26-15a의 비대칭 환자의 경우 먼저 mandibular incisor와 premolar에 free gingival graft를 시행하였다. 치료 전 구강 상태를 보면 mandibular incisor가 후방으로 기울어져 maxilla, mandible의 incisal edge가 서로 만나는 상태에 있었다. 이것을 수정하기 위해 그 후 약 9개월 동안 mandibular incisor의 경사도를 정상적인 범위에 넣기 위해 술 전 교정치료를 통해 교정을 하게 되었다. 그 결과 의도적으로 incisor의 반대교합을 더욱 증가시켰다 (**그림 26-15g**). Mini-screw에서 지지를 얻어 mandibular incisor를 앞쪽으로 펴주어 mandibular incisor의 치축 경사도는 개선되었고, 동시에 반대 교합은 더욱 두드러지게 되었다. 정상교합 시 보이는 maxilla, mandible incisor의 기울기를 수술 전에 먼저 회복시켜 주었기 때문에 수술과 교정치료가 완료된 후에는 incisor들이 정상적인 overbite와 경사도를 보이게 되었다(**그림 26-15h**). 치료 전·후 두 장의 cephalometric xray 사진을 tracing해서 중첩해 분석하면 **그림 21-4**에서 세웠던 치료 목표와 매우 근접함을 알 수 있다(**그림 26-15i**). 상악 전치가 아랫입술에 닿는 심미적 위치로 maxilla 전방부가 하향 이동되었고, mandible은 후방으로 이동되어 정상교합이 이루어질 수 있었다. 정면에서 비대칭이었던 maxilla, mandible과 alveolar bone은 대칭이 되었음을 CT영상에서 확인하였다(**그림 26-15j**). 정면 얼굴사진에서 입술 모양이 치료 후에 볼륨있는 형태로 바뀌어 있음을 볼 수 있다(**그림 26-15k**). 치료 전에는 incisor보다 molar가 더 많이 보이는 reverse smile line이었고, maxilla의 전방부를 하방이동 시킨 orthognathic surgery 후 사진에는 incisor

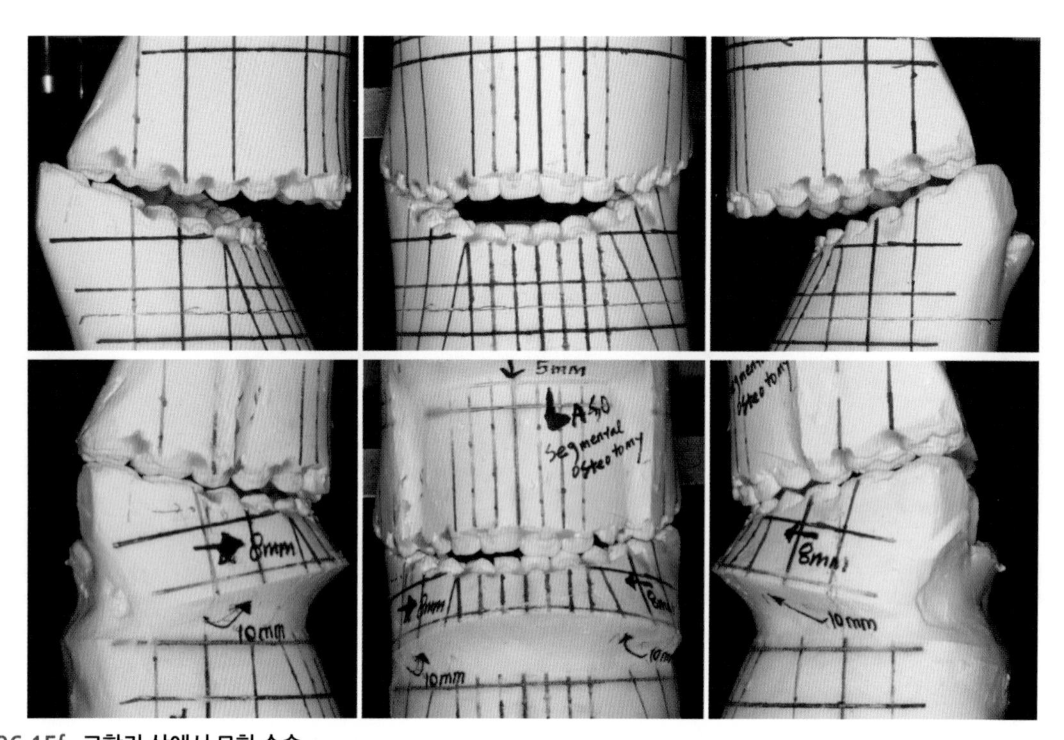

그림 26-15f. 교합기 상에서 모형 수술

먼저 치아모형의 아래 부분을 석고로 고르게 쌓아 원통형이 되게 만든 후에 수직선과 수평선을 그어 움직이는 부분의 정확한 이동거리를 측정한다.

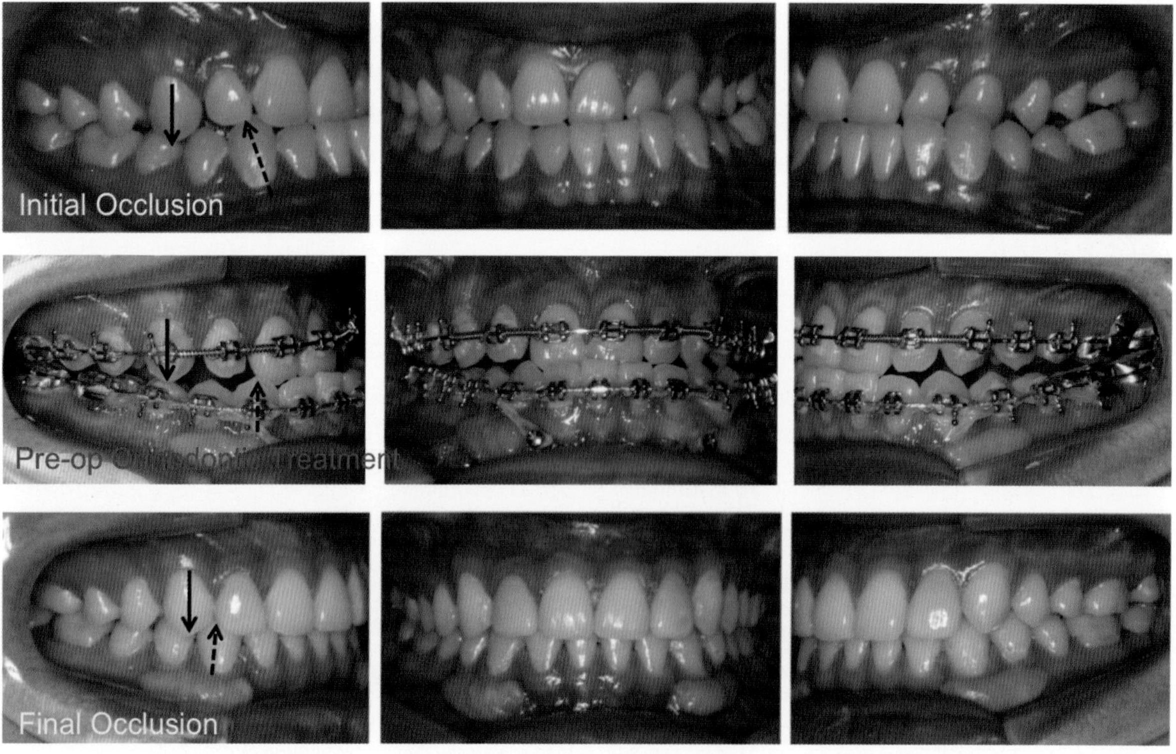

그림 26-15g. 그림 15-1 비대칭 증례의 구강사진. 치료 전, 술 전 교정치료, 치료 후

maxillary canine은 실선 화살표 하악 견치는 점선 화살표로 표시 됨

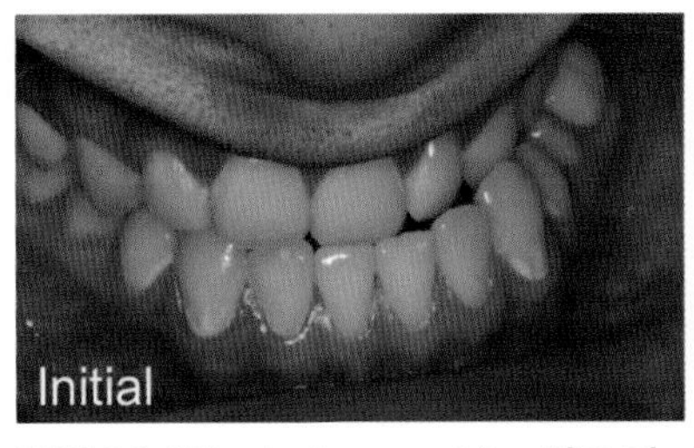

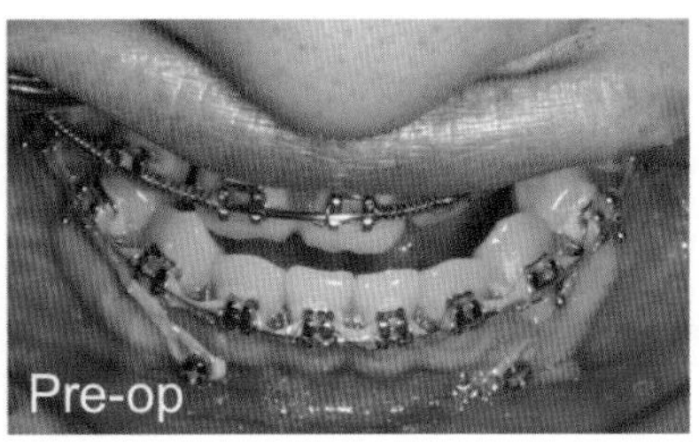

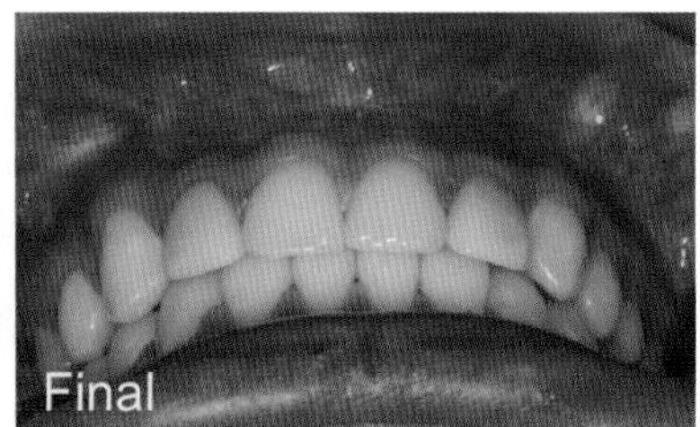

그림 26-15h. **Incisor overbite. 치료 전, 술 전 교정치료, 치료 후**

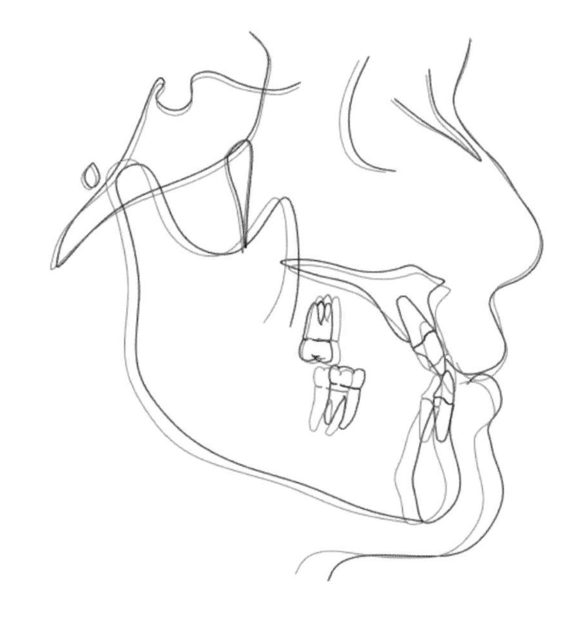

그림 26-15i. **치료 전(검은 선), 치료 후(빨간 선) cephalometric tracing 중첩**

가 molar보다 더 많이 보이는 심미적인 스마일로 개선되었다(**그림 26-15l**) 얼굴 윤곽도 치료 후에 균형이 맞는 모습으로 바뀌었다(**그림 26-15m, 15n**).

8. 결론

위에 기술된 내용을 정리해 보면 '술 전 및 술 후 교정'이란 단순한 치아배열의 의미가 아니다. 정확한 안모의 기능적 심미적 진단을 수행하고, 삼차원적인 치료 계획을 수립하며, 수십 년의 시간이 지나도 변화되지 않는 최종적인 교합을 완전하는 종합적 치료철학이라 하겠다.

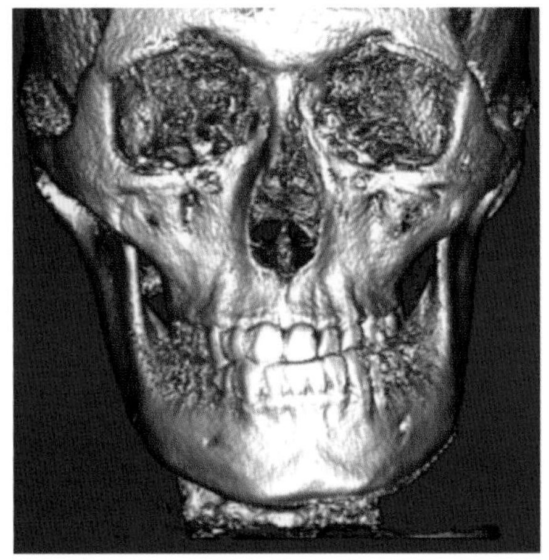
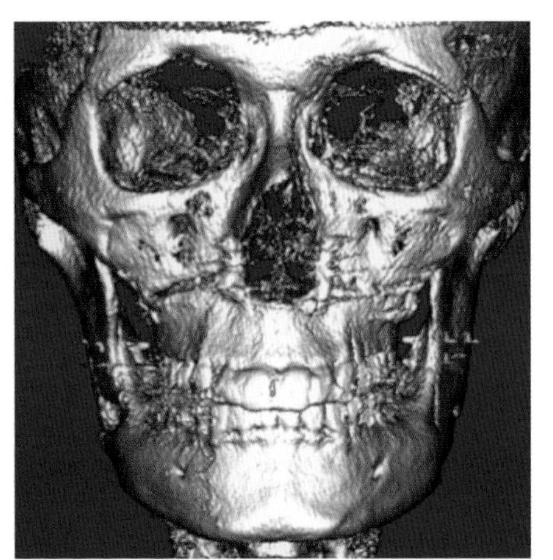

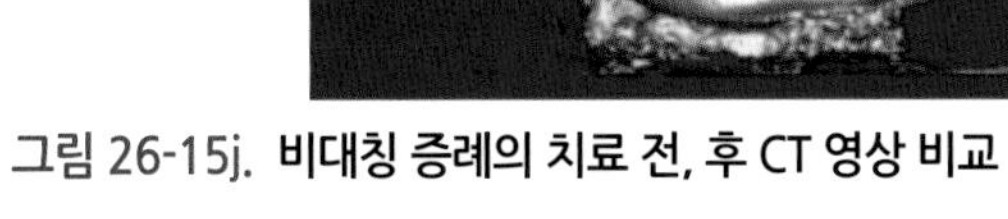

그림 26-15j. **비대칭 증례의 치료 전, 후 CT 영상 비교**

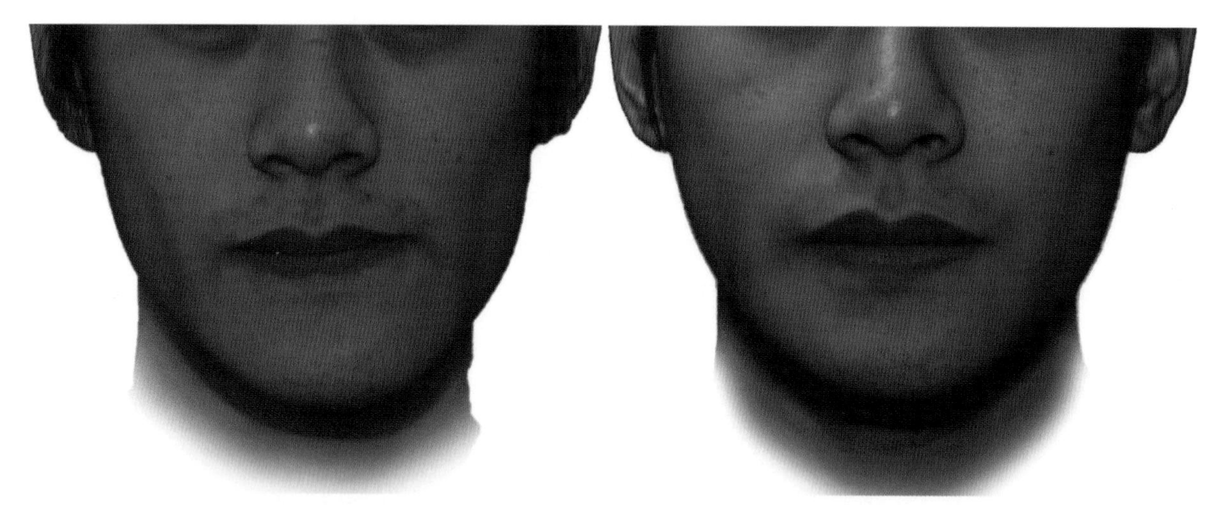

그림 26-15k. 비대칭 증례의 치료 전, 후 정면 얼굴 비교

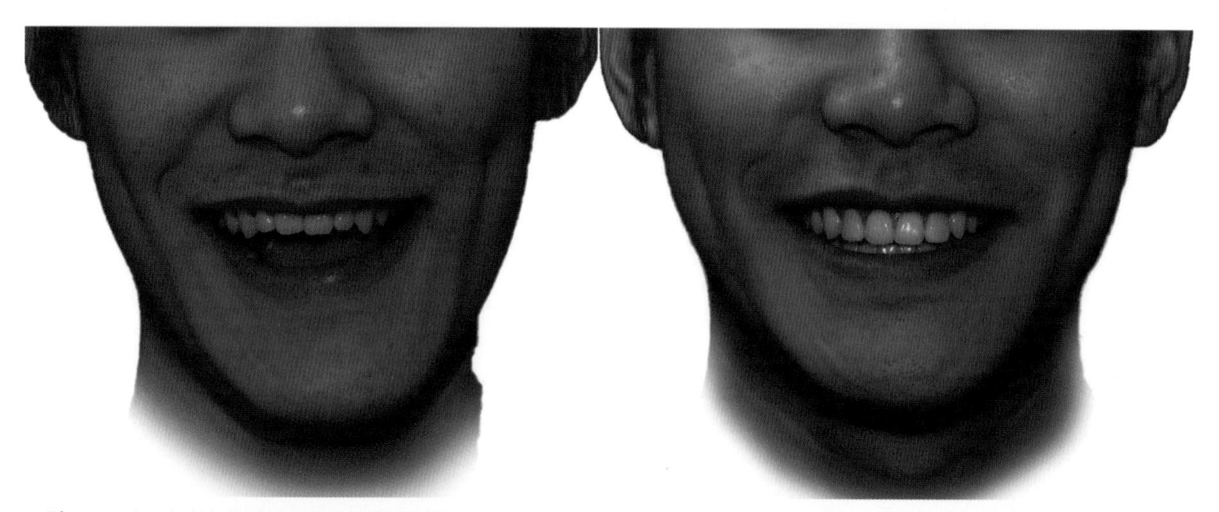

그림 26-15l. 비대칭 증례의 치료 전, 후 정면 얼굴 비교

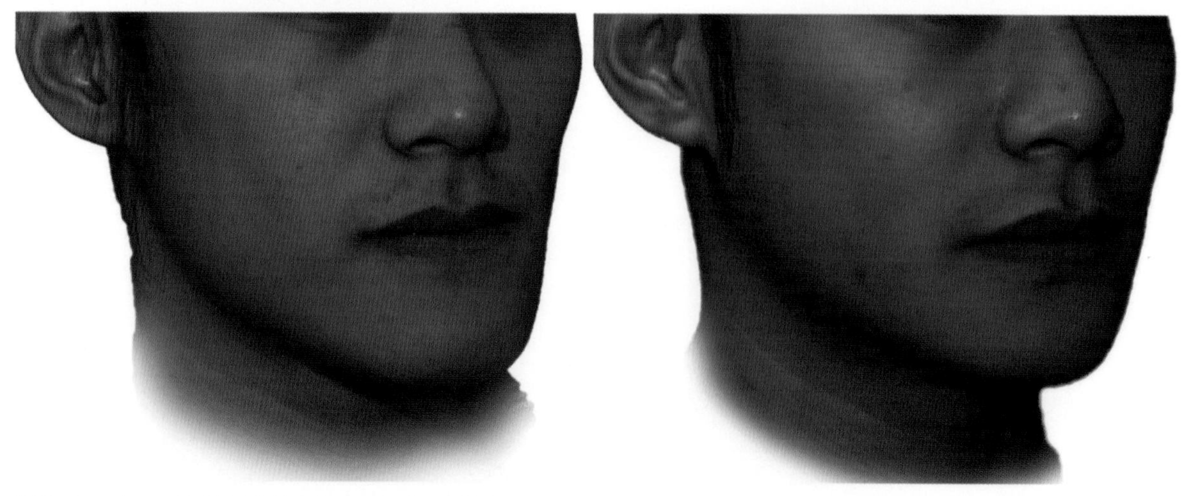

그림 26-15m. 비대칭 증례의 치료 전, 후 정면 얼굴 비교

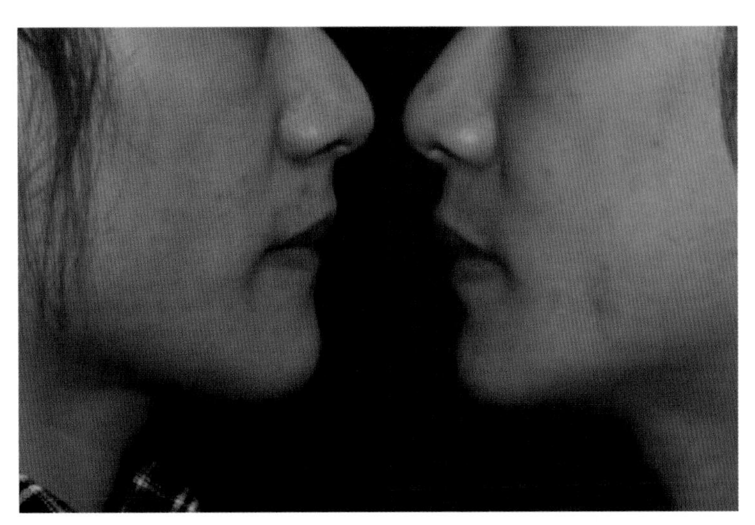

그림 26-15n. 비대칭 증례의 치료 전, 후 옆 얼굴 비교

참고문헌

1. Andrews LF. The six keys to normal occlusion. AJODO 1972; 9: 293-309.
2. Arnett GW, Bergman RT. Facial keys to orthodontic diagnosis and treatment planning. Part I. Am J Orthod Dentofacial Orthop 1993; 103: 299-312
3. Arnett GW, Jelic JS, Kim J, Cummings DR, Beress A, Worley CM Jr, Chung B, Bergman R. Soft tissue cephalometric analysis: diagnosis and treatment planning of dentofacial deformity. Am J Orthod Dentofacial Orthop 1999; 116: 239-53
4. Lee, RF. Esthetics and its relationship to function. In: Rufenacht CR. Fundamentals of Esthetics, Chicago, Il: Quintessece, 1990; Chapter 5.
5. Scheideman GB, Bell WH, Lefan HL, Finn RA, Reisch JS. Cephalometric analysis of dentofacial normal. Am J Orthod 1980; 78: 404-20
6. Spradley FL, Jacobs JD, Crowe DP. Assessment of the anterioposterior soft-tissue contour of the lower facial third in the ideal young adult. Am J Orthod 1981; 79: 316-25

PART 3

보툴리눔 톡신

Botulinum toxin

Part Editor 박은수

CHAPTER 27

보툴리눔독소 A형 주사의 역사 | History of Clinical Application of Botulinum toxin type A

Chapter Author | 안기영

1. 보툴리눔독소 A형을 임상적 치료제로 이용하게 된 역사적 배경

17세기 후반, 약 20여년 이어온 기나긴 나폴레옹 전쟁(1795-1815년)으로 유럽 전역은 장기간의 기아와 가난으로 인한 비위생적인 음식들이 난무하게 되었고 치명적인 식중독 사고들이 일어나게 되었다. 1793년, 지금의 독일 남부의 Wildebard 지역에서 대형 식중독 사고가 일어나면서 사람들은 식중독에 대한 관심이 매우 높아졌고 1811년, 독일 남부의 Württemberg 왕국에서는 이 사건에 대해 조사한 결과, 사고의 원인으로 부패한 소시지에 의한 식중독이라고 발표하였다. 이 후 소시지식중독에 대해 보다 체계적인 연구가 진행되면서 독일의 Dr. Justinus Würst Kerner (1786-1862년)는 1820년, 76명의 소시지 식중독 환자들의 증례를 정리하고 이를 botulism(라틴어 botulus는 소시지를 의미함)이라고 기술하였으며 또한 1822년에는 155례의 증례를 바탕으로 소시지식중독에 대한 단행본을 발표하였다. Dr. Kerner는 이 책에서 근육 이완, 샘 분비 저하, 위장관 근육과 방광 근육의 마비 등 보툴리눔 중독증의 증상을 구체적으로 묘사하였고, 상한 소시지로부터 추출한 독소가 운동신경계의 신호전달을 방해한다는 병인과 병태생리에 대한 가설을 처음 제시하였다. 뿐만 아니라 이 독소의 소량을 이용하여 신경계의 과민반응 질환의 치료 목적으로 유용하게 사용할 수 있을 것이라는 오늘날의 보툴리눔 독소 치료제 기전과 유사한 개념을 기술하였다. 이 후 그의 연구는 보툴리눔 독소 연구에 있어 발전과 전환의 계기가 되었고 이러한 선구자적 업적으로 오늘날 그를 보툴리눔 독소의 대부라고 부르고 있다.

1895년, 지금의 벨기에에 위치하는 Ellezelles 마을의 장례식장에서 햄을 먹고 34명이 집단적으로 근육마비 증상을 보이는 사건이 또 다시 일어났고, 2년 후인 1897년에는 Emile Pierre Van Ermengem 교수(1851-1922년)가 남은 음식물과 이 때 사망한 사체의 비장에서 원인 식중독균을 처음으로 분리하여 이 균을 “Bacillus botulinus”라고 명명하였다. 이 후 Bacillus botulinus는 다시 Clostridium botulinum(클로스트리듐 보툴리눔)으로 개명되었고 혈청학적으로 구별되는 각종 독소들을 생산하는 보툴리눔균들이 여러 지역에서 발견되면서 이들을 다시 알파벳 순으로 일곱 가지 혈청 타입 즉 A, B, C_1, C_2, D, E, F, G로 분류하였다.

1928년, Dr. Herman Sommer (Universiity of California, San Francisco)는 가장 강력한 혈청 타입인 Botulinum toxin type A를 안정된 산 침전물로 처음 분리

(isolation)함으로써 향후 보툴리눔 연구의 초석이 되었다. 이후 제2차 세계 대전 당시 생화학무기전에 대비하기 위해 미국 루즈벨트 대통령의 지시에 의해 만들어진 Fort Detrick 연구소(Maryand, USA)에 근무하던 군의관 Dr. Edward J Schantz에 의해 처음으로 생화학무기로서 인간에게 사용하기 위한 보툴리눔독소 A형(BoNT-A)이 만들어졌다. 그러나 이 때 만들어진 보툴리눔독소 A형은 사람의 치사량을 위해서는 많은 양이 필요하였고 치사율도 변수가 많은 등 문제점들로 인해 사용되지 못하였다. 이 후 1972년, 미국 리차드 닉슨 대통령이 생화학무기 사용을 금지하는 회담에 동의함으로써 무기화되지 못하고 Dr. Schantz는 만들어진 보툴리눔독소 A형 (batch 79-11)을 갖고 Wisconsin대학에서 그의 연구를 계속하였다.

본격적으로 보툴리눔독소 A형이 사람에게 치료약제로 사용하게 된 계기는 미국의 안과의사인 Dr. Alan B. Scott (Smith-Kettlewell Eye Research Foundation)가 사시 환자들을 위한 비수술적 치료 방법 개발에서 비롯된다. 그는 Dr. Schantz로부터 공급받은 보툴리눔 독소와 다른 화학적 물질들을 이용하여 원숭이에게 동물실험을 시작하였고 1973년에는 보툴리눔독소 A형이 영장류에서의 눈 외안근을 약화시킬 수 있다는 첫 연구결과를 발표하였다. 이 후 1978년, Dr. Scott는 미국 FDA 공인을 받아서 자신이 개발한 보툴리눔독소 A형 제품 Oculinum® 을 이용하여 사시 치료를 원하는 자원 환자들에게 시도하여 그 결과에 대한 논문을 1980년 발표하였다. 1989년, Dr. Scott의 Oculinum®의 미국 내 배분권을 취득한 Allergan회사(Irvine, CA)는 미국 FDA로부터 사시환자 이외 안검경련, 안면경련, 성인의 Meige's syndrome의 치료에 승인을 받았고 그 후 cervical dystonia, spasmodic torticollis 등으로 점차 그 적응증을 확대하였다. Dr. Scott 회사를 인수한 미국 Allergan사는 제품명을 Oculinum® 에서 Botox®로 개명하였다.

2018년 현재, 미국 FDA 승인을 받은 보툴리눔 독소 A형 제품 중 시장율에 있어 우위를 점유하고 있는 제품으로서는 onabotulinumtoxin A (Botox®/Botox Cosmetic® /Vistabel®/Vistabex®; Allergan, Inc., Irvine, CA.), abobotulinumtoxin A (Dysport®;Ipsen Ltd., United Kindom/ Medicis, Scottsdale, AZ; and Azzalure® in 15 European countries; Galderma, France) 그리고 incobotulinumtoxin A (Xeomin®, NT-201; Merz Pharmaceuticals, Frankfurt, Germany)가 있다. 이들 세 제품들은 비록 같은 혈청타입이지만 정제 과정, 주사용량, 효과 발현 시기 및 기간, 임상적 효과 정도는 각각 서로 다르다. 이 외 BoNT-B로는 rimabotulinumtoxin B (Myobloc®/Neurobloc®; Solstice Neurosciences Inc./Eisai Co., Ltd.)이 있다. 2000년, 항체 형성 환자가 많이 발생하는 경부운동이상(cervical dystonia) 치료제로 미국 FDA승인을 취득하였으며 주름제거제로 일부 성공을 보고하고 있으며 보툴리눔독소 A형에 대한 항체환자의 치료제로 사용되고 있다.

국내에서는 1996년, 처음으로 미국 Allergan사의 Botox®가 정식으로 수입되어 보툴리눔독소 A형 제재를 사용하기 시작하였으며 연이어 Dysport®, 중국제 BTXA ®가 수입되어 사용되었다. 국산 제품으로는 2006년, Meditoxin® (Medytox Inc., Seoul, Korea)가 출시된 이후, Botulax® (Hugel Inc., Seoul, Korea), Nabota® (Daewoong Pharmaceutical Co. Ltd., Seoul, Korea), Innotox ® (Medytox Inc., Seoul, Korea) 등이 한국식품의약청 허가를 받아 2018년 현재 사용되고 있다.

2. 보툴리눔독소 A형의 미용시술법 역사

1980년도 중반 캐나다 안과 의사인 Dr. Jean Carruthers는 그녀의 안검경련 환자들에게서 Botox®를 주사한 후 미간주름의 호전을 발견하고 이를 그녀의 남편이자 피부과 의사인 Dr. Alstair Carruthers와 Dr. Scott와 의논하였다. 그 후 Dr. Alstair Carruthers는 자신의 병원에 근무하는 상담사에게 안면주름 치료를 위해 Botox® 주사를 시도하였으며, 이 후 1992년, 그는 미간주름 치료에 있어 보툴리눔독소 A형의 효과에 대한 세계적으로 첫 미

그림 27-1. 보툴리눔독소 A형의 미용시술법의 창시자로 알려진 Dr. Jean Carruthers과 Dr. Alstair Carruthers 부부 모습

용 논문을 발표하게 되었다(**그림 27-1**).

이 후 보툴리눔독소 A형의 미용적 이용은 미간주름뿐만 아니라 이마, 콧등, 눈가, 입주변 주름, 목주름(gobbler neck deformity) 등 여러 부위의 안면표정근의 과다한 운동으로 인한 역동성 주름(hyperkinetic wrinkle lines) 치료에 이용되었고 눈썹을 올리거나 shaping, 그리고 잇몸웃음(gummy smile) 교정, 입꼬리 shaping 등에도 이용되고 있다. 최근에는 필러 혹은 레이저 등과 같은 비수술적 안면주름 치료방법들과 함께 병용 사용이 더욱 증가하고 있으며 창상 반흔을 줄이는 데에도 이용되고 있다.

국내에서도 1996년 미국 Allergan사 Botox®가 정식으로 수입되면서 안면을 비롯한 여러 근신경질환 치료와 함께 안면주름 치료에도 시도되었다. 그 후 2000년대 들면서는 우리나라 사람의 안면 골격 특성상 넓은 얼굴을 갸름하게 하기 위해 보툴리눔독소 A형을 이용한 비수술적 하안면윤곽술(일명 사각턱 교정술)이 국내 의사들에 의해 전세계적으로 가장 많이 보고되었다고 해도 과언이 아니다. 또한 날씬한 종아리를 만들기 위해 하지 및 종아리근비대증 치료(일명 알통다리 교정술)에도 이용되고 있으며 최근에는 목, 어깨, 허벅지 등 우리 몸 여러 부위에 비수술적 신체윤곽술로 조심스럽게 시도되고 있다.

보툴리눔독소A형을 이용한 미용시술이 확대되면서 2004년, 대한성형외과학회에서는 국내 여러 학회들 중 처음으로 보툴리눔 연구회를 창립하였고 2018년 현재까지도 이 연구회는 보툴리눔 독소를 이용한 미용시술법과 아울러 기타 비수술적 미용시술법에 대한 연구활동을 활발히 이어가고 있다.

참고문헌

1. Ting PT, Freiman A. The story of Clostridiium botulinum: From food poisoning to BOTOX. Clin Med 2004; 4: 258-261.
2. Erbguth Fj, Naumann M. Historical aspects of botulinum toxin: Justinus Kenner (1786-1862) and the "sausage poison." Neurology 1999:53:1850-1853.
3. Hanchanale VS, Rao AR, Martin FL, Matanhelia SS. The unusual history and the urological applications of botulinum neurotoxin. Urol Int 2010: 85: 125-130.
4. Erbguth Fj, Histolical note on the therapeutic use of botulinum toxin in neurological disorders. J Neurol Neurosurg Psychiat 1996; 60: 151.
5. van Ermengem EP. Ueber einen neuen anaëroben Bacillus und seine Beziehungen zum Botulismus. Z. Hyg Infektionskr 1897; 26: 1-56.
6. Snipe PT, Sommer H. Studies on botulinus toxin 3. Acid precipitation of botulinus toxin. J Infect Dis 1928; 43: 152-160.
7. Schantz EJ. Johnson EA. Botulinum toxin: The story of its development for the treatment of human disease. Persp Biol Med 1997; 40: 317-327.
8. Klein AW. Cosmetic therapy with botulinum toxin: Anecdotal memoirs, Deramtol Surg 1996;22:757-759.
9. Carruthers A, Carruthers J. History and current cosmetic use in the upper face. Semin Cutan Med Surg 2001;20: 71-84.
10. Scott AB. Botulinum toxin injection into extraocular muscles as alternative to strabismus surgery. Ophthalmology 1980; 87: 1044-1049.

11. Lipham WJ. A brief history of the clinical applications of botulinum toxin. In : Cosmetic and Clinical Applications of Botulinum Toxin. Lipham WJ, ed. Thorofare, NJ: SLACK Incoroporated, 2004:1-3
12. Tsui JK, Eisen A, Mak E, et al. Carruthers J, Scott A, Calne DB. A pilot study on the use of botulinum toxin in spasmodic torticollis. Can J Neurol Sci 1985,12:314-316.
13. Carruthers J, Stubbs HA. Botulinum toxin for benign essential blepharospasm, hemifacial spasm and age related lower eyelid ectropion. Can J Neurol Sci
14. Carruthers A, Carruthers J. Botulinum toxin products overview. Skin Theraphy Lett 2008;13:1-4.
15. Alster TS, Lupton JR. Botulinum toxin type B for dynamic glabellar rhytides refractory to botulinum toxin type A. Dermatol Surg 2003; 29: 516-518.
16. Kim Ej. Ramirez AL., Reeck JB, Maas CS. The role of botulinum toxin type B (Myobloc) in the treatment of hyperkinetic facial lines. Plast Reconstr Surg 2003; 112: 885-935.
17. Carruthers JDA, Carruthers JA. Treatment of glabellar frown lines with C botulinum A exotoxin. J Dermatol Surg Oncol 1992,18:17-21.
18. Carruthers A, Carruthers J. Botulinum toxin type A History and current cosmetic use in the upper face. Semin Cutan Med Surg. 2001 ; 20(2):71-84.
19. Becker-Wegerich PM, Rauch L, Ruzicka T. Botulinum toxin A: Successful décolleté rejuvenation. Dermatol Surg 2002; 28(2): 168-71.
20. Carruthers J, Carruthers A. Botulinunm toxin A in the mid and lower face and neck Dermatol Clin 2004: 22: 151-158.
21. Lowe NI, Yamauchi P. Cosmetic uses of botulinum toxins for lower aspects of the face and neck. Clin Dermatol 2004; 22: 18-22.
22. Fagian S, Carruthers JD. A comprehensive review of patient-reported satisfaction with botulinum toxin type A for aesthetic procedures. Plast Reconstr Surg 2008;122:1915-1925
23. Ahn KY, Park MY, Park DH, Han DG. Botulinum Toxin A for the Treatment of Facial Hyperkinetic Wrinkle Lines in Koreans Plast. Reconstr. Surg 2000; 105: 778-784.
24. Park, MY, Ahn KY. Follow-up; Botulinum toxin A for the treatment of facial hyperkinetic wrinkle lines in Koreans. Plast. Reconstr. Surg. 2003;105: 148s-150s.
25. Carruthers A, Carruthers J. Eyebrow height after botulinum toxin type A to the glabella. Dermatol Surg. 2007; 33:S26-S31
26. 안기영, 박미영. 보톡스주사법 미용시술편. 서울 한미의학 2004..
27. Coleman KR, Carruthers J. Combination therapy with BOTOX and filler: The new rejuvenation paradigm. Dermatol Ther 2006; 19: 177-188.
28. Carruthers ,Carruthers A. Marberley, D. Dep resting glabellar rhytides repond to BX and Hylan B. Dermatol Surg 2003; 29: 539-544.
29. Patel MP, Talmor M, Nolan W B. Botox and collagen for glabellar furrows: Advantages of combination therapy. Ann Plast Surg 2004; 52: 442-447.
30. West TB, Alster TS. Effect of botulinum toxin type A on movement-associated rhytides following CO2 laser resurfacing. Dermatol Surg 1999; 25: 259-261..
31. Carruthers J. Carruthers A. Combining botulinum toxin injection and laser for facial rhytides. In: Coleman WP, Lawrence N, eds. Skin Resurfacing. Baltimore,MD: Williams and Wilkins,1998: 235-243.
32. Zimbler MS, Holds JB, Kokoska MS, Glaser DA, Prendiville S, Hollenbeak CS, et al. Effect of botulinum toxin pretreatment on laser resurfacing results: A prospective, randomized, blinded trial. Arch Facial Plast Surg 2001;3:165-169.
33. Sherris DA, Gassner HG. Botulinum toxin to minimize facial scarring. Facial Plast Surg 2002:18:35-39.
34. Gassner HG, Sherris DA Chemoimmobilization:improving predictability in the treatment of facial scars. Plast Reconstr Surg 2003:112: 1464-1466.
35. Wilson AM. Use of botulinum toxin type A to prevent widening of facial scars. Plast Reconstr Surg 2006; 117: 1758-1766.
36. To EW, Ahuja AT, Ho WS, King WW, Wong WK, Pang PC, et al. A prospective study of the effect of botulinum toxin A on masseteric muscle hypertrophy with ultrasonographic and electromyographic measurement. Br J Plast Surg 2001; 54: 197-200.
37. von Lindern JJ, Niederhagen B, Appel T, Bergé S, Reich RH. Type A botulinum toxin for the treatment of hypertrophy of the masseter and temporal muscle: an alternative treatment. Plast Reconstr Surg 2001; 107: 327-332.

38. Liew S, Dart A. Nonsurgical reshaping of the lower face. Aesthet Surg J 2008; 28: 251-257.

39. Park MY, Ahn KY, Jung DS. Application Botulinum Toxin Type A Treatment for Contouring of the Lower Face. Dermatol Surg 2003; 29: 477–483.

40. 박미영, 안기영. Botox®를 이용한 하안면윤곽술에서 단일시술과 장기간 반복시술의 효과 지속 기간의 비교: 표준화된 사진 계측을 이용한 분석. J Korean Soc Plast Reconstr Surg 2009; 36: 654 – 659.

41. 신승규, 김용하, 김태곤, 이준호, 안기영. 황금마스크를 이용한 하악각시상골절제술과 보툴리눔독소 치료법의 평가 J Korean Soc Plast Reconstr Surg 2009; 36: 469 – 474.

42. Kim HJ, Yum KW, Lee SS, Heo MS, Seo K. Effects of Botulinum Toxin Type A on Bilateral Masseteric Hypertrophy Evaluated With Computed Tomographic Measurement. Dermatol Surg 2003; 29: 484–489.

43. Kim NH, Park RH, Park JB. Botulinum Toxin Type A for the Treatment of Hypertrophy of the Masseter Muscle. Plast Reconstr Surg 2010; 125: 1693-1705.

44. Park MY, Porto DA., Ahn KY. chap.13 Contouring of the Lower Face and the Lower Leg and Calf In: Joel L. Cohen, David M. Ozog eds. Botulinum Toxins Cosmetic and Clinical Applications. UK; John Wiley & sons. 2017:177-190.

45. 박정민, 하재성, 이근철, 김석권, 이기남, 이명종, et al. Type A Botulinum Toxin이 장딴지 퇴축에 미치는 영향. J Korean Soc Plast Reconstr Surg. 2005; 32: 85-92.

46. Lee HJ, Lee DW, Park YH, Cha MK, Kim HS, Ha SJ. Botulinum Toxin A for Aesthetic Contouring of Enlarged Medial Gastrocnemius Muscle. Dermatol Surg 2004; 30: 867–871.

47. Han KH, Joo YH, Moon SE, Kim KH. Botulinum toxin A treatment for contouring of the lower leg. J Dermatolog Treat 2006;17(4):250-254.

보툴리눔독소의 작용 기전 | Action Mechanism of Botulinum toxin

Chapter Author 박미영

보툴리눔신경독소(botulinum neurotoxin, BoNT)는 클로스트리듐 보툴리눔(Clostridium botulinum)이라는 그램 양성(혹은 음성균에 의해서도 가능) 막대형 혐기성균이 분비하는 외독소(exotoxin)로 신경근접합부에 작용하여 아세틸콜린(acetylcholine)의 분비를 방해함으로써 근육을 마비시키는 작용을 한다. 과량에 노출될 경우, 호흡근의 마비로 사망에 이를 수도 있을 만큼 강한 독성(단백질 1 mg당 2×107에서 2×108 mouse median lethal doses의 독성을 보인다)을 가지고 있지만 정제된 적은 용량의 보툴리눔 독소를 근육에 주사하면 국소 부위에 근육이완 작용을 나타내기 때문에 과도한 근육수축에 대한 치료제로 이용할 수 있다. 현재, 보툴리눔독소 A형(BoNT-A)이 가장 강력하고 안전성(safety margin)이 넓어 임상적으로 널리 사용 되고 있지만, 만약 A형에 중화항체가 생겨 더 이상 치료효과가 없는 경우에는 BoNT-B형으로 대치할 수 있다.

1. 보툴리눔독소 A형(BoNT-A)의 구조 및 작용 기전

BoNT-A는 그램양성 막대형 혐기성(gram-positive rod-shaped anaerobic)균인 클로스트리듐 보툴리눔에 의해 생성되는 7가지 독소형(BoNT A, B, C(1, 2), D, E, F, G) 중에서 가장 강력한 독성을 지니는 형으로서 분자량(molecular weight, MW)이 약 150Kda이며, 이는 단일사슬 폴리펩티드(single chained polypeptides)로 구성되어 있다. 이러한 progenitor toxin은 단백질 분해 절단(proteolytic cleavage)에 의해 100Kda의 heavy chain (Hc)과 50Kda의 light chain (Lc)으로 각각 분리되며, 이 두 사슬(chain)은 디설피드결합(disulfide bond, 이황화결합)

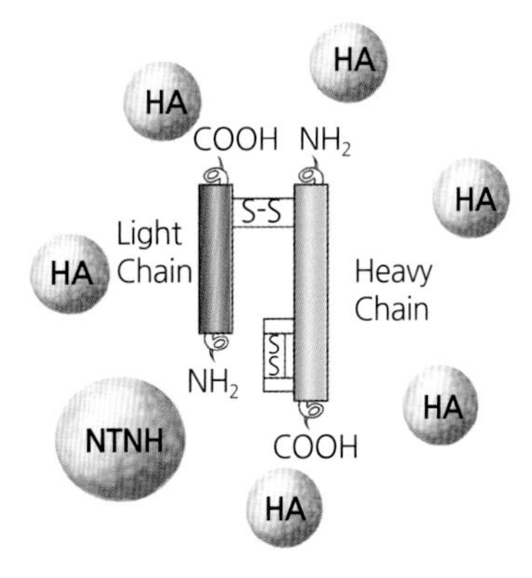

그림 28-1. BoNT-A의 구조

HA; Hemagglutinin, NTNH; Non-toxic non-hemagglutinin
Total complex size: 500-900kD neurotoxin component: 150kD (Hc-100kD, Lc-50kD)

에 의해서 연결되어 있다(**그림 28-1**).

Hc은 시냅스전 콜린성말단(presynaptic cholinergic terminal)에 결합(binding)하는 역할을 하고 Lc이 세포형질막(plasma membrane)을 통과할 수 있게 한다. 세포 내로 들어간 Lc은 세포 내 독성반(intracellular toxic moiety)을 가짐으로써 세포질 단백질(cytoplasmic protein)을 분절(cleavage)함으로써 근신경접합부(neuromuscular junction)에서 아세틸콜린(acetylcholine)이 분비되는 것을 막아 근마비를 초래한다. 이러한 과정들은 크게

1) 이동(binding and internalization)
2) 디설피드결합 환원 및 전위(disulfide reduction & translocation)
3) 신경근접합부 차단(inhibition of neuromuscular release)

등의 세 단계로 나뉜다(**그림 28-2**).

정상적으로 신경전달물질인 아세틸콜린의 분비를 위해 활동전위(acetylcholine potential)가 시냅스전 말단부를 자극하면 분비소포(secreatory vesicle)가 세포형질막에 융합(fusion)되어 세포바깥으로 유출(exocytosis)된다.

그러나 BoNT-A 는 Hc의 C-terminal에 의해 시냅스전 콜린성말단(presynaptic cholinergic terminal)에 의해 결합(binding)하는 역할을 하며, ATP dependent receptor-mediated endocytotic/lysosomal vesicle pathway를 통해 세포형질막 내로 들어가 internalization된다. 이때까지 반드시 Hc와 Lc의 디설피드결합이 잘 유지되어야만 internalization 된 후 Lc이 환원(reduction)되어 세포 내 독성반 능력을 가질 수 있다. 그러나 이러한 디설피드결합은 매우 약하게 결합되어 있으므로 생리식염수로 희석(reconstitution) 시에는 세차게 흔드는 충격을 주지 말아야 약효가 보존된다. Lc의 N-terminal은 zinc-endopeptidase로서 단백질분해작용(proteolytic action)을 가짐으로써 독성 효과를 나타낸다.

Disulfide reduction 및 translocation단계는 일단 internalization된 후 Hc와 Lc를 결합하고 있는 디설파이드결합이 분리(nicking)되고 Lc이 엔도솜막(endosomal membrane)에 결합해서 투과되어 표적 지점(target site)에서 작용하기 직전까지의 과정을 말한다. 마지막 단계로서 신

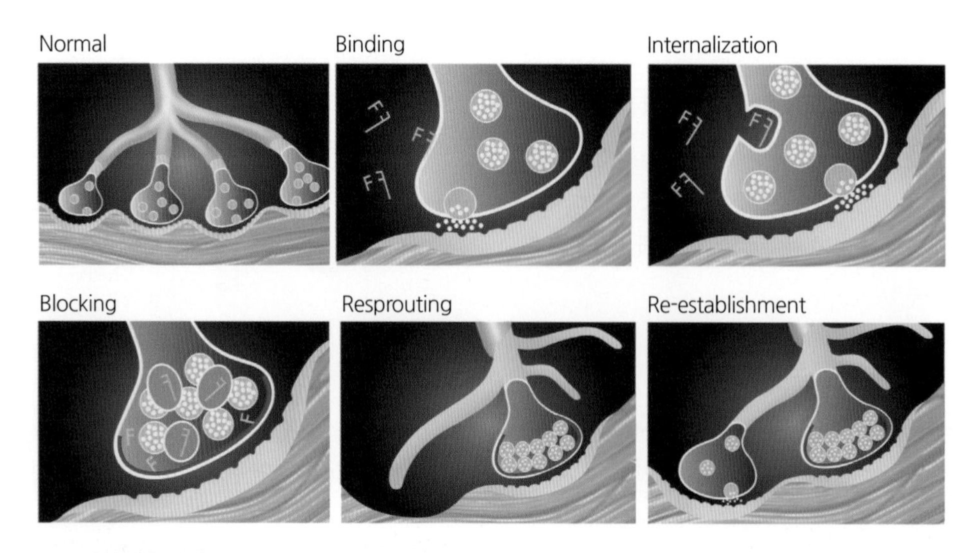

그림 28-2. BoNT-A의 작용기전

경근접합부 차단은 아세틸콜린의 분비를 방해하는 과정인데 이는 엔도솜막으로 이동한 Lc의 N-terminal이 zinc endopeptidase로서 금속단백질 분해작용(metalloproteolytic action)을 하여 시냅스에서 아세틸콜린 소포가 유리되는 과정인 docking과 priming 그리고 세포형질막과 융합된 뒤 세포바깥으로 유출되는 exocytosis의 정상적인 과정 중에 필요한 단백질, 즉 SNARE 복합체(soluble N-ethylmaleimide-sensitive fusion protein attachment protein receptor complex)를 불활성화함으로써 초래된다.

아울러 콜린성 말초운동신경의 plasma membrane에서는 각 시냅스소포막 단백질이 BoNT type에 따라 특이적인 수용체에 결합함으로써 neurotoxin endocytosis를 용이하도록 매개역할을 하는데, SV2 (synaptic vesicle glycoprotein 2)는 BoNT-A와 E에, Syt (synaptotagmin)는 BoNT-B와 G에 특이적으로 결합한다.

이러한 아세틸콜린이 세포외로 유출되는 데 필요한 SNARE 복합체는 시냅스 전막에 위치한 칼슘 채널과 시냅스 후막에 위치한 아세틸콜린수용체 채널 그리고 5개의 소포접합인자로 구성되어 있다. SNARE 복합체에는 세포질단백질(cytoplasmic proteins)로는 α-SNAP (soluble N-ethylmaleimide attachment protein), γ-SNAP, NSF (N-ethylmaleimide-sensitive fusion protein), SNAP-25가 있고 소포단백질(vesicle proteins)인 VAMP (vesicle associated membrane protein)/synaptobrevin 그리고 표적막 단백질(target membrane protein)로는 syntaxin 등이 있다. 이 중 BoNT-A형은 여러 소포접합인자 중 하나인 SNAP-25를 불활성화 함으로써 세포질(cytosol)의 아세틸콜린 소포(vesicle)가 세포형질막으로 이동하는 것을 방해함으로써 아세틸콜린의 유출을 막는다. 그리고 BoNT-E, C형도 SNAP-25를, BoNT-B, D, F, G형은 VAMP/synaptobrevin을 그리고 BoNT-C형은 syntaxin도 각각 분해함으로써 시냅스소포(synaptic vesicle)로부터 아세틸

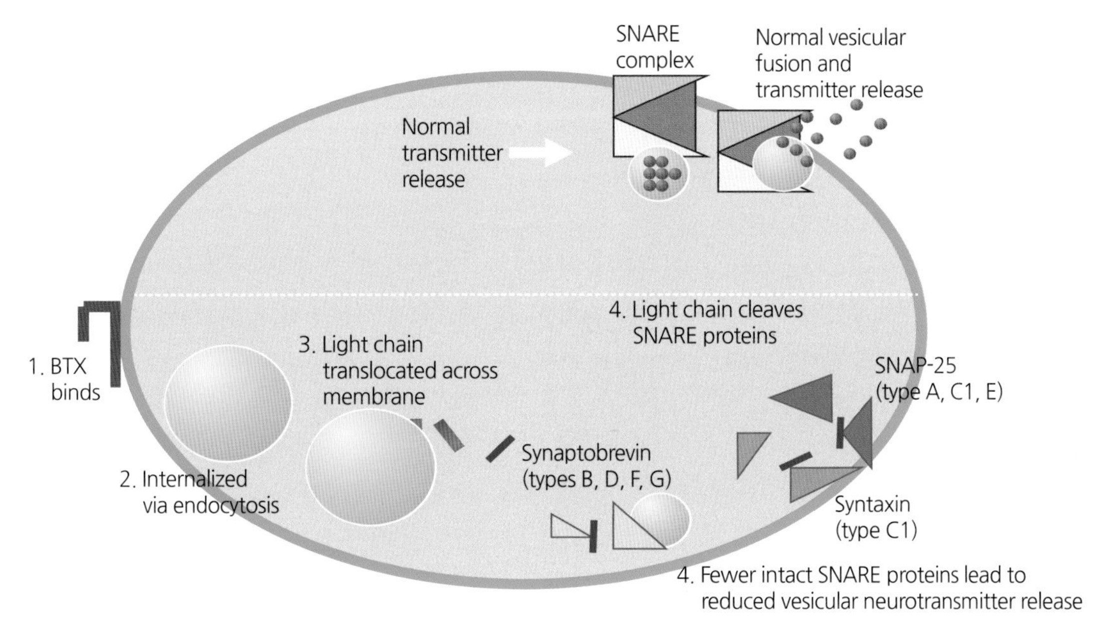

그림 28-3. Mechanism of action of botulinum neurotoxins

This graphic depicts normal exocytotic neurotransmitter release above the dotted line and the effects of botulinum neurotoxins below. Botulinum neurotoxins bind to nerve cell membranes at specific acceptor/receptor sites. They are internalized into the cell, and the light chain is translocated across the vesicle membrane into the intracellular milieu. There the light chain functions as a protease, cleaving or more specific SNARE proteins depending on the serotype. Fewer intact SNARE proteins lead to reduced exocytotic neurotransmitter release.

콜린의 분비를 방해하고 결과적으로 신경자극의 전달이 이루어지지 않아 근수축이 이루어지지 않는 "inhibition of acetylcholine release at the neuromuscular junction" 과정이 이루어진다(**그림 28-3**).

BoNT-A 의 임상적 효과는 주로 신경 근 접합부의 시냅스(synapse)로부터 아세틸콜린의 유리를 방해함으로써 근육의 수축이 되지 않는 기전에 의해 근육이완 작용을 나타낸다. 척수신경의 α와 γ-motor neuron을 억제함으로써 근이완 효과를 나타낸다고 하며 또한 중추신경계에도 영향을 미친다. 사람에게 근육 주사하였을 경우 임상적 효과는 대개 24시간 내지 72시간 사이에 시작되고, 1주 내지 2주 사이에 최고에 도달하게 된다. 효과의 지속기간은 약 4~6개월 내외이나 개체마다 다소 차이가 있으며 자율신경에서는 1년 이상이다. 주사량은 근육의 크기에 따라 혹은 근육의 수축 정도에 따라 다르다. 이러한 이완 효과는 가역적으로서 비록 주사 후 탈신경 및 근위축이 되었다 하더라도 민말이집운동신경(unmyelinated motornerve)의 말단부 축삭(terminal axon)으로부터 새로운 발아(sprouting)가 되거나 이 외에도 모신경의 말이집신경의 축삭(myelinated parent preterminal axon)의 Ranvier's node에서 축삭이 발아되거나 또는 axonal arbolization에 의해 축삭의 분지가 생겨남으로써 마비된 근육의 근신경접합부의 기능을 회복한다.

BoNT type에 따라서도 작용기간이 다소 다른데, 이처럼 다양한 이유는 cytosol내에서 L-chain의 수명, 잘려진 SNARE 단백질의 교환, 잘려진 SNARE 단백질로 인한 이차적인 생화학적 현상들로 인해 차이가 나는 것으로 추정된다.

2. 보툴리눔독소 A형 주사의 금기사항과 고려사항

BoNT-A 주사의 금기 사항(contraindication)은 다음과 같다. ① 중증 근무력증(myasthenia gravis, myasthenic ayndrome), 운동신경원질환(motor neuron disease; amyotrophic lateral sclerosis) 등 기존의 신경과적 질환 ② 임신부 및 수유부 ③ 12세 이하의 소아가 있다. 이 외에도 여러 가지 약물로 인해 약효가 달라질 수 있는데 aminoglycoside, penicillamine, quinine, Ca++ channel blocker가 보툴리눔독소 A형의 효과를 상승시킨다. 혈압강하제인 Ca++ channel blocker가 보툴리눔독소 A형의 효과를 상승시키는 이유는 아세틸콜린이 유리되는 과정에는 반드시 Ca++이온이 필요하기 때문이다. 그러나 angiotensin converting enzyme inhibitors (ACEI)와 같은 고혈압제제(captopril, monopril, zestril 등)는 금속단백질분해저해제(metalloprotease inhibitor)로써 Lc의 단백질분해작용(proteolytic activity)을 방해하므로 BoNT-A의 효과를 저해시킨다. 그 외에도 오메가-3, 은행잎추출제와 같은 혈액순환개선제, aspirin 등의 항소염제, 항혈소판제 계통은 주사 시 출혈 소인을 유발할 수 있어 시술 전 최소 3일에서 7일 정도 복용을 중단할 것을 권한다. 따라서 환자가 어떠한 계통의 약물을 복용하고 있는지 미리 알아 두고 치료에 임하는 것이 좋다.

소아 및 임신과 수유에 따른 주의점으로는 그간 연구된 바에 의하면 12세 이하 소아에 있어 효과와 부작용은 성인과 별 차이가 없으나 안전성에 대해서는 아직 확립된 바가 없다. 따라서 성장기 소아에게 BoNT-A로 장기간 치료했을 때 그 영향이 어떻게 미칠지는 아직도 의문이 많으므로 가능한 한 사용하지 않는 것이 바람직하다.

임신기간 동안에 보툴리눔 독소가 태아에게 어떠한 영향을 미치는가에 대해서는 비교적 긍정적이다. 과거 임신기간 중 보톡스 치료를 받은 9명의 산모 중 1명이 미숙아를 분만했으며, 첫 3개월(first trimester) 내에 1.25~300 U의 보톡스를 맞은 산모 16명 중 2명이 유산하고 14명은 정상 분만을 하였으며, 신생아는 모두 건강하였다. 이는 정상인에게서 발생할 확률과 별반 차이가 없다. 또한 최근 지난 24년 동안 임신 직전이나 임신기간 첫 3개월 중 Botox에 노출된 태아(232명)의 기형 발생률은 2.7%로 일반적인 수준으로 밝혀졌다. 이 연구는 아직도 Botox투여한 임산부를 대상으로 데이터를 꾸준히 모으고 있지만 아직까지는 미국 FDA에서 임산부 및 수유부에게 보툴리눔 독소 투여는 삼가기를 권고하고 있다.

3. 보툴리눔독소 A형 주사 시술 시 주의사항

국내 Botox시판 초기인 1996년경에는 멸균 생리식염수에 희석한 후 시간이 경과하면서 역가가 감소될 우려가 있으므로 희석 후 4시간 이내에 사용하기를 권장하고 있어(Allergan Inc., 1995) 실제 임상의 들이 사용하기에 불편한 점이 많았다. 그러나 저자의 연구결과 4℃ 이하의 냉장보관 시 4주까지는 역가의 변화가 없었다. 따라서 최근에는 초기와는 달리 희석 후 남는 양이 있다면 2~4주 정도까지 냉장 보관하여 사용할 수 있다. 그러나 희석 후 장기간 보관하여 사용할 때는 냉장온도를 4℃ 이하로 반드시 준수하여야 하고 여러 환자에게 사용하면서 감염의 우려가 있으므로 오염되지 않도록 멸균상태로 철저하게 관리하여야 할 것이다.

이 외에도 역가에 영향을 미치는 요인으로는 희석할 때 보톡스에 거품이 일거나 세찬 동요가 일어나면 독소의 디설피드(disulfide)결합이 끊어져 약효가 떨어지므로 희석액을 서서히 주입하고 흔들지 말아야 한다. -7。C로 냉동한 주사기로 주사를 했을 때 실온에 둔 주사기보다 환자들이 느끼는 통증의 정도가 훨씬 적거나 주사 전에 피부 온도를 낮추면 통증이 적다는 보고가 있다. Internalization은 산성 배지(acid medium)에서는 촉진되며 또한 주사 후 근육에 전기적 자극을 가하면 효과 시작이 빨라지므로 활동이 강한 근육에 주사할 경우 효과가 빨리 나타날 가능성이 많다. 그러나 시술 후 마사지나 자발적 운동은 피멍을 초래할 경우가 있어 가능한 피하는 것이 좋다. 또한 한 근육 중에서도 신경종판이 모여 있는 곳에 주사할 경우 더욱 효과가 좋다는 보고도 있으나 개인차나 시술 시 근전도기계 사용여부 등의 이유로, 실제 임상에 적용하기에는 쉽지않다.

4. 보툴리눔독소 A형의 면역반응

BoNT-A에 대한 항체의 생성은 장기간 혹은 대량의 치료를 받은 사람에게서 유발되기 쉽다. 안정화제인 hemagglutinin 혹은 non-toxic non-hemagglutinin complex protein에 의해 생기는 항체는 치료 효과와는 무관하고 신경독소단백질(neurotoxin protein)에 의해 발생하는 중화항체만이 약의 효과를 상실하게 하는데, 치료에 저항하는 중화항체 형성을 막기 위해서는 최대 효과를 얻을 수 있는 가장 최소한의 양을 target근육의 적절한 부위에 알맞게 주사하여야 하며 3개월 이상의 충분한 기간을 두고 재주사하여야 한다. 또한 3개월 이내에는 최고 400 U 이상을 넘지 말 것이며, 한 포인트당 50 U 이하로 주사하는 것이 좋다. 같은 용량이라도 여러 군데 나누어 주사하는 것도 좋은 방법이다. 또한 처음 치료 후 2~3주 이내에 추가 주사(booster injection)는 되도록 피하는 것이 좋다.

마지막 BoNT-A 치료 후에 효과가 없는 경우에는 대체로 다음과 같은 사항을 고려해 보아야 한다. 첫째, 올바른 근육을 선택했는가?, 둘째, 적절한 용량을 주사했는가?, 셋째, 보관 상태, 희석 상태 등으로 인한 역가의 부족은 아닌가?, 넷째, 면역학적으로 중화항체(neutralizing antibody)의 발생으로 인한 효과 상실인가? 이 중 첫 세 가지 문제점은 최소 3주후 일정한 시간이 지난 후에 적절하게 재주사를 할 경우 해결이 되지만 적절한 용량과 정확한 부위에 주사하였음에도 불구하고 BoNT-A 치료에 반응이 없는 경우가 있는데 이런 환자의 대부분은 이 독소에 대한 중화항체가 형성되는 것과 관련이 있다. 즉 중화항체가 생성된 경우에는 주사에 치료효과가 소실되는데(immuno-resistant), 이러한 항체의 형성은 자신도 모르게 BoNT-A에 노출되어 항체가 생성된 경우도 매우 드물게 있겠지만(primary non-responder), 대부분은 장기간의 치료로 인해서 독소에 과다하게 노출된 후에 발생하는 경우가 많다(secondary non-responder). 경부근긴장이상증(사경)과 같이 Botox를 대량 맞았던 환자에 있어 과거 약 3-11%에서 항체가 형성되어 치료에 반응하지 않았다는 보고가 있었으나 현재 neurotoxin 4.8 ng/100 u (new formulation Botox 2024, 1997)의 경우 전체 치료환자의 약 1% 정도에서 중화항체 발생으로 인한 치료 실패가 보고되었다.

최근 저자의 연구에 따르면(2018) 결론적으로 불필요한 신경독소양이 적은 pure neurotoxin 제품(Xomin)일 경우에는 중화항체 발생은 더 낮을 것으로 예상된다.

참고문헌

1. 안기영 박미영. 보톡스주사법 미용시술편. 서울: 한미의학, 2004.
2. Sathyamoorthy V, DasGupta BR. Separation, purification, partial characterization and comparison of the heavy and light chains of botulinum neurotoxin types A, B, and E. J Biol Chem 1985; 260: 10461-10466.
3. Brin MF. The Pharmacology of botulinum toxin. Muscle & Nerve 1997;6(S):146-68.
4. Rosenberg JS, Middlebrook, JL, Atassi, MZ. Localization of the regions on the C-terminal domain of the heavy chain of botulinum A recognized by T lymphocytes and by antibodies after immunization of mice with pentavalent toxoid. Immunol Invest 1997; 26: 491-504.
5. Martin TJ. Stages of regulated exocytosis. Trends Cell Biol 1997; 7: 271-6.
6. DasGupta BR. Botulinum and tetanus neurotoxins: neurotransmission and biomedical aspects. New York: Plenum, 1993.
7. DasGupta BR. Structures of botulinum neurotoxin, its functional domains, and perspectives on the crystalline type A toxin. In; Jankovic J, Hallett M.ed. Therapy with botulinum toxin. NY: Marcel Dekker, 1994; 15-39.
8. Stefan M, Jasmin S, Consuelo GR, et al. Identification of the SV2 protein receptor-binding site of botulinum neurotoxin type E. Biochem J 2013; 453: 37–47.
9. Sutton RB, Fasshauer D, Jahn R, Brunger AT. Crystal structure of a SNARE complex involved in synaptic exocytosis at 2.4 A resolution. Nature 1998; 395: 347-353.
10. Chen YA, Scales SJ, Patel SM, Doung YC, Scheller RH. SNARE complex formation is triggered by Ca2+ and drives membrane fusion. Cell 1999; 97: 165-174.
11. Blasi J1, Chapman ER, Link E, Binz T, Yamasaki S, De Camilli P, et al. Botulinum neurotoxin A selectively cleaves the synaptic protein SNAP-25. Nature 1993; 365(6442):160-163.
12. Schiavo G1, Santucci A, Dasgupta BR, Mehta PP, Jontes J, Benfenati F. et al. Botulinum neurotoxins serotypes A and E cleave SNAP-25 at distinct COOH-terminal peptide bonds. FEBS Lett 1993; 335: 99-103.
13. Blasi J, Chapman ER, Yamasaki S, Binz T, Niemann H, Jahn R. Botulinum neurotoxin C1 blocks neurotransmitter release by means of cleaving HPC-1/syntaxin. Embo J 1993;12:4821-4828.
14. Schiavo G, Benfenati F, Poulain B, et al. Tetanus and botulinum-B neurotoxins block neurotransmitter release by proteolytic cleavage of synaptobrevin. Nature 1992; 359: 832-835.
15. Aoki AR. Pharmacology and immunology of botulinum neurotoxins. Int Ophthalmol Clin Summer 2005; 45(3): 25-37.
16. Habermann E. 125I-labeled neurotoxin from Clostridium botulinum A: preparation, binding to synaptosomes and ascent to the spinal cord. Naunyn Schmiedebergs Arch Pharmacol 1974; 281: 47-56.
17. Naumann M, Jost WH, Toyka KV. Botulinum toxin in the treatment of neurological disorders of the autonomic nervous system. Arch Neurol 1999; 56: 914-916.
18. 정선주. 보툴리눔 독소의 기전. 대한신경과학회 춘계 전문의 평생교육 2016; 84-88.
19. Moser E, Ligon KM, Singer C, Sethi KD. Botulinum toxin A (Botox○R therapy during pregnancy. Neurology 1997; 48: 399(Abstract).
20. Brin MF, Kirby RS, Slavotinek A, Miller-Messana MA, Parker L, Yushmanova I, Yang H. Pregnancy outcomes following exposure to onabotulinumtoxin A. Pharmacoepidemiol Drug Saf. 2016; 25(2):179-87.
21. Allergan, Inc., Irvine, C.A. Product Literature(package insert) on Botox. 1995.

22. Park MY, Ahn KY. Effect of the refrigerator storage time on the potency of Botox for human extensor digitorum brevis muscle paralysis. J Clin Neurol 2013; 9: 157-164.
23. Denkler K. Pain associated with injection using frozen vs room temperature needles. JAMA 2—1; 286: 1578.
24. Linder JS, Edmonson BC, Laquis SJ, Drewry RD Jr, Fleming JC. Skin cooling before periocular botulinum toxin A injection. Ophthal Plast Reconstr Surg 2002;18: 441-2.
25. Greene P, Fahn S, Diamond B. Development of resistance to botulinum toxin type A in patients with torticollis. Mov Disord 1994; 9: 213-7.
26. Dressler D, Hallett M. Immunological aspects of Botox, Dysport and Myobloc/NeuroBloc. Eur J Neurol 2006; 13(S1): 11-15.
27. Frevert J, Ahn KY, Park MY, Owen Sunga. Comparison of botulinum neurotoxin type A formulations in Asia. Clin Cosmet Investig Dermatol 2018; 8(11): 327–331.

CHAPTER 29

안전성, 희석, 보관, 내성 | Basic Principles

Chapter Author | 박은수

1. 안전성

보툴리눔 독소는 큰 단백 복합체로 신경독소 부분(botulinum neurotoxin, 150 kDa)과 복합단백질(complexing proteins, CPs)로 구성된다. 보툴리눔 독소는 기도로 흡입되거나 음식물 혹은 음료수를 통하여 인체에 침입할 수 있지만, 침입 부위와 관계없이 유사한 증상이 발현되며, 시간에 따른 증상 변화는 침투 경로나 용량에 따라 다를 수 있다.

보툴리눔 독소는 현재까지 알려진 물질 중에서 사람에게 가장 독성이 강하다. 김정남 암살에 사용된 신경작용제 VX (nerve agent)보다 15,000배, 1995년 3월 발생한 옴진리교의 도쿄 지하철 독가스 살포사건으로 널리 알려진 사린(sarin)보다 100,000배나 독성이 더 강하다.

하지만 미용목적으로 사용하는 보툴리눔 독소제제들은 확산에 의한 원하지 않는 근육의 마비로 발생하는 합병증 이외에 약제 자체에 의한 알레르기 반응이나 과민반응은 매우 드물고, 거의 가벼운 부작용으로 멍, 주사부위 통증, 두통, 감기증상(flu like symptom) 등이 발생하는 것으로 보고되나 매우 안전한 약제로 분류된다. 그러나 임신부나 수유부, 약제에 따라 부형질에 인간 알부민, 젤라틴이 함유된 경우 이에 대한 과민한 환자, 신경-근육 질환의병력을 가진 환자에게는 보툴리눔 독소 치료를 피해야 한다.

보툴리눔 독소는 미국 FDA에서 분류한 약물의 임신분류 C (pregnancy category C)에 속한 약제이다. 즉, 사람에 대한 연구는 부족하고, 동물연구에서는 태아에 대한 위험성을 보이거나 동물에 대한 연구 역시 부족한 경우로 잠재적 위험성에도 불구하고, 약물 사용 시의 유익성이 약물사용을 정당화할 수도 있다는 의미이다.

임신 2기와 3기의 여성이 보톨리눔독소증에 이환된 몇몇 사례에서 환자는 거의 완전히 마비되었으나 거의 모든 경우에서 태아는 정상이었다고 보고되었으며 보툴리눔 신경독소는 150kD으로 태반을 통과 못하는 것으로 알려져 있다. 또한 신경독소가 모유를 통해서 분비되는지도 불확실하다. 따라서 아직 보툴리눔 독소가 임신부나 태아에 명백하게 해롭다는 증거는 아직 없다. 하지만 전술한 대로 보툴리눔 제제의 약전에 임신부나 수유부는 금기로 명확하게 기술되어 있으므로 환자가 임신 또는 수유 중인 것을 인지하고 있는 경우에는 보툴리눔 독소를 이용한 시술은 최대한 피해야 하겠다.

흔히 사용되는 독소(toxin) 제제의 효능은 in vivo에서 mouse assay로 평가한다. 즉 BTXA (botulinum toxin-A) 1 unit는 18~20 g의 female Swiss-Webster mice 그룹의

50%를 치사시킬 수 있는 독소의 양으로 정의된다. 인간의 LD50은 대략 3,500 U 정도로 알려져 있다. 또한 인간의 LD50은 40 U/kg로 추정하기도 하는데 이는 70kg의 사람인 경우 2,800 U가 산술적으로 계산할 수 있다. 따라서 임상에서 사용되는 1회 치료 시 톡신의 양은 2U에서 400 U 정도로 대개 인간의 LD50의 1/25~1/100을 초과하지 않는다.

1. 희석과 보관

보툴리눔 독소 B형인 마이아블록(Myobloc®)과 보툴리눔 독소 A형의 이노톡스(Innotox®)는 희석 과정이 필요 없이 사용가능한(ready to use) 액상 제제이지만 보톡스(Botox®)를 비롯한 다른 톡신 제제들은 동결 건조된 분말의 형태로 진공상태로 포장된 바이알에 들어 있어서 사용 시 생리식염수로 희석하는 과정이 필요하다.

1) 희석과 보툴리눔독소의 안정성

희석 시에는 무방부제 멸균 생리식염수(0.9% 염화나트륨 주사 권장)를 주사기에 담은 뒤 진공 상태의 바이알(vial)에 바늘을 꽂고 거품이 생기지 않도록 서서히 주입하는데 바늘을 바이알의 벽에 대어 식염수가 벽을 타고 흘러 들어가게 하는 방법이 오랫동안 추천된다. 이는 동결 건조된 보툴리눔 독소 제제의 바이알이 진공상태임으로 갑자기 확 빨려 들어가 거품이 생기는 등 그 충격에 의해 독소단백질들이 파괴되는 것을 막기 위해서이다. 생리식염수 주입 전에 미리 바늘만 꽂아서 공기를 들여보낸 뒤 식염수 주사기를 주입하는 것이 좋은 방법이다.

그렇지만, 희석할 때 거품이 많이 일어나도 약효와 효과유지기간에 유의한 차이가 없었다는 논문이 2003년 발표된 이후 독소단백질의 구조가 생각보다는 외부의 물리적 충격에 좀 더 강하다고 알려졌다. 임상적으로 Almeida 등은 안면분할(split-face) 연구를 통해 한쪽에는 거품이 생기지 않도록 onabotulinumtoxinA를 천천히 제조한 것을 주입하였고, 반대쪽에는 거품이 최대한 생기도록 빠르게 제조한 것을 주입하였다. 결론은 제조시 발생한 거품은 약품의 효능에 단기적일 뿐만 아니라 장기적으로도 영향을 미치지 않다는 것이다. 이는 이전까지 알려져 있는 BoNTA의 구조적 안정성의 취약함에 반하는 결과였다. 즉, 최근의 보고들은 BoNTA가 구조적으로 안정되어 있다는 것을 지지하지만, 거품이 많으면 주사기로 정확한 양을 뽑아내기가 불가능하므로 거품이 없도록 하는 것이 좋겠다.

2) 희석용액

보툴리눔독소 제조사들은 무방부제 멸균 생리식염수(0.9%)를 표준적인 희석용액으로 권장한다. 일부 방부제(0.9% benzyl alcohol)가 들어 있는 생리식염수를 사용하는 경우가 있으나, 방부제가 독소 활성을 증가시키는지 불확실하며, 오히려 방부제가 독소의 강도를 감소시킨다고 알려져 있다. 100명의 환자를 대상으로 한 이중 맹검 연구에서 benzyl alcohol을 포함한 생리식염수로 희석한 경우 onabotulinumtoxinA의 효능에 영향을 미치지 않으며, 주입 시 통증이 감소됨을 확인하였고, 20명의 안면경련 환자를 대상으로 한 연구와 93명의 상안면, 목, 겨드랑이 부위를 대상으로 한 연구에서도 비슷한 결과를 나타낸 연구들이 보고되고 있다.

생리식염수 외의 희석액으로 최근에 라도카인으로 일부 또는 전량을 희석해서 쓰는 방법이 사용되기도 한다. 효과에는 큰 영향이 없이 주사시 통증을 감소시킨다고 알려져 있다. 또한 Botox® 주입 전에 리도카인 주사로 미리 마취시킨 부위와 그렇지 않은 부위 간에 Botox®의 치료효과에 전혀 차이가 없다는 보고가 있다. 그외 리도카인을 첨가하면 즉각적인 마비와 보툴리눔 독소의 미용적 효과를 추정할 수 있으며, 주사시 발생하는 즉각적 근육 수축을 국소마취제가 차단하여 독소의 목표 근육의 흡수를 향상시키고, 고루 분포시키는 데 도움이 된다는 보고도 있다. 그런데 실제로 리도카인으로 희석한 뒤 주사해보면 환자의 통증이 많이 남아 있다. 이것은 리도카인(lidocaine HCL 2%) 용액의 PH가 일반적으로 6근처(5~7)이므로 약산성이어서 주사 시 통증이 있을 수밖에 없는 것이다. 따라서 리도카인(2%) 4 cc에 8.4% sodium bicarbonate ($NaHCO_3$) 1 cc를 섞어서 PH를 7.2 근처로 만들어서 주사하면 통증이 훨씬 적은 것을 알 수 있다. 리도카인(1%)과 8.4% sodium bicarbonate가 9~10:1로 미리 섞어져서 나온 buffered lidocaine을 사용하는 것도 좋은 방법이다.

에피네프린 - 리도카인을 섞는 방법도 사용된다. 에피네프린이 혈관을 수축시켜 보툴리눔독소가 혈액을 통해 근처 근육들로 퍼지는 것을 막을 수 있는 것이 우선 장점으로 꼽힌다. 그리고 주입한 뒤 5~10분 내에 피부가 허혈되는 것을 관찰할 수 있는데 그 범위를 통해 보툴리눔독소가 어디까지 퍼졌는지를 대략적으로 알 수 있다. 단, 에프네프린이나 리도카인을 섞을 때는 환자의 알레르기 병력과 기타 심혈관계질환 여부 등을 잘 파악하고 시도하는 것이 안전하다.

한편 결체조직 속의 히알루론산을 녹여 약제의 조직내 침투력을 증가시키는 제제로 잘 알려진 히알루로니다제(hyaluronidase)를 보툴리눔독소 희석액에 섞는 방법도 시도되었다. 이중맹검으로 실시된 연구에서 같은 양을 주사했을 때 히알루로니다제를 섞은 쪽에서 섞지 않은 쪽보다 더 넓은 부위의 근육이 마비되었다. 특히 넓은 부위에 균일하게 잘 퍼지는 것이 중요하게 여겨지는 겨드랑이 다한증에서 50 U의 Botox®를 단독으로 주사한 쪽과 히알루로니다제를 섞은 25 U의 Botox®를 주사한 쪽이 같은 효과를 보였다.

2008년 Yen 등이 발표한 논문에 따르면 0.75% bupivacaine을 포함하여 희석한 경우 효능에는 영향을 미치지 않으면서 주입 시 통증을 줄일 수 있다는 결과를 보고하였다. 또한 bupivacaine을 같이 섞은 경우 좀 더 효과가 일찍 나타나는 것으로 보아 보툴리눔 독소와 상승적인 효과가 있을 것으로 추정된다.

3) 희석배율

보툴리눔 독소제제의 희석은 1바이알 100 unit에 대개 1~10ml의 생리식염수를 사용한다. 카루터스 부부가 Botox®를 100, 33.3, 40, 10 U/cc의 네 가지 농도로 희석해서 각각 20명씩의 환자 미간주름에 30 U를 주사하고 결과를 비교한 결과, 부작용, 효과, 효과 유지기간 등에 있어서 유의한 차이가 없었다.

일반적으로 보툴리눔독소의 농도가 높으면 원하는 포인트를 정확하게 마비시키는 것은 가능하지만 퍼짐이 적어 주입지점 사이에 마비되지 않는 부분이 생길 가능성이 있다. 따라서 주사와 주사의 간격을 좁게 하여야 한다. 그에 비해 농도가 옅어지면 넓은 부위에 잘 퍼지는 특징을 보여 다한증에는 유리하고 섬세한 주름시술에는 불리하다. 현재 대부분의 시술자들은 1~5 mL의 생리식염수를 섞어서 사용하는데, 가장 많이 사용되는 희석배율은 2.0 mL 또는 2.5 mL로 희석해서 50 U/mL 또는 40 U/mL로 만들어 쓰는 것이다. 제조사에서는(onabotulinumtoxinA와 incobotulinumtoxinA) 100 U을 1~8 mL 식염수에 희석하여 사용하는 것(12.5~100 U/mL)을 추천하고 있다. abobotulinumtoxinA는 300 U을 0.6~2.5 mL 식염수에 희석하여 사용하는 것(120~500 U/mL)을 추천하고 있다. RimabotulinumtoxinB의 경우 식염수를 이용하여 6배까지 희석할 수 있으나, 농도를 더 높게 제조하는 것은 불가능하다.

4) 보관

희석하기 전의 보툴리눔독소는 제조사에 따라 냉장 또는 냉장 보관을 한다. Botox®의 경우, 개봉 전에도 2~8℃ 냉장 보관을 하라고 명시되어 있지만, 2010년 현재 국내에서 유통되는 Botox® 제품설명서에는 개봉 전에 냉동과 냉장 보관이 모두 가능한 것으로 기술되어 있다. 어쨌든 보툴리눔독소의 희석 후 보관방법에 대해 그동안 많은 이론이 제기되어 왔다.

우선, 희석 후 4시간 이내에만 써야 한다는 문구는 이제 사실상 사문화된 상태이다. 88명의 미간주름 환자에 대한 다기관 이중맹검연구에서 희석 후 6주가 지난 Botox®를 썼을 때 신선한 희석액과 비교해서 임상효과와 그 유지기간에 유의한 차이가 없었다는 보고와 희석 후 1주 지난 Botox®가 신선한 희석액과 비교해 치료효과에 전혀 차이가 없었다는 보고 이후 개정되어 나온 Botox® 한글 제품설명서에 따르면 용해 후 냉장상태(2~8℃)에서 24시간 보관할 수 있다는 것으로 변경되었다.

또한 후두근긴장이상(laryngeal dystonia) 환자 43명에게 1~8주 동안 냉장보관 시켰던 Botox® 희석액을 주사했을 때 신선한 희석액과 비교해서 임상효과는 물론 효과 유지 기간에도 유의한 차이가 없었다는 보고도 있어서, 보툴리늄독소 희석액을 냉장이건 냉동이건 어떤 상태로든 너무 오랫동안 보관하면 역가가 감소하는 것은 명확하지만, 희석 후 8주 이내라면 역가의 감소가 아주 크지 않다고 볼 수 있다. 그러나 한 번 해동한 제품은 다시 냉동하지 않는 것이 좋다. 또 기존 연구들은 보툴리늄독소의 장기간 보관 후의 임상효과에 대해서만 언급하고 세균오염 문제에 대해선 객관적인 검사를 시행하지 않았으므로 보툴리늄독소의 희석 후 장기보관시 냉장고 실내를 수시로 소독하고 바이알의 청결보관에 주의해야 한다. 결론적으로 희석 후 1달 정도는 역가손상을 전혀 염려하지 않고 시술할 수 있을 것으로 생각된다.

Botox® 외 에도 BoNT-A 제품들 대부분(Dysport®, Prosigne®, Neuronox®)은 사용설명서에 희석 전에 냉장보관(2~8℃)하라고 표기되어 있으며, Incobotulinum-toxin A (Xeomin®)은 25℃ 이하로 보관하도록 되어 있다.

RimabotulinumtoxinB 의 경우도 2~8℃에 보관하도록 명시되어 있으며, 냉동상태로 30개월 까지도 효능을 유지하여 보관할 수 있다고 알려져 있으나, 상온(25℃)에서는 9개월로 보관 가능한 시간이 짧아진다.

2. 내성과 항체검사

미용 목적으로 보툴리늄독소를 사용하는 경우 항체가 생기는 경우는 흔치 않지만, 신경학적 목적으로 고용량으로 사용하는 경우 종종 관찰되기도 한다. 이 경우 미용적 목적으로 사용 시 결과가 좋지 않을 수 있다.

2005년부터 독일 멀츠사의 제오민(Xeomin®)이 순수 독소 단백질만 들어 있는 제품으로 출시되어 임상에 사용되고 있다. 한편 우리나라에서도 생산되어 국내판매 허가를 받은 제조사가 3곳으로 메디톡스에서 메디톡신(수출명 Neuronox®), 휴젤에서 보툴렉스, 대웅제약에서 나보타가 있으며, 최근 휴온스글로벌이 자체 개발한 보툴리늄 톡신인 '리즈톡스'(LIZTOX, 수출명 휴톡스주)에 대한 국내 품목 허가를 식품의약품안전처에 신청했다. 또 2014년 메디톡스사에서 희석 과정이 필요 없이 사용가능한(ready to use) 보툴리늄 독소 A형의 액상 제제인 이노톡스(Innotox®)를 출시한 바 있다. 이렇듯 현재 우리나라에서 보툴리늄 독소 여러 제품이 이미 출시되어 제품간의 경쟁이 유발되며 따라서 차세대 톡신제형으로 개발도 그 필요성이 증가되고 있다. 특히 차세대 제형으로 갖추어야 할 특성들로 알려진 것로 첫째로 독소의 효과를 없앨 수 있는 차단항체(blocking antibody)의 생성을 최소화하도록 다백질 함량(protein load)은 최소화하고 동시에 생물학적 활성인 독소의 함량을 높이며, 독소의 항원 노출을 최소화할 수 있도록 독소의 높은 친화도를 갖는 제형의 개발, 둘째로 희석과정 없이 사용할 수 있는 액상형태, 세째로 제품의 안전성 향상, 넷째로 CT, MRI 나 초음파 영상장비 도움하에 투여가 가능한 광학적 표지(optical labelling)가 추가된 제형의 개발 또한 현재로선 큰 분자량으로 불가능하지만 통증과 주사의 공포 없이 경피적 투여가 가능한 제형의 개발이라고 할 수 있다. 특히 2018년에 메디톡신에서 동물 유래 단백질을 배제한 보툴리늄 톡신 A형 제제 '코어톡스'가 식품의약품안전처로부터 시판 허가를 획득했다. 보툴리늄 톡신 단백질에서 유효한 신경독소만 정제해 시술 시 환자에 전달하는 단백질량을 낮춤으로써 내성의 잠재 위험성을 줄인 제품으로 순수 신경독소 제품으로 제오민에 이어 두 번째 출시된 것이다. 물론 향후 순수 신경독소 제품이라도 유효한 생물학적 특이도, 첨가 및 부형제 등의 차이가 존재할 수 있어 이에 대한 비교 연구가 필요하겠다.

7가지 신경 독소는 힝원적으로 분명히 구분되고 신경에서 작용 부위도 각기 다르지만 이들 비슷한 분자량을 가지고 공통의 아단위(subunit) 구조를 가진다.

자연상태에서 보툴리눔 독소는 큰 단백 복합체를 형성하는데 신경독소 부분(botulinum neurotoxin, 150kDa)과 비독소 단백질 즉 복합단백질로 구성된다.

보툴리눔 신경독소는 체내에서 이물질로 인식되어 특히 반복 투여 시 이차적 치료 실패를 초래할 수 있다. 즉, 보툴리눔 독소 제제들은 정제된 신경독 합성체로서 면역 생성 단백으로 작용하여 순환 중화 항체 IgG를 사람에게서 생성시킬 수 있고, 이것은 용량과 주사 횟수와 관계가 있다. 중화항체가 생성된다면 환자는 그 다음 보툴리눔 독소의 치료에 반응이 없게 될 것이다.

저항(resisitace)나 무반응(non-response)이란 약물로서 치료 결과가 환자나 의사의 만족의 부족으로 정의할 수 있으며 유효한 효과가 없다는 것이다. 정도에 따라 부분이나 완전 무반응(partial or complete non-response)로 구분 할 수 있다. 또한 일차 무반응(primary non-response)은 처음 적용부터 치료 반응이 작은 경우로 보툴리눔 독소에 대한 감수성이 적거나, 오진, 용량 부족, 다른 근육에 잘못 주사한 경우가 여기에 펴함된다. 이차 무반응(secondary non-response)은 전에 치료 효과가 있었으나 더 이상 치료 효과가 나타나지 않는 경우를 일컫는다. 위약효과나 질병의 악화에 의한 경우도 해당하나 가장 중요한 이차 무반응의 중요한 원인은 항체에 의한 중화작용이다. 대부분 임상적으로 점차 진행되어 결국 완전한 치료 실패에 이르게 된다. 즉 이전에 치료에서 부분 항체에 의한 치료 실패를 경험한 경우 보툴리눔 독소 치료를 시작한 약 40개월 안에 대부분 결국엔 완전한 치료 실패하게 된다.

전술한 데로 보툴리눔 독소는 150kDa의 신경독소와 다른 비독성 농생물학적(clostridial proteins) 단백질로 구성되는 복합체이다.

이들 모든 외부 단백질은 항원으로 작용하여 면역반응을 유도할 수 있는 잠재성이 있다.

특히 신경독소 부분은 치료 효과를 나타나게 하는데 특히 이에 대한 약리 효과를 차단하는 항체를 중화(neutralizing) 또는 차단(blocking)항체라고 한다. 비독성 농생물학적 단배질은 총칭하여 복합 단백질이나 신경독소 연관 단백질(neurotoxin-associated proteins, NAPs)이라고 한다. 이것들의 역할은 숙주의 위장관의 산성 환경에서 신경 독소의 분해를 막아 보호한다. 하지만, 생리적 pH조건하에서 이들 복합 단백질은 생리식염수와 희석 시 신경독소와 거의 분리되고 최소한 목표 조직 안에 주입 이전에 분리되게 된다. 그러므로, 복합 단백질은 보툴리눔 독소의 치료에 있어 임상적 결과에 영향을 미치지 않으며, 이들 복합 단백질에 대해 특정하게 생성된 항체를 비중화(non-neutralizing)항체라 한다.

그렇지만 복합 단백질은 박테리아성 단백질 함량을 증가시키고 이는 잠재적으로 중화 항체의 형성을 증가시킬 가능성이 있다.

보툴리눔 독소 B형을 이용한 동물실험에서 신경 톡소이드 단독 요법에 비해 큰 톡소이드 복합체를 사용한 그룹에서 항체의 생성이 증가하는 것이 확인된 바 있다.

복합체 단백질의 존재는 interleukin-6 cytokine pathway를 통한 보조적 활성과 관련이 있다. 또 다른 전임상 연구는 복합 단백질을 가진 보툴리눔 신경 톡소이드 A형이 정제된 150kD 신경 톡소이드 단독보다 강한 면역 반응을 유발한다는 것을 보고하였고, 혈구응집소 Hn-33이 정제된 신경 톡소이드 A형보다 강한 면역원성을 나타낸다는 보고도 있다. 특히 Hn-33이 복합체 단백질의 가장 큰 성분이기 때문에 결과적으로 Hn-33은 보툴리눔 독소 A형 복합체의 가장 중요한 면역원성 성분이라 할 수 있다. 따라서, 복합체 단백질을 제거하여 보툴리눔 독소의 외부 단백질 부하를 감소시키는 것이 치료 효능에 영향을 주지 않으면서 중화 항체의 형성을 감소시키는 것으로 생각된다. 즉, 정제된 순수신경독소 제제의 사용은 잠재적으로 이차 치료 실패율을 감소시킬 것이다.

실제 순수 신경독소 제품인 제오민이 완전히 중화항체의 생성을 완전히 배제하지 못하지만 출시된 이후 현재까지 제오민 자체로 사용하여 발생한 중화항체에 대한 보고는 없으며, 단지 이전 4~5차례 abobotulinumtoxinA를 사용한 후 incobotulinumtoxinA를 사용했던 경우에서 중화 항체 발생 보고가 있을 뿐이다.

A형 신경독소 복합체의 결합 특성에 대한 최근의 체외(in vitro)연구에서 단백질 복합체의 역할을 대한 최근 연구에 따르면 신경 독소는 단독으로는 비신경세포(non-neuronal cell types)와는 상호 작용을 하지 않지만 복합체 단백질(단독 및 신경독소와 결합된 복합체 모두)은 신경모세포, 림프구 세포, 골격근 세포 및 피부 섬유아세포에 결합하는 것으로 나타났다. 이러한 결과는 복합단백질의 유해한 효과가 아직까지 확인되지 않았지만, 복합단백질이 신경독소의 작용기전에 직접적으로 영향을 주지 않는 대신에 숙주 조직에서 신경 독소의 임상적 효과를 차단하는 중화 항체를 형성하게 하는 부가적 자극을 유발하여 간접적으로 작용을 할 수 있는 것으로 보인다.

항체 형성 치료 실패를 극복하기 위한 시도는 제한적 성과만을 보이고 있다. 다량 증가된 보툴리눔 독소의 사용은 완전 항체 형성 치료 실패를 호전시킬 수 없으며, 다만 부분 치료 실패에 경우 일부 효과가 있을지 모르지만 이런 전략은 단순히 생각해도 항원의 증가로 항체 반응 역시 증가되어 결국 악화될 것으로 생각된다.

다른 보툴리눔 독소 혈청형(serotype)의 사용에 대한 연구도 진행되어 왔다. 보툴리눔 독소 A형 치료에 저항을 나타내는 목 근육긴장이상(cervical dystonia)환자에 대한 보툴리눔 독소 B형를 이용한 초기 연구에서 효과를 보였으나, 후속 연구에서 보툴리눔 독소 B형은 독소 A형에 대한 저항성을 가진 대부분의 환자들에게서 단지 일시적 효과만을 나타내었다. 즉, 환자들은 다른 혈청형에 대해 반응을 하지만 이차 보툴리눔 독소에 대한 항체의 형성으로 인하여 결국 치료 실패를 다시 경험하게 된다. 이들 환자는 일차와 이차 독소의 교차활동에 의한 이차적 혈청 독소에 대해 항체 형성이 발생하는 구조를 나타낸다. 따라서 이전 보툴리눔 독소 A형에 대해 저항성을 갖고 있는 경우를 보툴리눔 B형 독소에 대한 항체 형성을 할 수 있는 가장 중요한 위험 인자로 생각할 수 있다. 또한 보툴리눔 독소 B형은 특이 생물학적 활성(specific biological activity)이 낮고, A형보다 면역항원성이 더 강하여 단지 두세 차례 반복 투여 후에도 이차 치료 무반응을 보일 수 있다. 이는 보툴리눔 독소 B형이 보통 아주 많은 투여량(높은 단백질 부과)이 임상 사용되는 것에서도 항체 생성이 높을 것으로 짐작할 수 있다.

항원성은 일반적으로 단백질 부하에 비례한다. 보툴리눔 독소의 1회 용량(dose)당 단백질 부하가 높은 경우는 항체 생성의 위험 인자로 확인된 바 있다

항원성은 단백질 함량에 비례하며, 더 높은 단백질 함량은 결과적으로 항체 역가를 높이게 된다. 이는 단백질 함량을 1/5로 줄인 onabotulinumtoxinA를 사용했을 때 중성화 항체 발생율이 감소했다는 것을 통해 알 수 있다. 이전 연구 결과에 따르면 초기 개발되어 사용되었던 오리지날 onabtulinumtoxinA를 사용했을 때 경부 근긴장이상증 환자의 17%에서 중성화 항체가 발견되었으며 또 다른 연구에서는 42명의 환자 중 4명(9.5%)에서 중성화 항체가 관찰되었지만, 단백질 함량을 줄인 개량된 제품을 사용하였을 때는 119명의 환자 중 단 한명도 중성화 항체가 발견되지 않았다고 보고하면서 이는 단백질 함량을 낮췄기 때문이라 결론진 바 있다.

Incobotulinumtoxin A는 복합 단백질을 포함하지 않는 보툴리늄 독소 제품로 최소화시킨 단백질 함량이 잠재적 면역항원성을 감소시켰다고 주장한다. IncobotulinumtoxinA를 지속적으로 4달 동안 매 4주마다 원숭이를 대상으로 근육주사 하였을 때에도 측정가능한 중성화 항체는 발견되지 않았고, 토끼를 대상으로 진행한 연구에서도 abobotulinumtoxinA와 onabotulinumtoxinA를 사용하였을 때는 중성화 항체가 발견되었지만, incobotulinumtoxinA를 사용하였을 때는 임상적 권고의 5배를 주사함에도 중성화 항체가 발견되지 않았다고 보고한 바 있다.

IncobotulinumtoxinA는 낮은 단백질 함량을 가지지만 높은 특이성 활성(high specific activity)으로 임상적으로 다른 보툴리늄 독소 type A 제제와 동일한 작용과 안전성을 가진다고 알려져 있다. 즉, 일반 보툴리늄 독소제제들의 구성과 다르게 incobotulinumtoxinA는 복합 단백질 없이 순수한 150kD의 신경독소를 가지게 되는데 이는 외부 단백질 함량을 낮추어 이차적 치료 실패의 한 요소를 배제시켰다고 볼 수 있다.

또한 경부근긴장이상 또는 경직 환자를 대상으로 한 연구들에서 복합체 단백질을 포함하는 보툴리늄 독소 제제로 치료받은 환자 중 중화항체가 나타난 경우는 6.6%에 달하였다는 보고가 있으나 보툴리늄 독소 제품의 면역성을 비교하는 장기간의 연구는 아직 없다. 기존 문헌보고에 나타난 중화항체 유병률의 다양함은 적응증, 투여량, 분석방법, 혈청 표본 검사의 시기, 그리고 이전 보툴리늄 독소 치료 여부와 치료 기간과 연관될 수 있겠다.

또 기존 연구에 따르면 증가된 단백질 함량뿐만 아니라 높은 용량과 잦은 투여 횟수(그리고 첫 투여 후 2-3주간의 추가 접종의 사용)가 중화항체의 위험성을 증가시키는 것으로 알려져 있다.

특히 A형 보툴리늄 독소 제제를 처방 받은 소아 환자에서 높은 비율(30%)의 중화항체가 보고되었는데 이러한 연령에 따른 면역반응과 용량 관련 효과의 특징은 kg당 높은 약물용량 때문일 수 있으며, 비뇨기 질환(과민성 방광 환자)환자의 A형 보툴리늄 독소에 대한 연구에 따르면 경부 근긴장이상 환자에서 보다 높은 비율의 보툴리늄 독소에 대한 항체가 관찰된다고 하는데 이는 방광이 항원에 민감하게 할 수 있는 면역 반응성 기관이기 때문으로 추정된다.

보툴리늄 독소에 대한 몇 차례의 접종에 의한 임상적 반응이 감소되면 보통 중화항체의 생성 여부를 조사하게 된다. 그러나 면역반응은 환자마다 다를 수 있으며, 과민성 또는 면역복합체의 형성과 같은 급성 또는 지연 반응에 의해 임상 반응이 감소될 수 있다. 중화항체의 존재를 탐지하는 것은 중요하지만, 그들의 존재가 항상 치료의 실패로 이어지지는 않고, 또 무증상에서도 항체가 존재할 수는 있다

만약 보툴리늄 독소의 임상효과 감소로 중화항체의 형성이 의심되고 다른 원인에 의한 치료실패가 감별 된다면, 먼저 스크린 검사로 ELISA (Enzyme-linked immunosorbent assay)와 FIA (fluorescence immunoassay)검사를 시행해 볼 수 있으며 이는 유용한 선별 도구로 알려져 있다. 그리고 IPA (immunoprecipita-tion assay) 또한 사용할 수 있다. 그러나 이러한 선별 검사들은 중화항체와 비중화항체를 구별하지는 못하는 단점이 있다.

HDA (Hemidiaphragm assay)와 MPA (Mouse protection assay)는 아직까지 중화항체를 발견하는 유일한 방법이며 좋은 민감도를 제공한다. 그러나 MPA의 주요한 단점은 생체 내 동물 시험이 필요한 것이며, HDA 검사가 MPA에 비해 더 높은 민감도를 가지나, 치료실패를 유발하지 않는 무증상의 항체 역가까지 탐지할 수 있다.

따라서 실제 임상에서는 항체로 인한 치료실패의 사례들을 임상적 평가하는 것이 필수적이다. 이런 임상에서 개개인의 환자들에 직접적으로 시행할 수 있는 기능 평가들은 EDB (Extensor digitorum brevis) test, UBI (Unilateral brow injection) test, SCM (sternocleidomastoid) test sudomotor sweat test이며 이는 보통 수일, 또는 수 주 이내에 결과가 나오게 된다.

일반적으로 보툴리늄 독소 제품들은 다양한 약학적 성분으로 이루진다. 이런 각기 다른 물리 화학적 특성은 그들의 잠재성을 측정하는 기준이 없다는 점을 고려하였을 때 같은 투여량이 단순하게 가기 다른 제품들 사이에 같을 수가 없다는 것을 의미한다. 비록 onabotulinumtoxinA와 incobotulinumtoxinA 사이의 전환비율이 1:1이라는 것이 알려져 있음에도 불구하고, 효과적인 A형 보툴리늄 독소의 임상적 전환비율에 대한 보고는 abobotulinumtoxin A : onabotulinumtoxin A가 11:1에 해당한 다는 보고도 있을 만큼 저자에 따라서 상당히 다양하다.

최근 연구에서는 더 민감도가 높은 ELISA기법을 사용해서 각각의 신경독소 성분들을 비교하는 방법을 찾

아냈는데 100 U의 onabotulinumtoxinA, abobotulinumtoxinA, incobotulinumtoxin A에 각각 0.73 ng, 0.65 ng 그리고 0.44 ng의 신경독소가 들어 있으며, 이런 결과를 바탕으로 incobotulinumtoxinA (227 U/ng), abobotulinumtoxinA (154 U/ng), onabotulinumtoxin A (137 U/ng)로 활성도를 측정하였으며, incobotulinumtoxinA에서 가장 높은 특이 신경 독소 활성을 나타내었다고 보고했다. incobotulinumtoxinA와 onabotulinumtoxinA가 비슷한 임상작용을 가진다는 것이 증명되었기 때문에, 이러한 결과들은 0.44 ng의 incobotulinumtoxinA 신경독소가 0.73 ng의 onabotulinumtoxinA neurotoxin과 같은 임상작용을 갖는다는 것이다.

보툴리눔 신경 독소에 대한 중화항체의 발생은 이차 치료 실패의 흔한 원인이다. 독소의 효과를 차단하는 중화항체의 생성을 최소화하도록 단백질 함량(protein load)은 최소화하고 동시에 생물학적 활성인 독소의 함량을 높이며, 독소의 항원 노출을 최소화할 수 있도록 독소의 높은 친화도를 갖는 제형의 개발과 더불어 임상의들도 보툴리눔 독소 치료에 있어서 면역 저항성의 발생을 최소하기 위한 독소 제제의 치료 방법, 시기, 추적 관찰에 대해 임상 경험을 바탕으로 함께 주의와 노력을 하여야 할 것이다.

참고문헌

1. Carruthers A. History of the clinical use of botulinum toxin A and B. Clin Dermatol 2003;21(6):469-72.
2. Carruthers JD et al. Treatment of glabellar frown lines with C. botulinum-A exotoxin. J Dermatol Surg Oncol 1992;18(1):17-21.
3. Goodman G. Diffusion and short-term efficacy of botulinum toxin A after the addition of hyaluronidase and its possible application for the treatment of axillary hyperhidrosis. Dermatol Surg 2003;29(5):533-8
4. Trindade de almeida et al. Handling botulinum toxins: an updated literature review. Dermatol Surg 2011;37:1553-1565.
5. Hexsel DM, et al. Multicenter, Double-blind study of the efficacy of injections with botulinum toxin type a reconstituted up to six consecutive weeks before application. Dermatol Surg 2003;29:523-9.
6. 한국엘러간:Botox®제품설명서, April 2010.
7. Lee SK. Antibody-induced failure of botulinum toxin type A therapy in a patient with masseteric hypertrophy. Dermatol Surg 2007;33(1 Spec No):S105-10.
8. Jankovic J, et al. Comparison of efficacy and immunogenicity of original versus current botulinum toxin in cervical dystonia. Neurology 2003;60:1186-8.
9. 이수근.보톡스와 필러의 정석:더 효과적이고 더 안전하게 주사하기.도서출판 한미의학. 2014.

안면상부 | Upper Face

Chapter Author | 김종서

안면상부에서 보톡스가 흔하게 적용되는 부위는 이마, 관자놀이, 미간, 눈가 네 가지 미용적 단위로 구분해볼 수 있다. 4가지 부위의 주사방법 주사깊이 부작용 등에 대하여 알아보도록 하겠다. 자세한 주사방법에 앞서 보툴리눔 독소의 정확한 이해를 하는 것이 중요하므로 간단히 biochemical 적으로 언급하고자 한다.

1. 안면상부의 보툴리눔 독소(Botulinum toxin, Botulinum Neuro Toxin, BoNT)의 선택과 희석방법

보툴리눔 독소의 선택은 환자의 취향이나 비용 등의 문제로 환자와 상의하고 결정하게 된다. 일반적으로 한국에서 많이 사용하는 보툴리눔 독소의 종류에는 미국의 BOTOX®, 프랑스의 Dysport®, 독일의 Xeomin®, 한국의 Meditoxin® 등이 있다. 미리 환자가 브랜드를 정하고 오는 경우도 많지만 그렇지 않은 경우는 상담 시 4가지 브랜드의 특징과 가격을 환자에게 설명하는 것이 필요하며 의사는 이들 제품의 차이를 알고 있어야 한다. 수입산과 국내산은 병원에서 구매하는 원가가 다르며, 환자가 지불하는 가격도 차이가 난다. 따라서 환자가 지불하게 되는 가격은 사용하게 될 보톡스의 선택에 가장 큰 영향을 미치게된다. 혹자는 보툴리눔 독소는 다 비슷하다고 말하기도하지만 그것은 보툴리눔 독소의 지식이 부족하기 때문이며 자신이 무식하다는 것을 말하는 것밖에 되지 않는다. 자세히 공부해보면 부형제 및 성분도 다르고 onset, duration 등이 브랜드마다 많이 다르다는 것을 알게 된다. 진료실에서는 실제로 어떤 보툴리눔 독소를 주사할지를 상담하는 것부터 진료는 시작된다.

1820년대 보툴리즘의 생리학적 연구이후, 보툴리눔 신경 독소 타입 A (BONT-A)의 구체적인 제품(BOTOX®)이 개발되었다. BOTOX® (OnabotulinumtoxinA)는 가장 처음으로 출시된 제품으로 공정과정에서 freezing dry 법을 아직 적용하지 않고 있음에도 불구하고 아직도 그 명성을 유지하고 있다. 그 이후 freezing dry(동결건조)법을 적용한 AbobotulinumtoxinA (디스포트®, Medicis Aesthetics, Scottsdale, AZ)라는 새로운 보툴리눔 신경독소가 출시되었으며 , 이후 두 제품의 생리적 효과의 비교연구가 활발히 이루어졌다. 두 번째로 등장한 이 제품은 Ipsen Biopharma (Wrexham, UK)라는 회사에서 만들어 상품명 "디스포트®"로 유럽 및 기타 국가에서 거의 20년 동안 성공적으로 사용되어왔다. 이 두 가지 제품은 서로 다른 쥐를 사용하여 LD50을 측정하였고 다른 환경에서 시행되었기 때문에 서로 unit가 다른 것이 특징이다. 따라서 처음으로 접하는 경우 conversion ratio를 계산해서 사용해야 하는 불편함이 있고 어느 정도가 적당한 양인지를 가늠하려면 다소의 시행차고를 겪을 수 밖에 없다.

2. 보툴리눔 독소마다 onset, potency, duration 의 차이가 있을까?

onset, duration, diffusion에 대한 논문이 많이 게재되고 있는데 이는 별도의 장소에서 집중적으로 거론되는 것이 바람직하겠지만, 독자들의 흥미를 위해서 간략하게 언급하고자 한다.

Onset은 과연 제품마다 다른가? Nestor M. 등은 보톡스®와 디스포트®의 intra-indivisual com-parison study에서 비교연구에서 매일 사진을 촬영하여 디스포트®가 onset이 빠르고 duration이 더 길다고 발표하였다. 필자의 연구에서도 비슷한 양상을 보였다.

Thomas Rappl등은 제오민®이 보톡스®보다 onset 이 빠르다고 발표하였고 필자의 연구에서도 보톡스®보다는 디스포트® 제오민®이 빠른 onset을 보였다.

Potency는 제품마다 다를까? Kenneth C 등 디스포트®가 4, 6일째 유의하게 더 큰 개선을 나타냈고 더 강한 maximal contraction을 보였다고 발표했다. 필자의 경험으로도 디스포트는 다른 브랜드보다 좀 더 강한 efficiency와 duration을 보이고 있는데 이는 sub-type이나 균주의 차이일 수도 있지만 conversion ratio가 디스포트를 더 많은 양을 쓰게 하고 있는 것이 원인일 수도 있으므로 좀 더 연구가 필요하다.

3. 보툴리눔 독소마다 diffusion의 차이가 있을까?

필사는 Allergan사의 강의장이나 워크숍에서 AbobotulinumA (디스포트®)는 톡신의 분자량이 적기 때문에 ptosis나 다른 부작용이 더 발생할 위험이 높다는 주장하는 것을 들었다. 이를 반박하기 위해서 Ipsen (입센) Biopharma (Wrexham, UK) (입센)사에서는 확산되는 범위가 동일하다는 논문을 기술하기도 하였다. 입센사는 이를 반박하기 위해서 보톡스와 디스포트의 톡신의 분자량은 모두 900 kDa이라고 주장하기도 하였는데 분자량이 적은 것이 더 양질의 제품인 것을 모르고 오히려 자사제품을 깍아내리는 행동이었는데, 제오민®은 분자량이 150 KDA 밖에 되지 않기 때문이다. 디스포트®의 톡신의 분자량은 300에서 600 kDa 라고 발표한 논문도 있고 많은 논문에서 디스포트®의 톡신의 분자량은 900보다 작은 것으로 기술하고 있다.

디스포트®가 출시되고 난 후 초창기에는 부작용아 더 많다는 논란이 있었다. 디스포트®가 주위 근육에도 영향을 미쳐 원치 않는 부작용이 발생하였다는 보고들도 있었다. 그렇다면 알러간 사에서 지원한 논문의 주장대로 눈가나 미간의 BoNT을 주사 할 때는 보톡스가 더 좋다는 것이 사실일까? 눈가나 이마에 BONT-A를 사용할때는 ptosis나 복시의 부작용이 걱정되기 때문에 이런 논란은 끊이지 않고 계속되었다. 2009년 Wortzman과 Pickett 3 등은 저서에서 AbobotulinumtoxinA(디스포트)는 톡신의 분자량이 작아서 확산이 더 잘 되는지 연구 발표하였다. 저자의 생각으로 톡신의 확산은 분자량의 상관관계보다는 dose dependant하게 더 확산되며 희석을 많이 한 경우 더 확산되는 것으로 추측한다. 디스포트®의 톡신의 양이 많았기 때문에 부작용이 더 생긴 것으로 보는 것이다. 필자도 디스포트®의 출시 당시 U(유니트)가 다르기 때문에 희석방법이나 주사용량의 과다문제로 부작용이 나타난 것으로 판단한다. 현재 대부분의 저널에서 보톡스®의 1 U는 디스포트®의 2.5 U와 비슷한 강도를 나타낸다고들 말한다. 따라서 100U 보톡스® 두병과 500U 디스포트®한 병으로 같은 환자를 치료할 수 있다는 것이다. 디스포트가 출시되는 초창기에는 이런 환산률의 이해도가 적어서 과도한 양의 디스포트를 주사하여 부작용의 사례가 많았던 것도 하나의 원인으로 작용했으며, 환산율이 보톡스®의 1 U의 효과를 내기 위해서 디스포트®는 2.5 U보다 더 적은 양으로도 충분하다는 논문이 나오기도 했다. 특히 다한증에 대한 논문에서 그러한 논문이 발표되었다. 이논문에서는 디스포트® 200 U가 보톡스 100 U보다 손바닥의 다한증치료에서 더 큰 효과를 나타냈다.

150 kDt 의 톡신을 함유하는 Xeomin (IncobotulinumtoxinA, 제오민®, Merz, made in Germany)이 출시된 이후 BoNT의 분자량에 따른 확산의 부작용의 가능성은 배제되었다. 제오민®의 톡신의 분자량은 150 kDA으로 보톡스(900 kDa)의 1/6밖에는 되지 않지만 확산이 더 잘 되거나 부작용이 더 발생한다는 보고를 이제는 하지 않고 있기 때문이다. 따라서 당시 보톡스사에서 주장한 "디스포트가 분자량이 더 작아 확산이 더 잘 되어 부작용이 더 많이 생긴다"는 주장은 지금은 하나의 해프닝으로 기억된다. 그러나 디스포트를 주사할 때 기존의 환산법으로 주사할 경우 계산한 것보다 더 상하게 주사될 가능성이 있기 때문에, 눈주위에는 환산법을 잘 숙지하고 과도한 양을 주사하지 말자는 의미로 받아들이면 되겠다. 필자는 부형제가 확산에 어느정도 영향을 미칠것으로 생각하고 이를 연고하고 있는데 추후 이에 대하여 거론하겠다.

4. 한국의 보툴리눔 독소들은 미국의 보톡스보다 효과가 떨어질까 ?

대부분의 병원에서는 미국 알러간사의 보톡스 제품을 최고의 제품으로 홍보하고 비용도 두 배 이상을 받고 있다. 이는 과연 누구를 위한 행동인가? 정말로 알러간사의 보톡스가 가장 좋은 제품이라고 생각하는 것일까? 최초의 제품이 반드시 최고의 제품이 아니라는 것을 명심해야한다. 필자는 알러간사의 보톡스®는 진공건조과정을 거쳐서 생산되로 동결건조법을 사용한 디스포트®, 제오

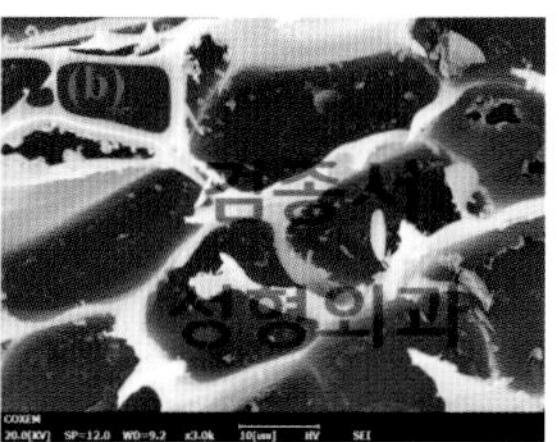

그림 30-1. 전자현미경 사진
A. 알러산 사의 보툴리늄 가루 B. 메디톡스 사의 보툴리늄 가루
출처: 김종서 성형외과

민®, 메디톡신® 보다 더 구식의 방법을 사용하고 있으며, 알러간사의 제품은 진공건조법이 더 좋지 않은 건조과정을 사용하고 있다고 주장하고 있다. 의사들은 홍보전략과 과학적인 데이터를 구별해서 생각하여야 한다. 한국에서 최초로 출시된 메디톡스는 보톡스의 균주(Hall strain)를 이용하여 알러간사의 보톡스와 대부분 비슷한 효능을 발휘하지만 알러간사의 건조방법보다 우월한 freezing dry법을 사용하므로, 필자는 한국의 메디톡신® 이 보톡스보다 좀 더 발전된 톡신으로 생각하고 있다. 알러간사에서 메디톡신사에 고가의 비용을 지불하고 양해각서를 체결한 것을 보아도 최근의 동향을 알 수 있다.

필자의 연구에서 제품의 가루를 전자현미경으로 촬영한 결과 보톡스의 파우더는 매우 엉겨 있고 물을 첨가해도 빨리 녹기 힘든 상태를 보였다. 반면 메디톡스의 파우더는 엉겨 있지 않고 매우 작고 고운 결정체 모양을 띄고 있어 생리식염수를 혼합했을 때보다 잘 녹을 수 있는 모양을 가지고 있다(**그림 30-1**). 파우더의 모양이나 엉김현상(congealed shape)을 보면 동결건조법이 진공건조법보다 더 우월하다는 것을 보여주고 있다. 바나나를 그냥 말려놓은 것은 나중에 물에 적셔도 원상으로 회복되기 힘들고, 씹을 때 딱딱하다. 그러나 동결건조한 바나나는 물에 담그면 금방 부드럽게 변하고 씹을 때도 원래 바나나가 가지고 있는 식감을 많이 느낄 수 있다. 이렇듯 동결건조와 상온건조의 차이는 우리 주변에서도 쉽게 찾아볼 수 있다. **그림 30-1**은 김종서성형외과에서 연구하고 있는 전자현미경 사진이다. 좌측을 보면 OnabotulinumA(보

표 30-1.

	Meditoxin®	Innotox®	Coretox®	BOTOX®	Dysport®	Xeomin®	Mybloc®	Botulax®	Nabota®
제조사	MedyTox (korea)	MedyTox (korea)	MedyTox (korea)	Allergan (USA)	Ipsen (UK)	Merz (Germany)	Solstice neurosciences Inc.	Hugel (korea)	Daewoong (korea)
균주	A (Hall hyper)	A (Hall hyper)	A (Hall hyper)	A (Hall hyper)	A (NCTC 2916)	A (NCTC 3502)	Bean B	CBF C26 strain	A (Hall)
적용부위	SNAP-25	SNAP-25	SNAP-25	SNAP-25	SNAP-25	SNAP-25	VAMP	SNAP-25	SNAP-25
톡신타입	Complex (195)	Complex (195)	Complex-free	Complex (195)	Complex (195/16S)	Complex-free	Complex	Complex (195)	Complex (195)
부형제	100 U 당 0.5 mg HSA 0.9 mg NaCl	1 mL 당 Polysorbate20 L-Methionine 5.625 mg NaCl	100 U 당 Polysorbate20 L-Methionine NaCl sucrose	100 U 당 0.5 mg HSA 0.9 mg NaCl	500 U 당 0.125 mg HSA 2.5 mg NaCl	100 U 당 1.0 mg HSA 4.7 mg NaCl	HSA 500 g/mL NaCl 6 g/mL Sodium succinate	100 U 당 0.5 mg HSA 0.9 mg NaCl	100 U 당 0.5 mg HSA 0.9 mg NaCl
건조방법	동결건조	-	동결건조	진공건조	동결건조	동결건조	-	동결건조	동결건조

출처: 메디톡스

톡스)는 NaCl의 결정체와 알부민이 매우 엉겨 있는 것을 볼 수 있는데 필자는 이런 현상이 동결건조를 하지 않은 것에 원인이 있다고 주장하고 있다. 다른 대부분의 브랜드는 동결건조법을 사용하며 파우더의 입자가 곱고 엉겨 있지 않고 매우 고르게 분포되어 있는 것을 볼 수 있었다(추후 논문으로 발표예정). 필자는 보톡스는 Vacuum dry 방식을 사용했기 때문에 동결건조 방식보다 단점이 많다고 생각한다(**표 30-1**). BoNT A제품들의 비교연구를 발표한 박, 이 등의 발표내용을 보면, 제오민®의 stabilization가 vacuum drying으로 잘못 표기한 사례도 있는데, 이렇듯 많은 의사들이 동결건조와 상온 건조방식을 혼돈하고 있으며 그 중요성을 제대로 인식하지 못하고 있는 경우도 많다. 한국의 성형외과 의사들은 정확한 지식을 가지고 보다 좋은 제품을 선택하면 좋겠다. 건조방법은 톡신의 제조과정에서 매우 중요한 과정으로 사용 전 반드시 확인할 필요가 있다.

5. 부형제 비교

부형제로 보톡스®와 메디톡스®는 0.5 mg의 알부민과 NaCl 0.9 mg 을 함유하고 있다. 반면 디스포트®는 0.125 mg 의 알부민과 2.5 mg의 lactose를, 제오민®은 1.0 mg의 알부민과 4.7 mg의 sucrose 를 함유하고 있다. 보톡스®와 메디톡신®는 NaCl를 사용했고 디스포트®와 제오민®은 이당류를 사용한 것이다. 음식의 부패나 변질을 막기 위해 소금이나 설탕을 넣곤 한다. 김치에 들어가는 배추를 절일 때 소금에 절이고 딸기잼을 만들 때 설탕을 추가한다. 제오민®은 4.7 mg의 sucrose를 첨가하였기 때문에 보존기간이 길어짐을 짐작할 수 있다. 이당류는 코팅효과가 소금보다 더 균일하고 세말하고, 반면 소금은 결정체가 큰 것이 단점으로 작용하고 있다. 그러나 이당류가 주사 후에 어떠한 tissue reaction을 보일지 어떠한 adverse effect를 일으킬 수 있을지에 대한 연구는 더 이루어져야 하겠다.

모든 제품에서 인체유래 알부민을 사용하고 있어 감염의 전파를 완벽히 막을 수 있다고는 단정지을 수 없다. 알부민은 인체유래 재료로서 극소수의 환자에서 발열감 오한 피부발진 등을 초래할 수도 있다는 보고가 있었다. 프리온(Prion) 같은 우리가 알지 못하는 감염 경로가 있을 수 있다는 전제하에서 알부민의 사용은 안전성에서 다소 논란의 여지가 남아 있다. 메디톡스사는 알부민을 첨가하지 않고 보존재로 L-methionine과 Polysorbate를 사용한 이노톡스®를 출시하였다. 2018년말 알부민도 첨가하지 않고 complex toxin도 줄인 150 kDA의 새로운 제품이 코어톡스®라는 이름으로 출시되었다. 코어톡신의 출시는 보툴리눔 톡신계의 혁명이며 의학계의 변화와 발전에 많은 영향을 미칠것으로 기대한다.

6. 부작용을 줄이는 노력

안면상부에서 BoNT시술의 부작용을 줄이는 방법을 생각해보자. 가장 대표적인 부작용은 주사한 보툴리눔 톡신이 원치 않는 곳으로 확산하여 주위 근육의 운동까지 저하를 초래하는 경우이다. 주사하는 해부학적 구조와 부작용과는 어떤 상관 관계가 있을까.

첫 번째 예를 들어 이마주름 치료를 위해 주사하는 경우를 생각해보자. 2000년대 초기에는 학회나 회사 강의장에서 frontal bone을 터치하고 주사하는 방법을 많이 사용하였다. frontal bone 방법은 frontalis 근육보다 깊이 주사될 가능성이 높기 때문에 loose areolar tissue 를 따라 하방으로 약물이 퍼질 확률이 높아지게 된다. 따라서 이 방법은 눈썹하수와 안검하수를 일으키는 위험이 높은 방법이다. 안면근육의 깊이는 각기 다르다는 사실도 염두해야 한다. frontalis과 Orbicularis oculi는 피부층이 가까운 가장 표층에 위치하고 그 하방으로zygomaticus major minor 등이 위치한다. mentalis는 뼈쪽으로 가장 깊게 위치하며 그상방으로 depressor labii m.과 depressor angli oris가 하부 구조물을 덮고 있다. 안와 주변에는 skull의 외측면과 안쪽으로 연결되는 작은 foramen 등이 있어 안면상부 주사 후에도 EOM이나 Levator m.에 영향을 미칠 수 있다는 사실을 염두해야 한다. 특히 눈주분에서는 BoNT이 확산되는 이러한 경로나 해부학적 layer를 잘 파악하고 주사하면 안전한 눈주위도 시행할 수 있다.

두 번째 희석을 많이하면 좀 더 확산이 많이 됨을 기억하자. 희석을 많이 하면 같은 유니트를 주사할 때 식염수의 양이 많아지므로 좀 더 넓은 범위에 영향을 미치게 된다. 희석을 많이 하는 경우 주사량과 주사 깊이를 면밀히 조절하여야 한다. 눈주위에 주사할 때는 진피에 주사하여 확산을 더 줄이고 근육에 좀 더 자연스럽게 퍼지게 하여 부작용을 줄이는 방법도 있다. 상안면부의 주사 시에는 근육으로 직접 주사하면 부작용이 나타나거나 환자가 불편해 하는 경우가 많기 때문에 저자는 eyelid margin에 가깝게 주사하거나 눈썹 윗부분에 주사할 때는 진피층에 주사하는 것을 권장한다.

세 번째로 BoNT의 종류에 따라 치료 효과의 차이는 다소 존재하므로 제품마다 사용량을 달리 해야 한다. 환자가 느끼는 BoNT의 느낌의 차이도 분명히 있다. 필자는 근육에 있는BoNT의 리셉터와 피부에 있는 BoNT의 리셉터가 각 톡신마다 sensitivity가 다르기 때문이라고 생각한다. 그것은 겨드랑이 다한증에서 AbobotulinumA와 OnabotulinumA의 효과가다르다고 주장한 논문을 보면 알 수 있다. 건조방식에서도 제품마다 많은 차이가 있으며 이 또한 효과나 BoNT의 작용에 관여를 할 수 있다.

7. 내성

BoNT type A에 내성이 생긴 경우를 드물지 않게 보게 된다. 이런경우 비용대비 주름치료효과가 매우 큰 보톡스 시술을 할 수 없게 되므로 환자에게는 커다란 실망을 가져오게 되는데 BoNT type B로 바꾸어 주사하면 다시 주름을 치료할 수 있게 된다. MYOBLOC® (Botulinum Toxin Type B)은 bacterium Clostridium botulinum type B (Bean strain) 발효 과정에서 얻어진 멸균 액상 제품이다. 침전 및 크로마토 그래피 단계를 통해 정제된다. MYOBLOC®은 깨끗하고 무색 내지 엷은 황색의 멸균 주사제로 3.5 mL 용액으로 각각의 MYOBLOC® (rimabotulinumtoxinB) 단일 사용 바이알에는 인체유래 알부민(0.05%)과, 0.01M 숙시네이트나트륨(sodium succinate) 및 0.1 M 염화나트륨(sodium chloride)을 함유한다. BoNT은 1 mL 당 5,000 U의 보툴리눔 독소 타입 B를 함유한다. (MYOBLOC®의 범위는 70~130 U/ng이다) 산도는 pH 5.6이며 주사 시 약간의 통증을 유발한다.

8. 상안면부 부위별 주사방법과 주의점 (이마, 관자놀이, 미간, 눈가)

1) Forehead area

(1) Anatomy

이마주름은 피부의 탄력소실과 더불어 눈썹을 올리는 frontalis m.의 반복적인 운동으로 수평적으로 생기게 된다. 또한 노화와 더불어 눈꺼풀의 이완과 늘어짐이 눈썹을 보상적으로 더욱 올리게 자극하여 이마의 주름이 더 심해지게 된다. Occipito-frontalis m.은 occipital bone에서 기시하여 eyebrow 부분의 연부조직까지 이어지는 두개골을 덮고 있는 큰 구조물로 이마의 근육은 occipito-frontalis m.의 한 부분으로 볼 수 있다. Frontalis m.의 근섬유들은 좌우로 분리되어 “V”자 모양으로 위치하며 중간부분에서 위쪽으로는 근육이 없는 tendon sheath부분이 존재한다. 따라서 정중앙에 보툴리눔 독소를 주사하는 것은 논란의 여지가 되고 있다. frontalis m.은 거의 수직으로 배열되어 있으며 일부는 눈썹부분에서 피부에 부착되고 다른 일부는 depressor m., corrugator supercilli m,orbicularis oculi m, depressor supercilli m.과 연결된다. 혹자는 frontalis m.의 하부는 눈썹을 올리는 기능을 하고 전두근의 상부는 hair line을 아래로 당기는 역할을 한다고 주장하는 이도 있다. frontalis m.은 뼈에서부터 origin하고 있지 않다.

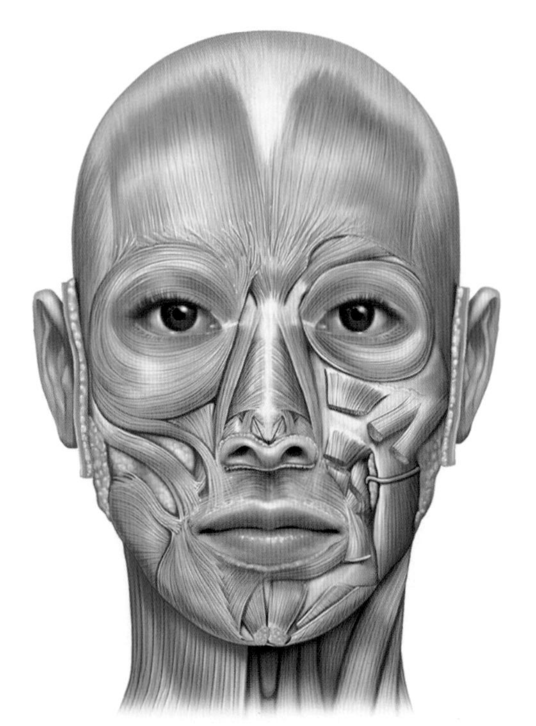
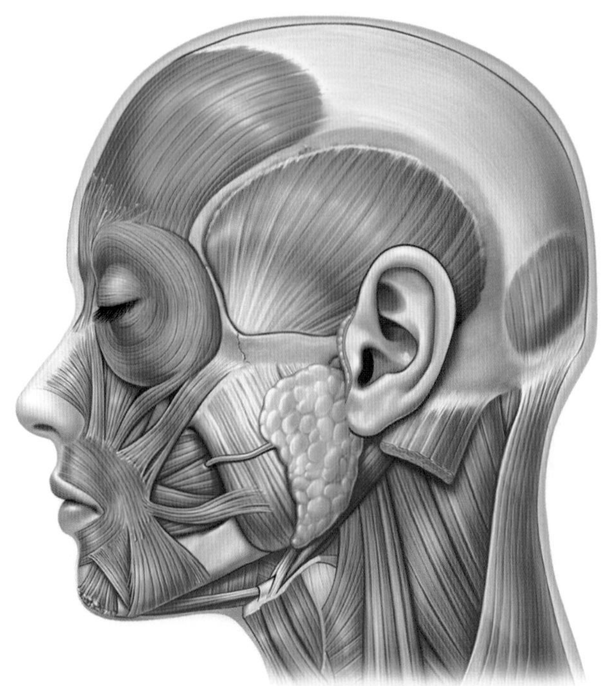

그림 30-2. 전두근 해부학

Occipito-frontalis m.은 occipital bone에서 기시하여 eyebrow 부분의 연부조직까지 이어지는 두개골을 덮고 있는 큰 구조물. Frontalis m.의 근섬유들은 좌우로 분리되어 “V”자 모양으로 위치하며 중간부분에서 위쪽으로는 근육이 없는 tendon sheath 부분이 존재한다.

(2) 주사의 포인트와 깊이

전두근은 헤어라인과 눈썹(혹은 orbital rim)을 기준으로 하고 주사의 포인트를 결정한다. 그러나 대머리의 환자의 경우 주사의 포인트를 정하는 것에 주의해야 한다. 따라서 일률적으로 주사의 포인트를 말하기는 어렵지만 대략적으로 눈썹과 헤어라인의 중앙선을 기준으로 주사포인트를 정하지만 필자는 이마에 주름을 만들게 하고 주름의 양상을 보고 주사를 하는 것을 더 선호한다.

주사의 깊이를 결정하기 위해서는 뼈에서 부터 피부에 이르기까지의 해부학적 차이를 이해하고 있어야 한다. 주사 깊이는 ① 전통적인 직접 근육에 주사하는 방법 ② 근육의 바로 위층의 근막바로 위에 주사하는 방법 ③근육위 지방층에 에 주사하는 방법 ④ 근육이나 지방층이 아닌 진피층에 주사하는 방법(더마톡신 방법) 등이 있다 **(그림 30-3)**.

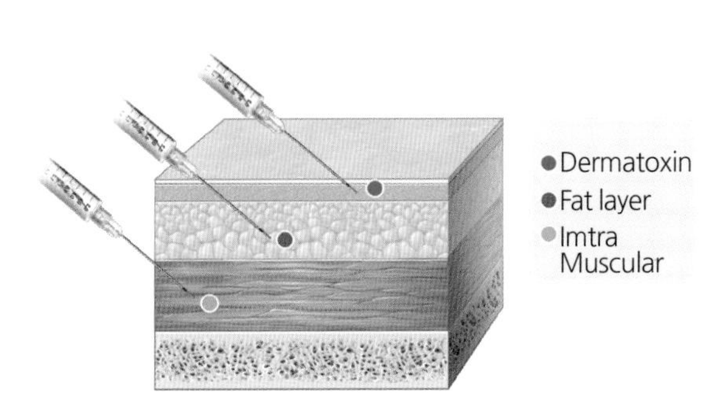

그림 30-3. 보툴리늄독소주사의깊이

출처: 김종서 성형외과

U정도가 된다.

그러나 눈썹에서 거리를 재어서 주사하는 것은 바람직하지 않다. 얼굴이 큰 사람의 경우 이 방법을 쓰면 너무 눈썹에서 가까이 주사하게 된다. 따라서 헤어라인에서 눈썹의 중앙부분을 주사하는 것이 바람직하다. Allegan 사의 매뉴얼에서 제시하는 이마 보톡스의 주입양을 한국인의 여자나 노인에게 사용하면 매우 많은 양이 되며 환자는 불편을 호소하는 경우가 많이 발생하게 된다. 이는 외국인은 이마의 표정이 강하며 말을 할 때 이마를 많이 움직이기 때문에 아마도 근육의 볼륨이 한국인보다 더 많기 때문에 많은 양을 필요로 하는 것 같다. 필자의 방법은 4 U (0.1 cc)를 좌우 각각 3포인트씩 근육주사한다. 이마에 주사하는 총량은 24 U가 된다**(그림 30-4)**.

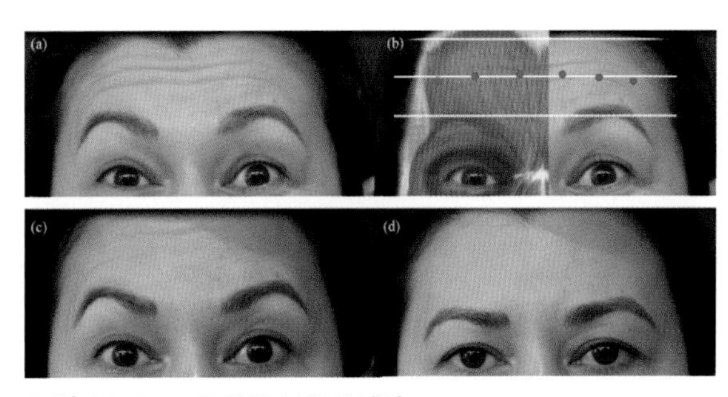

그림 30-4. 6-포인트 근육주사법

필자의 전통적인 주사 방법은 4 U (0.1 cc)를 좌우 각각 3포인트씩 근육주사한다. 이마에 주사하는 총량은 24 U가 된다. 필자는 이마에 주름을 만들게 하고 주름의 양상을 보고 주사를 하는 것을 더 선호한다.

① 전통적인 직접 근육에 주사하는 방법(intramuscular, IM)

근육에 주사할 때는, 중간부분에서 위쪽으로는 근육이 없는 tendon sheath 부분이 존재하므로, 이마의 중앙부분에 주사하는 것은 필요하지 않으며 양쪽으로 대칭되게 하면 된다. Allegan 보톡스 회사의 매뉴얼에 따르면 이마 근육에 주사할 때는 6 U를 양쪽에 각각 4군데씩 눈썹에서 2-3 cm 상부에 주사하는 것을 권장하고 있으며 독소의 총량은 24

② 근육의 바로 위층의 근막 바로 위에 주사하는 방법

신경이 근육에 연결되는 neuromuscular junction (NM-junction)은 근육위의 근막층에 가까이 위치하기 때문에 근육을 힘을 주게 한 후 근막위에 주사하는 방법이 있다. 이마근육은 아주 얇아서 근육에 주사하려다보면 너무 깊은층인 loose alreolar tissue에 주사하기 쉬우며 이런 경우 원치않는 확산으로 눈썹이 떨어지는 불편을 초래할 수 있다. 따라서 근육에 주사하는 것보다는 약간 근육위 부분에 주사하는 느낌으로 주사하는 것이 바람직하다.

③ 근육위 지방층에 에 주사하는 방법 (subqutaneous, SQ)

2000년도 초창기에는 보톡스를 왜 지방층에 주사하는지 필자의 주사방법에 의문을 가지는 의사가 많았다. 근육에 주사하려다 보면 너무 깊이 주사하여 확산을 초래할 수 있고 깊이 주사하면 그만큼 혈관을 손상시킬 확률이 높아지므로 멍이 들 확률도 높아진다. 따라서 진피 바로 아래부분에 주사하면 진피주사 시보다 저항도 적고 멍도 덜 들게 주사가 가능하다. 이마는 연부조직이 아주 얇기 때문에 근육에 주사하는 것보다 지방층에 주사하는 것이 보다 더 일정한 깊이의 주사를 만들 수 있다. 경험이 많지 않은 시술자가 근육층에 주사하려다 보면 근육에 주사하기도 하고 근육을 지나가 깊이 주사도 되며 근육위에 주사하게도 하여 일정한 효과를 내기 어려운 경우도 생기기 쉽다. 주사 포인트는 근육주사포인트 **그림 30-4**과 비슷하다.

④ 더마톡신 방법(intra-dermis, ID)

더마톡신 방법은 전두근의 운동을 다소 유지하면서 피부의 미세한 주름을 완화하는 데 좋은 방법이며, 이마부분의 피지선의 활동을 줄여서 그에 따른 모공 크기의 축소와 여드름의 완화 효과를 기대할 수 있다. 더마톡신 방법을 사용할 때는 편의상 희석농도를 2배 이상 더 희석하여 사용하며, 주사 포인트도 근육에 주사할 때와는 다르게 가능하면 많은 포인트에 촘촘히 주사하게 되며, 눈썹에 가까이 이마의 하반부에도 주사할 수 있는 장점이 있다. **그림 30-5** 한 군데 포인트에 0.05 cc (근육주사의 반정도)를 주사하하는데 헤어라인으로 갈수록 좀 더 많은 양을 주사하고 눈썹에 가까이 갈수록 적은 양을 주사한다. 이마에는 보통 18포인트를 주사한다(경우에 따라서는 16-20포인트를 주사하기도한다). 18포인트에 두 배 희석하고 반 정도의 양을 주사하므로 한포인트의 양은 1 U (0.05 cc)가 된다. 전체적인 이마의 총량은 근육주사보다는 많이 적은 양을 사용해도 무방하지만 너무 적은 U를 사용하는 경우 duration이 짧아지는 것이 문제이기 때문에 필자는 18 U 정도를 사용하는 것을 선호한다.

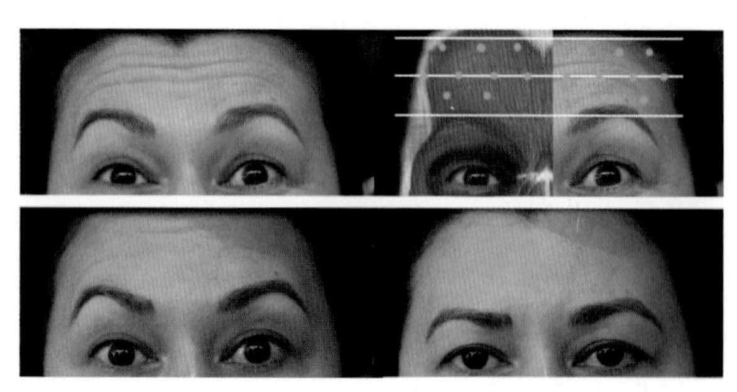

그림 30-5. 더마톡신 주사법
초록색점은 진피에 주사하는 포인트이다. 한 포인트의 양은 1U (0.05 cc)

⑤ 기타 적응증

i. Repositioning of eyebrow

이마 부분의 미용적 측면을 생각할 때 중요한 구조물로는 눈썹의 모양과 위치 그리고 헤어라인이 있다. 또한 눈꺼풀과 눈썹의 거리도 염두에 두어야 한다. 아름다운 눈썹이 되기 위해서는 여러 가지 조건이 필요하며, 연령별, 나라별, 인종별로 선호하는 눈썹의 모양이 다르므로 보툴리눔 독소를 주사하기 전에 미리 환자가 선호하는 눈썹의 형태를 상담하는 것이 중요하다.

눈썹의 모양은 얼굴의 이미지를 좌우하는 데 매우 중요한 요소로서 눈썹이 진하면 강인하고 뚜렷한 인상을 주며, 흐리면 맥이 빠져 보인다. 눈썹의 외측부가 높으면 사나워 보이기도 하지만 카리스마가 있어 보이고, 외측부가 내려가 있으면 온순해 보이고 가라앉은 느낌을 준다. 미간에 힘이 들어가서 팔자모양으로 내측이 올라가면 화가 나 보이거나 우울해 보이기도 한다. 이렇듯 눈썹의 모양을 조절하거나 유지시키는 것은 보툴리눔 독소를 주사할 때 항상 염두에 두어야 하는 필수사항이다. 눈썹의 꼬리부분을 올리고자 할 때는 눈가의 oorbicularis oculi m.(눈둘레근)에 적은 양(평소의 포인트의 반 정도의 양, 한포인트에 보톡스 1 U 디스포트 3 U)을 주사하고 눈썹꼬리를 내리고자 할 때는 눈썹상부의 frontalis m.에 주사하면 된다. 눈썹의 모양을 변화시키고자 할 때는 한번에 완벽하게 시도하기 보다는 적은 양을 주사하고 모자라면 한 번 더 주사하는 것이 바람직하다. 눈썹의 내측의 시작점은 비익의 수직선상에 위치하고, 눈썹의 외측 끝나는 지점은 코의 margin과 외안각을 잇는 가상선의 선상에 위치하며, 눈썹의 시작점과 끝나는 점은 수평선상에 존재하고, 눈썹의 apex는 눈동자의 외측선상에 위치해야 한다(**그림 30-6**).

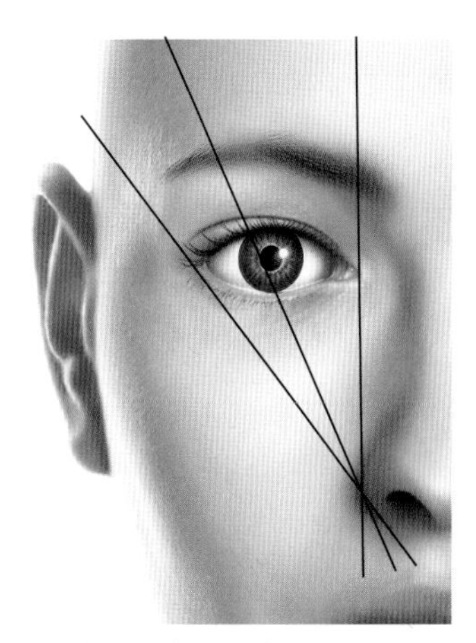

그림 30-6. 아름다운 눈썹의 조건(Westmore,1974)

ii. sebum production, active acne , large skin pore (피지조절, 여드름 관리, 모공 관리)

Decreasing sebaceous gland and skin pore 이마 피부의 모공이 넓거나 피지가 많은 경우도 보툴리눔 독소로 개선을 기대할 수 있다. dermis에 주사를 하게 되면 피지선의 작은 근육들의 운동을 방해하게 되고 피지가 배출되는 것을 줄이면서 모공의 크기도 작아 보이게 하는 효과가 있다. AMY E. 등은 botulinum toxin을 Intradermal injection하고 sebum production 이 줄어들었다는 것을 발표하였다. 더마톡신으로 피지선의 활동저하와 더마톡신의 작용으로 모공이나 피부결의 호전을 기대할수 있으며 여드름의 치료에도 도움이 되고 있다. 필자는 여드름이 있는 환자에서 더마톡신으로 여드름의 호전을 많이 경험하고 있으며 매우 유용한 치료법으로 생각한다.

iii. Combination therapy

눈썹윗부분에 꺼진 부분이 있는 경우 보툴리눔 독소만으로는 개선하기가 힘들며 볼륨을 주기 위해서 hyaluronic acid를 추가하면 더욱 좋은 효과를 볼 수 있다. 노인의 경우 피부탄력의 개선을 위해서 focusing 된 초음파(고강도집속초음파, HIFU)를 이용해서 눈썹의 리프팅을 도와주는 것이 많은 도움이 된다. 그 이유는 노인의 경우 노인성 안검하수가 많이 관찰되며, 과량의 보툴리눔을 주사하면 눈썹이 아래로 떨어지고 눈꺼풀도 같이 떨어져서 눈을 뜨기 불편한 경우가 많기 때문이다. PDO 혹은 PLLA 성분의 barbed thread 로 forehead lifting 이나 eyebrow lifting 을 함께 시술하면 더욱 효과적으로 이마부분을 회춘할 수 있다.

(3) 주사의 희석방법

필자는 Botox®, Medytox®, Xeomin®은 100 U에 식염수 2.5 cc를 혼합하고, Dysport® 500 U에는 식염수 4 cc를 희석한다. 따라서 0.1 cc의 양은 Botox®, Medytox®, Xeomin®는 4 U, Dysport는 약 12.5 U다 된다. 디스포느는 5cc를 혼합하여 사용하면 보톡스와 같은 양을 주사하면 같은 효과를 볼 수 있으나 병이 작아서 4cc 미만으로 주입이 가능하다. 필자가 선호하는 IM(근육)주사포인트는 헤어라인과 눈썹의 중앙부분을 좌, 우 각각 3포인트씩 주사하는 것이다. 근육 내 주사 시 주사하는 양은 이마의 근육의 힘이나 근육의 볼륨을 감안해야 하며 피부가 얇고 상안검의 늘어짐이 없는 여성의 경우는 적은 양를 주사해도 좋지만, 상안검이 늘어져 있거나 약간의 안검하수가 있으면서 피부가 두껍고 전두근의 볼륨이 많은 남자의 경우는 주사량을 늘려야 한다. 그런데 눈을 감은 상태에서 환자의 눈썹을 손으로 눌러서 고정시키고 눈을 떠보게 하여 불편한지를 물어보고 근육에 주사해도 좋을지를 환자와 상의한다. 만일 안검하수가 어느 정도 있으면서 눈썹으로 상안검의 거상을 보완하고 있는 환자의 경우에는 반드시 주사 전에 이를 설명하고 주사해야 한다. 대부분의 노인 환자들은 상안검의 이완이 있기 때문에 근육층에 보툴리눔 독소를 주사하면 눈썹이 떨어지게 되고, 눈을 뜨는 데 불편함을 호소하는 경우가 많다. 따라서 이전에 이런 불편함을 겪은 환자에게는 근육 바로 위의 진피하층이나 진피층에 주사하는 방법을 추천한다.

(4) 아마주름 치료 후 부작용

① 사무라이 눈썹(samurai eyebrow)

Frontalis m.의 중앙 쪽에만 주사가 집중되고 lateral portion에 주사가 부족하면 눈썹의 외측부가 보상적으로 더 활동하게 되어, 표정을 지을때 lateral part eyebrow가 더 올라가게된다(**그림 30-7**). 치료는 눈썹외측 라인에서 상방으로 이어지는 이미지 라인에서 헤어라인과 눈썹의 중앙부분에 근육층에 2~4 U주사를 하면 된다. 사무라이 변형이 심한 경우는 약간 하방으로 주사하기도하며 좀 더 많은 양(4~6 U)을 주사하기도 한다. 심하지 않은 경우는 근육층보다는 진피층이나 진피하층으로 2~4 U 주사한다. 필자는 필자의 Botox와 Xeomin은 100 U에 식염수 2.5 cc를 혼합하고, Dysport 500 U에는 식염수 4 cc를 희석한다. 교정을 할 때 필자는 한 포인트의 주사양은 0.05 cc 혹은 0.1 cc 를 주사한다.

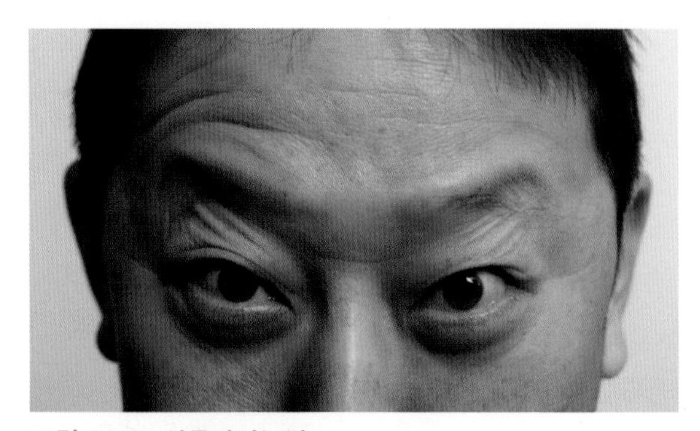

그림 30-7. 사무라이눈썹

전두근의 중앙에 주사가 집중되면 그림과 같이 양측의 전두근이 보상적으로 과도하게 작용하여 눈썹의 lateral head가 올라가게 된다. 사무라이 행태의 부작용에 대한 교정은 지나치게 올라간 눈썹외측과 상방 헤어라인의 중간부분에 평소에 주사하는 보툴리늄 톡신의 양을 추가하면 된다.

출처: 김종서 성형외과

② Asymmetry

BoNT 주사 후 눈썹의 비대칭의 원인은 술자의 주사 깊이가 일정하지 못한 경우가 많다. 초보 시술자의 경우 주사량의 차이가 원인일 수도 있다. 그러나 시술 전에 양쪽 눈썹의 높이를 반드시 관찰하여야 한다. 그 이유는 시술 전부터 환자의 눈썹의 level이나 frontalis m.의 운동량이 주사 이전부터 차이가 있는 경우가 많기 때문이다. 따라서 주사 전에 면밀히 환자의 눈꺼풀이나 눈썹의 움직임을 살펴보는 것이 필요하다.

③ 눈썹하수(eyebrow ptosis)

60대 이후 노인의 경우 눈꺼풀이 늘어지고 어느 정도의 안검하수가 동반되는 경우가 많다. 이런 경우 눈이 쳐진 것을 보상적으로 눈썹을 올리고 있는 경우가 많다. 이런환자에게서는 근육에 보툴리눔 독소를 주사한 후 눈썹이 내려오는 경우가 많다. 따라서 헤어라인과 눈썹의 midline 보다 더 헤어라인쪽으로 상방에 주사하는 것이 필요하다. 그 후에 소량의 BoNT을 눈썹라인과 주사한 라인의 중간부분의 진피에 보충 주사하는 것이 바람직하다. 상안검피부에 여분이 많고 늘어진경우 보툴리눔 독소를 주사하면서 eyebrow thread lifting으로 보충하는 경우도 있다.

④ 안검하수(eyelid ptosis)

Eyelid ptosis는 이마의 주름을 펴는 시술 후에 발생하는 가장 심각한 부작용으로 levator m.에 보툴리눔 독소가 확산되어 발생한다. 이마주사 시 본터치(bone touch)를 하는 방법에서 더 흔히 발생하는데 이는 너무 깊이 주사하여 loose areola tissue에서 아래방향으로 확산이 더 잘 되기 때문이다. 또한 안와골에는 신경이나 혈관이 통과하는 구멍(foreamen)이 있는데 이런 구멍으로 보툴리눔 독소가 확산될 수 있으므로supra-orbital foramen이 있는 미간부분이나 zygomatico-facial n.가 나오는 눈밑 외측을 주사할 때는 너무 깊이 주사하지 않는 것이 좋다.

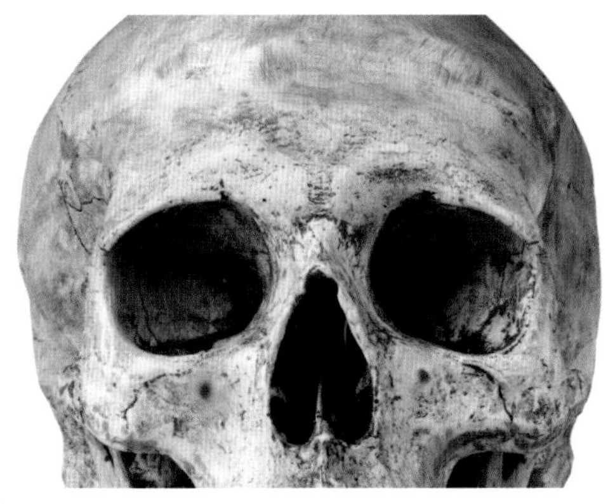

그림 30-8. Skull과 foramen

상안검거근(Levator)으로 주사약물이 supra-orbital foramen, supra-trochlear foramen, infra-orbital foramen 을 통하여 쉽게 다른 것으로 확산될 수 있음을 주의하고 필자는 이들 foramen의 위치에 본터치를 하고 깊게 주사하지 않는 것을 권장한다. 물론 상안검거근의 근처에는 주사하지 않는 것이 좋으며 미간주사 시에도 각별한 주의를 요한다.

출처: 메디톡스

⑤ Edema

보툴리눔 독소를 주사한 후 상안검의 부종이 오는 경우가 있으므로 주사 전에 문진으로 이를 점검할 필요가 있다. 필자의 경험에서 AbobotulinumA를 사용하는 경우 상안검의 부종을 더 많이 경험하였다. AbobotulinumA 주사 후에는 약간의 fluid retention 혹은 edema를 경험하는 경우가 많은데 이는 잘 이용하면 잔주름을 더 효과적으로 개선할 수도 있다.

⑥ Allergy

피부가 가렵거나 붉어지고 혹은 발적과 같은 allergy가 발생할 수 있으므로 주사 후에도 주의깊게 관찰하여야 한다(**그림 30-9**). 필자는 균주의 잔여물(fragile)이 덜 걸러진 경우 이런 피부발진이 나타날 수 있고 알부민도 이러한 부작용을 야기할 수 있는 잠재성이 있다고 생각한다.

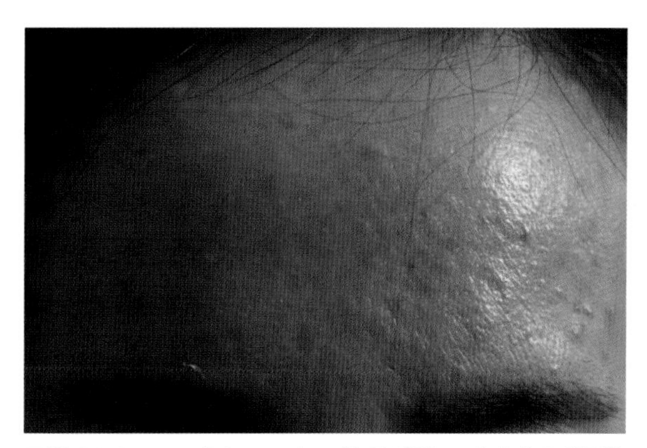

그림 30-9. Botulinim Toxin A를 주사하고 이마에 소양증을 동반한 eruption

보툴리늄 박테리아의 잔여물이나 알부민이 알러지나 피부발진의 원인이 될 수 있다.

출처: 김종서 성형외과

⑦ Tolerance

대부분의 보툴리눔 독소는 toxic protein과non-toxic protein으로 구성되어 있는데 BOTOX®의 경우 toxic protein은 150 kDa이며non-toxic protein은 750 kDa이다. 코어톡신®이나Xeomin®은 toxic protein만 150 kDa으로 non-toxic protein이 없다.

Dysport®의 경우는 총 독소 결합체가 300~900 kDa으로 중간 정도에 해당한다. non-toxicprotein은 다시 hemagglutinin과 non-hemagglutinin으로 나뉘는데 hemagglutinin은 적혈구를 응집하는 항원으로 보툴리눔 독소의 내성의 가능성을 좀 더 야기할 수 있다(**그림 30-10**). 따라서 내성을 예방하기 위해서는 이종단백질의 함량(제오민 0.4 ng, 코어톡신 0.7 ng)이 적은 것을 선택하는 것이 도움이 될 수도 있다. 그러나 내성의 원인이 완전히 명확하게 밝혀지지는 않은 상황이라 브랜드에 따라서 내성이 줄 수 있다고 한마디로 말하기는 쉽지 않다. 또한 내성의 발현을 방지하기 위해서 보툴리눔 독소를 자주 주사하는 것을 피해야 한다. 따라서 주사 후 다음 주사는 3개월 이후로 하는 것이 바람직하다. 많은 양을 자주 주사하는 것도 좋지 않으므로 종아리 등에 주사할 때는 좀 더 신경을 써야 한다. 여하튼 내성이 발생한 경우는 Botulinum Toxin type A는 더 이상 효과가 없으므로 Toxin type B (Myoblock®)로 대체해야 한다.

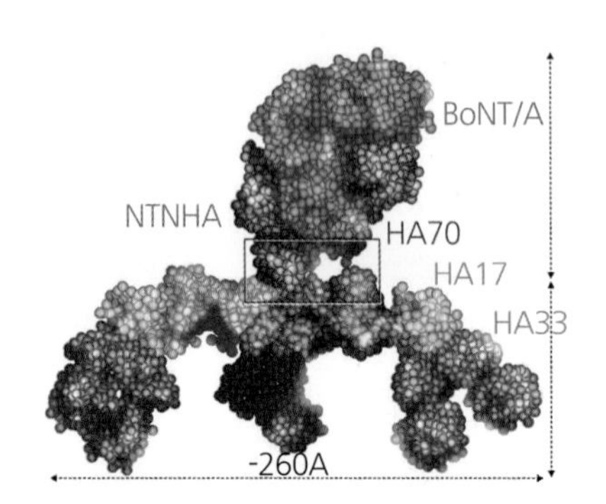

그림 30-10. Structure of a bimodular botulinum neurotoxin complex provides insights into its oral toxicity.

2) Temple area (관자놀이)

(1) Temporalis m. hypertrophy

최근 사각턱 못지 않게 관자놀이 부분에도 관심이 높아지고 있는데 보툴리눔 독소로 masseter m.의 비대를 줄여주는 것과 같은 원리로 관자놀이에 주사 시 temporalis m. 의 부피를 줄이는 효과를 기대할 수 있다. Masseter m.과 temporalis m.들이 저작 시 주로 기능하기 때문에 masseter m.에 보툴리눔 독소를 주사한 후에 보상적으로 tem-poralis m.의 비후가 초래되는 경우도 있다. 이런 경우 temporalis m.의 볼륨을 보툴리눔 독소를 이용하여 같이 줄여주는 시술을 하는 것이 좋다. 주사를 하는 요령은 다음과 같다. 가능하면 헤어라인에서 가까운 부분에 주사 포인트를 잡는다(뒷부분은 눈에 덜뜨이는 부분이므로 주로 앞쪽에 주사한다). 어금니를 꽉 물게 하여 근육이 딱딱하게 뭉치는 점을 찾아 그 부분에 집중적으로 많은 양을 주사한다(**그림 30-11**). 환자들은 울룩불룩한 부분이 없어지기 때문에 머리 크기가 작아 보이는 것도 좋아하지만 씹을 때 울룩불룩한 곳이 없어져서 더 만족을 하는 경우도 많기 때문이다.

저자는 관자놀이에 주사할 때 보툴리눔 독소로 사각턱축소를 하려는 용량의 두 배 정도를 temporalis fascia 바로 밑에 주사한다. 필자는 너무 깊게 주사하는 것보다는 가능하면 표층근육에 주사하려고 애쓴다. temporalis m의 근육을 만져보고 힘을 주게 해보고 주사량을 정하는 것이 바람직하지만 보통 사각턱축소를 기준으로 두

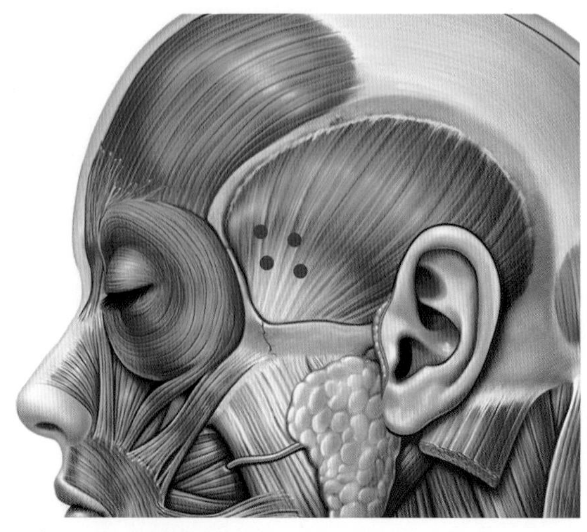

그림 30-11. Anatomy of temporalis m

두상이 커보이는 경우 한쪽에 40 U (1 cc)를 4군데로 나누어 근육 주사를 하면 정면에서 두상의 폭이 줄어드는 효과를 볼 수 있다. 한 포인트의 양은 10 U (0.25 cc)가 된다. 두상이 작아지게 하기 위한 외관상의 목적을 위하여 근육주사는 너무 깊은 곳에 주사하는 것보다는 표층의 근육에 주사하는 것이 효과적이다.

배 정도 주사한다. 필자는 측두근의 볼륨을 줄이기 위해서는 보톡스나 제오민의 경우 80 U를 주사하고 디스포트의 경우 250 U 정도 주사하고 있다(**그림 30-11**).

(2) Migraine

3차 신경통이나 herpes zoster를 앓고 난 후의 신경자극현상으로 인한 통증도 보툴리눔 독소로 다소 줄일 수 있다. 보툴리눔 독소는 아세틸콜린 리셉터에도 작용을 하지만 substance P나 다른 히스타민 리셉터에도 작용을 하고 있는것이 밝혀지고 있으며 통증클리닉에서 이런 원리로 보툴리눔 독소를 통증치료에 사용하고 있다. Migraine의 증상완화를 위해서 보툴리눔 독소를 migraine 부분에두피나 두피하부분에 주사하기도 한다. 흉부나 얼굴의 herpes zoster의 발병 후 반흔이 남은 경우 신경의 내부에 반흔이 발생하여 신경자극 증상이 나타나며 통증이 있는 경우 그 부분의 진피나 진피하부에 보툴리눔 독소를 주사하면 어느 정도 통증감소 효과가 있다. 필자의 방법으로는 보톡스 2 U 디스포트 6 U를 5 mm 간격으로 통증이 있는 부분에 주사한다.

(3) 부작용

관자놀이 부분은 원치 않는 표정의 변화나 별다른 부작용이 없는 부분이라, 성형외과 의사라면 쉽게 주사할 수 있는 부위이다. 관자놀이의 근육의 볼륨은 상당히 편차가 많고 넓게 분포하기 때문에 부적절한 용량을 주사하거나 적절한 부위에 주사하지 않으면 머리의 크기가 줄지 않았다는 불평을 호소하는 경우도 있다. 골고루 주사하지 않아서 paroxysmal hypertrophy가 생기는 경우도 있다. 실제 두상의 좌우 폭은 temporalis m.의 뒷부분에 의해 좌우되지만 환자가 느끼는 두상의 좌우 폭은 헤어라인 안쪽에서 판단하는 경우가 많으므로 이점을 감안하여 육안적으로 잘 보이는 부분의 근육의 볼륨을 줄여주는 것이 효과적이다.

이미 보툴리눔 독소로 편두통을 치료한 경험이 있는 의사와 환자라면 쉽게 치료를 시행할 수 있지만 처음 시도하는 환자의 경우에는 미리 긴장성두통인지 신경통인지 신경과 전문의와 상의를 하는 것이 좋다. 편두통의 통증치료를 처음 시작한다면 환자에게 편두통의 원인이 다양하고 진단이 어려운 경우가 많다는 것을 납득시키고 치료적 진단의 의미를 잘 설명하고 난 후에 치료에 임하는 것이 좋다.

3) Glabella

(1) 미간 부분 주사 시 희석방법과 주사깊이

(2) Frown line

미간주름 중 세로주름의 가장 큰 원인은 corrugator-supercillii m.이고 가로주름의 원인으로는 procerus m.이 관여한다. Depressor supercillii m.이나 medial orbicularis oculi m.도 미간주름에 일부 관여한다. Corrugator supercillii m.은 안와 내측연의 전두골의 nasal process 부근에서 기시하여 외측상방으로 표층으로 뻗어나가 눈썹상부의 진피(눈썹의 중앙부분이나 약간 내측)에 부착한다(**그림 30-2**).

필자는 V자 모양으로 3포인트 주사하는 방법과 5포인트 주사하는 방법을 사용하고 있다.

① 3포인트법

가장 간단한 주사방법은 3포인트법으로 간단히 소개하겠다. 인상을 쓰게하여 근육을 움직이게 한후 Corrugator 근육을 엄지와 검지로 잡고 주사한다. 사람마다 인종마다 근육의 위치는 다를수 있기 때문에 근육을 움직이게 하고 그 근육을 촉진하여 손가락으로 잡고 주사하는 것만큼 정확한 방법은 없다(**그림 30-12**). 필자의 주사 포인트는 미간주름의 바깥 쪽에서 안쪽으로 Corrugator 근육의 주행에 따라 점점 더 깊게 움직이면서 주사하며, 좌우 주사양은 6 U씩 주사한다. Corrugator 근육의 주행을 따라 깊게 찌르면서 움직이면서 주사하므로

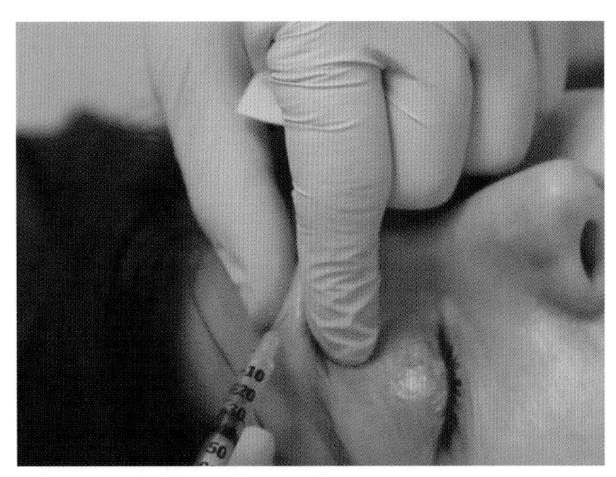

그림 30-12. 3포인트법 미간 주사 중

Corrugator 근육을 힘을 주게하여 손가락으로 잡고 주사하고 있다. 양측에 각각 메디톡스 6 U를 미간주름의 약간 바깥쪽에서 중앙쪽으로 주사하고 그 하방에 정중앙으로 수평주름이 있는 procerus 부분에 4 U를 근육 깊이 혹은 근육 바로위 지방층에 깊이 주사하였다. 총 사용량은 18 U로 대부분의 논문에서 사용하는 20 U보다 조금 부족한 양이었다.

출처: 김종서성형외과

많은 양이 Corrugator에 정확히 주사될 가능성이 많다. 필자의 Lineal injection법은 따라하기 쉽고 성공확률도 높고 결과도 매우 만족스럽다. 두 군데 Lineal injection을 한 후 정중앙포인트 수평주름

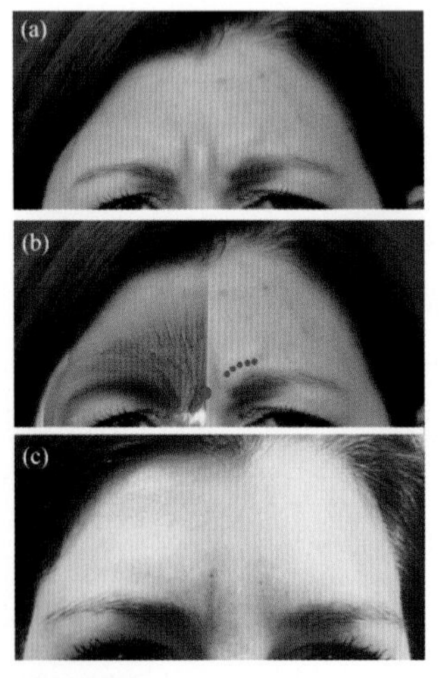

그림 30-13. 3포인트법

미간주름의 바깥 쪽에서 시작하여 안쪽으로 Corrugator 근육의 주행에 따라 점점 더 깊게 움직이면서 주사한다. 수평주름이 있는 procerus부분에 4U를 근육 깊이 주사한다.

출처: 김종서성형외과

부분에 별도로 한 포인트 주사를 추가한다. 수평주름이 있는 procerus 부분에 4 U를 근육 깊이 주사한다(**그림 30-13**). 피부가 얇은 사람은 혹은 근육 바로위 지방층에 깊이 주사해도 비슷한 효과를 볼 수 있다. 미간근육이 강한 사람은 이렇게 주사하고 더 lateral쪽으로 2~4 U 씩을 추가하기도 한다.

② 5포인트법

3포인트 법으로 부족한 경우가 많기 때문에 "V"자 형태로 5포인트법을 후게 되는 경우도 많다. 중앙부분의 3포인트는 앞서 기술한 3포인트법과 비슷하지만 바로 그자리에 주사하는 것이 다르다. 그후 더욱 외측에 corrugator근육의 움직임을 관찰하고 두 포인트르 추가하는데 이 lateral side부분의 눈썹 위쪽에 주사할 때는 지방층보다는 깊이 주사하지만 중앙 3포인트보다는 덜 깊이 얕게 주사한다. 그 이유는 corrugator의 진행이 medial side에는 깊고 lateral side로 가면서 표층으로 위치하기 때문이다(**그림 30-14**). 가장 바깥쪽의 두 포인트는 눈썹 중앙부분의 바로 상방에서 약간 내측으로 진피보다 깊게 근육부분에 주사한다. 그 이유는 너무 진피에 주사할 경우 전두근에 영향을 미칠 수 있음을 주의해야 한다(진피에 주사하는 경우 전두근에 영향을 주지 않기 위해서 주사포인트를 더 orbital rim에 가까이 해야 한다). 가장 바깥쪽 두 포인트에 에 너무 깊게 주사하면 levator palpebralaponeurosis로 퍼지는 경우도 발생하므로 가장 외측에 너무 깊이 주사하는 것은 절대 바람직하지 않다. 눈썹 바로 상부에 깊게 주사할 경우 loose connective tissue를 따라서 levator m.으로 확산될 위험이 높기도 하고 supraorbital foramen으로 이동하여 levator m.으로 보툴리눔 독소가 확산될 수 있다는 것을 항상 염두에 두면서 주사하는 것이 좋다.
대부분의 논문에서는 미간에 20 U를 주사하지만

초반에는 부작용을 염려하여 너무 많은 양을 주사하지 않는 것을 권장한다. 환자가 두 번째 방문할 때 점점 주사량을 늘려가는 방법이 안전하다. 필자도 시술경험이 늘어감에 따라 초반보다는 점차 주사량을 늘리는 경향이 있다. 남성이나 근육의 힘이 강한경우 최근에는 한 포인트에 0.1 cc (4 U)를 IM주사하고 있다. 그러나 노인의 경우나 근육의 힘이 강하지 않은 경우는 반정도 양인 한 포인트에 0.05 cc (2 U)를 주사하고 있다. 보톡스, 제오민, 메디톡스를 사용하는 경우 한 포인트의 양은 보통 4 U가 되는 것이다. 총 미간에 사용한 양은 10 U에서 20 U 사이가 된다. 많은 논문에서 20 U 이상의 양은 필요하지 않다고 기술하고 있다. 해외 논문에서 대부분의 미간에 사용하는 양은 20 U이다. 그러나 동양인의 경우 미간근육이 서양인에 비해 볼륨이 적기 때문에 많은 논문에서 주장하는 20 U는 한국인에게서는 너무 지나치는 경우도 있으므로 주의해야 한다.

3포인트법과 같이 가장 중앙의 포인트는 procerus m.의 위치에 깊게 주사하는데 본터치는 하지 않는다. 그 이유는 바늘로 뼈를 촉지하고 주사하면 loose alreolar tissue에 주사되어 주위로 퍼지는 경험을 많이 했기 때문에 이런 방법은 피하는 것을 강하게 주장한다(**그림 30-14**).

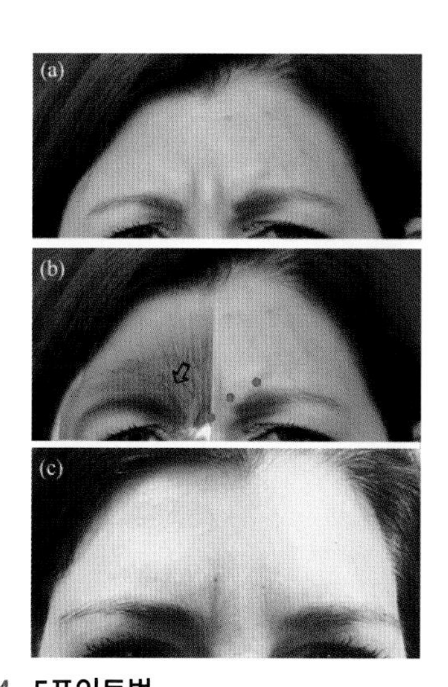

그림 30-14. 5포인트법

Corrugator 근육(화살표)은 전두근이나 안륜근보다 심부에 위치하므로 이들 근육보다는 더 깊이 주사해야 정확한 주사를 할 수 있다. Corrugator 근육은 midline으로 갈수록 더 깊게 주행한다.

출처: 김종서성형외과

procerus m.의 작용을 효과적으로 이완하면 미간의 가로주름은 호전될 수 있다. 그러나 미간주사 후 미간의 수평주름이 더 심해지고 눈썹이 무거워 지는 경우를 종종 발견할 수 있다. 이는 주사포인트가 너무 높아서 전두근에 영향을 미친 경우가 많다. 따라서 미간 주사시 주사 포인트를 너무 높게 하여 전두근을 마비시키지 않게 각별히 주의해야 한다. 미간주름을 펴기 위해서 너무 높게 주사하면 corrugatorsupercilii m.를 약하게 하기보다는 frontalis m.의 medial side를 약하게 하여 아래의 사진과 같이 눈썹의 안쪽이 하강하는 부작용이 나타나기 쉽다. 가능하면 낮게 orbital rim에 가깝게 주사하는 것이 이런 부작용 예방에 좋다. 그러나 미간에 주사할 때 주사 포인트를 너무 낮게, 깊이 주사하면 levator m.에 독소가 확산되어 ptosis를 유발할 수 있으므로 이또한 주의하여야 한다.

(3) 기타부위

① Bunny line

미간의 procerus m.이 만드는 수평주름을 주사하는중에 종종 환자들은 콧잔등까지 주사를 해달라고 요청하는 경우가 많다. 콧등까지 주사를 하면 주사량도 더 필요하게 되므로 비용을 더 받을지 말지 고민하게 된다. 따라서 미간 상담을 할 때 미리 콧등에 대한 상담을 하는 것이 바람직하다.

Procerus m. 근육은 nasion 상방 부근의 수평주름을 만들게 되며, transverse nasalis m.이 발달한 사람은 웃을 때 눈의 내안각에서 약 45도 아래방향으로 뻗는 서너 개의 주름을 만들게 되는데 코로 웃는다고 표현할 수도 있고 약간 찡그리면서 웃는 묘한 분위기를 자아내기 때문에 이런 주름을 선호하는 사람도 있지만 주사로 없애고 싶어 하는 사람도 있다.

Bunny line을 싫어하여 교정하고자 한다면 주름이 있는 근육의 양측주름 부분 하방의 transverse nasalis m.에 직접 보툴리눔 독소를 4 U씩 주사하여 교정한다. 주름이 심하지 않은 경우는 2 U씩 주사한다(**그림 30-15**). Bunny line부분의 연부조직은 매우 얇기 때문에, 이때 너무 깊이 주사하면 안면골위의 loose alreolar tissue를 타고 주위로 퍼질 수 있으므로 안륜근이나 다른 표정근의 변화를 가져올 수 있는 위험요인이 있다. 때문에 필자는 bunny line의 교정을 위해서는 진피나 피하지방층에 주사하여 다른 것으로 확산되는 것을 막으려 노력한다.

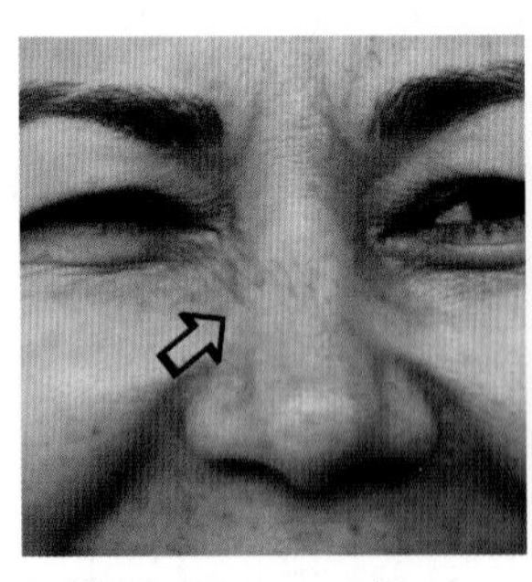
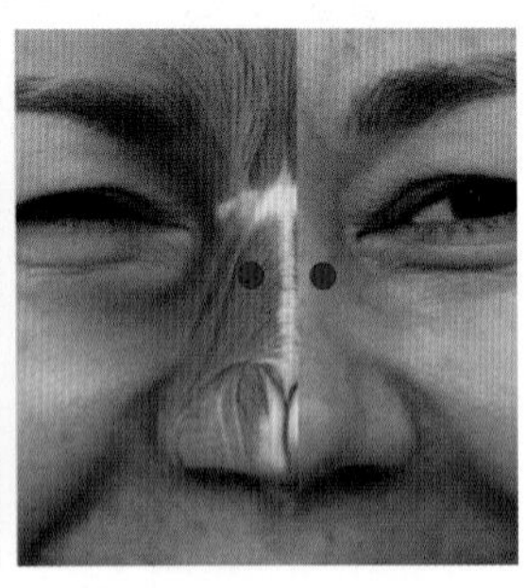

그림 30-15. Bunny line

Procerus m.이나 transverse nasalis m.이 발달한 사람은 웃을 때 눈의 내안각에서 약 45도 방향으로 뻗는 여러 개의 주름이 생긴다. (화살표)버니라인. 파란점부위에 4U를 지방층에 주사한다. 근육층에 주사해도 좋지만 본터치는 하지 않는다. 버니라인의 lateral side는 levator alaqi nasi m. 이 함께 작용하는 경우도 있으며 이때는 좀 더 lateral side로 추가주사를 하게 된다.

출처: 김종서성형외과

② Hump nose(매부리코)

Levator labii oris alaquae nasi m.이 과도한 사람은 팔자주름의 시작부분이 강하게 함몰되며 nalal alar를 위로 당겨서 매부리코 형태를 하게 된다. 이 근육이 과다하게 작용하면 팔자주름은 더 심해지게 되고 depressorsepti nasi m.과 함께 매부리코 모양을 만들게 된다.

내안각과 팔자주름의 머리부분인 코볼의 가상의 라인을 만들고 그 가상선의 중간부분에 4 U씩 주사하면 되며 매부리코와 팔자주름의 상부를 완화할 수 있다. depressor septi nasi m.에 주사하기 위해서는 columella 하방에 nasal spine 부위에 4 U를 주사한다(**그림 30-16**). Levator labii oris alaquae nasi m.가 강한 경우는 필자주름이 시작되는 부분에 한 포인트씩 4 U씩 추가주사를 하기도 한다.

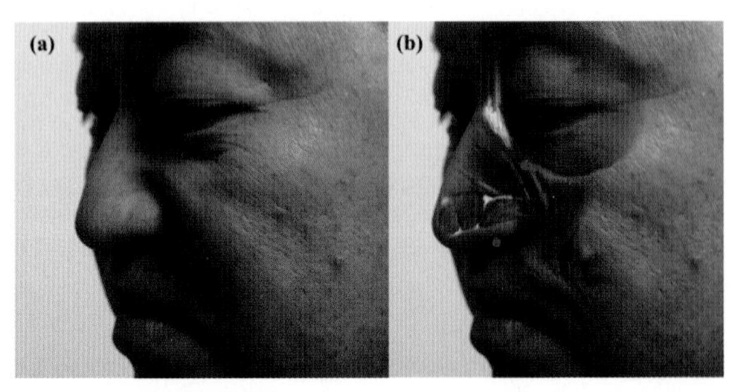

그림 30-16. 매부리코

hump nose appearance. Levator labii oris alaquae nasi m.이 강하게 작용하면 팔자주름은 심해지고 alar는 상부로 끌려 올라가고 nose tip은 아래로 하강하게 되어 매부리코 모양으로 보이게 된다. 이런 표정이 강한 사람은 흰색화살표 부분에 총 3포인트에 보톡스(제오민)2U, 디스포트 6U를 주사하면 이를 교정할 수 있다.

출처: 김종서성형외과

(4) 미간 시술후 부작용

미간주름을 교정할 때 흔히 나타나는 부작용은 너무 주사 포인트를 높게 하여 눈썹머리가 쳐지는 것이다. 이 미간에 대한 보툴리눔 독소 주사 포인트(외측은corrugator가 표층에 위치하므로 깊지 않게 주사하고 내측으로 갈수록 근육이 깊게 위치하므로 깊게 근육에 주사한다)(**그림 30-14**)

4) Eyelid area (눈가)

(1) Anatomy

Orbicularis oculi muscle(안륜근, OOM)의 anatomy를 숙지하고 있어야 한다. OOM은 안검에서부터 동그랗게 넓게 펴지면서 외측으로는 hair line의 중앙 부분까지 하방으로는 tear trough 아래 부분까지 상방으로는 눈썹 부분(혹은 하부) 까지 넓게 자리잡고 있다(얼굴 근육에서 안륜근과 전두근은 가장 넓은 부분을 차지하고 있으며 표층에 있음을 기억하자)(**그림 30-17**). Orbicularis oculi m.의 medial portion은 유일하게 뼈에 부착하는 부분으로 안와 margin의 내측과 외측에 부착하고 있다. 여기서 시작된 근섬유들은 위아래로 넓은 링모양을 형성하면서 눈을 감거나, 웃거나, lacrimal sac을 펌핑하여 눈물을 짜내는 등의 작용을 하고 있다. Orbicularis oculi m.은 크게 orbital portion과 tarsal portion으로 구분할 수 있다. 이 구분은 tear trough line의 형성을 이해하는데 중요하다. Bryan의 retaining ligament와facial space의 개념과 Wong의 tear trough ligament의 개념으로 보면 orbicularis oculi m.의 orbitalpart와 palpabral part사이에 bone에서 dermis로 이어지는 retaining ligament가 tear trough deformity를 심화시킨다.

안륜근은 색각보다 orbital rim에 가까이 있기 때문에 너무 헤어라인쪽으로 주사하면 효과가 떨어지는 경우가 있다. 필자는 crow's feet을 교정하기 위해서 근육에 깊게 주사할 때는 orbital rim의 바깥 margin을 따라서 주사하는 것을 좋아한다.

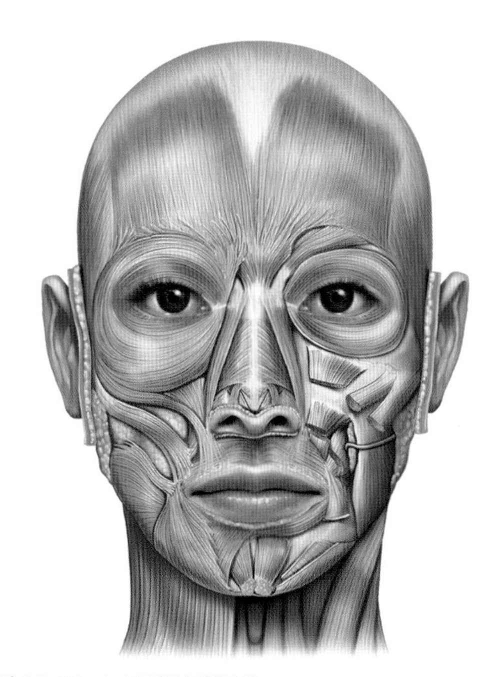

그림 30-17. 눈둘레근(안륜근)
Anatomy of eyelid

출처: 메디톡스

(2) Crow's feet(눈가주름)

① 근육주사 혹은 지방층주사

깊게 근육에 주사할 때는 보통 3부분에 주사를 하여 crow's feet을 교정하기도 하지만 4포인트로 좀 더 많은 양을 IM 주사를 하여 crow's feet을 교정하기도 한다. crow's feet을 교정하기 위해서 근육에 주사하는 방법은 외안각의 수평라인에서 orbital rim부분에서 먼저 한포인트 4 U (0.1 cc)주사를 한다(**그림 30-14**). 그보다 더 아래쪽으로 2 U를 추가한다. 대부분의 경우에서 2 U를 medial 안륜근에 추가주사한다. 대부분의 환자에서 crow's feet 부분만 주사하면 안륜근의 medial portion의 움직임이 주사 후 더 두드러지게 되므로, 필자는 눈물골(teat trough)부분에(진피층에 주사하기도 한다) 2 U 주사를 보충하는 것을 선호하고 있다. 총 주사포인트

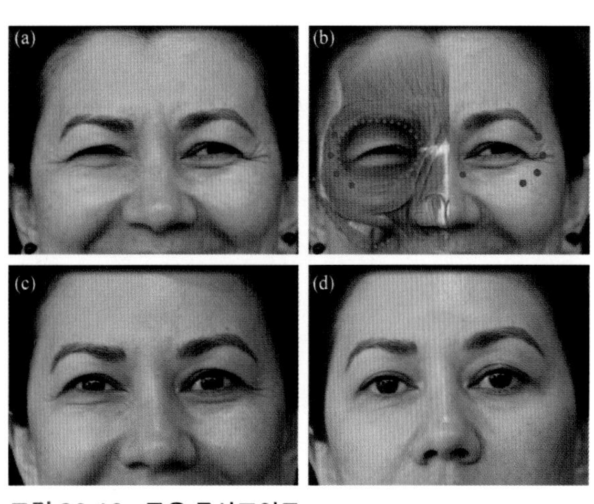

그림 30-18. 근육 주사포인트
먼저 외안각 수평라인에 orbital rim 부분에 주사한다. 그후 rim을 따라 위 아래로 주사를 추가한다. 한 포인트의 양은 4 U이다. 대부분의 경우에서 2 U를 medial 안륜근에 추가주사한다.

출처: 김종서성형외과

는 5군데가 되며, 4 U가 3개 포인트, 2 U가 2개 포인트가 된다. 총 주사량은 한쪽에 16 U 좌우 총 32 U unit가 된다(**그림 30-18**).

필자는 보톡스, 제오민, 메디톡스는 100 U 한 바이알에 생리식염수 2.5 cc를 혼합하며, 디스포트 한 병 500 U에는 4 cc의 생리식염수를 혼합한다. 한 포인트에는 0.1 cc 를 인슐린 주사기로 주사하며 그 때의 한포인트의 용량은 보톡스, 제오민, 메데톡스는 4 U가 되고 Dysport는 12.5 U가 된다. 그러나 자연스러운 표정을 원하는 경우 주사량을 줄이는 경우도 많다.

② 진피에 주사

더마톡신 방법(**그림 30-19**)으로 crow's feet을 교정하기 위해서는, 두 배 희석을 해서 사용하며 주사 포인트에는 근육주사 양(0.1 cc)의 반(0.5 cc)을 주사하게 된다. 두 배 희석을 해서 반을 주사하므로 실제 한 포인트의 U양은 1/4이 된다.

광범위하게 분포하는 orbicularis oculi m.을 고려하여 외안각의 외측 부분의 orbital rim에서 주사를 시작한다. 그 후 눈썹꼬리에서 한 포인트씩 아래방향으로 orbital rim을 따라 3포인트를 추가하는데 pupil 직하방까지는 주사하지 않는다.

그 후 한 번 더 평행하게 5~10 mm 바깥쪽(헤어라인쪽)으로 orbital rim보다 더 외측으로 일정한 거리를 유지하면서 점점 원을 크게 하여 포인트를 늘려가면서 4포인트를 추가 주사한다. 결국 두 줄로 9포인트를 주사하게 되며 teat trough 부분에 한 포인트를 추가해서 총 10포인트가 된다(**그림 30-19**) (헤어라인바로 앞까지 한 줄을 더 주사하는 경우도 있다).

주사의 포인트는 좌우 각각 10포인트가 된다. 진피에 주사할 때는 주사량을 1/4으로 줄여서 주사하는데 두 배 희석을 하여 포인트당 0.05 cc씩 주사한다. 한쪽의 총량은 10 U가 되며 양측 더마톡신의 양은 20 U가 된다.

더마톡신방법으로 약간의 리프팅을 하고 싶은 경우 헤어라인 부분에는 많은 양의 보툴리눔 독소가 주사되므로 림프관의 근육들이나 얼굴의 움직임이 감소하게 되고 그 결과로 진피층에 fluid retention이 발생하여 환자는 얼굴이 헤어라인 쪽으로 당겨지는 듯한 느낌을 만들 수도 있다. Orbicularis oculi m. (OOM)은 눈썹을 내리는 작용을 하므로 OOM에 보툴리눔 독소를 주사하면 눈썹이 다소 올라가게 된다. 이를 위해서는 OOM에 독소를 주사하면서 눈썹의 직하부의 orbital rim 부분에도 주사를 추가한다.

Crow's feet을 교정하기 위하여 진피(dermis)에 주사하는 방법은 표정근육의 운동은 조금 살리고 자연스러운 표정을 위한 방법이다. 따라서 양측에 20 U를 넘지 않는 양으로 주사하는 것이 좋다. 만일 직업이 연기자인 고객에게 근육에 바로 주사하는 방법을 사용한다면 그들은 자연스러운 얼굴표정이

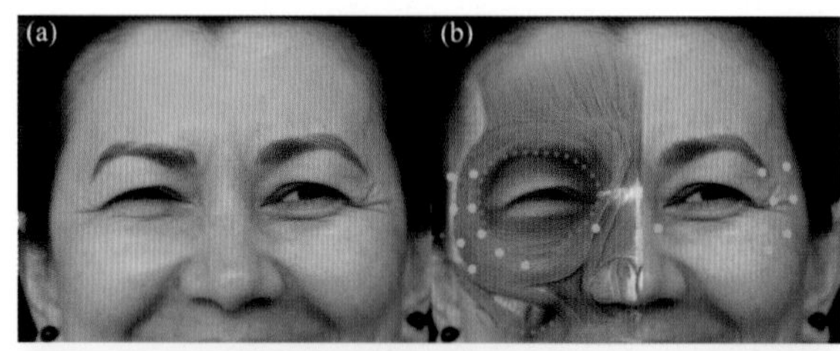

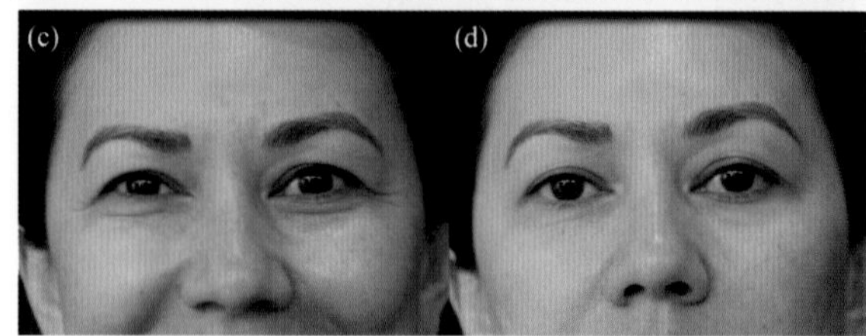

그림 30-19. 진피 주사포인트

외안각의 수평라인의 orbital rim에서 주사를 시작한다. 그 후 rim을 따라 동그란 모양으로 주사를 추가한다. 더 외측으로 일정한 거리를 유지하면서 점점 원을 크게 하여 포인트를 늘려가면서추가 주사한다. 결국 두 줄로 9포인트를 주사하게 되며 teat trough 부분에 한 포인트를 추가해서 총 10포인트가 된다. 한쪽의 총량은 10 U가 되며, 양측 더마톡신의 양은 20 U가된다.

출처: 김종서성형외과

나 연기를 하는 데 많은 어려움을 겪게 될 것이다. 진피에 주사하는 방법은 근육에 주사하는 양보다 더 적게 사용한다. 필자는 진피에 주사할 때는 디스포트를 사용하기도 하는데 디스포트 500 U에 8 cc 를 희석하여 한 포인트에 0.25 cc씩을 주사하는 방법을 즐겨 사용한다.

눈가 근육의 움직임을 변형하지 않고 눈가주름을 교정하기 위해서는 hyaluronic acid를 주사하는 방법과 non barbed absorbable thread (polydioxanone 실)를 삽입하는 방법이 있다.

③ hyaluronic acid를 주사하는 방법

히알루론산을 진피에 주사하면 skin roughness, fine wrinkle 등 skin texture가 호전된다. 히알루론산을 진피에 주사할 경우 한군에 0.001 cc 정도의 아주 소량을 골고루 주사해야 울퉁불퉁(dermal lump)함을 피할 수 있다(**그림 30-20**). 손으로 직접 히알루론산 1 cc를 1,000군데 나누어 주사하는 것은 쉽지 않은 시술이므로 인젝터를 사용하는 것을 권장한다. 최근에 출시된 인젝터는 니들헤드에 9개의 니들이 있어 한 번 주사하면 9포인트 주사가 가능하여 시간단축에 큰 도움이 되며 보다 정확한 주사 깊이를 만들 수 있다.

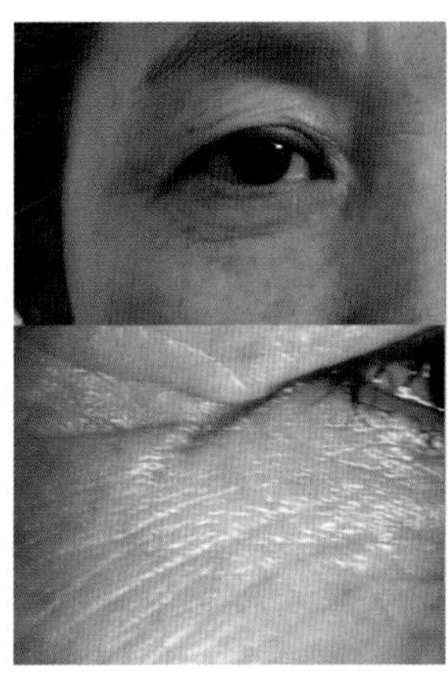
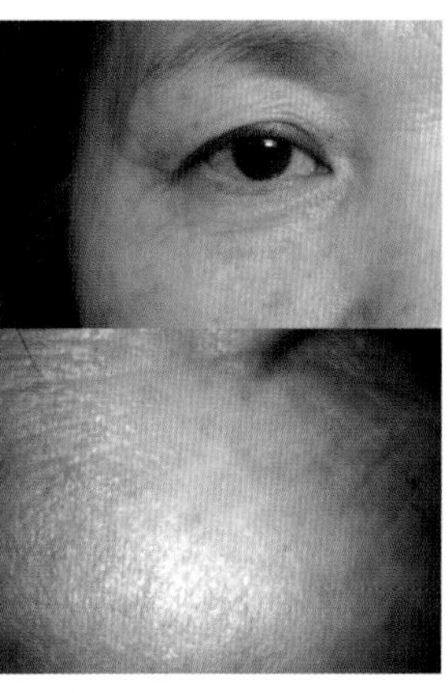

그림 30-20. 안정화된 히알루론산을 진피에 주사하는 방법
레스틸렌비탈® 1 cc를 1,000샷으로 나누어 얼굴의 진피에 골고루 주사한 전후 사진. hyaluronic acid만을 진피에 주사하는 방법은 표정근육을 완전히 유지하면서 피부결만을 개선하는 방법이다.
출처: 김종서성형외과

④ hyaluronic acid을 보툴리눔 톡신과 혼합하여 주사하는 방법

눈가에 보툴리눔 독소와 hyaluronic acid (HA)를 혼합하여 dermis에 주사하면 보툴리눔독소나 히알루론산을 단독으로 주사한 것보다 훨씬 더 큰 효과를 기대할 수 있다. 또한 한 번 주사로 두 가지 약물이 주사되므로 환자의 고통도 덜어주는 효과가 있다.

⑤ polydioxanone실 을 삽입하는 방법

polydioxanone (PDO)실을 눈가주위의 dermis 하부에 삽입하면 이물반응으로 fibrous tissue와 다소의 콜라겐의 생성을 촉진하여 주름개선의 효과가 있다(**그림 30-21**).

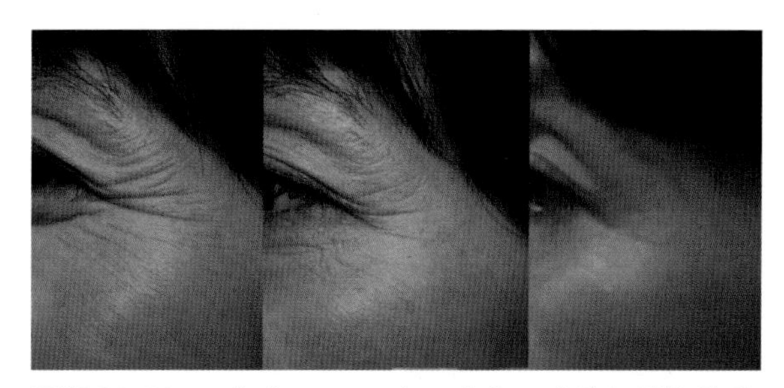

그림 30-21. Polydioxanone (PDO) thread 시술 전후 사진
출처: 김종서성형외과

(3) Lower eyelid

눈밑 부분은 피부도 얇고 연부조직도 얇아서 더마톡신을 자주 하게 되는 부위이다. 어찌보면 crow feet 시술의 연장선이라고 볼 수도 있지만 눈밑부분만을 개선하기 위해서 병원을 찾는 사람도 많다. 가급적이면 근육에 직접 주사하지 않고 적은 양(1 U 이하)을 진피에 주사하여 Papule technique 으로 주사한다(**그림 30-22**).

눈가(crow feet)에 보툴리눔 독소를 주사한 후에 orbicularisoculi m. (OOM)의 lower medial head가 더 과도하게 움직여 코측부분의 하안검의 내측에 주름이 더 과

도하게 생기는 경우가 있다. 눈가 주름시술 시 crow's feet 부분(OOM lateral portion)에만 독소를 주사하게 되면 내측의 OOM 부분이 웃을 때 더 부각되므로, 필자 눈주위에 보툴리눔 독소(BoNT)를 주사할 때에는 내안각의 하방에 tear trough line 부분의 dermis 층에 미리 2~4 U 주사를 추가하는 것을 권장한다. tear trough deformity line은 OOM의 orbital part와 palpebral part의 사이에 있으므로 적당한 주사포인트가 된다.

하안검의 경우 많은 양의 보툴리눔톡신을 주사하면 표정이 어색해지거나 눈밑 지방이 불룩해 보이는 부작용을 만들기 쉬운 부위이다. 하안검의 주름을 위해서 보툴리눔톡신 100 U를 생리식염수 5 cc와 혼합하여 진피층에 주사하는 방법을 사영하면 많은 양을 주사하여도 표정의 큰 변화없이 주사가 가능하다. 더마톡신 방법은 표정을 어느 정도 유지하면서 잔주름은 물론 피부결도 개선할수 있다(**그림 30-22**). 눈가는 안륜근이 표층이 위치하는 근육으로, 진피 가까이에 존재하므로 더마톡신을 하더라도 어느 정도 근육의 움직음을 저해하게 됨을 알아야 한다.

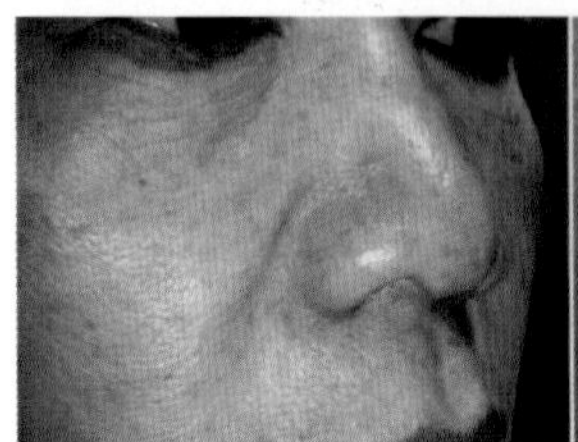
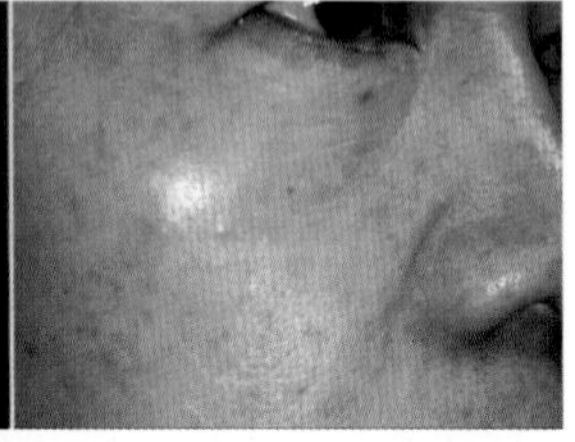

그림 30-22.
메디톡신 100 U를 생리식염주 5 cc에 희석하여 얼굴 전체에 모두 주사하였지만 얼굴표정을 대부분 살리면서 skin texture만을 개선한 사례. 눈밑의 잔주름도 많이 개선되었다.

출처: 김종서성형외과

OOM이 lower eyelid septal portion에 강한경우나 볼륨이 많은경우 웃을때 애교살(lower eyelid smile roll)이 만들어 진다. 애교살은 얼굴이 젊어보이는 장점이 있어서 동양인에게서는 선호하는 모양이지만 서양에서는 애교살을 오히려 완화해주는 BoNT 시술을 하는 의사들도 많이 있다. 애교살부분의 OOM을 이완해주면 lower eyelid가 더 하방으로 내려오고 눈이 더 커지게 만들 수 있는 것이 장점이다. 애교살 부분의 진피부분에 1 U씩 두 군데 주사한다. 한측에 총 2 U 양측에 4 U 를 주사하게 된다. 그러나 나이가 많고 피부탄력이 적은 사람이거나 눈밑 지방이 불룩하게 나온 경우 이를 더 악화시키므로 이런 경우 애교살을 완화하는 BoNT 시술은 피해야 한다.

(4) Upper eyelid

노인의 경우 피부의 탄력이 소실되면서 상안검의 내측이나 외측에 사선으로 주름이 나타난다.

① 상안검 외측의 사선의 형태의 주름은 안륜근의 운동이나 눈썹의 늘어짐이 큰 원인이므로 눈썹하방의 안륜근부분의 진피층에 소량의 독소를 주사하면 좋아지는 경우가 있다. 눈가의 진피층에는 평소의 용량보다 더 적은 양으로 1 U 정도 주사하는 것이 좋다.

② 상안검 내측의 주름은 눈썹머리부분이 늘어지고 corugator의 움직임으로 사선의 주름이 생길 수 있다. 이는 corugator의 근육을 먼저 이완해주어야 한다. procerus m.의 운동으로 콧잔등의 수평주름이 상안검쪽으로 연장되는 경우에는 수평주름이 생길수 있는데 이도 procerus m.을 먼저 처치하고 일주일 후에 소량의 HA (hyaluronic acid)를 진피에 주사하면 다소의 호전을 기대 할수 있다.
그러나 이런 주름들은 피부탄력의 소실과 눈 주위의 연부조직의 늘어짐이 동반되므로 무리하게 보툴리늄 주사만으로 교정하려 해서는 안 된다. HA를 진피층에 소량 주사하는 것이 도움이 될 수 있으며 실리프팅으로 눈썹거상을 하는 것이 도움이 될 수 있다.

(5) 눈주위 시술 후 부작용

① 멍

모든 주사시술은 멍이 들 수 있으므로 주사 시 정

맥의 주행을 관찰하고 정맥이 있는 부분에 주사를 피해야 한다. 최근에는 빛을 비추면 정맥의 주행이 잘 보이는 기계들이 나와서 이를 이용하여 정맥주행을 미리 표시하고 주사를 하면 좋다.

② 부종

보툴리눔 톡신 주사후에 원치 않는 붓기가 생기는 경우가 종종 있다. 특히 디스포트 주사를 한 후에 이런 현상이 발생한다. 따라서 이마부분에 주사하는 경우 붓기가 눈까지 내려가는 경우가 있을 수 있으므로 이런 환자는 차트에 잘 기재하여 2차 시술 시 주사량을 조절한다.

③ Fat protrusion

하안검에 다량의 보툴리눔톡신 주사를 한 경우 드물지만 지방이 불룩하게 나오는 부작용을 만들 수 있으므로 주의해야 한다. Orbital septum이 보툴리눔톡신으로 약해지지는 않지만 안륜근이 약해져서 지방을 받쳐주는 힘이 부족해져서 지방이 돌출되어 보이는 경우가 있고 부종 때문에 마치 지방이 돌출되어 보이는 경우도 있다.

④ 복시(diplopia)

Crow feet 부분을 시술할 때 너무 많은 양을 주사하거나 orbital rim 안쪽에 주사하면 안와쪽으로 퍼져서 lateral EOM 근육을 약하게 하여 나타날 수 있다.

⑤ 어색한 웃음

눈가주름(crow feet)을 개선하는 도중 malar area에 너무 많은 양이 깊게 주사되면 zygomaticus 근육의 힘이 떨어져 웃는 모습이 어색하게 되는 부작용을 만들 수 있으므로 웃는 근육을 침범하지 않도록 주의한다.

참고문헌

1. Dermatologic Surgery. Volume 33, Issue Supplement s1, pages S37-S43, January 2007
2. Tremor Other Hyperkinet Mov (N Y). 2012; 2: tre-02-85-417-1. Published online Aug 6, 2012.
3. Wortzman MS1, Pickett A. The science and manufacturing behind botulinum neurotoxin type A-ABO in clinical use. Aesthet Surg J. 2009 Nov;29 :S34-42
4. Equipotent Concentrations of Botox® and Dysport® in the Treatment of Palmar Hyperhidrosis. Alma Rystedt., Acta Derm Venereol 2008; 88: 458–461
5. Insertion of frontalis muscle relating to blepharoptosis repair. Hwang K, Kim DJ, Hwang SH. J Craniofac Surg. 2005 Nov;16(6):965-7.
6. BOTOX COSMETIC® Prodoct Monograph – Allergan manufactured by Allergan Inc Irvine a 92715, Date of Revision March 25, 2013
7. J Park, MS Lee, AR Harrison . Profile of Xeomin® (incobotulinumtoxinA) for the treatment of blepharospasm. Clin Ophthalmol, 2011
8. M Schwartz, B Freund. Treatment of temporomandibular disorders with botulinum toxin. Clinical journal of pain, 2002; 18: 198-203
9. Deborah Pavan-Langston, Herpes Zoster : Antivirals and Pain Management. opthalmology Feb 2008 p13-
10. Enterobacter cloacae Bloodstream Infections Traced to Contaminated Human Albumin .Susan A. Wang, Jerome I. Tokars, Peter J. Bianchine, et al. Clinical Infectious Diseases, Volume 30, Issue 1, 1 January 2000, Pages 35–40,
11. Pickett AM, Hambleton P. Dose standardisation of botulinum toxin. Lancet. 1994;344(8920):474-475.
12. Split-Face Double-blind Study Comparing the Onset of Action of OnabotulinumtoxinA and AbobotulinumtoxinA. Kenneth C. Y. Yu, MD; Kartik D. Nettar, MD; Sumit Bapna, MD; W. John Boscardin, PhD; Corey S. Maas, MDArch Facial Plast Surg. 2012;14(3):198-204.
13. Comparing the clinical attributes of abobotulinumtoxinA and onabotulinumtoxinA utilizing a novel contralateral Frontalis model and the Frontalis Activity Measurement Standard. Nestor MS1, Ablon GR. J Drugs Dermatol. 2011 Oct;10(10):1148-57.

14. Onset and duration of effect of incobotulinumtoxinA, onabotulinumtoxinA, and abobotuli-numtoxinA in the treatment of glabellar frown lines: a randomized, double-blind study. Thomas Rappl et. Cosmetic and Investigational Dermatology 2013:6 p211-218
15. Equipotent Concentrations of Botox® and Dysport® in the Treatment of Palmar Hyperhidrosis Alma Rystedt., Acta Derm Venereol 2008; 88: 458–461
16. 16. Safety and Efficacy of Intradermal Injection of Botulinum Toxin for the Treatment of Oily Skin AMY E. ROSE, Dermatol Surg 2012;1–6 DOI: 10.1111/dsu.12097

CHAPTER 31

안면중부 | Middle Face

Chapter Author | 오화영

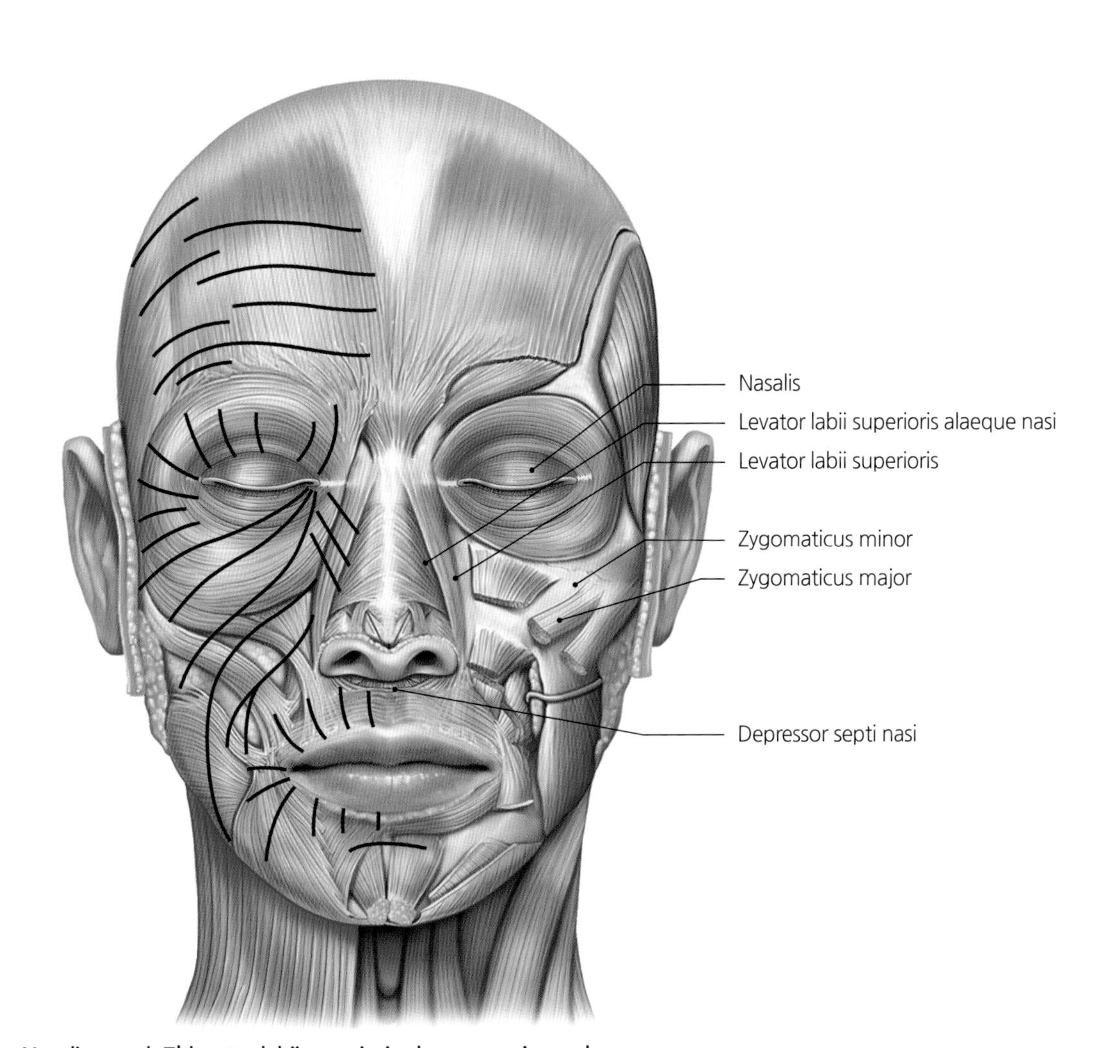

그림 31-1. **Nasalis muscle과 levator labii superioris alaeque nasi muscle**

1. Bunny lines

토끼 주름이라 불리는 bunny lines는 콧등 상부와 외측에 발생하는 주름을 말한다. 일반적으로 웃거나, 찡그리거나 말할 때 등의 표정을 지을 때 발생하게 되며 눈가의 crow's feet이나 미간의 glabella area에 보톡스를 맞고 난 후에 발생하거나 더 악화되기도 한다. 눈이나 미간, 코 주변에는 여러 근육들이 복합적으로 서로 얽혀 있기 때문에 특정 근육의 마비로 인해 상대적인 다른 근육들에 영향을 미쳐 주름이 발생할 수 있다.

Bunny lines는 콧등의 피부가 얇은 환자들에게서 더 심하게 발생하게 되며 경우에 따라서 콧등에 생긴 주름이 아래 눈꺼풀까지 연장되어 나타나기도 한다.

1) 해부학

코의 상부 2/3의 피부는 좀 더 얇고 유동적이며 하부 1/3의 피부는 좀 더 두껍고 유동적이지 못한 특징을 가지고 있다. 이러한 코의 피부의 특징으로 인해 코의 상부에 이러한 잔주름이 많이 발생하게 된다.

코를 구성하는 대표적인 중요한 근육으로 procerus muscle, nasalis muscle, depressor septi nasi muscle이 있다. 그 중에 bunny lines를 유발하는 근육은 nasalis muscle이다. 또한 levator labii superioris alaeque nasi muscle 또한 코의 intrinsic muscle은 아니지만 bunny lines의 내측 주름을 만드는 데 영향을 미친다.

Nasalis muscle은 nasal bone과 maxilla bone이 교차하는 부위에서 기시해서 콧등의 건막에 부착하며 transverse와 alar part로 나뉜다. 코를 움직이고 콧구멍(nostril)을 수축하고 이완하는 역할을 하며 코의 외관상 외측선을 형성한다. 이 근육의 transverse part는 수축할 때 bunny lines를 형성하며, alar part는 nasal flare에 관여한다(**그림 31-1**).

2) 시술 방법

Bunny lines는 경우에 따라서 crow's feet, glabella lines과 함께 발생하기 때문에 코와 안와 주변의 주름 형태를 전반적으로 고려해서 시술해야 한다.

또한 시술 전 정확한 사진의 촬영으로 시술 전 후의 변화를 환자가 인지할 수 있도록 하는 것이 필요하며, 가만히 있는 상태의 깊은 주름은 치료가 쉽지 않다는 점도 환자에 미리 인지시켜 주는 것이 필요하다.

환자에게 강하게 표정을 짓도록 하여 주름을 유발하게 한 뒤 정확한 주사부위를 표시하고 보톡스를 주사한다. 골막을 찌를 경우 통증이 심하기 때문에 주의해서 최대한 얕게 시행해야 한다. 피부에 구진(papule)이나 팽진(wheal)이 생성될 정도로 주사하고 혈관은 멍이 들 수 있기 때문에 피해서 주사한다. 한쪽당 2~5 U을 주사하고 경우에 따라 콧등의 중앙 부위 주름에 1~2 U정도 추가로 주사한다. 코 측면의 너무 바깥쪽에 주사하는 경우 levator labii superioris alaeque nasi muscle의 마비가 발생하여 윗입술의 하수가 발생하거나 비대칭이 발생할 수 있으니 주의하여 시행해야 한다(**그림 31-2**).

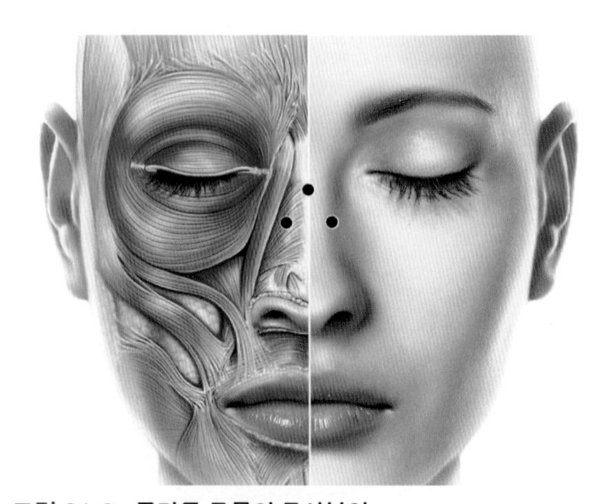

그림 31-2. 콧잔등 주름의 주사부위
양 사이드로 2~5 U, 중앙에 1~2 U 정도 주사한다.

3) 주의 사항

정확한 부위의 시술이 이루어지지 않을 경우 주사의 효과가 떨어질 수 있으며, 원치 않는 부위에 시술이 이루어질 경우 그로 인해 부작용이 나타날 수 있으니 주의해야 한다. 어떤 근육에 의해 주름이 발생하는지를 정확히 파악하고 주사하는 것이 중요하다. Levator labii superioris alaeque nasi muscle이 강하게 마비가 되는 경우 윗입술의 하수가 발생할 수 있으며, 주사액이 안와(orbit)로 들어가는 경우 rectus muscle의 마비로 인해 복시(diplopia) 등이 발생할 수도 있으니 주의해야 한다.

2. Nose tip drooping & nasal flare

코는 얼굴의 정중앙에 위치하는 구조물로 얼굴의 미적 변화에 큰 영향을 미치는 상징적인 부위이다. 코의 뿌리(root)에서 끝(tip)까지 전체적인 조화가 중요한데 그 중 코의 아름다움을 결정하는 기준이 되는 부분이 코의 끝이라고 생각한다. 코끝의 위치와 모양에 대해 비주각(nasolabial angle)을 가지고 평가하게 되는데 일반적으로 여자는 95~100°, 남자는 90~95° 정도의 각을 이룬다(**그림 31-3**). 비주각의 변화에 따른 얼굴의 인상의 변화는 매우 크기 때문에 이상적인 비주각을 갖도록 하는 것은 매우 중요하다.

나이가 들어감에 따라 코의 모양은 변화가 일어난다. 코끝은 떨어지게 되며 매부리(hump)는 도드라져 보이게 된다. 상대적으로 얼굴의 하부 1/3이 짧아져 보임과 동시에 코 외측 연골의 지지의 감소로 인해 코는 상대적으로 길어 보이게 된다. 이런 환자에게서 보톡스의 활용은 좋은 치료 방법이 될 수 있다.

습관적으로 코를 벌렁거리는(nasal flare) 환자에게 있어서도 보톡스를 이용하여 좋은 결과를 얻을 수 있다.

1) 해부학

코를 구성하는 여러 가지 근육들 중에서 코끝의 돌출(projection)과 떨어짐(drooping)에 관여하는 가장 중요한 근육은 depressor septi nasi muscle과 nasalis muscle의 alar part이다(**그림 31-4,5**). 그 중 depressor septi nasi muscle은 비중격(nasal septum)의 바닥에서 기시해서 orbicularis oris muscle과 섞이게 된다.

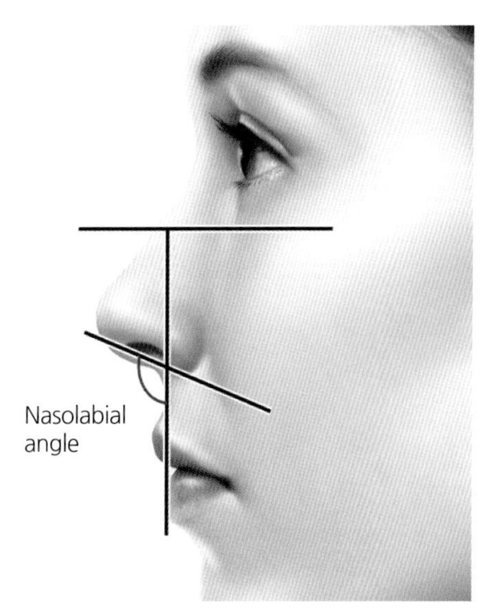

그림 31-3. Nasolabial angle
여자 95~100°, 남자 90~95°

이 근육은 수축 시에 코끝을 아래로 당겨 떨어짐을 유발하며 orbicularis oris muscle과 상호작용을 하여 윗입술을 당겨 인중의 길이를 짧아 보이도록 만든다. 이는 gummy smile의 원인이 되기도 한다. 이 근육은 orbicularis oris muscle과의 관계에 따라서 3가지 타입으로 나뉘게 되며 가장 흔한 타입인 type I은 근섬유가 잘 보이며 orbicularis oris muscle과 완전히 교차하는 형태를 보인다.

코의 벌렁거림과 관련된 근육은 nasalis muscle과 levator labii superioris alaeque nasi muscle이며 그 중 nasalis muscle의 alar part가 중요한 역할을 한다.

2) 시술 방법

시술 전 환자의 윗입술의 길이와 비주각을 측정하여 수술 후의 결과를 비교할 수 있어야 한다. 웃을 때 코끝이 떨어지는 환자의 경우에 가장 좋은 결과를 얻을 수 있으므로 수술 전 증상의 원인을 정확히 파악하여 시술 대상을 선정하는 것이 매우 중요하며, 반복된 시술이나 보톡스에 효과가 없는 환자의 경우 수술적으로 근육을 절제하는 방법에 대해서도 충분한 설명이 필요할 수 있다. 미용적으로 더 나은 결과를 위해 경우에 따라 필러 시술

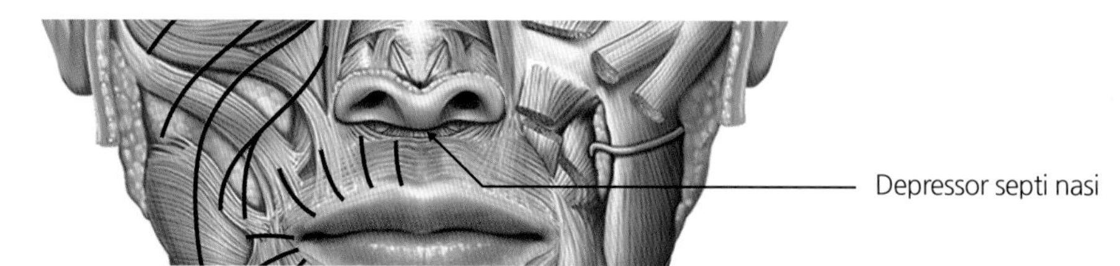

그림 31-4. Depressor septi nasi muscle

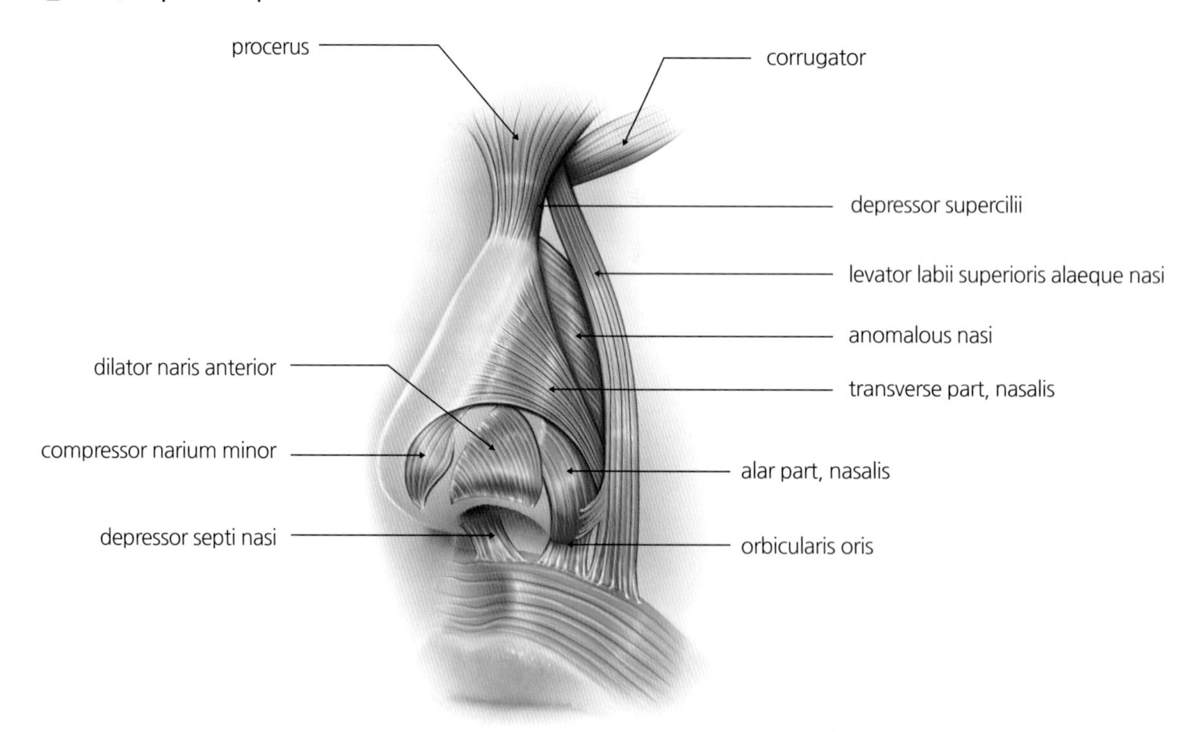

그림 31-5. Alar part of nasalis

을 동반하여 더 좋은 결과를 얻을 수 있다.

코 주변의 피부는 예민하기 때문에 통증에 민감한 부위이므로 국소 마취나 얼음주머니 등을 이용해 미리 마취를 시행하고 시술하는 것이 좋다. 주사는 피부를 통해 하는 방법과 입안을 통해 하는 방법이 있다. 피부를 통해 주사를 하는 방법은 lower lateral cartilage footplate의 바닥에 두 군데에 주사를 한다.

Depressor septi nasi muscle과 oricularis oris muscle이 서로 교차되어 있기 때문에 주사는 되도록 얕게 하는 것이 좋다. 보통 30 gauge 바늘의 끝 1/3을 주입하여 각각의 주입점에 1~2 U가량 주입한다(**그림 31-6**). 경우에 따라 가운데 한 곳에 주사하기도 하는데 역시 얕게 한 번에 2~3 U정도 주사하게 된다(**그림 31-7**).

입안으로 주사하는 경우 덜 아프지만 정확한 부위에 주사하기가 힘들다. 설소대(frenulum)의 양 옆으로 바늘의 반 정도를 비주(columella)의 바닥을 향해 기울여 비스듬하게 1~3 U가량 주입한다.

코벌렁임을 치료하는 경우에는 원인 근육을 먼저 파악하는 것이 중요하다. 환자의 코가 벌렁거릴 때 가장 많이 수축하면서 힘이 들어가는 부위가 어디인지를 비익부를 촉진하면서 찾은 뒤에 거기에 주사를 한다. 보통 한쪽에 2~3 point 로 한쪽당 4~6 U 정도를 나눠서 주사한다

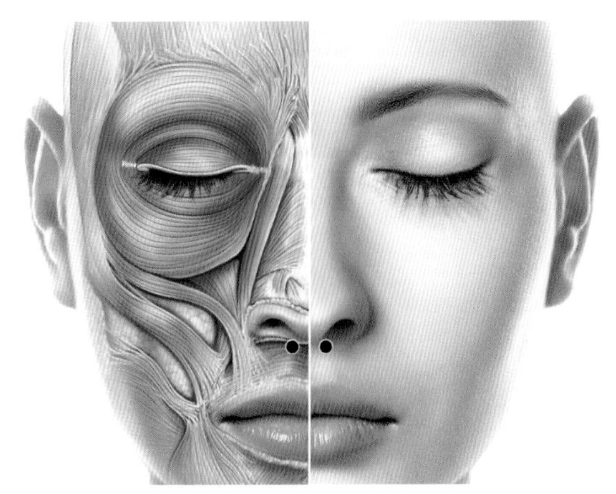

그림 31-6.
Lower lateral cartilage footplate의 base 두 군데에 한쪽당 1~2 U 씩 주사한다.

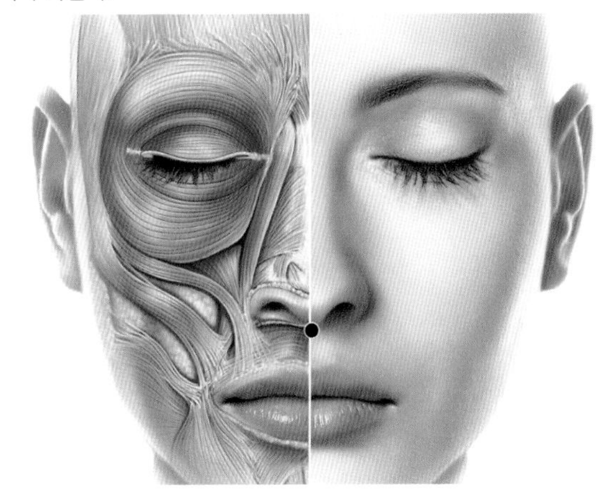

그림 31-7.
Columella base 정중앙에 2~3 U 주사한다.

(그림 31-8).

3) 주의 사항

통증이 심한 편이므로 마취연고 등의 국소 마취를 시행하는 것이 좋다. Depressor septi nasi muscle이 orbicularis oris muscle과 얽혀 있어서 주사 시 깊은 층에 주사를 할 경우 orbicularis oris muscle의 마비로 인한 윗입술 하수가 발생할 수도 있으니 조심해야 한다.

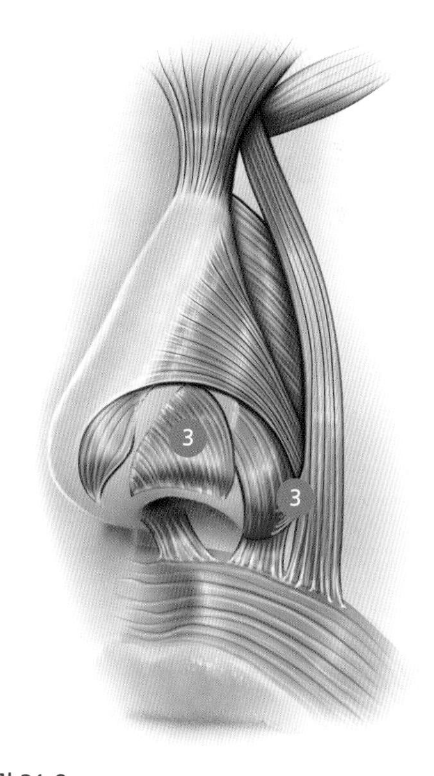

그림 31-8.
Alar cartilage의 가장 힘이 들어가는 부위에 한쪽당 2~3 point에 4~6 U을 나눠서 주사한다.

3. Nasolabial fold

나이를 먹어감에 따라 두드러지는 주름 중의 하나는 바로 nasolabial fold이다. 이 주름의 상태에 따라 이미지의 변화가 크기 때문에 이를 관리하는 것은 우리 성형외과 의사에게 있어서 최대의 과제라고 할 수 있겠다. 상부의 주름이 깊어지는 경우 화난 표정으로 보일 수 있으며 하부의 주름이 깊어지는 경우엔 슬퍼 보이는 표정으로 보일 수 있다. 실제 임상에서 얼굴의 노화와 주름에 관한 상담을 할 때 마주하는 환자들의 가장 큰 고민 중의 하나가 nasolabial fold를 없애거나 줄이는 것이다. 하지만 다른 여러 주름과 다르게 수술적인 방법으로도 완벽히 해결하기 어려운 것이 바로 nasolabial fold라고 할 수 있겠다.

이를 교정하기 위해 가장 많이 시행하는 방법은 필러

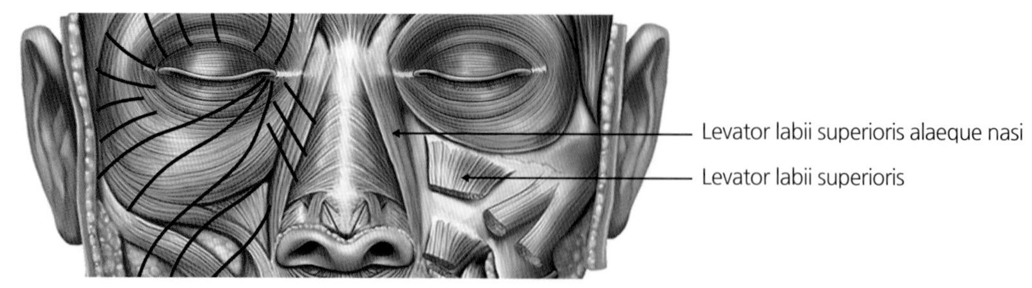

그림 31-9. Levator labii superioris muscle과 levator labii superioris alaeque nasi muscle

를 이용해 골을 채워 주름의 깊이를 줄여주는 것이다. 물론 필러 시술로도 좋은 결과를 볼 수 있지만 nasolabial fold 주변부의 근육의 과다 수축에 의한 경우에는 필러만으로는 좋은 결과를 얻기가 어렵다. 이런 경우 관련된 근육을 정확히 파악하여 보톡스를 주사해서 좋은 결과를 얻을 수 있다.

1) 해부학

Nasolabial fold는 콧구멍의 위, 측방에서 oral commissure까지 연결되어 있다. 이 주름의 깊이는 사람들마다 다양해서 아예 없어 편평하거나 premaxillary deficiency와 동반하여 과도한 피부 늘어짐이 있는 경우 주름이 매우 깊은 경우도 있다. 아래쪽으로는 턱 근처까지 내려가 Marionette lines과 연결되기도 한다. 주름 위쪽의 피부 두께가 감소하고 바깥쪽으로 과도한 지방이 축적되거나 malar fat pad의 하수가 일어나는 경우에도 주름은 더 깊어 보일 수 있다.

Nasolabial fold 주변의 근육은 종류가 아주 다양하다. 내측부터 바깥쪽으로 levator labii superioris alaeque nasi muscle, levator labii superioris muscle, zygomaticus minor muscle, zygomaticus major muscle, 깊은 층으로 levator anguli oris muscle이 있다. 이중에서 zygomaticus major muscle은 nasolabial fold에 영향을 미치지 않는다.

이 중에서 levator labii superioris muscle은 윗입술을 올려주는 주요 근육이면서 nasolabial fold의 가운데 부분을 만들고 움직이는 주요 근육이다. 이 근육은 안와의 하방에서 기시해 levator labii superioris alaeque nasi muscle과 zygomaticus minor musle사이로 내려와 윗입술의 중앙과 측면에 부착한다.

Levator labii superioris alaeque nasi muscle은 levator labii superioris muscle의 medial part 근육으로서 maxilla bone의 frontal process에서 기시해서 두 갈래로 나뉘어져 내려온다. 가장 내측 갈래는 코 연골과 피부에 부착하고 바깥쪽 갈래는 더 내려와 윗입술에 부착하고 levator labii superioris muscle과 orbicularis oris muscle과 합쳐진다. 이 근육은 nasolabial fold의 내측 최상방 부위를 형성하고 내측 근육섬유는 콧구멍을 확장시키면서 고랑(sulcus)을 바깥쪽으로 벌어지게 하고, 주름을 올리는 역할을 한다(**그림 31-9**).

2) 시술 방법

얼굴의 움직임에 따른 nasolabial fold의 형태를 가만히 있는 상태에서와 비교하여 주의 깊게 살펴 봐야 한다. 주름이 atrophic tissue에 둘러싸여 있으며, 콧구멍의 상, 외측이 편평하다면 필러를 이용한 치료가 필요할 것이다. 반대로 웃을 때 주름 주변부 근육의 돌출이 관찰된다면 보톡스의 주사로 좋은 효과를 볼 수 있다.

Nasolabial fold 주변에는 근육의 종류가 아주 다양하게 있기 때문에 환자로 하여금 최대한의 수축을 해서 웃게 만든 뒤 주름의 위쪽을 촉지하여 levator labii superioris alaeque nasi muscle의 과도한 수축을 확인하고 위치를 표시한 뒤 주사해야 한다.

시술 전 적절한 환자의 평가가 이루어진 후 표시한 부위에 주사를 한다. 예민한 환자의 경우 시술 20분 전에 마취크림을 미리 발라 놓고 시행한다. 근육은 그리 깊지 않은 부위에 위치하기 때문에 약 30° 정도의 각도로 바늘의 1/3 정도를 찔러 주입한다. 한쪽당 1-3 U정도 주사한다.

또한 주름선을 따라 진피 내로 저농도의 독소를 서너 바늘 주사함으로써 약간의 도움을 줄 수도 있다. 과도한 양을 주사하여 근육의 마비가 심한 경우 윗입술의 하수가 발생할 수 있기 때문에 vermillion border와 코의 바닥 사이의 거리가 긴 환자들의 경우에는 좀 더 얕게, 좀 더 적은 용량으로 처음 주사를 시작하는 것이 좋다. 근육의 정확한 위치를 파악하기가 어렵고 주변부의 근육들과 명확한 구분이 쉽지 않으므로 정확한 치료 용량을 결정하기 위해 두 단계로 나눠 치료하는 것이 좋으면 처음 주사를 한 뒤 1-2주 가량 지난 뒤 치료 효과를 보고 필요에 따라 추가적인 시술이 필요할 수 있다(**그림 31-10**).

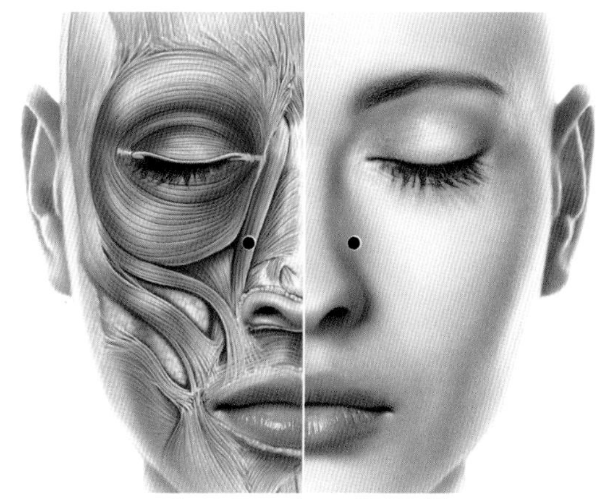

그림 31-10.
주사 깊이는 얕게 바늘의 1/3가량 찌르고 한쪽당 1~3 U 주사한다.

3) 주의 사항

Nasolabial fold 주변부의 근육은 종류가 다양하기 때문에 아주 조심스럽게 치료를 시행해야 한다. 치료 후 비대칭도 드물지 않게 발생할 수 있으며 비대칭이 발생할 경우 즉각적인 치료가 필요하다. 또한 처음 치료를 하는 경우 적절한 치료 용량을 결정하는 것도 쉽지 않다. 그렇기 때문에 적절한 치료용량을 결정할 때까지 두 단계로 치료를 시행하는 것이 바람직하다.

치료 용량이 과했을 경우 윗입술의 하수가 발생할 수 있으며 정확한 부위에 주사를 실패한 경우 zygomaticus major muscle의 과도한 당김으로 입술 중앙부의 하수와 입술 측면이 당겨져 joker smile이 발생할 수 있다.

또한 웃을 때 입술이 올라가는 효과가 감소하기 때문에 미용적으로 어색한 모습을 보일 수 있다. 따라서 시술 전 환자에게 충분한 설명이 필요할 것이다.

참고문헌

1. Ahn KY et al. (2000) Botulinum toxin A for the treatment of facial hyperkinetic wrinkle lines in Koreans. Plast Reconstr Surg 105(2):778-84
2. Carruthers J, Carruthers A (2003) Aesthetic botulinum A toxin in the mid and lower face and neck. Dermatol Surg 29(5):468-76
3. Carruthers J et al. (2004) Consensus recommendations on the use of botulinum toxin type A in facial aesthetics. Plast Reconstr Surg 114(6 Suppl):1S-22S
4. Patterson C (1980) The aging nose: characteristics and correction. Otolaryngol Clin North Am 13:275
5. Rohrich RJ et al. (2000) Importance of the depressor septi nasi muscle in rhinoplasty: anatomic study and clinical application. Plast Reconstr Surg 105:376
6. Dayan SH, Kempiners JJ (2005) Treatment of the lower third of the nose and dynamic nasal tip ptosis with Botox. Plast Reconstr Surg 115(6):1784-5
7. Kane MA (2003) The effect of botulinum toxin injections on the nasolabial fold. Plast Reconstr Surg 112(5 Suppl):66S-72S; discussion pp 73S-74S
8. Tamura BM et al. (2005) Treatment of nasal wrinkles with botulinum toxin. Dermatol Surg 31(3):271-5
9. Klein AW (2004) Contraindications and complications with the use of botulinum toxin. Clin Dermatol 22(1):66-75

CHAPTER 32

안면하부(경부 포함) | Lower Face

Chapter Author | 최윤석

1. Perioral rhytides(입가주름)

Perioral rhytides는 orbicularis oris m.의 수축에 의해 입술의 수직방향으로 형성되며, 일명 "smoker's line"이라고 불리우는 것에서 알 수 있듯이 흡연 등과 같이 습관적, 반복적으로 입술을 오므리는 경우에 심해진다.

1) Anatomy

Orbicularis oris m.은 입 둘레에 다양한 방향성을 갖는 많은 층의 근섬유들로 구성되어 있으며 단순히 괄약근 기능만 하는 것이 아니라 다른 안면근육들과 연결되어 다양한 기능을 한다(**그림 32-1**).

주로 buccinator m.로 부터 파생되는 깊은 층의 근육은 위아래 입술을 감싸며 입꼬리 부위에서 교차하는데 말을 하거나 음식물을 씹을 때 입술을 다물게 하거나 제 위치에 있게 하는 중요한 작용을 담당한다.

얕은 층의 근섬유는 입둘레를 얇고 넓게 감싸고 있으며 입술을 서로 끌어당겨 오므리거나 앞쪽으로 내밀게 하는 역할을 담당하는데 이 작용이 반복적으로 일어나는 것이 입가에 수직주름이 생기는 주원인이다. 입가 주름의 개선을 위한 보톡스 주입은 이러한 얕은 층의 근육 중심부위에 한다.

Orbicularis oris m.은 다양한 방향성을 갖는 많은 층의 근섬유들로 구성되어 있으며 입술을 위아래로 끌어당기는 근육들 및 입꼬리를 당기고 모아주는 여러 가지 안

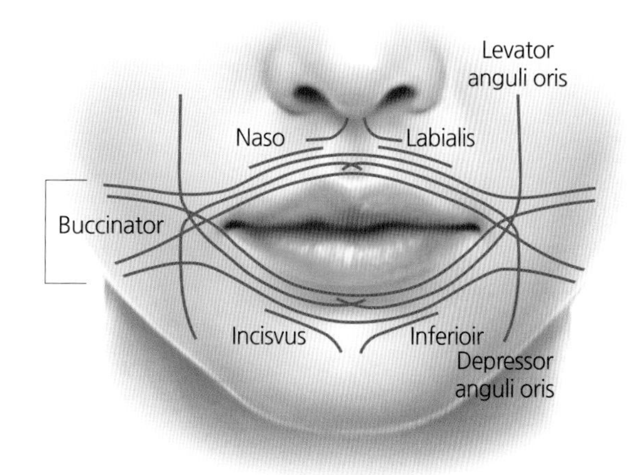

그림 32-1. Orbicularis oris m.은 다양한 방향성을 갖는 많은 층의 근섬유들로 구성되어 있으며 입술을 위아래로 끌어당기는 근육들 및 입꼬리를 당기고 모아주는 여러 가지 안면근육들과 연결되어 있다. 깊은층의 근육은 주로 buccinator muscle로부터 파생되는데 maxilla와 mandible에서 각각 기시하여 입꼬리 부위에서 교차하면서 입술을 감싼다. 얕은층의 근섬유는 입둘레를 얇고 넓게 감싸고 있으며 입술을 서로 끌어당겨 오므리거나 앞쪽으로 내밀게 하는 작용을 하여 입가주름의 원인이 된다.

면근육들과 연결되어 있다. 깊은층의 근육은 주로 협근(buccinator muscle)으로부터 파생되는데 위턱(maxilla)과 아래턱(mandible)에서 각각 기시하여 입꼬리 부위에서 교차하면서 입술을 감싼다. 얕은층의 근섬유는 입둘레를 얇고 넓게 감싸고 있으며 입술을 서로 끌어당겨 오므리거나 앞쪽으로 내밀게 하는 작용을 하여 입가에 주름을 만든다.

2) 주사 요법

윗입술의 경우 philtrum 양측 바깥쪽의 vermilion border를 따라 한 곳에 보톡스 2~4 units을 피하조직층이나 근육층에 얕게 주사하며 환자의 주름 상태에 따라 두 군데로 나누어 주사할 수 있다(**그림 32-2**).

주사 시에는 주변 근육들로 퍼지지 않도록 주의해야 한다. 특히 이때 입술 바깥쪽 올림근의 마비를 피해야 하며, 이를 위해서는 nasal ala 바깥쪽에서 입술 가장자리를 잇는 수직선의 내측에 주사하여야 한다. 대칭적으로 소량의 주사를 하는 것이 중요한데, 한쪽에 많은 양이 주사되었을 경우 입모양이나 표정을 지을 때 비대칭이 발생할 수 있다. 또한 과량 주사가 되었을 경우 휘파람을 불거나 입술을 오므릴 때 수축력이 감소되거나 발음이 부정확할 수도 있다.

아랫입술은 한 군데 주사할 경우 윗입술 주입부위와 동일한 수직선상의 홍순가장자리에 주사하며, 두 군데 주사할 경우 이 주사점을 양분한 부위에 한다. 효과의 지속기간이 비교적 짧은 편이므로 환자에게 미리 설명하는 것이 좋다. 동적인 주름인 경우에는 보툴리눔 독소로 효과를 볼 수 있으나 깊은 골이 파인 심한 환자의 경우 주름 부위에 필러를 동시에 주입하는 것도 유용하다.

입주위주름의 치료는 인중(philtrum) 바깥쪽에 홍순가장자리(vermilion border)를 따라 2~4 units을 1~2군데 피하조직층이나 근육층에 얕게 주사한다. 입술올림근의 마비를 피하기 위해서는 콧날개 바깥쪽에서 입술 가장자리까지 수직선의 내측에 주사하여야 한다.

아랫입술은 윗입술과 동일한 수직선상의 홍순가장자리에 주사하며, 두 군데에 주사할 경우 이곳을 양쪽으로 나누어 한다.

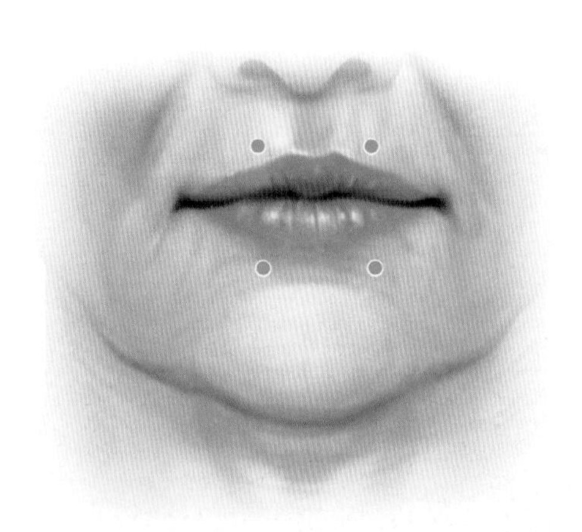

그림 32-2. 입주위주름의 치료는 philtrum 바깥쪽의 vermilion border를 따라 2~4 units를 1 내지 2군데 피하조직층이나 근육층에 얕게 주사한다. 입술올림근의 마비를 피하기 위해서는 alar lobule 바깥쪽에서 입술 가장자리까지 수직선의 내측에 주사하여야 한다. 아랫입술은 윗입술과 동일한 수직선상의 vermilion border에 주사하며, 두 군데에 주사할 경우 이곳을 양쪽으로 나누어 시술한다.

2. Marionette lines, drooling ral commissures(처진입꼬리 주름)

"Marionette line" 혹은 melomental fold(볼턱주름)는 oral commissures에서 아래쪽으로 패인 주름 형태로 나타나는데, 이는 oral commissures부위에 부착하는 depressor anguli oris m.의 작용이 주된 원인이 된다. 이 근육이 수축을 하면서 지속적으로 oral commissures를 누르거나 외하방으로 끌어내리면서 주름이 만들어지며 동시에 oral commissures의 처짐 현상이 동반되기도 한다. 또한 노화에 의한 진피 및 피하 조직량의 감소로 피부의 탄력이 떨어지고 하악골이 흡수되는 것도 원인이 된다. 이 주름은 불만스럽거나 화나거나 슬퍼 보이는 등의 외관상 좋지 않은 인상으로 비춰질 수 있다.

지나치게 깊은 주름이 형성된 경우에는 보툴리눔 독

소 주사와 동시에 필러 주사나 지방이식 등의 방법으로 피하조직의 부피를 채워주는 것이 효과적이다.

1) Anatomy

Depressor anguli oris m.은 삼각형태의 근육으로 origin은 아래턱 mental tubercle 외측의 oblique line 부위에 넓게 자리하며 platysma m.과 연결되어 있다. 위쪽으로 좁아지면서 oral commissures 부위에 부착하는데, orbicularis oris m., risorius m.과 합쳐져서 modiolus complex(축복합체)를 형성하며 일부는 levator anguli oris m.과 연결된다(**그림 32-3**). 이 근육은 depressor labii inferioris m.의 외측에 있으며 환자가 입를 꽉 다물거나 oral commissures를 아래 방향으로 힘을 주어 당기게 할 때 masseter m.의 앞쪽에서 두 손가락으로 촉지가 가능하다.

입꼬리내림근은 삼각형태의 아래턱 턱끝결절(mental tubercle) 외측의 빗선(oblique line) 부위에서 기시하며 넓게 넓은목근(platysma muscle)과 연결되어 있다. 위쪽으로 좁아지면서 입둘레근(orbicularis oris muscle)과 입꼬리당김근(risorius muscle)과 합쳐져서 축복합체를 형성하며 일부는 입꼬리올림근(levator anguli oris)과 연결된다.

2) 주사 요법

이 주름의 치료는 보튤리늄 독소를 대칭 부위에 정확히 주입하는 것이 중요하다. masseter m. 앞쪽으로 1 cm, 아래턱뼈 아래 가장자리로부터 2~3 mm 위쪽의 근육띠에 직접 3~5 units을 주사한다(**그림 32-4**). 술자에 따라서는 아랫입술의 외측으로 1 cm, 아래쪽으로 1 cm 부위에 주사하기도 한다(**그림 32-5**). 근육이 비교적 얕은 층에 존재하므로 주사 시에는 피하층이나 얕은 근육층에 주입하도록 한다. 독소가 너무 상방 또는 내측으로 주입되었을 경우 orbicularis oris m. 또는 depressor labii inferioris m.의 기능을 약화시켜 웃거나 입을 내밀 때 비

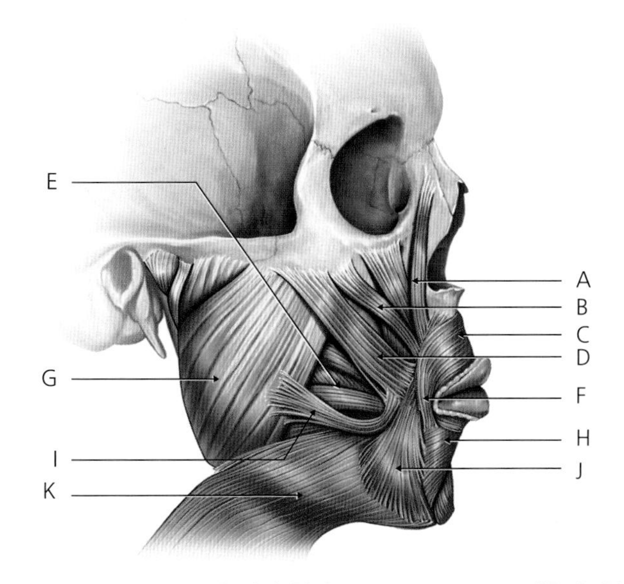

A. Levator labi
B. Zygomaticus minor
C. Orbicularis oris
D. Zygomaticus major
E. Buccinator
F. Node / Modilolus
G. Masseter major
H. Platyma-labial portion
I. Risorius
J. Triangularis / Depressor anguli oris
k. Platysma

그림 32-3. Depressor anguli oris m.은 삼각 형태로 mental tubercle 외측의 oblique line 부위에서 기시하며 넓게 platysma m.과 연결되어 있다. 위쪽으로 좁아지면서 orbicularis oris m.과 risorius m.과 합쳐져서 modiolus complex를 형성하며 일부는 levator anguli oris m.과 연결된다.

A

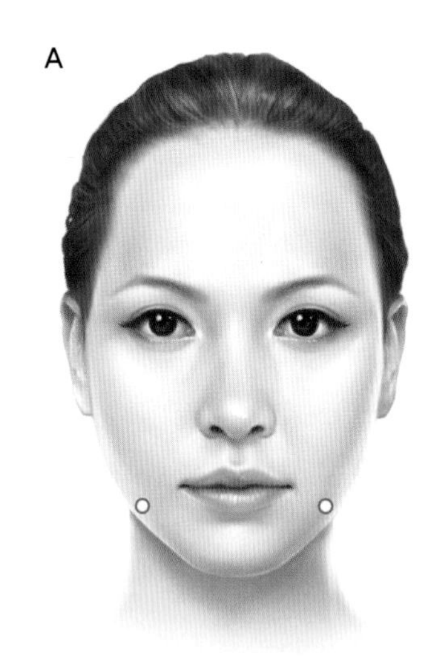

B

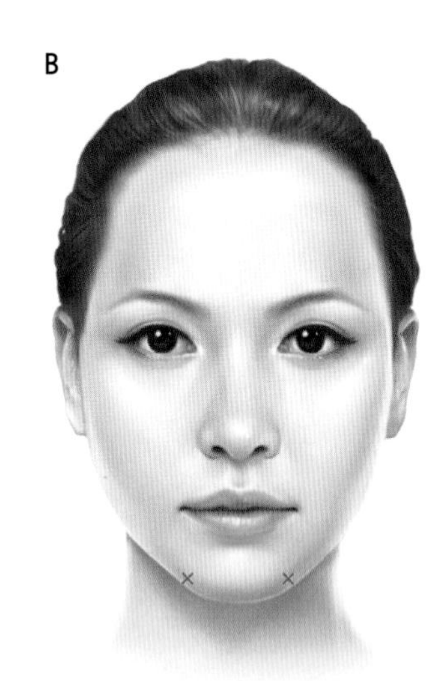

그림 32-4. Marionette line의 치료는 masseter m.의 내측연에서 앞쪽으로 1 cm, 아래턱뼈 아래 가장자리로 부터 2~3 mm 위쪽의 근육띠 부위에 피하층이나 근육의 얕은 층에 직접 3~5 units를 주사한다. 이 주름을 치료할 때 보툴리눔 독소의 정확한 부위 및 대칭적 독소량의 주입이 중요하다. 또한 Depressor anguli oris m.의 마비를 피하기 위해 지나치게 내측에 주사하지 않도록 한다.

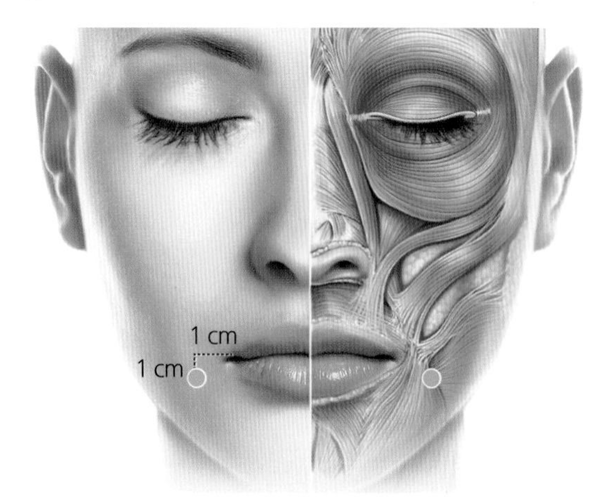

그림 32-5. 술자에 따라서는 입꼬리의 외측 1 cm, 아래쪽 1 cm 부위에 주사한다.

대칭이 될 수 있으며, 입술의 괄약기능이 약해질 수 있으므로 oral commissures 가까이에 주입해서는 안 된다. 또한 너무 깊게 주사되었을 경우에 mental nerve의 마비로 인한 감각 이상이 올 수 있으므로 주의해야 한다. oral commissures를 내리는 작용을 하는 platysma m.의 근섬유와 연결된 부위에 주사하면 가장 좋은 효과를 얻을 수 있다.

Marionette line의 치료는 깨물근의 내측연에서 앞쪽으로 1 cm, 아래턱뼈 아래 가장자리로부터 2~3 mm 위쪽의 근육띠 부위에 피하층이나 근육의 얕은층에 직접 3~5 units을 주사한다. 이 주름을 치료할 때 보툴리눔 독소를 정확한 부위에 대칭적 용량으로 주입하는 것이 중요하다. 또한 입술내림근의 마비를 피하기 위해 지나치게 내측에 주사하지 않도록 한다.

술자에 따라서는 입꼬리의 외측 1 cm, 아래쪽 1 cm 부위에 주사한다.

3. Popply chin, dimpled chin, mental crease(턱끝주름)

Mentalis m.을 수축시키면 턱부분이 귤껍질 또는 자갈모양처럼 변형되는데 이는 입을 오므리거나 아랫입술을 튀어나오게 할 때 나타난다. Apple dumpling, peau d'orange chin이라고 하기도 하는데 이는 mentalis m.이 반복적으로 과한 수축을 함으로써 형성된다. 또한 피부노화에 따른 피부탄력의 감소나 피하 조직량의 감소로 인하여 주름이 더욱 심해질 수 있다. 근육의 수축은 의식적으로도 가능하며 감정을 표현하거나 대화를 할 때

무의식적으로도 수축이 일어난다. 이런 변형이 흔히 발생하지는 않지만 나이가 들어감에 따라 불만스러워 하는 듯한 인상으로 보일 수 있다.

1) Anatomy

Mentalis m.은 입주위 근육 가운데 가장 깊은 층에 있으며 양측이 대칭을 이룬다(**그림 32-6**). Frenulum의 양 옆에 위치하며 아래턱 정중앙 앞면의 incisive fossa 아래에서 기시하여 턱 끝 피부에 부착하며 아랫입술과 턱을 위로 끌어올리는 역할을 한다. 이 근육은 입술을 위로 끌어올리게 함으로써 쉽게 확인이 가능하다.

아래턱근은 아랫입술 주름띠(frenulum) 양 옆에 위치하며 아래턱 정중앙 앞면의 앞니오목(incisive fossa) 아래에서 기시하여 턱 끝 피부에 부착한다. 입주위 근육 중 가장 깊은 층에 위치하며 양측이 대칭을 이룬다.

2) 주사 요법

턱 끝의 정중앙선에서 외측으로 약 0.5~1 cm 사이, 아래턱밑 가장자리에서 약 2 mm 위 부위나, 또는 턱 끝과 아랫입술 가장자리의 중간선에서 0.5~1 cm 아래 부위에 5 units을 주사한다(**그림 32-7**). 주사부위가 위로 올라갈 경우 depressor labii inferioris m.의 마비가 발생할 수 있으므로 주의해야 한다. Mentalis m.은 가장 깊은 층에 존재하므로 깊게 근육 내에 주사하는 것이 안전하며 양측이 대칭이므로 주사 또한 대칭적으로 하는 것이 중요하다. 일반적으로 양측에 한 군데 주사하나 환자의 주름 상태에 따라서 양분해서 두 군데에 주사하기도 한다.

턱주름의 치료는 턱끝의 정중앙선에서 외측으로 약

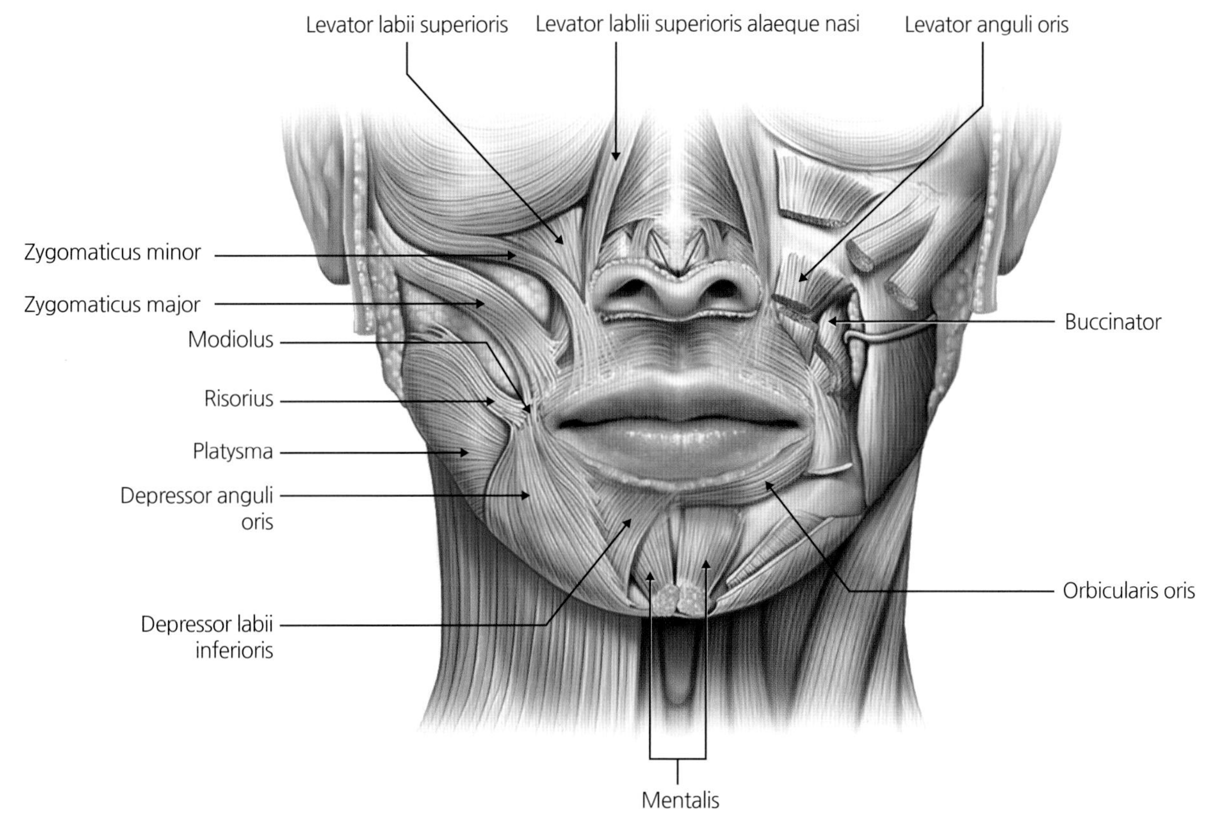

그림 32-6. Mentalis m.은 아랫입술 주름띠(frenulum) 양 옆에 위치하며 아래턱 정중앙 앞면의 incisive fossa 아래에서 기시하여 턱 끝 피부에 부착한다. 입주위 근육 중 가장 깊은층에 위치하며 양측에 대칭을 이룬다.

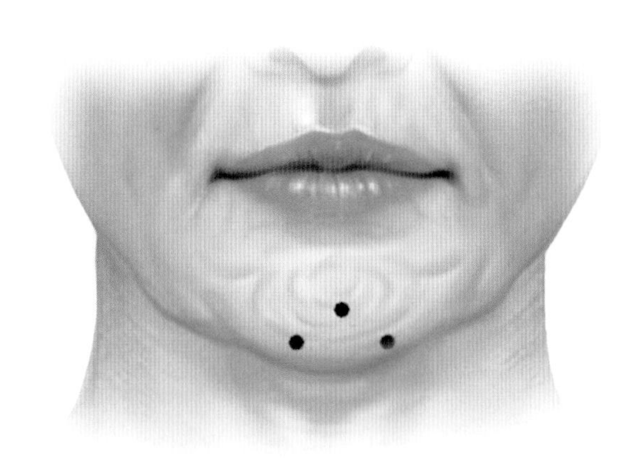

그림 32-7. 턱주름의 치료는 턱끝의 정중앙선에서 외측으로 약 0.5~1 cm 사이, 그리고 아래턱밑 가장자리에서 약 2 mm 위, 또는 턱끝과 아랫입술 가장자리의 중간선에서 0.5~1 cm 아래부위에 5 units를 주사한다. 아래턱근은 깊은층에 위치하므로 주사 시 깊게 근육층 내에 주사하는 것이 안전하며 양측에 대칭적으로 같은 양을 주입한다.

0.5~1 cm 사이, 그리고 아래턱밑 가장자리에서 약 2 mm 위, 또는 턱끝과 아랫입술 가장자리의 중간선에서 0.5~1 cm 아래부위에 5 units을 주사한다. 아래턱근은 깊은 층에 위치하므로 주사 시 깊게 근육층 내에 주사하는 것이 안전하며 양측에 대칭적으로 같은 양을 주입한다.

4. Platysmal bands(넓은목근띠, 목주름)

목 부위는 나이가 들어감에 따라 피부 탄력이 감소하며 연부조직에 의한 피부 지지력이 소실된다. 이에 따라 피부가 얇아지고 약해지면서 platysma m.이 수축할 때 vertical band를 형성하게 되는데 근육 앞쪽부분이 갈라지면서 주로 목의 양 내측에 발생하나 바깥쪽으로 두드러져 보이는 경우도 있다. Gobbler neck deformity(칠면조목변형)라고도 불리며 입을 크게 벌리거나 입술을 양측 아래로 세게 당기게 되면 쉽게 나타난다. 이러한 변화는 보툴리눔 독소를 이용하여 근육의 수축력을 약화시키면 줄일 수 있다. 또한 목 부위는 'necklace line'이라고 불리우는 가로주름이 흔히 발생할 수 있는데 이를 보툴리눔 독소를 주사하여 개선할 수 있는지에 대해서는 이견이 많다.

1) Anatomy

Platysma m.은 넓은 판 형태의 근육으로 목의 앞면과 옆면을 덮는다. 양쪽 가슴 윗부분의 얇은층 근막 즉, pectoralis m.과 deltoid m.의 근막으로부터 기시하여 clavicle을 지나면서 위쪽 방향으로 비스듬히 넓어지며 아래턱을 넘어서 얼굴 아래 부위에서 superficial musculoaponeurotic system과 피하조직에 부착한다(**그림 32-8**). 또 일부 근섬유들은 depressor anguli oris m.과 연결되어 oral commissures를 끌어내리는 작용도 하게 된다. 목의 중앙부위는 얇고 근섬유가 존재하지 않는다.

넓은목근은 양쪽 가슴 윗부분의 얇은층 근막 즉, 가슴근(pectoralis muscle)과 어깨세모근(deltoid muscle)의 근막으로부터 기시하여 넓은 판 형태의 근육으로 목의 앞면과 옆면을 덮는다. 빗장뼈(clavicule)를 지나면서 위쪽 방향으로 비스듬히 넓어지며 아래턱을 넘어서 아래 얼굴부위에서 얼굴널힘줄계통(superficial musculoaponeurotic system)와 피하조직에 부착하며 일부 근섬유들은 입꼬리내림근(depressor anguli oris muscle)과 연결된다.

2) 주사 요법

환자에게 oral commissures를 양쪽으로 세게 당기면서 목에 힘을 주게 한 다음 2~4 units을 band가 형성된 부위의 피하조직층에 직접 주입한다. 턱선 가까이에서 시작해서 아래쪽으로 2 cm 간격으로, 2~5군데 주사하며 각 띠당 12~25 units을 주입한다. 총 용량을 제한하기 위해 한 번에 3, 4 band 이하를 시술하는 것이 좋다(**그림 32-9**).

과량의 독소를 주입하면 laryngeal musculature의 마비로 인해 목이 쉬거나 연하장애가 올 수 있으므로 주의해야 한다. 또한 목 주변 근육, 특히 sternocleidomastoid m.로 확산되지 않게 피하 얇은 층에 주사하는 것도 중요

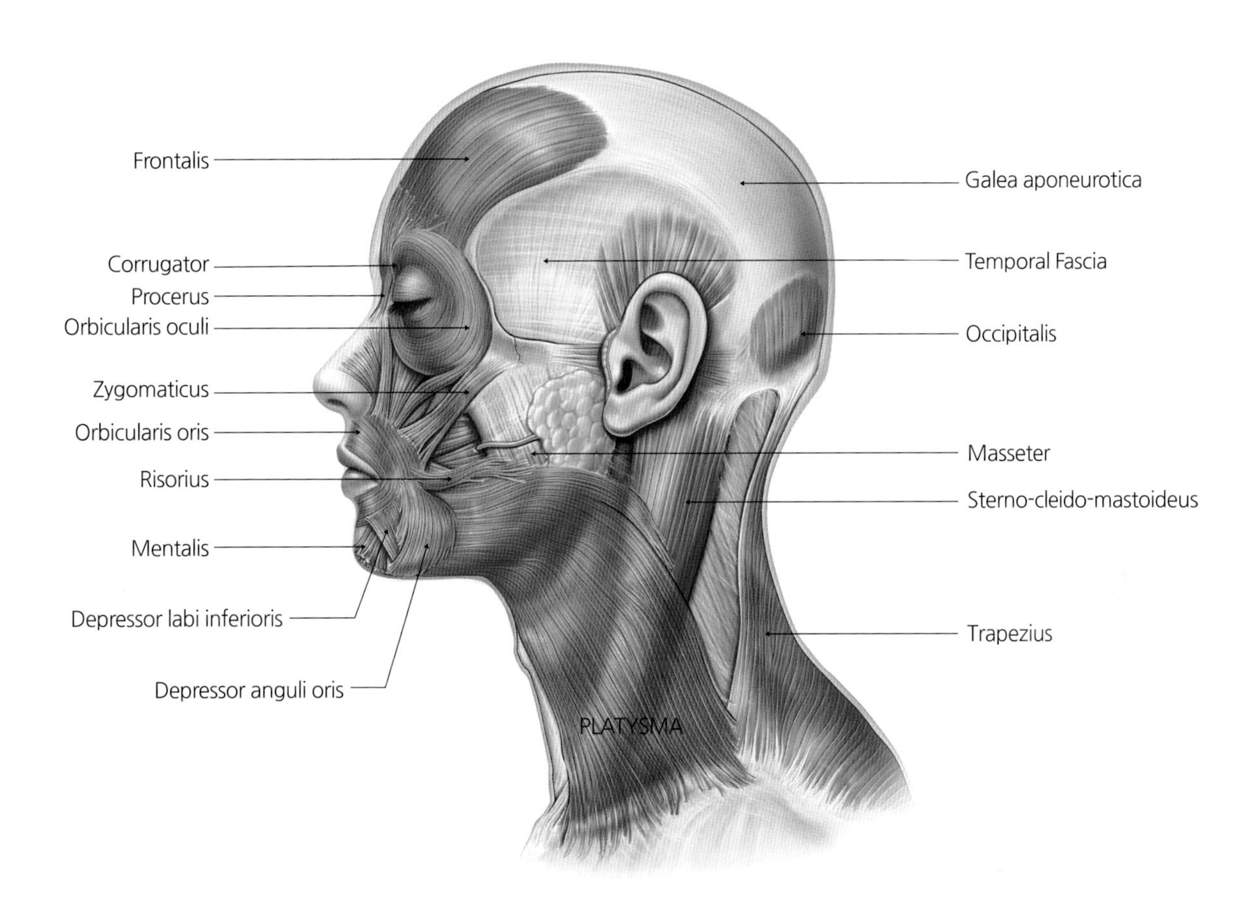

그림 32-8. Mentalis m.은 아랫입술 주름띠(frenulum) 양 옆에 위치하며 아래턱 정중앙 앞면의 incisive fossa 아래 에서 기시하여 턱 끝 피부에 부착한다. 입주위 근육 중 가장 깊은층에 위치하며 양측에 대칭을 이룬다.

하다. 목주름의 치료는 많은 용량이 필요하며 그 효과는 3~5개월로 비교적 짧으므로 비용 대비 효과에 대한 설명도 충분히 해야 할 필요가 있다.

목주름의 턱선 가까이에서 시작해서 아래쪽으로 2 cm 간격으로 2~4 units을 주름띠 부위에 직접 주사한다.

주름을 직접 잡으면서 주입하는 것이 도움이 되며 한 개의 띠부위에 2~5군데 정도 피하조직층에 주사하며 총 용량은 25 units을 넘지 않도록 한다. 이를 위해서 한 번의 치료에 3~4개의 주름띠로 제한한다.

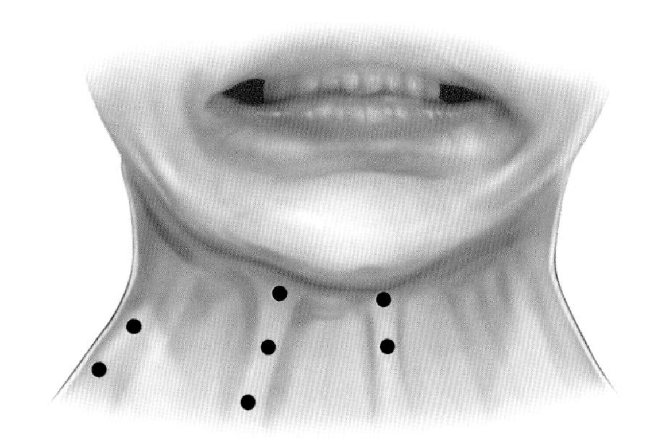

그림 32-9. 목주름의 턱선 가까이에서 시작해서 아래쪽으로 2 cm 간격으로 2~4 units를 주름띠 부위에 직접 주사한다. 주름을 직접 잡으면서 주입하는 것이 도움이 되며 한 개의 띠부위에 2~5군데 피하조직층에 주사하며 총 용량은 25 units를 넘지 않도록 한다. 이를 위해서 한 번의 치료에 3~4개 주름띠로 제한한다.

5. Gummy smile(잇몸노출증)

웃을 때 잇몸이 과도하게 노출되는 것을 gummy smile이라고 한다. 이 경우 웃는 모습이 부자연스러울 뿐 아니라 본인이 이러한 모습에 대한 콤플렉스 때문에 밝고 환한 미소를 짓지 못하는 경우를 흔히 볼 수 있다.

심한 돌출입으로 인해 잇몸이 과하게 노출되는 경우에는 악교정 수술이 필요할 수 있다. 그러나 큰 수술에 대한 부담을 느끼는 환자에서는 보톡스 주사가 일시적이지만 증상을 완화시키므로 유용할 수 있다. 또한 근육의 과수축이 주된 원인이 되는 경우에는 윗입술을 끌어올리는 근육에 직접 주사함으로써 효과를 볼 수 있다.

1) Anatomy

입술을 위로 끌어올리는 근육은 여러 가지가 있으며 그 중에 levator labii superioris m., levator labii superioris alaeque nasi m. 및 zygomaticus minor m.들이 주로 잇몸노출증에 관여하고 있는데, zygomaticus minor m.은 해부학적 양상이 다양하고 주사 시에 정확한 위치를 파악하기 어려우므로 보툴리눔 독소는 주로 앞의 두 근육에 주입하는 것이 일반적이다.

Levator labii superioris m.은 zygoma에서 orbital rim 아래 부위, 그리고 frontal process에 걸쳐 기시하며 입둘레근 및 입술 피부, nasal alar cartilage에 부착한다. levator labii superioris alaeque nasi m.은 nasal root와 zygomatic frontal process 부위에서 origin해서 nasal alar cartilage 및

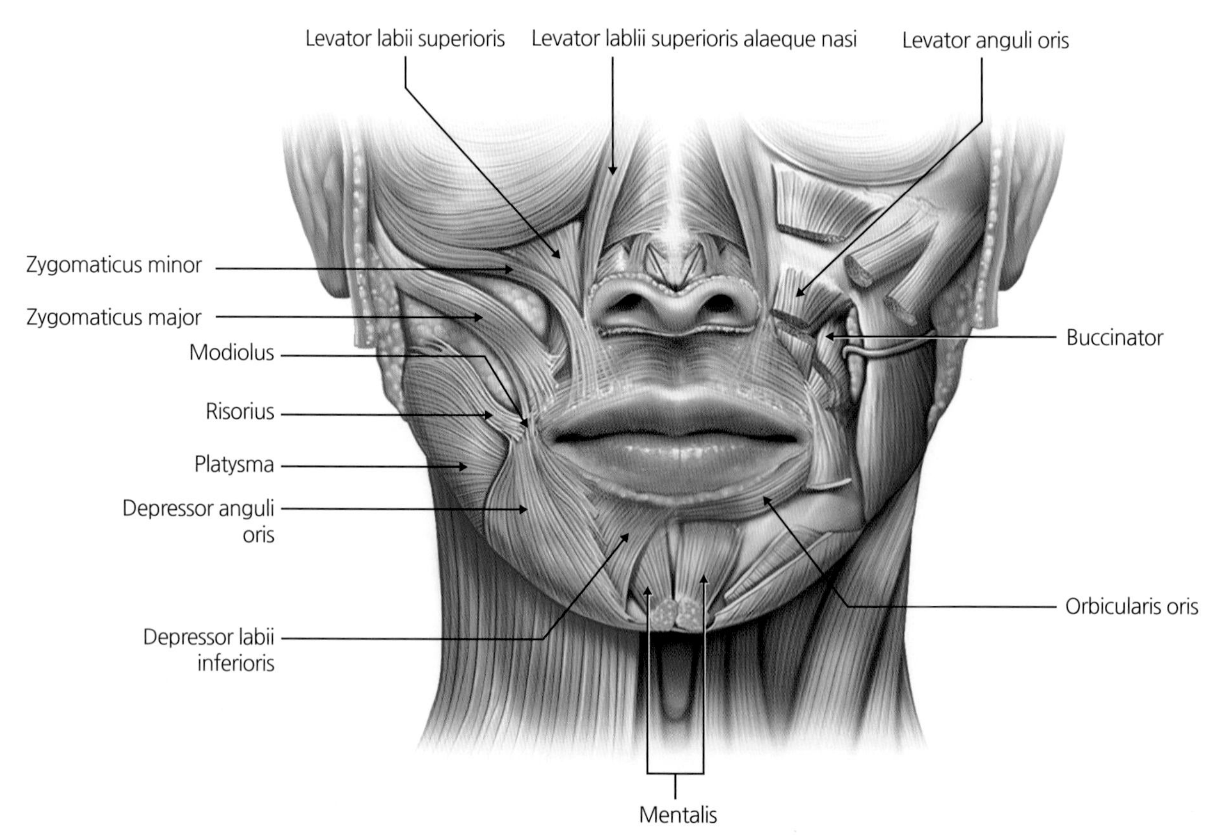

그림 32-10. Levator labii superioris m.은 광대뼈에서 orbital rim 아래부위, 그리고 frontal process에 걸쳐 기시하며 입둘레근 및 입술 피부, nasal alar cartilage에 부착한다. Levator labii superioris alaeque nasi m.은 nasal root와 zygomatic frontal process 부위에서 기시해서 nasal alar cartilage 및 피부, 윗입술의 orbicularis oris m.과 피부에 부착한다.

피부, 윗입술의 orbicularis oris m.과 피부에 부착한다. 이 근육들은 입술을 들어 올리고 콧구멍을 넓히는 작용을 한다(**그림 32-10**).

위입술올림근은 광대뼈에서 눈확아래부위, 그리고 이마돌기에 걸쳐 기시하며 입둘레근 및 입술 피부, 코날개 연골에 부착한다. 위입술코방울올림근은 비근부(nasal root)와 광대뼈의 이마돌기 부위에서 기시해 코날개 연골 및 피부, 위입술의 입둘레근과 피부에 부착한다.

2) 주사 요법

실제 각 근육을 정확하게 구분해서 주사하는 것은 어렵다. 주로 이 근육들이 orbicularis oris m.과 만나는 부위의 약간 위쪽에 대칭으로 주사하는데, 일반적으로 nasal ala의 외측에서 약 1 cm 가량 바깥쪽에 해당된다(**그림 32-11**). 독소의 용량은 다양하게 소개되어 있으나 보통 1.5~2.5 units을 주입한다. 과량을 주사하거나 지나치게 외측으로 주사할 경우에는 말할 때나 표정을 지을 때 어색함을 초래할 수 있으며 음식을 먹을 때도 불편할 수 있으므로 주의해야 한다.

주사부위는 위입술올림근(levator labii superioris muscle), 위입술콧방울올림근(Levator labii superioris alaeque nasi muscle)과 작은광대근(Zygomaticus minor muscle)이 모이는 곳을 목표로 한다. 일반적으로 코날개 외측에서 약 1 cm 바깥쪽에 1.5~2.5 units를 근육 내에 주사한다.

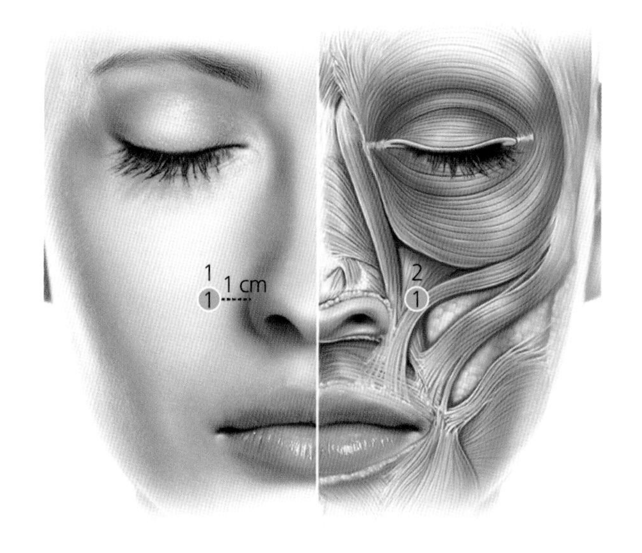

그림 32-11. 주사부위는 levator labii superioris m., levator labii superioris alaeque nasi m.과 zygomaticus minor m.이 모이는 곳을 목표로 한다. 일반적으로 코날개 외측에서 약 1 cm 바깥쪽에 1.5~2.5 units 를 근육 내에 주사한다.

참고문헌

1. 서구일. 보톡스와 필러의 정석. 한미의학. 2011; 88-112.
2. Todd V. Cartee, Gary D. Monheit. An overview of botulinum toxins: past, present, and future. Clin Plastic Surg 2011; 38; 409-26.

CHAPTER 33

기타(종아리, 승모근 등) | Other Sites

Chapter Author | 정현욱

1. 종아리 축소술

동안인은 서양인에 비해 종아리가 두꺼우면서 짧은 경우가 많다. 소위 무다리(radish-like leg)라고 표현되는 굵은 종아리는 전체 다리의 각선미를 방해하므로, 많은 사람들이 종아리를 날씬하게 하는 종아리 윤곽술을 찾고 있다. 종아리 윤곽술에는 liposuction, myectomy, selective neurectomy, botulinum toxin 등이 있으며, 이 중 botulinum toxin은 수술적 치료와 비슷한 효과를 얻으면서 회복기간이 짧고 외래에서 시술이 가능하기 때문에 많이 이용되고 있다.

1) 종아리비대의 원인

종아리 비대의 원인은 다양하다. 선천적인 요인이 많이 작용하지만, 후천적인 직업, 습관, 운동 등에 의해 종아리가 비대해지기도 한다. 이 외에 종아리가 비대해지는 이차적 원인으로 심장, 신장, 간 등의 내과적 질환에 의한 전신부종, 림프부종, 심부정맥 혈전, 진행성 근긴장이상, 종아리 부위의 감염 및 염증, 종양, 외상, 말초신경질환, 만성 척추질환, 다발성 신경병증 이나 척수성 소아마비 등이 있다.

2) 종아리 해부

무릎과 발목사이 근육은 anterior compartment, lateral compartment, posterior compartment로 나뉘고, 이 중 posterior compartment가 종아리를 이루는 근육이다. posterior compartment는 다시 superficial group과 deep group으로 나뉘는데, 종아리에 botulinum toxin을 주사하는 곳은 superficial group이다.

Superficial group 에 해당하는 근육은 gastrocnemius, plantaris, soleus이며, 이 중 gastrocnemius와 soleus가 종아리 근육의 두께를 담당하면서, 강력한 plantar flexion 기능을 한다.

(1) 비복근(gastrocnemius) (그림 33-1)

Gastrocnemius 은 가장 superficial에 위치하며, 소위 알통을 만드는 근육이다. Origin은 femur의 condyle이며, 2개의 head가 인대형태로 단단하게 붙어있다. 크기가 큰 medial head는 medial condyle의 upper, posterior part와 medial condyle의 바로 위(above)에 있는 popliteal surface of the femur에서 origin한다. Lateral head는 lateral surface of the lateral condyle과 lower part of the supracondylar line에서 origin한다. 또한 두 head는 capsule of the knee joint 아래부분에도 origin하는 부분이 있다.

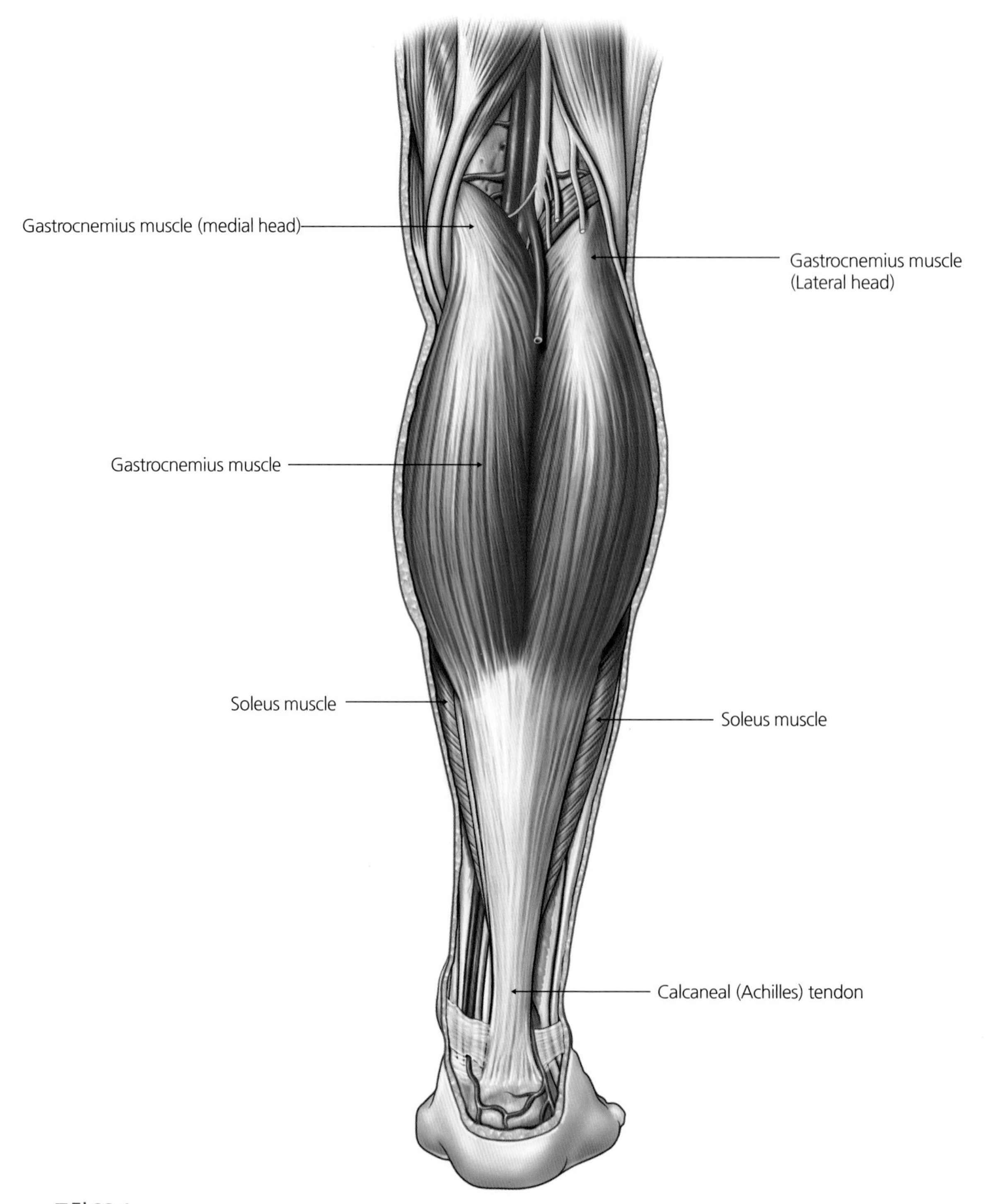

그림 33-1.

가장 superficial 에 위치한 gastrocnemius는 aponeurosis 형태로 내려오면서 muscle fiber를 내며, muscle fiber는 종아리의 가운데 높이까지 뻗어 내려간다.

인대형태로 시작된 gastrocnemius는 aponeurosis형태로 내려오면서 muscle fiber를 내게 되는데, 종아리의 가운데 높이까지 muscle fiber가 뻗어 내려간다. 크기가 큰 medial muscle fiber가 lateral muscle fiber 보다 더 아래쪽까지 뻗어 내려간다. Medial과 lateral muscle은 분리된 형태로 anterior surface에 위치한 aponeurosis에 insertion하며, 이후 종아리의 아래쪽 절반에서는 gastrocnemius 가 aponeurosis 형태로 존재한다. Aponeurosis는 점점 좁아지면서 soleus의 tendon과 합쳐져 calcaneal tendon을 이룬다.

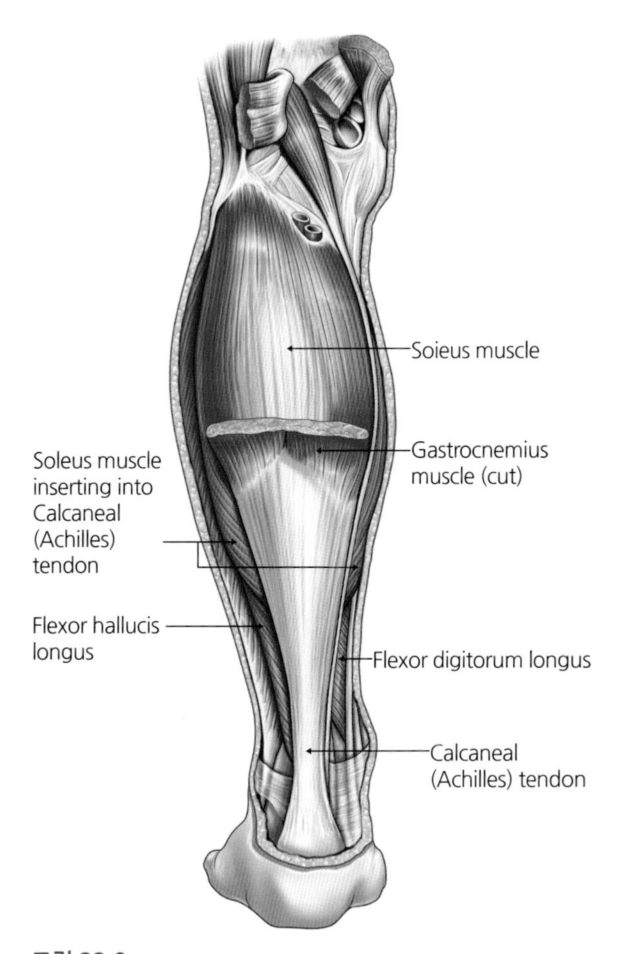

그림 33-2.
Soleus muscle은 gastrocnemius의 바로 밑(deep, anterior)에 위치하고 대부분 gastrocnemius에 의해 덮여 있다.

(2) 가자미근(soleus) (그림 33-2)

Soleus는 넓고 납작한 근육이며, gastrocnemius의 바로 밑(deep, anterior)에 위치한다. Fibular와 tibia의 proximal part에서 aponeurosis 형태로 시작되어 aponeurosis의 anterior, posterior surface에서 muscle fiber를 내보낸다. 대부분은 gastrocnemius에 의해 덮여 있지만, 종아리의 아래쪽 절반에서는 soleus muscle fiber가 gastrocnemius tendon 보다 넓게 위치한다. 드물게 calf 의 distal, medial 쪽에 soleus의 accessory part가 있는 경우도 있다.

3) 종아리비대의 유형

(1) 내측비복근형(medial gastrocnemius muscle type)

종아리의 위쪽 1/2에서 안쪽 및 뒤쪽에 위치한 근육의 도드라짐이 보이는 형태이다. 구조적으로 lateral gastrocnemius muscle보다 medial gastrocnemius muscle이 더 크고 아래쪽까지 내려오기 때문에 가장 흔하게 볼 수 있는 형태이다.

(2) 외측비복근형(lateral gastrocnemius muscle type)

종아리의 위쪽 1/2에서 바깥쪽 및 뒤쪽에 위치한 근육의 도드라짐이 보이는 형태이다. 대부분 medial gastrocnemius muscle 의 비대와 함께 존재한다.

(3) 가자미근형(soleus muscle type)

Soleus muscle이 비대한 경우 종아리 위쪽 1/2은 gastrocnemius muscle에 의해 가려져 외형적으로 잘 드러나지 않는다. 종아리 아래쪽 1/2에서는 gastrocnemius tendon보다 soleus muscle이 넓게 분포하므로, 종아리 아래쪽 1/2의 안쪽과 바깥쪽 라인이 두꺼운 형태로 나타난다.

(4) 지방비대형

근육의 비대가 있지 않고 피하지방층이 두껍게 만져지

는 경우이다. 지방흡입술이 도움이 된다.

(5) 복합발달형

근육비대 및 지방의 축적이 함께 종아리 비대를 만드는 경우로 복합적인 시술이 필요하다.

4) 환자선택

종아리 근육에 botulinum toxin을 주사하는 시술은 gastrocnemius muscle이 과도하게 발달되어 근육이 튀어나온 경우에 이상적이다. 지방의 축적만 있는 종아리에는 효과가 없으나 근육비대 및 지방축적이 함께 있는 경우에는 도움이 될 수 있다. 근육의 비후로 인한 종아리 비대는 medial gastrocnemius muscle의 비후가 가장 흔하며, 걷거나 까치발을 들 때, 계단 오를 때, 하이힐을 신을 때 근육이 두드러져 알통처럼 보인다. Lateral gastrocnemius muscle의 비후가 동반되는 경우도 있다.

Botulinum toxin을 동물에 주사한 실험 논문을 보면 botulinum toxin 주사 후 10-14일 후에 근육 섬유가 위축되기 시작하고, 위축된 근육은 4-6주간 진행하며, 회복되는 시기는 4-6개월이었다. Botulinum toxin을 이용한 종아리 축소술도 약 6개월간 효과가 지속되며, 12개월 후에도 gastrocnemius muscle의 두께가 주사 전에 비해 두께가 줄어들어 있는 경우가 있다. 하지만 지속적인 감소효과를 얻기 위해서는 반복 시술이 필요하다는 점을 환자에게 인지시켜야 한다. 영구적이고 지속적인 치료를 원하는 환자의 경우에는 신경차단술 또는 근육 절제술을 고려해야 한다.

Botulinum toxin을 이용한 종아리 축소술의 적응증

① 종아리의 medial/lateral gastrocnemius muscle이 발달한 경우
② 종아리 근육이 비대칭적으로 발달한 경우
③ 종아리 축소술 후 국소적인 근육의 비대가 남은 경우
④ 조기에 사회복귀를 원하는 경우
⑤ 침습적 외과적 수술을 원하지 않는 경우
⑥ 영구적 근육 퇴축술을 시행하기 전 일시적인 효과를 얻기 원하는 경우

5) 시술 방법

(1)시술 전 평가

환자가 내원하게 되면 relax position(선자세)과 tip-toe position(까치발)을 한 자세에서 종아리의 전체적인 윤곽을 앞, 뒤, 옆에서 확인한다. 추후 결과 확인을 위해 사진 촬영을 하는 것이 필요하며, 이때도 relax position과 tip-toe position 모두 촬영한다.

종아리 둘레는 부종에 의해 하루에도 많이 달라질 수 있다. 때문에 종아리의 둘레 측정은 gastrocnemius muscle의 감소 정도를 정확하게 반영하기 어렵다. 종아리 둘레를 기록할 때는 측정한 시간대와 측정한 위치를 함께 기록하는 것이 좋다.

종아리 근육의 비대와 연부조직 과다(fat bulges and the thickened dermis)를 구분하기 위해 환자로 하여금 까치발을 들게 한 후 pinch test를 한다. 까치발을 하면 gastrocnemius muscle이 수축하므로 연부조직 과다와 근육의 비대를 구별하기 용이하다.

(2)시술(그림 33-3)

환자가 서있거나 엎드려 있을 때, tip-toe position을 하게 하면 gastrocnemius muscle이 수축된다. 이 때 medial/lateral gastrocnemius muscle의 윤곽을 그리고 강하게 튀어나오는 부분을 표시하여 주사 바늘의 자입점으로 계획한다. Botulinum toxin은 100 unit 당 2-4 cc로 희석하여 준비하고, needle은 1/2 inch (12.7 mm) 29-gauge needle을 주로 사용한다.

시술 전에는 통증을 줄이기 위해 EMLA 크림을 바르거나 얼음으로 마취를 한다. 피부를 소독하고 주사하는데, gastrocnemius muscle의 발달 정도를 고려하여 한쪽당 50-100 unit 용량을 사용한다. 근육의 가장 돌출된 부분에 주사하며 1.5-2 cm 간격으로 한 포인트에 8-12

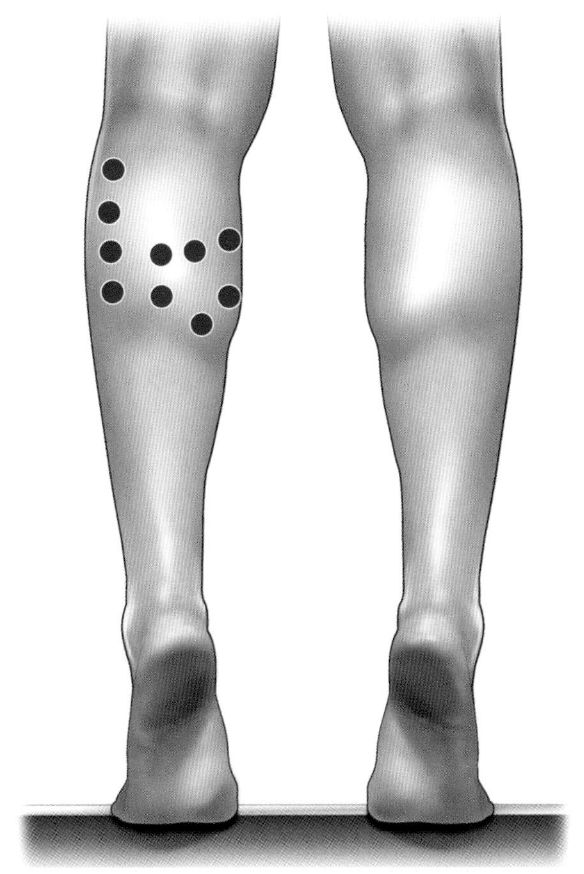

그림 33-3.
Botulinum toxin 주사는 gastrocnemius muscle이 강하게 튀어나오는 부분에 한다.

unit 을 근육 내에 주사한다. 일반적으로 medial gastrocnemius muscle에는 5~6 포인트, lateral gastrocnemius muscle에 3~4 포인트 주사한다.

(3)시술 후 경과

시술은 10분 정도 소요되고 시술 직후 바로 일상생활이 가능하다. 2~3일 정도 주사부위의 근육의 뻐근함과 통증이 있을 수 있다.

Botulinum toxin을 주사하면 시술 후 1주경부터 gastrocnemius muscle의 윤곽이 감소되고 부드러워지기 시작한다. 실제 근육의 크기 감소가 줄어드는 것은 시술 후 1달 정도이며, 6개월 후에는 힘이 들어가는 느낌이 들지만 근육의 부피는 줄어든 상태로 유지되는 경우가 많다.

(4) 주의사항

① 보톡스를 주사하는 깊이는 subcutaneous layer 와 soleus muscle 사이에 있는 gastrocnemius muscle 이다. Spastic equinus를 가진 성인에서 연구한 muscle 두께를 참고하자면 종아리에서 주로 두꺼운 부위인 distal 부위의 근육 두께는 medial gastrocnemius 에서 13.33 mm, lateral gastrocnemius 에서 10.89 mm 이다. 1/2 inch (12.7 mm) 29-gauge needle보다 긴 needle을 사용하는 경우 soleus muscle에 주사하지 않도록 주의한다.

② Gastrocnemius muscle의 약화로 인해 서 있거나 걷고 뛰는 데 불편함을 호소하는 경우는 드물다. 하지만 오랜 기간 동안 주사를 반복하였거나 신경차단술 등의 과거력이 있는 경우 계단을 오르내릴 때 부상의 위험이 있을 수 있으니 주의하도록 해야 한다.

③ Botulinum toxin을 주사한 후 전체적으로 종아리가 가늘어졌으나 국소적인 근육 도드라짐이 남아있는 경우가 있다. 해당 부위에 추가적인 Botulinum toxin 주사가 필요할 수 있다는 점을 미리 환자에게 인지시킬 필요가 있다.

④ O자 형으로 다리가 휘어져 있는 경우 medial gastrocnemius muscle이 축소되면 더욱 휘어 보일 수 있으며, soleus muscle이 발달된 환자는 gastrocnemius muscle이 축소되면 soleus muscle의 윤곽이 오히려 두드러지므로 주의한다.

6) 합병증

주사부위의 근육통, 출혈, 부종이 일시적으로 있을 수 있으나 대부분 보존적인 치료로 해결된다. 근육의 약화

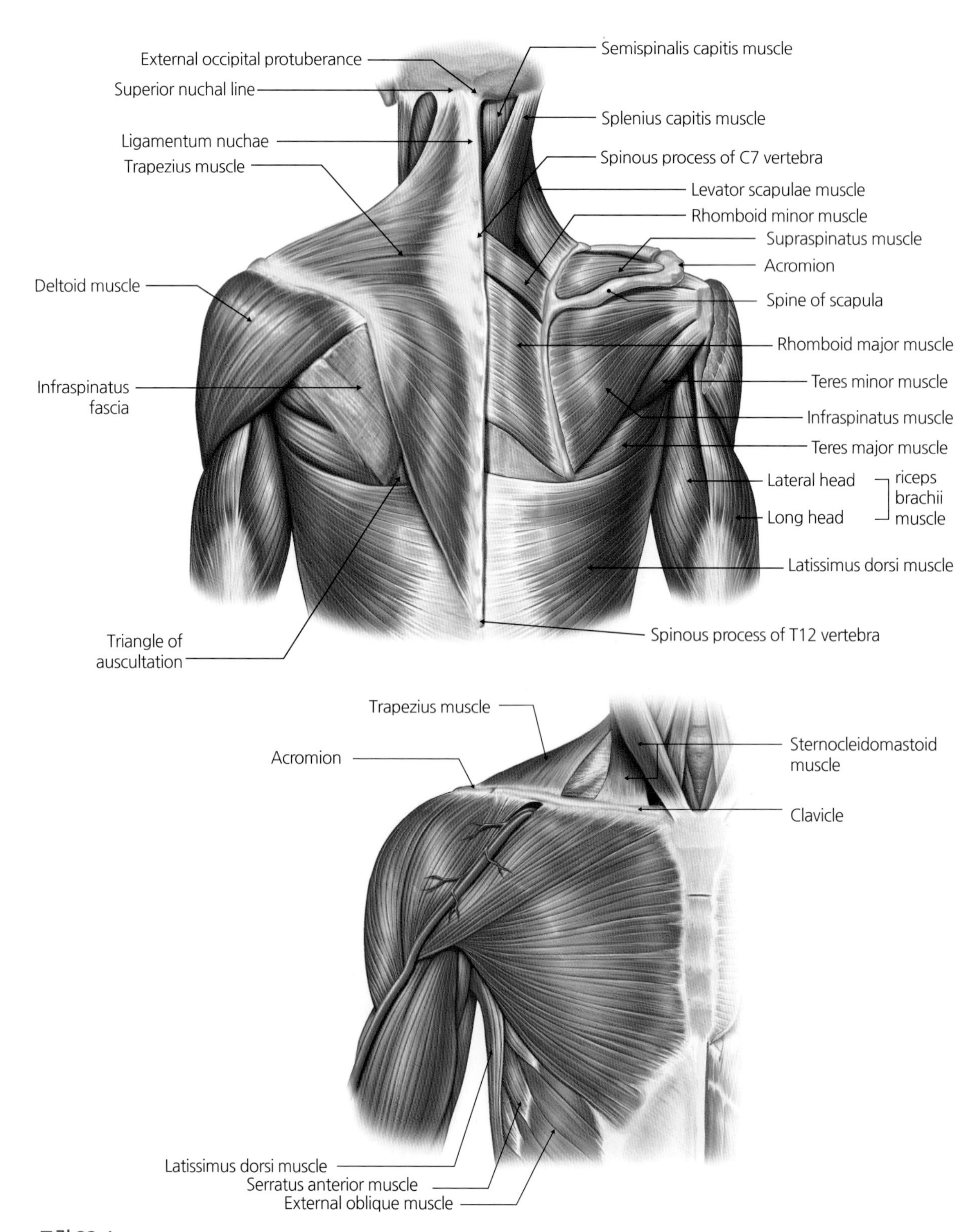

그림 33-4.

A. back과 shoulder girdle을 구성하는 근육. Trapezius를 포함한 superficial muscle은 왼쪽, deeper muscle은 오른쪽에 있다. B. 위쪽 trapezius muscle은 clavicle 의 lateral 1/3에 insertion한다.

로 인해 서 있는 자세를 유지하는 힘이 약해지거나 조기에 피로감이 발생할 수 있으며, 이러한 증상은 시술 2주 내에 발생하여 4주 안에 사라진다.

2. 승모근 축소술

Botulinum toxin은 근육질환 치료뿐만 아니라 얼굴 주름 개선 등의 미용 목적으로 많이 사용되고 있다. 요즘에는 그 활용범위가 점점 넓어져 팔 다리 등의 체형 교정에도 사용된다. 어깨 노출이 증가함에 따라 날씬한 어깨 라인을 위한 시술도 많이 찾고 있는데, 이 때 botulinum toxin 주사의 대상이 되는 부위가 trapezius muscle중에서 위쪽 부분이다.

1) 승모근과 주변 구조물 해부(그림 33-4)

Trapezius은 납작하며 삼각형 형태로 몸의 뒤쪽에서 목과 등을 감싸고 있는 근육이다. Muscle fiber의 방향에 따라 위, 가운데, 아래 3부분으로 나뉘며, 주변의 다른 근육들과 함께 scapula를 제자리에 유지시킨다. 팔과 어깨를 움직일 때는 scapula의 회전, 기울임을 만들어 팔과 어깨의 움직임을 돕는다. Trapezius는 위치에 따라 기능이 다른데, 위쪽 trapezius 는 levator scapulae와 함께 scapula를 elevation 시킨다. 아래쪽 trapezius는 serratus anterior와 함께 scapula를 protraction, upward rotation 시켜 팔을 머리 위로 드는 운동을 도우며, rhomboid 함께 어깨를 뒤로 젖히는 운동을 한다. 무거운 것을 드는 것 같이 loading 이 가해질 때는 아래쪽 trapezius가 대부분의 역할을 하며, 위쪽 trapezius의 역할은 미미하다.

Trapezius의 세 부분 중 어깨 선을 이루는 부분은 위쪽 trapezius이다. 위쪽 trapezius muscle은 ligamentum nuchae, external occipital protuberance, superior nuchal line에서 origin하여 clavicle의 lateral 1/3에 insertion 한다. 간혹 clavicle의 가운데까지 넓게 insertion 하기도 하고 sternocleidomastoid muscle과 붙어 있기도 한다. 위쪽 trapezius은 두께가 3~10mm 정도로 얇은 근육이며, 힘을 주더라도 근육 자체의 두께가 크게 증가하지 않는다. 승모근에 힘을 줄 때 어깨라인이 위로 튀어나오는 것은 근육의 두께가 증가하는 것과 함께 scapular가 elevation 되는 데 이유가 있다. 근육과 피부 사이 연부조직 두께는 3~18 mm 정도이다.

2) 환자선택

Botulinum toxin을 이용한 승모근 축소는 평소 어깨를 움츠리는 습관이 있어 위쪽 승모근을 지속적으로 긴장하고 있는 경우, 승모근이 과도하게 발달되어 근육이 튀어나온 경우에 이상적이다. 지방의 축적으로 어깨가 두툼한 경우에는 크게 도움이 되지 않을 수 있다.

3) 시술방법

(1) 시술 전 평가

환자가 내원하게 되면 앞, 뒤, 옆에서 어깨선의 모양을 확인한다. 이 후 어깨 근육양의 좌우 차이, 척추측만증(scoliosis)의 유무, scapula 위치의 비대칭이 있는지 확인한다. 추후 결과 확인을 위해 사진촬영을 하는 것이 필요하며, 이때도 relax position과 shoulder shrug(어깨를 으쓱하고 있는 자세) 모두 촬영한다.

근육의 비대와 연부조직 과다(fat bulges and the thickened dermis)를 구분하기 위해 환자로 하여금 어깨를 으쓱하게 하여 trapezius muscle을 긴장시킨 후 soft tissue를 pinch 하여 두께를 확인한다.

(2) 시술방법(그림 33-5)

연부조직의 두께에 따라 5/16 inch (8 mm) 30-gauge needle 또는 1/2 inch (12.7 mm) 29-gauge needle을 사용한다. Botulinum toxin은 위쪽 승모근의 발달 정도를 고려하여 한쪽당 30-50 unit 용량을 사용하며, 일반적인 주름 치료와 마찬가지로 100 unit 당 2~4 cc로 희석하여 준비한다. 환자가 서서 시술 받으면 간혹 쓰러지는 경우가 있으므로 환자를 앉히거나 엎드리게 하고 시술한다. 통

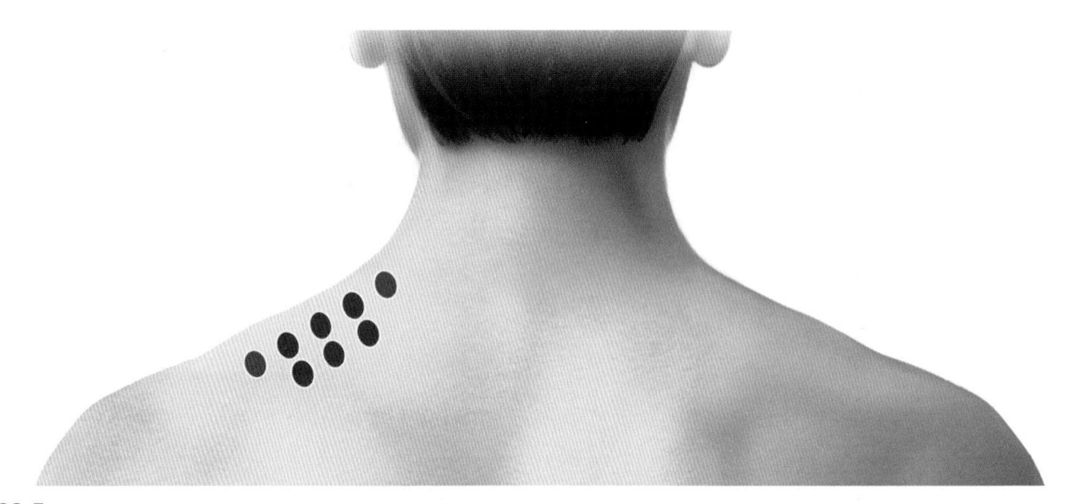

그림 33-5.
승모근에 Botulinum toxin 을 주사하는 위치. 주로 붉은 점 부위에 주사하고 추가적으로 파란색 점에 주사하기도 한다.

증을 줄이기 위해 EMLA 크림 또는 얼음으로 마취를 하고 피부를 소독한다. 주사는 승모근이 가장 돌출된 부분에 하는데, 일반적으로 주사하게 되는 가로 범위는 vertebra와 acromion을 기준으로 가운데 1/3 지점이며, 세로 범위는 어깨라인과 scapula spine를 기준으로 1/2 지점보다 위쪽이다. 시술자는 대상의 뒤쪽에 서서 왼손으로 근육을 pinch한 후 posteroanterior 방향으로 주사기를 진입하여 Botulinum toxin을 주사하며, 1.5~2 cm 간격으로 한쪽 당 3~6군데에 나누어 주사한다. 한 포인트에 8~12 unit 을 근육 내에 주사한다.

(3) 주의사항

① Trapezius muscle 에 botulinum toxin을 주사할 때는 lung이 생각보다 위쪽까지 올라와 있다는 것을 유념해야 하며, 너무 깊게 바늘을 찌르지 않도록 해야 한다. Lung의 apex는 첫 번째 rib보다 3~4 cm 위까지 올라오며, clavicle의 medial 1/3 지점에서는 clavicle보다 2.5 cm 높게 위치한다. 따라서 주사할 때 깊게 찌르거나 잘못된 방향으로 주사하는 경우 부위에 따라 lung이 손상될 위험이 있다. Scapula는 2번째에서 7번째 rib 에 걸쳐 위치한다.

② Trapezius 는 주변 근육과 밀접한 위치에 있으며, 인접 근육에 botulinum toxin이 주사되면 원하지 않는 결과가 생길 수 있다. Trapezius의 medial side에 있는 sternocleidomastoid muscle 및 neck muscle에 toxin이 퍼지게 되면 일시적인 dysphagia 등의 불편함이 생길 수 있다. Lateral side에는 supraspinatus muscle이 인접하여 toxin 에 의해 이 근육이 약화될 경우 팔의 abduction이 힘들어질 수 있다. 때문에 toxin을 주사하는 위치는 vertebr와 acromion을 기준으로 가운데 1/3 지점으로 하고, 이 범위 밖 주사하는 경우에는 환자에게 미리 생길 수 있는 문제점을 알려주어야 한다.

③ 승모근이 보상적 목적으로 비대해 있는 경우 botulinum toxin으로 그 기능을 막으면 어깨와 등 부위에 통증이 발생할 수 있다. 좌우 승모근 근육양의 차이가 큰 경우, 한쪽 scapula의 방향이 틀어져 있는 경우, 척추측만증이 있는 경우에는 승모근에 botulinum toxin을 주사하기보다 원인이 되는 질환을 먼저 치료하도록 권하는 게 좋다.

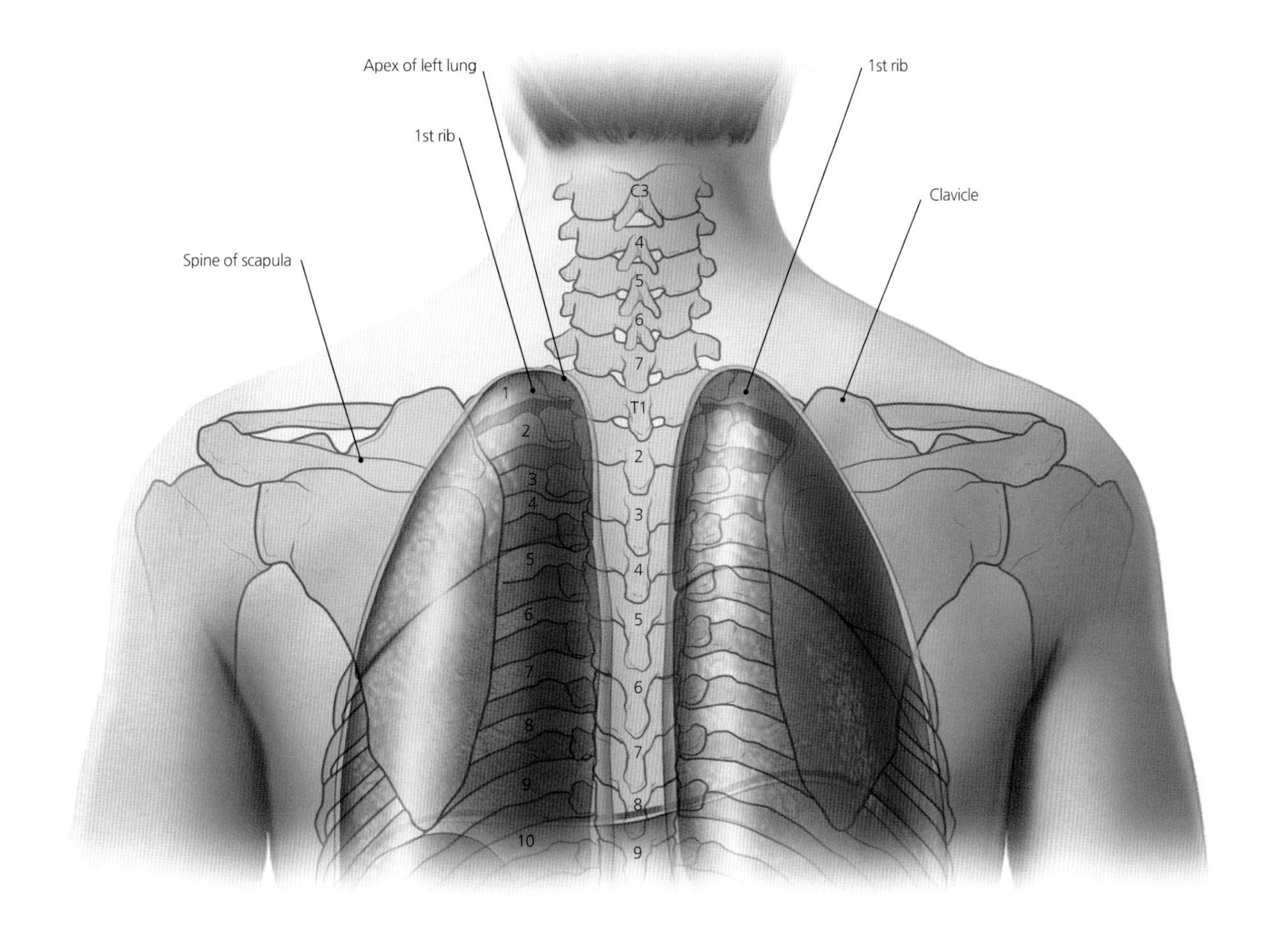

그림 33-6.
Lung의 apex는 첫 번째 rib보다 3~4 cm 위까지 올라오며, clavicle의 medial 1/3 지점에서는 clavicle보다 2.5 cm 높게 위치한다.

4)부작용

주사부위의 근육통, 멍, 압통이 일시적으로 있을 수 있으나 대부분 보존적인 치료로 해결된다. 근육의 약화로 인해 어깨를 드는 힘이 약해질 수 있으나 환자가 느끼는 정도는 조기에 피로감이 생기는 정도가 대부분이다.

참고문헌

1. 대한미용성형외과학회. 미용성형외과학. 제1판. 서울: 군자출판사, 2014; 399-403.
2. Ahn BK, Kim YS, Kim HJ, Rho NK, Kim HS. Consensus recommendations on the aesthetic usage of botulinum toxin type A in Asians. Dermatol Surg. 2013;39(12):1843-60.
3. Han KH, Joo YH, Moon SE, Kim KH. Botulinum toxin A treatment for contouring of the lower leg. J Dermatolog Treat. 2006;17(4):250-4.
4. Lee H-J, Lee D-W, Park Y-H, Cha M-K, Kim H-S,

Ha S-J. Botulinum toxin a for aesthetic contouring of enlarged medial gastrocnemius muscle. Dermatologic Surgery. 2004;30(6):867-71; discussion 71.

5. Picelli A, Bonetti P, Fontana C, Barausse M, Dambruoso F, Gajofatto F, et al. Accuracy of botulinum toxin type A injection into the gastrocnemius muscle of adults with spastic equinus: manual needle placement and electrical stimulation guidance compared using ultrasonography. J Rehabil Med. 2012;44(5):450-2.
6. Susan S. Gray's anatomy : the anatomical basis of clinical practice 41st ed : Elsevier, 2016; 1400-17
7. Cescon C, Rebecchi P, Merletti R. Effect of electrode array position and subcutaneous tissue thickness on conduction velocity estimation in upper trapezius muscle. J Electromyogr Kinesiol. 2008;18(4):628-36.
8. O'Sullivan C, McCarthy Persson U, Blake C, Stokes M. Rehabilitative ultrasound measurement of trapezius muscle contractile states in people with mild shoulder pain. Man Ther. 2012;17(2):139-44.
9. O'Sullivan C, Meaney J, Boyle G, Gormley J, Stokes M. The validity of Rehabilitative Ultrasound Imaging for measurement of trapezius muscle thickness. Man Ther. 2009;14(5):572-8.
10. Susan S. Gray's anatomy : the anatomical basis of clinical practice 41st ed : Elsevier, 2016; 1400-17

CHAPTER 34

합병증 | Complications

Chapter Author | 이종훈

1. 주의 및 금기

보툴리눔 독소 치료법의 주의를 요하거나 금기해야 되는 경우는 다음과 같다.

보툴리눔 독소를 함유한 제품의 사용에 있어 사용방법으로 제시된 주사 부위에 감염이 있거나 보툴리눔 독소 제제 또는 제제 중의 임의 성분에 대한 과민반응이 있는 경우는 금기 사항이다. 아직 보고된 예는 없지만 이론적으로라도 병에 들어있는 보툴리눔 독소, 인간알부민(human albumin)에 과민한 환자는 보툴리눔 독소를 사용하기를 피해야 한다. Dysport는 소량의 락토스를 함유하고 있으며 소량의 젖소 단백질을 포함하므로 젖소 단백질에 대한 알레르기가 있는 환자에게는 사용해서는 안된다.

보툴리눔 독소는 태아에게 해를 끼치는지에 대해서 확실하게 입증이 되지 않았기 때문에 임신에 대한 약물분류 C group drug에 속한다. 임산부에게 보툴리눔 독소 투여에 대해 1996년 Robin 등이 임신한 여성에 대한 보툴리눔 독소 치료 후 정상적인 유아를 분만하였다는 보고도 있으며, 기형 발생에 대하여는 아직 보고된 바가 없으나, 모르는 상태에서 보툴리눔 독소가 임신한 여성에게 투여된 경우 특별한 문제없이 출산을 하였다고는 하나 보툴리눔 독소가 기형발생이 없다고 결론이 난 상태는 아닌 것으로 안전성이 확실하게 입증되지 않았으므로 보툴리눔 독소를 사용하는 것은 피해야 한다. 보툴리눔 독소가 모유를 통해서 배설되는지 안 되는지 알려져 있지 않으므로 출산하고 수유를 완전히 마칠 때까지는 보툴리눔 독소를 주사하지 않는 것이 좋다. 안전에 대한 더 많은 정보가 확립될 때까지는 임신한 여성 혹은 수유하는 여성에 대해 보툴리눔 독소를 이용하여 치료하는 것은 부적절하므로 임신과 수유가 끝날 때까지 보툴리눔 독소 치료를 받는 것을 연기할 것을 권유하는 것이 바람직하다.

유, 소아에 대한 사용에 대한 안전성도 확립되지 않았으므로 좀 더 많은 연구가 필요한 상태이다. 현재 시판되어 임상적으로 사용되고 있는 보툴리눔 독소 제조사에서도 대부분 12세 이하의 소아에 대한 안전성과 유효성에 대해 확립되지 않았음을 설명하고 있으며, 12살 이하 소아에게는 어떤 경우에도 사용되지 말아야 한다는 보고도 있다. 그러나 2002년 Metaxiotis 등은 뇌성마비 소아들의 첨족(Equinus foot)이나 내반족(club foot) 변형을 보툴리눔 독소 치료로 교정을 하여 소아정형외과적 수술을 대체할 수 있다는 보고를 하였고, 2000년 Mahant 등의 어린이와 신경-근질환을 가진 환자들에게도 조심하여 사용할 수 있다는 보고도 있으나 보툴리눔 독소 사용에 있어 치료의 적응증에 대한 적절성에 따라 소아에 대한 적용에 대해서는 좀 더 많은 연구가 필요하므로 매우 주의를 해야 한다.

신경-근육계통에 이상이 있는 중증근무력증(myasthenia gravis) 또는 램버트-이튼 근무력증 증후군(Eaton-Lambert syndrome), 운동신경세포 질환(motor neuron disease, ALS)과 같은 신경근 전달 장애가 있는 근골격계 이상 질환 환자에게는 금기이다. 또한 벨 마비(Bell's palsy) 및 안면신경의 손상 또는 마비로 인한 안면 마비 환자에게도 적용하는 것은 주의해야 한다.

신경-근육 차단제, lincosamides, aminoglycosides, polymyxins, quinidine, magnesium sulfate, anticholinesterases 또는 succinylcholine chloride와 같은 신경근 전달에 영향을 미치는 것으로 알려진 약을 복용 중인 환자에게는 보툴리눔 독소 효과가 증대될 수 있으므로 주의를 기울여 사용해야 한다.

주사 공포증 환자와 보툴리눔 독소 치료 효과에 대한 과도한 기대를 하는 정신적으로 보툴리눔 독소 적용에 부적합한 경우도 금기 사항이다.

2. 부작용

부작용은 모든 치료 행위에서 발생할 수 있으며 보툴리눔 독소 주사도 예외는 아니다. 그러나 합병증은 가벼우며, 드물고 일시적인 경향이 있다.

합병증은 비교적 적게 생기는 편이며 사람에 따라 다양하게 달리 나타나는데 치료와 관련된 대부분의 이상 반응은 독소가 인접한 근육 조직으로 확산되는 것과 관련이 있다. 또한 주입 전에 근육량을 측정할 수 있는 확실한 방법이 없으므로 근육량에 따른 적합한 정량을 주사하기가 어렵다는 점이 일부 작용할 수 있다. 다행스럽게도 대부분의 합병증은 미용적인 면에서 좋지 못한 합병증이 발생했다 하더라도 시일이 경과함에 따라 차츰 개선되어 괜찮아지게 된다.

합병증은 국소적, 전신적으로 나눌 수 있다.

국소적 합병증은 동통, 부종, 홍반, 반상출혈(ecchymosis), 두통, 짧은 기간의 감각 과민, 감각 이상 등이 주사 부위와 그 주위에 나타날 수 있다. 보툴리눔 독소 제품의 제조업체에서 보고한 이상 반응에는 비인두염, 두통, 주사 부위 통증, 출혈, 멍, 부종, 홍반, 감염, 염증, 부비동염, 반상 출혈 및 메스꺼움이 포함된다. 반상 출혈과 압통은 경피적 처치 과정에서 발생할 수 있는 흔한 이상 반응이다. 일반적으로 안면에 미용적으로 투여할 경우의 주된 합병증은 가장 많은 것이 멍 또는 반상출혈이다. 이러한 부작용들은 적절한 주사 시 주의를 하면 줄일 수 있다. 예를 들면 정확한 주사 부위에 천천히 주사하고, 주사 후 냉찜질 및 주사 부위를 문지르지 말고 부드럽게 마사지를 하는 것이 도움이 된다. 멍은 아스피린과 비스테로이드성 소염제, 와파린(warfarin), 비타민 E, 고혈압 치료제인 β-blocker 사용자와 흡연자에서도 잘 생긴다. 멍이 들지 않도록 환자는 가능하면 치료 1-2주 전에 이런 복용 약물과 흡연은 피해야 한다. 간혹 두통을 야기할 수 있으나 편두통(migraine)이나 긴장성 두통과 같은 두통 치료에 보툴리눔 독소를 사용할 수 있다. 인접 근육으로의 독소의 확산에 의해 다양한 합병증이 발생하는데 상안면부의 독소로 인한 가장 빈번한 부작용은 눈썹과 안검의 하수이다. 이러한 증상들이 발생하면 추가적으로 전두근과 같은 올림근의 작용은 유지시키면서 내림근을 약화시키면 개선될 수 있다. 또한 알파 작용제를 점안하여 뮐러근의 자극하면 안검 하수를 개선하는 데 도움이 될 수 있다. 하안면부의 합병증에는 비대칭, 연하 장애 및 입술 오므림의 어려움 등이 있다.

보툴리눔 독소 주사는 전신적인 독작용을 일으키지 않을 만큼 안전성이 높고, 미용 목적의 사용량은 저용량으로 사용하는 경우가 대부분이지만 Aminoglycosides 계통의 약이나 그 외 penicillamine, quinine, calcium channel blockers 등 신경근 전달에 영향을 미치는 약물은 보툴리눔 독소의 작용을 증강시킬 수 있으므로 가능한 함께 사용하지 않아야 하는 약물을 인식하고 보툴리눔 독소와 함께 사용하지 말아야 한다. 그러나 혹시 모르고 사용하였을 경우에도 미용 목적의 저용량으로 사용한 경우에는 위험한 경우에 도달하는 경우는 드물다.

보툴리눔 독소 주사 후에 효과가 나타나지 않을 경우 독소의 주사를 적절한 부위의 근육에 주사했는지, 적절한 독소의 양을 주사했는지, 독소의 보관 상태 및 희석이 적절했는지, 면역학적 항체 유무 등을 고려해 보아야 한다. 보툴리눔 독소의 항체 형성이 원인일 때는 다시 주사해도 효과가 없지만 그 외의 원인에 의한 문제는 일정한 시간이 지난 후에 다시 적절하게 주사하면 해결된다.

적절한 용량을 정확한 부위에 주사했음에도 불구하고 보툴리눔 독소 치료에 반응이 없는 경우가 있는데 이런 환자의 대부분은 이 독소에 대한 항체를 갖고 있기 때문이다. 또한 보툴리눔 독소를 주사한 후 효과가 없어 다시 주사 후에도 보툴리눔 독소 효과가 나타나지 않아 치료에 실패하는 경우에 보툴리눔 독소 A형에 대한 중화 항체의 형성이 원인으로 보고 되었지만, 미용적 목적으로 저용량으로 사용한 경우에 보툴리눔 독소 A형에 대한 중화 항체가 형성된 경우는 흔한 것은 아니며 대부분 신경학적 목적을 위한 고용량의 사용과 더 밀접하게 관련되어 있다. 최근까지 보고 된 바에 의하면 약 3-7%의 환자에서 항체가 형성된다고 한다.

항체 형성이 되는 환자에서는 면역학적 단백질인 보툴리눔 독소가 순환하면서 중화 역할을 하는 면역글로불린-G를 생성할 수 있어 치료가 실패하게 된다. 보툴리눔 독소의 항체 형성에 대한 선행요인에 대해서는 명확하게 밝혀지지는 않았으나 일반적으로 300 BU 이상의 고용량이 사용된 경우에 위험율이 높아지는 것으로 보고되고 있다. 그러나 이러한 항체 형성을 줄이기 위해서는 최소량의 독소를 적절한 부위에 주사하고, 다시 주사할 때는 최소 3개월 이상의 충분한 기간을 두어야 하며, 큰 근육 또는 여러 지점에 주사할 때는 최소 1개월 이상의 기간을 두어야 한다. 또한 추가주사(booster injection)를 가급적 피해야 하며, 3개월 이내에는 최고 300 BU 이상을 사용하지 말고, 적은 용량으로 여러 군데 나누어 주사하고, 한 부위에 50 BU 이하로 주사하는 것이 좋다. 정맥 내로 주사하지 않도록 주의하고 여러 번 주사할수록 항체가 생기기 쉽다는 것을 인식하고 있어야 한다.

전신적 합병증은 매우 드물지만 간혹 승인된 용도와 승인되지 않은 용도 모두에서 보툴리눔 독소를 사용한 후에 호흡기 손상 및 사망 등 심각한 전신 부작용 등의 발생에 대한 FDA의 보고도 있으며 미국에서는 이를 바탕으로 모든 보툴리눔 독소를 함유한 제품에는 다음과 같은 경고가 포함된 라벨링이 있어야 한다.

시판 후 보고서에 따르면 모든 보툴리눔 독소 제품의 효과는 보툴리눔 독소 효과와 일치하는 증상을 유발하는 주사 부위부터 퍼질 수 있습니다. 이 증상들은 무력증, 전신근무력증, 복시, 시력 저하, 안검하수, 연하곤란, 발성 장애, 구음 장애, 요실금, 호흡 곤란 등을 포함할 수 있습니다. 이러한 증상들은 주사 후 몇 시간에서 몇 주 후에도 발생한 것으로 보고되었습니다. 삼키는 것과 호흡 곤란은 생명을 위협할 수 있으며 사망에 대한 보고도 있습니다. 증상의 위험은 경련 치료를 받는 어린이에서 가장 높지만 증상은 경련 및 기타 증상을 호소하는 성인, 특히 이러한 증상에 걸리기 쉬운 기저 질환을 앓고 있는 환자에서 발생할 수 있습니다. 어린이 및 성인의 경련을 포함한 비승인된 용도 및 승인된 용도에서도 경부근긴장이상증 장애를 치료하는 데 사용되는 용량에 비해 더 낮은 용량으로도 효과의 확산 사례가 발생합니다.

전신적 합병증으로는 오심(nausea), 피곤, 졸음, 권태감(malaise), 두통, 근육통, 그 외 감기 유사한 증상들과 주사 부위 이외에서 나타나는 피부 발적들이 있으며, 주사 부위에서 독소가 순환혈액으로 약간 확산되어 발생하였을 것이라고 추정되는 원인에 의해 주사 부위와 인접하지 않은 원거리의 근육에 증상없이 근전도검사 상의 단일 근섬유쇠약(single fiber electromyographic weakness)과 신경-근육 전달 변화를 유발한 보고가 있으나, 지속기간이나 임상적 의의에 대해서는 밝혀지지 않았다. 지금까지 보툴리눔 독소로 인한 알레르기 반응이나 두드러기 반응이 나타났다는 보고는 없다.

최근에 보툴리눔 독소를 이용한 치료의 비중이 높아지고 있으므로 그에 따라 부작용이 나타날 빈도가 높아지는 경향이 있다. 그러므로 향후 부작용을 줄이고 보다 좋은 효과를 얻기 위해서는 항상 연구하는 자세를 유지하는 것이 중요할 것이다.

3. 부위별 합병증

보툴리눔 독소를 적용하였을 때 나타나는 부작용은 다양한 형태로 표현된다. 보툴리눔 독소를 위얼굴 주름에 모두 적용했을 경우 주름 교정을 위해 내원했던 환자들이지만 안면 표정이 소실되어 마스크같은 얼굴(loss of facial expression)이 되었다고 불만을 나타내는 경우도 있으며, 자연스럽게 주름이 감소되기를 원했던 환자들이 불완전한 근육 마비로 인한 주름의 잔존에 대해 불만을 표현하기도 한다. 예를 들어 안면의 표정을 지어야 하는 직업군의 경우 표정근의 마비로 안면부의 표현이 어려우면 부작용으로 인식하므로 보툴리눔 독소의 과도한 주사나 주름시술에 주의하여야 할 것이다. 그러나 대부분은 주변 근육으로의 확산에 의해 원하지 않는 근육의 마비로 인한 미용적, 기능적 불편이 부작용에 해당된다고 할 수 있다. 미용 목적으로 적용하였을 때 원하지 않는 부위에 보툴리눔 독소가 확산되어 생길 수 있는 부작용으로는 한시적인 안검하수(eyelid ptosis), 사시(strabismus), 입 변형(lip drooping) 등이 있으며 그 외에도 두통, 멍, 가려움, 구역, 압박감, 오한과 근육통 같은 감기 유사 증상, 이마의 동통 및 무거운 느낌, 눈꺼풀 부종 등이 있다.

사용하는 각 부위별로 발생할 수 있는 합병증은 다음과 같다.

1) 상안면부(Upper face)

(1) 이마주름

이마의 주름에 적용한 후에 나타날 수 있는 부작용으로는 눈썹처짐, 눈썹의 비대칭, 치켜올라간 눈썹, 눈꺼풀 처짐 등이 있을 수 있다. 이러한 부작용이 나타난 환자들은 이마가 무겁다, 눈썹이 무겁다, 약간 얼굴이 붓는 것 같다는 표현을 하는 경우가 많다.

① 눈썹처짐

이마의 주름을 형성할 때 전두근을 수축시켜 눈썹을 올려 주름을 만들게 된다. 전두근이 수축하여 눈썹이 올라가면 표정이 밝아지긴 하는데 이마에 많은 깊은 주름과 잔주름이 생기게 되므로 보툴리눔 독소로 전두근을 마비시켜서 젊게 보이도록 해달라는 하는 환자들에게 보툴리눔 독소를 적용하여 전두근을 마비시키면 이마를 떨어뜨리고 눈썹을 낮추게 된다. 그러나 부작용으로 눈썹처짐으로 인해 눈썹 어느 한 부분도 올라가지 않아 표정을 전혀 지을 수 없게 돼버리는 경우도 발생한다. 1-5%의 환자가 상안검과 눈썹의 처짐이 생길 수 있다고 한다. 이 부작용을 피하기 위해서는 눈썹을 올리는 근육을 이완시킴으로써 눈썹 모양이 변할 수 있다는 생각을 가지는 것이 중요하다. 독소의 적용 전 전두근 사용 정도 및 이마주름이 형성된 원인 등을 고려하여 환자의 선택을 신중하게 해야 하며 필요하다면 눈썹을 아래로 내리는 근육의 치료와 동시에 시행하는 것도 고려해야 한다. 이마가 아래위로 좁거나 좌우로 넓은 환자는 독소를 적용할 때는 적절한 적용 방법을 고려하여 시행해야 한다. 나이든 사람들은 이 부위의 근육으로 시야를 좋게 하기 위해서 눈썹을 올리는 데 사용하고 있으며 또한 눈썹 밑에 여유분의 피부로 인해 가성 눈썹 처짐을 보일 수 있으므로 나이든 환자들의 경우 조심해서 접근해야 한다.

부작용은 대부분 테크닉적인 문제에 의해 발생한다. 최소한 눈썹 상방 2 cm 이상에 보툴리눔 독소를 주사하며 적어도 눈썹 또는 orbital rim의 2.5-4 cm 위쪽으로 주사되어야만 한다는 보고도 있다.

보툴리눔 독소를 이마와 양미간의 눈썹을 내리는 근육들을 동시에 치료하는 것은 눈썹처짐을 방지할 수 있다. 또한 눈썹처짐의 위험성을 줄이기 위해 이마 중심부와 미간은 마비시키지 않고 움직일 수 있도록 유지하거나, 전두근을 완전히 마비시키지 않고 약화시켜서 어느 정도의 이마의 움직임이 유지되도록 근육 내에 주사하지 않고 피부밑층에 주사하거나 소량씩 1~2.0 cm 간격으로 이마 여러 군데에 주사하여 전두근을 마비시키지 않고 약화시키는 방법에 대한 보고도 있다.

눈썹처짐으로 인해 눈썹의 어느 부분도 올릴 수 없는 상태가 되면 환자는 마스크(mask face)같이 보이게 되며 환자는 눈썹이 무겁다는 표현도 한다. 또한 눈썹이 처져 상안검 처짐을 유발하면 시야를 막게 된다. 약 2주 정도의 일시적이고 가역적인 눈썹처짐도 보고되었지만, 일반적으로 부작용이 발생하면 3~4개월의 시간이 지나야 증상이 완화되어 부작용을 해결할 수 있게 되듯이 이러한 합병증이 일단 발생하면 치료할 방법이 없으므로 보툴리눔 독소를 주사하기 전에 환자에게 이러한 합병증이 발생할 가능성이 있다는 사실을 미리 일러두는 것이 중요하다. 그리고 이러한 합병증이 발생하면 3~4개월 이상 걸려서 근육이 힘을 서서히 회복하면 원래의 모습대로 되돌아온다고 안심시켜 두는 것도 중요하다. 대부분의 눈썹처짐은 몇 주만에 저절로 회복되는 경우가 많다. 그러나 만약 환자가 원하면 아이오피딘 점안액(Iopidine eye drop) 0.5% 제제나 Neosynephirine 10% 안약을 주는 것이 도움이 될 수 있으며, 눈썹을 내리는 근육에 대한 치료를 고려할 수 있다.

② 눈썹 비대칭

부작용으로 양쪽 눈썹이 비대칭이 될 수 있다.

경미한 눈썹의 비대칭은 별로 심각하지 않게 받아들여질 수 있으나 흔하게 발생할 수 있는 부작용이다. 이마에 주사할 때 최소 눈썹 상방 2 cm 이상에 주사하는 것이 이러한 부작용을 피할 수 있다. 보툴리눔 독소를 주사할 때 세심하게 주의를 기울이는 것이 중요하며, 주사할 전두근의 전체 운동범위를 점검하여 주사할 부위를 표시한 후 시행하는 것이 좋다.

시술 전 눈썹의 비대칭이 존재하는 환자에게는 눈썹 비대칭의 존재 유무를 주지시킬 필요가 있으며 대부분의 사람들은 약간의 눈썹 비대칭을 가지고 있다 라는 것을 설명하는 것이 좋다. 주사로 인한 비대칭은 다시 회복될 수 있다 라고 안심을 시켜주는 것이 필요하며 심한 비대칭의 경우 교정이 필요할 수도 있다는 것을 설명하고 시술하는 것이 좋다.

③ 치켜올라간 눈썹 (samurai brow, Mr. Spock 형태)

이마주름을 보툴리눔 독소 주사로 교정하다보면 눈썹 중심부분은 처지고 눈썹 가장자리 쪽은 기능이 유지되어 전두근의 수축으로 인하여 치켜 올라가 소위 '사무라이' 눈썹이 되는 경우가 있다. 한쪽 눈썹만 그렇게 될 수도 있고 양쪽이 다 그렇게 돼서 대칭적일 수도 있다. 이것은 전두근 외측부에 독소를 주사하지 않았을 때 생기는 것으로써 전두근 외측부가 적절한 마비가 일어나지 않아 눈썹을 위쪽으로 올리는 기능이 살아있고, 내측부위와 중앙부위의 눈썹이 약간 내려간 모습을 보이게 된다. 이마주름이 생기게 하는 전두근의 가장자리 쪽이 발달돼 있는 환자들의 경우에 전두근의 가장자리 쪽의 근육 섬유에 적당하게 주사하지 않았을 때 발생하기 쉬우며, 마비된 부위를 끌어올리기 위해 전두근이 보상적으로 과도하게 수축하고 있기 때문이다.

눈가 주름에 적용하였을 때도 눈썹의 외측 부위가 올라가는 모양을 보일 수 있는데 전두근에 대해 적용하지 않았다면 눈썹이 약간 올라간 모습이 도리어 여성들이 선호하는 모습이 될 수도 있기 때문에 큰 문제가 없다. 그러나 이마주름과 눈가주름에 동시에 적용할 때는 전두근 외측부에 반드시 주사하는 것이 좋다. 적절하게 시행되지 않았을 경우 눈썹을 내리는 근육인 안륜근(orbicularis oculi m.)의 외측부가 마비되어 눈썹을 내리는 힘은 줄고 눈썹의 외측부 위를 올리는 전두근의 힘은 탄력을 받게 되어, 눈썹 외측 ⅓은 많이 올라가고 눈썹 중앙과 내측 부위는 전두근의 마비로 약간 내려간 눈썹 모양으로 변하는 양상을 띠게 된다. 이를 피하기 위하여 이마주름과 눈가주름에 동시에 적용할 때는 전두근 외측 부위에도 반드시 보툴리눔 독소 주사를 주는 것을 고려할 필요가 있다.

설령 사무라이 눈썹이 발생하더라도 쉽게 교정될 수 있다. 즉 시술받고 1-2주 후에 마무리 주사로써 오직 소량의 보툴리눔 독소를 치켜 올라가는 쪽의 눈썹의 외측 ⅓에서 눈썹 위쪽 2.5 cm 높이에 주사하면 개선될 수 있다. 그러나 사무라이 눈썹을 과도하게 교정하면 눈썹 외측이 오히려 더 많이 처져서 눈을 약간 덮게 되는 경우도 있으므로 안전하게 교정하기 위해서는 orbital rim의 위쪽 2.5 cm 되는 지점의 temporal line의 내측에 3 BU를 주사하는 것이 좋다라는 보고도 있다.

④ 눈꺼풀 처짐

이마의 낮은 부위에 보툴리눔 독소 주사를 시행할 경우 확산으로 levator palpabrae superioris 근육에 영향을 미쳐 눈꺼풀 처짐을 유발할 수 있으나 일반적인 시술 방법으로 시행할 경우 이마 주사 때 눈꺼풀 처짐의 발생은 비교적 드물다. 이 부작용은 이마의 아래쪽 낮은 부위에 주사하거나 고용량을 주사하였을 경우에 나타날 수 있으며 오히려 양미간 주사 때 눈꺼풀 처짐이 나타나는 경우가 많다. 50대 이후 환자나 특히 이마가 넓고 주름이 많지 않은 환자는 최대한 이마 위쪽에 시술하고 추가적 교정이 필요할 경우 1-2주 후 중간보다 약간 아래쪽에 추가 주사하는 것도 예방할 수 있는 방법이다. 시술 후 눈 주위를 문지르는 것은 보툴리눔 독소가 눈꺼풀 근육으로 확산되어 안검하수가 생길 가능성이 있으므로 피하고, 시술 후 4시간 정도는 눕지 않도록 하는 것도 안검하수를 예방할 수 있는 방법이다. 또한 손으로도 잘 펴지지 않는 주름에 대해서는 무리하게 보툴리눔 독소 주사만으로 교정하지 말고 필러를 추가적으로 이용하는 것이 효과적이다.

(2) 미간주름(frown lines, glabellar wrinkles)

미간에 보툴리눔 독소를 주사했을 때 나타날 수 있는 합병증은 통증, 두통, 안검하수, 눈썹 내측부의 상승, 눈썹 처짐, supratrochlear vessels and nerve damage, 미미한 효과 등이 있다.

① 통증 또는 두통

일반적인 시술 방법에 따라 주사했는데도 환자가 가끔 멍이 들고 주사 후에 한두 시간 동안 경한 통증이나 두통을 호소하는 경우가 있다. 보툴리눔 독소 주사로 인해 두통이 나면 대부분 일반 진통제로 경감시킬 수 있으며 긴장성 두통의 경우에 보툴리눔 독소를 주사하고 나면 저절로 호전되는 경우가 많다.

② 안검하수

미간에 보툴리눔 독소를 주사함으로써 드물게 발생하는 합병증이지만 발생하면 가장 심각한 합병증에 해당된다. 발생 원인은 보툴리눔 독소가 안와사이 격막(orbital septum)을 통해서 상안검거근(levator palpebrae superioris muscle)으로 확산되어 상안검거근을 마비시켰을 경우에 발생한다. 일반적으로 시술하는 경우에는 안검하수의 발생빈도가 1% 내외이며, 사시(strabismus)와 눈꺼풀연축(blepharospasm)을 치료하기 위해 보툴리눔 독소를 주사 맞은 환자에서 안검하수가 발생하는 경우가 있다.

안검하수의 발생을 줄이기 위해 주의할 점은 다음과 같다. 첫째, 보툴리눔 독소를 정확하게 주사하고, 독소가 원하지 않는 근육까지 확산이 될 가능성을 줄일 수 있도록 주의할 필요가 있다. 확산 방지를 위해 독소를 진하게 희석하여 같은 Unit라도 주사액 부피를 적게 하거나 시술 시 주사기를 잡지 않은 손으로 주사 지점 주변을 압박하는 것이 도움이 될 수 있다. 추미근(corrugator m.) 시술 시 눈썹을 누르면서 시술하면 안와격막을 따라 보툴리눔 독소가 확산되는 것을 막을 수 있으며 비근근(Procerus muscle) 시술 시 코 양쪽을 막아주면 약물이 안와로 확산되는 것을 막을 수 있다. 둘째, 주사 지점을 눈썹 중앙 부위나 그 아래는 주사하지 않도록 피하고, 동공 중심선(midpupillary line)보다 외방에는 하지 않는 곳이 좋으며, 눈썹 상방 1 cm보다 높은 수준으로 시행하는 것이 좋다. 가급적 눈썹 내측 끝 부위에서 1 cm 위의 부위에 정확하게 주사하도록 한다. 안쪽눈구석의 외방이며 눈썹 하방인 곳에는 주사하지 않는 것이 좋다. 셋째, 주사바늘은 안구의 반대 방향으로 향하게 하고 주사 전, 후에 냉찜질이 도움이 될 수 있다. 넷째, 주사한 후에 독소가 퍼지는 것을 방지하기 위하여 주사 후 3~4시간 동안 주사한 부위를 손가락으로 누르거나 압박하지 말고 과도하게 만지작거리지 않는다. 가벼운 세수 정도는 무방하나 눈 주위를 세게 문지르는 것을 피하고 치료한 근육을 활발하게 수축시키지 못하게 한다. 다섯째, 주사한 후 3~4시간 정도는 환자가 눕지 않고 똑바로 서 있거나 앉아 있게 하여 독소가 안와사이 격막(orbital septum)을 통해서 안으로 퍼지는 것을 피하는 것이 좋다. 여섯째, 안와사이 격막에 결손이 있거나 감소되었을지도 모르는 노인 환자를 치료할 때는 보존적으로 치료하도록 신중을 기한다. 일곱째, 최소의 주사양으로, 천천히, 너무 깊지 않게, 정확하게 주사하여 독소 확산을 감소시키는 것이 좋다. 여덟째, EMG에 의존하는 것보다는 정확하게 근육을 보고 느끼고 주사하는 것이 오히려 더 효과적일 수 있다. 아홉째, 추미근 내로 정확히 주사해야 안검하수를 줄일 수 있으므로 환자에게 미간을 찡그린 상태를 유지시켜 근육을 정확히 촉진한 후 근육 내로 바늘이 제대로 들어간 것을 확인한 후 주입한다.

안검하수는 빠른 경우는 주사 후 48시간만에, 늦은 경우는 7~14일 후에도 발생할 수 있으며 미용 효과가 나타나기 시작할 때 나타나서 약 2~6주 동안 지속될 수 있다. 안검하수는 처음에는 상안검의 1~2 mm 정도의 경미한 처짐으로 나타나고 홍채의 윗부분을 덮는 모양으로 나타나며 시일이 경과함에 따라 점점 심해져서 눈꺼풀의 떨어짐이 좀 더 분명하게 되는 양상으로 진행된다.

안검하수는 발생하지 않도록 가장 주의해야 할 합병증이지만 일반적으로 안검하수가 발생하여도 약 1~2 mm 정도이고 2~4주가 지나면 원상회복되므로 너무 두려워하지 않도록 설명해 주는 것이 좋다. 안검하수가 발생했을 때 알파아드레날린성(alpha-2-adrenergic agonist) 점안약인 0.5% apraclonidine (Iopidine®, Alcon Labs, Fort Worth, Dallas, TX, U. S. A.)과 2.5% Neo-synephrine® hydrochloride (mydriatic and vasoconsytrictor phenylephrine, Sanofi, Winthrop Pharmaceuticals, New York, NY, U. S. A.)와 같은 해독제를 사용하여 치료하면 어느 정도 교정되는 것으로 알려져 있으며 synephrine은 사용해서는 안 된다. Iodipine®은 접촉성 알러지의 위험이 있으므로 주의할 필요가 있다. Phenylephrine®은 Iodipine®이 효과없을 때 사용할 수 있다. 그러나 이것은 부작용이 Iodipine®을 사용할 때보다 많은 경향이 있다.

그 외에도 Naphcon-A (pheniramine/Naphazoline), Vasocon-A (Antazoline/Naphazoline), Opcon-A (Pheniramine/Naphazoline) 등을 사용할 수 있다. 이들 점안약은 아드레날린성 근육(adrenergic muscle)인 Muller 근을 수축시켜 상안검 가장자리를 1~2 mm 올라가게 한다. 이 정도로 상안검이 올라가면 심한 안검하수인 경우를 제외하면 대개 양쪽이 대칭을 이루기에 충분하다. 다른 알파아드레날린성 약물을 사용할 때 일어날 수 있는 동공확대(mydriasis)나 급성폐쇄각녹내장(acute closed-angle glaucoma)과 같은 합병증을 일으킬 위험이 없으므로 안검하수가 사라질 때까지만 필요한 만큼 반복 사용할 수 있으나 점안액 1~2 방울은 단지 30분에서 1시간 정도 지속되므로 점안액을 자주 사용하는 것이 좋다. 한 번에 1~2방울씩 1일 3회 넣어주기를 안검하수 증상이 없어질 때까지 계속 한다.

③ 눈썹 내측부의 상승(medial brow elevation)

양미간 주름 치료만을 단독으로 시행할 경우 간혹 눈썹 내측부의 상승이 나타날 수 있는데 눈썹을 아래로 당기는 근육인 추미근(corrugator m.)이 마비되어 전두근의 기능이 강하게 작용하여 나타나는 부작용이다. 보툴리눔 독소 주사만으로 양미간 주름을 치료할 경우 눈썹을 약 1~2 mm 정도 올릴 수 있다는 보고도 있으며, 눈썹 약 2.5 cm 상방의 전두근에 소량(2~3 BU)을 주입하여 교정할 수 있다.

④ 눈썹 처짐(brow ptosis)

추미근(corrugator m.)에 정확하게 주사하지 못하여 전두근의 아랫부분에 독소가 확산된 경우에 발생할 수 있다.

⑤ Supratrochlear vessels and nerve damage

미간주름을 교정할 때는 환자를 찡그린 상태로 유지시키고 수직주름으로부터 2~3 mm 외측으로 추미근(corrugator m.)에 주사를 해야 하며 뼈 가까이 바늘을 찌를 때 바늘이 골막을 뚫지 않도록 주의하는 것이 좋다. 이 부분을 주사할 때 supratrochlear, supraorbital (medial and lateral branches) nerve와 같은 표면 감각신경의 손상을 줄 수 있으므로 세심한 주의를 할 필요가 있다. 또한 supratrochlear artery의 파열과 supratrochlear vein으로의 주사 침투에 의해 CNS로 독소가 침투될 수 있으므로 주의하는 것이 좋다.

⑥ 미미한 효과

미간 주름 교정 때 예상한대로 효과가 나타나지 않는 수가 있으며 특히 남성에서 발생하는 경우가 많다. 피부기름샘이 많은 두꺼운 피부의 환자, 주름진 곳의 진피에 흉터조직이 있는 경우, 매우 깊은 주름은 효과가 적게 나타나는 경우가 많다. 또한 미간에 있는 근육의 해부와 부착 부위의 정확한 파악이 어려워 발생할 수 있다. 추미근은 일반적으로 아치 모양으로 외방으로 뻗어서 눈썹의 내측 ½ 또는 내측 ⅓ 지점 피부의 뒷면에 부착해 있는 경우가 많은데 수축시키더라도 부착해 있는 위치를 알아내기가 어려운 면이 있다.

보툴리눔 독소를 주사한 후 10~14일이나 경과했는데도 효과가 없으면 EMG의 유도를 받아 다시 시도해 볼 수 있는데 주사액의 부피는 줄이고 용량은 증가시켜 보툴리눔 독소의 확산은 줄이고, 미간에 있는 근육의 수축에 관여할 수 있는 눈썹 가장자리 쪽의 근육에 적용될 수 있도록 측방에 주사하는 것이 좋다.

(3) 눈꼬리주름(crow's feet)

하안검과 상부 뺨의 경계를 이루는 안륜근 외측 부위

의 과도한 시술은 "deer-in-the-headlights"에서부터 빰의 하수에 이르기까지 불쾌한 결과를 초래할 수 있다. 합병증으로서는 멍(bruising) 또는 반상출혈(ecchymosis), 복시(diplopia), 안검외반(ectropion), 하안검 외측의 탄력소실로 인한 하안검 외측의 처짐, 각막노출(corneal exposure), 독소가 눈물샘에 확산되면 독소의 항콜린 작용에 의해 안구건조증(dry eye), 유행성 각결막염(superficial punctate keratitis) 등이 있고 또한 안구를 지지하는 근육의 마비가 지속되면 각막궤양(corneal ulceration), 외직근(lateral rectus m.)에 독소가 파급되면 복시(diplopia)도 올 수 있다. 대부분의 성형외과 의사는 상외측 안륜근이 눈썹내림근이라는 사실을 알고 있지만, 하외측 안륜근이 중요한 빰올림근이라는 것을 간과하는 경향이 있다. 만약, 하외측 부분이 과도하게 탈신경되면 미용적으로 불만족스러운 결과를 초래하여 하안검과 빰 사이의 피부가 과도하게 접히는 양상을 보이거나 빰이 평평해져 보일 수 있게 되고, 하안검의 탄력이 부족한 사람은 뚜렷한 안검외반 또는 하안검의 당김이 나타날 수 있다. 또한 안와지방의 돌출 정도가 심하지 않은 사람에게 전격막 안륜근의 약화는 하안검의 지방 주머니의 불룩함 양상을 도드라지게 하고 더 촉진시키게 된다. 안륜근이 펌프 역할을 하므로 심한 탈신경은 림프부종을 초래할 수 있다. 이 외에도 drooping of lip이 있는데 큰광대근(zygomaticus major m.)에 독소가 파급되어 발생하며 웃는 모습이 비대칭으로 보이게 된다. 안검하수는 잘 발생하지 않지만 가능성은 있다. 하지만 제대로 주사할 경우 이런 부작용은 거의 잘 오지 않는다.

이러한 합병증을 피하기 위하여 가쪽안와테(lateral bony orbital rim)보다 적어도 1 cm 외방, lateral canthus에서 적어도 1.5 cm 외측으로 주사하고, 광대뼈(zygoma) 하연(inferior margin) 가까이에는 주사하지 않도록 주의할 필요가 있다.

① 멍 또는 반상출혈

주사 맞을 때 작은 혈관이 터져서 발생할 수 있으며 나이가 많은 환자들의 경우 주의가 필요하다. 특히 아스피린을 복용한 사람에서 잘 생기므로 주사 2주 전에는 복용을 중단하는 것이 좋다. 멍 또는 반상출혈을 줄이기 위해서 주사 직후 주사한 지점을 압박하고, 보툴리눔 독소를 팽진(wheal)을 만들면서 주사하거나 피하에 염주알 모양으로 볼록하게 만들면서 볼록함의 경계에 연이어 연속적으로 주사하여 혈관이 다치지 않도록 조심하는 것이 도움이 된다.

② 부기

보툴리눔 독소를 주사한 후 1주 이내에는 주사 맞은 부위가 붓는 경향이 있는데 표정근육이 마비되면서 림프순환에 일부 장애가 오게 되어 주사한 부위에 국소적인 부기가 생기는 것이 원인이다. 부기가 심하면 당혹스러우나 적당한 부기는 도리어 외견상 피부가 탄력성이 있어 보이게 되어 더 효과적일 수 있다. 일반적으로 눈꺼풀에 부기가 잘 생긴다. 그러나 대부분 2~4주 정도 지나면 회복된다.

③ 치켜올라간 눈썹 (Samurai brow, Mr. Spock 형태)

이마주름에 적용했을 때 발생하는 치켜올라간 눈썹은 현저하게 나타나는 경우가 있지만 눈가주름에 적용했을 때 나타나는 부작용은 눈썹외측이 갈고리 모양으로 상승하는 변형보다는 눈꼬리가 올라가는 정도로 발생하는 경향이 많다. 아마도 우리나라 사람에서 이마주름을 만드는 이마근의 가장자리 쪽이 발달되어 발생되는 것으로 추정된다. 그러나 발생하더라도 대부분 주사 후 1~2주에 눈썹 가장자리 쪽 끝에 주사를 놓아주면 개선된다.

④ 하안검 처짐

안륜근에 주사하면 아래눈꺼풀을 지탱하는 힘이 약해져서 아래눈꺼풀이 처질 수 있다. 심한 상태로 오랫동안 유지되면 노출각막염(exposure keratitis)이 발생할 수 있는데 대부분 보존적 치료를 하며, 불편함을 심하게 호소할 때는 근육이 자연적으로 힘을 되찾게 될 때까지 일시적으로 아래눈꺼풀을 근막끈(fascial strip) 같은 것으로 걸어 올려주는 것을 고려할 수 있다. 이러한 합병증은 보툴리눔 독소를 가장자리 쪽 눈구석으로부터 적어도 1 cm 외방과 광대뼈 상방에 주사하면 발생을 예방할 수 있다.

⑤ 복시

가쪽안와테(lateral bony orbital rim)에서 최소 1 cm 밖으로 주사를 하여야 부작용을 줄일 수 있는데 안쪽으로 주사되어 보툴리눔 독소가 내방으로 퍼져 외직근(lateral rectus m.)에 마비를 일으키면 복시(diplopia)를 초래할 수 있다. 내직근(medial rectus m.)이 마비될 경우에도 복시가 초래될 수 있지만 이 경우는 독소가 안와사이막 뒷편에 들어갈 경우에만 초래되는 경우가 많다. 복시가 발생하였을 경우에는 안대로 눈을 가려주는 것이 도움이 된다.

⑥ 윗입술 마비

눈꼬리주름 중 안구 수준보다 하방에 있는 주름에 독소를 주사할 경우 상구순거근(levator labii superioris m.)으로 주사가 확산되면 윗입술이 처지거나 웃는 모습이 비정상이 되는 경우가 있다. 웃을 때 입꼬리를 올려주는 대관골근(zygomaticus major m.)에 보툴리눔 독소가 영향을 끼치면 부분적으로 상구순하수(lip ptosis)을 초래하여 입술이 비뚤어지게 웃게 되므로 보툴리눔 독소가 파급되지 않도록 가장자리 쪽 눈구석에서 내려 그은 수직선보다 외방의 관골궁 위쪽에 주사하도록 주의할 필요가 있다.

(4) 눈밑 주름

눈밑 주름에 보툴리눔 독소 주사를 적용할 때 부작용을 줄이기 위해서는 과거 보툴리눔 독소 주사 후 공막노출(scleral show)을 심하게 보였거나 눈밑주름 수술을 받은 환자, 눈밑 피부의 여유분이 많은 환자, snap test 상 하안검 이완이 증가되어 있는 환자는 시행하지 않는 것이 좋다.

눈밑주름 치료 후에 발생할 수 있는 부작용으로는 과도한 부종(puffiness), 눈밑 지방의 불거져 나옴, 눈 깜박임의 감소로 인한 각막 궤양, 이물감, 안구건조, 눈의 피로, 충혈, 동통, 안검외반, 모양신경절(cilliary ganglion)의 손상에 의한 동공변화, 공막노출, 일광과민, 안구건조 등이 있다. 눈밑 지방이 불거져 나오는 것은 눈밑 부분의 안륜근(orbicularis oculi m.)의 약해져 눈밑의 지방이 불거져 나와 형성되므로 보툴리눔 독소 주사를 외측부에 시행할 때 3~4 포인트 이하로 주사하고 가급적 눈밑쪽의 주사는 피하는 것이 좋다. 안구건조는 중년 이후 여성들에서 더 악화시킬 수 있으므로 시술 전 안구건조에 대한 검사를 시행할 필요가 있다.

2) 중안면부(Midface)

주사 후 작은 출혈이 생길 경우는 소독솜으로 압박하면 도움이 된다. 코 주위에 주사할 때 콧방울에서 너무 떨어지게 주사하면 상구순비익거근(levator labii superioris alaeque nasi m.)가 마비되어 언어장애와 입닫음장애가 동반된 상구순하수를 유발할 수 있는 위험이 있으므로 주의해야 하며, 안와 주변에 주사할 때 하직근(inferior rectus m.) 또는 내직근(medial rectus m.)로 보툴리눔 독소가 확산되면 사물이 겹쳐 보일 수 있으므로 주의가 필요하다.

3) 하안면부 (Lower face)

(1) 입 주위

상구순거근에 주사하면 웃을 때 상구순부의 중간 부분이 떨어지게 되므로 “canine” 웃음이 “모나리자(Mona

Lisa)" 웃음으로 변하게 되는데 평소 모나리자 미소를 주로 짓는 환자에게 주입하면 매력없는 과장된 모나리자 미소가 나타날 수 있다.

입주위 주름 치료 후에 발생하는 부작용으로는 웃을 때 입 모양의 비대칭, 씹을 때 뺨 안쪽을 깨물 수 있으며, 발음과 양치질(gargling)의 어려움, 입 기능의 불안정으로 인한 침흘림 등이 있다. 상구순이 과도하게 약해지면 먼저 일반적인 말투에서 파열음이 발생하고 마지막으로 입술을 모으는 능력에 문제가 생긴다. 발음 이상이 발생하면 스, 쓰, 프 등 ㅅ, ㅍ 발음의 이상을 일주일 이상 보이거나 휘파람을 불지 못하는 경우도 있으므로 효과가 없다고 과도한 용량을 주사하거나 추가주사는 매우 조심해야 한다. 하구순부에 과도한 주입은 침을 흘리거나 입술을 모으는 능력에 문제를 일으킬 가능성이 더 크다. 심한 주름과 감소된 근육을 가진 노인 환자에서는 조심해야 한다. 입주위 주름치료 때는 입 기능을 유지하는 것이 중요하므로 보툴리눔 독소를 주사할 때는 적은 용량을 천천히 주사하고, 깊게 주사하지 않도록 주의하면서 얕게 주사하도록 매우 조심스럽게 시행해야 한다. 거의 피내주사에 가깝게 하는 것 같은 느낌으로 하는 것이 좋다.

입술 주변부는 합병증이 쉽게 초래될 수 있는데 일반적으로 과 주입으로 인한 것이다. 입둘레근(orbicularis oris m.)이 마비되면 입술선이 편평해지는 경우도 올 수 있으므로 과도하게 보툴리눔 독소 주사만으로 치료하는 것보다는 입술 경계 부위에 보툴리눔 독소 치료를 하면서 필러로 보강하면서 교정하는 것이 좋다.

시술 전 환자에게는 주사한 후 입술 가장자리 쪽에서 침을 흘리게 될 위험이 있다는 것을 미리 설명해 줄 필요가 있다.

(2) 입꼬리 부위

입꼬리 가까이 주사했을 때 부작용으로는 뺨의 처짐, 입술 모으는 힘이 약해짐, 비대칭적인 웃는 모습 등이 발생할 가능성이 있으며 입둘레근(orbicularis oris m.)이 마비되면 음식 섭취의 장애가 나타날 수 있다.

주름선에서 내측 부위로 주사하여 하구순내림근(depressor labii inferioris m.)이 마비되면 말하는 데 장애를 일으킬 수 있으며 하구순부가 편평하게 될 수 있다. 편평한 하구순부에 대해서는 필러로 일시적인 교정이 가능하다.

입꼬리가 내려가 있는 모습을 교정하기 위해 입꼬리내림근(depressor anguli oris (DAO) m.)에 주사할 경우 부작용으로 뺨의 마비 및 입의 불안정으로 침을 흘리게 하며 웃을 때 입이 비대칭이 발생할 수 있으므로 매우 조심할 필요가 있다. 구륜근(orbicularis oris m.)의 마비로 인해 웃을 때 비대칭이 되는 것을 방지하기 위해서는 비구순부 뒤쪽 턱선에 가까운 위치에 주사하여야 한다.

(3) 턱끝(chin)

턱끝근에 주사할 경우 입술의 힘이 약해져 침을 흘리게 되는 부작용이 발생할 수 있다.

(4) 사각턱(prominent mandibular angle)

부작용으로는 일시적으로 씹는 힘이 약해지고 보상성으로 측두근의 보상성 비후로 인한 양측 측두골 부위의 두드러짐이 나타날 수 있으며, 보툴리눔 독소가 주변 근육으로 확산될 경우 표정 변화 등을 유발할 수 있다. 또한 양쪽 깨물근의 비대칭이 발생할 수 있다. 보툴리눔 독소를 깨물근에 주사할 때는 귀구슬(tragus)과 입술아귀(labial commissure)를 연결하는 가상선 아랫부분에만 주사해야 하며 이보다 높은 위치에 주사하면 광대뼈(zygoma)가 튀어나와 광대뼈가 발달해 있는 사람에서는 광대뼈가 상대적으로 더 튀어나와 보이게 한다. 보툴리눔 독소가 큰광대근으로 확산되면 웃을 때 입이 활짝 벌어지지 않을 수 있다. 깨물근의 앞쪽 가장자리에 주사하여 앞쪽으로 확산되면 입 둘레에 있는 근육에 마비를 일으킬 수 있으므로 깨물근의 앞쪽 가장자리에서 최소 1 cm 이상 거리를 두고 주사하는 것이 좋다. 안면신경의 영향을 줄이기 위해 깨물근의 깊은 곳은 피해야 하며 일시적으로 웃을 때 얼굴 표정에 어색함이 발생할 수 있다.

4) 목부위

합병증이 발생하였을 때 치료는 특별한 것이 없고 심리적인 안정을 갖도록 도와주는 것 외에는 다른 방안이 없으므로 적은 용량을 넓은목근(platysma) 내에 정확하게 주사하여 부작용이 발생하지 않도록 주의하는 것이 가장 중요하다.

합병증은 일시적인 부기와 멍, 혈종, 목의 불편함 또는 근육통, 두통 등이 있을 수 있다. 보툴리눔 독소가 흉쇄유돌근(sternocleidomastoid m.)에 확산될 경우 주사 후 1-2주 동안 목에 힘이 없으며 누워 있다가 일어날 때 더 심하게 나타난다. 목이 가는 여성에게 더 흔히 나타나므로 주의해야 한다.

간혹 쉰 목소리를 나타내거나 75-100 BU 정도의 많은 양을 주사할 경우 목의 굴곡근육들이 약화되고 삼킴곤란(dysphagia) 등 심각한 합병증이 일어날 수 있으므로 매우 주의해야 한다. 연축사경(spasmodic torticollis)을 치료하기 위하여 평균 184 BU의 보툴리눔 독소를 주사한 경우에 삼킴곤란이 발생했다는 보고도 있다. 일반적으로 주사한 후 3-4일 후부터 삼키기가 중간 정도로 어렵게 되기 시작하는 것을 알게 되는데 불안해하는 환자들에게 이러한 증상이 전신적인 독성이 아니라는 것을 알려주어 심리적인 안정을 갖도록 해 줄 필요가 있다. 증상이 발현되면 유동식과 연식으로 변경하고, 증상은 일시적인 것이며 결국에는 호전된다는 것을 설명할 필요가 있다.

참고문헌

1. Jankovic J, Brin MF. Therapeutic uses of Botulinum toxin. N Engl J Med 324: 1186-93, 1991.
2. Carruthers A, Carruthers J. Cosmetic uses of botulinum toxin, In: Coleman WP, Hanke CW, Alt TH, et al (eds): Cosmetic Surgery of the Skin: Principles and Techniques. St Lous: Mosby, p231-5, 1997.
3. Carrhuthers A, Carrhuthers J. Cosmetic uses of Botulinum A exotoxin. Adv Dermatol 12: 325-47, 1997.
4. Dysport™ for injection (abobotulinumtoxinA). Prescribing Information. Brisbane, CA: Tercica, Inc., and Scottsdale, AZ: Medicis Aesthetics Inc.; May, 2009.
5. Robin L, Herman D, Redett R. Botulism in a pregnant woman. N Engl J Med 1996 Sep 12;335(11):823-4.
6. Botox. Product Information Sheet. Irvine, CA: Allergan-Herbert Pharmaceuticals, 1996.
7. Borodic GE, Cheney M, McKenna M. Contralateral injections of botulinum A toxin for the treatment of hemifacial spasm to achieve increased facial symmetry. Plast Reconstr Surg 1992 Dec;90(6):972-7.
8. Clark RP, Berris CE. Botulinum toxin: a treatment for facial asymmetry caused by facial nerve paralysis. Plast Reconstr Surg 1989 Aug;84(2):353-5.
9. Metaxiotis D, Siebel A, Doederlein L. Repeated botulinum toxin A injections in the treatment of spastic equinus foot. Clin Orthop Relat Res 2002 Jan;(394):177-85.
10. Mahant N, Clouston PD, Lorentz IT. The current use of botulinum toxin. J Clin Neurosci 2000 Sep;7(5):389-94.
11. Matarasso SL. Complications of botulinum A exotoxin for hyperfunctional lines. Dermatol Surg 1998 Nov;24(11):1249-54.
12. Klein A. Cosmetic therapy with Botulinum toxin. Dermatol Surg 22: 757-59, 1996.
13. Botox® (onabotulinumtoxinA) for injection. Prescribing Information. Irvine, CA: Allergan, Inc.; July, 2009.
14. Botox® Cosmetic (onabotulinumtoxinA) for injection. Prescribing Information. Irvine, CA: Allergan, Inc.; July, 2009.
15. Dysport™ for injection (abobotulinumtoxinA). Prescribing Information. Brisbane, CA: Tercica, Inc., and Scottsdale, AZ: Medicis Aesthetics Inc.; May, 2009.
16. Myobloc® (rimabotulinumtoxinB) injection. Prescribing Information. South San Francisco, CA: Solstice Neurosciences Inc.; July, 2009.
17. Khawaja HA, Hernandez-Perez E. Botox in

dermatology. Int J Dermatol 2001 May;40(5):311-7
18. Borodic G. Botulinum toxin, immunologic considerations with long-term repeated use, with emphasis on cosmetic applications. Facial Plast Surg Clin North Am 2007;15(1):11–16.
19. Borodic G, Johnson E, Goodnough M, et al. Botulinum toxin therapy, immunologic resistance, and problems with available materials. Neurology 1996;46(1):26–29.
20. Dressler D, Adib Saberi F. New formulation of Botox: complete antibody-induced treatment failure in cervical dystonia. J Neurol Neurosurg Psychiatry 2007;78(1):108–109.
21. Greene P, Fahn S, Diamond FS. Development of resistance to botulinum toxin type A in patients with torticollis. Mov Disord 9: 213, 1994.
22. Zuber M, Sebald M, Bathien N, et al. Botulinum antibodies in dystonic patients treated with type A botulinum toxin: frequency and significance. Neurology 43: 1715-8, 1993.
23. National institutes of Health Consensus Development Conferences. Clinical Use of Botulinum Toxin. Bethesda, Md: National Institutes of Health; 8: 1-20, 1990.
24. Blitzer A, Brin MF, Keen MS, et al. Botulinum toxin for the treatment of hyperfunctional lines of the face. Arch Otolaryngol Head Neck Surg 119: 1018-22, 1993.
25. Ahn KY, Park MY, Park DH, et al. Botulinum toxin A for the treatment of facial hyperkinetic wrinkle lines in Koreans. Plast Reconstr Surg 105: 778, 2000.
26. Food and Drug Administration. Update of Safety Review of OnabotulinumtoxinA (marketed as Botox/ Botox Cosmetic), AbobotulinumtoxinA (marketed as Dysport) and RimabotulinumtoxinB (marketed as Myobloc). Department of Health and Human Services; April, 2009. Online. Available at: http://www.fda.gov/Drugs/DrugSafety/PostmarketDrugSafetyInformationforPatientsandProviders/DrugSafetyInformationforHeathcareProfessionals/ucm174959.htm.
27. Alam M, Arndt KA, Dover JS. Severe, intractable headache after injection with botulinum a exotoxin: report of 5 cases. J Am Acad Dermatol 2002 Jan;46(1):62-5.
28. Olney RK, Aminoff MJ, Gelb DJ, Lowenstein DH. Neuromuscular effects distant from the site of botulinum neurotoxin injection. Neurology 1988 Nov;38(11):1780-3.
29. Assessment: the clinical usefulness of botulinum toxin-A in treating neurologic disorders. Report of the Therapeutics and Technology Assessment Subcommittee of the American Academy of Neurology. Neurology 1990 Sep;40(9):1332-6.
30. Carruthers A, Kein K, Carruthers J. Botulinum A exotoxin use in clinical dermatology. J Am Acad Dermatol 34: 788-97, 1996.
31. Carruthers JD, Carruthers A. Botulinum A exotoxin in clinical ophthalmology. Can J Ophthalmol 1996 Dec;31(7):389-400.
32. Klein AW. Complications, adverse reactions, and insights with the use of botulinum toxin. Dermatol Surg 2003 May;29(5):549-56.
33. Teimourian B. Blindness following fat injections. Plast Reconstr Surg 1988 Aug;82(2):361.
34. Matarasso SL. Complications of botulinum A exotoxin for hyperfunctional lines. Dermatol Surg 1998 Nov;24(11):1249-54.
35. Matsudo PK. Botulinum toxin for correction of fronto-glabella wrinkles: preliminary evaluation. Aesthetic Plast Surg 1996 Sep-Oct;20(5):439-41.
36. Burns RL. Complications of Botulinum exotoxin. Twenty-fifth Annual Clinical and Scientific Meeting of the ASDS, Portland, Oregon, May 1998.
37. Hoefflin SM. Anatomy of the platysma and lip depressor muscles. A simplified mnemonic approach. Dermatol Surg 1998 Nov;24(11):1225-31.
38. Gartlan MG, Hoffman HT. Crystalline preparation of botulinum toxin type A (Botox): degradation in potency with storage. Otolaryngol Head Neck Surg 1993 Feb;108(2):135-40.
39. Britt MT, Burnstine MA. Iopidine allergy causing lower eyelid ectropion progressing to cicatricial entropion. Br J Ophthalmol 1999 Aug;83(8):992-3.
40. Frankel AS, Kamer FM. Chemical browlift. Arch Otolaryngol Head Neck Surg 1998 Mar;124(3):321-3.
41. Piérard GE, Lapière CM. The microanatomical basis of facial frown lines. Arch Dermatol 1989 Aug;125(8):1090-2.
42. Salasche SJ, Bernstein G. Surgical Anatomy of the Skin, 1st edn. Connecticut: Appleton and Lange, 1988: 99-139.
43. Keen M, Kopelman JE, Aviv JE, Binder W, Brin M, Blitzer A. Botulinum toxin A: a novel method to remove periorbital wrinkles. Facial Plast Surg 1994

Apr;10(2):141-6.

44. Pribitkin DA, Greco TM, Goode RL, et al. Patient selection in the treatment of glabellar wrinkles with Botulinum toxin type A injection. Arch Otolaryngol Head Neck Surg 123: 321-6, 1997.

45. Le Louarn C. Botulinum toxin A and facial lines: the variable concentration. Aesthetic Plast Surg 2001 Mar-Apr;25(2):73-84.

46. Paloma V, Samper A. A complication with the aesthetic use of Botox: herniation of the orbital fat. Plast Reconstr Surg 2001 Apr 15;107(5):1315.

47. Carruthers A, Carruthers J. Clinical indications and injection technique for the cosmetic use of botulinum A exotoxin. Dermatol Surg 24:1189-94, 1998.

48. Blackie JD, Lees AJ. Botulinum toxin treatment in spasmodic torticollis. J Neurol Neurosurg Psychiatry 53(8): 640-3, 1990.

PART 4

필러
Filler

Part Editor 박은수

기초원리(정의, 분류, 적응증) | Basic Principles

Chapter Author | 조수영

1. 필러의 정의

필러(filler)란 '채워주는 물질'이라는 의미다. 즉, 필러요법이란 움푹 패이거나 함몰된 부위 또는 주름이 깊은 부위에 인체의 피부 조직성분과 비슷한 필러를 주입하여 꺼진 부위를 보완하고 개선하는 시술이다. 성형용 필러란 얼굴(안면부) 주름 부위의 시각적인 개선을 위해 피하에 주입하여 채우는 것을 목적으로, 약리적 작용없이 스스로 부피를 유지하는 제품을 말한다. 이러한 제품은 주입형 안면 임플란트, 피부 필러, 주름개선 필러, 안면부 연조직 필러 또는 이외의 다양한 명칭으로 불리고 있다. 지금까지는 안면부의 주름 개선을 주목적으로 사용되었던 필러가 현재는 안면 부위의 볼륨증대를 위해서 많이 사용되고 있으며 안정성을 확보하고 충분한 임상시험 단계를 거치게 되면 점차적으로 그 범위를 확대 할 것으로 생각되며, 미래에는 피부 개선 등과 같은 회춘 영역으로도 사용 범위가 넓어질 것으로 추측된다.

2. 필러의 종류

필러는 크게 흡수성 필러와 비흡수성 필러로 분류된다.

흡수성 필러로는 다음과 같은 종류가 있다.

1) 히알루론산(Hyaluronic acid)

인체조직 내 세포외기질(extracellular matrix, ECM)을 구성하는 다당류(polysaccharide)의 일종이며 수분의 저장기능에 주요 역할을 한다. 나트륨염 형태로 물에 녹으며, 초기에는 수탉의 닭벼슬에서 추출하였으나 최근에는 연쇄상구균인 란스필드 그룹 A(또는 C)를 이용하여 발효시킨 미생물 유래 히알루론산을 사용한다.

대부분 체내유지기간을 일정기간 연장하기 위한 목적으로, 가교제를 이용하여 히알루론산을 가교하는 공정을 거친다.

인체를 구성하는 물질인 히알루론산은 우리 몸에서도 합성되는 탄수화물의 일종으로 체내에서 수분과 결합하여 관절, 피부 등의 움직임을 부드럽게 만들어 주는 윤활유와 같은 역할을 한다.

장점으로는 관절, 두피, 안구, 입술, 피부의 수분을 유지시키며, 피부 탄력을 결정짓는 콜라겐에 영양을 공급한다. 동물성 단백질에서 추출한 콜라겐 필러는 알레르기를 일으킬 수 있어 주입 전 반응검사를 실시해야 하나, 탄수화물의 일종인 히알루론산은 피부반응 검사가 필요 없다.

히알루론산 기반 제품의 유지기간은 대략 3~12개월 정도로 알려져 있다.

2) 콜라겐(Collagen)

인체조직 내 세포외기질 중 조직의 구조를 유지하기 위한 단백질의 일종이며, 성형용 필러로 사용하기 위해 소, 돼지, 말 등 동물에서 추출되어 정제 및 가공된다. 콜라겐 기반제품의 유지기간은 대략 3~6개월 정도로 알려져 있다.

3) 칼슘 하이드록시아파타이트 (Calcium hydroxyapatite)

체내 치아와 뼈에서 발견되는 성분이다. 일반적으로 주름개선을 위해 입자 형태로 구성되어 점성을 가진 용액에 현탁되어 있다. 하이드록시아파타이트 기반 제품의 유지기간은 대략 18개월 정도로 알려져 있다.

4) 폴리락틱산(Poly (L-Lacticle)), 폴리카프로락톤 (Poly (e-Caprolactone))

폴리락틱산 및 폴리카프로락톤은 에스터결합(Ester bond)의 가수분해과정을 통해 젖산 또는 그 외의 형태로 분해 및 흡수되는 합성고분자로써, 일반적으로 미세한 입자 형태로 가공하여 점성을 가진 용액(하이드로겔 등)에 현탁 또는 분산된 형태로 제공된다.

골절합용 나사 등으로도 이용되는 폴리락틱산 기반 제품의 유지기간은 분자량 및 가공공정에 따라 다양하나 대략 24개월 이내에 모두 분해되는 것으로 알려져 있으며, 폴리카프로락톤의 경우 폴리락틱산에 비해 분해속도가 느리고 체내 유지기간이 긴 것으로 알려져 있다.

비흡수성 필러의 종류는 다음과 같다.

(1) 폴리메틸메타크릴레이트 (Poly (methylmethacrylate), PMMA)

PMMA는 골시멘트 또는 하드콘택트렌즈 등에 쓰이는 원재료로써, 비분해성의 합성고분자이다. 일반적으로 미세한 입자 형태로 가공하여 점성을 가진 용액(하이드로겔 등)에 현탁 또는 분산된 형태로 제공된다.

(2) 가교 폴리아미드 유도체 (Crosslinked polyamide derivatives)

가교 폴리아미드이미드(crosslinked polyamideimide), 가교 폴리아크릴아미드(crosslinked polyacrylamide)등 비분해성 수용성 고분자를 가교결합한 형태로 이러한 형태의 제품은 높은 분자량 형태로 겔을 이루고 있다.

3. 필러의 적응증

일반적인 필러의 경우, 코입술주름(통칭 팔자주름) 부위에 주입하여 개선 정도를 평가하는 임상시험을 통해 안정성과 유효성을 입증하고 안면부 주름의 개선을 사용목적으로 허가되었다.

흡수성 원재료를 이용한 성형용 필러의 경우, 원재료의 흡수 특성상 안면부 주름의 일시적 개선을 사용목적으로 허가되었다.

입술 주름, 눈가 부위 주름 등 특별한 경우, 해당 부위의 개선효과에 대해 별도로 임상시험을 통해 안전성과 유효성을 입증한 경우에만 해당 사용목적을 인정하여 허가되었다. 입술 주름과 눈가 부위 등은 안면부에 포함되지만, 혈관의 분포도가 높은 해부학적 특성상 필러가 주입되었을 경우 혈관이 막히면서 심각한 부작용(실명 등)이 발생될 우려가 있다.

성형용 필러는 안면부 주름의 개선 이외에 다음 등의 사용목적으로 식약청에서 허가된 제품은 현재까지 없다.

① 유방, 엉덩이 및 종아리 확대술 등 안면부를 제외한 신체부위의 볼륨 증대
② 손 또는 발의 주름 개선
③ 뼈, 힘줄, 인대 및 근육 이식용(질 성형 포함)

표 35-1. Temporary injectable fillers

Material	Origin	Products
Collagen	Bovine Porcine Human (cadaver derived) Human (self derived) Human (cultivated)	Resoplast, Zyderm, Zyplast Fibrel, Permacol, Evolence Cymetra, Dermalogen Autologen, lsologen CosmoDerm, CosmoPiast
Hyaluronic acid	Avian Nonanimal	Hylaform AcHyal, Hyal 2000, Hylan SeS, Juvederm, Matridur, Restylane, Rofilan Hylan Gel, Hydra Fill
Hyaluronic acid + Dex	Nonanimal	Matridex, Reviderm, Hylan dextrane
Polylactic a cid	Nonanimal	New-Fiii/Sculptra
Calcium hydroxylapatite	Nonanimal	Radiesse (Radiance FN), Facetem
Polyvinyl alcohol	Nonanimal	Bioinblue
PCL	Nonanimal	Ellanse

표 35-2. Nonbiodegradable fillers

Material	Origin	Products
Silicone	–	ADATO SIL-ol 5000, Bioplastique, Biopolimero, Dermagen, SILIKON 1000 Silicex
Polyacrylamide	–	Amazingel, Aquamid, Argiform, Bioformaayl, Evolution, Outline
Polyalkylamide	–	Bio-Aicamid

표 35-3. Combinations of permanent and temporary materials

Temporary	Origin	Products
Collagen (bovine)	Polymethylmethacrylate	Artecoll/ Artefill
Hyaluronic acid (from cell cultures)	Hydroxyethylmethacrylate	Dermaliw, DermaDeep

표 35-4. Filler Materials

1. Collagen: Bovine Collagen-Zyderm®, Zyplast®, Porcine Collagen-Evolence®, Permacol®, Human Collagen
2. Hyaluronic acid: next page
3. PEO (Polyethylene oxide): Profil®
4. PAAm (Polyacrylamide): Aquamid®, Interfaii®,Amazingel®, Evolution®
5. PMMA (Polymethylmethacrylate): Artecol®
6. Acrylic hydrogel: Dermalive®
7. PLA (Polylactic acid): Sculptra®
8. Ca-hydroxylapatite: Radiesse®, Faceton®
9· PVA (Polyvinyl alcohol): Bioinblue®
10. PP (polypropylene): Prolene Thread
11. Polyalkylimide: Bio-Aicamid®
12. ePTFE (expanded polytetrafluoroethylene): Gore-Tex
13. Silicone (Polydimethylsiloxane)
14. PCL: Ellanse®

표 35-5. KFDA approve (Major HA Fillers)

갈더마코리아	1999년	Restylane	Galderma	Sweden	HA
한국앨러간㈜	2002년	Juvederm	ALLERGAN	France	HA
대웅제약	2003년	Matridex	Biopolymer	Germany	HA+ Dextranomer
오래온라이프사이언스	2006년	Teosyal	TEOXANE	Swiss	HA
한올바이오파마㈜	2006년	Puragen	Mentor	U.S.	HA
엘지화학	2008년	Esthelis	ANTEIS	Swiss	HA
한올바이오파마㈜	2008년	Redexis	Prollenium	Canada	HA+ Dextranomer
GST KOREA	2008년	CRM-DX	Biopolymer	Germany	HA+ Dextranomer
센스코	2008년	Fillostar	SHANGHAI JIANHUA FINE BIOLOGICAL PRODUCTS	China	HA
드림파마	2009년	Varioderm	ADODERM	Germany	HA
스킨라이프	2009년	Elevess	Anika	U.S.	HA+ Lidocaine
그린코스코	2010년	Stylage	Viavcy	France	HA+Mannitol (Antioxidant)
중외제약	2010년	SkinFill	Medium (Gold)	Promoitalia Group	Italy
에스트라	2010년	Glytone	Pierre Fabre Dermo-Cosmetique	France	HA
엘지화학	2010년	YVOIRE classic	자체생산	자체생산	HA

표 35-6. FDA Approved Asthetic Indication for Dermal Filler

Moderate to severe facial wrinkle and folds, such as nasolabial folds	Lip augmentation	Shallow to deep nasolabial fold contour deficiencies and other facial wrinkles	Mid face volume
Juvederm Ultra (XC) Juvederm Ultra Plus (XC)	Restylane-L	Sculptra	Juvederm Voluma XC
Restylane-L Perlane-L			
Belotero Balance			
Radiesse			
Artefill			

현재의 성형외과적인 안면부 주름개선의 사용 목적 외에도 필러는 의사의 재량에 따라서 여러 목적으로 사용되고 있으며, 허가 외 사용 시에는 환자에게 충분한 설명과 함께 동의서를 받는 것이 좋다.

흉터, 안면부 미용성형, 피부 개선, 볼륨증대, 볼륨유지가 필요한 성대 등 인체장기에 사용되고 있으며, 다른 미용시술과 함께 복합적인 요법으로 효과를 증대 시키고 있으며 사용 범위도 점차로 넓어지고 있다.

필러가 진보적인 생명공학과 조화롭게 결합하게 되면 현재의 단점들이 많이 보완될 것이며, 필러만의 많은 장점으로 인하여 미용 성형 의료의 새로운 영역이 될 것이다.

안면상부 | Upper Face

Chapter Author | 최문섭

안면상부는 가장 넓은 면적을 차지하는 이마를 비롯하여 미간, 관자놀이 등을 포함한다. 콧대나 팔자 주름의 시술보다는 빈도가 떨어지지만 넓은 면적으로 말미암아 시술의 난이도가 높은 부위이기도 하다. 안면상부에 대한 필러의 주입은 주름과 볼륨 증가의 목적으로 나눌 수 있다. 각각의 목적에 따라 필러의 선택 및 주입하는 방법 등이 다를 수 있기 때문에 이 챕터에서는 목적에 맞게 나눠서 기술하고자 한다.

1. 해부

시술을 시행하기 전 해부에 대해 충분한 사전지식을 알고 있어야 함은 아무리 강조해도 지나치지 않다. 특히 필러의 주입 후 발생할 수 있는 심각한 합병증을 예방하기 위해서는 혈관의 분포 및 주행하는 층에 대해서 그리고 만족스러운 결과를 나타내기 위해서는 피부의 여러 층에 대해서도 잘 이해하고 있어야 한다. 물론 이 책을 읽는 성형외과 전문의라면 이미 잘 알고 있으리라 여겨지며 비교적 기초적인 내용을 위주로 기술하니 복습하는 마음으로 읽어 보면 좋을 것으로 생각이 든다.

1) 해부

(1) 근육

이마의 가로 주름은 동적인 주름과 정적인 주름이 혼재하는데 이는 frontalis m.의 수축 및 이완의 작용으로 발생하게 된다. 이런 frontalis m.의 움직임은 사람에 따라 그 정도가 매우 다르게 나타나는데, 특히 눈썹이 많이 내려 앉아 있는 얼굴형태나 중년 이상의 환자에게 특히 더 심하다. 이러한 frontalis m.의 움직임이 오랫동안 지속되면 동적인 주름이 깊어지면서 정적인 주름으로 변하게 되는데, 이 때 깊어진 주름의 골을 완화 시키는데 필러의 주입이 도움이 된다. Frontalis m.은 이마의 전반에 걸쳐 있는 근육으로 정중앙부위에는 근섬유가 존재하지 않은 채 양측에 수직방향으로 놓여 있다.

미간 또한 이마의 주름과 마찬가지로 동적 및 정적이 주름이 혼재되어 있을 수 있는데 그 원인이 이마와 마찬가지로 근육의 수축 및 이완과 관련이 있다. 미간의 주름과 관련이 있는 근육은 corrugator superciilii m., procerus m.이 있는데 이들 근육의 수축으로 가로 또는 세로 주름이 생기게 된다.

(2) 혈관

미간 주위는 혈관 분포가 많은 지역으로 시술자가 주

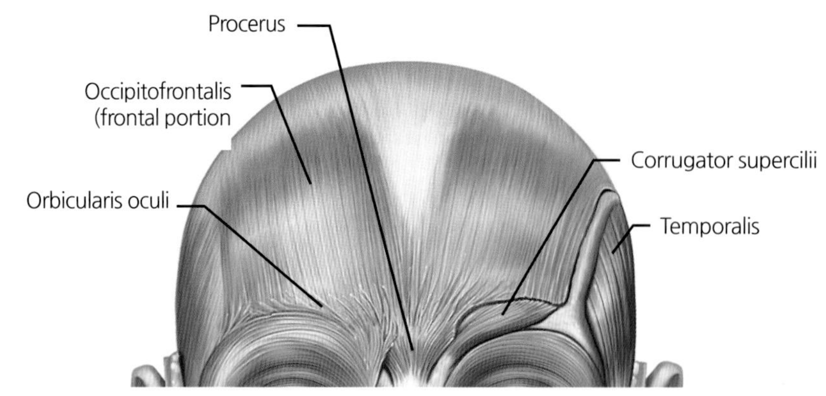

그림 36-1. 안면 상부의 근육 분포

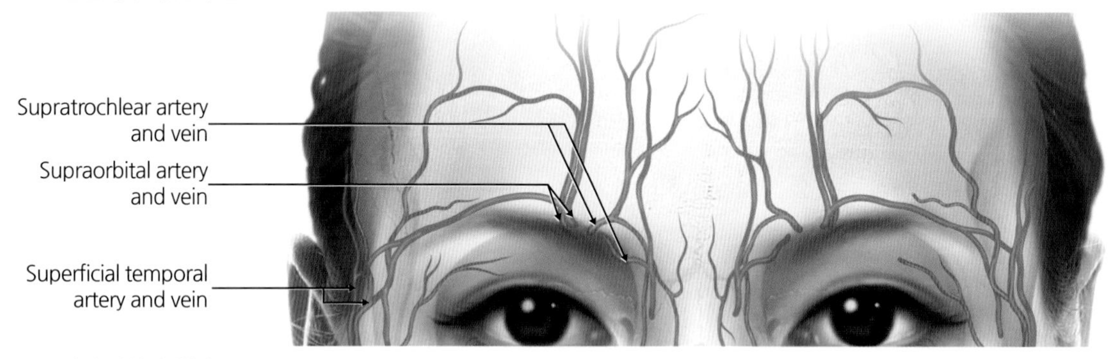

그림 36-2. 안면 상부의 혈관 분포

의해야 할 혈관이 supratrochlear a.이다. 이 동맥은 internal carotid a.의 분지인 opthalmic a.에서 분지되는 동맥으로 미간 부위 및 이마의 내측에 혈액을 공급한다. 문제는 이 동맥에 필러가 주입될 경우 그 압력에 의해 역류해서 필러가 들어간 다음 필러의 주입의 압력이 사라진 후 혈압에 의해 필러가 이동하여 cental retinal a. 또는 그 분지들이 막혀 실명에 이를 수 있다. 만약 필러의 역류가 상당할 경우 internal carotid a.까지 막혀 뇌졸증까지 유발할 수 있다. 하지만 혈행 장애를 막을 완벽한 방법이 없기 때문에 최대한 조심하는 수 밖에 없다.

2. 이마와 미간의 주름

1) 마취

주름을 교정 하기위해 주입되는 필러의 깊이는 비교적 얕은 진피 또는 얕은 피하층 정도이다. 그렇기 때문에 일반적인 마취크림을 이용하면 통증을 많이 줄인 채로 시술을 할 수 있다. 마취크림을 주입하고자 하는 부위에 도포를 한 후 비닐랩 또는 반창고로 감싼 후 30~40분 가량 기다리면 일반적인 경우 충분한 마취에 다다를 수 있다. 최근에는 출시된 대부분의 필러는 리도카인이 함유되어 있어 주입과 동시에 마취도 함께 이루어지기 때문에 환자에게 잘 설명만 하면 어렵지 않게 모든 시술과정을 순조롭게 마칠 수 있다.

2) 필러의 선택

미간과 이마의 주름 자체만 보자면 안면 근육의 움직임에 의해 피부의 접힘이 오랫동안 발생되어 생긴 진피의 변화이다. 그렇기 때문에 피부의 얕은 부위에 필러가 주입되어야 하고 이에 걸맞는 필러가 선택되어야 한다.

필러는 일반적인 기준으로 입자가 있는 Biphasic 필러, 입자가 없는 Monophasic 필러로 나눌 수 있다. 사실 Monphasic 필러도 자세히 들여다보면 아주 작은 입자가 있기는 하나 임상적으로는 입자가 없는 것처럼 여기고 사용하는 것이 합당하다고 생각한다. Biphasic 필러는 입자의 크기로 필러의 강도를 분류하는데 입자의 존재로 인해 가교제(cross linker)의 양이 적으며 점성보다는 탄성이 강조되어 있다. 이에 반해 Monophasic 필러는 입자가 없기 때문에 가교제의 양에 따라 끈적임이 중요시 되고 있으며 탄성보다는 점성이 비교적 높다.

그런데 앞서 언급한 것처럼 이마의 가로, 미간의 세로 주름은 피부 표면의 문제이므로 입자가 작거나 점성이 너무 높지 않은 필러를 선택하는 것이 적합하다. 필자는 개인적으로 동적인 주름에는 탄성보다는 점성이 강조되어 있는 Monphasic 필러를 선호하는 편이다.

3) 시술 방법

이마와 미간의 주름은 앞서 언급한 것처럼 얼굴 근육의 움직임으로 인해 발생된 것이다. 그렇기 때문에 과도한 수축을 막아줄 수 있는 보툴리눔 톡신의 주입이 필러보다 선행되어야 한다. 하지만 깊은 주름은 보툴리눔 톡신만으로 충분한 호전이 불가능하기 때문에, 필러가 추가로 주입되는 것이 추천된다.

필러의 주입은 일반적인 주름에 대한 필러의 주입방법을 따르면 된다. 정확한 피부층에 주입을 하기위해 캐뉼라 보다는 외경이 작은 니들의 사용을 추천하며, 일반적인 선형후진주사법(linear threading techniqe) 등을 이용하여 함몰된 진피층을 목표로 주입하는데 깊은 곳에 주입되지 않도록 한다. 왜냐하면 이 부위는 움직임이 많은 부위이기 때문에 필러가 원하지 않는 곳으로 이동될 수 있으며, 주름의 양쪽으로 필러가 뭉치게 되어 주름이 강조되어 보일 수 있기 때문이다.

필자는 경우에 따라 주름과 직각으로 필러를 주입하기도 하는데, 주입된 필러가 해먹(hammock)과 같은 역할을 하여 깊은 주름이 올라가게 떠받쳐 주는 역할을 할 수 있기 때문이다. 하지만 주름의 길이가 길 경우 주름에 평행하게 이어지는 주사바늘의 개수가 너무 많아지는 단점이 있다.

마지막으로 주입 후 혹시라도 뭉쳐 있는 부위를 면봉이나 거즈로 잘 펴도록 하며 혈관의 이상 유무를 한 번 더 확인하는 게 필요하다.

4) 주의 사항

매우 깊고 피부가 두꺼운 경우 완전히 주름을 펼 수 있다는 생각을 버려야 한다. 무리하게 이를 호전시키기 위해 필러를 주입한다면, 피부의 혈행을 막는 부작용도 생길 수 있기 때문이다. 특히 미간 주위는 혈관 분포가 많은 지역인데 supratrochlear a.가 가장 중요하다. 이 부위가 폐색될 경우 피부의 괴사가 미간과 이마 부위에 나타날 수 있고, 만약 필러가 혈관을 타고 두개내로 역류하게 된다면 실명 또는 뇌졸증도 초래할 수 있다. 완벽하게 이를 피할 수 있는 방법이 있지는 않지만 최대한 적은 용량을 작은 힘으로 주입하려고 노력해야 한다. 더불어 문제가 발생되면 즉시 주입을 중지 후 Hyaluronidase를 병변에 주입하고 기다림 없이 적절한 신속하게 응급조치를 취해야 한다.

더불어 성형외과 의사로서 과도한 이마의 움직임의 원인을 먼저 파악하는 것이 좋다. 젊은 사람의 이마 주름은 안검하수로 인해서 중년 이상의 경우는 이마와 눈썹의 처짐 때문에 일어나는 나는 경우가 많기 때문에 이 부분에 대한 적절한 치료를 병행하는 것이 필요하다.

3. 이마의 윤곽 시술

이마는 얼굴형 및 이미지를 결정하는 중요한 부위 중 하나이다. 특히 적절한 볼륨을 가지고 굴국이 없이 매끈한 선을 가진 이마는 많은 여성들의 선망의 대상이 되기도 한다. 이러한 현상으로 인해 굴국이 많거나 평면하고 누워있는 이마를 가진 분들이 지방이식 또는 필러주입을 많이 받기도 하며 그 수요가 점차 증가하고 있는 부위이기도 하다. 하지만 얼굴의 다른 부위와는 다르게 주입 부위가 넓어 많은 양의 필러가 사용되고 평편하게 주입하기가 여간 쉽지 않기도 하다.

1) 마취

넓은 부위에 필러를 주입해야 하기 때문에, supraorbital n. 및 supratrochlear n.를 동시에 마취하는 regional block(부위마취)를 시행하는 것을 추천한다. 1:10만 에피네프린이 섞여 있는 1~2% 리도카인을 신경당 1 cc 정도 주입하면 되는데, 흔히 치과용으로 나온 주사기를 사용하면 매우 편리하다.

2) 필러의 선택

앞서 언급한 주름과 달리 볼륨을 증가시키기 위한 시술은 피부의 깊은 부위에서 일어난다. 그렇기 때문에 점성 또는 탄성이 높은 필러를 사용하는 것이 시술결과를 장기간 지속하기 위해 좋다. 게다가 가는 니들보다는 비교적 굵은 캐뉼라를 사용하기 때문에 주입하는 데 있어 큰 어려움이 없다.

3) 시술 방법

이마는 굴곡의 정도와 관계없이 대부분 좌우 대칭의 형태를 가지고 있다. 그렇기 때문에 이론적으로 좌우 동일한 양을 주입한다면 시술 후 대칭의 결과를 만들 수 있다고 생각한다. 그런데 이마는 면적이 넓기 때문에 대칭적인 수술을 위해서는 격자 또는 세부적인 구획을 나누고 각각의 구획에 필요한 필러의 양을 미리 예상한 다음 주입을 하는 방법을 초심자에게 추천한다. 이렇게 함으로써 시술 후 전체적인 균형을 맞추기에 편리하기 때문이다. 1차로 모든 격자 또는 구획에 필러를 주입 하고 이후 평가하여 부족한 부분만 더 채우면 환자가 원하는 볼륨을 비교적 쉽게 이루어 낼 수 있다.

필러가 주입되는 깊이는 피하층(subcutaneous layer)이 일반적인데, 니들로 눈썹에 작은 구멍을 내고, 캐뉼라를 이용하여 골막상부를 긁지 않는 깊이로 들어가면 된다. 피하층은 frontalis m.보다 얕은 층이기 때문에 근육의 움직임에 필러가 이동을 잘 하지 않는 장점이 있다. 하지만, 피하층은 그 특성상 수많은 septae가 있기 때문에 캐뉼라의 무한한 왕복운동이 반드시 필요하다. 그렇게 해야 필러가 균일하게 들어가 시술 후 이마 표면에 울퉁불퉁 해지는 것을 막을 수 있다. 경우에 따라 캐뉼라가 골막을 긁으면서 주입되는 subgaleal 층을 이용할 수도 있기는 하다. 이 층은 loose areolar 층으로 필러 주입 후 약간이 마사지와 압박만으로도 표면을 매끈하게 만들 수 있기는 하다. 하지만 이 층의 필러가 하방으로 이동할 확률이 높아질 수 있다.

만약 이마의 전체 부위가 아니라 부분적으로 주입감 및 점성이 상대적으로 좋은 monphasic 필러를 사용한다면 니들로도 주입할 수 있다. 가장 움푹 패인 부분을 중

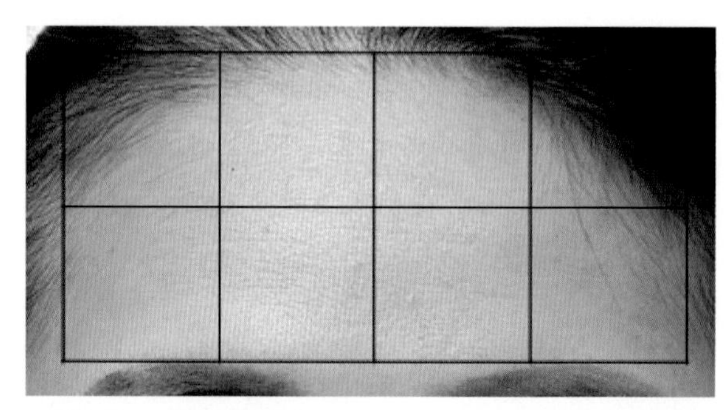

그림 36-3. 격자 디자인

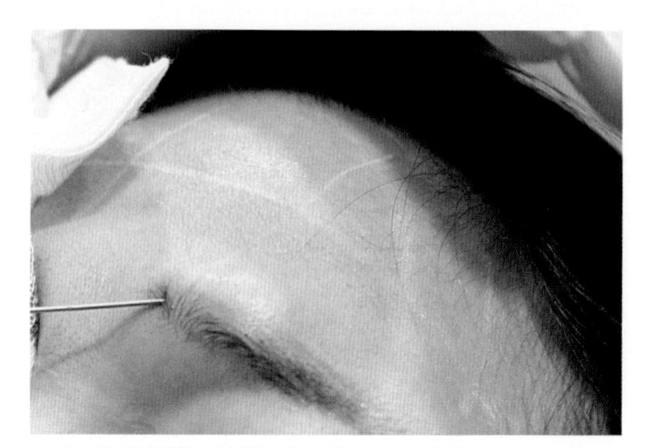

그림 36-4. 시술 시 캐뉼라가 들어가는 위치

심으로 니들을 골막에 가까이 하여 bolus로 주입을 한 후, 외부의 압박으로 주입된 필러를 펼 수 있다. 이 방법은 부위마취 같은 추가적인 시술이 없기 때문에 비교적 편안하게 환자가 시술을 받을 수 있다.

4) 주의사항

필러의 주입 시 아무리 강조해도 지나치지 않는 것이 혈행장애를 예방하는 것이다. 특히 미간과 인접한 눈썹의 내측에 주입할 때 가장 주의해야 하며 필요한 양만을 약간의 압력만으로 주입하도록 한다.

또한, 이마에 과한 과도한 양의 필러를 넣지 않도록 주의해야 한다. 필러는 조직 내에서 수분을 끌어당기는 성질이 있다. 끌어당겨진 수분 및 과도한 양의 필러로 자연스럽지 못한 이마가 될 수 있기 때문이다.

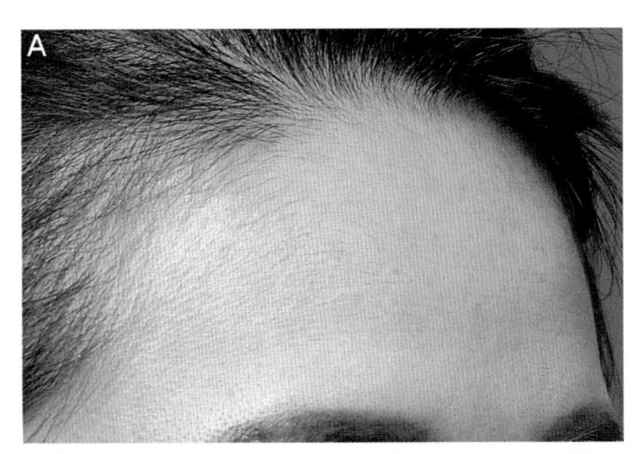

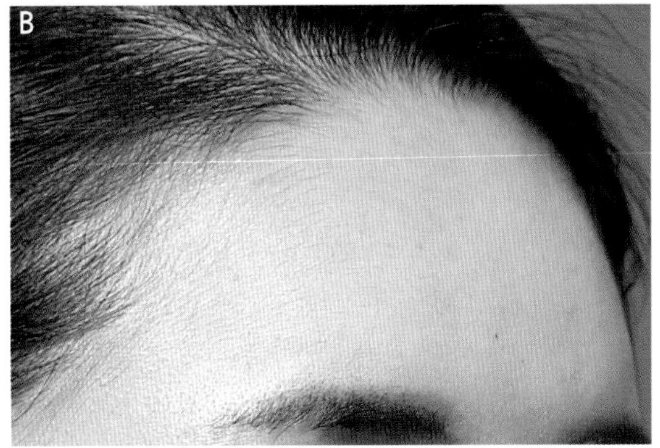

그림 36-5. 이마 필러 시술
A. 전 B. 후

4. 관자놀이의 윤곽 시술

다른 부위에 비해 시술 빈도가 현저히 떨어지지만, 나이가 들어가면서 이 부위의 함몰 때문에 고민하는 환자를 종종 만날 수 있으며, 비교적 어렵지 않은 방법으로 그 고민을 해결할 수 있기도 하다.

1) 마취

관자놀이에 깊은 부위에 필러를 주입할 때는 비교적 시술범위가 작고, 최근에는 대부분 리도카인이 함유된 필러를 사용하기 때문에 굳이 마취가 필요없지만, 만약 피하층에 마취 주사를 하게 되면 볼륨감을 왜곡시킬 수 있다는 점을 명심해야 한다.

2) 필러의 선택

관자놀이의 함몰은 피하지방(superficial and deep temporal fat pad)의 소실이 주된 원인 중 하나이나, 실제 이를 호전하기 위한 간편한 방법으로 측두근보다 깊은 층에 필러를 주입하는게 일반적이다. 깊은 부위에 주입되기 때문에 탄성이 높은 필러를 선택하는 것이 좋으며, 필요에 의해 얕은 피하층에 주입하고자 할 경우 물성이 약한 필러를 선택하는 것이 바람직하다.

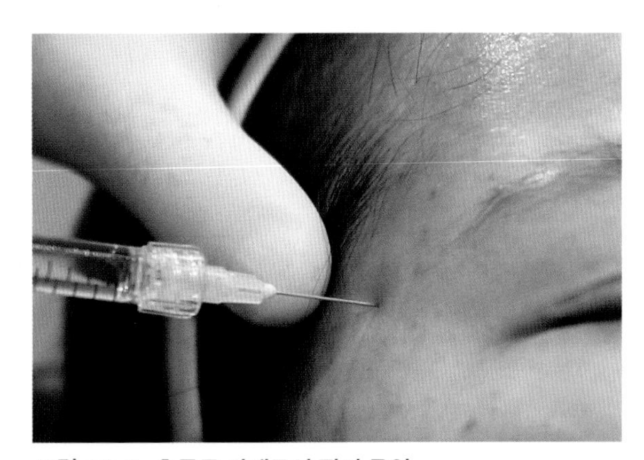

그림 36-6. 측두근 아래로의 필러 주입

3) 시술 방법

주로 안와연의 외측 부위가 일반적인 함몰 부위인데, 가장 깊은 부위를 표시한 다음 탄성이 높은 필러를 사용하여 사용하여 측두근 아래 골막 직상부에 bolus로 주입을 한다. 적당량 주입 후 부족한 부분에 좀 더 필러를 주입하면 된다.

경우에 따라 피하층에 주입할 수도 있는데 관자놀이 부위는 피하층이 loose areolar area이며 피부가 얇아 시술 후 울퉁불퉁해질 수 있다. 그렇기 때문에 물성이 작은 필러를 균일하게 넣도록 한다.

4) 주의 사항

앞서 언급한 것처럼 울퉁불퉁하지 않게 주입하는 것이 중요하며, 혈관들이 많은 관골궁쪽으로는 내려가서 주입하지 않도록 한다.

참고문헌

1. 이수근. 필러바이블. 서울: 의학문화사, 2005.7
2. Kontis TC, Rivkin A. The history of injectable facial fillers. Facial Plast Surg 2009; 25: 67-72.
3. Gold M. The science and art of hyaluronic acid dermal filler use in esthetic applications. J Cosmet Dermatol 2009; 8: 301-7.
4. Bertossi D, Lanaro L, Dell'Acqua I, Albanese M, Malchiodi L, Nocini PF Injectable profiloplasty: Forehead, nose, lips, and chin filler treatment. J Cosmet Dermatol. 2018 Nov 15
5. Carruthers JD1, Fagien S, Rohrich RJ, Weinkle S, Carruthers A. Blindness caused by cosmetic filler injection: a review of cause and therapy. Plast Reconstr Surg. 2014 Dec;134(6):1197-201

CHAPTER 37

안면하부 | Lower Face

Chapter Author | 강문석

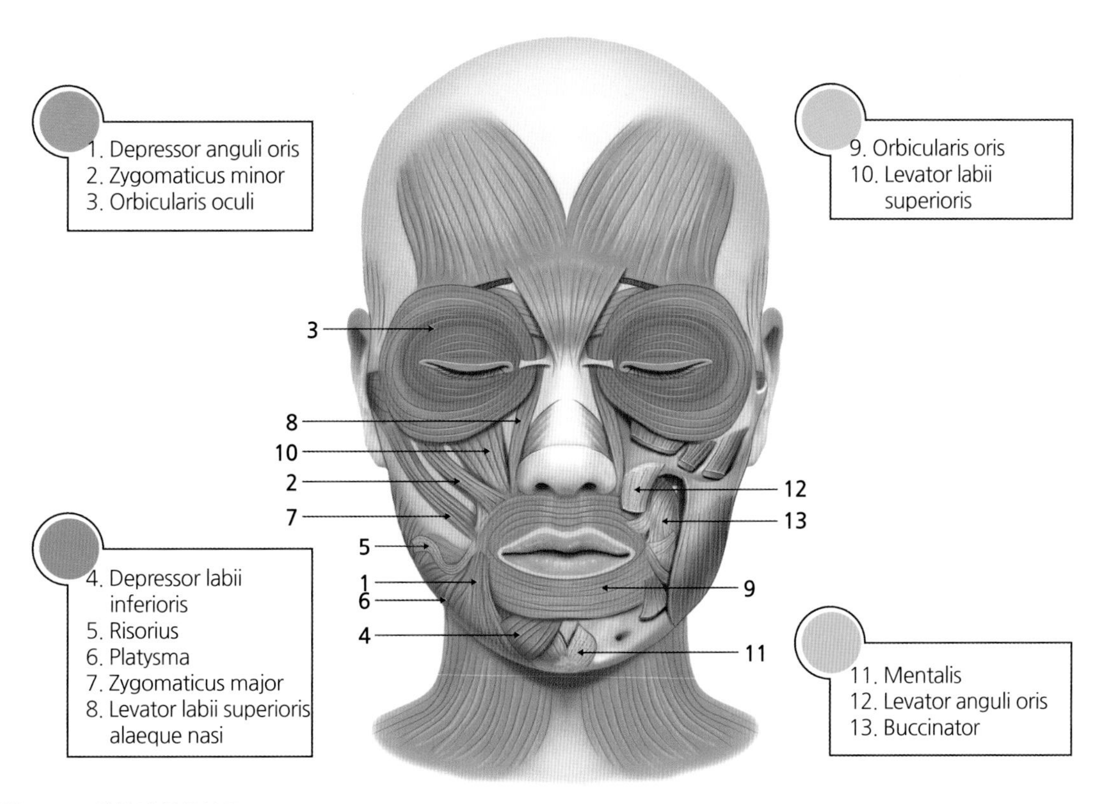

그림 37-1. **얼굴의 근육분포**

1. 해부학

필러의 임상적 적용에 앞서 얼굴의 해부학을 인지하는 것은 아무리 강조해도 지나치지 않다. 특히나 얼굴 근육 및 혈관들은 크기가 작아 매우 복잡하게 얽혀 있기 때문에 반드시 해부학을 숙지한 뒤 필러 시술을 시행해야 할 것이다. 각 근육들의 기시부와 종지부를 알고 어떤 벡터를 가지고 어떤 운동을 하며 이에 대해 생기는 주름은 어떤 모양인지를 알고 있어야 효과적이고 바른 필러 시술을 할 수 있을 것이다.

1) 근육(그림 37-1)

(1) Mentalis

Mentalis는 아랫입술의 frenulum 옆쪽에 위치하며 mandible의 incisive fossa에서 기시하여 턱끝 피부에 종지한다. 이 근육은 턱끝 피부를 상승시키며 입을 열고 닫는 작용을 한다. 신경은 Facial nerve의 Marginal mandibular branch에 의해 운동지배 받으며 Facial artery의 inferior labial branch와 mental artery에 의해 영양공급받는다.

(2) Depressor labii inferioris

Depressor labii inferioris는 mandible의 symphysis와 mental foramen 사이에서 기시하여 위안쪽으로 진행하여 아랫입술의 피부에 종지한다. 기시부는 Platysma와 연결되어 있어서 아랫입술을 아래로 당기는 역할을 한다. 운동신경과 영양동맥은 Mentalis와 같다.

(3) Depressor anguli oris

Depressor anguli oris는 하악골의 oblique line과 Pla-

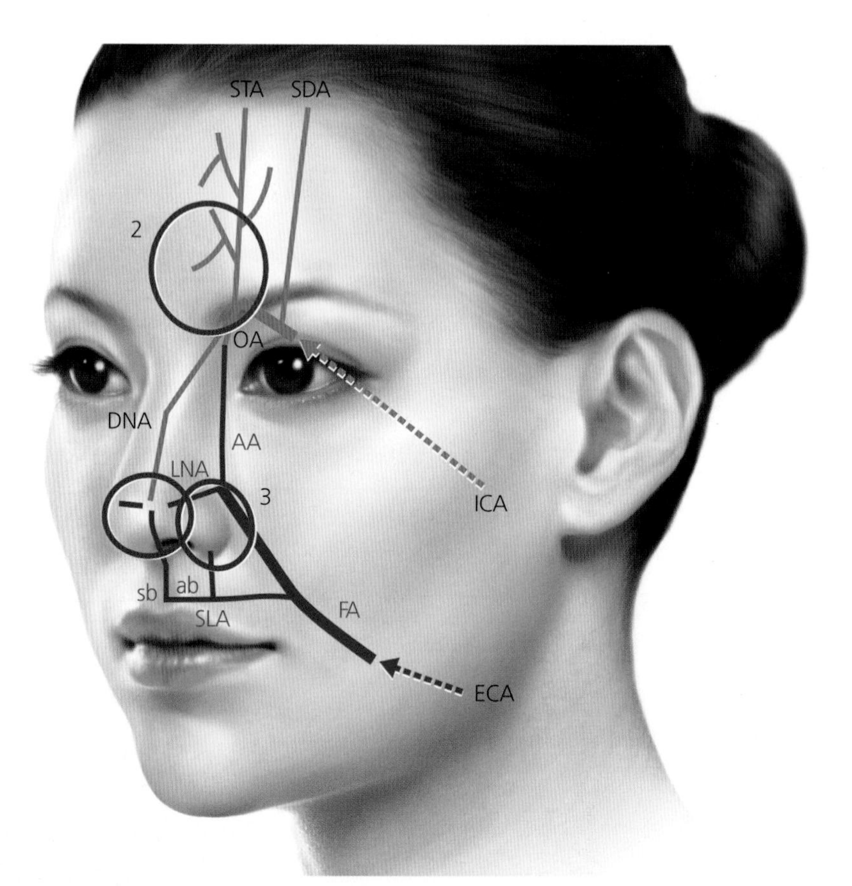

그림 37-2. 필러시술 시 혈관폐색으로 인한 주사괴사 가능성이 있는 위험부위

1, 2, 3은 주사괴사의 빈도를 나타낸다. AA: angular artery, ab: alar branch, DNA: dorsal nasal artery, ECA: external carotid artery, FA: facial artery, ICA: internal carotid artery, LNA: lateral nasal artery, OA: ophthalmic artery, sb: septal branch 또는 columellar artery, SLA: superior labial artery, SOA: supraorbital artery, STA: supratrochlear artery tysma에서 기시하여 입꼬리쪽에 좁은 섬유속으로 종지하며 종지부에서 orbicularis oris, risorius와 연결된다. 입꼬리를 아래쪽으로 당기는 역할을 하여 'Frown' muscle이라고 불린다. 운동신경은 Facial nerve의 Marginal mandibular branch와 Buccal branch의 지배를 받으며 영양동맥은 Facial artery의 Labial branch와 Mental artery가 이에 해당한다.

2) 혈관(그림 37-2)

미간 주위에 필러를 주입할 때 주의하지 않으면 실명까지 초래할 수 있는 위험성이 있다. 반면에, 안면 하부엔 필러 시술로 인한 색전증은 그렇게 흔하지는 않다. 안면 하부에서 가장 주의해야 할 시술로는 팔자주름 시술일 것이다. 팔자 주름의 Alar recess에 필러를 주입할 때는 Facial artery로의 색전증이 유발될 수 있으므로 이를 주의해야 한다. 항상 이곳에 필러를 주입할 때는 aspiration을 해서 혹시나 모를 위험에 대비해야 할 것이다.

2. 볼윤곽술(Cheek augmentation)

서양인들은 광대가 튀어나온 얼굴을 매력 적인 얼굴이라고 생각한다. 반대로 동양인들은 광대가 튀어나온 얼굴 보다는 광대와 볼이 전체적으로 달걀형으로 어느 정도의 볼륨감이 있는 것을 매력적인 얼굴이라고 생각한다. 그러므로 이마윤곽술과 더불어 볼윤곽술은 특히 동양인의 여성들에겐 대표적인 필러 시술 파트이다. 필러 주사량이 많아 자가지방이식술이 더 선호될 수 있는 부분이지만 잘만 시행하면 상당히 간편하게 아름답고 매력적인 얼굴을 만들 수 있다.

1) 마취

신경차단 마취는 꽤 복잡한데 관여되는 신경이 많기 때문이다. 볼 부위의 감각신경은 치료의 범위에 따라 다르겠지만 Infraorbital nerve, Zygomaticofacial nerve, Auriculotemporal nerve, Buccal nerve, Great auricular nerve 등이 관여를 하고 있다. 각각의 신경차단 마취는 쉽지 않을 뿐더러 원치 않는 부작용을 만들 수 있어 주의가 필요하다. 국소마취만으로도 필러 시술은 가능하나 통증에 민감한 환자일 경우 시술 시간이 매우 고통스러운 시간이 될 것이다. 이런 문제점들을 최근에 나온 리도카인이 섞인 히알루론산 필러가 해결해 줄 수 있을 것으로 생각된다. 이 필러와 국소연고 마취를 병용 사용할 경우 어느 정도의 통증을 줄일 수 있어서 리도카인이 섞이지 않은 필러로 시술할 때 보다 환자들의 만족도가 높은 편이다.

2) 필러의 선택

볼 부위의 볼륨을 증가시키기 위한 시술이므로 점성 또는 탄성이 높은 필러를 사용하는 것이 시술결과도 좋으며 수술 결과를 장기간 유지하는 데 유리하다. 다만, 너무 단단한 필러를 선택할 경우 구강 내로 튀어나오는 경우가 있으므로 선택에 주의를 기하여야 한다.

3) 시술방법

시술 방법은 부채살모양주사법을 주로 사용하게 된다.

그림 37-3. 볼윤곽술 시 선형후진주사법의 적용법

(**그림 37-3**) 한쪽 볼당 1-3 cc 정도 주입하면 되지만 환자의 상태에 따라 적당히 가감하여 사용하도록 한다. 너무 촘촘한 부채꼴 모양보다는 약간 넓게 펴지는 부채꼴 모양으로 넣는다고 생각하고 필러를 주입한다. 한 곳에 많은 양을 주입하게 되면 덩어리가 만져질 수 있으므로 여러 곳에 고르게 잘 주입하는것이 포인트이다. 마사지는 뼈가 없는 부분은 장갑을 끼고 엄지와 검지 손가락을 이용하여 한 손가락은 입안에, 나머지 손가락은 피부를 잘 눌러가며 마사지를 시행하여 덩어리가 만져지지 않도록 시술해야 한다. 나머지 부분은 엄지 손가락을 이용하여 마사지를 시행한다. 표정을 다양하게(웃거나 찡그리거나) 지어 부자연스러운 부분이 있는지 확인해야 한다.

4) 주의사항

피하지방층에 너무 깊숙이 주사할 경우 근육을 뚫고 구강쪽으로 필러가 주입될 수 있다. 이럴 경우 필러의 주사양은 많으나 볼의 augmentation의 정도는 미약할 수 있어 주의가 요구된다. 그러므로 들어가는 깊이에 대해 인지하면서 시술을 시행해야 한다.

볼윤곽술을 시행할 때는 가운데 가장 꺼져 있는 부분을 기준으로 그 부분을 많이 채운다는 생각을 가지고 시술을 해야 한다. 가운데 부분을 기점으로 거기를 채우면서 바깥으로 tapering 한다는 생각으로 시술해야 시술의 결과가 좋다.

3. 팔자주름

필러시술 중 가장 흔한 시술이 아마도 팔자주름 교정일 것이다. 성형외과의로서 시술 난이도가 어렵지 않고 필러 시술에서 제일 처음 해볼 것이며 가장 많이 해보는 시술이 될 것이다. 그렇지만 시술 결과가 만족스럽지 않은 경우도 많다. 이에는 다양한 원인이 있겠으나 가장 대표적인 원인은 잘못된 환자선택과 잘못된 필러 선택일 것이다.

1) 마취

국소마취연고 만으로는 부족하여 환자들이 시술내내 고통을 호소할 것이다. Infraorbital nerve block만으로도 팔자주름 시술에는 충분하다. 다만 입가를 따라 아래로 내려간 Marrionett line까지 교정을 원할 경우에는 Mental nerve와 Buccal nerve의 block이 필요하나 이는 다소 비효율적이다. 따라서 이 부분의 교정이 필요할 경우 마취된 피부 쪽에서 캐뉼라를 삽입하여 교정을 원하는 위치까지 내려가서 필러를 주입하는 방법을 쓰는 편이 더 효과적일 것이다. 최근에는 앞에서 언급했던 리도카인이 섞인 필러 제품들을 사용하기도 한다. 이 제품을 사용하면 시술 중 환자의 통증을 경감시킬 수 있을 것이다.

2) 환자선택 및 필러의 선택

팔자 주름의 사람의 지문처럼 모양이 다양하다. 팔자주름은 10점 만점에 7점 정도의 목표를 가지고 시술을 해야 하며 이에 대해 환자에게 충분히 설명을 해주어야 한다.

너무 과도한 기대치를 가지고 있는 환자에게 기대치를 현실화 시키고 시술에 대해 이해를 충분히 시키는 것 또한 좋은 결과를 만들 수 있는 방법일 것이다. 피부가 부드럽고 볼의 하수가 경하며 지방층이 두꺼운 젊은 환자일수록 시술의 결과가 좋다.

필러는 점도가 높은 제품이 적합하다. 팔자주름은 잦은 표정 변화로 필러의 움직임이 생길 수 있는 곳인데 높은 점도의 제품이 이런 움직임을 최소화해줄 수 있다.

3) 시술방법

한쪽당 0.3-1.0 cc 정도 주입하는 것이 보통이지만 환자에 따라 적당히 가감하는 것이 필요하다. 필러를 주입하는 깊이는 진피피하지방층 경계부 혹은 그 아래쪽에 필러를 주입하면 된다.

기본적으로 선형후진주사법을 시행하되 코날개 옆에선 부채살모양주사법을 같이 사용하는 것이 좋다(**그림 37-4**). 캐뉼라를 이용할 경우 5 cm 정도의 21 G 캐뉼러

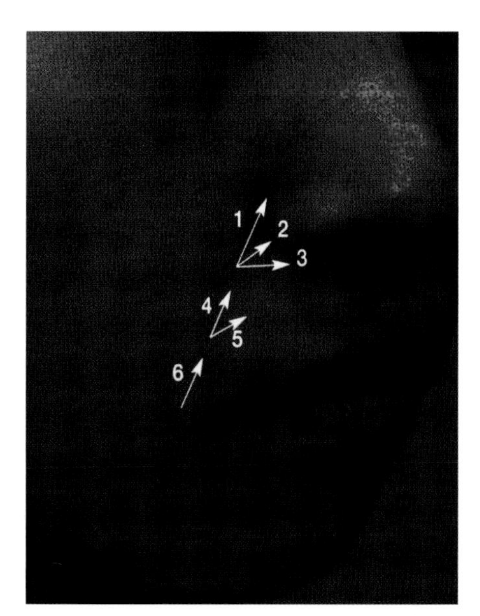

그림 37-4. 팔자주름 시술 시 선형후진법의 적용법

를 이용하면 되며 입술 옆으로 들어가서 코날개까지 진행한 뒤 뒤로 빼면서 필러를 주입하면 된다.

4) 주의사항

가장 주의해야 할 점은 팔자주름에 주입한 필러가 malar fat pad로 흘러 들어가는 것을 막는 일이다. 이를 위해서 가능하면 팔자주름보다 약간 내측으로 필러를 주입해야 하며 주사바늘의 bevel 또한 안쪽으로 해서 필러 주입을 해야 한다. 주사 시 볼쪽을 손가락으로 강하게 압박하면서 주입하면 malar fat pad로의 이동을 최소화시킬 수 있다. 필러를 주입 후 마사지 또한 볼에서 팔자주름 방향으로 내측으로 마사지를 시행해 준다.

Alar recess 부위에는 Facial artery가 지나가는 부위이므로 간혹 주사괴사가 일어날 수 있기 때문에 이 부위에서 필러 주입에 주의를 기울여야 한다. 이 부위에 주사 시는 aspiration을 한번 해보고 주사하는 것이 안전하며 피부가 단단하여 여유가 없고 혈관이나 조직이 압박을 받을 것이 예상된다면 필러의 양을 줄이며 주입 시 신중을 기해야 한다.

팔자주름은 중력의 영향에 의해 모양이 바뀔 수 있기 때문에 앉혀서 치료하는 게 제일 좋으나 시술자의 자세가 불안할 수 있다. 이 경우엔 적어도 45도 이상으로 환자를 앉혀서 시술하는 것이 좋은 결과를 얻을 수 있는 길일 것이다.

4. 입술확대

노화가 진행되면서 입술이 위축되며 밑으로 내려오게 된다. 또한 윗입술은 길어지는 데 반해 아랫입술은 상대적으로 짧아지며 입술 주위로 수직선 주름이 생기게 된다. 이는 입술의 부피가 감소되어 발생하게 되는데 이를 필러로 보완해 주면 결과가 상당히 좋다. 환자마다 요구사항이 다양하기 때문에 시술 전 환자와의 의사교환이 중요하다.

1) 마취

입술은 감각이 매우 예민한 곳으로 통증이 심한 부위이다. 그러므로 국소마취연고의 사용보다는 신경차단마취를 권한다. 윗입술은 Infraorbital nerve block을 시행하고, 아랫입술은 Mental nerve block을 시행하면 된다. 리도카인 섞인 필러 제품을 사용할 때 최소한 국소마취연고와 병용하여 사용해야 환자의 통증을 경감시킬 수 있다.

2) 필러의 선택

점도가 높으면서 함수율이 높아 부드러운 느낌을 주는 필러를 선택해야 한다. 또한 유색필러는 사용을 피하는 것이 좋다. 단기필러 중에는 입술용의 필러로 개발된 제품을 사용하는 것이 좋으며 장기필러 중에는 PAAG계열의 필러가 자연스러운 느낌을 주어 선호된다. 고형 입자가 영구적으로 남는 필러는 피하는 것이 좋다.

3) 시술방법

시술방법은 (**그림 37-5**)을 참조하여 선형후진주사법을

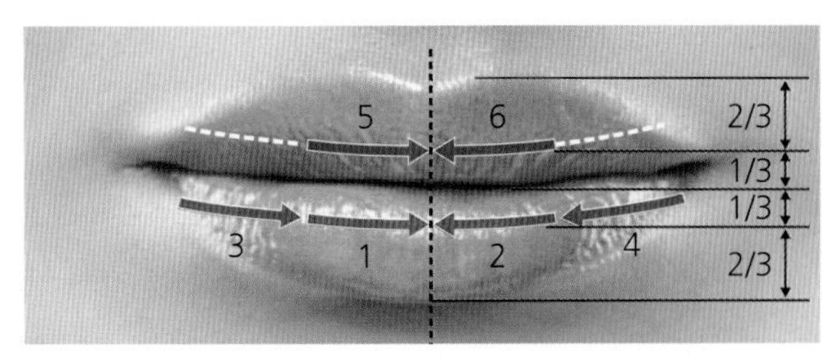

그림 37-5. 입술확대 시술 시 선형후진법의 적용법

사용하여 주입한다. 이를 바탕으로 조금씩 응용해가면서 본인에게 맞는 시술법을 찾으면 될 것이다. 입술의 모양은 대칭이 중요하므로 한쪽의 시술을 마친 후 반대쪽의 시술을 항상 비교해 가면서 주입해야 한다. 3, 4번은 1, 2번보다 주사량을 적게 해서 입술의 가운데 부분이 볼록해지는 것이 좋으며 바깥으로 가면서 Tapering 되도록 주입하면 된다. 주입 깊이는 점막하로 주입하며 근육 속으로 들어가지 않도록 해야 한다(**그림 37-6**). 하지만 너무 표면으로 주입하면 만져질 수 있으므로 주의가 요구된다. 아랫입술은 0.5~0.8 cc, 윗입술은 0.1~0.2 cc 정도 주입하면

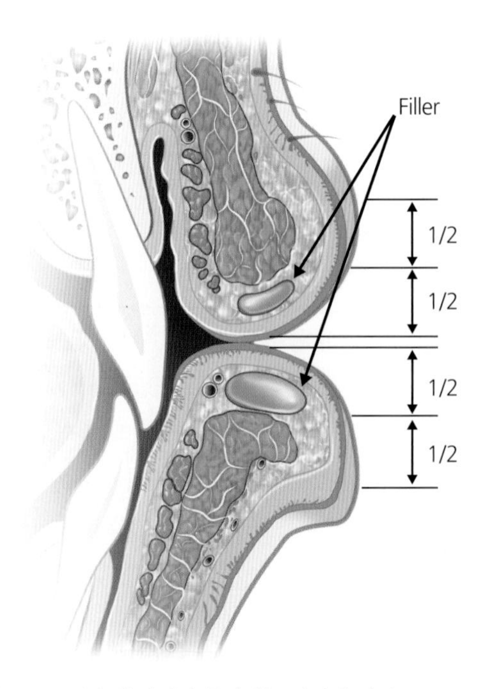

그림 37-6. 입술에 필러가 들어가는 깊이와 위치

이상적이다. 주입이 끝난 뒤는 환자의 머리맡에서 아랫입술은 위로, 윗입술은 아래로 45도 정도 되는 방향으로 마사지를 해주며 울퉁불퉁한 표면이 없도록 세심하게 마사지를 시행해 준다. 추가로 입술의 수직주름에 대해서는 30 G 주사바늘을 이용하여 가벼운 필러를 주입하면 된다.

4) 주의사항

입술의 대칭이 매우 중요하므로 입술의 정준선을 미리 표시한 뒤 시술을 하면 수월하다. 원래 입술이 비대칭인 환자를 미리 파악하는 것이 중요하며 필러로 비대칭을 해결할 수 있다.

5. 턱윤곽술

하악골 전체가 작은 하악왜소증 환자보다는 증상이 심하지 않은 소하악증 환자에게 적당하다. 돌출입이 있는 환자들도 턱윤곽술 시술이 상당히 유용하다. 이런 환자들은 본인도 모르게 턱을 꽉 깨물게 된다. 그러면 자갈턱이 만들어지게 되는데 이 자갈턱은 보톡스를 이용하여 해결한 뒤 턱부분은 필러를 이용해서 키워주게 되는데 미용적으로 상당히 결과가 좋다.

1) 마취

Mental never block이 제일 좋은 마취법이다. 왜냐하면 국소마취크림만으로는 마취가 부족하고 침윤마취는 주위에 부종을 만들기 때문에 정확한 시술을 어렵게 하기 때문이다. 리도카인이 혼합된 필러제품은 특별한 마취 없이도 시술이 가능하다.

2) 필러의 선택

점도가 높은 필러를 선택하며 무거운 히알루론산 필러나 중기, 장기 필러도 사용이 가능하다. 턱은 여유 공간이 없는 구조로 필러가 다른곳으로 흘러들어가기 어려운 곳

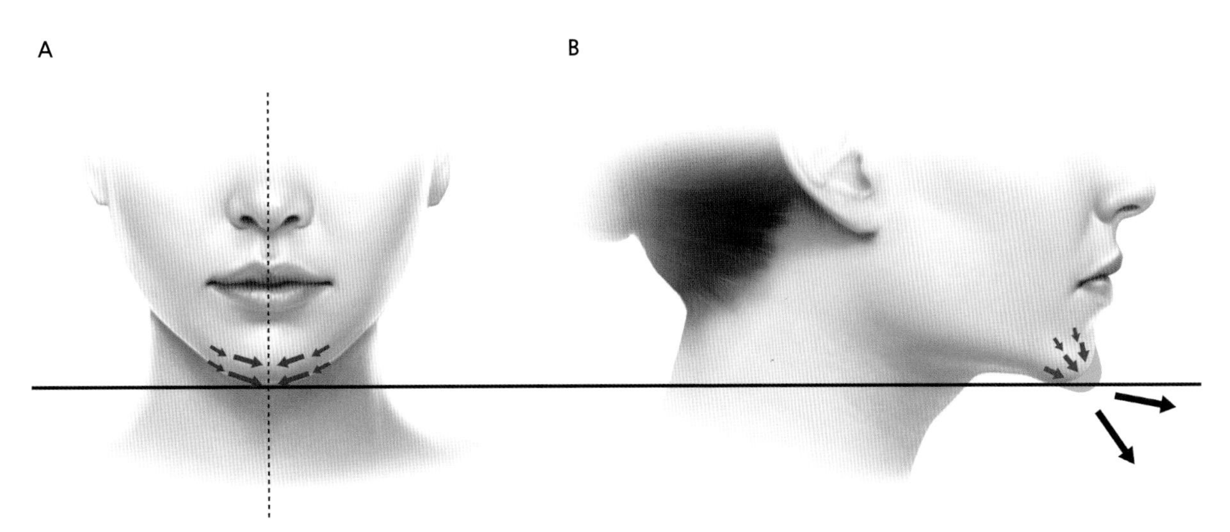

그림 37-7. 턱윤곽술 시 선형후진법의 적용법

이기 때문에 이러한 필러가 적합하다.

3) 시술방법

(그림 37-7) 처러 턱끈 중앙을 향해 선형후진주사법을 이용하여 대칭적으로 주입한다. 대개 1~1.5 cc 정도 주사하면 된다. 주사 깊이는 피하지방층 혹은 골막상부를 목표로 주입하면 무리가 없지만 골막상부가 더 자연스러운 결과를 얻을 수 있다. 마사지는 환자의 머리맡에서 환자의 정면 45도 하방으로 해주면 된다. 턱이 아래로 길어지길 원하는 경우 좀더 밑으로, 앞으로 나오길 원하면 좀더 위로 마사지를 해주면 된다.

4) 주의사항

다른 부위와 마찬가지로 좌우 대칭이 매우 중요하여 정준선 표시를 미리 하고 시술하는 것이 용이하다. 또한, 시술 전에 미리 비대칭의 유무를 확인한 뒤 시술을 해야 아름다운 모양을 얻을 수 있다. 시술 후 어느 정도의 비대칭은 마사지로 보완이 가능하지만 미리 신경써서 비대칭을 확인하도록 하자. 항상 '과유불급' 이라는 생각으로 과도한 시술보다는 추후 재시술을 하더라도 약간 부족하게 얼굴의 전체 윤곽의 조화를 생각하며 시술하는 자세를 가져야 한다.

참고문헌

1. 이수근. 주사형 필러를 이요한 연조직확대술. In: 대한미용피부외과학회. 미용피부외과학. 서울: 한미의학, 2007;268-81
2. 이수근. 필러바이블. 서울. 의학문화사, 2005
3. 이수근. 보톡스와 필러의 정석. 서울. 한미의학. 2011;37-52, 281-424
4. Mendelson BC. Surgical anatomy of the lower face: the premasseter space, the jowl, and the labiomandibular fold. Aesth Plast Surg 2008;32:185-95.

필러의 부작용과 합병증 | Side Effects & Complications

Chapter Author | 신예식

모든 미용수술이나 주사는 부작용이나 합병증을 일으킬 수 있다. 비교적 안전한 필러 시술도 드물긴 하지만 부작용과 합병증을 야기하기도 한다. 필러 시술 시에 가장 중요한 것은 부작용과 합병증을 사전에 예방하는 것이며 설령 발생하여도 의사와 환자 모두 현명하게 대처하여야 할 것이다.

1. 분류

1) 초기의 경미한 부작용

① 붓기(swelling)
② 멍(bruising)
③ 발적(erythema)
④ 덩어리짐(lump)과 불규칙성(irregularity), 과교정(overcorrection)
⑤ 이물반응(foreign body reaction)
⑥ 통증 및 압통(pain, tenderness)
⑦ 가려움증(itching)
⑧ 변색(discoloration)
⑨ 주사제가 비쳐 보아는 경우(tyndall effect)

2) 초기의 심각한 부작용

① 감염(infection)
② 피부괴사(skin necrosis)
③ 혈관 폐색에 따른 색전증, 뇌졸중, 실명(embolism, stoke, retinal artery occlusion)
④ 알레르기성 쇼크(anaphylaxis)

3) 후기 부작용

① 비전형성 감염(atypical infection, ex. Mycobacterial origin)
② 만성 염증(chronic inflammation) 및 농양(abscess)
③ 표면의 울퉁불퉁함, 선상 융기나 결절, 비대칭(surface irregularity, persistent ridge or nodule, asymmetry)
④ 과/저색소 침착(postinflammatory hyper/hypopigmentation)
⑤ 모세혈관확장증(telangiectasia)
⑥ 이물 육아종(foreign body granuloma)

2. 세부 설명

1) 붓기

HA 필러는 수분과 결합하여 수분을 함유하는 특성 때문에 다른 종류의 필러보다 더 잘 붓는 특성이 있다. 보통 국소적으로 발생하며 시간이 지나면서(1주 내외) 스스로 좋아지는 경향이 있다. HA 필러는 이러한 이유로 첫 시술 시 과교정은 금물이다.

시술 후 냉찜질 및 시술 부위를 높이는 자세가 해결에 도움을 준다. 오래 지속되는 경우에는 항히스타민제와 스테로이드제를 사용하는 것이 도움이 된다.

2) 멍

주사 바늘의 크기, 위치, 필러 종류 등에 의해 발생 가능한 잠재적인 후유증이다. 보통 1-2주일 정도 지속될 수 있다.

아스피린, 이부프로펜, 항응고제, 허브를 함유한 제제(fish oil, glucosamine, chondroitin) 등을 복용할 경우 멍 발생 가능성이 더 크기 때문에 2주 전부터는 중단하는 게 좋다.

필러 주사 시 혈관을 잘 살피면서 해부학적으로 혈관을 피하면서 시술한다.

3) 발적

시술 후 흔한 현상으로 필러를 너무 얕게 시술하거나, 과하게 마사지하여 생기게 된다. 항히스타민제, IPL, 병변 내 스테로이드 주사 등을 사용하여 조절할 수 있다.

과도한 발적은 피부 괴사 및 감염 등을 시사하기 때문에 주의 깊게 관찰해야 한다.

4) 덩어리, 불규칙성, 과교정

대부분의 경우 만져지긴 하나 눈에 보이진 않을 정도이지만, 환자에게는 스트레스를 유발할 수 있다. 따라서 이런 부작용이 생겼다면 발견 즉시 마사지를 통해 완화시킨다. 2주 이후에도 해결이 되지 않고 지속된다면 Hyaiuronidase 효소 주사로 필러를 녹이는 것까지 고려해볼 수 있다.

염증 반응으로 인해 생긴 덩어리는 국소 스테로이드 주사 및 마사지에 잘 반응한다. 이러한 치료만으로 부족할 경우에는 절개 및 압출, 절제 등의 수술적 치료가 필요할 수 있다.

조금 부족하면 경과 관찰하면서 보충하면 쉽게 해결되나, 처음부터 과하게 시술하면 녹이거나 제거하는 등의 추가 시술이 필요하기 때문에 환자 및 집도의에게 부담이 될 수 있으므로 과교정에 주의해야 한다.

5) 이물반응

극히 드물게 히알루론산 필러의 제조과정에 사용되는 화학물질이나 세균 배양 후 생기는 불순물 같은 것들이 면역계를 자극하여 발생한다. 국소 스테로이드 주사가 도움이 된다.

6) 통증 및 압통

통증의 정도는 주사 바늘의 크기, 시술 부위, 필러의 종류, 필러의 양 등과 관련있으며, 시술 전 국소 및 신경차단 마취 등으로 시술 부위의 통증을 줄일 수 있다.

시술 후 심각한 통증을 호소하는 경우에는 혈관 폐색, 농양의 형성, 알러지 반응 등의 가능성을 바로 평가해야 한다. 현재 시판되는 필러 제재에는 국소마취제가 포함되어 있어 시술 시 통증을 많이 완화시킬 수 있다.

7) 가려움증

알러지 반응의 일종으로 아토피 피부 및 피부의 과민성이 있는 환자에서 가려움증 등의 발생 빈도가 증가한다. 따라서 필러의 선택과 사용에 주의를 기울여야 한다.

8) 변색

투명 또는 흰색을 띄는 필러가 피부에 얕게 위치하는 경우에 필러의 색깔이 비쳐 보이기도 하며 마사지를 통해 필러를 분산시키면 해결될 수 있다.

발생 원인이 필러가 비쳐 보이는 것인지, 피부의 색깔과 혈관이 더욱 두드러지게 보이는 것인지 명확하게 알 수는 없는 경우도 있다.

9) 주사제가 비쳐 보이는 경우(Tyndall effect)

상피나 진피의 얕은 부위에 주사한 경우 발생하며 완화되기까지 오랜 시간이 소요되므로 Hyaluronidase로 녹이는 것이 좋다.

* 틴들현상(Tyndall effect): 필러 시술 후 그 부위가 간혹 푸르스름하게 보이는 상태로 빛이 매질을 통과할 때 매질 속의 입자나 혹은 매질 자체에 의해 빛의 일부가 산란되어 빛이 지나가는 통로가 보이는 현상

10) 감염

필러 시술로 인한 감염은 매우 드물다.

국소적인 감염증은 시술 부위를 청결하게 하지 않았을 경우 혹은 급성 염증이 있는 부위에 시술을 하는 경우 발생할 수 있다. 바이러스 감염에 의해 입술 등에 단순 포진이 생기는 경우도 있다. 전신적인 감염증은 필러의 금기증에 해당하는 전신 질환이 있는 경우에 발생할 수 있다.

염증이나 농이 생기면 항생제 치료와 배농이 필요할 수 있다.

11) 피부괴사

필러가 혈관 내에 주사가 되거나 과도한 주사로 인해 주위조직이 압박되어 혈액 순환이 차단되어 발생한다.

코, 미간, 팔자주름, 이마, 입술 등의 부위에 피부 괴사가 일어날 수 있다.

12) 혈관 폐색에 따른 색전증(실명 또는 뇌졸중 등)

드물게 필러 주사 시 혈관 내로 주사가 되어 혈관을 막게 되면 그 근위부로 혈액 순환이 차단되면서 그물 모양의 홍반들이 나타나고, 원위부는 허혈되면서 괴사가 진행될 수 있다.

망막동맥이나 뇌혈관을 막게 되면 실명 또는 뇌졸중 등 심각한 후유증을 남길 위험이 있다.

이를 예방하기 위해 항상 aspiration 후에 주입하기, 혈관에 평행한 방향 보다는 수직 방향으로 자입하기, 주입 압력을 낮추고 천천히 주입하기, 주사 바늘 보다는 캐뉼러를 사용하기 등을 준수하는 것이 안전하겠다.

13) 알레르기성 쇼크(Anaphylaxis)

IgE에 의해 매개되어 원인 물질에 노출된 후 쇼크, 혈관 부종, 호흡 곤란, 저혈압과 같은 심한 전신 반응이 일어나기도 한다.

시술 전에 심각한 알레르기성 반응을 일으킨 적은 없는지 병력을 알아둘 필요가 있다.

14) 비전형성 감염 (Atypical infection, ex. Mycobacterial origin)

전형적인 감염의 경우 초기 부작용의 형태로 나타나나, mycobacteria와 같은 비전형적인 감염증의 경우 서서히 증상이 나타나게 된다. 대부분 비 의료인, 비위생적인, 재활용, 인증되지 않은 제품들을 사용할 경우에 나타나게 된다.

세균 배양 검사를 바탕으로 적합한 항생제 치료를 해야 한다.

15) 만성 염증(Chronic inflammation) 및 농양(Abscess)

수개월에서 수년이 지나서 시술 부위가 붓고, 아프다고 호소하는 경우가 있다.

대개 필러 성분에 대한 면역 반응에 의한 결과로 보이며 특히 비흡수성 필러나 수명이 길다고 알려진 제품들에서 발생 가능성이 높아질 수 있다.

16) 표면의 울퉁불퉁함, 선상 융기나 결절, 비대칭(Surface irregularity, persistent ridge or nodule, asymmetry)

시술의 문제로 인해 발생하는 경우가 많으며, 경우에

따라서는 환자가 임의적으로 필러 시술 부위를 만져서 모양이 변형되는 경우도 있다. 또한 시술 전에 비대칭에 대해 정확하게 판단하고 환자에게 알려줄 필요가 있다.

표면의 울퉁불퉁함, 융기 및 결절 등의 문제가 지속될 경우에는 마사지를 통해 해결해보고 해결이 안될 경우 Hyaiuronidase 효소 주사로 필러를 녹이는 것이 바람직하다.

17) 색소 침착 (Postinflammatory hyperpigmentation)

필러가 너무 얕게 위치한 경우, 국소적인 염증 반응, 감염 등에 의해 발생 가능하다.

과색소 침착의 경우 국소 4% hydroquinone, tretinoin, steroid 사용, IPL 등으로 호전될 수 있다. 저색소 침착의 경우 치료가 더 어려우며, 레이져 치료, 화학 박피 등을 고려해 볼 수 있다.

18) 모세혈관확장증(Telangiectasia)

혈관의 일부가 눌리고 다른 쪽은 확장되면서 모세혈관 확장증을 유발하기도 한다.

과 교정과 많은 양의 필러를 주입하는 경우 생길 수 있다.

19) 이물 육아종(Foreign body granuloma)

주로 영구 필러 시술 시 잘 생긴다. 육아종은 일반적으로 비교적 늦게(수개월-수년 후) 발생하며 주사 부위에 국한되어 나타난다. 보통 부드럽고 짙은 붉은색 혹은 보라색을 띈다. 국소 농양 등과 감별이 어렵기 때문에 감별을 위해서는 조직 생검이 필요한 경우가 있다. 보통 수술로 제거하는 경우는 드물며 병변 내 스테로이드 주사가 효과적이다.

참고문헌

1. Sun ZS, Zhu GZ, Wang HB, et al. Clinical outcomes of impending nasal skin necrosis related to nose and nasolabial fold augmentation with hyaluronic acid filler. Plast Reconstr Sur 2015;136
2. Ozturk TN, Li Y, Tung R, Parker L, Piliang MP, Zins JE, Complication following injection of soft tissue fillers. Aesthet Surg J 2013:33;862-877
3. Beleznay K, Humphrey S, Carruthers JD, et al. Vascular compromise from soft tissue augmentation: experience with 12 cases and recommendations for optimal outcomes. J Clin Aesthet Dermatol. 2014;7:37–43.
4. Carruthers JDA, Fagien S, Rohrich RJ, et al. Blindness caused by cosmetic filler injection: a review of cause and therapy. Plast Reconstr Surg. 2014;134:1197–1201.
5. LAZZery, David, et al. Blindeness following cosmetic injection of the face. Plast Reconstr Surg. 2012,129.4:995-1012
6. RZANY, Berthold:DERORENZI, Claudio. Understanding, avoiding, and managing severe filler complication. Plast Reconstr Surg. 2015, 136.5S:196S-203S
7. Scheuer III, Jack F, et al. Facial dangrt zones: Techniques to Maximize Safety during Soft-Tissue Filler Injection. Plast Reconstr Surg. 2017;139.5:1103-1108
8. DeLorenzi C, New High Dose Pulsed hyaluronidase Protocol for Hyaluronic Acid Filler Vascular Adverse Events. Aesthet Surg J. 2017
9. van Loghem JAJ, Humzah D, Kerscher M. Cannula versus sharp needle for placement of soft tissue fillers: An observation cadaver study. Aesthet Surg J. 2017;38:73–88.
10. Scheuer JF III, Sieber DA, Pezeshk RA, Gassman AA, Campbell CF, Rohrich RJ. Facial danger zones: Techniques to maximize safety during soft-tissue filler injections. Plast Reconstr Surg. 2017;139:1103–1108.
11. Mark W. Ashton,G. Ian Taylor, Russell J. Corlett, FThe Role of Anastomotic Vessels in Controlling Tissue Viability and Defining Tissue Necrosis with Special Reference to Complications following Injection of Hyaluronic Acid Fillers. Plast. Reconstr. Surg. 141: 818e, 2018.

12. Mayuran Saththianathan, Khalid Johani, Alaina Taylor, Hongua Hu, Karen Vickery, Peter Callan, Anand K. Deva, The Role of Bacterial Biofilm in Adverse Soft-Tissue Filler Reactions: A Combined Laboratory and Clinical Study. Plast. Reconstr. Surg. 139: 613, 2017.
13. Jack F. Scheuer III, David A. Sieber, Ronnie A. Pezeshk, Carey F. Campbell, Andrew A. Gassman, M.D. Rod J. Rohrich. Anatomy of the Facial Danger Zones: Maximizing Safety during Soft-Tissue Filler Injections. Plast. Reconstr. Surg. 139: 50e, 2017.)
14. Mark W. Ashton, G. Ian Taylor, Russell J. Corlett The Role of Anastomotic Vessels in Controlling Tissue Viability and Defining Tissue Necrosis with Special Reference to Complications following Injection of Hyaluronic Acid Fillers. Plast. Reconstr. Surg. 141: 818e, 2018.)

필러의 안전 대책 및 예방 | Prevention of Complications

Chapter Author 최원석

필러 시술은 이제 성형외과 영역에서는 없어서는 안 될 중요한 영역으로 자리잡았다. 비교적 절개를 하는 다른 수술들에 비해서는 의사와 환자 모두 비교적 간단하게 생각을 하고 있다. 하지만 오히려 눈에 보이지 않는 곳으로 주사를 하여야 하고 시술의 범위가 너무 광범위하여 정확한 해부학의 이해가 생각보다 쉽지 않고 수많은 필러 자체에 대해서도 충분한 이해가 필요하다.

처음에는 간단하다고 생각을 하지만 시술을 하면 할수록 어렵게 느껴지는 것이 필러 시술이며 멍이나 일시적인 붓기 같은 비교적 크게 문제가 되지 않는 부작용부터 조직괴사나 실명 같은 치명적인 부작용까지 부작용의 범위도 너무 넓어 시술 시 부작용과 예방대책에 대한 이해가 부작용을 최소화하는 데 필수적이다.

필러의 합병증은 시술 즉시 또는 1-2주 이내에 생기는 초기의 합병증과 그 이후 생기는 후기의 합병증으로 분류하거나 혈관성 합병증과 비혈관성 합병증으로 나눌 수 있다.

초기의 합병증은 주로 멍, 붓기, 홍반 등이며 후기의 합병증은 비전형성 감염, 만성염증, 색소침착, 육아종 등이 있다. 부작용 발생 시기에 따라 분류를 할 수도 있으나 혈관성 합병증이 치명적이므로 혈관성 합병증과 비혈관성 합병증으로 분류하기도 한다(**표 39-1**).

표 39-1. 필러의 혈관성 및 비혈관성합병증

1. 필러의 혈관성 합병증
- 피부괴사 - 실명
2. 필러의 비혈관성 합병증
- 멍, 붓기, 홍반, 알레르기 반응 - 피부이상변색, 색소침착(PIH) - 틴들현상(Tyndall effect), 투과현상 - 감염 - 육아종, 조직 염증반응

이 chapter에서는 필러의 치명적인 합병증인 혈관성 합병증의 예방과 치료에 대해 알아보고자 한다.

1. 필러의 혈관성 합병증의 예방과 치료

1) 피부괴사

(1) 피부괴사의 기전

피부괴사는 조직으로의 혈액 공급이 부족하거나 차단되게 되어 발생하게 된다. 일부 또는 전체가 괴사된 피부는 영구적으로 흉터를 남기며 피부의 정상적인 방어기전이 손상되어 감염되면 더욱 더 광범위한 조직의 파괴가

표 39-2. 필러 시술 시 피부괴사의 기전의 분류

1. 혈관 내에 필러 물질이 직접혈관을 막는 경우 (intravascular emboli)
- Cannula나 Needle이 직접 혈관의 lumen내에 위치하여 필러가 주입되어 혈관을 막는 경우 - 혈관이 손상되어 주변의 필러들이 혈관으로 유입되어 혈관을 막는 경우
2. 필러가 혈관주위의 압력을 높여 허혈이 진행되는 경우 (extravascular compression)

일어나고 흉터도 더 심하게 생기게 된다. 피부괴사의 기전은 다음과 같이 크게 두 가지로 나눌 수 있다(**표 39-2**).

① 혈관내에 필러 물질이 직접 혈관을 막는 경우(intravascular emboli)

혈액공급을 담당하는 부위에 즉각적으로 피부괴사가 진행되며 피부괴사 이외에도 막히는 혈관의 부위에 따라 실명 등이 일어날 수 있으며 혈관 내의 필러 물질이 혈관을 통해 다른 곳으로 이동하여 뇌경색, 폐색전증 등을 일으킬 수도 있다.

이 경우 시술 시 혈관에 필러가 주입될 때 환자는 순간적으로 따끔하고 극심한 통증을 느낀다고 알려져 있다. 시술 중 환자가 갑작스런 극심한 통증이나 따끔거림을 특이하게 느끼는 경우는 시술을 중단하고 혈관손상 증상의 여부를 살펴보아야 한다. needle이나 cannula의 끝이 직접 혈관 안에 들어가 혈관을 막는 경우도 있고 시술 중 혈관이 손상되어 주변의 필러들이 유입되는 경우도 있다. 필러 시술 중 필러의 양이 많거나 필러 주입 압력이 높을수록 혈관으로 필러가 유입될 가능성이 높다(**그림 39-1, 2**).

② 필러가 혈관주위의 압력을 높여 허혈이 진행되는 경우(extravascular compression)

주입된 필러가 인접한 동맥이나 정맥을 눌러 혈행이 감소되거나 차단되는 경우이다. 필러 주입에 의한 피부괴사의 대부분이 이 경우이다. 빠른 감압으로 대부분 혈행이 회복된다(**그림 39-3**).

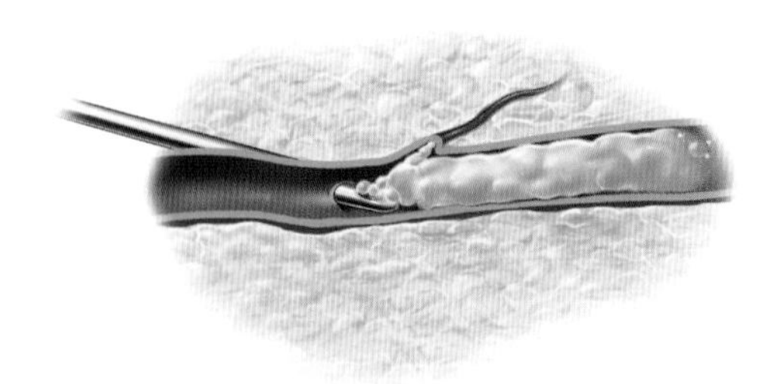

그림 39-1. Cannula나 Needle이 직접 혈관의 lumen 내에 위치하여 필러가 주입되어 혈관을 막는 경우

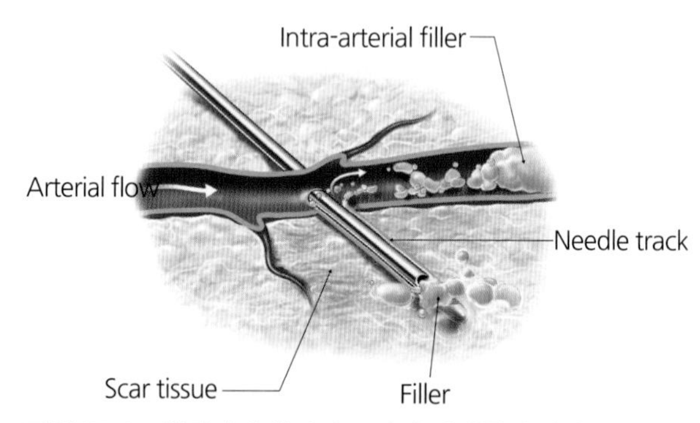

그림 39-2. 혈관이 손상되어 주변의 필러들이 혈관으로 유입되어 혈관을 막는 경우

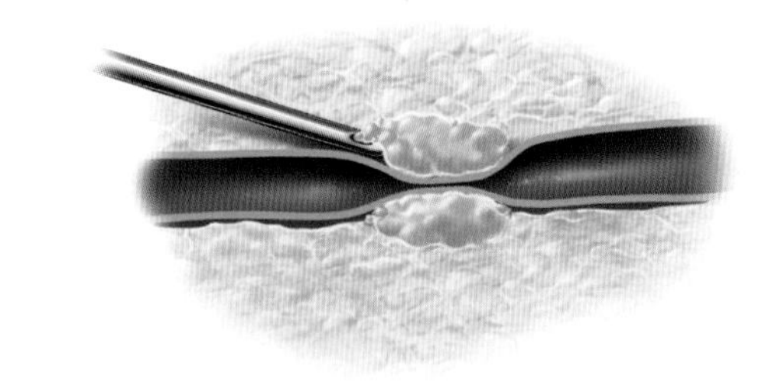

그림 39-3. 필러가 혈관주위의 압력을 높여 허혈이 진행되는 경우

(2) 피부괴사의 진단

피부괴사의 가능성이 있는 경우의 증상(그물이나 반점모양의 피부병변, 홍반)을 확인하고 즉각적으로 진단하고 이에 따른 신속한 처치가 중요하다. 시술 직후 증상이 모호한 경우는 1시간 정도 지켜보면서 증상의 변화를 관찰해야 한다. 위험부위의 필러 주사 시에는 증상이 없더라도 20~30분 정도는 충분히 경과를 보는 것이 안전하다. 시술 직후에 변화를 즉시 발견하지 못했다면, 시술 다음날 아침에 연락하여 피부색조변화나 특이증상의 유무를 확인해야 한다. 가벼운 증상이라도 사진이나 내원을 통해 확인하는 것이 중요하다.

아래 그림(**그림 39-4**)은 시술 직후에 나타나는 혈관합병증의 확실한 피부소견이다.

혈관합병증의 피부소견이 보이면 즉각적으로 치료가 이루어져야 한다. 치료시작시기는 예후에 가장 중요한 요소이다.

시술 하루 정도가 지나면, 홍반과 농포가 동시에 보이기 시작한다(**그림 39-5**).

시술 2~3일 지나게 되면 홍반, 농포와 가피가 형성된다. 이런 경우 치료 후에도 반흔과 변형의 가능성이 높다(**그림 39-6**).

치료시기가 늦은 경우나 국소적으로 심한 손상을 받

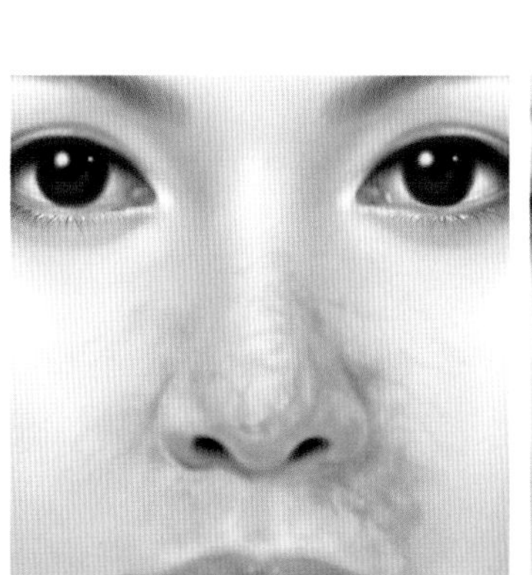
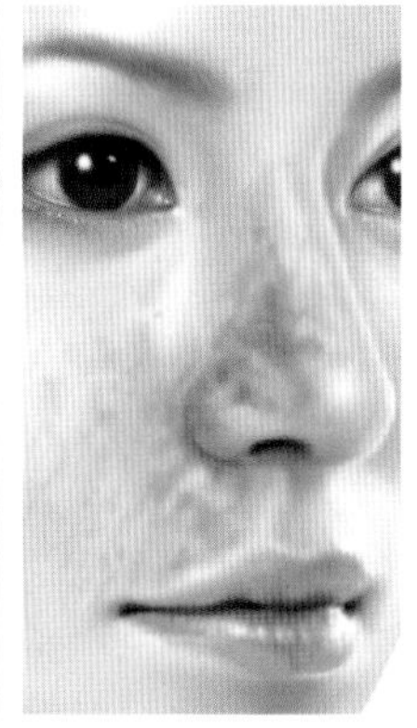
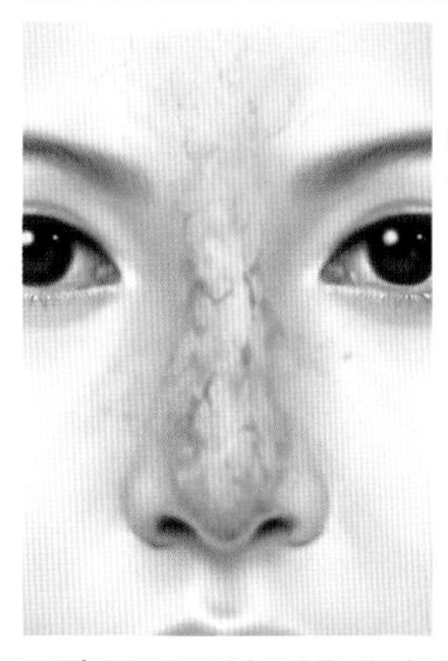
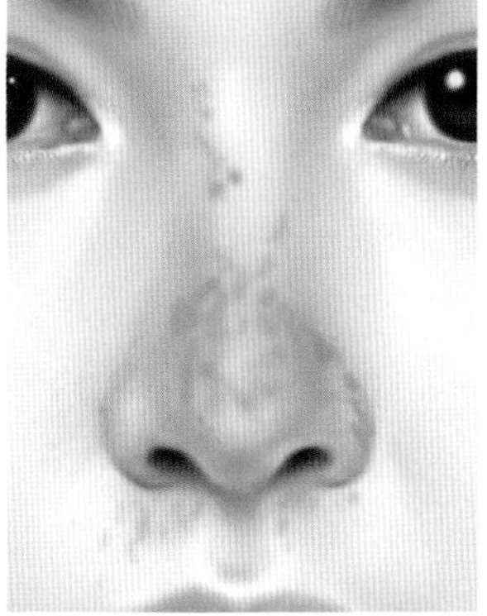

그림 39-4. **시술 직후에 나타나는 혈관합병증의 피부소견**

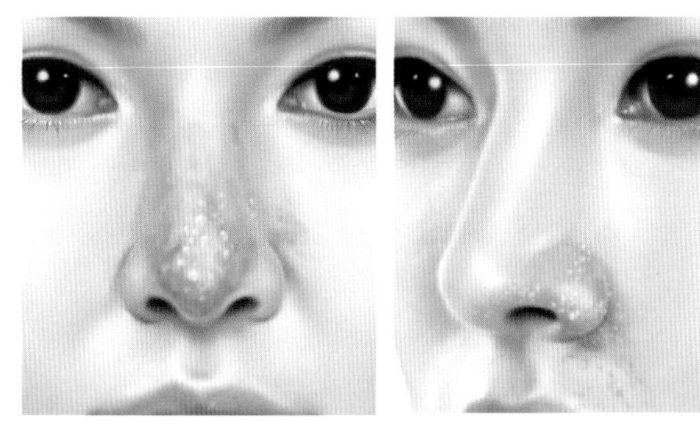

그림 39-5. **혈관합병증 이후(1~2일)에 오는 홍반과 농포**

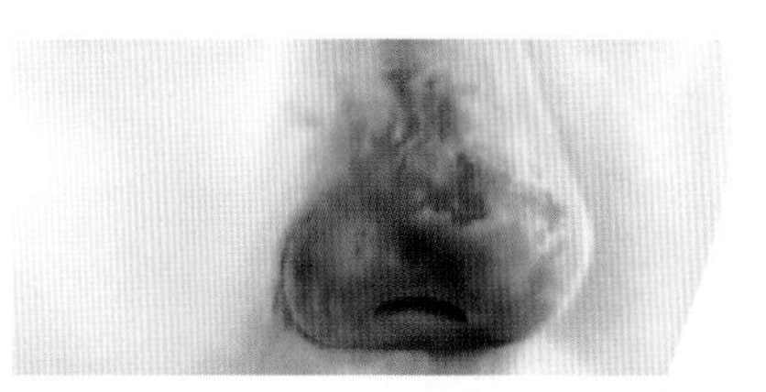
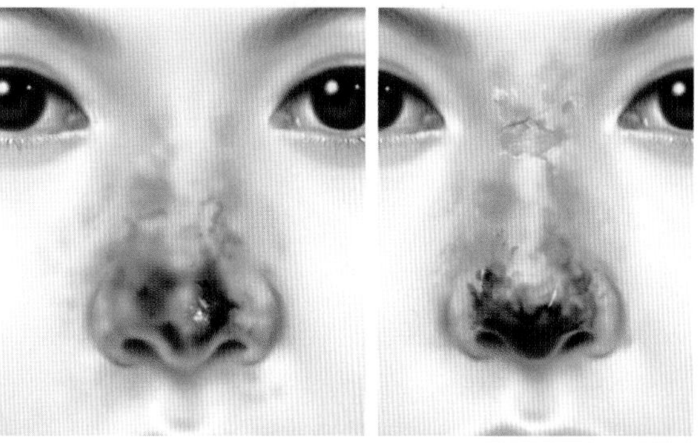

그림 39-6. **혈관합병증 이후(2~3일)에 오는 홍반, 농포, 가피, 부분적 괴사**

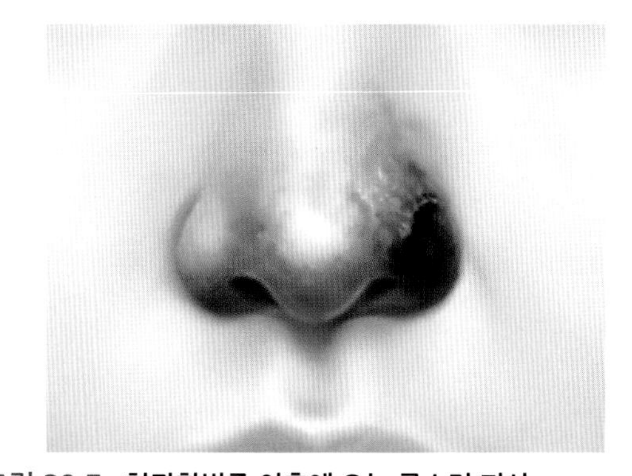

그림 39-7. **혈관합병증 이후에 오는 국소적 괴사**

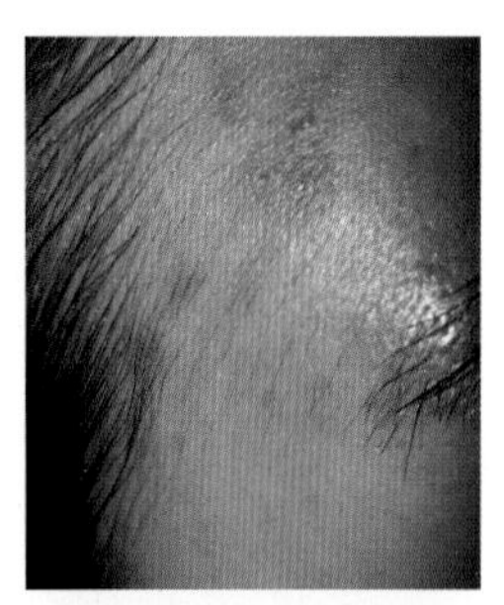

그림 39-8. 필러 시술 1일 후, 홍반과 작은 농포의 소견

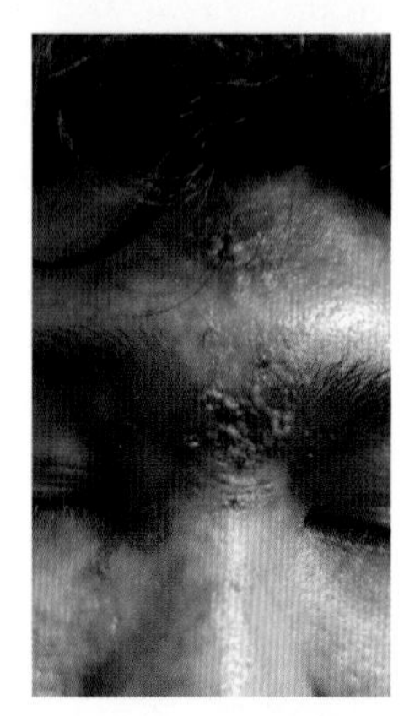

그림 39-9. 코 필러 시술 3일 후, 홍반, 농포, 국소적 피부괴사 소견

은 부위는 괴사조직으로 변하게 된다(**그림 39-7**).

이마 필러 시술 24시간 후, 홍반, 작은 농포가 보인다(**그림 39-8**).

코 필러 시술 후 발생한 합병증 3일째, 홍반, 농포, 국소적 피부괴사가 같이 나타나고 있다(**그림 39-9**).

(3) 피부괴사의 치료

일단 피부괴사가 의심되면 바로 치료에 들어가야 한다. 피부괴사는 기전에 따라 즉각적으로 나타날 수도 있고 시술 후 2~3일 정도 지난 후에 나타날 수도 있다. 시술 중 또는 시술 후에 피부가 창백해진다든지(blanching), 표재성 피부색깔이 그물모양처럼 얼룩덜룩하게 변한다든지(livedo reticularis), 피부의 색깔이 변한다든지(blue or grey-blue change), 피부에 농포나 포진의 양상(vesicle, pustule, herpes)을 띨 때는 즉각적으로 치료를 시작해야 한다.

① 감압치료(decompression)

피부괴사의 대부분이 주변의 혈관이 눌려 생기는 것이므로 무엇보다도 빠른 감압치료가 우선이다. 빠른 감압치료가 가장 중요하며 예후에 결정적인 영향을 미치게 된다.

히알루론산(hyaluronic acid) 필러의 경우에는 즉각적으로 고용량 히알루로니다제(hyaluronidase)를 사용한다. 괴사는 급박한 상황이므로 허혈성 조직의 볼륨에 따라 충분한 용량의 히알루로니다제를 주사한다. 동물실험에서도 히알루로니다제의 4시간 이내의 초기 주사가 24시간 이후의 지연 주사 또는 치료하지 않은 대조군에 비해 괴사부위의 크기를 현저히 감소시켰다. 고용량에 대해서는 이견이 있지만 일반적으로 피부의 3~4 cm마다 200 U의 사용을 권고한다. 하지만 급박한 상황에서는 히알루로니다제 한 바이알(대부분 한 바이알은 1,500 unit)에 생리식염수 또는 리도카인 1~2 cc를 믹스하여 해당부위에 충분히 주사해 준다. 마사지를 통해 주입된 필러를 펴주어 히알루로니다제와 만나는 표면적을 넓게 해주는 것이 좋고 히알루로니다제가 혈관벽을 통하여 혈관 내로 흡수된다는 여러 보고들이 있으므로 혈관성 폐색의 경우에도 주변부에 충분한 히알루로니다제를 주사하는 것이 도움이 된다. 리도카인이 혈관 확장을 유도하므로 괴사시 히알루로니다제를 주사할 때 리도카인으로 희석하는 것을 선호한다. 1시간 이내에 개선이 보이지 않으면 3~4번 반복 주입한다.

히알루론산 필러가 아닌 경우에는 즉각적으로 16~18 G 등으로 구멍으로 내고 배출시키거나 주사기 등으로 흡인하여 필러를 최대한 빨리 제거하여 감압한다.

② 상처 및 감염관리 (wound dressing and infection control)

피부괴사가 진행된 경우는 지속적으로 상처를 관

표 39-3. 혈행이 도움이 되는 여러 가지 치료요법

니트로 글리세린 연고 **Nitroglycerin paste 2%**	1일 2~3번	혈관확장 작용	두통, 어지러움, 기립성 저혈압 가능 가능한 환자가 누워있는 자세에서 처치
경구 스테로이드 복용 **Oral Prednisone**	초기 3~5일간 하루 20~40 mg	염증요인 감소	병변부위 부종감소
경구 아스피린 복용 **Aspirin 325 mg**	초기 3~7일간 1일 1~2회 1회 325 mg 복용	혈액의 viscosity 감소	제산제를 같이 처방
실데나필 복용 **Sildenafil (Viagra®) 50 mg**	초기 3~5일간 하루 50 mg	혈관확장	심장질환자등 사용금지
정맥 프로스타글란딘 주사 **PEG1 IV Vasodilator**	500 cc Normal Saline에 희석하여 정맥주사, 3~5일간 사용	혈관확장	혈관확장으로 인한 두통
고압산소치료 **Hyperbaric oxygen therapy**	상처가 회복될 때까지 하루 1~2회	조직으로의 산소공급 증가	보조적 치료로 사용

리하는 것이 매우 중요하다. 일반적으로 성형외과에서 상처를 관리하듯이 관리하면 되나 필러 주사 후에 오는 피부괴사의 특징을 이해하는 것이 필요하다. 상처관리와 감염관리가 궁극적으로 남는 흉터의 정도를 결정하므로 매우 중요하다고 하겠다.

필러 시술 후에 오는 피부괴사의 증상으로 생기는 농포는 적극적으로 제거하고 배농해 주어야 한다. 일반적으로 농포는 2~4일째 많이 생기므로 그 사이에는 하루에 두 번 정도 배농하는 것이 좋고 농포가 사라지는 5~7일째부터는 지속적으로 상처에 맞는 드레싱을 한다. 농포가 생기지 않는 시기인 일주일 정도 지난 후 부터는 하루에 한 번 드레싱을 한다. 완전히 회복 불능한 괴사조직이 있으면 그 부위만 적절하게 최소한의 변연절제술을 한다. 일반적으로 가피가 생기지 않도록 습윤드레싱, 또는 연고처치를 하며 치유가 완료될 때까지 가피가 생기지 않도록 방지하고 감염을 방지하기 위해 상처를 오픈하지 않고 폐쇄성 드레싱으로 하지만 짓물 등이 배농되지 않는 여러 제품들의 치료는 권장되지 않는다. 항생제는 즉각 처방하여 염증에 대비한다.

상처가 나아도 염증후색소침착(Post inflam-matory hyperpigmentation, PIH)을 예방하기 위해 자외선의 차단을 6개월간 유지하도록 노력한다.

결과적으로는 이 모든 과정은 마지막에 흉터가 생기지 않도록 하거나 최소화시키는 데 목적을 두는 것이며 상황에 맞게 적극적으로 드레싱하고 감염관리를 하는 것이 중요하다.

③ 그 외 혈행이 도움이 되는 치료

피부괴사의 가장 큰 치료의 원칙은 감압, 상처 관리(드레싱)와 감염의 관리이다. 이것이 가장 중요하며 이 이후의 여러 가지의 치료들은 이 세가지 치료에 도움이 되는 방법들이므로 적용가능한 부분들은 같이 적용해 주면 도움이 된다.

혈행에 도움이 되는 여러 가지 치료가 다음과 같이 가능하다(**표 39-3**).

그 외에 피부괴사 후 조직재생에 도움이 되는 여러 성장인자(growth factor)나 줄기세포 시술들을 시도할 수 있다. 현재 제품화되어서 나오는 EGF, PDRN 등을 도포하거나 주사할 수 있고 지방유래 줄기세포 등을 사용하여 상처나 흉터에 도움을 줄 수도 있다. 하지만 이런 치료들은 초기에는 또다른 손상과 압력의 상승을 유도할 수 있으므로 초기 급성기 때는 사용하지 않도록 주의하고

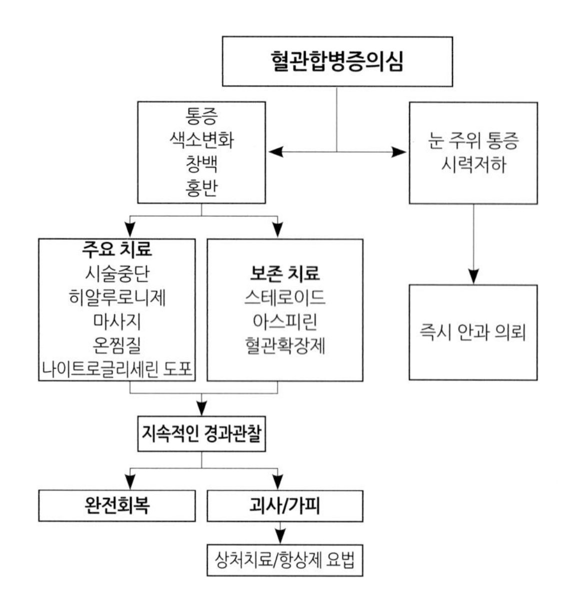

그림 39-10. 필러의 혈관합병증 의심시 권장되는 일반적인 protocol

초기에는 괴사나 감염부위에 직접 주사하지 않도록 한다 (그림 39-10).

(4) 피부괴사 예방법

원칙적으로 피부괴사 합병증의 가능성이 전혀 없는 시술부위와 절대적으로 안전한 시술방법은 없다. 하지만 해부학이나 괴사기전 등에 대해 충분한 숙지가 되어 있는 경우에 피부괴사의 확률을 더욱 줄일 수 있다.

① Blunt cannula 사용

어떤 주사방법도 절대적인 안전을 보장하지는 않지만 바늘보다는 캐뉼라(cannula) 사용은 혈관합병증에 대한 예방법으로 제시되어 있다. 캐뉼라 사용시 혈관손상의 가능성은 낮아진다. 하지만, 얇은 캐뉼라는 혈관손상의 가능성이 높다는 것을 주의해야 한다. 캐뉼라는 끝이 뭉툭하므로, 시술부위가 굴곡이 있는 경우 시술하는 층이 바뀔 수 있어 의도하지 않은 안전하지 않은 층에 필러가 주입될 수 있다.

② 최대한 낮은 압력으로 주사(low pressure technique), 후진 주입 주사법(retrograde technique)

시술을 할 때 주사압력을 줄이는 것은 매우 중요하다. 최소한의 압력으로 주사하면 필러가 혈관으로 역류할 가능성이 낮아지고 주위조직을 압박할 가능성도 낮아진다. Cannula나 Needle이 전진하면서 필러를 주입하면 필러의 양의 조절이 어려울 뿐 아니라 압력이 증가하여 위험성이 더욱 높아져 뒤로 빼면서 천천히 주사하는 것이 중요하다.

③ 작은 용량(0.1 ml이하)으로 나누어 주사, 작은 실린지 사용, cannula나 Needle의 내경을 고려

큰 실린지의 사용은 주입되는 필러의 양을 시술자가 쉽게 조절하기 어려워 의도하지 않게 과도한 양의 필러가 한 번에 높은 압력으로 주입될 수 있다. 주로 1 cc 실린지에 필러들이 제품화되어서 나와 1 cc로 주로 시술을 한다. 하지만 2-3 cc로 제품화되어 있거나 다른 성분들을 희석해서 사용하는 경우 2-3 cc 실린지를 사용하는 경우가 있는데 이 경우 더욱 압력을 적게 주입하도록 조심해서 사용하거나 1 cc 실린지에 소분하여 사용하는 것도 고려해 볼 수 있다. 또한 주사를 소량으로 나누어서 시술하면 압박의 정도가 감소하여 혈관손상의 위험을 줄일 수 있다. 한 번에 같은 공간에 너무 많은 필러가 주사되면 주변조직에 압박으로 혈관성 합병증의 발생비율을 높인다. Cannula나 Needle의 내경이 너무 작으면 마찬가지로 압력이 높아져서 혈관내 주입의 가능성이 높아진다.

④ 흡인(aspiration, regurgitation)

흡인하여 혈액이 보이는 경우는 혈관손상의 명백한 증거가 되지만, 필러 시술중 cannula나 Needle 내에 필러가 들어 있는 경우는 혈관손상이 있는 경우라하더라도 혈액이 흘러 들어오지 않는다. 또

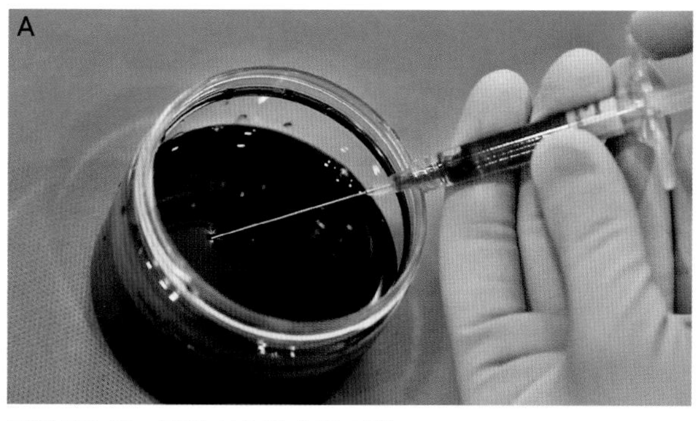

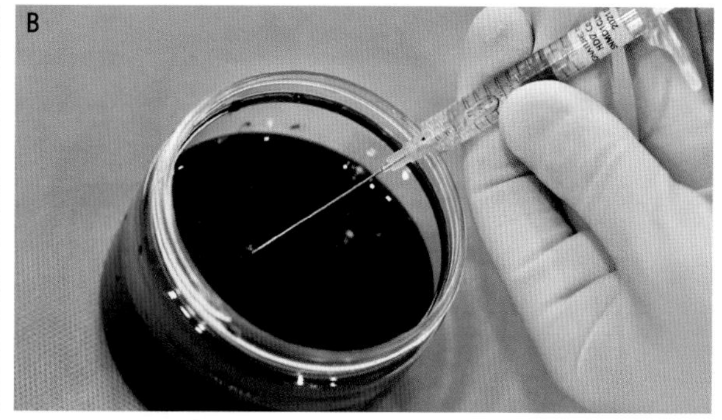

그림 39-11. 필러 시술의 흡인 시험
A. Cannula나 Needle의 관내에 필러가 들어 있지 않는 경우는 관의 직경과 관계없이 흡인됨을 볼 수 있다. B. Cannula나 Needle의 관내에 필러가 들어있는 경우는 흡인이 되지 않는 것을 볼 수 있다.

한 혈관주위가 압박되는 것을 흡인으로 확인하지는 못한다(**그림 39-11**).

⑤ **위험부위의 혈관 주행경로 파악과 해부학적 이해**

이마, 미간, 코, 팔자주름 부위 시술 시 주요한 혈관이 지나가는 층을 피해 시술하는 것이 필요하다. 개인에 따른 해부학적 변이가 많음을 인지해야 한다. 또한 이전의 외상이나 수술한 부위의 시술은 피하거나 극히 주의해서 시술해야 한다.

⑥ **녹일 수 있는 히알루론산 필러를 사용하는 것이 안전하다.**

피부괴사 같은 혈관성 합병증은 조기발견이 중요하고 조기치료가 중요하다. 시술 전에 미리 사진을 찍어놓아서 원래 있던 붉음증 등과 구분이 되어야 한다. 환자에게 혈관성 합병증의 증상, 특히 갑작스런 심한 부기나 동통, 농포, 그물모양의 붉은 선, 피부의 색깔변화 등이 나타나는 경우에 최대한 빠른 시간에 시술병원으로 연락하라고 교육하고 응급연락채널을 확보해 주어야 한다. 시술에 특별한 부분이 없었더라도 피부괴사의 증상이 올 수 있는 다음날 환자에게 전화 등으로 증상이 있는지 적극적으로 물어보고 증상을 호소하는 환자는 여러 가지 채널로 사진을 받아서 시술자가 직접 사진을 확인하여 내원여부를 결정하는 것이 중요하다. 필러의 혈관성 합병증에 대해 전체 의료인과 의료보조인력들에 대해 충분한 교육이 이루어져 있어야 환자의 증상을 놓치지 않고 즉각적인 대응에 도움이 된다. 또한 시술 시 혈관문제가 발생했을 때 즉각적으로 대응할 수 있도록 피부혈관합병증용 응급키트(emergency kit)를 준비해 놓아야 한다. 응급키트에는 히알루로니다제, 리도카인, 니트로글리세린연고, 경구용 스테로이드와 아스피린, 실데나필, 정맥 프로스타글란딘주사, 수액세트, 주사기, 일회용 알코올솜, 거즈 등으로 구성하여 구비해 놓는다. 혈관성 합병증인 피부괴사를 완벽히 예방하거나 막을 수는 없으나 필러를 시술하는 성형외과에서는 발생확률을 최소화시키고 발생 시 그 합병증이 최소화되도록 미리 준비해 놓는 자세가 매우 중요하다고 본다.

2) 실명

실명은 필러의 부작용 중에 가장 심각한 합병증으로 실명의 합병증은 시술자나 환자 모두에게 너무나 치명적이며 엄청난 심리적 충격을 받을 수밖에는 없다. 하지만 불행이도 필러의 시술이 늘어나고 있음에 따라 실명 합병증도 발생건수가 늘어나고 있다. 완벽하게 혈관합병증을 막을 수 있는 방법은 없다. 실명도 마찬가지이다. 하지만 불가항력적인 경우는 어쩔 수 없다고 하더라도 기전

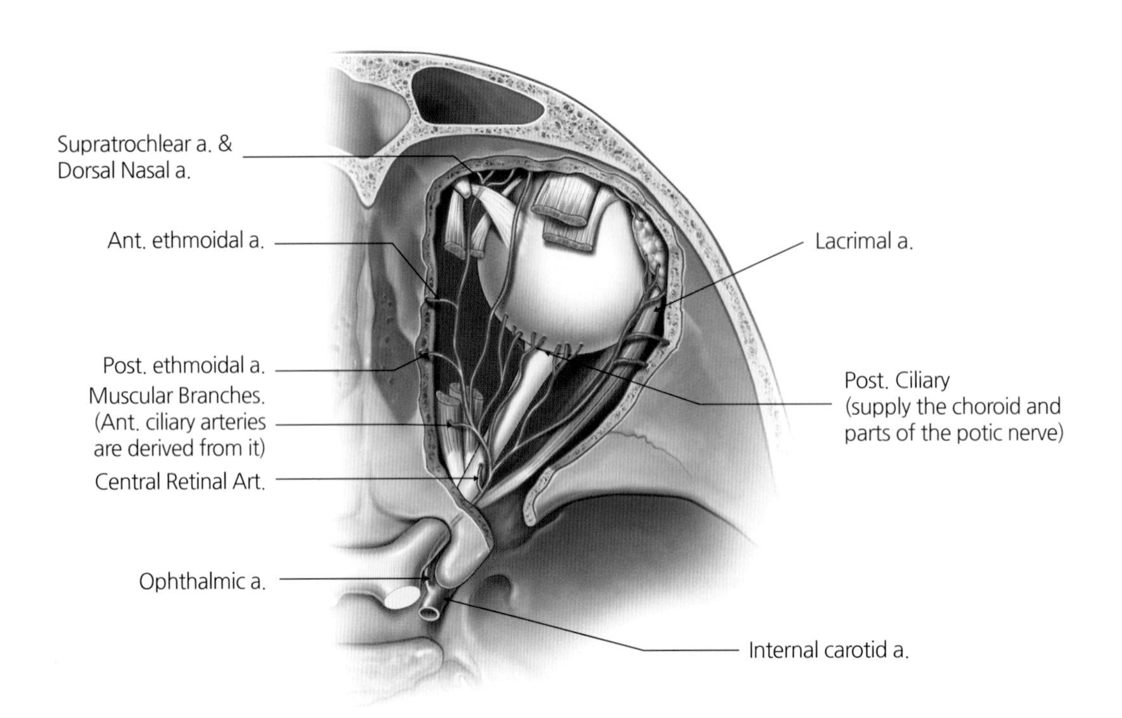

그림 39-12. Branches of ophthalmic artery

을 이해하여 예방적 방법을 시행하여 확률을 줄일 수 있는 것도 사실이다. 너무나 치명적인 부작용이므로 조금의 확률이라도 낮출 수 있도록 충분한 개념의 이해가 필요할 것으로 생각된다.

(1) 실명의 기전과 증상

필러 시술 후에 실명이 오는 이유는 안동맥(ophthalmic artery) 또는 망막동맥(retinal artery)이 필러에 의해 폐쇄되기 때문이다. 안동맥(ophthalmic artery)은 internal carotid artery와 연결되어 있다. Internal carotid artery로 필러가 들어가서 폐쇄되면 뇌경색(cerebral infarction)이 발생할 수 있다.

ophthalmic artery도 여러 분지를 내는데 시력감소의 정도나 동반증상은 어떤 위치에서 어떤 분지가 막혔는가에 따라 달라진다(**그림 39-12**).

실명이 일어나는 경우는 주사한 필러가 동맥의 압력을 넘어서 타고 들어가서 폐쇄되는 것이므로 안구에 인접하거나 높은 압력으로 주입 시 발생가능성이 높아진다. 임상적으로 실명발생에 유의한 혈관은 주로 supratrochlear artery, supraorbital artery, dorsal nasal artery, angular artery 등이다(**그림 39-13**).

이마필러, 코필러, 팔자주름 필러 시술시 위의 혈관들을 통해 ophthalmic artery로 필러가 들어가 혈관이 막히는 경우 실명들의 안과적 증상이 나타날 수 있다. 혈관성 합병증 주사 즉시 또는 수분이내 안구의 극심한 통증과 시력의 소실이 동반된다. 그 외 혈관이 막히는 부위에 따라 시야결손, 눈꺼풀 처짐, 사시, 안구운동장애 등의 다양한 안과적 증상 및 피부괴사증상, 뇌경색의 증상 등을 동반할 수 있다.

지방, 히알루론산 필러, 콜라겐 필러, 파라핀, PMMA 필러, PLLA 필러, CaHA 필러 등 모든 주입물질이 실명의 원인이 될 수 있다(**그림 39-14**). 지방이나 히알루론산 필러(HA)가 더 많이 발생하는 것은 사용빈도가 높기 때문이다. 어떤 필러도 실명을 유발할 수 있으며 과거에는

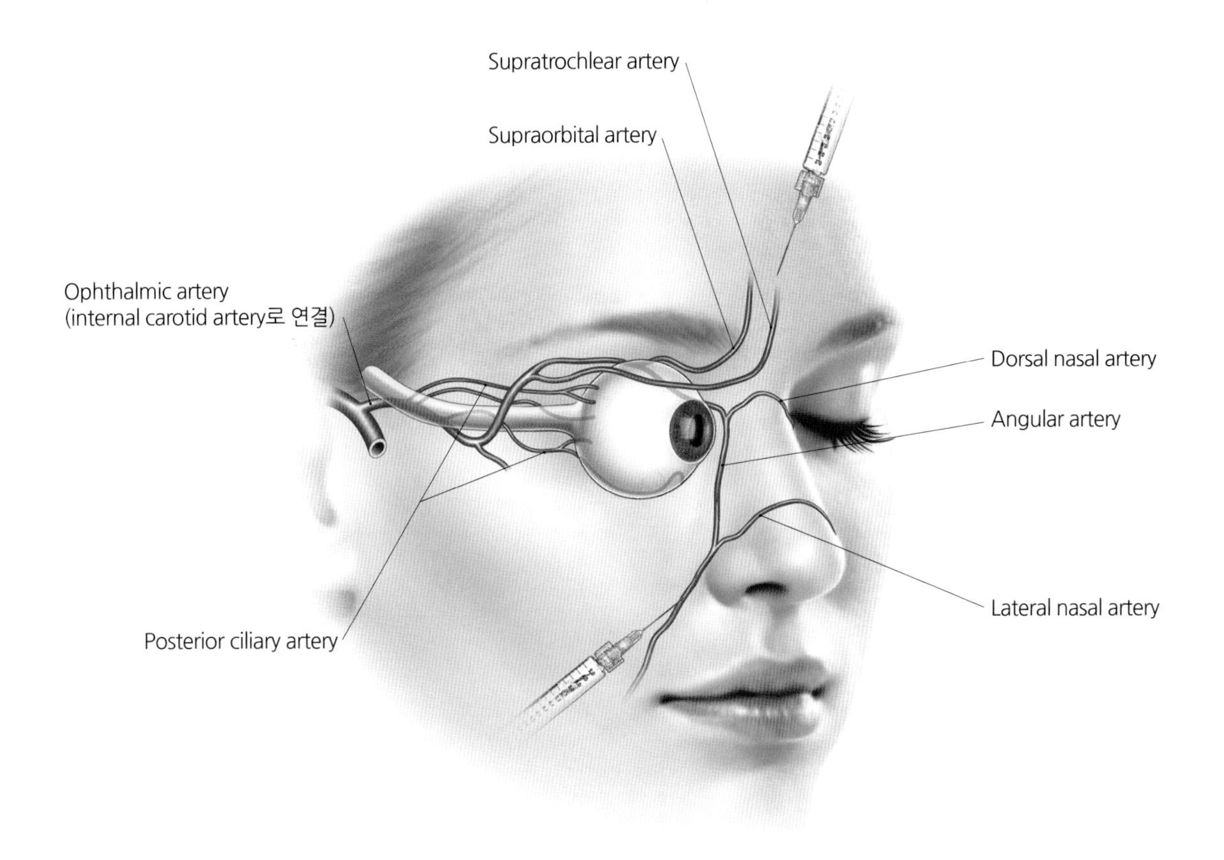

그림 39-13. 주입된 필러물질이 ophthalmic artery와 retinal artery를 폐쇄하여 실명을 일으키는 임상적인 모식도. Supratrochlear artery, supraorbital artery, dorsal nasal artery, angular artery 등을 유의해야 한다.

지방이식의 빈도가 더 많아서 필러의 빈도보다 높았다고 볼 수 있으며 필러는 히알루론산 필러가 가장 많이 사용되므로 가장 높은 빈도로 나온 것이다.

KATIE 등은 2015년 까지 문헌에 나온 실명 사례들을 모아 필러가 주입된 해부학적 위치를 분석하였다. 주사된 필러 재료가 동맥으로 들어가 문제를 일으킬 수 있으므로 어느 위치도 안전하지는 않지만 대부분은 안동맥(ophthalmic artery)의 위험지역에 있는 미간(glabella), 코(nose), 팔자주름(nasolabial fold) 등이 많이 포함되었다 **(그림 39-15)**.

(2) 예방

실명은 한번 일어나면 돌이킬 수 없는 합병증이고 환자나 시술자 모두에게 너무나 불행하고 치명적인 합병증이다. 실명을 완벽하게 피할 수는 없지만 여러가지 예방법으로 확률을 줄일 수 있다면 그 예방법을 숙지하고 항상 실행하는 것이 필요하다.

실명의 예방법은 다음과 같다.

1) 해부학, 특히 안면혈관의 위치와 깊이에 대해 충분히 숙지하고 주입의 적절한 깊이와 위치를 파악한다.
2) 필러 주사시 최소압력으로 주사한다. 실제 적용 가능한 가장 중요한 예방법이다. 필러재료의 혈관으로의 이동은 직접적으로 혈관으로 주사하는 경우도 있지만 찢어진 혈관으로 주사하는 필러재료가 들어가거나 강한 압력으로 밀려 들어가는 경우들이 있

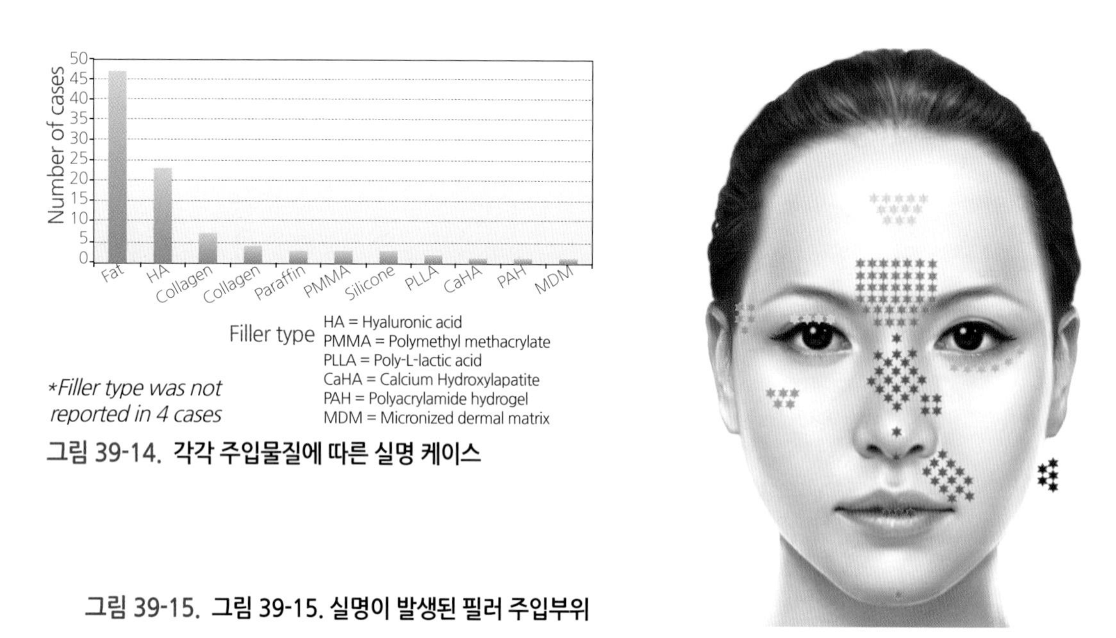

그림 39-14. 각각 주입물질에 따른 실명 케이스

그림 39-15. 그림 39-15. 실명이 발생된 필러 주입부위

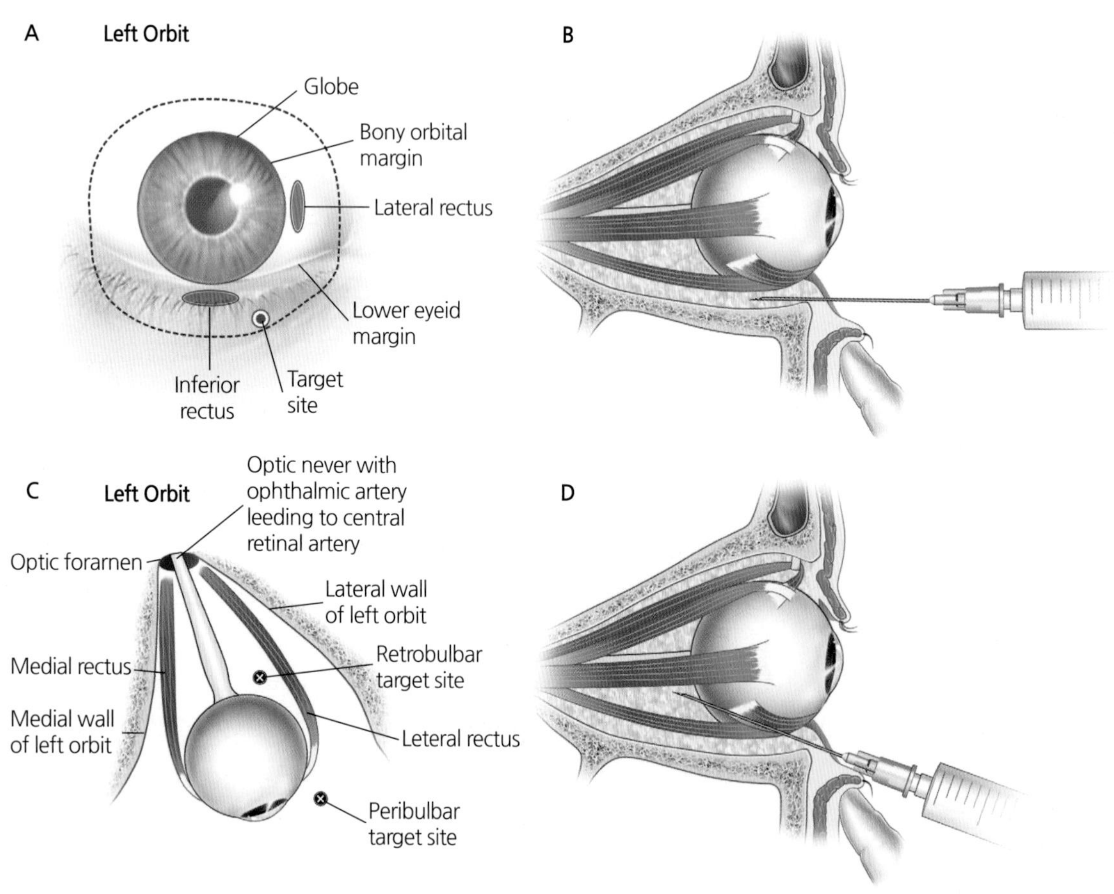

그림 39-16. Anatomy and Retro or Peribular injection technique

A. Anterior view of globe. Target site는 lateral and inferior 쪽에 위치한다. B. 림의 Target site로의 injection은 transcutaneous 또는 transconjunctival approach할 수 있다. C. Axial view. Retrobular target site와 Peribular target site를 보여준다. D. 아랫쪽으로 들어갔다가 각도를 바꾸어 retrobular space로 apprach한다.

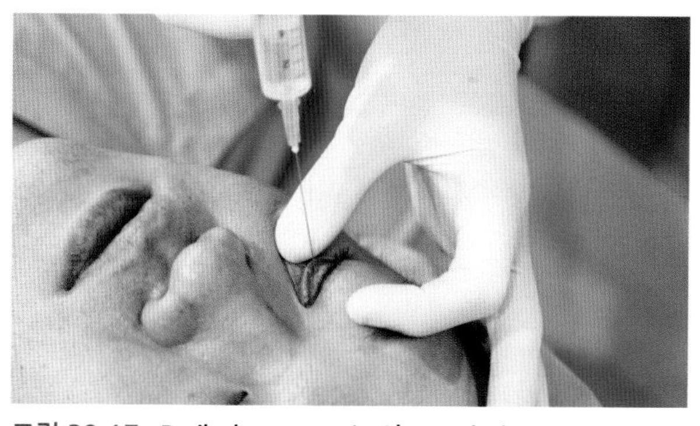
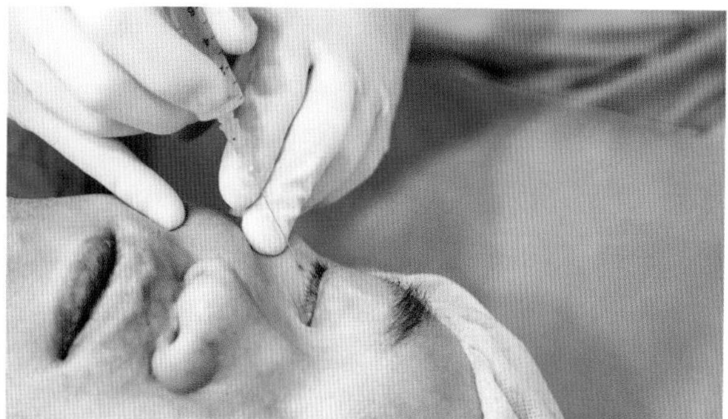

그림 39-17. Peribular target site와 Retrobular approach
Lateral 1/4 지점(center of lid와 lateral lid의 중간위치)에서 약 9 mm 하방에서 approach하는 그림과 transconjunctival approach하는 그림.

으므로 압력은 매우 중요하다. 주사압력은 시술자의 누르는 힘과, 실린지의 직경, cannula나 needle의 직경에 의해 결정된다. 시술자는 최대한 낮은 압력으로 시술하고 전진하는 압력과 필러재료가 주입되는 압력이 합해지지 않도록 멈춘 상태나 후진하면서 필러 재료를 주입하여야 한다. 사용하는 cannula나 needle의 직경은 너무 좁은 것으로 사용하지 않도록 하며 실린지는 작은 실린지(주로 1 cc)를 사용하도록 한다.

3) 한 번에 주사하는 양을 최소화한다.
4) 가능한 cannula 사용을 고려한다. cannula도 완벽히 이를 예방할 수는 없으나 너무 가늘지 않는 blunt cannula는 혈관합병증의 빈도를 낮춘다.
5) 이전에 수술을 받은 부위나 시술을 여러 차례 받은 부위는 더욱 주의하여 시술한다.
6) 주사전에 흡입은 해본다. 하지만 필러시술 중 cannula나 needle의 관의 내부에 필러가 들어 있는 경우 흡입되지 않는 경우가 대부분이어서 참고로만 한다.

(3) 치료

안구동맥의 폐쇄는 90분 이내에 치료되어야 영구적인 시력손상을 방지할 수 있다. 안구동맥의 폐쇄로 인한 망막허혈증이 발생하면 시력손상은 돌이킬 수 없다. 따라서 즉각적인 치료가 매우 중요하다. 모든 문헌들이 안과 전문의에게 전원을 하는 것을 권유하고 있지만 이 짧은 시간에 전원하여 즉각적으로 치료한다는 것은 매우 어려운 일이다. 그럼에도 불구하고 환자의 즉각적 전원과 안과 전문의에 의한 안과 검진은 필수적이다. 현실적으로 성형외과 진료실 내에서 할 수 있는 모든 처치를 하면서 동시에 응급구조대를 부르고 3차병원의 안과전문의에게 연락을 취하여 전원하는 것이 중요하다.

1) 필러 주사 중에 환자가 안구의 통증이 있거나 시력의 변화 등 안과적 증상이 있는 경우 주사를 즉각 중단한다. Pupil의 light reflex를 바로 확인하고 즉시 연락가능한 안과전문의에게 연락하며 119 등을 불러 즉각적 전원을 하도록 준비한다.
2) 히알루론산 필러의 경우 고용량 히알루로니다제를 안구주위(peribulbar) 또는 안구후부(retrobulbar)에 주사한다. 최소 25 G바늘로 500 I.U의 용량의 주입으로 문헌들에 나와 있지만 응급상황이므로 보통 한 바이알이 1,500 I.U. 인데 3~8 ml의 생리식염수나 리도카인을 믹스하여 전체를 충분히 주사하는 것이 좋다. 주사가 접근되는 표면부위는 통증의 감소를 위해 리도카인을 소량 주사하여도 된다. 이 때 안와의 하단 사분면들이 혈관이 적기 때문에 눈 뒤쪽 주입에 가장 안전한 접근경로 이다(**그림 39-16, 17**). 히알루로니다제는 직접혈관에 주사되지 않더라

도 폐색된 혈관에 인접하여 주사하여도 혈관 내의 히알루론산 필러를 용해할 수 있다고 알려져 있으므로 주변으로 충분히 주사한다.

3) 안압의 감소: 전방천자(anterior chamber paracentesis), 국소 안압강하 점안액, 안구 마사지, IV mannitol, acetazolamide(이뇨제) 등의 치료를 고려할 수 있다.

4) 전신 또는 국소 steroid 치료, 고압산소 치료를 고려할 수 있다.

5) 실명의 기전에서 보았듯이 실명은 신경학적 합병증이 동반되는 경우가 있으므로 실명에 대해 전원하여 치료함과 동시 또는 실명치료 이후에 두부 CT, MRI등의 영상촬영이 필요할 수 있고 신경과 전문의에게의 의뢰와 협진이 필요하다.

교과서나 문헌에 나와 있는 치료방식을 모두 따라하기는 어렵고 문헌에는 기록이 되어 있지만 크게 의미 없는 치료를 시도하다가 시간을 지체하는 것은 실명의 위험을 더욱 높일 뿐이다. 현실적으로 성형외과에서 실명 합병증에 대응할 수 있는 방법은 아래와 같다.

평상시에 응급 키트를 만들어 실명이 의심되는 합병증이 있을 때 사용할 수 있는 여러 약들을 모아 놓고 주변의 연락 가능하고 평소에 필러 합병증으로의 실명에 대해 같이 협의한 안과전문의들과 상급의료기 응급실등의 번호를 붙여 놓아 전직원과 의료진을 119에 전화 후 바로 연락을 취할 수 있도록 교육한다.

키트에는 안과전문의 이름과 전화번호, 해당 의료기관의 안과 외래 전화번호, 해당의료기관의 응급실 전화번호를 써 놓는다.

키트에 담겨질 것들로는 다음과 같은 것들이 추천된다.

① 국소안압강하점안액(녹내장에 사용되는 점안제, ZALACOM® eye drop 등)

② 이뇨제(Acetazolamide 500 mg, ZOLADIN® 등, 동결건조 분말로 되어 있으며 5 ml의 멸균 정제수로 혼합하여 정맥 주사한다)

③ 정맥 주사 가능한 Steroid 제제

④ 히알루로니다제 2 vial

⑤ 히알루로니다제와 믹스할 리도카인 도는 생리식염수

⑥ 다른 주사제(이뇨제 등) 과 혼합할 멸균증류수

⑦ 실린지 3 cc, 5 cc 3개씩정도

⑧ 수액세트, 500 ml 생리식염수 팩, iv라인 확보에 필요한 카테타 등

⑨ Mannitol

위에서 설명한 대로 주사중단, light reflex를 바로 확인후 즉각적으로 연락가능한 안과전문의에게 연락함과 동시에 119등을 불러 안과전문의가 있는 상급의료기관으로 즉각적 전원을 하도록 준비한다. 응급차가 오는 동안 안압강하제 안약을 사용하고, 가능한 빨리 정맥라인을 확보하고 이뇨제, steroid 제제를 준다. 그것보다 더 빨리 해야 할 것은 고용량 히알루로니다제를 안구후부 또는 안구주위에 직접 주사하는 것이다. 90분 이내에 안과 전문의의 고용량 히알루로니다제 주사의 도움을 얻을 수 없는 경우에 진료실 내에서 바로 이어지는 것이 좋다고 생각한다. 주사로 인한 일부 합병증이 있을 수 있으나 너무나 비상사태이고 골든타임을 놓치는 경우 실명은 돌이킬 수 없기 때문에 알려져 있는 문헌과 주사 동영상 등을 충분히 미리 숙지하고 그 방법과 사진 등을 키트에 넣어 놓아 응급상황에서 볼 수있도록 하는 것이 좋겠다. 관련 문헌 내용을 숙지하고 동영상들을 보다 보면 주사를 하는 것이 크게 어렵게 느껴지지 않을 수 있다.

실명의 경우 본질적으로 시간이 중요한데 미리 연습이 되어 있어 우왕좌왕하여 시간을 허비하지 않는 것이 제일 중요하다.

미리 실명에 대한 대처법 등을 같이 협의해 놓는 안과 전문의의 확보가 중요하며 응급상황을 대비하여 2인이

상의 안과전문의와 협의되어 있는 것이 좋겠다. 또한 신경계의 증상 등을 동반할 수 있으므로 종합병원이나 대학병원으로의 전원이 좋다. 실명을 대비한 응급키트를 만들어 전직원과 의료진이 교육되어 있고 히알루론산 필러를 사용한 경우 고용량 히알루로니다제를 안구주변으로 주사하고 정맥확보를 하고 안압을 낮출 수 있는 준비되어 있는 안약의 점안, 안압강하를 위한 주사(이뇨제, mannitol), steroid 주사를 하고 즉시 안과전문의가 있는 상급병원으로 이송한다면 사실 필러 시술을 하는 일차 의료기관으로서 할 수 있는 부분들은 모두 시행하는 것이다.

상기의 처치가 일차의료기관에서 실명에 대비하여 할 수 있는 주요 대처방법으로 보인다.

참고문헌

1. Cohen JL, Biesman BS, Dayan SH, et al. Treatment of hyaluronic acid filler-induced impending necrosis with hyaluronidase : Consensus recommen0dations. Aesthet Surg J. 2015;35:844-849
2. Sun ZS, Zhu GZ, Wang HB. et al. Clinical outcomes of impending nasal skin necrosis related to nose and nasolabial fold augmentation with hyal-uronic acid fillers. PPPlast Reconstr Surg. 2015;136(4):434e-441e.
3. Ozturk CN, Li Y, Tung R, Parker L, Piliang MP, Zins JE. Complications following injection of soft-tissue fillers. Aesthet Surg J. 2013;33:862-877.
4. DeLorenzi C. Complications of injectable fillers, part 2: Vascular complications. Aesthet Surg J. 2014;34:584-600.
5. CARRUTHERS, Jean DA, et al. Blindness caused by cosmetic filler injection: a review of cause and therapy. Plast Reconstr Surg. 2014,134.6:1197-1201.
6. ZHU, Guo-Zhang, et al. Efficacy of Retrobulbar hyaluronidase Injection for Vision Loss Resulting from Hyaluronic Acid Filler Embolization. Aesthet. Surg. J. 2017, sjw216.
7. LAZZERI, Davide, et al. Blindness following cosmetic injections of the face. Plastic and reconstructive surgery, 2012, 129.4: 995-1012.
8. RZANY, Berthold; DELORENZI, Claudio. Understanding, avoiding, and managing severe filler complications. Plastic and reconstructive surgery, 2015, 136.5S:196S-203S.
9. BELEZNAY, Katie, et al. Avoiding and treating blindness from fillers: a review of the world literature. Dermatologic Surgery, 2015, 41.10:1097-1117.
10. SCHEUER III, Jack F.,et al. Facial Danger Zones; Techniques to Maximize Safety During Soft-Tissue Filler Injections. Plastic and reconstructive surgery, 2017, 139.5:113-1108.
11. Carruthers J, et al. Retro or PeriBulbar Injection Techniques to Reverse Visual Loss After Filler Injections. Dermatol Surg 2015;41:S354-S357.
12. Cohen E, et al. A case report of ophthalmic artery emboli secondary to Calcium Hydroxylapatite filler injection for nose augmentation-long-term outcome. BMC Ophthalmol 2016;16:98-103.
13. Fagien S. Commentary on a Rethink on Hyaluronidase Injection, Intra-arterial Injection and Blindness. Dermatol Surg 2016;42:549-52.
14. Goodman GJ, et al. A Rethink on Hyaluronidase Injection, Intraarterial Injection, and Blindness: Is There Another Option for Treatment of Retinal Artery Embolism Caused by Intraarterial Injection of Hyaluronic Acid? Dermatol Surg 2016;42:547-9
15. Hwang CJ. Periorbital Injectables: Understanding and Avoiding Complications. J Cutan Aesthet Surg. 2016;9(2):73-9.
16. Carruthers JD, et al. Blindness caused by cosmetic filler injection: a review of cause and therapy. Plast Reconstr Surg 2014;134(6):1197-201.
17. Lazzeri D, et al. Blindness following cosmetic injection of the face. Plast Reconstr Surg 2012;129(4):995-1012.
18. Park KH, et al. Iatrogenic occlusion of the ophthalmic artery after cosmetic facial filler injections: a national survey by the korean retina society. JAMA Ophthalmol 2014;132(6):714-23.
19. Zhu GZ, et al. Efficacy of retrobulbar hyaluronidase injection for vision loss resulting from hyaluronic acid filler embolization. Aesthet Surg J 2017 Jan 20 [Epub ahead of print]
20. 이수근, 보톡스와 필러의 정석, 한미의학, 2018.
21. 고익수, 필러부작용, 일조각, 2015.

찾아보기

INDEX

국문

ㄱ

ㄴ

ㅅ

ㅇ

ㅈ

ㅊ

ㅋ

ㅌ

ㅍ

ㅎ

영 문

A

B

C

D

E

F

G

H

I

J

K

L

M

N

O

P

R

S